ТОЛКОВЫЙ СЛОВАРЬ

по ВЫЧИСЛИТЕЛЬНЫМ системам

Под редакцией
В. Иллингуорта, Э.Л. Глейзера, И.К. Пайла

Перевод с английского
А.К. Белоцкого, Ю.Н. Плахтия, А.Л. Семенова,
канд. экон. наук Л.Б. Юсуфовича

Под редакцией
канд. техн. наук Е.К. Масловского

Москва
Машиностроение
1991

ББК 32.97я2 + 81.2 Англ-4
   Т52
УДК 681.3 (038)-00 = 20 = 82

Толковый словарь по вычислительным системам/Под ред.
Т52 В. Иллингуорта и др.: Пер. с англ. А. К. Белоцкого и др.;
Под ред. Е. К. Масловского. — М.: Машиностроение,
1991. — 560 с.: ил.
ISBN 5-217-00617-X

    В предлагаемом словаре-справочнике издательства «Оксфорд юниверсити пресс» (Великобритания) собрано более 4 тыс. наиболее употребительных терминов по алгоритмам, языкам и способам программирования, базам данных, операционным системам, архитектуре ЭВМ, аппаратным средствам, обработке информации и др. Каждый термин приводится на английском и русском языках, после чего следует его описание. В конце словаря помещен указатель русских терминов.
    Для инженеров — пользователей вычислительной техники, занятых автоматизацией проектирования и производства.

Т $\dfrac{2404000000-636}{038\,(01)-91}$ 36—89

ББК 32.97я2 + 81.2 Англ-4

ПРЕДИСЛОВИЕ РЕДАКТОРА ПЕРЕВОДА

За последние 10 лет англо-русские словари по вычислительной технике выходили у нас в стране примерно 10 раз, но общий их тираж составил всего лишь около 300 тыс. экземпляров. В условиях все возрастающего внимания к средствам вычислительной техники и информационной технологии такой тираж (в среднем 30 тыс. в год) явно не может удовлетворить растущего спроса, в связи с чем выход любого нового словаря по этой отрасли знаний встречается специалистами, работающими с англоязычной литературой (а их миллионы), с большим интересом.

Особенно важную роль играют в таких условиях толковые словари, помогающие навести элементарный порядок в сфере терминологии, которая формируется у нас и за рубежом далеко не синхронно. Бывает так, что истинный смысл того или иного термина, появившегося, скажем, в англоязычной технической документации по ЭВМ, получает свой правильный русский эквивалент с опозданием на пять и более лет. (Примерами могут служить термины requirements engineering, computer-aided engineering, knowledge engineering, до сих пор находящиеся в фазе «развития»). Недостаточное внимание к толковым словарям уже привело к засорению русского языка огромным числом «переводизмов», которые вынуждены порою вводить недостаточно квалифицированные переводчики, первыми получающие доступ к «закрытой» фирменной документации и не успевающие проявить творческий подход к терминологии в условиях острого дефицита времени на «адаптацию» технических средств. Именно так пришли к нам термины «реентерабельность», «интерливинг», «зуминг», «хелп» и т. п.

В этом смысле безусловно важным событием был выход в 1987 г. «Англо-русского словаря по программированию и информатике» (авт. А. Б. Борковский). Новый словарь, который вы держите в руках, служит его логическим продолжением и обширным дополнением, хотя толкования некоторых терминов иногда не полностью идентичны. Это перевод второго издания английского словаря, выпущенного издательством Oxford University Press. В его составлении приняли участие около 50 специалистов, так что он носит в каком-то смысле энциклопедический характер. Именно это обстоятельство создало основные трудности при его переводе всего четырьмя переводчиками. При подборе русских эквивалентов новых терминов за основу были приняты выходившие у нас толковые словари, готовящееся пятое издание «Англо-русского словаря по вычислительной технике», «Математическая энциклопедия», отечественные монографии и устоявшаяся профессиональная терминология.

Предлагаемый русский перевод этого словаря будет, несомненно, полезен всем, кто разрабатывает, изучает, да и просто использует средства вычислительной техники, переводит современную техническую литературу или готовится стать квалифицированным специалистом, проходя вузовский курс обучения.

О пользовании словарем. Статьи в словаре расположены в алфавитном порядке английских терминов и пронумерованы. Соответствующие им русские термины набраны курсивом с отделением синонимов запятой, близких по смыслу слов — точкой с запятой, а сильно различающихся терминов — цифрами. Английские сокращения расшифрованы после тире, а через знак равенства приведены синонимы, толкование которых следует смотреть в этом словаре. В конце словаря дан указатель русских терминов с отсылкой на статью-толкование.

Е. К. Масловский

ПРЕДИСЛОВИЕ

Прогресс, достигнутый за последние несколько лет во всех аспектах вычислительной техники, включая теорию, технологию и приложения, привел к значительному расширению области применения компьютеров и росту числа их пользователей. По мере развития вычислительной техники и расширения масштабов ее применения расширялась и соответствующая терминология. Успех первого выпуска словаря Dictionary of Computing позволил опубликовать второе издание всего через три года после выхода в свет первого. В настоящем издании содержится более 4000 терминов, используемых в вычислительной технике и связанных с ней областях — электронике, математике и логике. В словаре отражены следующие аспекты вычислительных систем: алгоритмы и их свойства; языки программирования и принципы, положенные в их основу; методы разработки программ; структуры данных и файлов; операционные системы и принципы их построения; организация и архитектура ЭВМ; аппаратные средства ЭВМ, включая процессоры, запоминающие устройства и устройства ввода-вывода; сети ЭВМ; информатика; приложения и способы использования ЭВМ; основные фирмы — изготовители ЭВМ; правовые аспекты использования ЭВМ.

Словарные статьи написаны специалистами в соответствующих областях вычислительной техники. Приведенные термины перекрывают диапазон от основополагающих принципов и наиболее распространенных устройств до новейших теоретических концепций; некоторые словарные статьи снабжены рисунками и таблицами. Словарь будет полезен студентам и преподавателям, специализирующимся в области вычислительной техники и поможет в изучении всех предметов, так или иначе связанных с ЭВМ. Его можно также считать хорошим справочным пособием, которое пригодится как специалистам, работающим в различных областях вычислительной техники, так и непрофессионалам, имеющим персональные компьютеры.

В работе над словарем приняло участие более пятидесяти человек — специалистов из США и Великобритании. Подготовка рукописи к набору была выполнена издательством Market House Books Ltd. Редакторы-составители выражают благодарность всем принимавшим участие в работе над словарем, кто не пожалел для этого ни времени, ни сил.

Июль 1985 г.

В. Иллингуорт,
Э. Л. Глейзер,
И. К. Пайл

A

A.001 abelian group (commutative group)
абелева (коммутативная) группа
См. G.0.58 group.

A.002 ablative
абляционная запись
Метод оптической записи, при котором записывающий луч расплавляет небольшой участок рабочего слоя носителя, обнажая подслой, имеющий другой коэффициент отражения.

A.003 abnormal terminaiton
аварийное окончание
Инициируемое операционной системой окончание процесса в случае, когда его дальнейшее выполнение невозможно, например при обнаружении неопределенной команды. Напротив, при успешном завершении процесса (нормальное окончание) генерируется соответствующий вызов супервизора, направляемый операционной системе. Как правило, инициатор процесса информируется о нормальном или аварийном его окончании.

A.004 abort (of a process)
преждевременное прекращение (процесса)
Операция, вызывающая аварийное окончание (A.003 abnormal termination) или сопровождаемая им. Может выполняться по инициативе того процесса, который «приходит к заключению», что успешное завершение невозможно, или по инициативе операционной системы, которая вмешивается в процесс, если в нем начинают нарушаться системные ограничения. Таким образом, этот термин из области вычислительной техники имеет довольно много общего с медицинским термином «аборт», означающим самопроизвольную или вызванную искусственным путем гибель зародыша.

A.005 absolute address
= machine address

A.006 absolute code
абсолютный код

Программный код, пригодный для прямого выполнения центральным процессором, т. е. код, не требующий символических ссылок. См. также M.005 machine code.

A.007 absorption laws
законы поглощения
Два самодвойственных закона (см. D.308 duality):

$$x \lor (x \land y) = x;$$
$$x \land (x \lor y) = x,$$

которым удовлетворяют все элементы x, y булевой алгебры (B.118 Boolean algebra) с двумя операциями $\lor$ и $\land$.

A.008 abstract data type
абстрактный тип данных
Тип данных (D.082 data type), определяемый только через операции, которые могут выполняться над соответствующими объектами безотносительно к способу представления этих объектов. См. D.007 data abstraction. Строго говоря, абстрактный тип данных представляет собой тройку (D, F, A), состоящую из множеств: областей D, функций F, каждая из которых существует и изменяется в D, и аксиом A, которые задают свойства функции в F. Путем выделения одной из областей d в D можно точно охарактеризовать структуру данных (D.072 data structure), которая определяется абстрактным типом данных в d. В качестве примера можно привести абстрактный тип данных, образованный натуральными числами. В нем имеется область d вида

$$\{0, 1, 2, \dots\}$$

и вспомогательная область

$$\{TRUE, FALSE\}.$$

Имеются также функции или операции ZERO, ISZERO, SUCC и ADD и аксиомы

$$ISZERO\ (0) = TRUE;$$
$$ISZERO\ (SUCC\ (x)) = FALSE;$$

5

$$\text{ADD } (0, y) = y;$$
$$\text{ADD (SUCC) } (x, y) =$$
$$= \text{SUCC (ADD } (x, y)).$$

С помощью этих аксиом точно определяются законы, которые должны выполняться для любой реализации натуральных чисел. (Отметим, что в случае практической реализации аксиомы не могли бы выполняться, так как в них не учитывается длина слова или возможность переполнения.) Важность столь точной характеристики для пользователей и программистов трудно переоценить. Многими преимуществами абстрактных типов данных могут пользоваться специалисты по языку Ада при определении пакетов программ (P.003 package).

A.009 abstract family of languages (AFL)
абстрактное семейство языков
Класс формальных языков, который замыкается при выполнении любой из перечисленных ниже операций: объединения (U.017 union) конкатенации (C.247 concatenation), замыкания Клини (см. K.021 Kleene star), пересечения (1.162 intersection) с регулярным множеством (P.096 regular set), λ-свободного гомоморфного отображения и обратного гомоморфного отображения. См. H.086 homomorphism. Абстрактное семейство языков является полным, если оно замыкается при выполнении звезды Клини и гомоморфного отображения. Концепция абстрактного семейства разработана для изучения свойств классов языков, которые вытекают просто из допущения об определенных свойствах замыкания (C.136 closure). Каждый член иерархии Хомского (C.105 Chomsky hierarchy) есть абстрактное семейство языков, а все члены, за исключением членов типа 2, являются полными.

A.010 abstraction
абстрагирование
Принцип игнорирования второстепенных аспектов предмета с целью выделения главных. Соблюдать этот принцип важно при разработке и изучении всех типов вычислительных систем. См. D.007 data abstraction; P.237 procedural abstraction.

A.011 abstract machine
абстрактная машина
Машину можно рассматривать как набор ресурсов совместно с определением способов взаимодействия этих ресурсов. В случае конкретной машины эти ресурсы представляют собой реально существующие материальные объекты определенного типа; например, адресуемая память конкретной машины состоит из определенного числа слов, а также включает дешифраторы адресов и механизмы доступа определенного типа. Абстрактную машину можно задать путем перечисления входящих в ее состав ресурсов и взаимодействий между ними, не создавая реальной машины. Такого типа абстрактные машины находят широкое применение при изучении и проверке свойств программ, поскольку хорошо определенная абстрактная машина позволяет отвлечься от излишних подробностей.

A.012 acceleration time (start time)
время ускорения (время пуска)
Время, которое необходимо устройству для достижения рабочей скорости из состояния останова.

A.013 accept (recognize)
принимать (распознавать)
См. A.189 automaton.

A.014 acceptance testing
приемо-сдаточные испытания
См. T.059 testing.

A.015 accepting state
состояние «принято»
См. F.074 finite-state automaton.

A.016 access
доступ; осуществлять доступ
Считывание или запись данных с указанием того, меняется ли при этом содержимое файла. Наиболее часто термин используется применительно к полям данных, причем чаще всего под этим словом подразумевается разрешенный тип доступа для той или иной системы. Например, доступ к файлу только для чтения означает, что в процессе считывания содержимое файла не изменяется и не стирается.

A.017 access arm
рычаг выборки
См. A.133 arm.

A.018 access control
управление доступом; контроль за доступом
Высоконадежный (T.187 trusted) процесс, который ограничивает доступ к ресурсам и объектам вычислительной системы в соответствии с требуемой моделью защиты данных (C.146 Security model). Этот процесс может быть реализован путем организации обра-

щения к хранимой в памяти таблице, в которой перечислены права субъектов (например, пользователей) на доступ к объектам (например, записям). В ходе выполнения процесса может производиться регистрация всех попыток несанкционированного доступа в контрольном журнале (A.170 audit trail).

A.019 access method
метод доступа
Любой из алгоритмов хранения и поиска записей в файле данных (D.036 data file) или в базе данных (D.010 data base). Метод доступа определяет набор структурных характеристик файла, для которого он предназначен. Организация файла (F.056 file organization) определяется набором методов доступа, которые будут использоваться применительно к этому файлу. В простейшем случае, когда реализуется только один метод доступа, термины «метод доступа» и «организация файла» оказываются синонимами (разумеется, не в строгом смысле слова). См. также I.060 indexed file; I.199 ISAM; R.012 random access; S.090 sequential access; V.066 VSAM.

A.020 access time
время доступа
Время, которое требуется для поиска элемента данных в памяти. Время доступа может исчисляться наносекундами при обращении к полупроводниковому ЗУ или минутами, если файл, содержащий требуемые данные, хранится на магнитной ленте.

A.021 access vector
вектор доступа
Вектор, используемый для представления массивов со строками (столбцами) неравной длины (R.010 ragged array). Например, элементы «скошенного» по строкам массива A будут записываться построчно в векторе B. Затем i-й элемент вектора доступа будет указывать на ту позицию в B, где записан первый элемент i-й строки A (см. рисунок, где a — матрица, не выровненная по строкам; б — представление с помощью вектора доступа). Аналогичным образом с использованием вектора доступа может быть представлен массив со столбцами разной длины. В этом случае вектор указывает на начало столбцов и обеспечивает перечисление элементов последовательно по столбцам.

A.022 accountable file
учитываемый файл
Файл, который будет учитываться при оценке коэффициента использования системы. Примером может служить постоянный файл пользователя, в котором хранится текст программы. Временно существующие файлы, например используемые для подкачки данных, не относятся к разряду учитываемых.

A.023 accounting file
учетный файл
Файл, содержащий данные о ресурсах, использованных отдельными задачами. Эти записи требуются как для регулирования объема ресурсов, используемого какой-либо задачей, так и для начисления платы за использование системы в промышленных условиях. При пуске каждой задачи в учетном файле заводится отдельная графа, в которую по мере выполнения задачи будут записываться данные об использованных ресурсах системы. См. также S.445 system accounting.

A.024 accumulator
накапливающий сумматор, аккумулятор
Регистр (R.086 register), используемый для хранения результатов операции, выполняемой арифметико-логическим устройством (АЛУ) (A.126 arithmetic and logic unit). Он обычно подключается к одному из выходов АЛУ и служит для накопления результатов ряда последовательных операций. Отсюда и происходит название этого регистра. Кроме хранения результатов операций, накапливающий сумматор, как правило, используется и для выполнения различных команд сдвига (S.137 shift instruction) и циклического сдвига (C.117 circular shift).

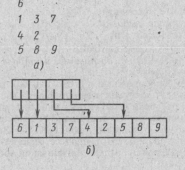

6
1 3 7
4 2
5 8 9
а)

| б | 1 | 3 | 7 | 4 | 2 | 5 | 8 | 9 |

б)

A.025 ACE — Automatic Computing Engine
автоматическая вычислительная машина

с хранимой программой, разработанная в 1945—46 гг. А. Тьюрингом, в то время — сотрудником Национальной физической лаборатории (НФЛ), расположенной недалеко от Лондона. Прототип этой машины — Pilot ACE — был затем изготовлен в НФЛ. Прогон первой программы был осуществлён на ней в 1950 г. Начиная с 1952 г. машина стала использоваться на полную мощность. Последняя модель машины проработала до 1957 г.

A.026 ACIA — asynchronous communications interface adapter
интерфейсный адаптер асинхронной передачи данных

Интегральная схема, которая может использоваться в интерфейсах устройств передачи данных. Функции этого адаптера могут изменяться путём подачи определённых сигналов на его управляющие входы.

A.027 ACK
положительная квитанция
См. A.029 acknowledgment.

A.028 Ackermann's function
функция Акермана

Функция (F.160 function) A, индуктивно заданная на парах неотрицательных целых чисел

$$A(0, n) = n + 1;$$
$$A(m + 1, 0) = A(m, 1);$$
$$A(m + 1, n + 1) =$$
$$= A(m, A(m + 1, n)),$$

где $m, n \geqslant 0$. Следовательно:

$$A(1, n) = n + 2;$$
$$A(2, n) = 2n + 3;$$
$$A(3, n) = 2^{n+3} - 3.$$

Высокая рекурсивность этой функции используется для проверки способности компиляторов (C.205 compiler) или вычислительных машин выполнять рекурсию (R.061 recursion). Эта функция, названная в честь У. Акермана, является примером функции, которая вообще рекурсивна (R.064 recursive function), а не примитивно рекурсивна (P.216 primitive recursive function) вследствие очень быстрого возрастания её значения по мере увеличения m. Функцию Акермана можно также рассматривать как функцию Ack одной

переменной:

$$Ack(n) = A(n, n),$$

где A определено, как показано выше.

A.029 acknowledgement
квитанция

Сообщение, описывающее состояние одного или более сообщений, переданных в противоположном направлении. *Положительная квитанция* (ACK) выдаётся в том случае, когда предыдущие сообщения приняты без ошибок. Отрицательная квитанция (NAK) указывает, что предыдущие сообщения приняты с ошибками и должны быть переданы повторно. В некоторых протоколах с помощью квитанций реализуются простейшие алгоритмы управления потоком (F.107 flow control): выдача ACK указывает на то, что, поскольку сообщение принято без ошибок, в этом же самом направлении можно передавать другое сообщение. Иногда квитанции передаются не в виде отдельных сообщений, а в составе информационных сообщений (см. P.110 piggyback acknowledgment), где для них выделены специальные поля. Таким образом, пока есть данные для передачи по каналу в обоих направлениях, для доставки квитанций не требуется никаких дополнительных сообщений. Различные уровни иерархии протоколов могут иметь свои собственные системы квитирования, функционирующие одновременно. Например, в сетях с коммутацией пакетов для надежной передачи сообщений между главными ЭВМ может использоваться сквозной протокол транспортного уровня. При приеме сообщения получателем генерируется соответствующая квитанция, передаваемая затем в обратном направлении. По мере передачи между узлами сети как первоначальных сообщений, так и квитанций в ответ на эти сообщения будут генерироваться соответствующие квитанции канального уровня. См. также B.011 backward error correction.

A.030 ACM — Association for Computing Machinery
Ассоциация по вычислительной технике

Организация, основанная в 1947 г. в США и призванная согласно её уставу содействовать следующим целям:
Способствовать развитию теории и практики обработки информации, вклю-

чая изучение, конструирование, разработку, создание и внедрение новейших вычислительных машин, методов и языков программирования для обработки информации вообще и научной информации, для распознавания, хранения, поиска и обработки информации всех видов, а также с целью автоматического управления и моделирования процессов.

Содействовать свободному обмену информацией о теоретических и практических методах обработки информации как между специалистами, так и среди представителей широкой общественности в духе лучших научных и профессиональных традиций.

Развивать и поддерживать на должном уровне единство и профессиональную компетентность специалистов в области теории и практики обработки информации.

A.031 acoustic coupler
акустический соединитель
Устройство типа модема (M.166 modem), которое служит для преобразования последовательного потока двоичных сигналов в последовательность тональных сигналов, модулированных методом частной манипуляции (F.149 frequency shift keying), для передачи по телефонным каналам. Оно также осуществляет декодирование входящих сигналов звуковой частоты. Подключение акустического соединителя к телефонной системе производится посредством небольшой микротелефонной трубки, которая приставлена к микротелефонной трубке обычного телефонного аппарата и заключена в звукопоглощающий футляр. Это устройство идеально подходит для подключения портативных терминалов и устройств ввода данных к удаленным ЭВМ через обычную телефонную сеть. Отсутствие каких-либо электрических соединений между терминалом и телефонным каналом является большим преимуществом при получении разрешения в Почтовом управлении на использование такого устройства. Качество существующих коммутируемых каналов тональной частоты обычно ограничивает скорость передачи до 300 бит/с.

A.032 acoustic delay line
акустическая линия задержки
См. D.136 delay line.

A.033 actigram
актиграмма

См. S.001 SADT

A.034 active = running

A.035 active star
активная звезда
Топология сети, в которой внешние узлы соединены с одним центральным узлом. В последнем осуществляется обработка всех сообщений, циркулирующих по сети, включая и те, которые направляются от одного внешнего узла к другому. Отказ центрального узла приводит к выходу из строя всей сети. См. также P.063 passive star; S.296 star network; N.022 network architecture.

A.036 actual address = machine address

A.037 actuator
привод (дисковода)
Механизм для перемещения каретки с головками и самих головок на позицию требуемой дорожки. Имеется два типа этих устройств: на базе звуковой катушки и на базе шагового двигателя. Принцип действия первого аналогичен принципу действия громкоговорителя с подвижной катушкой. Привод этого типа всегда является частью замкнутой следящей системы. Справочная информация, необходимая для точного позиционирования, обычно считывается с диска со специальной следящей поверхности. Сервоголовка позиционируется симметрично между двумя серводорожками; она воспринимает информацию о позиционировании с обеих дорожек (в виде двухбитовых комбинаций) и перемещается так, чтобы амплитуды обоих сигналов сравнялись. Недавно разработан альтернативный метод, при котором сигнальные биты записываются на всех поверхностях, расположенных между секторами с записанной информацией; этот метод получил название вложенной сервосистемы.

Привод второго типа — это разомкнутая следящая система с шаговым двигателем. Последний представляет собой электродвигатель, который перемещается дискретными шагами при подаче на его обмотки токов с определенным соотношением фаз. Приводы этого типа используются только в недорогих системах с низкой плотностью размещения дорожек, которая может составлять всего 150 дорожек на дюйм (60 дорожек на 1 см).

A.038 ACU — automatic calling unit
автоматическое вызывное устройство (АВУ)
Устройство, позволяющее ЭВМ или терминалу передавать вызовы по общедоступной сети автоматической телефонной связи или в некоторых случаях по коммутируемым линиям частной сети. АВУ часто используется совместно с модемом (M.166 modem): оно осуществляет передачу телефонных вызовов, а модем реализует передачу данных и процедуры окончания вызова. Поскольку АВУ требуется только при передаче вызовов, одно такое устройство может обслуживать несколько модемов и телефонных каналов. АВУ используются тогда, когда объем передаваемых между двумя узлами (терминалами или ЭВМ) сообщений слишком велик для ручного набора, но не настолько, чтобы использовать выделенный канал. Сети ЭВМ, в которых применяются АВУ, обычно работают по принципу коммутации сообщений с промежуточным накоплением (S.339 store-and-forward).

A.039 acyclic graph
ациклический граф
Граф (G.047 graph), не имеющий ни одного цикла; когда речь идет об ориентированных графах, следует учитывать при этом ориентацию их ребер. См. также T.163 tree.

A.040 Ada
Ада
Язык программирования, разработанный по инициативе министерства обороны США для использования во встроенных системах с управляющими ЭВМ (характерным примером являются аэронавигационные системы). В таких системах требуется параллельное выполнение операций и налагаются жесткие ограничения на время реакции, вследствие чего Ада — это язык систем реального времени (R.051 realtime language).
Проектные требования к языку Ада подробно изложены в серии отчетов, причем по мере все большей детализации спецификации получили кодовые названия Strawman («Соломинка»), Woodenman («Деревяшка»), Tinman («Жестянка»), Ironman («Чушка») и Steelman («Отливка»). После того как была разработана окончательная спецификация, ее реализация была поручена четырем фирмам-подрядчикам.

В результате был выбран язык, созданный фирмами CII, Honeywell и Bull. Первоначально этот язык имел кодовое название Green, но затем переименован в «Аду» в честь Августы Ады Лавлейс, которая была ассистентом Ч. Бэббиджа и по праву считается первым в мире программистом. Кроме средств параллельного программирования процессов, протекающих в реальном времени, в этот язык заложены новые идеи модульного структурирования и раздельной компиляции, обеспечивающие возможность создания очень больших систем. В нем также вводится принцип создания *поддерживающей программной среды* (см. A.119 APSE), согласно которому средства разработки программ определяются вместе с языком как единое целое. Окончательная версия языка Ада появилась в 1980 г. В 1983 г. была опубликована новая его спецификация, в которой выявлены и систематизированы все неоднозначности и «темные» места. Это исправленное определение послужило основой для предложенного АНИС стандарта. С 1986 г. язык Ада стал обязательным для многих военных применений. Аналогичный стандарт в настоящее время разрабатывается в Зап. Европе.

A.041 adaptive channel allocation
адаптивное распределение каналов
Процесс разделения пропускной способности канала связи между несколькими источниками в зависимости от их относительных требований. Распределение ресурсов динамически изменяется в соответствии с изменяющимися требованиями со стороны источников. См. M.239 multiplexing.

A.042 adaptive-control system
система адаптивного управления
Автоматическая система управления (процессом), в которой при прогнозировании поведения процесса с целью оптимизации управления используется адаптация. См. A.043 adaptive process.

A.043 adaptive process
адаптивный процесс
Процесс выполнения вычислений над множеством измеренных или поступающих в систему данных от физического, т. е. естественного, источника, при котором создается «наилучшая» параметрическая модель этого физического источника, т. е. модель, которая наилучшим образом описывает

наблюдаемые данные в соответствии с некоторым принятым критерием ошибки. См. также A.042 adaptive-control system; S.064 self-organizing system.

A.044 adaptive quadrature
адаптивная квадратура
См. N.099 numerical integration.

A.045 ADC — analog-to-digital (A/D) converter

A.046 ADCCP — advanced data communication control procedure
перспективная процедура управления передачей данных
Ориентированный по битам протокол управления каналом передачи данных (D.045 data link control protocol), разработанный АНИС и аналогичный протоколам SDLC (S.029 SDLC) и HDLC (H.047 HDLC).

A.047 A/D converter (ADC)
аналого-цифровой преобразователь (АЦП)
Устройство, которое способно принимать аналоговый (непрерывный) сигнал с амплитудой, лежащей в пределах заданного диапазона, и формировать эквивалентный цифровой сигнал, т. е. n-разрядное параллельное двоичное слово, представляющее этот аналоговый сигнал. Аналоговый сигнал «проверяется» в фиксированные дискретные интервалы времени с использованием процесса взятия отсчетов (S.004 sampling); в результате генерируется цифровой сигнал. Таким образом, аналоговые сигналы, поступающие от устройств типа аналоговых датчиков или тахогенераторов, могут быть преобразованы в форму, пригодную для обработки, скажем, микропроцессором с соответствующим разрешением. *Разрешение АЦП* — это наименьшее изменение аналогового входного сигнала, которое может быть зарегистрировано устройством. Если интервал напряжений n-разрядного АЦП обозначить через V, то разрешение будет иметь вид

$$V \, (2^n - 1).$$

Поскольку разрешение представляет собой конечную величину, в процессе преобразования возникает шум квантования (см. D.223 discrete and continuous systems).
Аналого-цифровые преобразователи можно изготовлять в виде интеграль-

ных схем. См. также D.002 D/A converter.

A.048 adder
сумматор
В своем простейшем виде — цифровое электронное устройство, выполняющее операцию сложения над двумя двоичными цифрами: *первым слагаемым* и числом, которое прибавляется к нему, — *вторым слагаемым*. Таким образом, это устройство также называется двоичным сумматором. Работу устройства можно проиллюстрировать с помощью следующей таблицы истинности двоичного сложения, где Σ — сумма; C_0 — разряд переноса:

A	B	Σ	C_0
0	0	0	0
0	1	1	0
1	0	1	0
1	1	0	1

Из таблицы можно видеть, что при выполнении операции двоичного сложения может генерироваться бит переноса для использования на последующих этапах сложения.
Полный сумматор имеет три входа для ввода второго слагаемого, первого слагаемого и бита переноса и два выхода, на которые выводится сумма и бит переноса. Если требуется складывать двоичные слова длиной два и более бит, то можно использовать последовательное соединение таких сумматоров, причем для двух соседних сумматоров выход переноса одного сумматора является входом для другого. Схема, показанная на рис. 1 (где ПС — полный сумматор; СМР — самый младший разряд; ССР — следующий старший разряд), — это параллельный сумматор (P.025 parallel adder), выполняющий сложение трехразрядных двоичных слов ($A_0A_1A_2$ и $B_0B_1B_2$). На выходе этого сумматора генерируются трехразрядное слово ($D_0D_1D_2$) и бит переноса. В устройстве используется принцип *сквозного переноса*: бит переноса, формируемый на каждой стадии процесса сложения, должен продвигаться через все последующие стадии процесса до получения окончательного результата.

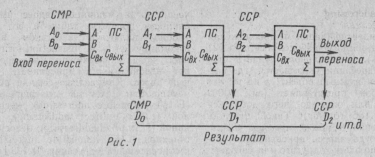

Рис. 1

Полусумматор — это такая реализация сумматора, в которой предусмотрены только входы для битов первого и второго слагаемых, а на выходе генерируются сумма и бит переноса. Устройства этого типа в отличие от полных сумматоров не могут соединяться последовательно, однако при

Рис. 2

включении в схему дополнительных логических элементов, как показано на рис. 2 (где ПОС — полусумматор), они способны производить сложение многоразрядных слов. Эти сумматоры не отличаются высоким быстродействием.
См. также B.041 BCD adder; S.099 serial adder.

A.049 address
адрес
1. Наиболее часто этот термин используется для ссылки (тем или другим способом) на ячейку памяти ЭВМ; слово «ячейка» в таком контексте фактически является синонимом этого термина. Ссылка на ячейку обычно ведется с целью записи или считывания информации и может задаваться явно (см. M.004 machine address) или в каком-то ином более удобном или

более компактном виде (см. A.055 addressing schemes). В рамках некоторых архитектур адреса присваиваются также регистрам, ЦП и устройств ввода-вывода. В глагольной форме слово *address* означает «указывать адрес, адресовать».
2. Смысл этого термина в системах передачи данных см. A.054 addressing.

A.050 addressable location
адресуемая ячейка
Ячейка с точно определенным местоположением в ЗУ, доступная для обращения. Обычно с целью защиты память организуется так, что к ее ячейкам разрешается доступ не всем программам.

A.051 address bus
адресная шина
Шина (B.164 bus), выделенная для передачи адресной информации. Она может представлять собой совокупность проводников, которые физически отделены от других аналогичных шин, или подмножество проводников системной шины. Как правило, число проводников адресной шины равно максимально допустимому числу разрядов адреса.

A.052 address calculation sorting
сортировка с вычислением адреса
Вид сортировки (S.225 sorting), при которой для улучшения результатов сортировки с простыми вставками (S.341 straight insertion sort) в памяти выделяется дополнительное пространство. В одном из методов такой сортировки используется *n* заголовков списков (L.082 list head), соответствующих *n* различным диапазонам ключа сортировки, а каждая запись содержит поле указателя (L.071 link).

A.053 address format
формат адреса
См. I.111 instruction format.

A.054 addressing
адресация

Метод идентификации местоположения объекта, например абонента сети (N.021 network). В идеальном случае в процессе адресации указывается, где расположен нужный объект, а не то, что он собой представляет (см. N.002 name) и как до него добраться (см. R.186 routing). Такой принцип реализован в методе *простой адресации*, когда адреса присваиваются независимо один от другого и не связаны какой-либо внутренней структурой. Однако чаще используется *иерархическая адресация*, при которой адреса объединяются в группы с целью отражения взаимосвязи между адресуемыми объектами. Часто такое группирование отражает физическую топологию сети, т. е. адресация и маршрутизация взаимосвязаны. Иногда группирование отражает административные или функциональные связи (логическая адресация), и это означает, что адресация и присваивание имен также взаимозависимы. В системах с протоколами, имеющими многоуровневую архитектуру (см. X.001 X.25; S.120 seven-layer reference model), на различных уровнях могут использоваться разные способы адресации: на канальном уровне — адреса, идентифицирующие отдельные станции многоточечной линии; на сетевом уровне — адреса, которые идентифицируют главный узел — источник сообщений и главный узел — получатель, которые связаны с данным пакетом. На более высоких уровнях протокола адреса могут использоваться для разграничения необходимых соединений или процессов. Адреса могут иметь фиксированную и переменную длину. В случае *адресов фиксированной длины* все они имеют фиксированное число двоичных разрядов. Например, в сетевом протоколе используются 48-битовые адреса. При *расширенной адресации* длина адреса от случая к случаю может изменяться. Например, определенные в стандарте X.121 (см. X.003 X.121) «международные информационные коды» могут иметь длину от 3 до 14 десятичных знаков.

A.055 addressing schemes
схемы адресации

Разнообразные схемы, разработанные с целью обеспечения компактных или удобных адресных ссылок для случаев, когда машинный адрес имеет слишком большую длину и его неудобно включать в таком виде в команду (см. I.111 instruction format) либо когда невозможно или просто нет необходимости присваивать явный адрес. Компактные ссылки обеспечиваются схемами расширенной (E.164 extensible addressing), косвенной (I.065 indirect addressing), неявной (I. implied addressing), непосредственной (I.055 immediate addressing) и относительной адресации (R.103 relative addressing). При невозможности использования этих схем применяется прямая адресация (D.208 direct addressing).

A.056 address mapping
отображение адреса

Использование одной из схем адресации (A.055 addressing schemes) для преобразования адреса, заданного в команде, в машинный адрес (M.004 machine address).
Отображение адреса используется в системе виртуальной памяти и в кэш-буферах для реализации дополнительных функций управления.

A.057 address mark
адресная метка

Специальный код или стираемая импульсами постоянного тока область на дорожке магнитного диска, предшествующая адресной информации сектора. В случае накопителей на магнитных дисках с кодированием методом модифицированной частотной модуляции (МЧМ) используется специальный код (см. D.241 disk format) с нарушением правил кодирования МЧМ, что и позволяет отличать его от данных. Цель применения адресной метки состоит в переводе электронных схем управления накопителя в режим байтовой синхронизации. Ту же самую функцию, но по отношению к данным, выполняет *метка данных*.

A.058 address register
адресный регистр

Регистр, предназначенный для хранения адреса (A.049 address). См. также C.306 control unit.

A.059 address-relative
с относительным адресом

Объект, имеющий относительный адрес или предполагающий относительную адресацию. См. R.103 relative addressing.

A.060 address space
адресное пространство
Совокупность ячеек, к которым можно обращаться с использованием машинного адреса (M.004 machine address). Для большинства машин, работающих в двоичной системе, это число равно 2^n, где n — число разрядов в машинном адресе. Во многих больших машинах объём адресного пространства превышает число физических, или реальных, адресов. Кроме того, число разрядов для представления адреса ограничено (см. I.111 insiruction format), поэтому для получения машинного адреса из заданного необходимо использовать отображение адреса в соответствии с какой-либо схемой адресации (A.055 addressing schemes).

A.061 address table sorting
сортировка по таблице адресов
Вид сортировки (S.225 sorting), который полезно использовать, когда информационные записи имеют большую длину. В процессе такой сортировки формируется таблица адресов, указывающих на группу записей. Далее осуществляется манипулирование этими адресами, а не самими записями.

A.062 add-subtract time
время сложения-вычитания
Время, необходимое ЭВМ для нахождения суммы или разности двух чисел; оно может включать или не включать время, необходимое для извлечения нужных чисел из памяти. Эта величина часто используется в качестве критерия быстродействия ЭВМ. См. также C.241 computer power.

A.063 adjacency list
= adjacency structure

A.064 adjacency matrix (connectivity matrix; reachability matrix)
матрица смежности (матрица связности; матрица достижимости)
Матрица (M.074 marlix), используемая для представления графа (G.047 graph). Если A — матрица смежности, соответствующая некоторому графу G, то

$$a_{ij} = 1,$$

когда в G имеется ребро, исходящее из вершины i и входящее в вершину j; в противном случае

$$a_{ij} = 0.$$

Если G — ориентированный граф (G.047 graph), то

14

$$a_{ij} = 1,$$

когда имеется ребро, исходящее из вершины i и входящее в вершину j; в противном случае

$$a_{ij} = 0.$$

Если вершины графа пронумеровать числами $1, 2, ..., m$, то матрица смежности есть матрица типа $m \times m$. В произведении p матриц

$$A \times A \times ... \times A$$

при $p \leqslant m$ ненулевые элементы указывают на те вершины, которые связывает путь (P.069 path) длиной p; действительно, величина элемента (i, j) матрицы A^p даёт число путей длиной p, исходящих из вершины i и входящих в вершину j. Анализируя множество таких матриц

$$p = 1, 2, ..., m - 1,$$

можно определить, связаны ли две вершины. Матрицы связности можно также формировать из булевых матриц (B.121 Boolean matrix).

A.065 adjacency structure (adjacency list)
структура смежности (список смежных вершин)
Средство представления графа (G.047 graph). Структура смежности, соответствующая пути (P.069 path) в графе G, есть множество его смежных вершин

$$\{ \text{Adj} \ (v) \}.$$

Если G не является ориентированным графом, то некоторая вершина w находится в Adj (v) тогда и только тогда, когда между вершинами v и w графа G есть ребро; если G — ориентированный граф, то w принадлежит Adj (v) тогда и только тогда, когда вершины v и w в G связывает дуга, исходящая из v и входящая в w.

A.066 ADP — automatic data processing
автоматическая обработка данных
См. D.062 data processing.

A.067 advance-feed tape
лента со смещением отверстий синхродорожки
См. P.020 paper tape.

A.068 AED — Algol extended for design
расширенная версия языка Алгол для задач проектирования
Язык программирования на базе языка Алгол-60 с расширениями для задач автоматизированного проекти-

рования. Основное расширение заключалось в обеспечении возможности манипулирования сетевыми структурами (P.128 plex), построенными из записей и указателей. Этот язык устарел и в настоящее время не применяется.

A.069 AFIPS — American Federation of Information Processing Societies, Inc.

Американская федерация обществ по обработке информации

Организация, основанная в 1961 г. с целью объединения обществ и ассоциаций по обработке информации для содействия развитию этой области науки и техники. В состав AFIPS входят:
Американское общество по информатике (ASIS), Американская статистическая ассоциация (ASA), Ассоциация по вычислительной технике (ACM), Ассоциация по вычислительной лингвистике (ACL), Ассоциация по обучающим системам (AEDS), Ассоциация по управлению обработкой данных (DPMA), Общество по вычислительной технике ИИЭР, Американское общество по приборостроению (ISA), Общество по машинному моделированию (SCS), Общество по промышленной и прикладной математике (SIAM) и Общество по системам отображения информации (SID). Является членом Международной федерации по обработке информации (I.026 IFIP).

A.070 AFL — abstract family of languages

A.071 AHPL — a hardware programming language
См. H.032 hardware description.

A.072 AI — artificial intelligence

A.073 aleph null
алеф-нуль
См. C.020 cardinality

A.074 algebra
алгебра
1. Наука, изучающая как математические свойства чисел, так и математические структуры, основанные на использовании символов.
2. Множество (S.116 set) A, например, вместе с определенными на нем операциями (O.039 operation) вида

$$f : A^n \rightarrow A,$$

которые отображают элементы декартова произведения (C.029 Cartesian product)

$$A \times A \times \ldots A \ (n \text{ членов})$$

на самó множество A. Примеры различных алгебр:
а) совокупность целых чисел в сочетании с одноместными (M.183 monadic) и двуместными (D.318 dyadic) операциями их сложения, вычитания, умножения и нахождения остатка;
б) множество ИСТИНА, ЛОЖЬ с определенными на нем операциями И, ИЛИ и НЕ (см. B.118 Boolean algebra);
в) множества, на которых определены операции объединения (U.017 union), пересечения (I.162 intersection) и взятия дополнения (C.207 complement) (см. S.117 set algebra);
г) цепочки с определенной на них операцией конкатенации (C.247 concatenation).
В терминологии вычислительной техники понятие «алгебра» можно ассоциировать с понятием «тип», поэтому в языках программирования, как правило, существуют такие понятия, как «целый тип», «булев тип» и т. д. После введения понятия типа можно переходить к операциям, определенным на элементах этого типа. Формулируя аксиомы, касающиеся операций данной алгебры, можно получить некоторый абстрактный тип данных (A.008 abstract data type). См. также A.078 algebraic structure.

A.075 algebraic language
= context-free language

A.076 algebraic semantics
алгебраическая семантика
Уточнение термина «денотационная семантика» (D.151 denotational semantics), подчеркивающее алгебраическую структуру (A.078 algebraic structure) как синтаксических, так и семантических объектов. Как правило, синтаксические объекты выражаются в виде элементов некоторой начальной алгебры (I.089 initial algebra). Тогда отображение синтаксиса на семантику есть однозначно определенный гомоморфизм (H.086 homomorphism), соответствующий некоторой интерпретации примитивных символов. Характерной особенностью такого подхода является то, что преследуется цель досконального изучения свойств программ на чисто синтаксическом уровне или, в более общем случае, свойств, зависящих только от некоторых точно сфор-

мулированных допущений относительно диапазона возможных интерпретаций.

A.077 algebraic specification
алгебраическая спецификация
См. M.178 module specification.

A.078 algebraic structure
алгебраическая структура
Понятие, сочетающее в себе различные виды алгебр (A.074 algebra), функций (F.160 function) и утверждений. Используется для описания свойств и операций, имеющих отношение к множествам значений в одном или нескольких абстрактных типах данных (A.008 abstragt data type). В простейшем случае алгебраическая структура содержит только один вид алгебры или является этим видом алгебры. В более общем случае алгебраическая структура может заключать в себе несколько взаимосвязанных видов функций и утверждений:
каждая алгебра представляет некоторый тип данных совместно с разрешенными операциями над элементами этого типа, т. е. отображениями этого типа на самое себя; некоторые функции могут иметь операнды и давать результаты, интерпретируемые применительно к тем или иным типам данных, не обязательно одинаковым; утверждения могут содержать операнды, относящиеся к различным типам данных, и давать результаты в форме истинностных значений (ИСТИНА или ЛОЖЬ). Таким образом, понятие «алгебраическая структура» характеризует математическую модель, лежащую в основе языков программирования. Широко известны алгоритмы вычислений, включающие в себя различные операции и функции, и алгоритмы для вынесения суждения о том, является ли какое-то утверждение в любом конкретном случае истинным или ложным. Если пользоваться формальными определениями, то можно говорить об операциях и функциях, которые могут быть эффективно вычислены, и об утверждениях, которые можно эффективно оценить по критерию «истинно—ложно». Таким образом, иногда удается провести различие между обычными алгебраическими структурами и эффективными алгебраическими структурами,

A.079 algebraic symbol manipulation language
язык манипулирования алгебраическими символами
Язык программирования, в котором в качестве данных выступают алгебраические выражения в символическом виде, а операции представляют собой операции алгебры. В таких языках обычно реализуются следующие операции: вынесение за скобки, сокращение, разложение на простые множители, деление многочленов и дифференцирование по одной или нескольким переменным.

A.080 algebra system
алгебраическая система
Интерактивная система, реализующая алгебраические операции (сокращение, разложение на простые множители, вынесение за скобки и т. п.) над алгебраическими выражениями, вводимыми пользователем. Эти системы находят все более широкое применение в качестве «математических консультантов», — особенно применительно к задачам общей теории относительности. Среди таких систем наиболее известна система MACSYMA. См. также A.079 algebraic symbol manipulation language.

A.081 Algol — algorithmic language
Алгол
Общее название семейства высокоуровневых языков, которые сыграли важную роль в разработке средств вычислительной техники. В 1958 г. Ассоциация по вычислительной технике (ACM) в США и Общество по прикладной математике и механике (GAMM) в Зап. Европе организовали совместный комитет по выработке стандарта на *международный алгоритмический язык* (IAL). Разработанный в результате язык получил название «Алгол» и позднее стал называться Алгол-58, чтобы его можно было отличить от более поздних версий. При его создании не ставилась цель практической реализации, поэтому в 1960 г. был созван расширенный комитет, в задачу которого вошла разработка второй версии языка, получившей название Алгол-60. См. также J.017 JOVIAL. Алгол-60 получил гораздо большее распространение в Зап. Европе, чем в США. Это произошло вероятно потому, что на рынке Северной Америки доминировали ЭВМ фирмы IBM, рабо-

тавшие с языком Фортран. Вообще, когда говорят о широком использовании языка Алгол-60, всегда имеются в виду страны Зап. Европы, а не США. Благодаря этому языку появилось много новых понятий, таких как «блочная структура» (см. B.112 block-structured language), «вложенные области» и «способы передачи параметров в процедуры». Кроме того, в процессе составления спецификации языка для описания его синтаксиса впервые была использована ставшая теперь классической форма Бэкуса — Наура (B.115 BNF). Влияние языка Алгол-60 можно видеть во всех последующих языках: он стал важной вехой на пути создания новых языков программирования. Вслед за публикацией спецификации языка Алгол-60 в виде отчета «Algol 60 Report» в рамках Международной федерации по обработке информации была создана специальная рабочая группа WG2.3, перед которой была поставлена задача разработать следующую версию языка. Несмотря на то что внутри группы в процессе работы возникло множество разногласий, в конце концов был опубликован отчет, в котором была предложена версия Алгол-68. Первая реализация этой версии, получившая название «ALGOL 68R», была осуществлена в Королевском центре радиолокации и связи (Великобритания). В результате было показано, что Алгол-68 допускает практическую реализацию (надо отметить, что в то время не было стопроцентной уверенности в возможности практической реализации этого языка).

Несмотря на то что вместе с языком Алгол-68 появилось множество новых концепций, представляющих большой теоретический интерес, практическая ценность этого языка почти равнялась нулю. Одна из самых примечательных особенностей языка Алгол-68 — его формальная спецификация с использованием VW-грамматики. Эта спецификация представляет собой очень точное описание, однако его очень трудно понять. Этим частично и объясняется то, что язык не получил широкого распространения. Одним из самых важных последствий раскола внутри рабочей группы по созданию языка Алгол-68 стало то, что он послужил толчком к разработке языка Паскаль (P.058 Pascal).

A.082 algorithm
алгоритм
Заранее заданная последовательность четко определенных правил или команд для получения решения задачи (например, путем выполнения некоторой вычислительной процедуры) за конечное число шагов. Полагают, что слово «алгоритм» является производным от имени персидского математика IX века Абу-Джафара Мохамеда ибн-Мусы аль-Хорезми. Формальные описания алгоритмов аналогичны представлениям основных частей программ (P.256 program), т. е. многое из того, что говорится о программах, применимо к алгоритмам, и наоборот.
Эффективный алгоритм — это алгоритм, допускающий эффективную вычислительную реализацию (E.022 effective computability). Изучение возможности существования эффективных алгоритмов вычисления конкретных величин составляет основу теории алгоритмов. За исключением простейших случаев, *доказать* корректность алгоритма (P.259 program correctness proof) или даже описать результат действия алгоритма довольно трудно. На практике приходится ограничиваться *проверкой правильности алгоритма*. Такая проверка позволяет удостовериться, что алгоритм обеспечивает выполнение требуемых вычислений. Она включает тестирование программы в различных условиях постановки задачи для приобретения уверенности в том, что алгоритм нормально работает во всех контрольных примерах. Если тестовый набор подобран достаточно хорошо, то после проверки можно полагаться на достоверность алгоритма.
Анализ алгоритма предполагает исследование его рабочих характеристик. Здесь можно выделить анализ в среднем, когда исследуется поведение алгоритма в средних условиях, и анализ худшего случая, когда поведение алгоритма изучается в самых неблагоприятных условиях.

A.083 algorithmic language
алгоритмический язык
Язык или система обозначений, используемые для однозначного описания алгоритма и являющиеся обычно частью языка программирования.

A.084 allocation routine
программа распределения
Программа, в функции которой входит

назначение ресурсов процессу.
См. R.135 resource allocation.

A.085 alphabet
алфавит
Упорядоченный набор знаков (C.082. character set).
См. также F.117 formal language.

A.086 alphabetic code
буквенный код
Код, целевой алфавит которого содержит только буквы и (или) цепочки букв латинского алфавита.

A.087 alphanumeric character
буквенно-цифровой знак
Любая из N букв алфавита или любой из десятичных знаков 0—9.

A.088 alphanumeric code
буквенно-цифровой код
Код, целевой алфавит которого содержит буквенно-цифровые знаки (A.087 alphanumeric character) и (или) цепочки этих знаков.

A 089 ALU — arithmetic and logic unit

A.090 Alvey Programme
программа Alvey
Программа НИОКР, начатая в 1983 г. в Великобритании несколькими фирмами после публикации отчета, подготовленного фирмой Alvey по заказу правительства, с целью поддержания конкурентоспособности своих изделий. Предпринята в ответ на японский проект создания ЭВМ пятого поколения (F0.44 fifth generation). Эта программа сосредоточена на четырех главных технологиях, которые помогут фирмам сохранить свои позиции на рынке вычислительной техники: технологии СБИС (V.053 VLSI), программотехнике (S.209 software engineering), технологии интеллектуальных систем, основанных на использовании знаний (I.030 IKBS) и технике человеко-машинных интерфейсов (M.162 MMI).

A.091 ambiguous grammar
неоднозначная грамматика
Контекстно-свободная грамматика (C.081 context-free grammar), в которой одно и то же слово выводится с использованием разных деревьев вывода (D.160 derivation tree) или, что эквивалентно, разных крайних слева (справа) цепочек вывода (D.159 derivation sequence). Это можно проиллюстрировать следующим примером из области языков программирования. Пусть

$$S \to \text{if } C \text{ then } S \text{ else } S$$
$$S \to \text{if } C \text{ then } S,$$

где S и C соответственно утверждение и условие.

Эта грамматика неоднозначна, поскольку в ней составное утверждение

if c1 then if c2 then s 2 else s1

имеет два дерева вывода, как показано

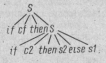

схематически на рисунке. См. также I.087 inherently ambiguous language.

A.092 Amdahl
Компания, основанная в 1969 г. родоначальником архитектуры ЭВМ серии IBM 360 Жене Амдалом с целью создания сверхбыстродействующих компьютеров, способных работать с программным обеспечением фирмы IBM. Создание таких машин увенчалось успехом главным образом благодаря тому, что они могли работать с операционными системами, языками и прикладными программами, используемыми в изделиях фирмы IBM. В 1980 г. Жене Амдал ушел из фирмы Amdahl и основал новую компанию Trilogy Ltd., которая также ставит своей целью разработку ЭВМ сверхвысокого быстродействия.

A.093 amplitude
амплитуда
См. S.150 signal.

A.094 amplitude modulation (AM)
амплитудная модуляция (AM)
См. M.174 modulation

A.095 amplitude quantization
амплитудное квантование
См. D.223 discrete and continuous systems; Q.008 quantization.

A.096 analog computer
аналоговая ЭВМ
ЭВМ, выполняющая вычисления (такие как сложение, умножение, интегрирование и др.) путем манипулирования непрерывными физическими

переменными, которые являются аналогами вычисляемых величин. Наиболее часто используемые физические переменные — это электрическое напряжение и время. В некоторых аналоговых ЭВМ используются механические компоненты; например, физическими переменными становятся угловые и линейные перемещения. См. также D.223 discrete and continuous systems.

A.097 analog signal
аналоговый сигнал
Плавно изменяющееся напряжение или ток, т. е. сигнал, непрерывно изменяющийся по амплитуде и во времени. Часто представляет измеренную физическую величину. См. также A.047 A/D converter; D.002 D/A converter; A.096 analog computer; D.223 discrete and continuous systems.

A.098 analog-to-digital converter
= A/D converter

A.099 analysis of variance
дисперсионный анализ
Метод, первоначально разработанный Р. А. Фишером. Согласно этому методу полное изменение числового вектора $y_1 \ldots y_n$, выраженное через сумму квадратов отклонений от среднего значения

$$\sum_i (y_i - y)^2,$$

разбивается на составляющие суммы квадратов, связанные с результатом действия различных классификационных факторов, которые определяются индексами данных. Таким образом, если данные в форме матрицы $m \times n$ есть результат классификации по двум признакам A и B с индексами элементов

$$i = 1, \ldots, m; \ j = 1, \ldots, n,$$

то результатом дисперсионного анализа будет тождество

$$\sum_{ij} (y_{ij} - y_{..})^2 \equiv$$
Общая сумма

$$\equiv \sum_{ij} (y_{i.} - y_{..})^2 +$$
A
основной эффект

$$+ \sum_{ij} (y_{.j} - y_{..})^2 +$$
B
основной эффект

$$+ \sum_{ij} (y_{ij} - y_{i.} + y_{..})^2,$$
A · B
эффект взаимодействия

где точками обозначены результаты осреднения y_{ij} по соответствующим индексам.
В геометрическом плане дисперсионный анализ представляет собой процедуру последовательного проектирования вектора y, который представлен точкой в n-мерном пространстве, на ортогональные гиперплоскости внутри этого пространства. *Число степеней свободы* каждого члена определяется размерностью этих гиперплоскостей; в приведенном выше примере они равны

$$mn - 1 \equiv (m - 1) + (n - 1) +$$
$$+ (m - 1)(n - 1).$$

Путем анализа данных с помощью такой статистической модели можно сравнивать среднеквадратические значения, равные сумме квадратов отклонений, деленной на число степеней свободы; при этом появляется среднеквадратическая погрешность, обусловленная фоновым «шумом». Чем больше величина среднеквадратического значения, тем более сильным считается влияние соответствующего фактора. Рассмотренная процедура дисперсионного анализа может быть довольно сложной. См. E.150 experimental design, R.089 regression analysis.

A.100 Analytical Engine
аналитическая машина
Логическая конструкция механической вычислительной машины, которая была изобретена Чарлзом Бэббиджом в 1833 г., но так и не была построена. В конструкции предполагалось использовать память на тысячу 50-разрядных чисел. Машина, которая была способна выполнять сложение, вычитание, умножение и деление, должна была управляться программами, записанными на перфокартах; таким образом, машину можно было запрограммировать на выполнение разнообразных вычислений, причем в зависимости от промежуточных результатов могли выполняться различные циклы вычислений. Достоин восхищения тот факт, что автору этой конструкции удалось в столь далекое от нас время предугадать многие элементы современных вычислительных машин.

A.101 analyzer
анализатор

Применительно к алгоритмическим языкам — программа грамматического разбора, позволяющая определить назначение отдельных элементов предложения; отдельно это слово используется довольно редко и чаще встречается в словосочетаниях типа «синтаксический анализатор» и «лексический анализатор».

A.102 ancestor (of a node in a tree)
предок (узла дерева) (Т.163 tree)

Любой узел, лежащий на единственном пути от корня дерева до данного узла. Действительным предком узла A является узел B такой, что B есть предок A и $A \neq B$. См. также P.040 parent.

A.103 AND gate
элемент И

Электронный логический элемент (L.123 logic gate), на выходе которого появляется сигнал логической 1, соответствующий значению «истина» только тогда, когда на все его выходы

Входы	A1	0	0	1	1
	A2	0	1	0	1
Выход B		1	0	0	0

(два или более) поданы сигналы логической единицы; в противном случае на выходе этого элемента будет логический 0, соответствующий значению «ложь». Таким образом, элемент И реализует логическую операцию И (A.104 AND operation), вследствие чего имеет точно такую же таблицу истинности (T.177 truth table). На рисунке показаны условное обозначение и таблица истинности элемента И с двумя входами.

A.104 AND operation
операция И

Логическая связка (С.269 connective), объединяющая два оператора, два значения истинности или две формулы P и Q таким образом, что результат является истинным только тогда, когда оба оператора P и Q истинны (И), в противном случае результат является ложным (Л), как показано в таблице истинности для операции И:

P	Л	Л	И	И
Q	Л	И	Л	И
$P \wedge Q$	Л	Л	Л	И

Операция И обычно обозначается знаком $\wedge$, а иногда точкой или слитным написанием, как, например, PQ. Это одна из двуместных операций булевой алгебры (В.118. Boolean algebra), которая является одновременно коммутативной (С.196 commutative operation) и ассоциативной (A.153. associative operation). При реализации ее в качестве одной из основных машинных операций ЭВМ операция И обычно обобщается на случай обработки целых слов, когда описанная выше операция выполняется над соответствующими битами каждого слова. В этой форме операция И часто используется для реализации маскирования (М.064 masking), т. е. для выделения какой-то определенной части слова, например, поля адреса.

A.105 annotation
аннотация

Пояснение, прилагаемое к программе с целью облегчения ее понимания пользователем. Оно может иметь вид текстового приложения к листингу программы, однако чаще включается в основной текст программы в форме комментариев (С.183 comment).

A.106 ANSI — American National Standards Institute
Американский национальный институт стандартов (АНИС).

Субсидируемая промышленными кругами организация, которая была основана в 1918 г. в США с целью выработки национальных промышленных стандартов и их увязки со стандартами, принятыми Международной организацией по стандартизации (МОС). АНИС определяет стандарты на аппаратные средства, например, на сетевые средства канального уровня, схемы расположения и назначение выводов интегральных схем и форматы записей на лентах и дисках, а также некоторые стандарты на программное обеспечение, например, на языки ФОРТРАН и КОБОЛ.

A.107 ANSI — SPARC — American National Standards Institute (Systems

Planning and Requirements Committee)

Комитет по системному планированию и выработке требований АНИС
Получил широкую известность после того, как им было предложена архитектура баз данных (D.010 database), согласно которой база данных определяется на трех уровнях: на уровне концептуа́льной схемы, на уровне внешней схемы и на уровне внутренней схемы. См. D.031 data description language.

A.108 antisymmetric relation
антисимметричное отношение
Отношение (R.09 relation) R, определенное на множестве S и обладающее таким свойством, что всякий раз, когда xRy и yRx, $x = y$, где x и y — произвольные элементы S. В качестве примера можно привести отношение «является подмножеством», определенное на любом множестве, и отношение «меньше или равно», определенное на множестве целых чисел. См. также (A.155 asymmetric relation; S.426 symmetric relation).

A.109 APL — A Programming Language
язык программирования
Это сокращение было введено Иверсоном в качестве математического обозначения в середине 1960-х годов, и лишь позднее был реализован язык программирования с точно таким же названием. Язык APL сразу получил очень широкое распространение. К числу его главных преимуществ относятся богатый набор мощных операторов, позволяющий работать с многомерными массивами, а также предоставление пользователю возможности определять собственные операторы. Для представления встроенных операторов используются в основном одиночные символы из набора специальных знаков. Поэтому программы на языке APL имеют очень компактный вид и зачастую малопонятны.

A.110 Apple
Общее название микроЭВМ, выпускаемых фирмой Apple Computer Inc. Эта фирма одной из первых захватила лидерство на рынке микрокомпьютеров и выпускаемые ею изделия отличаются широким разнообразием аппаратных средств и программного обеспечения. На машинах фирмы Apple впервые был реализован ранее не имевший аналогов и оказавшийся очень популярным пакет программ обработ-

ки динамических таблиц VisiCalc. Среди более поздних моделей микроЭВМ фирмы Apple можно отметить машины Lisa и Macintosh.

A.111 application layer of a network protocol function
прикладной уровень сетевого протокола
См. S.120 seven-layer reference model.

A.112 application package (software package)
пакет прикладных программ (пакет программ)
Набор программ или модулей, рассчитанный на общее применение в определенной проблемной области. В рамках данного общего применения этот набор можно настроить (иногда путем введения некоторых дополнений) на выполнение конкретных задач.

A.113 applications program
прикладная программа
Любая конкретная программа, способствующая выполнению задачи, возложенной на ЭВМ в пределах данной организации, и вносящая прямой вклад в реализацию этой задачи. Например, там, где на ЭВМ возложена задача контроля за финансовой деятельностью какой-либо фирмы, прикладной программой будет программа подготовки платежных ведомостей. В противоположность этому операционная система (O.038 operating system) или средство разработки и отладки программ (S.218 software tool), без которых трудно говорить об эффективном использовании ЭВМ, не вносит прямого вклада в удовлетворение конечных потребностей пользователя.

A.114 applications programmer
прикладной программист
Лицо, специализирующееся в написании прикладных программ (A.113 applications program). Ср. S.459 systems programmer.

A.115 application terminal
прикладной терминал
Аппаратное средство, в котором объединены в целостную конфигурацию различные устройства ввода-вывода с целью удовлетворения потребностей определенного вида коммерческой или какой-то иной деятельности. Терминалы такого рода имеют встроенные средства обработки данных и подключаются к управляющему процессору через канал передачи данных. В ка-

честве примеров можно привести торговые и банковские терминалы.

A.116 applicative language
= functional language

A.117 applied robotics
прикладная робототехника
См. P.242 process control; R. 168 robotics.

A 118 approximation theory
теория приближения
Дисциплина, изучающая аппроксимацию определенного класса объектов F некоторым подклассом PCF, который в определенном смысле проще. Например, пусть

$$F = C\,[a, b]$$

есть совокупность вещественных непрерывных функций на интервале $[a, b]$. Тогда подклассом практического использования будет совокупность P_n многочленов степени n. В качестве средства измерения близости или точности приближения используют *метрику* или *норму*. Это неотрицательная функция, которая определена в F и позволяет определять размеры его элементов. В качестве конкретных норм при аппроксимации математических функций (скажем, для подпрограмм) применяются *норма Чебышева* и *норма по 2 (евклидова норма)*. Для функций

$$f \in C\,[a, b]$$

эти нормы соответственно имеют вид

$$\|f\| = \max_{a \leqslant x \leqslant b} |\,f(x)\,|;$$

$$\|f\|_2 = \left(\int_a^b f(x)^2\,dx \right)^{1/2}.$$

В случае аппроксимации данных эти нормы можно переписать в дискретном виде как

$$\|f\| = \max_i |\,f(x_i)\,|$$

$$\|f\| = \left(\sum_i f(x_i)^2 \right)^{1/2}.$$

Норма по 2 часто включает весовую функцию (или веса). В связи с этими двумя нормами возникают задачи *чебышевского приближения* и *приближения методом наименьших квадратов*. Например, при полиномиальной аппроксимации ищем

$$p_n \in P_n,$$

для которого

$$\|f - p_n\| \text{ или } \|f - p_n\|_2$$

достаточно мало. Задачи наилучшей аппроксимации возникают в том случае, когда, например, требуется найти

$$p_n \in P_n,$$

для которого эти меры погрешностей являются наименьшими по отношению к P_n.
Другими примерами особенно важных норм являются *норма вектора* и *норма матрицы*. Применительно к n-компонентным векторам вида

$$x = (x_1,\ x_2,\ ...,\ x_n)^T$$

можно привести нормы

$$\|x\| = \max_i |\,x_i\,|;$$

$$\|x\|_2 = \left(\sum_{i=1}^n x_i^2 \right)^{1/2}$$

Данной норме вектора может быть поставлена в соответствие подчиненная норма матрицы, определяемая для матриц A размерности $n \times n$ следующим образом:

$$\|A\| = \max_{\|x\| \neq 0} \frac{\|A_x\|}{\|x\|}.$$

Для нормы вектора вида

$$\|x\| = \max_i |\,x_i\,|$$

соответствующая норма матрицы приводится к виду

$$\|A\| = \max_i \sum_{j=1}^n |\,a_{ij}\,|,$$

где a_{ij} — ij-й элемент A. Нормы векторов и матриц играют неоценимую роль в большинстве областей численного анализа.

A.119 APSE — Ada Programming Support Environment
средства обеспечения программирования на языке Ада
Средства программной поддержки (P.280 programming supprot environment), которые должны быть неотъемлемой частью процессоров, работающих с языком Ада (A.040 Ada). Это вспомогательные средства разработки программ и систем, которым должны оснащаться вышеуказанные процессоры. Состав таких средств (как и со-

ответствующих средств поддержки для исходного языка) был определен в серии спецификаций с возрастающей степенью детализации; последняя спецификация этой серии известна под названием Stoneman.

A.120 arc of a graph
дуга графа
См. G.047 graph.

A.121 architectural design (high-level design)
архитектурное проектирование (высокоуровневое проектирование)
См. P.261 program decomposition; P.262 program design; S.449 system design.

A.122 architecture
архитектура
Описание (цифровой) вычислительной системы на некотором общем уровне, включающее описание пользовательских возможностей программирования, системы команд и средств пользовательского интерфейса, организации памяти и системы адресации, операций ввода-вывода и управления и т. д. Реализация конкретной архитектуры на машинах данного семейства (C.233 computer family) может быть различной, но все машины одного семейства должны быть способны выполнять одну и ту же программу. Реализации могут отличаться одна от другой как па уровне физических компонентов аппаратных средств, так и на уровне способов реализации подсистем (например, может применяться микропрограммирование (M.138 microprogramming) вместо жесткой «зашитой» логики; однако чаще всего различия имеют место на обоих уровнях. Те или иные реализации могут существенно отличаться по производительности и стоимости. Детали реализации, невидимые для пользователя (T.154 transparent) (например, кэш-память), не оказывают влияния на архитектуру. Общность архитектуры разных ЭВМ обеспечивает их совместимость с точки зрения пользователя.
В контексте разработки вычислительной системы и проектирования ее аппаратных средств термин «архитектура» используется для описания принципа действия, конфигурации и взаимного соединения основных логических узлов ЭВМ (вследствие чего термин «архитектура» оказывается ближе к обыденному значению этого слова). Аппаратные средства — это, как пра-

вило, ЗУ и его компоненты, блок управления с аппаратурой, предназначенной для реализации требуемой стратегии управления, устройства, обеспечивающие нужную структуру, разрядность и функциональные возможности АЛУ, а также требуемые соединения входов и выходов (например, в форме звезды или общей шины). Описание архитектуры, кроме того, должно включать в себя разъяснение принципа действия и диапазона возможностей любого канального контроллера. Обычно частью, а зачастую и основой такого описания служит подробная структурная или принципиальная схема конкретной реальной, а не виртуальной машины.

A.123 archived file
архивный файл
Файл, перенесенный на более низкий уровень иерархической системы памяти (M.105 memory hierarchy) — как правило с магнитного диска на магнитную ленту. Решение о необходимости такого перемещения может выноситься владельцем файла или внутренней системой управления вычислительными ресурсами.

A.124 Arden's rule
правило Ардена
Используемое в теории формальных языков правило, в котором утверждается уравнение

$$X = AX \cup B,$$

где X, A, B — множества цепочек; минимальное решение $X = A * B$ (Обозначения — см. C.247 concatenation; K.021 Kleene star). Кроме того, $A * B$ является и единственным решением, если только A не содержит пустой цепочки; в противном случае решением будет любое $A * B'$, в котором

$$B \subseteq B'.$$

Несмотря на свою простоту это правило имеет очень важное значение как один из самых первых результатов применения метода неподвижной точки в теории вычислительных систем. Совместно с обычной процедурой исключения переменных правило Ардена может использоваться для решения любой системы линейных уравнений, заданной на множестве цепочек. См. также K.022 Kleene theorem.

A.125 argument
аргумент
Значение или адрес, передаваемый процедуре или функции в момент вызова. Например в предложении на языке Бейсик

$$Y = SQR (X)$$

X — это аргумент функции SQR (извлечение квадратного корня). Аргументы иногда называют *фактическими параметрами.*

A.126 arithmetic and logic unit (ALU; arithmetic unit, AU)
арифметико-логическое устройство (АЛУ; арифметическое устройство, АУ)
Часть центрального процессора (C.055 central processor), которая в общем случае формирует функции двух входных переменных и порождает одну выходную переменную. Эти функции обычно состоят из простых арифметических операций (A.128 arithmetic operation), простых логических операций (L.126 logic operation) и операций сдвига (S.134 shift).

A.127 arithmetic instruction
арифметическая команда
Команда, по которой ЭВМ выполняет одну из арифметических операций (A.128 arithmetic operation)

(A.128 arithmetic operation)
арифметическая операция
Операция, в результате выполнения которой формируется функция двух переменных. К классу арифметических операций обычно относят сложение, вычитание, умножение и деление. Эти операции могут выполняться над целыми числами, дробями и числами с плавающей запятой. Арифметические операции, как правило, реализуются в арифметико-логическом устройстве (A.120 arithmetic and logic unit).

A.129 arithmetic operator
арифметический оператор
Оператор (O.048 operator), используемый в выражении для обозначения одной из операций арифметики, например +, —, * (умножение),/(деление).

A.130 arithmetic shift
арифметический сдвиг
См. S.134 shift

A.131 arithmetic unit (AU)
= arithmetic and logic unit

A.132 arity of an operator
арность оператора

Число операндов, над которыми может выполняться действие, предусматриваемое оператором (O.048 operator).

A.133 ARM
рычаг
1. access arm
рычаг выборки
Рычаг или стержень, используемый для крепления и перемещения головки считывания-записи на позицию требуемой дорожки диска.
2. tension arm
рычаг регулирования натяжения
Рычаг или стержень, на котором установлены ролики (либо направляющие) и который автоматически перемещается для поддержания требуемого натяжения при низких скоростях движения ленты. См. также B.154 buffer.
3. to arm
Приводить устройство в состояние готовности.

A.134 ARMA — autoregressive moving average
авторегрессионное скользящее среднее
См. T.095 time series.

A.135 ARPA — Advanced Research Projects Agency
Управление перспективных исследований
См. D.005. DARPA.

A.136 ARPANET (Arpanet) — Advanced Research Projects Agency Network
сеть Управления перспективных исследований (министерства обороны США)
Первая сеть с коммутацией пакетов (P.009 packet switching), представляющая собой совокупность ведущих ЭВМ (H.093 host computer) и базовой сети (B.002 backbone network). Разработана несколькими университетами и частными организациями, специализирующимися в области проектирования вычислительных систем, по заказу Управления перспективных исследований министерства обороны США (D.005 DARPA). Впервые реализована в декабре 1969 г. в виде четырехузловой сети, а в настоящее время объединяет более 100 ведущих ЭВМ, охватывая половину земного шара.
В составе сети используются миниЭВМ, называемые интерфейсными процессорами сообщений (I.041 IMP). На их основе построена базовая сеть, объединяющая узлы коммутации со-

общений. Соединение интерфейсных процессоров осуществляется с помощью выделенных каналов, обеспечивающих скорость передачи данных 56K бит/с, хотя используются и другие каналы (например, спутниковый канал связи между США и Зап. Европой). Каждый интерфейсный процессор принимает блоки данных от своей ведущей ЭВМ, разбивает их на пакеты длиной 128 байт и добавляет к ним заготовки, в которых указываются адрес получателя и адрес отправителя сообщений. Затем производится обращение к динамически обновляемой маршрутной таблице и пакет направляется получателю по такому свободному в данный момент маршруту, который обеспечивает наискорейшую доставку пакета адресату. После получения пакета следующий интерфейсный процессор выдает отправителю подтверждение и независимо от других процессоров повторяет операцию маршрутизации. В сети ARPANET впервые были реализованы многие из сетевых принципов, которые используются сегодня. Важной особенностью этой сети является наличие распределенного алгоритма маршрутизации, который основан на принципе обработки отдельных пакетов с непрерывной оценкой топологии, пропускной способности и загрузки сети. Практическая демонстрация распределенной маршрутизации стала важным этапом в доказательстве рентабельности и надежности сетей с коммутацией пакетов. Технология сети была успешно реализована в ряде других сетей военного и разведывательного назначения, используемых в США. Сама сеть в 1975 г. была передана Управлению связи министерства обороны США и более не находится в прямом ведении Управления перспективных исследований.

A.137 array
массив

Упорядоченный набор однотипных элементов, число которых фиксировано [последнее не относится к массивам с переменными границами (F.094 flexible array)]. Элементами одного массива могут быть целые числа, элементами другого — действительные числа, а элементами третьего — символьные строки (если язык программирования позволяет распознавать эле-

менты составного типа). Каждый элемент имеет однозначно определенное множество индексов (I.058 index), которые определяют его положение в упорядоченном наборе. Каждый индекс представляет собой дискретную величину. Число измерений при упорядочивании фиксировано.

Одномерный массив, или вектор (V.022 vector), представляет собой список элементов, обозначаемых одиночными индексами. Если v — одномерный массив, а i — значение индекса, то i-й элемент v обозначается через v_i. Если индекс лежит в диапазоне от L до U, то величина L называется *нижней границей*, а U — *верхней границей*. В математике (а еще чаще в вычислительной математике), как правило, индексами являются целые числа, а нижней границей — единица. В двумерных массивах, или матрицах (A.137 matrix) элементы упорядочены в форме таблицы, состоящей из фиксированного числа строк и столбцов. Каждый элемент матрицы обозначается двумя индексами. Первый индекс указывает строку, а второй — столбец матрицы, в котором располагается элемент. Элемент, который располагается в i-й строке и j-м столбце матрицы, называется i, j-элементом. Если i лежит в диапазоне от L1 до U1, а j — в диапазоне от L2 до U2, то L1 называется *первой нижней границей*, U1 — *первой верхней границей*, L2 — *второй нижней границей*, а U2 — *второй верхней границей матрицы*. Здесь, как и в случае одномерных массивов, в качестве индексов используют целые числа, а L1 и L2 устанавливаются в единицу. Пример двумерного массива с U1 = m и U2 = n:

$$\begin{bmatrix} a_{11} & a_{12} & \dots & a_{1n} \\ a_{21} & a_{22} & \dots & a_{2n} \\ \vdots & \vdots & & \vdots \\ a_{m1} & a_{m2} & \dots & a_{mn} \end{bmatrix}$$

В *трехмерных массивах* положение каждого элемента обозначается тремя индексами. Аналогичным образом определяются и массивы более высоких размерностей.

A.138 array processor
матричный процессор

ЭВМ или процессор со специальной архитектурой, рассчитанной на обработку числовых массивов (A.137 arгау), например, матриц. Эта архитектура включает в себя матрицу процессорных элементов (скажем, 64×64), работающих одновременно. Каждый из них обрабатывает один элемент матрицы, так что за одну операцию могут быть параллельно обработаны все элементы матрицы. Чтобы получить тот же самый результат при использовании обычного процессора, надо обрабатывать каждый элемент матрицы последовательно, поэтому время вычислений значительно больше. Матричный процессор может быть выполнен в виде отдельного блока, подключаемого к основному компьютеру через порт ввода-вывода или внутреннюю шину. Или это может быть *распределенный матричный процессор*, обрабатывающие элементы которого распределены по всей вычислительной системе и тесно связаны с определенной частью памяти ЭВМ. Матричные процессоры — очень мощное средство решения задач, характеризующихся высокой степенью параллелизма. Они, однако, требуют другого подхода к программированию, который пока еще не достиг полной зрелости. [1] Преобразование обычных (последовательных) программ с целью их реализации на матричных процессорах представляет собой непростую задачу, и часто приходится выбирать иной (параллельный) алгоритм, который был бы пригоден для параллельной обработки. См. также V.026 vector processing.

А.139 articulation point
   = cut vertex

А.140 artificial intelligence (AI)
   искусственный интеллект (*ИИ*)
Дисциплина, изучающая возможность создания программ для решения задач, которые требуют определенных интеллектуальных усилий при выполнении их человеком. Сюда, однако, не входят задачи, для которых разрешающая процедура (D.110 decision procedure) известна (например, обращение матриц). Обычно к сфере ИИ относят задачи восприятия (например, зри-

---

[1] Автор имеет в виду 1985 г. и программную реализацию матричных вычислений. В 1988 г. появились специализированные сверхбольшие интегральные схемы, реализующие алгоритмы матричных вычислений аппаратно. — *Прим. ред. пер.*

тельного и слухового). По этой причине ИИ лучше определять через те области, где он находит применение. Примерами областей использования ИИ являются: игры, логический вывод (I.069 inference), обучение, понимание естественных языков, формирование планов, понимание речи, доказательство теорем (T.067 theorem proving) и визуальное восприятие. Задачи восприятия на самом деле требуют гораздо большего объема вычислений, чем может показаться на первый взгляд. Эти вычисления выполняются в процессе зрительного, слухового и других видов восприятия на уровне подсознания и поэтому их довольно трудно моделировать. Применение ИИ оказывается более успешным при решении интеллектуальных задач (например, в процессе участия в игре или при доказательстве теоремы), нежели задач восприятия. Иногда программы ИИ используются для моделирования поведения человека (см. С.224 computational psychology), а иногда для технических применений (см С.231 computer-assisted learning; L.151 expert systems; R.168 robotics), но в большинстве случаев цель заключается просто в нахождении метода решения некоторой задачи или более эффективного способа ее выполнения.

Вычислительные методы и принципы ИИ находят применение в задачах обработки списков (L.085 list processing), диалогового взаимодействия (см. I.136 interactive) (при коллективном доступе), построения расширенных сетей переходов (А.172 augmented transition network), анализа целей и средств (M.088 means/ends analysis), формирования систем продукционных правил (P.250 production-rule system), использования правил резолюции (R.133 resolution), создания семантических сетей (S.160 semantic network) и поиска текстовых строк (L.068 line finder). Термины *машинный интеллект* и *интеллектуальная система, основанная на использовании знаний* (IKBS), синонимичны термину *искусственный интеллект*, несмотря на то что они иногда используются для указания только на технологические аспекты проблемы ИИ.

А.141 ASCC — Automatic Sequence Controlleb Calculator
   автоматическое вычислительное

Таблица символов кода ASCII

Биты				Столбец → Строка ↓	0	1	2	3	4	5	6	7
b7→					0	0	0	0	1	1	1	1
b6→					0	0	1	1	0	0	1	1
b5→					0	1	0	1	0	1	0	1
b_4↓	b_3↓	b_2↓	b_1↓									
0	0	0	0	0	NUL	DLE	Пр	0	@	P	`	p
0	0	0	1	1	SON	DC1	!	1	A	Q	a	q
0	0	1	0	2	STX	DC2	"	2	B	R	b	r
0	0	1	1	3	ETX	DC3	#	3	C	S	c	s
0	1	0	0	4	EOT	DC4	S	4	D	T	d	t
0	1	0	1	5	ENQ	NAK	%	5	E	U	e	u
0	1	1	0	6	ACK	SYN	&	6	F	V	f	v
0	1	1	1	7	BEL	ETB	'	7	G	W	g	w
1	0	0	0	8	BS	CAN	(	8	H	X	h	x
1	0	0	1	9	HT	EM	)	9	I	Y	i	y
1	0	1	0	A	LF	SUB	*	:	J	Z	j	z
1	0	1	1	B	VT	ESC	+	;	K	[	k	{
1	1	0	0	C	FF	FS	,	<	L	\	l	|
1	1	0	1	D	CR	GS	—	=	M	]	m	}
1	1	1	0	E	SO	RS	.	>	N	∧	n	~
1	1	1	1	F	SI	US	/	?	O	—	o	DEL

Обозначения: Пр — пробел; NUL — знак пробела; SON — начало заголовка; STX — начало текста; ETX — конец текста; EOT — конец передачи; ENQ — запрос; ACK — подтверждение; BEL — звонок; BS — возврат на одну позицию; HT — горизонтальная табуляция; LF — перевод строки; VT — вертикальная табуляция; FF — подача бланка; CR — возврат каретки; SO — переход на верхний регистр; S — переход на нижний регистр; DLE — переключение кода; DC1 — управление устройством 1; DC2 — управление устройством 2; DC3 — управление устройством 3; DC4 — управление устройством 4; NAK — переспрос; SYN — режим синхронного ожидания; ETB — конец передачи блока; CAN — отмена; EM — конец носителя; SUB — замена; ESC — переход; FS — разделитель файла; GS — разделитель группы; RS — разделитель записи; US — разделитель блока; DEL — стирание.

устройство с программным управлением

См. H.036 Harward Mark I.

A.142 ASCII — American standard code for information interchange
американский стандартный код для обмена информацией
Стандартная схема кодирования знаков, введенная в 1963 г. и широко используемая во многих машинах. Это семиразрядный код без каких-либо рекомендаций относительно контроля по четности, обеспечивающий 128 различных битовых комбинаций. Набор его символов, включая управляющие, представлен в таблице. См. также C.082 character set.

A.143 assembler
ассемблер
1. Программа, используемая для преобразования исходной программы на языке ассемблера в машинный код или перемещаемую программу.
2. *разг.* Язык ассемблера.

A.144 assembly language
язык ассемблера
Система обозначений, используемая для представления в удобочитаемой форме программ, записанных в машинном коде. Язык ассемблера позволяет программисту пользоваться алфавитными мнемоническими кодами операций, по своему усмотрению присваивать символические имена регистрам ЭВМ и памяти, а также задавать удобные для себя схемы адресации (A.055 addressing schemes) (например, индексную или косвенную адресацию). Кроме того, он позволяет использовать различные системы счисления (например, десятичную или шестнадцатеричную) для представления числовых констант и дает возможность пользователю помечать специальными метками (L.001 label) строки программы с тем, чтобы к ним могли обращаться (по символическим именам) другие части программы, например в случае передачи управления или при переходах.

A.145 assertion
утверждение
Булева формула, для которой утверждается, что ее значение истинно, например:

$$4 + 5 = 9;$$
$$4 \text{ четное и } 5 \text{ нечетное};$$
$$x \text{ четное или } y \text{ нечетное};$$
$$x - y > 15;$$

для всех соответствующих i,
$$x \left[i\right] < x \left[i + 1\right].$$

В последнем примере утверждается, что массив x сортируется в порядке убывания без повторения значений. Утверждения широко используются при доказательстве корректности программ (P.259 program correctness proof); с их помощью характеризуются состояния программы.

A.146 assertion checker
блок контроля утверждений
Автоматическая система проверки утверждений (A.145 assertion), включенных в текст программы, на соответствие семантике (S.069 semantics) этой программы, т. е. формальному семантическому описанию используемого языка программирования. См. также M.091 mechanical verifier.

A.147 assignment-free language
язык без операций присваивания
Язык программирования, в котором не используется процедура присваивания значений переменным. Как правило, это язык функционального программирования (F.161 functional language).

A.148 assignment statement
оператор присваивания
Основной оператор всех языков программирования за исключением декларативных языков (D.116 declarative languages), с помощью которого переменной присваивается новое значение. В Алголе или подобном ему языке такой оператор имеет вид:

$$\text{variable} := \text{expression},$$

где := читается как «становится»; вместо этих знаков иногда используется направленная влево стрелка, указывающая на переменную, которой присваивается значение. В других языках (в частности, в Бейсике, Си и Фортране) в качестве оператора присваивания используется знак =, например:

$$a = b + c.$$

Это приводит к определенным затруднениям, когда требуется записать равенство. В Бейсике, который является довольно несовершенным языком, знак = используется для обеих целей; в Си для представления знака равенства используются символы ==, а в Фортране — обозначение .EQ.

A.149 associative addressing
ассоциативная адресация

Метод адресации ячеек, основанный на указании содержимого ячейки памяти, а не ее местоположения. Для этого указывается слово, характеризующее содержимое требуемой ячейки, а не ее обычный адрес. Для реализации механизма поиска, основанного на сравнении части содержимого памяти с некоторым словом-признаком, используется ассоциативное запоминающее устройство (см. A.152 associative memory). В некоторых приложениях допускается поиск по нескольким словам-признакам. Требуемые данные должны тесно ассоциироваться со словом-признаком или приближаться к нему; чаще всего признак, по которому ведется поиск, выступает в качестве дополнительного поля извлекаемой записи.

A.150 associative computer
ассоциативная ЭВМ

ЭВМ, в составе которой имеется ассоциативное ЗУ (A.152 associative memory).

A.151 associative law
ассоциативный закон

См. A.153 associative operation.

A.152 associative memory (content-addressable memory, CAM)
ассоциативная память

Память, которая «способна определять», содержится ли требуемый элемент данных — *слово-признак* — по одному из ее адресов или в одной из ее ячеек. Это может быть достигнуто различными способами. В некоторых случаях с помощью параллельной комбинационной логики производится анализ каждого слова в памяти, причем одновременно выполняется проверка на совпадение со словом-признаком. В других случаях осуществляется последовательный сдвиг слова-признака синхронно со всеми словами в памяти; каждый бит слова-признака затем сравнивается с соответствующим битом каждого слова памяти, причем используется столько однобитовых схем совпадения, сколько имеется слов в памяти. По мере совершенствования техники ассоциативных ЗУ появились методы маскирования (M.064 masking) слов-признаков, а также методы поиска, основанные на «близком» совпадении (в отличие от точного совпадения).

Параллельные ассоциативные ЗУ не-большой емкости находят применение в организации кэш-пасяти (C.002 cache memory) и виртуальной памяти (V.048 virtual memory). Поскольку реализация параллельных операций над большим количеством слов требует больших затрат (в смысле аппаратных ресурсов), используются разнообразные приемы «аппроксимации» работы ассоциативной памяти без выполнения полного перебора, который описывался выше.

Один из них заключается в использовании процедуры хеширования (H.038 hashing) с целью генерации «наилучшей оценки» истинного адреса, за которой следует проверка содержимого ячейки с вычисленным адресом. Некоторые ассоциативные ЗУ строятся по обычному принципу записи-считывания (параллельно по словам), в других же реализуется метод последовательного сравнения; устройства второго типа называют *ортогональными ЗУ*. См. также A.149 associative addressing.

A.153 associative operation
ассоциативная операция

Двуместная операция (D.319 dyadic operation), удовлетворяющая закону

$$x° (y °z) = (x °y) °z$$

для всех x, y и z, лежащих в области действия $°$. Этот закон называется *ассоциативным*. Любое выражение, включающее несколько соседних ассоциативных операций, допускает однозначную интерпретацию; порядок, в котором выполняются эти операции, не имеет значения, поскольку результаты различных оценок будут одинаковы, несмотря на то что объемы вычислений могут отличаться. Соответственно, в круглых скобках нет никакой необходимости, даже в более сложных выражениях. Арифметические операции сложения и умножения являются ассоциативными, чего нельзя сказать о вычитании. Что касается реализации на ЭВМ, то здесь ассоциативный закон сложения действительных чисел перестает действовать из-за внутренне присущей представлению действительных чисел неточности (см. F.100 floating-point notation). То же самое можно сказать и о сложении целых чисел, поскольку существует возможность переполнения (O.092 overflow).

A.154 astable
автоколебательная схема
Электронная схема, не имеющая устойчивого состояния на своем выходе, в результате чего ее выходной сигнал колеблется между двумя уровнями напряжения. Таким образом, эта схема функционирует как генератор прямоугольных импульсов. См. также M.256 multivibrator.

A.155 asymmetric relation
асимметричное отношение
Отношение (R.097 relation) R, заданное на множестве S и обладающее свойством, согласно которому

всякий раз, когда xRy,

это никогда не влечет за собой

$$yRx,$$

где x и y — произвольные элементы S. В качестве примера можно привести отношение порядка на множестве целых чисел, построенное по схеме «меньше чем». См. также A.108 antisymmetric relation; S.426 symmetric relation.

A.156 asynchronous
асинхронный (режим)
Режим синхронизации работы ЭВМ, при котором выполнение каждой конкретной операции начинается после приема сигнала, указывающего на окончание предыдущей операции. См. также I.156 interrupt. Ср. S.430 synchronous.

A.157 asynchronous circuit
асинхронная схема
Электронная логическая схема, в которой логические операции выполняются не под управлением тактовых сигналов, в результате чего смена логических состояний элементов обычно происходит неодновременно. В асинхронных схемах такие логические переходы могут следовать один за другим с минимальной задержкой, но при этом несколько усложняется сама схема и существует опасность неправильного функционирования.

A.158 asynchronous TDM
асинхронное временное уплотнение
См. T.087 time division multiplexing.

A.159 Atanasoff — Berry computer (ABC)
вычислительная машина Атанасова — Берри
Первая из известных электронных цифровых вычислительных машин, спро-

ектированная в 1936—38 гг. Дж. Атанасовым, профессором математики из Колледжа шт. Айова, главным образом, с целью решения линейных алгебраических уравнений. Она была изготовлена Атанасовым и его ассистентом К. Берри на базе электровакуумных ламп, которые использовались в качестве логических элементов. Однако полностью запустить ее в работу не удалось, и в 1942 г. испытания этой машины были прекращены.

A.160 ATL — automated (automatic) tape library

A.161 Atlas
Название первой ЭВМ, в которой были реализованы многие устройства и принципы, в настоящее время признанные стандартными, в том числе виртуальное (логическое) пространство адресов, превышающее по объему фактическое (физическое) адресное пространство, одноуровневая память (O.018 one-level store) на магнитных сердечниках с дублирующим ее магнитным барабаном, а также архитектура, основанная на использовании операционной системы с аппаратными средствами для облегчения программирования (например, с экстракодами). Работы по созданию этой ЭВМ начались в 1956 г. под руководством Т. Килбурна в Манчестерском университете, Великобритания. С 1958 г. проект финансировался фирмой Ferranti Ltd. Опытный образец машины был испытан в 1961 г., а первые модели машины появились на рынке в 1963 г.

A.162 atom
атом
Величина, не допускающая дальнейшего разложения на составляющие. В языке Лисп атом — это представление некоторой произвольной цепочки знаков или специального атома NIL («ничто»). Это слово также используется в качестве предиката в языках типа Лисп для определения того, является ли некоторая произвольная величина атомом. Например, выражение

(atom (cons (h, t)))

всегда принимает значение ЛОЖЬ, а выражения

(atom, NIL)

и

(atom, «word»)

всегда приобретают значение ИСТИНА.

A.163 atomic formula
атомарная формула
См. Р.299 propositional calculus.

A.164 atomicity
атомарность
Термин, отражающий степень дробления коллективно используемого ресурса. Применительно к некоторым ресурсам их объем, назначаемый какому-либо процессу, может быть абсолютно произвольным, как, например, процессорное время [за пределами критических секций программ (С.344 critical section)]. Назначение же некоторых других ресурсов должно производиться минимально допустимыми «порциями»; в качестве примера можно привести память, которая может выделяться блоками только кратными, скажем, 1024 байт.

A.165 attach
подсоединять, присоединять
Подключать какое-либо устройство к системе. В пористых системах подключение осуществляется путем простой состыковки гнездовой и штыревой частей разъемов интерфейсного блока и переводом устройства в состояние готовности. В более сложных системах часто требуется информировать операционную систему о типе подключаемого устройства и указывать адрес разъема, к которому оно подсоединяется. Необходимо также, чтобы в операционной системе имелась обслуживающая программа, соответствующая типу подключаемого устройства. В некоторых архитектурах операционная система сама способна определять типы и адреса всех подсоединяемых к системе периферийных устройств, коммутируемых электрическим способом.

A.166 attenuation
ослабление
Снижение амплитуды сигнала (S.150 signal) при его прохождении через среду, которая рассеивает энергию. Оно обычно измеряется в децибелах (при этом ослабление сигнала всегда отрицательно, тогда как усиление положительно).

A.167 attributive grammar
атрибутивная грамматика
Контекстно-свободная грамматика (С.281 context-free grammar), расширенная за счет введения правил или условий оценки атрибутов. При этом обеспечивается возможность описания контекстно-зависимых аспектов языка. Каждому символу грамматики ставится в соответствие конечное множество атрибутов или условий, а продукциям грамматики соответствуют определенные правила оценки атрибутов. С использованием этих правил можно производить оценку атрибутов каждого узла дерева синтаксического анализа (Р.149 parse tree). Атрибуты могут *наследоваться*, т. е. их значения являются функцией атрибута узла-родителя дерева синтаксического анализа, или *синтезироваться*, и тогда их значения являются функцией атрибутов узлов-потомков дерева синтаксического анализа. Понятие атрибутивной грамматики было введено Д. Э. Кнутом, который предложил описывать семантику программ через атрибуты корневого узла дерева синтаксического анализа.

A.168 AU — arithmetic unit
См. A.126 arithmetic and logic unit.

A.169 audio response unit
акустическое ответное устройство
Устройство вывода, способное давать речевой ответ. Выдаваемое сообщение может иметь вид записанных заранее фраз, сочетаний заранее записанных слов или синтезироваться из цифровых данных. Устройства этого типа используются для выдачи подсказок операторам прикладных терминалов и для подтверждения ввода данных с клавиатуры телефонных аппаратов.

A.170 audit trail
контрольный журнал
Журнал, в котором регистрируются события, имеющие отношение к обеспечению безопасности вычислительной системы. Например, запись в контрольный журнал может вноситься всякий раз, когда пользователь осуществляет процедуру вхождения в систему или доступ к файлу. Просмотр этого журнала помогает выявлять попытки несанкционированного доступа к системе и идентифицировать лиц, пытавшихся осуществить такой доступ.

A.171 augmented addressing (augmenting)
расширенная адресация (расширение)
Метод расширения заданного короткого адреса путем его объединения (как

младших разрядов требуемого адреса) с содержимым *регистра расширенной адресации* (в качестве старших разрядов нужного адреса) с целью формирования окончательного машинного адреса (M.004 machine address). См. также A.055 addressing schemes.

A.172 augmented transition network
расширенная сеть переходов
Обобщение концепции конечных автоматов (F.074 finite-state automaton), используемое для представления грамматик естественных языков, а следовательно, для синтаксического анализа и формирования текстов на естественных языках (см. P.050 parsing). Грамматика представляется в виде множества помеченных ориентированных графов (G.047 graph), причем метками обозначаются категории слов, рекурсивные вызовы самих себя или других графов, а также обращения с целью обновления данных или доступа к множеству регистров. Процедуры можно ассоциировать с дугами, используемыми для построения дерева синтаксического анализа (P.149 parse tree), формирования семантического представления, генерации текста и т. д.

A.173 authentication
предъявление полномочий
Процесс, с помощью которого субъект, обычно пользователь, сообщает информацию о себе при обращении к системе. Признаком наличия у пользователя полномочий на доступ служит знание пароля (P.064 password) или обладание некоторым физическим устройством, например, генератором закодированного опознавательного знака. Процедура предъявления полномочий может быть *обращенной*; в данном случае объект сообщает сведения о себе субъекту, например для того, чтобы пользователь был уверен, что в идентифицированную систему можно безопасно вводить конфиденциальную информацию.

A.174 authentication code
опознавательный код
«Добавка» к сообщению, которая указывает получателю, является ли это сообщение подлинным или оно было изменено в процессе передачи лицом, не имеющим на то полномочий. Опознавательные коды могут выводиться криптографически как функции содержимого сообщений, при этом у отправителя и у получателя имеется ключ для расшифровки. См. также C.352 cryptography.

A.175 autobaud
автобод
Разговорный вариант словосочетания «автоматическое определение скорости передачи». Обозначает способность некоторых систем связи автоматически определять скорость передачи входящих данных и адаптироваться к ней.

A.176 autocode
автокод
Общее название предшественников современных высокоуровневых языков программирования. В настоящее время этот термин вышел из употребления.

A.177 autodump
автоматическая разгрузка
См. A.178 autoload.

A.178 autoload
автоматическая загрузка
1. Процедура автоматической установки и фиксации бобины с лентой на подкатушечнике с последующей автоматической заправкой конца ленты, предусмотренная в некоторых лентопротяжных механизмах. Однако этот термин часто используется как синоним термина *автоматическая заправка* (A.192 autothread) — даже тогда, когда бобина устанавливается вручную. В глагольной форме термин autoload означает «автоматически устанавливать бобину с лентой в лентопротяжный механизм».
2. Функция, предусмотренная в некоторых подсистемах записи на магнитную ленту. С ее помощью обеспечивается (в соответствии с заранее заданными правилами) считывание некоторой порции данных с ленты, установленной в лентопротяжном механизме, и их передача главной ЭВМ в случае, если с пульта управления последней введена неправильная команда. Эта функция используется для облегчения первоначальной загрузки программ. Обратный процесс, при котором данные выводятся на ленту, называется *автоматической разгрузкой* (A.177 autodump).

A.179 autoload cartridge
кассета автоматической загрузки
См. M.031 magnetic tape cartridge.

нерирует программу, по которой
еспечиваются все необходимые пере-
ещения. При обработке коммерче-
ких данных мы просто описываем
азличные документы — бланки заказов, счета-фактуры, уведомления о
поставках и т. д. — и соотношения
между записываемыми в них величинами, а система сама генерирует необходимый пакет программ. См. также
G.022 generator.

A.188 automatic tape library (ATL)
= automated tape library

A.189 automation
автомат
Общее название устройств, осуществ-
ляющих «механическую» обработку
входных цепочек символов с целью
определения, принадлежат ли они
некоторому множеству цепочек, т. е.
формальному языку (F.117 formal language), или для порождения выходных
цепочек символов. В утверждение «автомат *A распознает* (или *воспринимает*)
язык *L*» может быть заложен один
из двух смыслов: а) для любой входной цепочки *w* автомат *A* останавливается и указывает, что он *принимает*
или *отвергает* *w*, в зависимости от
того, выполняется или нет условие
$w \in L$; б) *A* останавливается, если
$w \in L$; в противном случае автомат
не останавливается. В случае машин
Тьюринга (T. 192 Turing machine)
к языкам, распознаваемым в смысле
а) и более слабом смысле (б), относятся
соответственно рекурсивные множества
(R.068 recursive set) и рекурсивно
перечислимые множества (R.066 recursively enumerable set). Отсюда,
если язык распознаваем (в обоих
смыслах) каким-либо автоматом, то он
распознаваем и машиной Тьюринга.
Машины Тьюринга — это особый вид
автоматов. К автоматам других видов
относятся конечные автоматы (F.074
finite-state machine), магазинные автоматы (P.345 pushdown automaton) и
линейно-ограниченные автоматы (L.052
linear-bounded automaton). Последовательные машины — это автоматы для
ормирования выходных цепочек.

190 automorphism
автоморфизм
оморфное отображение (I.204 iso-
rphism) алгебры (A.074 algebra) на
ое себя.

A.191 autoregression
авторегрессия
См. T.095 time series.

A.192 autothread
автоматическая заправка
Реализованная в некоторых лентопротяжных механизмах функция,
с помощью которой магнитная лента
автоматически протягивается с катушки файла по заданной траектории
и крепится к сердечнику приемной катушки (см. также A.178 autoboad).
Первые лентопротяжные механизмы
с автоматической заправкой, выпущен-
ные фирмой IBM в 1960-е годы, требовали размещения катушек с лентой
внутри кассет магнитной ленты (M.031
magnetic tape cartridge) типа Easyload и ручной установки на подающем
подкатушечнике; в более поздних конструкциях от кассет отказались, но
все равно требовалась ручная установка катушек. В лентопротяжных
механизмах самых последних моделей
достаточно просто опустить катушку
с лентой через прорезь в корпусе
механизма. Достоинством такой конструкции является то, что лентопротяжные механизмы могут устанавливаться горизонтально и компоноваться
в виде этажерок, в результате чего достигается очень высокая компактность
изделий. Лентопротяжные механизмы
такого типа впервые были изготовлены
фирмой Cipher в 1980 г.

A.193 auxiliary memory
= backing store

A.194 available list (free list)
*список доступных (свободных) уст-
ройств*
Перечень незадействованных блоков
коллективно используемого ресурса.
Некоторые ресурсы, например процессоры, используются совместно путем выделения каждого из них целиком какому-либо процессу на определенный промежуток времени. Другие
ресурсы представляют собой совокупность функционально однотипных блоков, например страниц памяти; при
этом разделение такого ресурса сводится к закреплению за каждым процессом только части его блоков. Эта
выделенная процессу часть ресурса
остается задействованной до тех пор,
пока процесс не освободит ее. Список

A.180 autoload success rate
частота успешных исходов при автоматической загрузке

Число успешных попыток автоматической загрузки (или заправки) магнитной ленты, установленной в лентопротяжный механизм, отнесенное к общему числу попыток. Для ленты шириной 0,5 дюйма (≈ 13 мм) обычно требуется около трех попыток, а частота успешных исходов составляет, как правило, около 97%; неудачные исходы обусловлены, главным образом, тем, что повреждается конец ленты, чаще всего в результате ручной заправки на другом лентопротяжном механизме. В этом случае оператор должен ровно подрезать конец ленты или произвести ее загрузку вручную.

A.181 automated tape library (ATL)
автоматизированная библиотека на лентах (АБЛ)

Периферийное устройство, в котором большое число кассет или катушек магнитной ленты хранится в ячейках *архивной матрицы*. Любая выбранная кассета может быть автоматически перенесена на лентопротяжный механизм (непосредственно или с помощью дополнительного устройства, называемого *челноком*), где к ней может осуществить доступ главная вычислительная система; затем кассета возвращается в исходную или любую другую ячейку. Кроме того, в составе устройства имеется один или несколько *выдвижных ящиков*, которые тоже обслуживаются транспортировочным механизмом. Эти ящики доступны для оператора: пользуясь ими, он может добавлять новые кассеты в библиотеку или извлекать из нее старые. В функциональном смысле АБЛ эквивалентна обычной библиотеке на лентах (T.019 tape library), но вмешательство человека-оператора ограничивается лишь установкой новых или извлечением старых кассет. В некоторых видах АБЛ используются стандартные катушки 13-мм ленты, однако чаще находят применение кассеты специальной конструкции, которые обычно содержат по одной катушке с относительной короткой лентой шириной несколько дюймов. Преимуществами АБЛ являются быстрота выбора и установка любой кассеты на лентопротяжный механизм (обычно за несколько секунд) и отсутствие необхо-

димости в операторах, не[...] являются высокая стоимо[...] механическая и функциона[...] ность. АБЛ не получил[...] распространения. Существу[...] гичные архивные устройст[...] информации на оптически[...] (D.051 optical disk).

A.182 automatic calling unit
См. A.038 ACU.

A.183 automatic check
автоматическая проверка

Любая непрограммируемая про[...] правильности сегмента данных. также E.105 error detection and rection.

A.184 automatic coding
автоматическое кодирование

Термин, который использовался на[...] ранних этапах разработки вычислительных машин для того, чтобы подчеркнуть использование примитивного высокоуровневого языка или автокода (A.176 autocode), поскольку тогда чаще применялось «ручное кодирование».

A.185 automatic data conversion
автоматическое преобразование данных

Преобразование данных из одного вида в другой без прямого участия программиста, например, преобразование десятичных целых чисел в форму, пригодную для записи в память. Такие средства преобразования отдельных элементов данных имеются почти во всех языках программирования. Во многих системах ввода, используемых в базах данных, выполняются более сложные преобразования информации, причем в пределе обеспечивается приведение формата данных, принятого в одной базе данных, к формату другой базы данных.

A.186 automatic data processing (A[...]
автоматическая обработка д[...] (АОД)

См. D.062 data processing.

A.187 automatic programming
автоматическое программ[...]

1. Использование высоко[...] языка программирования. [...] чении термин в настоящ[...] употребляется.

2. Автоматическая ге[...] граммы по непроцеду[...] нию требуемого дейст[...] кусственном интеллек[...] требуемые действия

доступных устройств обеспечивает систему управления ресурсами необходимой информацией о том, какие части ресурса не заняты процессом. См. также F.142 free-space list.

A.195 available time
доступное время

Часть заданного периода времени, в течение которой вычислительная система может эксплуатироваться пользователями. На интервале доступного времени система должна правильно функционировать, не выключаться и не подвергаться ремонту или техобслуживанию. Доступное время складывается из *производительного времени* и *времени ожидания*. Производительное (полезное) время — это та часть заданного периода, в течение которой система выполняет полезную работу для пользователей. Время ожидания представляет собой часть заданного периода, в течение которой система не выполняет никаких полезных функций. Это время обычно включает в себя ожидание завершения некоторых операций ввода-вывода или окончания перезаписи данных в резервное ЗУ.

A.196 average-case analysis
анализ в среднем

См. A.082 algorithm.

A.197 AVL tere (height-balanced tree)
дерево АВЛ (сбалансированное по высоте дерево)

Дерево двоичного поиска (B.071 binary search tree), в котором для каждого узла высоты (H.054 height) левого и правого поддеревьев отличаются максимум на единицу. Таким образом, баланс (B.014 balance) каждого узла равен —1,0 или +1. В процессе вставки или стирания узел дерева АВЛ может стать *критическим* или несбалансированным. Тогда для поддержания сбалансированности дерева его необходимо реорганизовать. Дерево названо по первым буквам фамилий его создателей Адельсона—Вельского и Лэндиса.

A.198 axiomatic semantics
аксиматическая семантика

Семантика (S.069 semantics) языков программирования, в которой значение языковой конструкции или программы на некотором языке программирования определяется «аксиомой».

Для каждого конкретного высказывания аксиома указывает, что должно быть истинным после его реализации в контексте того, что было истинным до реализации высказывания. Основы этого подхода были заложены Флойдом, который предложил помечать линии связи блок-схем соответствующими утверждениями. Дальнейшее развитие аксиоматическая семантика получила в работах А. Хора, которому удалось распространить ее на высокоуровневые языки. В настоящее время она играет важную роль в доказательстве корректности программ.

В

B.001 Babbage
Бэббидж

Машинно-ориентированный высокоуровневый язык (М.182 MOHLL), предназначенный для машин серии GEC 4080 и их производных. Особенно примечателен тот факт, что он поставляется изготовителем машин и полностью заменяет ассемблер.

B.002 backbone network
базовая сеть

Совокупность базовых узлов многоуровневой распределенной сети, предоставляющих услуги по передаче данных остальной части сети (главным узлам). Базовая сеть обычно состоит из специализированных узлов коммутации пакетов, сообщений или каналов, соединенных магистральными каналами с высокой пропускной способностью, и специального оборудования диагностики и управления. В качестве примера можно привести подсеть IMP (I.041 IMP) сети ARPANET (A.136 ARPANET). К базовым сетям предъявляется одно очень важное требование — они должны иметь высокую надежность. По этой причине они обычно строятся из однородных (по-существу однотипных) процессоров и управляются централизованно, хотя остальная часть сети может иметь высокую степень однородности и распределенную систему управления. С целью снижения вероятности нарушения работы всей сети при одиночных сбоях для управления работой базовой сети часто используются распределенные процедуры. В тех случаях, когда применяется централизованная система управления, обычно имеется резервная система, готовая принять на себя управление при отказе основной системы. Базовые сети часто характеризуются распределенным трафиком. Для использования преимуществ распределенного трафика внутри базовых сетей может применяться коммутация пакетов (P.009 packet switching), хотя для внешних по отношению к базовой сети главных узлов она может представляться как сеть с коммутацией каналов (C.115 circuit switching) (см. V.046 virtual connection). В целях минимизации определенных рабочих параметров сети, например средней задержки, стоимости каналов и т. д., при построении базовых сетей могут использоваться методы анализа моделей трафика (потока информационного обмена). Базовые сети и сами могут иметь многоуровневую структуру, т. е. включать наземные линии связи с высокой и низкой пропускной способностью и спутниковые каналы.

B.003 back-end processor
постпроцессор

Процессор, используемый для реализации некоторой специальной функции, например управления базой данных, или в качестве специализированного арифметическо-логического устройства.
Ср. F.150 front-end processor.

B.004 background processing
фоновая обработка

Обработка без возможности взаимодействия с пользователем (в системах, где такое взаимодействие предусмотрено только для приоритетной обработки (F.113 foreground processing)). При фоновой обработке вводятся пользователями с терминалов, но обрабатываются не сразу, а помещаются сначала в *очередь фоновых задач* и поступают затем на обработку по мере высвобождения ресурсов.

B.005 backing store (auxiliary memory; bulk memory; secondary memory)
внешнее ЗУ (вспомогательная память; память большого объема; вторичная память)

Память, используемая для хранения справочной информации, а не данных, непосредственно участвующих в работе программ. Внешние ЗУ образуют при этом нижнюю часть иерархии памяти (M.105 memory hierarchy), в которой скорость выборки записанной информации согласовывается с общими требованиями к системе с целью достижения наибольшей экономии. Когда этот термин используется в абсолютном смысле, то обычно имеется в виду диск; в относительном смысле этим термином обозначается устройство, расположенное на нижележащем уровне иерархии памяти.

B.006 backplane
объединительная плата

Устройство, которое можно рассматривать как физическую «панель», обеспечивающую обмен данными между ЭВМ или аналогичным ей узлом и различными периферийными устройствами. Как правило, объединительная плата состоит из набора многоконтактных гнездовых частей разъемов, которые соединены параллельно и подключены к внутренним электрическим цепям, или шинам (B.164 bus) ЭВМ. Периферийные устройства можно в этом случае подключать к ЭВМ путем простой установки совместимых интерфейсных плат в любое из предусмотренных гнезд.

B.007 backtracking
поиск с возвратом

Свойство алгоритма, которое подразумевает пробный поиск цели с учетом возможности завершения любого пути поиска тупиком; в последнем случае алгоритм обеспечивает возврат из тупика назад и продолжение поиска по другому пути. Этот метод обычно подходит для решения задач, требующих проверки потенциально большого, но все же конечного числа решений. Он сводится к систематическому поиску по дереву в направлении снизу вверх.

B.008 backup
резерв

Ресурс, который используется или может использоваться в качестве заменителя при отказе главного ресурса или при разрушении информации в файле. В глагольной форме это слово означает «резервировать». т. е. делать копию с целью застраховать себя от возможного отказа или разрушения информации в будущем. Так, в процессе получения дампа (D.312 dump) формируется резерв, который можно использовать в тех случаях, когда файл пользователя становится непригодным для работы; дамп можно рассматривать как резервный экземпляр файла на диске.

B.009 Backus normal form, Backus — Naur form
= BNF

B.010 backward error analysis
обратный анализ ошибок
См. E.099 error analysis.

B.011 backward error correction (backward correction)
исправление ошибок переспросом
Исправление ошибок в канале передачи посредством обнаружения их приемником, когда последний реагирует на любую ошибку в принятом блоке (B.103 block) путем отправления передатчику запроса на повторную передачу блока. Исправление переспросом в отличие от прямого исправления ошибок (F.127 forward error correction) требует наличия обратного канала (R.143 return channel). Обратный канал может использоваться для индикации ошибок двумя способами: путем *положительного* или *отрицательного квитирования*. В случае положительного квитирования приемник передает подтверждение после приема каждого блока, не содержащего ошибок; при этом, если передатчик не получает подтверждение в течение определенного периода времени, он осуществляет повторную передачу блока. При отрицательном квитировании приемник формирует запрос на повторную передачу при приеме каждого блока, содержащего ошибки; при этом передатчик осуществляет повторную передачу блока (что требует от передатчика сохранения копии каждого переданного блока). В связи с тем, что в обратном канале тоже могут возникать ошибки, а также в целях ограничения требуемой емкости ЗУ передатчика, чаще используется положительное квитирование с повторной передачей. См. также E.104 error detecting code.

B.012 badge reader
считыватель жетонов
Устройство, предназначенное для считывания информации, записанной на небольших пластмассовых платах (жетонах). Оно часто входит в состав систем сбора данных, в которых каждый оператор сообщает сведения о себе машине, предъявляя идентификационный жетон. Оно может также использоваться для контроля за доступом в помещения, оборудованные электрическими кодовыми замками, или встраиваться в клавиатуру и другие части информационных систем для обеспечения контроля за доступом к информации. Жетон обычно изготавливается целиком из пластмассы или представляет собой бумажную карточку в пластмассовом футляре. Кроме обычного кода жетон может содержать фотографию владельца и другую дополнительную информацию. Используемые при этом методы кодирования иногда являются собственностью той организации, в которой используются кодируемые жетоны, и характеризуются довольно высокой сложностью, необходимой для обеспечения максимальной безопасности. В промышленных системах сбора данных первоначально получили наиболее широкое распространение жетоны в виде перфокарт пяти стандартизованных форматов с прямоугольными перфорационными отверстиями, характерными для 80-колонных перфокарт. В настоящее время считыватели таких перфорированных жетонов вытесняются устройствами, способными считывать информацию в виде нанесенных меток или символов, в форме встроенных конденсаторных или магнитных элементов, а также устройствами, которые способны считывать данные с магнитного носителя, выполненного в виде магнитной полоски на поверхности жетона.

B.013 bag (multiset)
мультимножество (множество с повторяющимися элементами)
1. Неупорядоченная совокупность элементов, в которой допускается многократное повторение одного и того же элемента.
2. Любая структура данных для представления мультимножества. Такая структура аналогична формам представления обычных множеств (S.116 set), однако если в случае множества достаточно только указать присутствие (или отсутствие) тех или иных элементов, то в случае мультимножества требуется также указывать число повторений элемента.

B.014 balance of a node in a binary tree
баланс узла в двоичном дереве
(B.077 binary tree)

Критерий относительного размера левого и правого поддеревьев узла. Обычно баланс определяется как высота левого поддерева минус высота правого поддерева (в абсолютных значениях). Однако используются и такие формулы, в которых баланс измеряется через общее число узлов в левом и правом поддеревьях.

B.015 balanced (height-balanced; depth-balanced) tree
сбалансированное (сбалансированное по высоте; сбалансированное по глубине) дерево
Дерево, высота (H.054 height) которого [а следовательно, и глубина (D.155 depth)] примерно равна логарифму числа его узлов. Это свойство обычно достигается в двоичном дереве путем обеспечения баланса каждого узла в соответствии с некоторым критерием. См. также A.197 AVL tree; B.148 B-tree.

B.016 band
1. зона 2. лента 3. полоса
1. Группа соседних дорожек на магнитном или оптическом диске.
2. Петля из гибкого материала (например, стальной ленты), используемая в качестве шрифтоносителя в ленточных печатающих устройствах (B.020 band printer).
3. Часть спектра частот, лежащая в пределах границ, определяемых в соответствии с некоторыми требованиями или функциональными аспектами данного сигнала или канала передачи. Термин употребляется и в значении *ширина полосы* (B.023 bandwidth), например при использовании в качестве суффикса в словах narrowband (узкополосный) и wideband (широкополосный).

B.017 band-limited channel
канал с ограниченной полосой
Канал передачи с конечной шириной полосы (B.023 bandwidth). Все физически реализуемые каналы ограничены по полосе. См. также C.067 channel coding theorem; D.223 discrete and continuous systems.

B.018 band matrix
ленточная матрица
Разреженная матрица, в которой ненулевые элементы расположены в форме полосы, расположенной по обе стороны главной диагонали. Если A — ленточная матрица, такая, что

$$a_{ij} = 0,$$ если и только если $j - i > p$ или $i - j > q$,

где p и q — расстояния соответственно выше и ниже главной диагонали, то формула для *ширины ленты* w имеет вид

$$w = p + q + 1.$$

B.019 band-pass filter
полосовой фильтр
Фильтрующее (F.065 filtering) устройство, пропускающее только те составляющие преобразования Фурье (F.130 Fourier transform), частота которых лежит в пределах между двумя критическими значениями. Эти составляющие почти не ослабляются, тогда как все другие составляющие подавляются.

B.020 band printer (belt printer)
ленточное печатающее устройство
Построчно-печатающее устройство (L.069 line printer) ударного действия (I.042 impact printer), в котором шрифт — знаки и синхронизирующие метки — нанесен методом травления на стальной ленте. Принцип действия аналогичен принципу действия цепного печатающего устройства. Хотя первые устройства такого типа демонстрировались еще в середине 1960-х годов, машины с достаточно хорошим качеством шрифта и приемлемым сроком службы ленты появились лишь в 1972 г. Ленточные печатающие устройства дешевле и производительнее барабанных печатающих устройств (D.292 drum printer). Первые предпочтительнее еще и потому, что шрифтоноситель движется горизонтально, т. е. любое нарушение синхронизации при ударах приводит лишь к изменению интервалов между знаками, что менее заметно, чем вертикальное смещение, характерное для барабанных печатающих устройств. В конце 1970-х годов большинство ударных построчно-печатающих устройств были устройствами ленточного типа. Их быстродействие составляло 300 ... 2500 строк в 1 мин при использовании шрифтовых комплектов из 64 знаков. В машинах с более низким быстродействием печатающий молоточек часто работает одновременно на двух соседних позициях печати в режиме разделения времени. В одних моделях это достигается путем использования молоточка с широкой головкой, которая перекры-

вает два столбца, в других применяется блок стандартных молоточков (с обычной шириной головки), который перемещается наподобие челнока на одну или несколько позиций в продольном направлении. Преимуществом некоторых челночных печатающих устройств является их способность печатать с уменьшенным шагом, т. е. 15 знаков на дюйм (2,54 см), так же как и со стандартным шагом (10 знаков на один дюйм).

B.021 band-reject filter
= band-stop filter

B.022 band-stop filter (band-reject filter)
режекторный фильтр

Фильтрующее (F.065 filtering) устройство, пропускающее только те составляющие преобразования Фурье (F.130 Fourier transform), частота которых лежит ниже одной (нижней) критической частоты или выше другой (верхней) критической частоты. Эти составляющие почти не ослабляются, тогда как все другие составляющие подавляются. Если две критические частоты располагаются очень близко одна от другой, то устройство называется *узкополосным режекторным фильтром*. Узкополосные режекторные фильтры находят применение, например, в модемах (M.166 modem) для подавления определенных составляющих информационных сигналов с тем, чтобы они не создавали помех в оборудовании телефонной сети.

B.023 bandwidth
1. ширина полосы 2. ширина ленты

1. Характеристика канала передачи (См. C.064 channel).
Обычно это диапазон частот (F.143 frequency), пропускаемых каналом. Часто он образуется всего одной полосой пропускания (P.061 passband), но может включать в себя несколько неперекрывающихся полос. Ширина каждой полосы пропускания измеряется разностью между верхним и нижним частотными пределами этой полосы; сумма всех таких разностей дает общую ширину полосы канала. Ширина полосы, как правило, измеряется в единицах частоты, т. е. в герцах (Гц), или в числах периодов в секунду. Если же ширина полосы рассматривается не в частотной области (см., например, S.089 sequency), то она измеряется в соответствующих подходящих единицах. Существует несколько довольно нестрогих классификаций частотных диапазонов по ширине полосы, которые приняты для удобства описания диапазонов в различных областях техники. Одна из них следующая:

узкий диапазон частот (до 300 Гц);
диапазон *тональных частот* (300... 3000 Гц);
широкий диапазон частот (более 3000 Гц).

См. также B.017 band-limited channel; C.067 channel coding theorem (S.124 Shannon—Hartley law); N.106 Nyquist's criterion.
2. Характеристика ленточной матрицы. См. B.018 band matrix.

B.024 bank switching
коммутация блоков

Метод управления памятью (M.106 memory management), широко используемый в микрокомпьютерных системах, где требуется прямая адресация больших объемов памяти, чем способен обеспечить микропроцессор. Например, восьмиразрядный микропроцессор может осуществлять прямое обращение к 16-разрядному адресному пространству (64К байт). В системах, требующих больше 64К байт памяти, например в системах коллективного пользования, для расширения возможностей микропроцессора в части адресации можно использовать коммутацию блоков. В системе с коммутацией обеспечивается выбор различных блоков памяти путем выдачи в заданный порт вывода различных битовых комбинаций. Каждый блок может содержать максимальное для процессора число адресов памяти, а количество блоков в системе может быть очень большим. На практике каждому пользователю системы часто выделяется один блок, а дополнительный блок резервируется за операционной системой. Коммутация блоков в принципе аналогична сегментации памяти (см. S.051 segment), но не требует вспомогательного процессора для выдачи сведений о сегментированном адресном пространстве. Отметим также, что одной задаче может выделяться лишь целостный блок независимо от того, нуждается она в таком объеме памяти или нет. В более совершенных схемах управления памятью может обеспечиваться более эффективное использование физического пространства адресов.

B.025 bar code
штриховой код
Машиночитаемый код, который наносится типографским способом и состоит из параллельных штриховых линий различной ширины с различным расстоянием между линиями. Наиболее часто используется для маркировки упакованных пищевых продуктов и других товаров. Код автоматически считывается на контрольно-кассовом пункте и преобразуется в информацию о виде продукта и его стоимости, проставляемые на чеке. Считываемая информация используется также для учета товарных запасов и ведения статистики продаж. В США основой для построения штрихового кода служит универсальный код товаров (Universal Product Code, UPC), а в Зап. Европе — европейский шифр предметов торговли (European Article Numbering, EAN). Код UPC первоначально декодируется в два пятизначных числа. При этом первые пять цифр идентифицируют фирму-поставщика, а другие пять — номер изделия в номенклатуре выпускаемых данной фирмой товаров. Будучи введенной в кассовый аппарат, такая информация обеспечивает далее распечатку на чеке необходимых сведений. Код EAN содержит двузначное число, которое указывает страну-производитель, и следующие за ним два пятизначных числа плюс контрольный разряд. Такая структура кода облегчает выделение соответствующих цифр поставщикам внутри страны. Согласованию на международном уровне подлежит только двузначный код и формат полного кода. Штриховые коды других видов находят применение в системах сбора данных на промышленных предприятиях, в библиотеках и в системах контроля за прохождением конфиденциальных документов. Достоинством штриховых кодов является простота оборудования для их нанесения и считывания. Среди широко распространенных штриховых кодов можно отметить «Код 39», «Кодабар» и код «2 из 5»

B 026 Barker sequence
последовательность Баркера
В передаче данных — последовательность символов [двоичных или *q*-ных] (Q.001 *q*-ary), которая, будучи вставлена в цепочку случайно выбранных символов (одного и того же алфавита), имеет, за исключением позиций совпадения, нулевую автокорреляцию. Последовательности Баркера используются для контроля и (если необходимо) для восстановления синхронизации при формировании кадров данных на приёмном конце линии.

B.027 barrel printer
Английский эквивалент американского термина drum printer

B.028 base-radix
основание (позиционной системы счисления)
Например, десятичные числа имеют основание 10, а двоичные — 2. См. N.094 number system.

B.029 base addressing
базовая адресация
См. R.103 relative addressing.

B.030 baseband networking
прямая (немодулированная) передача данных по сети
Способ передачи данных, при котором цифровой сигнал направляется непосредственно в канал связи без модуляции, т. е. не требуется несущая. В канале без модуляции в одно и то же время может присутствовать только один сигнал. Такой тип *передачи сигналов без несущей* называют еще *передачей с постоянной составляющей*, поскольку в каналах некоторых сетей без модуляции в отсутствие передаваемых сигналов неизменно обнаруживается напряжение постоянного тока. Для организации передачи данных в сетях без модуляции могут использоваться витые пары или коаксиальные кабели. Примером локальной сети (L.095 local area-network) с немодулированной передачей данных по коаксиальному кабелю является сеть Ethernet (E.117 Ethernet). Ср. B.143 broadband networking.

B.031 base-bound register (datum-limit register)
регистр защиты памяти (регистр границы базы)
Аппаратное средство для организации распределения виртуальной памяти (V.048 virtual memory). Регистр защиты имеется у каждого сегмента (S.051 segment) данных или программы и определяет местоположение в физической памяти нулевого слова для этого

сегмента — так называемый *базовый адрес* или *базис* — и число слов в данном сегменте — *границу* или *предел* (либо физический адрес слова, следующего за концом сегмента; в последнем случае регистр называется ограничительным (B.131 bound register)). Всякий раз когда какой-либо процесс пытается осуществить доступ к некоторому сегменту памяти, аппаратные средства вычислительной системы проверяют, лежит ли адрес слова в диапазоне

$$0 \leqslant \text{адрес слова} < \text{граница},$$

а затем прибавляют этот адрес к содержимому регистра базового адреса; в результате формируется требуемый физический адрес. С таким аппаратным решением связано одно неудобное ограничение: пространство для хранения сегмента должно выделяться в непрерывной области памяти (см. B.049 best fit; F.078 first fit).
Не следует смешивать регистр базового адреса системы защиты памяти и *базовый регистр*, используемый при построении относительных адресов. В последнем случае результат модификации относительного адреса с помощью содержимого базового регистра продолжает оставаться адресом в пространстве виртуальной памяти, выделенном процессу, и не обязательно соответствует физическому адресу.

B.032 base field
   основное поле
См. P.150 polynomial.

B.033 base-limit register
   регистр защиты памяти
См. B.031 base-bound register.

B.034 base register
   базовый регистр
См. R.103 relative addressing.

B.035 BASIC (Basic) — beginner's all-purpose symbolic instruction code
   БЕЙСИК или *Бейсик* — *универсальная система символического кодирования для начинающих*
Простой язык программирования, разработанный в середине 1960-х годов для изучения возможности интерактивного использования ЭВМ с удаленного терминала. Бейсик был первоначально задуман как очень простой язык, который можно было бы очень быстро освоить. В язык были включены примитивные средства редактирования, с тем чтобы избавить пользователя от необходимости разбираться во всех сложностях базовой операционной системы. Вначале Бейсик использовался только для обработки числовых величин, но позднее был расширен средствами обработки строковых переменных и снабжен набором процедур простого манипулирования символьными цепочками, который фактически стал стандартом. Простота Бейсика сделала его наиболее подходящим языком программирования для первых микроЭВМ. В настоящее время он является основным языком программирования персональных ЭВМ. К сожалению, почти каждая машина имеет свой собственный диалект Бейсика, поэтому мобильность программ на Бейсике обеспечить довольно трудно. Введение АНИС стандарта на этот язык не привело к сколь-нибудь заметному улучшению ситуации. В настоящее время во многие диалекты Бейсика включаются современные управляющие структуры типа

REPEAT ... UNTIL,

что вселяет определенный оптимизм.

B.036 batch control
   контроль пакетов
Способ проверки информации в системах обработки данных (D.062 bata processing), используемый для контроля пакетов входных данных, в частности на этапе их подготовки. Существует два основных вида контроля пакетов: *контроль очередности*, предполагающий последовательную нумерацию записей в пакете, с тем чтобы можно было подтвердить присутствие каждой из них в процессе прогона контролирующей программы, и *вычисление контрольных сумм*, предусматривающее подсчет записей или суммирование значений определенных полей каждой записи с последующей проверкой этих сумм при прогоне контролирующей программы. Контрольные суммы могут быть «информативными», т. е. пригодными для использования в системе обработки данных не только по своему прямому назначению (например, для ревизорских проверок финансовых документов). Однако чаще всего контрольные суммы не имеют никакого физического смысла (как, например, сумма табельных номеров служащих) и называются смешанными контрольными суммами (H.043

hash total). Контроль пакетов может иметь и более широкое применение, т. е. использоваться не только в программах проверки достоверности информации, но всякий раз когда данные бывают разделены на пакеты; в частности для проверки того, что неправильные записи, отбракованные на этапе прогона контролирующей программы, были исправлены и снова введены в пакет до отправки его на последующую обработку.

B.037 Batcher's parallel method (merge exchange sort)
параллельный метод Батчера (обменная сортировка слиянием)
Вид сортировки (S.225 sorting) методом выбора, когда сравниваются части сортировочных ключей, не являющиеся соседними. Последовательность сравнений, реализуемая по этому методу, была открыта К. Э. Батчером в 1964 г. Она особенно подходит для реализации параллельной обработки (P.032 parallel processing).

B.038 batch processing
пакетная обработка
1. Первоначально это был метод организации работы вычислительной системы, предназначенный для снижения непроизводительных затрат машинного времени путем объединения однотипных заданий. Позднее появилась возможность исключить повторную загрузку системного программного обеспечения (S.461 systems software). Задания группировались в пакеты, каждый со своим отдельным компилятором. Компилятор загружался один раз, а затем осуществлялась последовательная трансляция всех заданий пакета. Если компиляция какого-либо задания не удавалась, это задание не принимало участия в дальнейшей обработке, тогда как все скомпилированные задания выводились в двоичной форме на магнитную ленту или на другое резервное запоминающее устройство. По окончании компиляции пакета все успешно транслированные в двоичный код задания загружались последовательно и обрабатывались. Известен и такой метод, при котором осуществляется запись пакетированных заданий на магнитную ленту, в результате чего исключаются затраты времени на считывание перфокарт и распечатку заданий на бумажном носителе в автономном ре-

жиме. Термин *пакетная обработка* используется также применительно к процессу фоновой обработки (B.004 background processing) заданий, не требующей вмешательства пользователя. Такая обработка реализуется во многих системах коллективного доступа.
2. Метод организации системы обработки данных (D.062 data processing), при котором транзакции (T.128 transaction) вводятся как пакет, сортируются и последовательно обрабатываются для обновления и (или) запроса данных главного файла. Это единственно возможный метод, если в качестве резервного ЗУ используется магнитная лента; существуют приложения, где этот метод наиболее эффективен даже при использовании дисков. См. также T.129 transaction processing.

B. 039 baud rate
скорость передачи в бодах
Число изменений состояния системы, в частности канала (C.064 channel) передачи данных, в секунду. В случае двоичного канала скорость передачи в бодах равна скорости передачи битов, т. е.

$$1 \text{ бод} = 1 \text{ бит/с}$$

В более общем случае
$$1 \text{ бод} = 1 \text{ знак/с} \quad \text{или}$$
$$1 \text{ бод} = 1 \text{ символ/с}.$$

В зависимости от способа представления состояний системы боды могут измеряться и по другому. Единица измерения *бод* названа в честь французского изобретателя телеграфного аппарата Ж. М. Э. Бодо.

B.040 BCD — binary-coded decimal
B.041 BCD adder
двоично-десятичный сумматор
Четырехразрядный двоичный сумматор (A.048 adder), способный складывать два четырехразрядных слова, имеющих двоично-десятичный (B.060 binary-coded decimal) формат. Результатам сложения является также четырехразрядное слово в двоично-десятичном формате, представляющее десятичную сумму двух слагаемых, плюс бит переноса (если сумма превышает 10). Таким образом, с помощью этих устройств можно производить десятичное сложение.

B.042 BCH code—Bose—Chaudhuri—Hocquenghem code

B.043 BCPL
Системный язык программирования, в состав которого входят управляющие структуры, необходимые для структурного программирования (S.360 structured programming). Его отличительной особенностью является невозможность определения различных типов данных, т. е. единственный допустимый тип информационного объекта это слово, составленное из битов (отсюда следует идеальная пригодность BCPL для системного программирования). Язык BCPL реализован на многих машинах, а записанные на нем программы характеризуются довольно высокой мобильностью. См. также C.332 CPL; C.001 C.

B.044 BCS — British Computer Society
Британское общество по вычислительной технике, созданное в 1957 г. для содействия дальнейшему развитию и использованию вычислительной техники и связанных с ней методов, а также обмену информацией и идеями в этой области через посредство конференций, встреч и публикаций в печати. Входит в состав Международной федерации по обработке информации на правах представителя Великобритании.

B.045 bead
цепочка
Структура данных (D.072 data structure), состоящая из нескольких полей, которые полностью или частично принадлежат одному и тому же информационному объекту. Термин в настоящее время вышел из употребления. Вместо него используется более общее понятие *запись* (R.056 record).

B.046 Bell Telephone Laboratories
Фирма, объединяющая научно-исследовательские лаборатории компании American Telephone & Telegraph (AT & T). Ее совладельцами являются компании AT & T и Western Electric Corporation (последняя объединяет заводы компании AT & T). Фирме принадлежит ряд научных открытий и изобретений, в частности, труды по теории кодирования Шеннона, создание транзистора и разработка в начале 1970-х годов операционной системы UNIX.

B.047 belt printer = band printer
ленточное печатающее устройство
Название ранних моделей печатающих устройств. Однако так же называли и печатающие устройства, в которых шрифт располагался на пластинах или металлических пальцах, закрепляемых на гибкой ленте. Принцип действия аналогичен принципу действия цепных (C.062 chain printer) печатающих устройств, но стоимость шрифтоносителя ниже. В некоторых конструкциях допускалась смена отдельных шрифтоносителей.

B.048 benchmark (benchmark problem)
эталонный тест (эталонная тестовая задача)
Задача оценки производительности системы (аппаратных и программных средств). В процессе *эталонного теста* на систему подается определенная рабочая нагрузка и в этих условиях измеряется ее производительность. Обычно цель такой проверки заключается в сравнении измеренной производительности с производительностью других систем, подвергнутых той же самой проверке.

B.049 best fit
метод наилучшей подгонки
Способ выбора непрерывной области памяти для создания сегмента. При этом рассматриваются все имеющиеся в наличии области в порядке возрастания размера; в результате выбирается та область, размер которой превышает запрашиваемый размер на наименьшую величину, и в ней выделяется требуемая область.

B.050 beta reduction
бета-редукция
См. L.002 lambda calculus.

B.051 bias
смещение
1. Постоянная составляющая сигнала переменного тока.
2. Напряжение постоянного тока, используемое для включения или выключения биполярного транзистора (B.084 bipolar transistor) или диода (D.204 diode) (см. F.126 forward bias; R.148 reverse bias), или напряжение постоянного тока между затвором и истоком, служащее для управления током между стоком и истоком в полевом транзисторе (F.041 fild-effect transistor). Термин bias в глагольной форме означает «смещаться», «устанавливать смещенение», «переключать».
3. В статистике: систематическая погрешность, которую нельзя уменьшить путем увеличения размера вы-

борки (в отличие от *случайной погрешности*).

Причинами погрешностей такого рода могут быть: а) *смещение выборки* (S.004 sampling), когда она не является полностью представительной в том, что касается изучаемой генеральной совокупности; б) *смещение из-за безответности* в выборочной проверке, когда значительное число опрошенных не отвечает на поставленные вопросы; в) *смещение вследствие некорректной постановки вопроса*, когда формулировка предопределяет неправильный ответ; г) *смещение по вине интервьюируемых лиц*, когда последние стараются давать ответы, ожидаемые интервьюером. В более узком смысле, смещение в статистическом анализе (см. S. statistical methods) — это разность между средним, вычисляемым по оценочной формуле, и истинным значением оцениваемой величины. Оценка

$$\sum_i (x_i - \bar{x})^2/n$$

дисперсии некоторой совокупности смещена, но становится *несмещенной*, если *n* заменяется на *n* — 1.
4. Код с избытком. См. F.100 floating-point notation.

B.052 biased exponent
= characteristic
См. F.100 floating-point notation.

B.053 bicondition
двусторонняя импликация, равнозначность
Логический оператор над двумя операторами, истинностными значениями или двумя формулами *P* и *Q*, такой, что выходная величина принимает значение «истина» только тогда, когда оба предложения *P* и *Q* либо истинны (*И*), либо ложны (*V*), как показано в таблице:

·*P*	Л	Л	И	И
Q	Л	И	Л	И
P ≡ *Q*	И	Л	Л	И

Связь (C.269 connective) типа однозначности может быть представлена одним из четырех способов

≡ ↔ ⇔ или ↔

и читается как «если и только если» или «эквивалентно». Отметим, что выражение *P* ≡ *Q* имеет такую же таблицу истинности, что и конъюнкция

$$(P \to Q) \land (Q \to P),$$

где → обозначает простой условный оператор (C.254 conditional).

B.054 biconnected graph
граф без сочленений
Ориентированный или неориентированный граф (G.047 graph) *G*, в котором для каждых трех вершин *u*, *v* и *w*, не совпадающих друг с другом, имеется путь от *u* к *w*, не содержащий *v*. В случае неориентированного графа это соответствует графу, не имеющему точек сочленения (C.363 cut vertex). Говорят, что между двумя ребрами неориентированного графа существует зависимость, если они тождественны или если имеется цикл (C.366 cycle), содержащий оба этих ребра. Примером может служить отношение эквивалентности (E.091 equivalence relation), которое разбивает множество ребер на классы эквивалентности (E.089 equivalence class), скажем, E_1, E_2, ..., E_n. Если при таком разбиении V_i — множество вершин ребер, принадлежащих E_i, $i = 1, 2, ..., n$, то всякий граф G_i, сформированный из вершин V_i и ребер E_i, есть компонент графа *G*, не имеющий точек сочленения.

B.055 bifurcation
бифуркация
Разветвление надвое. Термин применяется в вычислительной технике в разных сочетаниях.
1. *Бифуркационные алгоритмы* — это общее название семейства алгоритмов, используемых для преобразования таблицы решений (D.112 decision table) в древовидную структуру (T.163 tree), которую можно затем закодировать по определенной системе с целью получения программы. *Бифуркационный метод* включает выбор некоторого условия *C* и исключение его из таблицы решений для получения двух подтаблиц, одна из которых соответствует случаю, когда *C* истинно, а другая — случаю, когда *C* ложно. Этот метод затем рекурсивно применяется к двум полученным подтаблицам. При использовании такого подхода может быть сформировано дерево решений (D.113 decision tree), каждый узел которого представляет условие,

а поддеревья — подтаблицы; при этом узлы-листья идентифицируют правила.

2. *Теория ветвления решений* — это теория равновесных решений нелинейных дифференицальных уравнений; равновесным решением называется стационарное, периодическое по времени или квазипериодическое решение. *Точки ветвления* — это точки, в которых появляются ветви решения, а следовательно, и множественные решения.

B.056 bijection (one-to-one onto function)
биекция (взаимно однозначное соответствие)
Функция (F.160 function), являющаяся одновременно инъекцией (I.092 injection) и сюръекцией (S.403 surjection). Если

$$f : X \rightarrow Y$$

есть биекция, то для каждого y в Y существует только одно x в X с таким свойством, что

$$y = f(x),$$

т. е. между элементами в X и элементами в Y существует взаимно однозначное соответствие. Множества X и Y будут иметь при этом одно и то же число элементов, т. е. одну и ту же мощность (C.020 cardinality). Будет существовать также единственная функция

$$f^{-1} : Y \rightarrow X,$$

такая, что f и f^{-1} являются обратными (I.168 inverse) по отношению одна к другой; при этом f^{-1} также будет биекцией.

B.057 binary adder
двоичный сумматор
См. A.048 adder

B.058 binary chop
= binary search algorithm

B.059 binary code
двоичный код
Код (C.149 code), алфавит которого ограничен двумя знаками {0, 1}. В общем случае любой q-й код имеет важный специальный случай $q = 2$. См. B.076 binary system.

B.060 binary-coded decimal (BCD)
двоично-десятичное число
Код, в котором десятичный знак представлен в виде цепочки двоичных знаков. В системе *натуральных двоично-десятичных чисел* каждый десятичный знак 0 ... 9 представляется

цепочкой из четырех битов, двоичное числовое значение которой эквивалентно десятичному знаку. Например, цифре 3 соответствует 0011, а цифре 9 — 1001. Код, применяемый в системе натуральных двоично-десятичных чисел, — это код 8421 (C.150 8421 code), такой, что взвешенная сумма битов в кодовом слове равна закодированному двоичному знаку. См. также E.003 EBCDIC; P.004 packed decimal.

B.061 binary-coded octal
двоично-восьмеричное число
Представление восьмеричных цифр их трехразрядными двоичными эквивалентами.

B.062 binary counter
двоичный счетчик
См. C.327 counter

B.063 binary digit
двоичная цифра (бит)
См. B.076 binary system.

B.064 binary encoding
двоичное кодирование
1. Представление символов исходного алфавита в виде цепочек двоичных знаков, т. е. в двоичном коде (B.059 binary code). Наиболее часто исходным алфавитом является набор буквенно-цифровых знаков (A.087 alphanumeric character). См. C.149 code.
2. Кодирование числа в виде двоичной цепочки, в которой i-й бит с конца имеет вес 2^i. Например, 13 кодируется как 1101. Такое кодирование натуральных чисел можно распространить на целые числа со знаком и на дроби. См. также R.004 radix complement; F.086 fixed-point notation; F.100 floating-point notation.
3. Кодирование множества A, при котором элементы множества представляются в виде отличных одна от другой цепочек битов. См. также C.074 character encoding; H.100 Huffman encoding.

B.065 binary logic
двоичная логика
Цифровая логика (D.189 digital logic), в которой используется два состояния. См. также L.116 logic circuit; Q.002 q-ary logic.

B.066 binary notation
двоичное представление
См. B.076 binary system.

B.067 binary number
двоичное число

Двоичное представление (В.064 binary encoding) числа.

B.068 binary operation
бинарная операция
1. Операция с двумя операндами (D.319 dyadic operation), заданная на множестве S. [Функция (F.160 function), отображающая область $S \times S$ на само S.] Многие из повседневных арифметических и алгебраических операций являются бинарными, например сложение двух целых чисел, объединение двух множеств и конъюнкция двух булевых выражений. Хотя бинарные операции по существу есть функции, для их представления обычно используется инфиксная запись, например:

$$3 + 4, \; U \cup V, \; P \wedge Q.$$

представляет собой дерево двоичного поиска (В.071 binary search tree).

B.071 binary search tree
дерево двоичного поиска
Двоичное дерево (В.077 binary tree), в котором значения данных, хранящиеся в узлах дерева, принадлежат вполне упорядоченному множеству (W.018 well-ordered set), а значение, хранящееся в любом нетерминальном узле A, больше значений, хранящихся в левом по отношению к A поддереве, и меньше значений, хранящихся в правом по отношению к A поддереве. Для поиска по такому двоичному дереву t с целью определить, имеется ли в нем значение v, используется следующий рекурсивный алгоритм поиска:

ЕСЛИ t пусто, то v отсутствует
ИНАЧЕ случай 1: $t =$ корень $\Rightarrow v$ присутствует
случай 2: $t <$ корень $\Rightarrow$ поиск по левому поддереву
случай 3: $t >$ корень $\Rightarrow$ поиск по правому поддереву

Символ операции ставится между левым и правым операндами. Для представления обобщенной бинарной операции иногда используется символ °. Когда множество S конечно, для определения значения операции используются таблицы Кэли (C.043 Cayley table), а в некоторых случаях — таблицы истинности (T.188 truth table).
2. Операция над двоичными операндами.

B.069 binary relation
бинарное отношение
Отношение (R.097 relation), заданное на двух множествах.

B.070 binary search algorithm (logarithmic search algorithm; bisection algorithm)
алгоритм двоичного поиска (алгоритм логарифмического поиска; алгоритм деления пополам)
Алгоритм поиска, основанный на использовании файла, в котором ключи сортировки расположены в порядке возрастания. Сначала проверяется средний ключ в файле. Если он больше требуемого ключа, то снова проверяется нижняя часть файла, а если меньше — то верхняя часть. Продолжая таким образом, алгоритм либо находит необходимую запись, либо устанавливает факт ее отсутствия в файле. Для такого алгоритма файл

В системах обработки данных значения данных, хранящиеся в узлах дерева двоичного поиска, будут ключевыми значениями, имеющими связи с записью, поиск которой осуществляется в настоящий момент. Тот же самый принцип используется в алгоритме двоичного поиска (В.070 binary search algorithm). Этот принцип можно распространить и на более общий случай — дерево поиска по многим путям (M.257 multiway search tree). См. также A.197 AVL tree; O.055 optimal binary search tree.

B.072 binary sequence
двоичная последовательность
Последовательность двоичных знаков. Такая последовательность, формируемая случайным или псевдослучайным способом (см. R.019 random numbers) и обычно имеющая известные статистические свойства, может быть использована либо в качестве модели шума, воздействующего на двоичный канал, либо как средство контроля синхронизации между передатчиком и приемником.

B.073 binary signal
двоичный сигнал
См. D.191 digital signal.

B.074 binary symmetric channel (BSC)
двоичный симметричный канал
Двоичный канал связи, в котором

случайные ошибки типа замены нуля единицей возникают с той же вероятностью, что и ошибки типа замены единицы нулем. В теории кодов с исправлением ошибок (E.103 error-correcting code) и кодом с обнаружением ошибок (E.104 error-detecting code) чаще всего предполагается, что канал связи является двоичным симметричным каналом.

B.075 binary synchronous communications
двоичная синхронная передача данных
См. B.088 BISYNC.

B.076 binary system
двоичная система
Обычно — это двоичная система счисления, т. е. позиционная система счисления с основанием 2. Такая система счисления наиболее часто используется в ЭВМ. Двоичный знак (бит) представляет собой ноль или единицу. Представление чисел двоичными знаками называется *двоичным представлением*. Термин *двоичная система* также используется для описания любой системы, которая может иметь всего два состояния. Например, каждый элемент памяти любой ЭВМ представляет собой двоичную систему, одно из состояний которой используется для обозначения двоичного знака «0», а другое — для обозначения двоичного знака «1». Обычно такой элемент памяти или единица информации в любой двоичной системе называется *битом*.

B.077 binary tree
двоичное дерево
1. Конечное множество узлов, которое является либо пустым, либо таким, что, во-первых, имеется один узел, называемый корнем, и, во-вторых, все оставшиеся узлы разбиваются на два непересекающихся (D.233 disjoint) множества T_l и T_r, каждое из которых само является двоичным деревом. T_l называется *левым поддеревом*, а T_r — *правым поддеревом* (по отношению к корню). На уровне (L.038 level) h двоичного дерева имеется максимум 2^h узлов. Поэтому двоичное дерево глубиной (D.155 depth) d имеет максимум $(2^{d+1} - 1)$ узлов, а дерево из n узлов имеет минимальную длину $\log_2 n$. Термин «двоичное дерево» также используется для описания любого

(упорядоченного) дерева степени (D.133 degree) два. См. также Т. 163 tree.
2. Любая структура данных, используемая для представления двоичного дерева. Каждый узел в ней должен быть представлен указателями на левое и правое поддеревья, а также на значение данных, связанное с этим узлом. Тогда двоичное дерево можно представить как указатель его корневого узла.

B.078 binary-tree representation
представление в виде двоичного дерева
1. Двоичное дерево, используемое для представления дерева произвольной степени (см. рисунок, *a*) (D.133 degree).

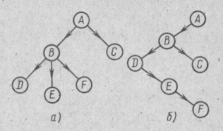

a)   *б)*

Для любого узла корень левого поддерева двоичного дерева является самым старшим потомком узла исходного дерева, а корень правого поддерева — следующим по старшинству братом (см. рисунок, *б*).
2. См. B.077 binary tree.

B.079 bind
связывать
Принимать решение относительно интерпретации некоторого имени, используемого в системе, на оставшийся период существования этой системы. Например, при вызове некоторой процедуры формальные параметры связываются с фактическими параметрами, введенными для этого вызова, причем эта связка сохраняет силу на всем протяжении периода существования данного вызова. Аналогичным образом, в некоторый момент времени переменные в программе должны быть связаны с адресами конкретных ячеек памяти ЭВМ, и эта связка обычно остается в силе до тех пор, пока существует переменная. В системах виртуальной памяти (V.048 virtual memory) необходимо, кроме того, связывать виртуальные адреса, используемые в программе, с физическими адресами,

реализованными в аппаратных средствах.

B.080 binomial distribution
биномиальное распределение
Основное дискретное распределение вероятностей (P.232 probability distribution) для данных, характеризуемых частотой их появления. Пусть событие E может возникать с вероятностью (P.230 probability) p. Тогда в последовательности из n независимых испытаний вероятность того, что E произойдет точно r раз, равна

$$C_n^r p^r (1 - p)^{n-r}$$

(см. M.173 combination). Распределение является дискретным в том смысле, что случайная величина может принимать только значения 0, 1, 2, ..., n. Среднее биномиального распределения равно np, а дисперсия определяется по формуле

$$np/(1 - p).$$

B.081 bipartite graph
двудольный граф
Граф (G.047 graph) G, вершины которого можно разделить на два непересекающихся (D.233 disjoint) множества U и V так, что каждое ребро G может соединять только вершину в U и вершину в V. Двудольные графы являются удобным средством графического представления отношений (R.097 relation), а следовательно, и функций (F.160 function).

B.082 bipolar integrated circuit
биполярная интегральная схема
См. 1.122 integrated circuit.

B.083 bipolar signal
биполярный сигнал
Сигнал, элементами которого являются положительные и отрицательные напряжения. Биполярные сигналы используются в системах передачи данных. Ср. U.018 unipolar signal.

B.084 bipolar transistor
биполярный транзистор
Полупроводниковый прибор, имеющий три электрода: *эмиттер, базу* и *коллектор*. Представляет собой структуру типа «сэндвич», сформированную из легированных полупроводников (S.071 semiconductor) двух типов, обычно кремния p- и n-типа, и имеющую, таким образом, два p-n-перехода (J.020 junction). Когда средний слой является полупроводником p-типа, формируется n-p-n-транзистор; когда

же в качестве среднего слоя используется полупроводник n-типа, формируется p-n-p-транзистор. Этот средний (центральный) слой образует базу транзистора. Биполярные транзисторы названы так потому, что оба носителя заряда, т. е. как электроны, так и дырки, вносят свой вклад в генерацию электрического тока. Ток между коллектором и эмиттером возникает тогда,

когда между базой и эмиттером прикладывается прямое смещение (F.126 forward bias). В линейном, т. е. *ненасыщенном*, режиме работы сила этого тока пропорциональна входному току базы. Направление тока указывается на схеме транзистора стрелкой, проставляемой на соединении базы и эмиттера (см. рисунок). Если ток базы увеличивается, а ток коллектора ограничивается, так что транзистор получает больше носителей базового тока, чем это необходимо, он переходит в состояние *насыщения*. Теперь транзистор начинает вести себя как очень эффективный ключ, поскольку на переходе база — коллектор образуется обратное смещение (R.148 reverse bias), и при насыщении напряжение между коллектором и эмиттером может упасть до 20 мВ. Прибор таким образом фактически замыкается накоротко. Ключи в виде биполярных транзисторов, работающих вблизи режима насыщения, формируют основу ТТЛ-схем (T.189 TTL). Транзисторы, работающие в режиме насыщения, имеют, однако, довольно низкую скорость переключения. Гораздо большее быстродействие имеют ТТЛ-схемы с диодами Шотки (S.022 Schottky TTL) и ЭСЛ-схемы (E.008 EC4), что достигнуто благодаря использованию ненасыщенного режима работы.

B.085 biquinary code (quibinary code)
двоично-пятеричный код (пятерично-двоичный код)
Семиразрядный взвешенный код (W.013 weighted code), два первых разряда которого указывают, является ли ва-

кодированное число (десятичная цифра) по крайней мере равным 5, а в оставшиеся пять разрядов записываются четыре нуля и единица, положение которой полностью определяет, какое число закодировано. Таким образом, разряды слева направо имеют следующие веса: 5, 0, 4, 3, 1 и 0. Взвешенная сумма дает величину закодированной десятичной цифры; например, цифра 3 кодируется как

$$0101000,$$

а цифра 9 как

$$1010000.$$

B.086 bisection algorithm
= binary search algorithm

B.087 bistable
бистабильный мультивибратор
Электронная схема (обычно в интегральном исполнении), выход которой имеет два устойчивых состояния; для перевода схемы в одно из этих состояний используется определенный входной сигнал или несколько сигналов. Чаще схема такого типа называется триггером (F.097 flip-flop). См. также M.256 multivibrator.

B.088 BISYNC (BSC)
(протокол) двоичной синхронной передачи данных
Протокол линии передачи данных (L.069 line protocol), разработанный фирмой IBM для обеспечения обмена данными между большими ЭВМ и терминалами для дистанционного ввода заданий. Это знак—ориентированный протокол, в котором используются специальные управляющие знаки: признаки начала и конца сообщений, подтверждения приема сообщений, запросы на повторную передачу отсутствующих или искаженных сообщений и т. д. Протокол может работать с шестибитовыми знаками кода Transcode, семибитовыми знаками кода ASCII или восьмибитовыми знаками кода EBCDIC по многоточечным или двухточечным линиям связи. Протокольный блок (сообщение) обычно начинается двумя или более синхронизирующими знаками. Следующее поле включает (необязательный) код начала заголовка и сам заголовок. Наличие заголовка и его содержимое зависят от типа устройства, с которым осуществляется обмен. После заголовка следует признак начала текста и сам

текст (данные сообщения). Затем идет признак конца текста, за которым следуют завершающие сообщение контрольные символы. Допускается использование нескольких вариантов общего формата. Для подтверждения приема сообщений или запроса на повторную передачу могут использоваться специальные коды. Применение того или иного знака (знаков) для представления той или иной функции (функций) протокола зависит от используемого набора знаков. Протокол реализует *прозрачный* режим работы, в котором допускается присутствие в поле текста произвольных данных. Предусматривается возможность автоматической вставки и стирания *холостых* знаков, которые используются при синхронном обмене в том случае, когда у отправителя есть данные для передачи, но он временно не может их передать в срок. Предусмотрены и различные другие функции. Протокол в своей основе полудуплексный, т. е. сначала передается сообщение, затем ответ, затем следующее сообщение и т. д. Таким образом, при реализации протокола BISYNC обычно используются полудуплексные линии связи и модемы. Можно использовать и дуплексные каналы и модемы, однако при этом не будет задействована значительная часть их пропускной способности. В настоящее время на смену протоколу BISYNC приходят новые, более совершенные протоколы управления каналом передачи данных, такие как SDLC (S.029 SDLC) и HDLC (H.047 HDLC); последние все чаще находят применение в системах межмашинного обмена. Дело в том, что схема повторной передачи и подтверждения, реализованная в протоколе BISYNC, не отличается высокой эффективностью при работе по линиям с большим временем задержки; между тем производительное использование протяженных линий связи имеет особое значение в США и других странах, где вместо обычных телефонных систем начинают применяться спутниковые системы передачи речи и данных.

B.089 bit
бит (двоичный знак)
1. Один из двух знаков «0» и «1», используемых в вычислительной технике для внутримашинного представления чисел, знаков и команд. Бит —

это наименьшая «порция» памяти, а следовательно, и информации в любой двоичной системе (B.076 binary system), реализованной в ЭВМ.

2. Фундаментальная единица информации, используемая в теории информации (I.084 information theory). Обозначает количество информации, необходимое для различения двух равновероятных событий.

B.090 bit density
плотность в битах
Число битов на единицу длины или площади магнитного носителя. Обычно рассчитывается максимально достижимая плотность, т. е. области между блоками, дорожками, секторами и т. д. (области, в которые не записывается информация) во внимание не принимаются

B.091 bit handling
обработка битов
Возможность манипулирования отдельными битами байта или слова, заложенная в некоторые языки программирования. Операторы обработки битов обычно включают: побитовые операторы И или ИЛИ, выполняемые над двумя байтами (словами), побитовый оператор НЕ (инверсия), выполняемый над отдельным байтом (словом), и операторы циклического сдвига. Многие операции программирования, которые традиционно считаются операциями обработки битов, реализуются в Паскале с использованием наборов.

B.092 bit mapping
побитовое отображение
Метод отображения информации на экране дисплея, при котором каждому элементу изображения (ЭИ) соответствует один или более битов в памяти. При этом обеспечивается высокая гибкость в отображении текстовой и графической информации. В черно-белых дисплеях число битов, соответствующих каждому ЭИ, определяет количество воспроизводимых уровней серого (G.053 gray scale). Если одному ЭИ соответствует один бит, то изображение будет строго черно-белым без каких-либо оттенков серого. В цветных дисплеях числу битов на ЭИ соответствует количество воспроизводимых цветов. Ср. H.030 hardware character generation.

B.093 bit matrix
битовая матрица

Двумерный массив (A.137 array), в котором каждый элемент равен нулю или единице. Ср. B.121 Boolean matrix.

B.094 bitpad
планшетный цифратор
Устройство для оцифровки положения пера. См. D.197 digitizing tablet.

B.095 bit rate
скорость передачи в битах
Число битов, переданных или перенесенных в единицу времени. В качестве единицы времени обычно выбирается одна секунда, отсюда бит/с. См. также B.039 baud rate.

B.096 bit-slice architecture
разрядно-модульная архитектура
Архитектура и конструкция, разработанные специально для микропроцессоров, при этом ЦП строится путем соединения нескольких высокопроизводительных устройств обработки данных. Каждое из них представляет собой модуль АЛУ — блок управления с ограниченной разрядностью (как правило 2, 4 или 8 бит); таким способом может быть создано устройство параллельной обработки слов любой требуемой длины. Реализация конкретных заказных систем достигается посредством микропрограммирования (M.138 microprogramming). Архитектура такого типа позволяет создавать различные вычислительные системы из одних тех же стандартных (а следовательно, и дешевых) СБИС.

B.097 bit string
битовая строка
Цепочка (3.350 string) битов.

B.098 bit stuffing
вставка битов
1. Средство синхронизации в протоколах управления каналом передачи данных (D.045 data link control protocol) типа HDLC, с помощью которого, например, обеспечивается автоматическая вставка нуля всякий раз, когда в потоке данных на передающей стороне канала обнаруживается определенное число единиц. Принимающее оборудование автоматически стирает эти дополнительные нули, прежде чем выдавать принятое сообщение на приемный терминал.

2. Техника вставки и стирания битов, используемая в высокоскоростных цифровых каналах передачи данных с большим числом линий связи, не имеющих взаимной синхронизации.

B.099 blank
  пустой
Не содержащий значимых данных. В случае памяти, например, пустые ячейки могут содержать определённую комбинацию битов, которая не соответствует никакой реальной величине.

B.100 blankcharacter
  знак пробела
Знак, вызывающий появление пробела при отображении или распечатке текста.

B.101 biast
  = blow

B.102 blink
  мигание
Появление и исчезновение знака на экране дисплея с регулярной частотой, обычно в диапазоне 1—10 Гц. При обычном отображении данных на экране электронно-лучевой трубки знаки мигают с частотой, обычно превышающей 50 Гц; такое мигание, как правило, незаметно для глаз; когда оно заметно, то его называют *мерцанием*.

B.103 block
  блок; блокирование
1. Набор информационных единиц, таких как слова, знаки или записи (в общем случае превышающий по объёму одно слово), которые записаны в соседних позициях памяти или ЗУ периферийного устройства. Поэтому блоки можно рассматривать как отдельные порции информации, которыми может осуществляться обмен данными между внешним ЗУ и оперативной памятью. Для передачи блока используется одна команда. Блоки могут иметь фиксированную или переменную длину. Поток данных, записываемый на магнитную ленту, разбивается на блоки для удобства обращения к данным и, особенно, для удобства устранения ошибок (E.113 error recovery). Эквивалентом такого же блока на диске является сектор (S.037 sector). Блоки разделяются специальными *межблочными промежутками*. Кроме того, для регистрации границ следующих друг за другом блоков подсистема записи на магнитную ленту вырабатывает специальные сигналы управления, прозрачные для ЭВМ (см. T.016 tape format). Как правило, в пределах одного тома или, по крайней мере, файла блоки имеют одинаковую длину, что не всегда применимо к меткам (L.001 label); в тех случаях, когда граница файла проходит через блок, оставшаяся часть блока заполняется специальными символами, называемыми *заполнителями*. Выбор длины блока в значительной мере определяется удобством управления обработкой ошибок (E.109 error management). Минимальная длина межблочного промежутка определяется стандартом на используемый формат ленты; максимальная длина обычно не регламентируется, за исключением того, что очень длинные участки пустой ленты (обычно около 7,5 м) свидетельствуют об отсутствии ещё каких-либо данных в томе. Для экономии ленты обычно используются промежутки, довольно близкие к минимальным, но в некоторых случаях они могут увеличиваться, например при исправлении ошибок или для того, чтобы оставить место для *редактирования файла* (что в настоящем контексте означает его замену новым вариантом той же самой длины). В обычных подсистемах записи на магнитную ленту разделение данных на блоки выполняется главной ЭВМ. Однако некоторые буферизованные подсистемы, например на базе кассет с бегущей лентой, способны принимать непрерывный поток данных от ЭВМ и самостоятельно разбивать его на блоки, которые в этом случае часто называют *подблоками*, причём процедура разделения на блоки *прозрачна* для ЭВМ. В таких подсистемах межблочные промежутки могут быть очень короткими или вообще отсутствовать.
2. В теории кодирования упорядоченный набор символов, имеющий обычно фиксированную длину. В общем случае термин синонимичен терминам *слово* и *цепочка*, но имеется в виду фиксированная длина.
3. См. B.112 block-structured languages.
4. В параллельном программировании, блокирование — запрещение дальнейшего выполнения одной последовательности команд до тех пор, пока другая последовательность не выдаст необходимую команду для её разблокирования. См. также B.107 blocked process.

B.104 block code
  блочный код
Код с исправлением ошибок (E.103 error-correcting code) или код с обна-

ружением ошибок (E.104 error-detecting code), в котором за одну операцию на вход кодера поступает фиксированное число (например, k) знаков, а на выходе генерируется *кодовое слово*, состоящее из большего числа знаков (например, n). Этот код иногда называют (n, k)-кодом, т. е. с длиной блока k и длиной кодового слова n. Декодер за одну операцию принимает n знаков и выдает k знаков. Поскольку кодовые слова длиннее входных слов, число одновременно принимаемых слов не так велико. Кодовые слова формируются фактически путем выбора из множества слов соответствующей длины, а именно: способ выбора придает коду те или иные конкретные свойства. См. также C.149 code.

B.105 block compaction
= memory compaction

B.106 block diagram
блок-схема, структурная схема
Схема, на которой графически представлены связи между элементами электронной системы, например вычислительной. Элементами могут быть самые различные устройства — от простейших схем до основных функциональных блоков (F.164 functional unit); они условно представляются геометрическими фигурами и снабжаются соответствующими надписями. С помощью блок-схемы можно дать описание ЭВМ на любом уровне — от схемных компонентов до вычислительного комплекса в целом.

B.107 blocked process
блокированный процесс
Процесс (P.241 process), который имеет надлежащее описание, но не может выполняться дальше из-за отсутствия необходимого ресурса. Например, процесс может заблокироваться, если ему не выделен достаточный объем памяти для загрузки следующей его части.

B.108 blockette
подблок
См. B.103 block.

B.109 blocking factor
коэффициент блокирования
См. R.056 record.

B.110 block length
длина блока
1. См. B.103 block.
2. Длина входного слова, k, блочного (n, k)-кода (B.104 block code). Термин

можно применять и к кодовому слову длиной n (n, k)-кода.
3. Длина входного слова [т. е. расширения исходного кода (см. E.166 extension)], используемая в кодах переменной длины (V.102 variablelength code).

B.111 block retrieval
поиск и извлечение блока
Извлечение блока из вспомогательного ЗУ при реализации процесса управления памятью (M.106 memory management).

B.112 block-structured languages
языки с блочной структурой
Класс высокоуровневых языков, в которых программа составляется из *блоков*, в том числе *вложенных*; вложение может повторяться и осуществляться на любую глубину. Блок программы состоит из последовательности операторов и блоков, которой предшествуют объявления переменных. Переменные, объявленные в головной части блока, различимы по всему блоку и любым вложенным блокам, если, конечно, переменная с тем же самым именем не объявляется в головной части внутреннего блока. В этом случае новое объявление действует по всему внутреннему блоку, причем внешнее объявление снова начинает действовать в конце внутреннего блока. В таких ситуациях принято говорить, что переменные имеют *вложенные области действия*. Понятие *блочная структура* было введено в процессе создания семейства языков Алгол (A.081 Algol), поэтому языки с блочной структурой иногда называют *алголоподобными*. Понятие вложенных областей действия, в неявном виде присутствующих в блочной структуре, противопоставляется здесь понятиям, заложенным в языке Фортран, где определены только локальные переменные, т. е. переменные, относящиеся к одной программной единице (подпрограмме), и глобальные переменные, относящиеся сразу к нескольким программным единицам, если последние объединяются в общий блок. Что же касается Кобола, то, в противовес Фортрану и алголоподобным языкам, в нем все элементы данных различимы по всей программе.

B.113 blow (blast; burn)
пережигать
Программировать ППЗУ (P.292

PROM), т. е. записывать информацию в программируемое постоянное запоминающее устройство с использованием программатора ППЗУ (Р.293 PROM programmer).

B.114 Blum's axioms
аксиомы Блума
Две аксиомы в теории сложности, открытые М. Блумом. Пусть

$$M_1, M_2, ..., M_n, ...$$

есть эффективное перечисление (E.076 enumeration) для машин Тьюринга и пусть f_i — частично рекурсивная функция (P.056 partial recursive function) одной переменной, вычисляемая с помощью M_i. По техническим причинам проще рассматривать сложность в терминах частично рекурсивных функций, а не распознавателей наборов (и не алгоритмических языков). Если

$$F_1, F_2, ..., F_n, ...$$

суть последовательность частично рекурсивных функций, удовлетворяющих аксиоме 1:
$f_i(n)$ определена тогда и только тогда, когда определена $F_i(n)$, и аксиоме 2:
$F_i(x) \leqslant y$ есть рекурсивный предикат

$$i, x \text{ и } y,$$

то $F_i(n)$ можно считать объемом некоторого «ресурса», потребляемого M_i при вычислении $f_i(n)$. Это понятие позволяет абстрагироваться от более конкретных ресурсов — времени и пространства — и помогает понять, как они соотносятся одно с другим.

B.115 BNF — Backus normal form, Backus—Naur form
нормальная форма Бэкуса, форма Бэкуса—Наура, БНФ
Первая получившая широкое распространение формальная система обозначений для описания синтаксиса (S.437 syntax) языков программирования, изобретенная Дж. Бэкусом. БНФ была предложена в отчете «Algol 60 Report» (редактор П. Наур) и предназначалась для описания синтаксиса языка Алгол-60. С помощью БНФ можно определять синтаксис любого контекстно-свободного языка, и ее варианты используются до сих пор. Грамматика БНФ состоит из определенного числа *правил продукций*, с помощью которых синтаксические категории определены через другие синтаксические категории; с помощью этих правил определены и *терминальные символы*. Примеры приведены ниже:

⟨цифра⟩ : : = 0 | 1 | 2 | 3 | 4 | 5 | 6 | 7 | 8 | 9 |
⟨целое число⟩ : : = ⟨цифра⟩
    ⟨цифра⟩ ⟨целое число⟩
⟨дробное число⟩ : : = ⟨целое число⟩ . ⟨целое число⟩
⟨число⟩ : : = ⟨целое число⟩
    ⟨дробное число⟩
⟨число со знаком⟩ : : = ⟨число⟩ | +
    + ⟨число⟩ | − ⟨число⟩

Имя определяемой синтаксической категории размещается слева, а ее определение — справа; имя категории и ее определение разделены символом : : =, который означает «определяется как». Имена синтаксических категорий заключаются в угловые скобки. Символ — читается как «или». См. также E.161 extended BNF.

B.116 board
плата; печатная плата
Кусок тонкого жесткого листа изоляционного материала, на котором размещается схема, как правило, печатная (Р.218 printed circuit). См. C.113 circuit board.

B.117 book
книга
Термин, используемый для описания организации файла на языке Алгол-68. Файл рассматривается как одна или несколько книг, причем каждая книга составлена из пронумерованных страниц; в пределах страницы данные организованы в строки, составленные из отдельных знаков. В этом контексте важно различать «страницы» книги и страницы (Р.013 page), используемые в системах управления памятью.

B.118 Boolean algebra
булева алгебра
Алгебра (А.074 algebra), представляющая особый интерес в вычислительной технике. Формально, это дистрибутивная решетка (D.255 distributive lattice) с дополнениями (C.209 complemented lattice). В булевой алгебре имеется множество (S.116 set) элементов B, состоящее только из единиц и нулей. Далее, в ней имеются две бинарные операции (D.319 dyadic operation), обычно обозначаемые через $\wedge$ и $\vee$ (или через . и +) и называемые соответственно *и* и *или*. Есть также

унарная операция (М.184 monadic operation), обозначаемая здесь через ⌐ и называемая операцией *взятия дополнения*. Эти операции удовлетворяют ряду законов (см. рисунок, где x, y и z обозначают произвольные элементы B). Существует два наиболее распространенных примера булевой алгебры. Первый представляет собой множество

$$B = \{FALSE, TRUE\},$$

причем операции $\wedge$ и $\vee$ заменяются соответственно бинарными операциями И (А.104 AND operation) и ИЛИ (О.073 OR operation), а операцией взятия дополнения является операция НЕ (N.078 NOT operation). Таким образом, единице соответствует значение TRUE (истина), а нулю — FALSE (ложь). Эту идею можно распространить на множество всех n-наборов

$$(x_1, x_2, \ldots, x_n),$$

где каждое x принадлежит B. Операции И и ИЛИ затем расширяются, и их можно выполнять над соответствующими парами элементов в каждом n-наборе для получения другого n-набора; операция НЕ выполняется над каждым элементом n-набора. Другим наиболее распространенным примером булевой алгебры является множество подмножеств некоторого заданного множества S. В нем операции $\wedge$ и $\vee$ заменяются соответственно операциями пересечения (I.162 intersection) и объединения (U.017 union), а роль дополнения булевой алгебры выполняет относительное дополнение (С.207 complement). Булева алгебра, названная в честь английского математика XIX в. Дж. Буля, составляет теоретическую основу многих дисциплин вычислительной техники — логического проектирования, логики и теории алгоритмов.

B.119 Boolean expression
булево выражение
Выражение в булевой алгебре (В.118 Boolean algebra), т. е. правильно образованная формула, в которую входят булевы переменные и константы, связанные булевыми операторами (В.122 Boolean operator). В качестве примера булева выражения можно привести следующую формулу:

$$a \wedge (b \vee \neg c).$$

С помощью булева выражения можно непосредственно и полностью смоделировать любую комбинационную схему (С.174 combinational circuit), чего, однако, нельзя сказать о последовательностных схемах (S.092 sequential circuit).

B.120 Boolean function (logic function)
булева (логическая) функция
Функция (F.160 function) в булевой алгебре (В.118 Boolean algebra). Эта функция записывается в виде выражения, в которое входят двоичные переменные (принимающие значения 0 и 1), связанные бинарными и унарными операторами булевой алгебры, например:

$$f = (x \wedge y) \vee (x' \wedge z).$$

Идемпотентные законы

$x \vee x = x$

$x \wedge x = x$

Ассоциативные законы

$x \vee (y \vee z) = (x \vee y) \vee z$

$x \wedge (y \wedge z) = (x \wedge y) \wedge z$

Коммутативные законы

$x \vee y = y \vee x$

$x \wedge y = y \wedge x$

Законы поглощения

$x \vee (x \vee y) = x$

$x \wedge (x \wedge y) = x$

Дистрибутивные законы

$x \wedge (y \vee z) = (x \vee y) \vee (x \vee z)$

$x \vee (y \wedge z) = (x \wedge y) \wedge (x \wedge z)$

Тождественные законы

$x \vee 0 = x$

$x \wedge 1 = x$

Законы о неопределенных значениях

$x \vee 1 = 1$

$x \wedge 1 = 0$

Законы о дополнениях

$x \vee x' = 1$

$x \wedge x' = 0$

Рис. Законы булевой алгебры

При любых значениях составляющих ее переменных функция принимает значение 0 или 1 (в зависимости от комбинаций значений, присваиваемых этим переменным). Булева функция может быть представлена в виде таблицы истинности (T.188 truth table). Кроме того, она может быть преобразована в логическую схему (L.119 logic diagram), состоящую из логических элементов.

B.121 Boolean matrix
булева матрица

Двумерный массив (A.137 array), в котором каждый элемент принимает значение ИСТИНА или ЛОЖЬ. Ср. B.093 bit matrix.

B.122 Boolean operator
булев оператор

Любая из логических связок, используемых в булевых выражениях (B.119 Boolean expression), т. е.:

$$\neg \ \wedge \ \vee \ \bar{\wedge} \ \bar{\vee} \ \equiv \ \not\equiv,$$

или в другой системе обозначений: НЕ И ИЛИ И—НЕ ИЛИ—НЕ ЭКВИВАЛЕНТНОСТЬ, исключающее ИЛИ (или НЕЭКВИВАЛЕНТНОСТЬ). См. также L.126 logic operation.

B.123 Boolean value (logical value)
булево (логическое) значение

Любое из двух значений истинности — ИСТИНА или ЛОЖЬ.

B.124 bootstrap
самозагрузка, начальная загрузка

В общем случае средство или метод развертывания программной системы путем ввода простой предварительной команды (или нескольких команд) либо информации. Предварительная команда может быть реализована аппаратно и вызываться по ключу. Термин используется в различных контекстах. Например, средством самозагрузки может служить короткая программа, обычно хранимая в энергонезависимой памяти и предназначенная для загрузки другой, более длинной программы. При включении вычислительной системы первый раз содержимое ее памяти в общем случае не определено, за исключением областей, реализованных на постоянных запоминающих устройствах, и содержимого энергонезависимых ЗУ. Программа самозагрузки хранится в ПЗУ и обеспечивает считывание из дополнительного ЗУ всей операционной системы, которая загружается в пустую машину.

Самозагрузка — это также метод, обеспечивающий перенос компилятора с одной машины на другую. В этом случае компилятор должен быть записан на том языке, который он генерирует. Для переноса компилятора машины A на машину B необходимо, чтобы сначала этот компилятор осуществил генерацию машинного кода машины B. Исходный код компилятора затем компилируется этим модифицированным компилятором, в результате чего генерируется версия компилятора для машины B. Для завершения переноса на практике обычно требуется ручная перекодировка машинозависимых частей компилятора.

B.125 Bose—Chaudhuri—Hocquenghem codes (BCH codes)
коды Боуза—Чоудхури-Хокенгема (коды БЧХ)

Важное семейство двоичных линейных блочных кодов с исправлением ошибок (см. B.059 binary code, L.054 linear code, B.104 block code, E.103 error-correcting code). Эти коды весьма эффективны и обеспечивают довольно хорошее исправление ошибок, но главное их преимущество заключается в простоте кодирования [с использованием сдвиговых регистров (S.140 shift register)] и декодирования. Их можно рассматривать как обобщение кодов Хэмминга (H.012 Hamming codes) и как специальный случай кодов Рида—Соломона (R.075 Reed—Solomon codes). Коды БЧХ могут использоваться в качестве циклических кодов (C.371 cyclic code).

B.126 BOT marker — beginning of tape marker
маркер начала ленты

Физическая метка на магнитной ленте, по которой автоматически определяется начало тома, куда можно записывать (или куда уже были записаны) данные. При обнаружении этого маркера лентопротяжный механизм инициирует логическую последовательность операций записи или считывания данных. В зависимости от типа ленты и лентопротяжного механизма маркером начала ленты может служить, например, прямоугольная полоска отражающего материала, наклеенная на ленту, прозрачная часть ленты или отверстие в ленте. Расстояние между маркером и физическим началом ленты выбирается с учетом длины, необходимой для установки ленты, ее заправки в лентопротяжный механизм и предварительной намотки на приемную катушку, т. е. маркер начала ленты расположен на том месте носителя, где можно надежно записывать данные. Расстояние до маркера и вид маркера определяются стандартом на тип используемой ленты. См. также E.083 EOT marker. Ср. T.020 tape mark.

B.127 bottom-up development
восходящая (снизу вверх) разработка
Подход к разработке программ, при котором осуществляется последовательное построение программы из уже имеющихся элементов, начиная с примитивов, предоставляемых выбранным языком программирования. Этот процесс заканчивается получением требуемой готовой программы. На каждом этапе из имеющихся элементов строятся более мощные (в контексте разрабатываемой программы) новые элементы. Эти новые элементы будут, в свою очередь, использоваться на следующем этапе для построения еще более мощных элементов, и так далее до тех пор, пока не будут получены элементы, из которых можно непосредственно составить требуемую программу. На практике восходящая разработка в чистом виде невозможна; построение каждого нового элемента должно сопровождаться просмотром вперед с целью проверки, удовлетворяет ли он требованиям к разрабатываемой программе; но даже и при таком подходе на более позднем этапе часто обнаруживается, что использованная ранее последовательность построения была выбрана неправильно и требуется новая итерация. Ср. T.107 top-down development.

B.128 bottom-up parsing (shift-reduce parsing)
восходящий синтаксический анализ (синтаксический анализ по принципу «сдвиг—сокращение»)
Стратегия синтаксического анализа (P.050 parsing) предложений бесконтекстной грамматики (C.281 context-free grammar), используемая для построения дерева синтаксического анализа (P.049 parse tree) в направлении от узлов-листьев вверх к корню. При выполнении программ восходящего синтаксического анализа (или анализа по принципу «сдвиг—сокраще-

ние») символы «сдвигаются» в стек до тех пор, пока в верхней части стека не окажется правая часть продукции. Стек затем «сокращается» путем замены правой части продукции ее левой частью. Этот процесс продолжается до тех пор, пока цепочка не будет «сокращена» до начального символа грамматики (G.044 grammar). Цепочка символов, заменяемая на каждом шаге, называется подцепочкой, подлежащей свертке. Восходящие синтаксические анализаторы, которые обрабатывают входную цепочку слева направо, должны всегда заменять крайнюю левую подцепочку и таким образом эффективно строить крайнюю правую цепочку вывода (D.159 derivation sequence) в обратном порядке. Например, правый вывод цепочки abcde может иметь вид

$$S \Rightarrow ACD \Rightarrow ACde \Rightarrow Acde \Rightarrow abcde.$$

Восходящий анализатор будет воспроизводить эту последовательность вывода в обратном порядке, сначала сокращая abcde до Acde, затем до ACde, затем до ACD, и, наконец, до начального символа S. Сворачиваемыми цепочками на каждом шаге являются соответственно ab, c, de и ACD. См. также L.149 LR parsing; P.189 precedence parsing.

B.129 boundary protection
защита границ
См. B.131 bounds registers.

B.130 boundary-value problem
краевая задача
См. O.070 ordinary differential equations; P.052 partial differential equations.

B.131 bounds registers
ограничительные регистры
Два регистра, содержимое которых используется для обозначения границ области памяти с контролируемым доступом (см. A.018 access control). Эта область может определяться адресами ее начала и конца или начальным адресом и длиной — в последнем случае применяется регистр границы базы (B.031 base-bound register). Использование ограничительных регистров — это вид аппаратного обеспечения безопасности, называемый иногда защитой границ. См. также M.109 memory protection.

B.132 Box—Jenkins forecasting techniques

методы прогнозирования Бокса—Дженкинса
См. T.095 time series.

B.133 bpi — bits per inch
бит/дюйм

B. 134 bps — bits per second
бит/с
См. также B.095 bit rate.

B.135 bpt — bits per track
бит/дорожка

B.136 branch instruction (jump instruction, transfer instructions)
команда ветвления (команда перехода; команда передачи управления)
Команда, прерывающая обычное последовательное выполнение команд в программе.

B.137 breadboard
макет, макетная плата
Легко адаптируемая плата (C.113 circuit board), на которой реализуется экспериментальная схема из электронных компонентов. Доступ к любым отдельным компонентам макетной платы довольно прост, поэтому всю схему легко модифицировать. Макеты используются, главным образом, в процессе разработки прототипов схем.

B.138 breadth-first search
поиск преимущественно в ширину
Метод поиска по дереву, основанный на том, что сначала осуществляется поиск по всем узлам уровня k, а затем уже — по узлам уровня $k + 1$.
Ср. D.157 depth-first search.

B.139 breakpoint
контрольная точка
См. D.102 debugging.

B.140 bridge
мост
Устройство, которое используется для соединения двух сетей и присутствие которого обычно невидимо для абонентов [в отличие от шлюза (G.009 gateway), как правило, непрозрачного]. Мост может использоваться для соединения двух полностью идентичных сетей, когда физические или логические ограничения не позволяют реализовать одну сеть большего размера; например, мост может соединять две сети типа Ethernet (E.117 Ethernet), когда ограничение на физическую длину кабеля не позволяет создать одну сеть. С помощью моста можно соединить также две разнотипные сети с разными соглашениями по обмену сигналами; например, мост можно использовать для соединения сети Ethernet, функционирующей в пределах одного здания, с сетью типа «кембриджское кольцо» (C.011 Cambridge Ring), реализующей обмен данными между оборудованием, установленным в отдельных зданиях на одной большой территории. Термины *мост, шлюз* и *ретранслятор* (R.109 relay) относятся к той категории терминов, чье значение каждый раз интерпретируется по-разному при переходе от одной группы абонентов сети к другой; в разное время эти термины по-разному интерпретируются даже внутри одной и той же группы абонентов.

B.141 bridgeware
средства обеспечения совместимости
Программные или аппаратные средства, облегчающие переход от использования одной вычислительной системы к использованию другой, не полностью совместимой с первой. Эти средства обычно поставляются производителем ЭВМ в тех случаях, когда новая серия машин не обладает полной совместимостью (C.203 compatibility) снизу вверх с машинами предыдущей серии. В большинстве случаев средства обеспечения совместимости позволяют использовать на машинах новой серии программы, разработанные для машин предыдущей серии (возможно, после небольшой модификации).

B.142 broadband coaxial systems
широкополосные коаксиальные системы
Системы связи на базе коаксиального кабеля, используемые для организации широкополосных сетей (B.143 broadband networking). Полоса частот 300 МГц коаксиального кабеля разбивается на несколько каналов с использованием частотного уплотнения (F.146 frequency division multiplexing). По этим каналам может осуществляться передача сигналов с различной скоростью, причем при организации выделенных каналов по одному и тому же кабелю может производиться обмен данными между самыми различными устройствами. Ширина полосы отдельного канала составляет от нескольких килогерц до нескольких мегагерц. По одному и тому же кабелю могут одновременно передаваться как цифровые, так и

аналоговые данные (речь, телевизионные сигналы). Доступ к кабельному каналу обеспечивается с помощью ВЧ-приемопередатчиков (Т.131 transceiver), или модемов, обслуживающих каждый отдельный канал. Для передачи в различных частотных диапазонах могут использоваться *адаптирующиеся к частоте модемы*. Существует два класса широкополосных коаксиальных систем. В системах с односторонней передачей сигналы по кабелю передаются только в одном направлении. Такого типа системы получили широкое распространение в кабельном телевидении. В системах с двусторонней передачей сигналы по кабелю передаются в обоих направлениях. Все сообщения, поступающие от узлов сети, передаются по входящим каналам на *головной узел*. В функции этого узла входит пересылка сообщений по исходящим каналам, т. е. он направляет все сообщения, принятые по входящим каналам, в соответствующий исходящий канал для передачи требуемым узлам-получателям. Таким образом, узлы сети передают сообщения по входящим (по отношению к головному узлу) каналам и принимают сообщения по его исходящим каналам. Системы с двусторонней передачей разделяются на две категории: системы с разбиением полосы на две *равные* части и системы с разбиением полосы на две *неравные* части. В системах первого типа полоса частот кабеля разбивается поровну между входящими и исходящими каналами. В системах второго типа входящие сообщения передаются в полосе 5—30 МГц, а исходящие — в полосе 54—100 кГц. Такой формат идеально подходит для создания односторонних систем кабельного телевидения, поскольку в этом случае не нарушается нормальное (эфирное) распределение частот телевизионных каналов метрового диапазона.

B.143 broadband networking

организация широкополосных сетей
Способ организации сетей, при котором для переноса аналоговых информационных сигналов в среду передачи используется модулированная несущая (см. M.174 modulation). При использовании метода частотного уплотнения (F.146 frequency division multiplexing) в такой среде может присутствовать одновременно несколько сигналов. Для передачи различных сигналов выделяются различные полосы частот, при этом по одному и тому же кабелю одновременно могут передаваться сообщения различных типов (цифровые данные, аналоговые речевые сигналы, телевизионные сигналы). См. также B.142 broadband coaxial systems. Ср. B.030 baseband networking. Термин иногда используется в значении «организация сетей с широкополосными каналами (см. B.023 bandwidth).

B.144 broadcasting

широковещательная передача
Алгоритм маршрутизации сообщений, при котором сообщение передается всем узлам сети. В некоторых средах передачи данных, например в сети Ethernet (E.117 Ethernet), способность к широковещательной передаче является их неотъемлемым свойством. Для ограничения числа сообщений, воспринимаемых каждым отдельным ведущим узлом сети (ВУС), используется так называемая адресная фильтрация. Сетевая служба, отвечающая за доставку сообщений в широковещательном режиме, называется *службой широковещательной рассылки*; доставка сообщений всем станциям реализуется этой службой с использованием специального адреса, при получении которого каждая станция осуществляет прием соответствующего сообщения. В других системах передачи данных, например в сети ARPANET (A.136 ARPANET), широковещательный режим реализуется путем раздельной адресации копий сообщения каждой станции-получателю. Широковещательная передача может использоваться для различных целей, например для нахождения кратчайшего маршрута к получателю. В этом случае сообщение транслируется всем промежуточным узлам несколько раз до тех пор, пока оно не будет принято в пункте назначения. В процессе прохождения сообщения по сети можно регистрировать информацию о его маршруте. Тогда при последующей передаче сообщений этому же узлу-получателю можно использовать один и тот же (кратчайший) маршрут. Другой пример относится к локальным сетям с древовидной топологией и спутниковым каналам связи, обслу-

живающим несколько наземных станций в пределах радиуса луча. Здесь использование широковещательного режима облегчает адресацию. Этот режим позволяет передать определенное сообщение, например запрос на самозагрузку, всем ВУС; при этом предполагается, что хотя бы один ВУС в состоянии выполнить запрос. Наконец, в широковещательном режиме может передаваться информация общего характера, представляющая интерес для всех узлов на сети. Более общим случаем широковещательной передачи является *многоадресная передача*, при которой используются специальные адресные флажки, указывающие, что определенные сообщения представляют интерес для определенного класса узлов сети, а не обязательно для всех ее узлов.

B.145 brother
= sibling (см. S.143)

B.146 browsing
просмотр
Поиск информации, нередко преследующий цель получения несанкционированного доступа к конфиденциальным данным и представляющий в этом случае угрозу (T.076 threat) для вычислительной системы.

B.147 BSC
1. сокр. binary symmetric channel
2. сокр. binary synchronous communications
1. двоичный симметричный канал
2. протокол двоичной синхронной передачи данных. См. B.088 BISYNC.

B.148 B-tree, b-tree
В-дерево
1. (сбалансированное дерево поиска степени *n* (D.133 degree) при $n \geqslant 2$). Дерево поиска по многим путям (см. M.257 multiway search tree), в котором корневая вершина имеет степень $n \geqslant 2$, каждая нетерминальная вершина, отличная от корня, имеет степень *k*, где

$$n/2 \leqslant k \leqslant n,$$

а все листья находятся на одном и том же уровне. Эта структура данных, впервые описанная Р. Байером и Э. Маккрейтом, обеспечивает построение эффективного механизма динамического поиска. Расширением В-дерева является дерево В+, которое используется в качестве первичного

индекса индексированного файла (I.060 indexed file). Оно состоит из двух частей: последовательного индекса, содержащего указатели всех записей файла, и В-дерева, выступающего в качестве многоуровневого указателя на элементы последовательного индекса. Деревья В+ используются в виртуальном методе доступа (V.066 VSAM).
2. Двоичное дерево, не имеющее ни одной вершины степени единица.

B.149 bubble memory
память на ЦМД
См. M.020 magnetic bubble memory.

B.150 bubble sort (exchange selection)
пузырьковая сортировка (выборка с обменом)
Вид обменной сортировки (S.225 sorting), при которой за несколько просмотров файла осуществляется просто последовательная перестановка каждой пары расположенных не по порядку элементов до тех пор, пока не останется ни одной такой пары. Этот метод значительно менее эффективен по сравнению с сортировкой методом вставок (S.341 straight insertion sort).

B.151 bucket
1. блок 2. емкость
1. Участок файла данных (D.036 data file), содержащий несколько записей и адресуемый как единое целое. Такая организация файлов специально предназначена для реализации методов хеширования (H.038 hashing) и индексации (I.058 index), когда элементы индекса указывают на группы записей. В этих случаях хеширование или индексация дает адрес начала блока; для отыскания внутри блока ячейки, в которую будет производится запись или считывание данных, должна использоваться процедура поиска.
2. Конденсатор, электрический заряд которого используется для реализации динамического ЗУПВ (R.011 RAM). *Наполненная* емкость (полностью заряженный конденсатор) соответствует логической единице; *пустая* емкость (незаряженный конденсатор) соответствует логическому нулю. Заряд может проходить по линейке конденсаторов, которые вместе со вспомогательными электронными схемами образуют в МОП-приборах так называемую *пожарную цепочку* — сдвиговый регистр с последовательной передачей информации из одной емкости в другую.

B.152 bucket sort
блочная сортировка

Вид внешней сортировки, при которой производится группировка сортируемых записей, причем каждая группа хранится в виде отдельного блока (B.151 bucket). Различные блоки будут, вероятно, находиться при этом в разных запоминающих устройствах. Для обеспечения эффективного поиска данных каждый такой блок должен содержать записи с одинаковым значением функции расстановки (см. H.038 hashing). Тогда все записи, которые могут содержать требуемый ключ, будут извлекаться из внешней памяти за одно обращение.

B.153 buddy system
метод близнецов

Метод реализации системы управления памятью (M.106 memory management), при котором вся имеющаяся память разбивается на блоки размером, кратным степени двойки. Запрос на выделение m байт памяти удовлетворяется предоставлением блока размером 2^{p+1}, где

$$2^p < m \leqslant 2^{p+1}.$$

Если нет ни одного блока такого размера, то производится дробление более крупного блока, и при необходимости эта операция повторяется до тех пор, пока не будет получен блок требуемого размера. После освобождения памяти этот блок объединяется со свободным соседним блоком (если такой имеется) для получения более крупного блока, т. е. всегда обеспечивается равенство размера блока степени двойки.

B.154 buffer
буфер

1. Память для промежуточного хранения данных. Обычно используется для компенсации разницы в скорости обработки информации при передаче данных между двумя устройствами с различным быстродействием. Буфер может быть встроен в само периферийное устройство, например в печатающее устройство или накопитель на магнитных дисках, либо быть частью оперативной памяти. См. B.155 buffering.

2. Средство регулировки длины участка магнитной ленты между катушками и ведущим валом (C.016 capstan) и головками лентопротяжного механизма. Этот участок должен быть достаточно коротким и в то же время допускать изменение длины с тем, чтобы ускорение ленты на катушках не было таким большим, как на ведущей оси. Применяются буферы двух основных типов: *рычаги регулировки натяжения* и *вакуумные колонки*. В буферах первого типа лента проходит через несколько роликов, часть которых закреплена неподвижно, а другие установлены на подпружиненном поворотном рычаге, так что результирующие петли ленты можно регулировать по длине. В буферах второго типа лента (вследствие разности давлений) затягивается в камеру, ширина которой равна ширине ленты. Лентопротяжные механизмы с буферами в виде вакуумных колонок значительно дороже и создают гораздо больше шума, но скорость ленты может быть очень высока. В лентопротяжных механизмах на бегущей магнитной ленте и во многих типах кассетных лентопротяжных механизмов буферы не используются, поэтому большие ускорения ленты в области головки и ведущего вала (если он имеется) не допускаются.

3. Схема или устройство, помещаемое между двумя другими устройствами для сглаживания изменений скорости или уровня, либо для обеспечения асинхронной работы. Например, для изоляции (или буферизации) двух групп линий шины данных могут использоваться устройства, называемые драйверами (D.292 driver).

B.155 buffering
буферизация

Способ программирования операций, используемый для компенсации низкой и в некоторых случаях нерегулярной скорости, с которой периферийное устройство передает или принимает данные. Если устройство напрямую обменивается данными с программой, то программа должна работать в синхронизме с этим устройством; буферизация позволяет программе и устройству функционировать независимо друг от друга. Рассмотрим программу, выдающую данные на устройство с низким быстродействием. Для обмена данными выделяется определенная область памяти [буфер (B.154 buffer)]. Программа помещает данные в буфер со своей собственной скоростью, а устройство извлекает данные из буфера на своей скорости. Несмотря на то, что скорость считывания данных устройством может быть довольно низкой, программе не надо останавливаться до тех пор, пока буфер не заполнен; в то же самое время и устройство может работать на полной скорости, пока в буфере есть данные. Аналогичный метод используется и при вводе данных. См. также D.276 double buffering.

B.156 buffer register
  буферный регистр
Запоминающая схема или ячейка запоминающего устройства, предназначенная для временного хранения информации в процессе записи или считывания из оперативной памяти. Обычно имеет емкость, равную одному байту или одному слову.

B.157 bug
  ошибка (в программе или системе)
Этот термин обычно используют для обозначения локализованной ошибки реализации того или иного проектного решения, а не ошибки, которая возникает, скажем, на стадии выработки требований или системного проектирования. См. также D.102 debugging.

B.158 bulk memory
  = backing store

B.159 burn
  = blow

B.160 Burroughs
  Фирма, основанная в 1886 г. и получившая свое нынешнее название Burroughs («Барроуз») в 1953 г. Выпускает изделия широкой номенклатуры — от механических бухгалтерских машин до мощных процессоров. Производство больших ЭВМ началось с машин серии B5000; в настоящее время фирма выпускает машины серии B7700. Отличительной чертой семейства больших ЭВМ этой фирмы является наличие мощной операционной системы, которая способна обеспечивать работу программ, написанных на самых разных языках высокого уровня. Первая машина этого семейства (B5000) проектировалась с учетом возможностей языка Алгол-60. Позднее эта система стала поддерживать языки Фортран и Кобол. В машинах фирмы «Барроуз» используется стековая организация памяти, а принцип виртуальной памяти был реализован на этих машинах уже в 1962 г.

B.161 burster
  разделитель-сортировщик
Механизм для разделения на отдельные листы распечаток на рулонной бумаге, используемой в построчно-печатающих устройствах и в некоторых постранично-печатающих устройствах. Этот механизм часто находит применение также для разделения первых и вторых экземпляров распечатки (полученных с помощью копировальной бумаги), их сортировки и укладки в отдельные стопки. С его помощью можно также подрезать края распечатки с целью удаления ведущих перфорационных отверстий или просечек на стыке листов. Все эти операции обычно выполняются в автономном режиме, но некоторые модели разделителей-сортировщиков допускают прямое соединение с печатающим устройством.

B.162 burst error (error burst)
  пакет ошибок
Комбинация ошибок (как правило, в двоичном сигнале), которая воспринимается как единая ошибка, если ошибочными являются ее определенные элементы («первый» и «последний»), причем промежуточные элементы не обязательно ошибочны. Отсюда следует, что знаки, предшествующие первой ошибке и следующие за последней ошибкой блока, воспринимаются как правильные.

B.163 burst mode
  монопольный режим
Режим работы мультиплексного канала (С.064 channel), при котором канал временно выделяется одному устройству ввода-вывода; тем самым обеспечивается высокая скорость ввода-вывода данных.

B.164 bus
  шина
Среда передачи сигналов, к которой может параллельно подключаться несколько компонентов вычислительной системы и через которую осуществляется обмен данными. Вместо термина *шина* иногда употребляется термин *магистраль* (амер. trunk, англ. highway). По шине могут передаваться только сигналы определенного вида, например адреса или информация (см. A.051 address bus; D.018 data bus), либо разнотипные сигналы. Чтобы обеспечивалась максимальная пропускная способность шины, число ли-

ний в ней должно быть равно сумме числа битов в информационном слове данных и количества двоичных разрядов адреса максимальной длины (плюс линии, по которым передаются управляющие сигналы). Так как стоимость реализации шины, состоящей из отдельных линий для передачи данных и адресов, довольно высока, можно использовать мультиплексную шину (M.236 multiplexed bus). Существует целый ряд запатентованных конструкций типа шины Unibus (U.015 Unibus) фирмы DEC и шины Multibus (M.217 Multibus) фирмы Intel, которые получили широкое распространение. Широко известен и повсеместно используется также стандарт IEEE-488 на шину для подключения контрольно-измерительной аппаратуры, называемую *универсальной интерфейсной шиной*. Этот стандарт принят совместно АНИС и ИИЭР в 1978 г. В его основу положена конструкция шины HP-1B, разработанная фирмой Hewlett Packard, которой принадлежит патент на трехпроводную систему квитирования установления связи (H.020 handshake), используемую в шине, соответствующей стандарту IEEE-488. Что касается микропроцессоров, то здесь стандартизован целый ряд конструкций шин, из которых наиболее широко применяется шина S-100 (S.011 S-100 bus).

B.165 busbar
шина
1. Физическое средство передачи сигналов, используемое для соединения нескольких частей вычислительной системы. Часто используется сокращение термина «busbar» — bus (B.164 bus).
2. Электрический проводник, который имеет значительно большее поперечное сечение по сравнению с подключаемыми к нему проводниками и является общим для нескольких электрических нагрузок и (или) источников.

B.166 bused interface
= daisychain (см. D.003)

B.167 bus terminator
оконечная нагрузка (терминатор)
Электрическая схема, подключаемая к концу шины с целью поддержания определенного уровня сигнала, когда шина находится в пассивном состоянии, а также для обеспечения согласованности импедансов, а, следовательно, подавления нежелательных отражений

сигнала. Эта схема часто бывает конструктивно выполнена в виде отдельного блока, устанавливаемого на печатной плате. Очень важно, чтобы электрический импеданс шины, по которой передаются высокочастотные сигналы, не имел резких изменений. Если концы линий не имеют соответствующих оконечных нагрузок, то их импеданс оказывается почти бесконечным, в результате чего приходящие сигналы отражаются в обратном направлении. Когда в непосредственной близости от конца шины, не имеющей оконечных нагрузок, устанавливается быстродействующая переключательная схема, она регистрирует и прямые, и отраженные сигналы, а это будет приводить к возникновению ошибок.

B.168 bus topology
топология шины
См. N.022 network architecture.

B.169 busy signal
сигнал занятости
Сигнал, передаваемый устройством с целью уведомления о том, что оно не может пока принимать новые команды или данные. Ср. R.049 ready signal.

B.170 byte
байт
Часть машинного слова (W.036 word), состоящая обычно из восьми битов. Ср. C.073 character.

B.171 byte machine
(вычислительная) машина с байтовой организацией
См. V.014 variable word length computer.

C

C.001 C
Си
Язык программирования, первоначально разработанный для реализации операционной системы UNIX (U.029 UNIX). Этот язык наиболее предпочтителен для разработки системного программного обеспечения в среде ОС UNIX и в настоящее время начинает широко использоваться в микроЭВМ. В нем сочетаются особенности совре-

менных высокоуровневых языков (в части применяемых структур управления и данных) и возможность адресации аппаратных средств машины на уровне, который обычно ассоциируется с языком ассемблера. Язык имеет сжатый синтаксис, что представляет особый интерес для профессиональных программистов, а компиляторы позволяют генерировать очень эффективный объектный код. Язык Си разработан на базе языка BCPL (B.043 BCPL); промежуточной версией, которая просуществовала довольно недолго, был язык Би.

C.002 cache (memory cache)
сверхоперативная память, кэш

Запоминающее устройство, используемое в качестве буфера между процессором и самой памятью в быстродействующих системах. В иерархии памяти (M.105 memory hierarchy) системы имеются регистры процессора, которые являются самыми быстродействующими запоминающими устройствами, а на несколько более низком уровне доступности располагаются ячейки оперативной памяти. Кэш предназначен для выравнивания степени доступности устройств этих двух типов за счет временного хранения содержимого ячеек оперативной памяти. С формальной точки зрения существует тесная аналогия между поведением кэша и поведением рабочего комплекта (W.045 working set) в памяти со страничной организацией (P.017 paging). Встроенные кэши используются в некоторых накопителях на магнитной ленте. Цель здесь заключается в обеспечении возможности перевода лентопротяжных механизмов на бегущей ленте (S.347 steaming tape transport) в режиме эмуляции (более дорогостоящих) старт-стопных устройств, с тем чтобы первые можно было подключать к системам, рассчитанным только на работу с последними, без существенной модификации программного обеспечения. Кэши такого типа были реализованы фирмой Cipher в начале 1980-х годов.

C.003 CAD — computer-aided design

C.004 CAL — computer-assisted learning

C.005 calculator
калькулятор

Устройство (обычно электронное), с помощью которого можно выполнять арифметические операции над числами, вводимыми с клавиатуры. Окончательные и промежуточные результаты выводятся на светодиодный (L.026 LED display) или жидкокристаллический (L.015 LCD) индикатор. В настоящее время выпускаются калькуляторы самых различных типов — от очень дешевых простых устройств, способных выполнять только основные арифметические действия, до устройств, позволяющих производить сложные математические и статистические расчеты и допускающих программирование с большим числом этапов. Калькуляторы самых последних моделей продаются в комплекте с модулями памяти, содержащими специализированные программы для различных областей (инженерных расчетов, навигации, коммерции и т. д.), и малогабаритными печатающими устройствами. Граница, разделяющая калькуляторы последних моделей и небольшие микроЭВМ, становится все менее заметной как в части стоимости, так и по вычислительной мощности.

C.006 call
вызов

Передача управления подпрограмме (S.373 subroutine) или процедуре (P.239 procedure) с последующим возвратом к основной программе по окончании выполнения подпрограммы либо процедуры.

C.007 calling sequence
вызывающая последовательность

Кодовая последовательность, реализующая передачу управления подпрограмме или процедуре, включая пересылку параметров и регистрацию адреса возврата. Если требуется вызов процедур, записанных на другом языке, нежели вызывающая программа, то большое значение приобретает унификация вызывающих последовательностей.

C.008 call instruction
команда вызова

Команда, по которой до перехода к подпрограмме (S.373 subroutine) или процедуре (P.239 procedure) содержимое счетчика команд (P.260 program counter) переписывается в память. Ср. R.144 return instruction.

C.009 CAM
= 1. computer-aided manufacturing
= 2. content-addressable memory

C.010 CAMAC
KAMAK

Стандартный мультиплексный промежуточный интерфейс. Обычно не используется для прямого подключения к процессору или периферийному устройству, а служит в качестве стандартного интерфейса, к которому подключается несколько адаптеров сопряжения с периферийными устройствами (P.088 peripheral interface adapter) и один контроллер интерфейса с ЭВМ. Периферийные адаптеры могут выполнять различные функции, например, использоваться в качестве цифроаналоговых преобразователей, преобразователей уровня или преобразователей параллельного кода в последовательный. Поэтому их внешние по отношению к системе КАМАК интерфейсы могут отличаться друг от друга. Аналогичным образом внешний по отношению к системе КАМАК интерфейс модуля контроллера выбирается в соответствии с имеющейся ЭВМ. Адаптеры, как правило, выполнены в виде печатных плат, которые вставляются во внутренний 86-контактный разъем. Внешние соединения обычно разводятся на колодку, устанавливаемую на печатной плате, или на второй разъем, закрепляемый над 86-контактным разъемом. Интерфейс КАМАК широко используется для подключения к ЭВМ измерительной аппаратуры и датчиков. КАМАК был предложен в качестве стандарта Управлением атомной энергетики (Великобритания). Дальнейшая его проработка и выпуск документации были осуществлены Европейской организацией по стандартизации ядерной электроники (ESONE) и Комитетом по разработке измерительных модулей для ядерной энергетики (США). Параллельный интерфейс определен в стандарте IEC-522, а модульная конструкция — в стандарте IEC-516 МЭК.

C.011 Cambridge Ring
кембриджское кольцо

Одна из первых локальных сетей (L.095 local area network), разработанная в Кембриджском университете (Великобритания). В настоящее время сети этого типа имеются в продаже. Данные передаются по кембриджскому кольцу в виде *мини-пакетов* длиной 40 бит: 16 бит используются в качестве поля данных, в двух полях по 8 бит указываются адреса узла-отправителя и узла-получателя, а оставшиеся 8 бит выделяются для управляющих знаков. Интервалы следования битов и промежутки между пакетами задаются главной станцией; при этом по кольцу все время циркулирует определенное число пакетов и промежутков между ними. Каждый пакет содержит бит-индикатор, который указывает, является ли пакет заполненным (т. е. содержит полезные данные) или пустым (т. е. информация, записанная в поле данных пакета, принята узлом-получателем, а пакет сделал полный круг по кольцу и возвратился в узел, откуда был отправлен). Таким образом, кембриджское кольцо является примером кольца с «пустыми сегментами». См. также T.106 token ring.

C.012 cancellation
потеря точности

Уменьшение числа значащих разрядов при вычитании близких по величине чисел, часто приводящее к снижению точности численных расчетов. Однако этого явления можно избежать путем некоторой реорганизации процесса вычисления. Рассмотрим в качестве примера квадратное уравнение вида

$$ax^2 + bx + c = 0$$

и формулу для определения его корней

$$(-b \pm \sqrt{(b^2 - 4ac)})/(2a)$$

Если b^2 велико по сравнению с $4ac$, то при вычислении одного из корней будут возникать большие погрешности. Однако этот корень можно вычислить, используя произведение корней, равное c/a.

C.013 capability architecture
архитектура с мандатной адресацией

Архитектура, которая охватывает как аппаратные средства, так и программное обеспечение (операционную систему) ЭВМ. Она обеспечивает более высокий уровень защиты ЭВМ в условиях мультиобработки. В архитектуре этого вида предусмотрено два типа хранимых в памяти слов: *данные* (включая программы) и *мандаты*. Программа может работать только с теми данными, на которые она имеет мандат. Мандат указывает, где находятся данные и какие виды доступа к этим данным разрешены. Примерами систем, имеющих архитектуру с мандатной адресацией, являются системы Plessey 250 и Cambridge CAP. Расширением принципа мандатной адресации является объектная архитектура (O.001 object architecture).

C.014 capability list
мандатный список
Список разрешенных операций, которые субъект может выполнять над объектом. См. O.001 object architecture; C.013 capability architecture.

C.015 capacity
1. емкость 2. разрядность 3. пропускная способность
1. Максимальное количество единиц данных, которое может храниться в запоминающем устройстве. Емкость может измеряться в словах, байтах, битах или знаках.
2. Максимальная длина слова, которое может храниться в регистре.
3. Характеристика канала передачи. См. C.067 channel coding theorem.

C.016 capstan
ведущий вал
Узел лентопротяжного механизма, с которого передается движение (иногда косвенным путем) магнитной ленте и который служит для управления скоростью перемещения ленты относительно головки; для управления движением бобин с лентой обычно используется отдельное устройство. В лентопротяжных механизмах на бегущей ленте (S.347 streaming ape transport) ведущие валы не используются.

C.017 CAR
= contents of address register (содержимое адресного регистра). Функция языка Лисп (L.080 LISP), вычисляющая местоположение первого элемента (H.048 head) списка. Ср. C.049 CDR.

C.018 card
См. P.338 punched card; M.021 magnetic card; C.100 chip card; C.114 circuit card

C.019 card cage
каркас для плат
Конструкция, в которую устанавливаются печатные платы (C.113 circuit board). В ней имеются направляющие, по которым вставляются платы, гнездовые разъемы и проводка, соединяющая разъемы между собой.

C.020 cardinality
мощность, кардинальное число

Критерий оценки размерности множества (S.116 set). Два множества S и T имеют одну и ту же мощность, если существует биективное отображение (см. B.056 bijection) одного множества на другое. В этом случае говорят, что S и T *равномощны*, для указания равномощности множеств часто используют символическую запись: $S \sim T$. Если множество S конечно, то его мощность выражается через число элементов в нем. В случае бесконечного множества критерий оценки его мощности через «число» элементов в нем не подходит. Важный факт, открытый Кантором, заключается в том, что не все бесконечные множества имеют одну и ту же мощность. Два наиболее важных «класса» бесконечных множеств можно проиллюстрировать следующим образом. Если S равномощно множеству натуральных чисел

$$\{1, 2, 3, ...\},$$

то говорят, что оно имеет *мощность $\aleph_0$* (этот символ называют *алеф-нулем*). Если S равномощно множеству вещественных чисел, то говорят, что оно имеет мощность C, или *мощность в континууме*. Можно также показать, что в некотором смысле

$$C = 2^{\aleph_0},$$

поскольку вещественные числа могут быть поставлены в биективное соответствие множеству всех подмножеств натуральных чисел.

C.021 card punch
карточный перфоратор
Устройство, используемое для пробивки отверстий в перфокартах. Конфигурация пробивок соответствует кодовому представлению данных, выводимых на это устройство с другого устройства обработки данных или вводимых оператором с клавиатуры.

C.022 card reader
считыватель карт
Устройство, предназначенное для считывания данных, записанных на карте, и их преобразования в двоичный код, пригодный для передачи с целью дальнейшей обработки (см. также M.021 magnetic card; C.100 chip card; P.338 punched card).
В *устройствах считывания с магнитных карт* имеется транспортировочный механизм, затягивающий карту в ма-

шину и перемещающий ее относительно считывающей головки. В некоторых устройствах перед считывающей головкой установлены специальные щетки для очистки карт. После считывания карты направление движения транспортировочного механизма меняется на противоположное и карта возвращается оператору. В устройствах, используемых в автоматах для выдачи наличными по кредитным карточкам, направление перемещения может не меняться, если карта и (или) указанный на ней идентификационный номер являются фальшивыми.

Щелевые считывающие устройства — это довольно простые устройства, предназначенные для считывания жетонов или пластмассовых карточек. Жетон или карточка вручную перемещается вдоль прорези, которая направляет его так, чтобы он прошел под считывающей головкой. Информация на жетоне может быть записана магнитным способом либо нанесена в виде штрихового кода (B.025 bar code) или машиночитаемого шрифта. Поскольку скорость перемещения жетона относительно считывающей головки может быть любой, головка и электронный блок рассчитаны на широкий диапазон скоростей. По сравнению со считывающими устройствами, имеющими транспортировочные механизмы с приводом от электродвигателя, щелевые устройства значительно дешевле и имеют гораздо большее быстродействие. В некоторых устройствах, используемых в составе банковских терминалов, обеспечивается считывание чеков, информация на которые нанесена типографским способом, и пластмассовых карточек с магнитной записью.

В *устройствах считывания с интеллектуальных карт* имеются направляющая и разъем, который контактирует со вставляемой картой. После того как карта вставлена в устройство и введен соответствующий код, осуществляется считывание информации из запоминающего устройства, вмонтированного в карте. См. также P.339 punched card reader.

C.023 card verifying
верификация карт
Процесс контроля данных, записанных на перфокарте или магнитной карте, на соответствие первоначальным данным. В системах, в которых перед записью на карту данные сначала записываются в память и проверяются, процедуры верификации карт постепенно выходят из употребления. См. также V.029 verification.

C.024 carriage-control tape
лента управления кареткой
См. V.036 vertical format unit.

C.025 carriage return (CR)
символ «возврат каретки»
Управляющий код, с помощью которого задается формат распечатываемого или выводимого на экран дисплея текстового материала. Указывает, что следующий знак должен появиться в начале строки. В некоторых устройствах последовательной печати код CR вызывает физическое перемещение каретки на первую позицию печати. В других типах печатающих устройств знаки по этому сигналу будут должным образом позиционироваться в строке, хотя они могут распечатываться в некоторой другой последовательности или даже одновременно.

C.026 carrier
несущая
См. M.174 modulation.

C.027 carrier sense multiple access (CSMA), CSMA with collision detection
многостанционный доступ с контролем несущей (МДКН), МДКН с обнаружением столкновений
См. C.335 CSMA/CD.

C.028 carry lookahead
предварительный просмотр по схеме ускоренного переноса
Метод, используемый в многоразрядных параллельных сумматорах (P.025 parallel adder). С его помощью каждый индивидуальный элемент сумматора заранее обнаруживает, когда предшествующая ему секция сумматора будет генерировать бит переноса в результате сложения следующих младших разрядов первого и второго слагаемых. Логика, необходимая для генерации сигнала предварительного просмотра, реализована в виде интегральной схемы. Предварительный просмотр по схеме ускоренного переноса позволяет значительно повысить производительность по сравнению, скажем, с сумматорами (A 048 adder) со сквозным переносом, поскольку биты переноса генерируются параллельно на всех этапах сложения, а не после-

довательно, как в сумматорах со сквозным переносом. Сумматоры с предварительным просмотром по схеме ускоренного переноса поэтому часто называют быстродействующими сумматорами.

C.029 Cartesian product of two sets S and T
декартово произведение двух множеств (S.116 set) S и T
Множество всех упорядоченных пар (O.064 ordered pair) вида (s, t) ,таких, что s является членом S, а t — членом T; это обычно записывается как $S \times T$. Декартово произведение можно представить следующим образом:

$$S \times T = \{(s, t) \mid (\ s \in S)\ \text{и}\ (t \in T)\}.$$

Если R — множество вещественных чисел, то $R \times R$ есть просто множество точек в (декартовой) плоскости, которое можно считать множеством комплексных чисел, отсюда и название. Понятие декартова произведения можно распространить на n множеств

$$S_1,\ S_2,\ ...,\ S_n.$$

Тогда декартово произведение будет представлять собой множество упорядоченных наборов из n элементов

$$(s_1,\ s_2,\ ...,\ s_n),$$

таких, что каждое s_i находится в S_i. В случае когда S_i является одним и тем же множеством S, то вместо

$$S \times S \times ...\ S\ (n\ \text{членов})$$

декартово произведение обычно записывается как S^n.

C.030 Cartesian structure
декартова структура
Структура данных, в которой число элементов фиксировано, а сами элементы линейно упорядочены. Термин иногда используется в качестве синонима термина *запись* (R.056 record).

C.031 cartridge
кассета
Контейнер, используемый для защиты различных применяемых в вычислительной технике носителей, таких как магнитные ленты (M.030 magnetic tape), магнитные диски (M.023 magnetic disk), оптические диски (O.051 optical disk), интегральные схемы и красящие ленты (R.152 ribbon) печатающих устройств, а также для повышения удобства работы с ними. Его конструкция такова, что носитель постоянно находится внутри кассеты или, по крайней мере, прикреплен к ней, т. е. оператор не может касаться самого носителя. См. M.031 magnetic tape cartridge; D.237 disk cartridge; R.176 ROM cartridge.

C.032 cartridge drive
кассетный лентопротяжный механизм (дисковод)
Лентопротяжный механизм для работы с кассетной лентой или дисковод для работы с кассетными дисками.

C.033 cartridge tape
кассетная лента
Магнитная лента, устанавливаемая в специальных кассетах См. M.031 magnetic tape cartridge.

C.034 cascadable counter
каскадный счетчик
Счетчик, состоящий из цепочки триггеров (F.097 flip-flop). Каждый элемент такого счетчика представляет собой отдельный счетчик, способный генерировать на своем выходе биты переполнения (переноса). Длина счетной последовательности обычно выражается целым числом, равным 2^n (двоичные счетчики) или 10^n (десятичные счетчики). Например, каскадное включение счетчика до 4 и счетчика до 10 дает счетчик до 40. Поскольку каскадные счетчики выполняются в виде интегральных схем, или модулей, то их также называют *модульными счетчиками*. См. также C. 327 counter.

C.035 cassette
компакт-кассета
Номинально, то же, что и кассета (C.031 cartridge); однако компакт-кассетами обычно называют кассеты для бытовых магнитофонов; выпуск первых кассет такого типа (товарный знак Compact Cassette) был освоен фирмой Philips. Компакт-кассеты часто используются в бытовых ЭВМ; в профессиональных компьютерах применяются более надежные лентопротяжные механизмы и кассеты более высокого качества.

C.036 cassette drive
кассетный лентопротяжный механизм
Лентопротяжный механизм, предназначенный для работы с магнитной лентой, установленной в компакт-кассетах. См. M.031 magnetic tape cartridge.

C.037 CAT — computer-aided testing

C.038 catastrophic code
катастрофический код
Сверточный код (C.313 convolutional code), подверженный *катастрофическому распространению ошибок*, т. е. при конечном числе канальных ошибок (C.069 channel error) может возникнуть такая ситуация, когда число ошибок на выходе декодера будет бесконечным. Любой данный сверточный код может быть или может не быть катастрофическим.

C.039 catastrophic error propagation
катастрофическое распространение ошибок
См. C.038 catastrophic code.

C.040 category
категория
Совокупность *объектов* A вместе с соответствующим множеством *морфизмов* M. Объект — это обобщение множества (S.116 set), а морфизм — обобщение функции (F.160 function), отображающей одно множество на другое.

Множество M представляет собой разомкнутое (D.233 disjoint) объединение (U.017 union) множеств вида [A, B], где A и B есть элементы A; если α — член [A, B], то A — область определения α, B — область значений α, а α — морфизм A на B. Для каждой *тройки* (A, B, C) элементов A существует бинарная операция (D.319 dyadic operation)°, отображающая декартово произведение (C.029 Cartesion product)

$$[B, C] \times [A, B]$$

на [A, C]. Образ β° α упорядоченной пары (β, α) есть *композиция* β с α; операция композиции является ассоциативной (A.153 associative operation). Кроме того, когда определена композиция, для каждого A в A будет существовать *тождественный морфизм*. В качестве примеров категорий приведем множество групп (G.058 group) и гомоморфизмов (H.086 homomorphism) на группах, а также множество колец (R.157 ring) и гомоморфизмов на кольцах. См. F.166 functor.

C.041 cathode-ray tube (CRT)
электронно-лучевая трубка (ЭЛТ)
Электронное устройство отображения, в котором для модуляции одного или более хорошо сфокусированных и управляемых электронных лучей используется электрический сигнал; в цветных ЭЛТ используются три электронных луча. Электронный луч или лучи направляются на мишень, обычно люминесцентный экран. Управляя перемещением и интенсивностью луча (лучей), можно сформировать видимое изображение; в некоторых случаях формируются изображения, предназначенные для регистрации специальными приборами, а не человеческим глазом. См. также O.083 oscilloscope; S.333 storage oscilloscope.

C.042 CAV — constant angular velocity
постоянная угловая скорость
Параметр диска, вращающегося с постоянной скоростью. Такой режим вращения используется в магнитных дисках и некоторых оптических дисках. Ср. C.140 CLV.

C.043 Cayley table (composition table; operaiton table)
таблица Кэли (композиционная таблица; таблица операций)

		Правый операнд			
°		1	—1	i	—i
Левый операнд	1	1	—1	i	—i
	—1	—1	1	—i	i
	i	i	—i	—1	1
	—i	—i	i	1	—1

Табличное средство описания конечной группы (G.058 group), впервые использованное математиком XIX в. А. Кэли. В качестве примера приведем множество

$$\{1, -1, i, -i\},$$

которое формирует группу при выполнении бинарной операции (D.319 dyadic operation) °, как показано в таблице Кэли. Например, $-1_° i = -i$. Термин *композиционная таблица* обычно используется в тех случаях, когда групповая операция представляет собой композицию (C.218 composition) функций.

C.044 CBL — computer-based learning
обучение с помощью ЭВМ
См. C.231 computer-assisted learning.

C.045 CCD, CCD memory
ПЗС (память на ПЗС)
См. C.084 charge-coupled device.

C.046 CCITT — Comite' Consultatif Internationale de Telegraphique et Telephonique (International Telegraph and Telephone Consultative Committee)

Международный консультативный комитет по телеграфии и телефонии (МККТТ)

Агентство, входящее в состав Международного союза электросвязи (МСЭ), созданного при ООН. МККТТ осуществляет в международном масштабе координацию работ по внедрению телефонных систем и систем передачи данных. Технические рекомендации этого комитета часто становятся международными стандартами. См. V.067 V-series, X.006 X-series. В состав МККТТ входят представители организаций следующих пяти классов. Класс А: национальные телекоммуникационные управления, такие как ФКС (F.022 FCC) в США и почтовые ведомства (P.321 PTT) в Зап. Европе, класс В: крупные частные управления, такие как фирма AT&T; класс С: научные организации и промышленные предприятия; класс D: международные организации, такие как МОС (I.201 ISO); класс E: организации, которые специализируются в других областях, но заинтересованы в деятельности МККТТ. Право голоса имеют только представители первых двух классов.

C.047 CDC — Control Data Corporation
Фирма, отпочковавшаяся от компании Sperry Univac (S.254 Sperry Univac), в которую входили ведущие специалисты фирмы Engineering Research Associates (ERA), существовавшей до образования компании Sperry Univac. Фирма CDC является одним из ведущих поставщиков больших быстродействующих ЭВМ для научных расчетов. Имеет представительства во многих странах. В вычислительных машинах семейства 6600 производства этой фирмы реализована архитектура, в рамках которой каждая из них представляет собой совокупность машин ввода-вывода [называемых периферийными процессорами (P.089 peripheral processor)], обеспечивающих обработку данных на стыке с арифметической машиной, обладающей очень высоким быстродействием.

C.048 CDL — computer description language
язык описания архитектуры ЭВМ
См. H.032 hardware description.

C.049 CDR
Функция языка Лисп (L.080 LISP), возвращающая хвост (T.008 tail) спи-

ска. Первоначально это сокращение расшифровывалось как contents of decrement register (содержимое декрементного регистра). Ср. C.017 CAR.

C.050 CD-ROM
неперезаписываемый компактный звукодиск
См. R.117 ROM optical disk.

C.051 Ceefax
Название одной из двух систем телетекста (T.036 teletext), реализованных в Великобритании.

C.052 cell
ячейка
Элемент памяти или регистра, предназначенный для хранения одного двоичного числа и имеющий определенный адрес. Иногда ячейка предназначена для хранения одного бита.

C.053 cellar
= stack
магазин
Этот термин используется довольно редко.

C.054 center-feed tape
перфолента с синхронизацией по центру
См. P.020 paper tape.

C.055 central processor (CPU; central processing unit)
центральный процессор (ЦП)
Основной рабочий элемент ЭВМ. Подразумевается обычно арифметико-логическое устройство (A.126 arithmetic and logic unit) и устройство управления (C.036 control unit), а иногда (но не всегда) первичная память (P.210 primary memory). По мере того как функции вычислительной системы становятся все более распределенными и автономными, этот термин приобретает более широкое толкование.

C.056 chad
конфетти
Кусочки материала, выбиваемые при перфорации отверстий в бумажном носителе. При подготовке перфокарт и перфолент конфетти образуется в больших количествах. Конфетти образуется также при пробивке ведущих отверстий в перфоленте. При недостаточно хорошем удалении кусочков материала могут возникать ошибки. Поэтому построчно-печатающие устройства часто оборудуются ловушками конфетти с целью предотвращения попадания кусочков материала между

лентой и бумагой, которые в противном случае вызывали бы потерю информации на верхней копии.

C.057 chain
1. простой список 2. цепочка
1. Линейный однонаправленный список (S.180 singly liked list).
2. См. D.213 directed set.

C.058 chain code
1. цепной код 2. симплексный код
1. Метод описания контуров с использованием последовательности (цепочки) символов, представляющих дискретное множество направленных векторов. Используется в машинной графике и распознавании образов для описания штриховых изображений (включая знаки).
2. Данное толкование имеет хождение преимущественно в Великобритании.

C.059 chained file
цепной файл
Файл, используемый для цепочной организации данных.

C.060 chained list
= linked list

C.061 chaining search
цепной поиск
Поиск, при котором каждый элемент имеет указатель на следующий элемент.

C.062 chain printer
цепное печатающее устройство
Тип построчно-печатающего устройства (L.069 line printer) с монолитным шрифтом (см. S.219 solid-font printer), в котором шрифт выполнен методом травления и гравировки на небольших пластинах, соединенных в цепь. Цепь надета на две звездочки и при их вращении прямой участок цепи перемещается параллельно бумаге и перекрывает целую строку, которая будет распечатываться. Это один из первых типов печатающих устройств ЭВМ, в котором был реализован принцип *движущихся печатающих элементов*, разработанный в середине 1950-х годов: шрифтоноситель, выполненный в виде цепи, движется с высокой скоростью относительно бумаги, а знаки пропечатываются на бумаге через красящую ленту при срабатывании электромеханического молоточка. Длительность удара составляет всего несколько микросекунд, поэтому смазывание отпечатанных знаков вследствие перемещения шрифтоносителя в хорошо отрегулированной машине очень невелико. Синхронизация работы молоточка достигается с помощью детекторов, регистрирующих индексные метки на вращающейся цепи. Самые первые модели машины имели быстродействие 150 строк/мин, что вполне соответствовало скоростям ввода-вывода ЭВМ того времени. Распространению цепных печатающих устройств наиболее способствовала фирма IBM. К началу 1960-х годов быстродействие этих устройств при распечатке буквенно-цифровых знаков уже составляло 600 строк/мин, а при ограничении шрифтового комплекта только цифрами и набором из 16 знаков могло быть доведено до 1200 строк/мин и выше. Проблемы, связанные с обеспечением перемещения цепи в горизонтальной плоскости, поддержанием точного положения относительно синхронизирующих меток и уменьшением длительности ударов, привели к созданию гусеничных печатающих устройств (T.126 train printer), которые постепенно вытеснили цепные печатающие устройства. См. также B.020 band printer.

C.063 change dump
ламп изменений
Распечатка, в которой перечислено содержимое всех ячеек памяти, измененных вследствие определенного события, обычно в результате выполнения вспомогательной отладочной программы.

C.064 channel
1. канал ввода-вывода 2. канал передачи, канал связи 3. соединение 4. дорожки (перфоленты)
1. Специализированный процессор, в котором реализованы средства пересылки данных и схемы управления операциями ввода-вывода. Обеспечивает форматирование и буферизацию и имеет все необходимые средства управления для обеспечения синхронной работы с устройством ввода-вывода. Если интерфейс имеет несколько параллельных каналов ввода-вывода, то каждый из них обычно используется для пересылки только одного вида информации, например данных. К одному каналу могут подключаться несколько разных устройств ввода-вывода; при этом для ввода-вывода

потоков данных на то или другое устройство используются специальные схемы управления, предусмотренные в составе канала. Если устройства ввода-вывода имеют относительно низкое быстродействие (к устройствам такого типа относятся, например, построчно-печатающие устройства, дисплеи и устройства считывания документов), то для соединения их с процессором используется *мультиплексный канал*. Операции ввода-вывода по такому каналу на отдельные устройства мультиплексированы, т. е. чередуются знак за знаком так, что одновременно могут работать несколько устройств. Если необходимо подключить несколько устройств с высоким быстродействием, например магнитные диски или ленты, то используется *селекторный канал*. В этом случае за одну операцию вводится или выводится целая запись, а затем производится переключение на следующее устройство. Как правило, переключение на другое устройство выполняется после ввода-вывода не одной, а нескольких записей. Пока селекторный канал обслуживает одно устройство, другие устройства не могут пересылать информацию. Однако это не означает, что они не работают — в это время могут осуществляться операции поиска, перемотки и т. д. В качестве каналов ввода-вывода часто используются *процессоры с «зашитой» программой* (см. W.033 wired-program computer). По мере усложнения каналов для их реализации начинают применяться ЭВМ (*процессоры ввода-вывода*). См. также P.089 peripheral processor.

2. Путь, по которому передается информация. См. также S.126 Shannon's model.

3. Канал связи (физический или виртуальный) с ведущей ЭВМ (H.093 host computer) в сети передачи данных.

4. Один из продольных рядов отверстий, пробиваемых в перфоленте. Перфолента не только используется в качестве носителя для ввода-вывода данных, она также широко применяется для управления форматом распечатки в устройствах вертикального форматирования (V.036 vertical format unit). Хотя вместо петли перфоленты сейчас используется двоичная информация в памяти, термин *дорожка* до сих пор применяется для обозначения эквивалентного электронного сигнала.

C.065 channel capacity
пропускная способность канала
См. C.067 channel coding theorem.

C.066 channel coding
канальное кодирование
Использование кодов с обнаружением ошибок (E.104 error-detecting code) или кодов с исправлением ошибок (E.103 error-correcting code) для обеспечения надежной передачи по каналу связи (C.064 channel). При канальном кодировании тот или иной код (C.149 code) выбирается в соответствии с каналом [главным образом, с его шумовыми характеристиками (см. N.038 noise)], а не с источником информации. См. C.067 channel coding theorem; S.126 Shannon's model. Ср. S.230 source coding.

C. 067 channel coding theorem
теорема о канальном кодировании
В теории связи (C.193 communication theory) — утверждение, что любой, сколь угодно зашумленный (см. N.038 noise) канал обладает определенной *пропускной способностью* — скоростью передачи информации (I.073 information), которая никогда не может быть превышена без ошибки, но, в принципе, достижима с некоторой произвольно малой вероятностью ошибки. Эта теорема была впервые сформулирована и доказана К. Э. Шенноном в 1948 г. Шеннон показал, что всегда существует некоторый код с исправлением ошибок (E.103 error-correcting code), с помощью которого можно снизить вероятность ошибки до любого заранее установленного уровня. Ему, однако, не удалось показать, как построить такой код [это остается центральной проблемой теории кодирования (C.160 coding theory)], хотя он и показал, что произвольно выбираемые коды ничем не хуже других, при условии, что их длина очень велика. Среди результатов, полученных Шенноном для конкретных каналов, наиболее известным является результат, полученный для ограниченного по мощности (см. P.184 power-limited channel) непрерывного канала, в котором присутствует белый гауссов шум (см. G.013 Gaussian noise; W.023 white noise). Если мощность сигнала ограничена величиной P_S, а мощность шума — величиной P_N, то пропускная способность (бит/с) такого канала

выражается формулой

$$C = 1/2v \log_2 (1 + P_S/P_N).$$

Если это дискретный во времени канал, то v — число периодов дискретизации (см. E.085 epoch) в секунду, а если это непрерывный во времени канал, то v — минимальное число отсчетов в секунду, необходимое для извлечения из канала всей информации. В последнем случае, если необходимо конечное v, то канал должен быть ограниченным по мощности; если W — ширина полосы (B.023 band width) канала (в Гц), то по критерию Найквиста (N.106 Nyquist's criterion) имеем

$$C = W \log_2 (1 + P_S/P_N).$$

Эту формулу иногда называют *законом Шеннона—Хартли* и часто ошибочно применяют в случаях, менее жестко обусловленных, чем показанный выше. Это и другие выражения для пропускной способности конкретных каналов не следует путать с теоремой о канальном кодировании, которая утверждает только, что существует конечная пропускная способность (которая может быть равна нулю) и что она может быть достигнута без внесения ошибок. См. также S.126 Shannon's model; S.231 source coding theorem.

C.068 channel controller
контроллер канала
Устройство управления каналом ввода-вывода (C.064 channel). См. также I.188 I/O processor.

C.069 channel error
канальная ошибка
Ошибка в сигнале, поступающем на вход декодера (D.117 decoder) в системе связи; такого рода ошибки возникают вследствие воздействия шума (N.038 noise) в канале. В противоположность этому ошибка декодера представляет собой результат неудачной попытки декодера [кода с исправлением ошибок (E.103 error-correcting code)] устранить канальную ошибку.

C.070 channel switching
1. переключение каналов 2. коммутация каналов
1. Средство связи, обеспечивающее переключение между несколькими различными каналами связи.
2. См. C.115 circuit switching.

C.071 channel time response
временная характеристика канала

См. C.318 convolution.

C.072 CHAPSE — CHILL/Ada Programming Support Environment
средства поддержки программирования на языках CHILL и Ada
Средства, обеспечивающие возможность разработки программ с использованием как языка CHILL (C.097 CHILL), так и языка Ада (A.040 Ada).

C.073 character
символ, знак
1. Элемент данного набора знаков (C.082 character set).
2. Часть слова (W.036 word) в машине, состоящая обычно из шести, семи или восьми бит и иногда называемая *байтом.*
3. Наименьшая единица информации в записи (R.056 record).

C.074 character encoding
кодирование символов
Кодирование [как правило, двоичное (см. B.064 binary encoding)] заданного набора знаков (C.082 character set). Примерами являются коды ASCII и EBCDIC.

C.075 characteristic (biased exponent)
характеристика (смещенный порядок)
См. F.100 floating-point notation.

C.076 characteristic function
характеристическая функция подмножества (S.378 subset) S универсального множества (U.027 universal set) U
Функция (F.160 function), указывающая, принадлежит ли элемент подмножеству S, имеет вид

$$f : U \to \{0, 1\}$$

и определяется следующим образом,

$$f(x) = 1, \text{ если } x \in S;$$
$$f(x) = 0, \text{ если } x \notin S.$$

Область значений может задаваться как {истина, ложь} или {1, 2 }.

C.077 characteristic vector
1. характеристический вектор
2. собственный вектор
1. Вектор (V.022 vector) двоичных элементов, представляющий множество в конечном универсуме. Если универсум состоит из n элементов $a_1, a_2, ..., a_n$, то любое множество A может быть представлено вектором из n бит, где i-й бит равен 1 тогда и только тогда, когда $a_i \in A$. 2. Англ. эквив. тер-

мина eigenvector. См. E.029 eigenvalue problems.

C.078 character machine
машина с символьной организацией
См. V.014 variable word length computer.

C.079 character printer
посимвольное печатающее устройство
Устройство последовательной печати (S.106 serial printer), обычно с монолитным шрифтом. См. S.219 solid-font printer.

C.080 character recognition
распознавание знаков
Процесс восприятия и декодирования машиной печатных знаков, понятных и для человека. Знаки обычно печатаются с использованием специальных магнитных чернил и имеют определенную форму, однако современные машины способны (при должном качестве печати) читать машинописные знаки или эквивалентные стандартные печатные знаки разнообразных шрифтов. См. M.127 MICR; O.007 OCR.

C.081 character representation
представление символов
Отображение знаков в виде битовых цепочек, определяемое выбранным методом кодирования (C.074 character encoding).

C.082 character set
набор символов
1. Совокупность знаков, предусмотренных в данной машине. Этот набор обычно включает буквенно-цифровые знаки (A.087 alphanumeric character)

Специальные знаки	Знаки операций
Пробел , ; : . ? ! ( ) [ ] { } $ % # & @ ~ / \ " ' ` ↑ →	+ — * / > = <

английского алфавита, специальные знаки и символы операций (см. таблицу). Все эти знаки являются *графическими*. Кроме того, в составе набора символов используются различные *управляющие* символы. Таким образом, графический знак обозначает отпечатанный знак или пробел, тогда как управляющий символ соответствует некоторой функции. Среди наборов символов наибольшее распространение получили знаки кода ASCII (американский стандартный код для обмена информацией) (A.142 ASCII) и кода EBCDIC (расширенный двоично-десятичный код для обмена информацией) (E.003 EBCDIC). Набор EBCDIC рассчитан, главным образом, на машины фирмы IBM, тогда как набор ASCII, реализованный в 1963 г., находит более широкое применение.
2. Совокупность знаков, используемых в конкретном языке программирования.

C.083 character string
цепочка знаков, символьная строка
Цепочка элементов из данного набора знаков (C.082 character set).

C.084 charge-coupled device (CCD)
прибор с зарядовой связью (ПЗС)
Полупроводниковый прибор, имеющий структуру полевого МОП-транзистора (M.193 MOSFET) с очень длинными каналами и большим количеством затворов (до 1000), расположенных близко друг от друга между электродами истока и стока. Между каждым затвором и пластиной формируется МОП-конденсатор; поскольку этот конденсатор способен хранить заряд, ПЗС могут использоваться в качестве запоминающих устройств. По существу ПЗС действует как длинный сдвиговый регистр (S.140 shift register), имеющий высокую плотность расположения разрядов, поскольку, манипулируя напряжениями на затворах, можно перемещать заряд с одного МОП-конденсатора на другой (соседний) по цепочке вдоль канала. Число затворов, необходимое для хранения одного бита информации, определяется физической структурой прибора и способом управления напряжениями на затворах; как правило, для хранения одного бита требуется два или три затвора. Так как хранимый заряд может утекать из конденсатора, ПЗС требует постоянной синхронизации, обычно с частотой 1 МГц. Запоминающие устройства на ПЗС особенно пригодны в тех случаях, когда запись-считывание данных из памяти производится последовательно, как в ЗУ для обновления информации (см. R.082 refresh) на экранах дисплеев. Эти

устройства имеют более низкое быстродействие по сравнению с ЗУПВ, но работают быстрее, чем внешние ЗУ на магнитных носителях.

C.085 chassis
шасси

В общем случае, механическая конструкция, которая служит для установки компонентов электронного устройства. Конструкция может иметь несущие элементы для установки печатных плат (C.113 circuit board) стандартного размера в добавление к элементам для установки объединительной платы (см. M.198 mother board; B.006 backplane), в разъемы которой вставляются эти платы. Существует и другой способ установки электронных компонентов — они распаиваются на специальных контактных колодках, закрепленных на шасси. Для обеспечения безопасности металлические части шасси должны быть заземлены, т. е. соединены проводом с клеммой заземления. В некоторых случаях удобнее, однако, соединять шасси с одним из проводов сети переменного или постоянного тока. Иногда шасси вообще не заземляют.

C.086 CHDF — computer hardware description language
язык описания аппаратных средств ЭВМ

См. H.032 hardware description.

C.087 Chebysher approximation, norm
приближение Чебышева, норма

См. A.118 approximation theory.

C.088 check
проверка, контроль

Средство или процесс проверки правильности сегмента данных, результата вычислений или завершения успешной передачи сообщения (по сети или устройству ввода-вывода). См. также E.105 error detection and correction.

C.089 check character
контрольный знак

Знак или, в более общем случае, некоторый элемент заданного размера (от одного бита до нескольких байтов), содержащий результат вычисления контрольной суммы, полученный при проверке сегмента данных. См. также E.105 error detection and correction.

C.090 check digit
= check character

C.091 checking program
программа контроля

Программа, предназначенная для проверки других программ или данных на наличие определенных классов ошибок, обычно достаточно явных, таких как синтаксические ошибки в исходном тексте программы.

C.092 checkout
выверка

Все работы, связанные с доведением программы до такого состояния, когда она начинает давать некоторые результаты (т. е. успешно компилируется и не приводит к аварийному завершению), так что можно начинать тестирование (T.059 testing). Сюда относится *«домашний анализ»*, т. е. проверка программистом, и использование отладочного режима компиляции и выполнения, который дает обширную информацию относительно неправильного применения языка программирования или действий, приводящих к аварийному завершению.

C.093 checkpoint
контрольная точка

Момент выполнения процесса или задания, в который производится контрольная распечатка промежуточных результатов (D.313 dump check), отсюда и другое название — *точка распечатки*. Вслед за распечатной выполняется повторный пуск (R.139 restart).

C.094 checksum (modulo-n check, residue check)
метод контрольной суммы (контроль по модулю n, контроль по остатку)

Простой метод обнаружения ошибок, основанный на анализе некоторого набора данных или участка программы. Если этот набор представляет собой совокупность блоков длиной m бит, то берется сумма по модулю n, где $n = 2^m$, и ставится в конец набора. Позднее (например, после пересылки набора данных в другое место) можно осуществить повторное вычисление контрольной суммы; при этом будут выявлены наиболее простые (одиночные) ошибки на уровне битов. Простейшим вариантом метода ($m = 1$, $n = 2$) является контроль по четности (P.045 parity check). См. также E.105 error detection and correction; C.372 cyclic redundancy check.

C.095 chief programmer team
бригада главного программиста

Бригада программистов, в которой

ответственность за разработку и реализацию программ возлагается целиком на одного высококвалифицированного специалиста — *главного программиста*. Остальные члены бригады ·выполняют различные вспомогательные функции. Бригада обычно состоит из главного программиста, второго программиста, библиотекаря, администратора и секретаря. Второй программист помогает главному программисту в написании и отладке программ и при необходимости может взять на себя все его функции. Библиотекарь ведет всю техническую документацию, связанную с проектом: проектные документы, исходные модули (все версии) и архив данных тестирования. В функции администратора входит освобождение главного программиста от решения административных вопросов в процессе осуществления проекта. При необходимости бригаде предоставляются различные другие услуги извне. Такая организация бригады была предложена для создания больших программных комплексов: при соответствующей поддержке один высококвалифицированный программист способен быстрее и с более высоким качеством разрабатывать программы, чем бригада посредственных программистов, работающих на равных. В частности, более просто решается проблема общения внутри бригады. Первая бригада главного программиста была организована в начале 1970-х годов Х. Д. Миллзом в отделении федеральных систем фирмы IBM. Реализация самых различных проектов с помощью таких бригад дала успешные результаты. В некоторых случаях одной бригаде удавалось реализовать проекты программных систем объемом более 100 000 строк исходного текста.

C.096 child
дочерний узел
Любой узел дерева (T.163 tree), за исключением корня. Таким образом, у каждого дочернего узла есть родитель (см. P.040 parent).

C.097 CHILL
Язык программирования, разработанный МККТТ и принятый в качестве стандарта для программирования автоматизированных систем связи и компьютированных автоматических телефонных станций. CHILL — это язык для систем реального времени (R.051 real-

time language), имеющий много общего с языком Ада (A.040 Ada).

C.098 Chinese remainder theorem
китайская теорема об остатках
Пусть

$$m_1, m_2, ..., m_r$$

суть взаимно-простые положительные целые числа и пусть их произведение равно m:

$$m = m_1 m_2 ... m_r.$$

Пусть далее n, u; u_2, ..., u_r — целые числа; тогда существует одно единственное целое число, u, удовлетворяющее условиям

$$n \leqslant u < (m + n)$$

и

$$u \equiv u_j \,(\text{modulo } m_j),\ 1 \leqslant j \leqslant r.$$

C.099 chip
1. кристалл 2. интегральная схема
1. Полупроводниковая (см. S.071 semiconductor) пластина, обычно кремниевая, на которой формируется полупроводниковый прибор или все отдельные приборы, составляющие интегральную схему (I.122 integrated circuit). 2. Нестрогое толкование термина.

C.100 chip card
карта с микропроцессором
Пластмассовая карточка типа кредитной, но имеющая встроенные ЗУ и микропроцессор (или специализированную логическую схему). Считается, что подделать такую карточку значительно труднее, чем обычную. Карточки этого типа находят применение при производстве безналичных платежей. Кроме того, их предполагается использовать в лечебных учреждениях. Первые интеллектуальные карты и оборудование для считывания информации с этих карт были выпущены в Европе фирмами Siemens, Philips и CII Honeywell Bull; испытания были проведены в 1982 г. Карты фирмы CII Honeywell Bull имеют встроенные микроЭВМ типа Motorola 6805 и СППЗУ (E.086 EPROM) емкостью до 8К. См. также C.022 card reader.

C.101 chip set
комплект ИС
Набор интегральных схем (I.122 integrated circuit), при подключении которых друг к другу формируется функциональный блок вычислительной системы.

C.102 chip socket
микросхемная панелька

Устройство, обеспечивающее легкость замены интегральных схем (I.122 integrated circuit) на печатной плате (P.218 printed circuit). Панелька распаивается на печатной плате; микросхема вставляется в колодку, имеющую небольшие отверстия (число отверстий равно числу выводов микросхемы). При установке в панельку микросхемы с большим числом выводов следует следить за тем, чтобы они не подгибались.

C.103 chi-squared distribution
распределение хи-квадрат

Важный вид распределения вероятностей (см. P.232 probability distribution), широко используемый в статистическом анализе (S.313 statistical analysis). Обозначается греческим символом χ^2. Отображает закон распределения суммы квадратов f независимых случайных переменных (R.021 random variable), каждая из которых взята из нормального распределения (N.070 normal distribution) с нулевым средним и единичной дисперсией. Целое число f — это число степеней свободы (D.134 degrees of freedom). Предельные значения этого распределения вероятностей сведены в таблицы и широко используются, однако определение точных значений включает вычисление неполных гамма-функций. Распределение хи-квадрат чаще всего применяется для: (1) проверки взаимодействий между различными классификационными группами данных с использованием таблиц сопряженности признаков (C.285 contingency table); (2) проверки степени согласия (G.038 goodness-of-fit); (3) формирования доверительных интервалов (C.259 confidence interval) для оценок дисперсии (V.015 variance).

C.104 Cholesky decomposition
разложение Холецкого

См. L.153 LU decomposition.

C.105 Chomsky hierarchy
иерархия Хомского

Четыре класса формальных языков (F.117 formal language), формулировка которых Н. Хомским в 1959 г. ознаменовала начало разработки теории формальных языков, причем эти классы до сих пор составляют основу предмета. Эти классы называются классами типа 3, типа 2, типа 1 и типа 0, причем каждый из них является под-классом следующего. Каждый тип может быть определен с помощью либо класса грамматик (G.044 grammar), либо класса автоматов (A.189 automation), как показано в таблице.

Тип	Грамматика	Автомат
0	Произвольная	Машина Тьюринга
1	Контекстно-зависимая	Линейно-ограниченный
2	Бесконтекстная	Магазинный
3	Регулярная	Конечный

В класс типа 0 входят все рекурсивно-перечислимые языки. Класс типа 1 — это подкласс языков, определяемый примитивно-рекурсивными функциями (P.216 primitive recursive function). Классы типов 2 и 3 обеспечивают абстрактное представление вычислительных принципов итерации и рекурсии соответственно.

C.106 Chomsky normal form
нормальная форма Хомского

Контекстно-свободная грамматика (C.281 context-free grammar) ограниченного типа, такая, что каждая продукция в ней имеет вид

$$A \rightarrow BC \text{ или } A \rightarrow d,$$

т. е. каждая правая часть состоит либо из двух нетерминальных символов, либо одного терминального. С помощью такой грамматики может генерироваться любой контекстно-свободный язык, за исключением того, что вывод пустой цепочки, Λ, требует дополнительной продукции вида

$$S \rightarrow \Lambda.$$

C.107 Church—Rosser theorem
теорема Черча—Россера

Теорема, касающаяся лямбда-исчисления Черча (см. L.002 lambda calculus). Доказана совместно А. Черчем и Дж. Б. Россером. Согласно этой теореме, если лямбда-выражение x приводится двумя путями соответственно к выражениям y_1 и y_2, то должно существовать выражение z, к которому может быть приведено как y_1, так и y_2. Возможность выбора различных способов приведения выражения возникает потому, что можно раздельно приводить отдельные «части» выражения. Теорема Черча—Россера показывает, что сначала можно обрабатывать одну из двух частей, безразлично какую, а затем другую; порядок обработки никак не влияет на получаемые возможности. Соответствующая теорема доказана и в комбинаторной логике. В более широком смысле говорят, что любой язык, для которого существует понятие приводимости, обладает *свойством Черча—Россера*, или является *конфлюэнтным*, если для него справедлива теорема Черча—Россера.

C.108 Church's thesis
тезис Черча

Утверждение, выдвинутое А. Черчем в 1936 г., согласно которому понятие вычислимости по Тьюрингу (см. T.192 Turing machine) является корректной формализацией нашего интуитивного понятия эффективной вычислимости (E.023 effective computability). Свидетельство в пользу тезиса Черча по своей природе является эмпирическим (как это и должно быть). Все те несколько попыток формализовать понятие вычислимости привели к понятиям, которые (формально) эквивалентны *вычислимости по Тьюрингу*. Среди них — понятие *лямбда-определимости*, разработанное Черчем, и понятие *общей рекурсивности*, введенное Геделем.

C.109 CIM — computer input microfilm
машинный микрофильм; ввод с микрофильмов

Ввод с микрофильмов пока не находит широкого применения. Устройства ввода с микрофильмов построены по принципу оптического распознавания знаков (O.007 OCR). Эти устройства обеспечивают повторное кодирование алфавитно-цифровой информации, записанной на микрофильме, или считывают специальные микрофильмы, информация на которых записана в двоичном коде. См. также C.171 COM.

C.110 cipher, ciphertext
шифр, шифртекст

См. C.352 cryptography.

C.111 CIR — current instruction register
регистр текущей команды

C.112 circuit
1. схема 2. канал 3. цикл

1. Совокупность электрических устройств, соединенных проводниками. Выполняет некоторую заданную функцию. См. также L.116 logic circuit; I.122 integrated circuit; P.218 printed circuit.

2. Физическое (электрическое) соединение, по которому передается информация. См. также C.115 circuit switching.

3. Компонент графа. То же, что и cycle (C.366 cycle).

C.113 circuit board
(монтажная) плата

Жесткая панель из изоляционного материала, на которой монтируется электрическая схема. На одном из ее концов обычно имеется торцевой соединитель (E.013 edge connector), обеспечивающий все необходимые соединения с другими схемами. Плата вставляется в соответствующий соединитель электронного блока. Выпускаются платы самых различных размеров, часть которых стандартизирована. В качестве синонима термина *circuit board* часто используют термин *circuit card*, однако последний иногда обозначает плату меньшего размера. См. также P.218 printed circuit; B.006 back plane.

C.114 circuit card
(монтажная) плата

См. C.113 circuit board.

C.115 circuit switching
коммутация каналов

Метод передачи информации, используемый в телефонных системах для организации физического тракта передачи — канала — между двумя устройствами, желающими установить связь. Такой тракт должен быть организован с начала передачи данных. Единственная задержка, которой подвергаются данные, — это задержка распространения по среде передачи (6 мкс на 100 км длины медных телефонных проводов). Поскольку тракт передачи резервируется на все время соединения, неиспользованная часть пропускной способности теряется. Ср. M.119 message switching; P.009 packet switching.

C.116 circular list
кольцевой список

Связанный список (L.074 linked list), в котором последний элемент содержит ссылку на первый. Этим обеспечивается доступ ко всем элементам списка из любой его точки. Кольцевые списки наиболее полезны тогда, когда указатель указывает на последний элемент, что обеспечивает легкость доступа к обоим концам списка. См. также R.157 ring.

C.117 circular shift (end-around shift)
циклический сдвиг
Операция сдвига (S.134 shift), задаваемая *командой циклического сдвига*. Вызывает циклический сдвиг содержимого .некоторого регистра (обычно накапливающего) влево или вправо на заданное число позиций.

C.118 circulating register
циркуляционный регистр
Сдвиговый регистр (S.140 shift register), в котором данные в процессе сдвига поступают с одного его конца на другой. Этим достигается циклический сдвиг (C.117 circular shift), который может выполняться в любом направлении.

C.119 — CIS—COBOL — compact interactive standart COBOL
компактный интерактивный стандартный Кобол
Версия языка программирования Кобол (C.146 COBOL), предназначенная для использования на многих получивших широкое распространение персональных ЭВМ (P.095 personal computer) профессионального уровня. Эта версия была реализована на микропроцессорах серий 6809, 8080, 8086 и аналогичных им и в настоящее время очень широко применяется. Наиболее важная особенность этой версии заключается в том, что написанные на ней программы могут использоваться на нескольких различных микроЭВМ; это облегчает разработку коммерческих пакетов программ.

C.120 clamp
фиксатор
Электронная схема, генерирующая на выходе напряжение постоянного тока определенного уровня в определенные моменты времени при подаче на ее вход фиксирующих импульсов.

C.121 class
класс
Абстрактный тип данных (A.008 abstract data type) в языке Симула (S.171 SIMULA).

C.122 clear
сброс
Команда (I.108 instruction) или микрокоманда (M.136 microinstruction), по которой производится сброс заданного регистра или счетчика в ноль.

C.123 Clear
Язык для написания формальных спецификаций (S.246 specification), разработанный Р. М. Берстоллом и Ж. А. Гогеном в 1977. г., имеет формальные средства иерархического представления сложных спецификаций как комбинаций более простых. Используя принципы, аналогичные тем, которые заложены в алгебру (A.074 algebra) и теорию категорий (см. C.040 category), можно дать точное семантическое описание этих формальных средств.

C.124 clock
тактовый генератор
Электронное устройство (обычно стабильный генератор), формирующее повторяющуюся последовательность импульсов, называемых *тактовыми импульсами*. Частота повторения этих импульсов выдерживается с высокой точностью. *Тактовая частота* — это частота (в герцах) активных переходов в тактовом сигнале. Активный переход может происходить с нижнего уровня напряжения на верхний, или в обратном направлении, но за ним (через фиксированный интервал времени) всегда следует другой пассивный переход. Таким образом, тактовый сигнал представляет собой серию импульсов фиксированной ширины с фиксированной частотой повторения (см. рисунок). Ширина импульсов t_1, как правило, составляет 50% от периода повторения импульсов t_2, т. е. $t_1 = t_3$. Тактовая частота равна $1/t_2$ Гц. *Тактовый цикл* — это один полный цикл тактового сигнала, всегда содержащий один активный переход. Для показанного тактового сигнала тактовый цикл повторяется каждые t_2 с. Благодаря своей стабильной частоте сигналы, формируемые генераторами тактовых сигналов, используются для активизации последовательностных ло-

гических схем (см. S.092 sequential circuit) и для синхронизации функционирования этих схем. В таких случаях говорят, что схемы *синхронизированы*. *Первичная тактовая частота* используется для управления теми устройствами ЭВМ, которые имеют наибольшее быстродействие, тогда как синхронизация устройств меньшего быстродействия осуществляется на частотах, получаемых делением основной частоты.

C.125 clock cycle
тактовый цикл
См. C.124 clock.

C.126 clocked flip-flop
тактируемый триггер
См. F.097 flip-flop.

C.127 clocking
1. тактирование 2. синхронизация
1. В синхронных сетях передачи данных использование единого стандарта времени для управления всеми процессами передачи битов и всеми операциями коммутации на сети. Тактовые сигналы передаются либо в составе данных, либо независимо от них; это определяется конкретными протоколами управления каналами передачи данных.
2. Использование сигналов синхронизации при обмене между модемом и оконечным устройством для уведомления о том, что можно передавать данные. Сигналы синхронизации обычно передаются в направлении от модема к оконечному устройству, хотя в некоторых случаях передача этих сигналов может производиться и в обратном направлении.

C.128 clock pulses
тактовые импульсы
См. C.124 clock.

C.129 clock rate
тактовая частота
См. C.124 clock.

C.130 clock skew
расфазировка тактовых сигналов
См. S.190 skew.

C.131 closed
замкнутое
О множестве (S.116 set) S, над элементами которого выполняется бинарная операция (D.319 dyadic operation) ° и которое обладает таким свойством, что для каждого (s, t) в S величина $s \circ t$ также находится в S; тогда говорят, что S замыкается при

выполнении °. Аналогичное определение справедливо и для унарных операций (см. M.184 monadic operation), таких, как ~. Множество S замыкается при выполнении ~ при условии, что, когда s находится в S, величина $\sim s$ также находится в S. Множество целых чисел замыкается при выполнении обычных арифметических операций сложения, вычитания и умножения, но не замыкается при делении.

C.132 closed loop
замкнутый цикл
Термин, который использовался на ранней стадии разработки программ для обозначения повторяющихся конструкций, в настоящее время называемых циклами (см. L.141 loop). (Поскольку цикл всегда замкнут, достаточно короткого термина.)

C.133 closed semiring
замкнутое полукольцо
Полукольцо (S.074 semiring) S с двумя дополнительными свойствами: (а) если a_1, a_2, ..., a_n .... есть счетная последовательность элементов S (см. C.326 countable set), то существует единственная сумма $a_1 + a_2 + ... + a_n + ...$, причем порядок, в котором производится сложение различных элементов, несуществен; (б) операция (см. S.074 semiring) распределяется как по счетно-бесконечным суммам, так и по конечным суммам. На замкнутых полукольцах может быть определена унарная операция, называемая замыканием. Пусть элемент a находится в S; тогда степени a могут быть определены следующим образом

$$a^0 = 1;$$

$$a^n = a \cdot a^{n-1} \text{ для всех } n > 0.$$

Тогда замыкание a^* можно определить как

$$a^* = 1 + a + a^2 + ... + a^n ... .$$

Из свойств полуколец вытекает, что

$$a^* = 1 + a \cdot a^*.$$

Замкнутые полукольца находят применение в различных областях вычислительной техники: в теории автоматов, теории грамматик, теории рекурсии и неподвижных точек, последовательных машинах, матричной обработке, а также в решении различных задач теории графов, например при разработке алгоритмов нахождения кратчайшего пути на графе.

C.134 closed shop
вычислительный центр без доступа пользователей

Метод организации работы вычислительного центра, при котором разработка, написание, тестирование и обслуживание программ выполняются штатными программистами, а не заказчиками. При такой организации вычислительная система, за исключением терминалов, обслуживается операторами, и пользователи или другой персонал не имеют доступа к ней. Ср. O.304 open shop.

C.135 closed subroutine
замкнутая подпрограмма

См. S.373 subroutine.

C.136 closure
замыкание

См. C.133 closed semiring. См. также K.021 Kleene star.

C.137 closure properties
свойства замыкания

Класс формальных языков (F.117 formal language) L замыкается при выполнении операции f, если выполнение f над языками в L всегда дает язык в L. Например, если для любых L_1 и L_2 в L $L_1 \cup L_2$ также принадлежит L, то L замыкается при объединении. Типичными операциями, которые могут приводить к замыканию, являются: объединение (U.017 union), пересечение (I.162 intersection), взятие дополнения (C.207 complement), пересечение с регулярным множеством (R.096 regular set);
конкатенация (C.247 concatenation), звезда Клини (K.021 Kleene star), гомоморфное отображение (см. H.086 homomorphism), обратное гоморфное отображение, подстановка (S.379 substitution);
отображение, осуществляемое обобщенной последовательной машиной (см. G.064 gsm-mapping) и т. д. При выполнении этих операций замыкаются почти все известные классы языков. Детальная картина для иерархии Хомского (C.105 Chomsky hierarchy) дается с помощью таблицы.
Некоторые классы языков, например регулярные языки (R.093 regular language), могут быть определены через их свойства замыкания.

	Замыкается при выполнении операции взятия дополнения	Замыкается при пересечении
3	Да	Да
2	Нет	Нет
1	Неизвестно	Да
0	Нет	Да

C.138 cluster
блок, группа; кластер

Группа накопителей на магнитной ленте, видеоустройств или терминалов с общим контроллером. В качестве примера блока накопителей на магнитной ленте можно привести подсистему магнитной ленты (M.032 magnetic tape subsystem), состоящую из двух или более накопителей на магнитной ленте (НМЛ), подключенных через общий физический интерфейс к главному устройству (процессору или сети); при этом в каждый момент времени только один НМЛ может осуществлять пересылку данных, хотя другие НМЛ в это время могут выполнять автономные операции, например перемотку или поиск по метке. Присутствие нескольких НМЛ на одном и том же интерфейсе может быть прозрачным для программного обеспечения главного устройства. В некоторых случаях, особенно в больших системах, ленточный блок снабжается двумя интерфейсами; при этом обеспечивается *двойной доступ* к нему, отсюда более высокая устойчивость системы в случае отказа одного из интерфейсов или поддерживающего его главного оборудования.

C.139 cluster analysis
кластерный анализ

Статистический метод выделения в множестве элементов групп (кластеров) схожих между собой элементов на основе количественных или качественных измерений, выполняемых обычно над несколькими переменными. Кластерный анализ направлен на одновременное выполнение условия, что элементы в одном и том же кластере должны быть схожи, и условия, что элементы различных кластеров должны отличаться друг от друга. Обычно невозможно удовлетворить в полной мере оба этих условия, и ни один метод нельзя порекомендовать как наилучший для всех наборов данных.

Среди других полезных свойств кластеров следует отметить то, что некоторые переменные должны быть постоянны для всех элементов в пределах кластера. Это свойство позволяет создавать простые методы идентификации элементов через кластеры. Большинство методов кластерного анализа требует определения между каждыми двумя элементами *критерия подобия* или *расстояния*, с тем чтобы можно было идентифицировать элементы, подобные данному элементу. Критерии подобия разработаны как для количественных (непрерывных), так и для качественных (дискретных) переменных, и основаны на использовании средней взвешенной оценки по результатам сравнения всех переменных. Термин *расстояние* заимствован из геометрического представления данных в виде точек в многомерном пространстве: малым расстояниям соответствует большее подобие. В методах *иерархического кластерного анализа* кластеры формируются последовательно либо путем объединения элементов в кластеры, а кластеров — в еще более крупные кластеры, либо путем разбиения больших кластеров на кластеры меньшего размера и отдельные элементы. Независимо от способа формирования кластеров результаты могут быть представлены в виде *дендограммы* или дерева семейства, в котором элементы одного уровня вложены в элементы всех других, более высоких уровней. В методах *неиерархического кластерного анализа* элементы объединяются в конечное число кластеров так, чтобы оптимизировался некоторый критерий, описывающий требуемое свойство кластеров. Такие методы могут быть итеративными, т. е. включать пересылку элементов между кластерами (пересылка продолжается до тех пор, пока возможно улучшение кластеров). Решение для данного числа кластеров может довольно сильно отличаться от решения для большего или меньшего их числа. Кластерный анализ часто используется совместно с другими методами многомерного анализа (М.255 multivariate analysis) для описания структуры сложных совокупностей данных.

C.140 CLV — constan linear velocity
постоянная линейная скорость
Свойство оптического диска (О.051

optical disk), изменяющего скорость вращения в соответствии с радиусом дорожки, на которую записывается или с которой считывается информация. Тем самым поддерживается постоянная скорость записи-считывания, а, следовательно, и постоянная плотность битов вдоль дорожки. При этом увеличивается емкость диска и нет необходимости изменять мощность светового луча при изменении радиуса дорожки. Такой режим работы используется в устройствах воспроизведения с неперезаписываемых компактных звукодисков и некоторых других устройствах записи-считывания на оптических дисках.

C.141 CMI — computer-managed instruction
обучение с использованием ЭВМ, машинное обучение
См. С.231 computer-assisted learning.

C.142 CMOS — complementary metal oxide semiconductor
комплементарные МОП ИС (КМОП ИС)
Семейство логических схем, в которых для реализации основных логических функций используются пары комплементарных полевых МОП-транзисторов, один *p*-канальный, а другой — *n*-канальный. Эти комплементарные транзисторы включены так, что между ними нет прямого тока. В схеме КМОП-инвертора (см. рисунок) *p*-канальный транзистор начинает проводить, когда на вход подается логический ноль, а *n*-канальный транзистор начинает проводить (на «массу»), когда на вход подается логическая единица. Уменьшая размеры МОП-устройств, можно увеличить скорость переключения и плотность упаковки; такие устройства часто называются быстродействующими КМОП-схемами (см. Н.081 HMOS).

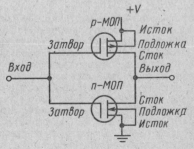

81

C.143 CMS
См. V.054 VM/CMS.

C.144 CNF — conjunctive normal form
конъюктивная нормальная форма
См. C.265 conjunction.

C.145 CNF satisfiability
*выполнимость конъюктивной нор-
мальной формы*
См. P.138 P = NP question.

C.146 COBOL, Cobol
Кобол
Сокр. common business-oriented language (универсальный язык, ориентированный на коммерческие задачи).
Язык программирования, разработанный КОДАСИЛ (C.148 CODASYL)
и ставший фактически стандартом в области обработки коммерческой информации. Первая программа на языке
Кобол была написана в 1960 г. В настоящее время используются стандарты Кобол-68 и Кобол-74. Разработка стандарта Кобол-85 близка к завершению.
Программа на языке Кобол делится
на четыре раздела, главными из которых являются DATA (данные) и
PROCEDURE (процедуры). В разд.
DATA программист определяет рабочую память и файлы, которые будут
использоваться; для этого он описывает
структуру записей. Раздел PROCE-
DURE составлен из операторов, сгруппированных в предложения, параграфы
и секции. Эти операторы определяют
манипуляции с данными, взятыми из
текущей записи (записей) в одном или
более файлах. Форма представления
операторов приближена к английскому
языку, например:

IF X = Y MOVE TO B;

IF GREATER ADD A TO;

OTHERWISE MOVE C TO D.

Ввод-вывод информации из файлов
определен через целые записи: типичная программа считывает запись
из своего входного файла, обрабатывает ее и записывает результат в выходной файл; эта последовательность
действий повторяется, пока не будет
обработан весь файл. Предусмотрены
мощные средства редактирования, позволяющие в процессе определения
данных задавать операции редактирования, которые будут выполняться

при выводе данных, например подавление незначащих нулей. Имеются
также средства управления видео-
терминалами.

C.147 cocktail shaker sort
сортировка перемешиванием
Вид пузырьковой сортировки (B.150
bubble sort), в которой альтернативные проходы выполняются в противоположном направлении. Отличается
более высокой эффективностью.

C.148 CODASYL
КОДАСИЛ
1. Сокр. Conference on Data Systems
Language (Конференция по языкам
информационных систем). Организация, в состав которой входят специалисты по вычислительной технике,
представляющие промышленность,
пользователей, фирмы по разработке
программного обеспечения и другие
учреждения, связанные с созданием
средств обработки данных. Основана
на совещании, созванном в 1959 г.
в Пентагоне. Вначале занималась исключительно разработкой стандартного языка программирования обработки данных. Спустя несколько лет
этой организации удалось выработать
стандарт КОБОЛ, который был принят Министерством обороны США для
всех устройств обработки данных военного назначения. Затем КОДАСИЛ
расширила поле своей деятельности
и стала заниматься всеми аспектами,
связанными с усовершенствованием
языка Кобол; в частности, была разработана спецификация системы управления базой данных (см. п. 2).
2. Набор стандартов для сетевых систем баз данных (N.023 network database system), разработанный КОДА-
СИЛ в процессе совершенствования
языка Кобол (C.146 COBOL). Имеет
две главные отличительные особенности:
а) расширена спецификация данных
по сравнению с Коболом, что позволяет определять *наборы* записей, связанных указателями (L.072 link), и
осуществлять последовательный доступ к записям, которые помещались
в память не последовательно (см.
D.021 data chaining);
б) принята двухуровневая архитектура, в соответствии с которой база
данных определяется через *схему* и
подсхему (см. D.031 data description
language).

C.149 code

1. код 2. программа 3. язык программирования

1. Правило преобразования сообщения из одной символической формы представления (*исходного алфавита*) в другую (*объектный алфавит*), обычно без каких-либо потерь информации. Процесс преобразования исходного алфавита в объектный называется *кодированием*, а обратный процесс — *декодированием*. Эти процессы реализуются соответственно *кодером* и *декодером*; поскольку процессы кодирования и декодирования являются в своей основе алгоритмическими, кодер и декодер могут реализовываться аппаратным или программным способом. Иногда термин *coding* используется как синоним термина *code*. С более формальной точки зрения код — это взаимно однозначное гомоморфное отображение (см. H.086 homomorphism) h множества Σ-слов, Σ_1^*, на множество Σ_2^*, где Σ_1 и Σ_2 — алфавиты (см. W.036 word; F.117 formal language). Поскольку h — взаимно однозначное отображение, то путем «декодирования» $h(\omega)$ можно получить ω для любого ω в Σ_1^*. См. также F.085 fixed-length code; V.012 variable-length code; E.103 error-correcting code; E.104 error-detecting code; C.067 channel coding theorem; S.231 source coding theorem; E.063 encryption.

2. Программа, записанная на некотором языке программирования (в противоположность структуре данных и алгоритму, иллюстрируемому схемой или блок-схемой, или программе, описание или набросок которой выполнен на естественном языке). Под словом code иногда подразумевается рабочая программа (в отличие от описаний или таблиц), но такое толкование ни в коем случае нельзя считать единственно возможным. См. также C.156 coding.

3. Язык, на котором написана программа, например машинный код (M.005 machine code), исходный код (S.229 source code).

C.150 8421 code

код 8421

Взвешенный код (W.013 weighted code), в котором каждый десятичный знак 0 ... 9 представлен четырехразрядным кодовым словом. Разрядом каждого кодового слова присваиваются (слева направо) веса 8, 4, 2 и 1. См. также

B.060 binary-coded decimal; E.128 excess-3 code; B.085 biquinary code.

C.151 codebook

книга шифров

См. C.352 cryptography.

C.152 codec

кодер-декодер (кодек)

Устройство, преобразующее непрерывный аналоговый сигнал в цифровой вид и декодирующее входящие цифровые сигналы обратно в аналоговый вид. Кодеки используются в телефонных системах для преобразования аналоговых речевых сигналов в цифровые сигналы, которые можно передавать с более высокой скоростью и с меньшей вероятностью ошибок. При передаче цифровых сигналов можно осуществлять их уплотнение, что позволяет более эффективно использовать среду передачи. Кодеки телефонных систем работают со скоростью 8000 отсчетов в секунду (125 мкс/отсчет), что вполне достаточно для аналоговых сигналов с полосой 4 кГц. Кодеки также могут использоваться для преобразования цифровых сигналов в цифровые с добавлением битов, несущих дополнительную информацию, которая служит для исправления ошибок. При этом исходные цифровые сигналы восстанавливаются с достаточно низкой вероятностью ошибок даже после того как они прошли через зашумленный канал связи, например спутниковый.

C.153 code length

длина кода

В кодере — число генерируемых в процессе операции кодирования символов. Обычно число вводимых в кодер символов фиксировано; число выводимых символов может быть либо фиксированным, либо переменным, в зависимости от типа используемого кодера, который может формировать код фиксированной или переменной длины (см. F.085 fixed-length code; V.012 variable-length code).

C.154 coder-decoder

кодер-декодер

См. C.152 codec.

C.155 codeword, codeword length

кодовое слово, длина кодового слова

См. B.104 block code.

C.156 coding

кодирование, программирование

Преобразование детальной спецификации в фактическую программу (как правило, выполняется автоматически). Термин *кодирование* обычно обозначает довольно простой вид деятельности программиста — написание уже спроектированной программы на некотором формальном языке программирования, причем любые решения, принимаемые на этом этапе (например, выбор ячеек памяти для записи определенных переменных), нельзя классифицировать как проектные, поскольку они довольно тривиальны. См. также S.212 software life-cycle.

C.157 coding bounds
границы кодирования
Пределы производительности кода, выраженные такими параметрами, как число кодовых слов (см. B.104 block code), минимальное расстояние Хемминга (H.1013 Hamming distance), длина кодового слова и эффективность. Применяются в общем и частных случаях к кодам с обнаружением и исправлением ошибок (см. E.104 error-detecting code; E.103 error-correcting code) и задаются в виде разнообразных неравенств. Среди многих известных границ кодирования наиболее важными являются граница Хемминга (H.011 Hamming bound) и граница Варшамова—Гильберта (G.027 Gilbert—Varshamov bound).

C.158 coding standards
стандарты кодирования
См. P.279 programming standards.

C.159 coding theorems
теоремы кодирования
См. S.231 source coding theorem; C.067 channel coding theorem.

C.160 coding theory
теория кодирования
Раздел теории связи (C.193 communication theory), занимающийся математическим изучением кодов (C.149 code) для оценки возможности их использования в системах связи (C.192 communication system) с целью увеличения эффективности и надежности последних. См. S.230 source coding; C.066 channel coding.

C.161 codomain
область значений
См. F.160 function; R.097 relation; C.040 category.

C.162 collating sequence
сортирующая последовательность, схема упорядочения
Последовательность символов некоторого алфавита, используемая для буквенной и буквенно-цифровой сортировки.

C.163 collator
сортировочно-подборочная машина
Машина, используемая для обработки данных на перфокартах. Обрабатывает две колоды перфокарт с целью их объединения: заглавные перфокарты, содержащие адресную и другую учетную информацию, автоматически помещаются в карточный файл перед связанными с ними новыми картами, содержащими данные о текущих операциях. Некоторые машины могут также выполнять раскладку карт.

C.164 collector
= link editor
коллектор
В настоящее время этот термин почти полностью вышел из употребления, так как заменен термином «редактор связей».

C.165 collision
столкновение
См. H.038 hashing; C.355 CSMA/CD.

C.168 color display
цветной дисплей
ЭЛТ, способная воспроизводить информацию в цвете.

C.167 Colossus
Название специализированного электронного цифрового «компьютера», который был изготовлен с соблюдением строжайшей секретности на исследовательской станции Почтового ведомства Великобритании в Лондоне и начал выполнять полезную работу в правительственном учреждении в Блетчли-Парк, граф. Бакингемшир, в конце 1943 г. Он содержал 1500 электровакуумных ламп и мог работать с высоким быстродействием. Стратегия или «программа» вводилась с использованием наборного поля и переключателей. Машины с более высоким быстродействием типа Mark II, введенные в эксплуатацию к середине 1944 г., содержали 2500 ламп. Машины обоих типов использовались во время второй мировой войны для декодирования шифрованных сообщений.

C.168 column-major order
развертывание по столбцам

Один из способов отображения элементов двумерного массива (А.137 array) на вектор, например для представления в памяти. Если двумерный массив A с m строками и n столбцами отображается путем развертывания по столбцам на вектор b с $m \times n$ элементами, то

$$a_{ij} = bk,$$

где $k = m (j - 1) + i$.
См. также R.187 row-major order.

C.169 column-ragged
не выровненная по столбцам (о матрице)
См. R.010 ragged array.

C.170 column vector
вектор-столбец
См. M.074 matrix.

C.171 COM — computer output on microfilm
вывод на микрофильмы
Вывод информации в миниатюризованном виде на микрофильмы — либо на катушку с пленкой, либо на листы пленки стандартного размера, называемые *микрофишами*. Этот термин также относится и к методам получения машинных микрофильмов. Для чтения микрофильмов используются специальные оптические просмотровые устройства, увеличивающие изображение. Вывод на микрофильмы используется с начала 1960-х годов, причем в настоящее время большинство устройств вывода на микрофильмы работает в автономном режиме. См. также C.109 CIM.

C.172 COMAL — common algorithmic language
универсальный алгоритмический язык
Язык программирования, разработанный в Дании для использования в школах. Определен в виде набора расширений Бейсика (B.035 BASIC); объединяет современные управляющие структуры с традиционной простотой последнего. Таким образом, с использованием этого языка облегчается обучение начинающих структурному программированию (S.360 structured programming). Хотя в Великобритании он пользовался популярностью довольно недолго, его все еще используют в некоторых европейских странах, главным образом в Дании. Современные диалекты Бейсика (например, BBC

Basic в Великобритании) обычно включают такие управляющие структуры, как

if .. then .. else и do .. while

и поэтому более предпочтительны, нежели COMAL.

C.173 combination
1. сочетание 2. комбинация
1. Подмножество (S.378 subset) конечного множества элементов. Число сочетаний отдельных объектов из n по k выражается формулой

$$C_n^k = n! \, / [k! \, (n - k)!].$$

2. Метод параллельного объединения функций (F.160 function) (ср. C.218 composition). Для функций f и g, когда

$$f : S \to T \text{ и } g : U \to V,$$

комбинация $f \times g$ является такой, что

$$f \times g : S \times U \to T \times V,$$

где $S \times U$ и $T \times U$ — декартовы произведения (C.029 Cartesian product), а

$$(f \times g)\,(s, u) = (f\,(s), g\,(u))$$

(см. O.064 ordered pair).

C.174 combinational circuit
комбинационная схема
Логическая схема (L.116 logic circuit), выходные сигналы которой в каждый заданный момент времени определяются только входными сигналами в этот момент времени. На практике все физически реализуемые комбинационные схемы характеризуются конечным временем перехода, или задержкой изменения выходных сигналов после изменения входных сигналов; назначение термина *комбинационный* состоит в том, чтобы выделить алгебраические элементы [схемы И, ИЛИ (см. А.103 AND gate; O.072 OR gate) и т. д.] и исключить элементы памяти [триггеры (F.097 flip-flop) и т. д.]. При анализе и синтезе комбинационных схем используется аппарат булевой алгебры (B.118 Boolean algebra) и карты Карно (K.003 Karnaugh map). Ср. S.092 sequential circuit.

C.175 combinational logic
комбинационная логика
Цифровая логика (D.189 digital logic), ограниченная описанием комбинационных схем (C.174 combinational circuit). См. также B.119 Boolean expression.

C.178 combinatorial circuit = combinational circuit
*комбинационная схема (англ. экв.
термина)*

C.177 combinatorics
комбинаторика
Раздел математики, в котором изучаются проблемы счета и перечисления, связанные с сочетаниями (C.173 combination), перестановками (P.092 permutation), теорией чисел, арифметикой, а также теорией графов (G.047 graph), групп (G.058 group) и других дискретных структур (D.228 discrete structure). В решении большинства проблем комбинаторики существенную роль играют индукция (I.066 induction), рекурсия (R.061 recursion) и рекуррентные соотношения (R.060 recurrence). В вычислительной комбинаторике теоретические положения применяются для разработки разного рода алгоритмов.

C.178 combinatory logic
комбинаторная логика
См. L.002 lambda calculus.

C.179 command
команда
1. См. J.006 job-control structure.
2. Команда или оператор, т. е. элементарная единица программы. В настоящее время термин *command* в этом толковании вышел из употребления.

C.180 command control language
командный язык управления
Язык программирования, предназначенный для реализации командных программ (C.181 command control program). Первым таким языком был язык Джовиал (J.017 JOVIAL), а из последних языков следует отметить Аду (A.040 Ada).

C.181 command control program
командная программа
Программа, управляющая некоторым оборудованием, в особенности аппаратурой военного назначения. Такие программы в настоящее время более часто называют встроенными системами (см. E.048 embedded computer system).

C.182 command language
= job-control language
командный язык

C.183 comment
комментарий
Часть текста программы, служащая для облегчения чтения программы человеком (компилятором игнорируется).

В каждом языке имеется свой собственный синтаксис комментариев; обычно комментарии заключают в скобки, например:

{.....} в Паскале;

(* ...*) в PL/1.

В некоторых языках, включая Аду, предпочитают пользоваться комментариями, проставляемыми в конце строк. Комментарию обычно предшествует специальный знак, а сам комментарий автоматически завершается в конце строки. В более старых языках, например в Бейсике и Фортране, каждый комментарий представлял собой отдельную строку (завершать строку текста программы комментарием не допускалось).

C.184 COMMON area
общая область
В языке Фортран, область памяти, к которой имеют доступ два или более блоков программы (подпрограмм). Данные являются локальными по отношению к подпрограмме, в которой они определены, если они не объявляются в общей области. Обычно имеется одна необъявленная «пустая общая область» и несколько «помеченных общих областей».

C.185 common carrier
телекоммуникационная компания
В США, частная организация или корпорация, предоставляющая общие виды услуг связи, например телефонной, телетайпной или межмашинной. Работа телекоммуникационных компаний регламентируется в соответствии с правилами Федеральной комиссии по связи (ФКС), причем оплата за все виды предлагаемых услуг должна производиться по тарифам, одобренным ФКС.

C.186 Common LISP
Диалект языка Лисп (L.080 LISP), в основу которого положены языки FranzLisp и MACLisp. Принят в качестве неофициального стандарта всеми основными пользователями и поставщиками Лисп-систем.

C.187 communication channel
канал связи
См. S.126 Shannon's model.

C.188 communication network
сеть связи
См. C.192 communication system; N.021 network.

C.189 communication processor
связной процессор

Специализированный процессор ввода-вывода (I.188 I/O processor), используемый для управления некоторым количеством линий или устройств связи. Эти линии (устройства) работают довольно медленно по сравнению со скоростями вычисления, поэтому обычно один процессор может в режиме разделения времени обслуживать большое число линий (устройств). Связные процессоры используются для обработки данных, организованных в виде блоков (B.103 block), пакетов (P.005 packet), сообщений (M.117 message), дейтаграмм (D.040 datagram) и т. д., и реализуют требуемый протокол связи, алгоритм обнаружения и исправления ошибок, схему квитирования и метод буферизации. В настоящее время в качестве связных процессоров чаще всего используются ЭВМ; в прошлом в качестве таких процессоров использовались менее универсальные системы с защитой программой. Связные процессоры иногда называют концентраторами, устройствами управления передачей и коммуникационными процессорами.

C.190 communication server = gateway
коммуникационный узел обслуживания

См. S.110 server.

C.191 communication subnetwork (subnet)
коммуникационная подсеть

Совокупность выделенных процессоров и магистральных линий (T.186 trunk circuit), реализующих функции передачи данных в распределенной сети. (См. B.002 backbone network). Этот термин иногда используют для обозначения связных схем в сетях ЭВМ, причем коммутационные устройства сюда не входят.

C.192 communication system
система связи

Система, посредством которой источник информации может достаточно эффективно и надежно передавать эту информацию в пункт назначения. Такая система может включать несколько источников и (или) несколько пунктов назначения. В этом случае она называется *сетью связи*. Системы связи обычно изучаются с использованием модели Шеннона (S.126 Shannon's model).

C.193 communication theory
теория связи

Изучение систем связи (C. 192 communication system) с использованием математических моделей их функционирования. В широком смысле, теорию связи можно разделить на теорию информации (I.084 information theory) (формулировка концепций источников и каналов с применением понятия энтропии) и теорию кодирования (C.160 coding theory) (кодирование источника и канальное кодирование).

C.194 commutative group (abelian group)
коммутативная (абелева) группа

См. G.058 group.

C.195 commutative law
коммутативный закон

См. C.196 commutative operation.

C.196 commutative operation
коммутативная операция

Любая бинарная операция (D.319 dyadic operation)°, удовлетворяющая закону

$$x \circ y = y \circ x$$

для всех x и y в области определения °. Этот закон называется *коммутативным*. Обычное сложение целых чисел является коммутативной операцией, а вычитание — нет.

C.197 commutative ring
коммутативное кольцо

См. R.157 ring.

C.198 commutative semiring
коммутативное полукольцо

См. S.074 semiring.

C.199 compaction
уплотнение

1. Любой из методов сокращения неиспользованного или неиспользуемого пространства в первичной, вторичной или другой памяти. См. M.098 memory compaction.

2. Устранение избыточных данных из записи. Для удобства операций с файлами во многих системах используются записи фиксированной длины. Недостаток здесь заключается в том, что все участки памяти должны быть способны хранить записи наибольшей длины, отсюда неэкономичное использование памяти. Записи фиксированной длины могут быть превращены (путем уплотнения) в записи переменной длины. В одном из методов уплотнения удаляются концевые пробелы,

в другом используется замена длинных цепочек идентичных знаков флагом (F.090 flag), который указывает на наличие такой цепочки и содержит информацию о числе знаков в цепочке. Уплотнение требует определенных затрат процессорного времени на обработку данных в процессе их записи в память и на преобразование записей в формат с фиксированной длиной в процессе считывания, но эти затраты в конечном счете оправдываются за счет экономии пространства памяти.

C.200 comparator
компаратор
Электронная схема, которая способна анализировать амплитуду двух входных сигналов и выдавать выходные сигналы, указывающие на то, является ли один из входных уровней бóльшим, равным, или меньшим другого. Существуют как аналоговые, так и цифровые компараторы, причем в последних группы битов, которыми представлены уровни, сравниваются как двоичные числа.

C.201 comparison counting sort
сортировка сравнением
Алгоритм сортировки, согласно которому для каждого сортировочного ключа в память записывается определенное число ключей, меньших заданного. Если N_j — число ключей, меньших j-го ключа, то (предполагая, что ключи уникальны) j-я запись должна находиться на позиции $N_j + 1$ в файле, отсортированном в возрастающем порядке ключей. Это довольно простой, но неэффективный алгоритм.

C.202 compartmentalization (compartmentation)
секционирование
Процесс группирования ресурсов с отличающимися друг от друга атрибутами доступа.

C.203 compatibility
совместимость
1. ~ аппаратных средств. Способность подсистемы (например, памяти) или внешнего устройства (например, терминала) одной модели заменять подсистему или внешнее устройство другой модели. Для указания на то, что аппаратура, выпускаемая одной фирмой, может подключаться к аппаратуре другой фирмы, используется термин *полная совместимость*, или *совместимость по разъемам* (см. P.133 plug-compatible).

2. ~ программного обеспечения. Способность ЭВМ непосредственно выполнять программу, которая была скомпилирована, скомпонована или написана на машинном языке для другой ЭВМ. Как правило, это относится к вычислительным машинам одной и той же серии, выпускаемым одной и той же фирмой. Поскольку ЭВМ более поздних моделей обычно являются более мощными (т. е. имеют больший набор команд и (или) больший объем памяти), их способность выполнять программы менее мощной машины обычно называют *совместимостью снизу вверх*. См. также P.165 portable; E.055 emulation.

3. ~ новой программы. Способность воспроизводить поведение своего предшественника, в частности принимать данные в том же входном формате.

C.204 compilation time
время компиляции
Время, в течение которого программа, записанная на высокоуровневом языке, транслируется в некоторое другое представление, например в машинный код; после такой трансляции программа может быть выполнена некоторой вычислительной системой. Ср. R.200 run time.

C.205 compiler
компилятор
Программа, предназначенная для трансляции высокоуровневого языка в абсолютный код (A.006 absolute code) или иногда в языках ассемблера (A.144 assembly language). Входной информацией для компилятора (исходный код) является описание алгоритма или программа на проблемно-ориентированном языке, а с выхода ксмпилятора снимается эквивалентное описание алгоритма на машинно-ориентированном языке (объектный код).

C.206 compiler-compiler
компилятор компиляторов
Программа, воспринимающая синтаксическое или семантическое описание языка программирования и генерирующая компилятор (C.205 compiler) для этого языка. Синтаксис выражается в виде БН (B.115 BNF) или ее производной и должен удовлетворять правилам того метода синтаксического анализа, который будет использоваться в генерируемом компиляторе. Семантика языка обычно описывается

путем ассоциирования процедуры генерации кода с каждой синтаксической конструкцией, причем необходимая процедура вызывается всякий раз, когда соответствующая конструкция распознается программой синтаксического анализа. Таким образом, пользователю все равно приходится разрабатывать исполняющие структуры и выбирать способ преобразования каждой синтаксической конструкции в машинные операции. Затем пользователь должен написать процедуры генерации кода. Следовательно, компилятор компиляторов — это полезное средство, помогающее писать компиляторы, но не более того. Строго говоря, генератор программы синтаксического анализа представляет собой часть компилятора компиляторов, однако оба термина часто используются как синонимы.

C.207 complement
дополнение

1. ~ множества (S.116 set), *S*, по отношению к некоторому универсальному множеству *U*. Множество, состоящее из элементов, которые находятся в *U*, но не в *S*; оно обычно обозначается как S', $\sim \tilde{S}$ или $\bar{S}$. Формальная запись имеет вид:

$$S' = \{x \mid (x \in U) \text{ и } (x \notin S)\}.$$

Процесс взятия дополнений — это одна из основных операций, выполняемых над множествами.

Разность (или *относительное дополнение*) двух множеств *S* и *T* (см. S.118 set difference) есть множество элементов, которые находятся в *S*, но не в *T*; обычно записывается как *S* — *T*. Таким образом,

$$S' = U - S.$$

См. также O.045 operations on sets.
2. См. B.118 Boolean algebra.
3. ~ подграфа (S.365 subgraph) G' с вершинами V' и ребрами E' графа (G.047 graph) с вершинами *V* и ребрами *E*. Подграф, состоящий из вершин *V* и ребер, входящих в *E*, но не в E'.
4. См. R.006 radix-minus-one complement. См. также R.004 radix complement; C.210 complement number system.

C.208 complementary logic
комплементарная логика
См. N.014 negative logic.

C.209 complemented lattice
решетка с дополнениями

Решетка (L.012 lattice), в которой имеются элементы одноименности 0 и 1 и в которой каждый элемент *a* имеет по крайней мере одно дополнение *b*, т. е.

$$a \wedge b = 0 \text{ и } a \vee b = 1.$$

Сюда также относится случай, когда *b* является дополнением *a* и когда 0 и 1 являются взаимными дополнениями.

C.210 complement number system
система дополнений

Альтернативный способ представления чисел в системе счисления (N.094 number system) с фиксированным основанием. В системе дополнений каждое положительное целое число представлено в своем обычном виде в системе с заданным основанием, за исключением того, что оно имеет префикс из одного или более нулей. Что же касается отрицательных чисел, то они представлены дополнениями соответствующих чисел. Например, в системе дополнений до десяти и в системе дополнений до девяти любое число с префиксом в виде цифры 9 будет представлять отрицательное число. См. также R.004 radix complement; R.006 radix-minus-onecomplement.

C.211 complete graph
полный граф

Граф (G.047 graph) *G*, в котором каждые две вершины соединены ребром; каждая вершина является соседней по отношению к любой другой вершине. Если *G* содержит *n* вершин, то число ребер определяется по следующей формуле:

$$n (n - 1)/2.$$

C.212 complete lattice
полная решетка

Множество (S.116 set) *D*, на котором определено частичное упорядочение (P.055 partial ordering) и в котором каждое подмножество имеет как точную верхнюю границу (U.038 upper bound), так и точную нижнюю границу (L.144 lower bound) в *D*. В противоположность этому, менее строгое понятие *решетка* (L.012 lattice) требует только, чтобы конечные подмножества имели точные верхние и нижние границы.

C.213 complete tree
завершенное дерево

Дерево, построенное из полного дерева (F.159 full tree) глубины *k* путем удаления некоторых вершин-листьев и ведущих к ним дуг. В завершенном двоичном дереве удаленными вершинами часто являются крайние правые концевые вершины. Этот термин иногда используется в качестве синонима термина *полное дерево*.

С.214 complexity
сложность

«Трудность» решения вычислительных проблем, измеренная в терминах некоторого ресурса, потребляемого в процессе вычисления. Ресурс может быть абстрактным или конкретным, с пространственными или временны́ми характеристиками. Анализ сложности вычислительных проблем в настоящее время является областью очень активных исследований и имеет важные практические применения. См. также С.215 complexity classes; С.217 complexity measure.

С.215 complexity classes
классы сложности

Способ группировки алгоритмов или вычислимых функций в соответствии с их сложностью (С.214 complexity). Вычислимые функции с одним и тем же критерием сложности (С.217 complexity measure) помещаются в один и тот же класс сложности; функции одного и того же класса имеют равную вычислительную сложность (при оценке по выбранному критерию).

Классификации по сложности обычно подвергаются формальные языки (F.117 formal language), распознаваемые программами машины Тьюринга (T.192 Turing machine). Если L — некоторый формальный язык, распознаваемый некоторой программой M детерминированной машины Тьюринга, а временна́я сложность M (см. С.217 complexity measure) равна $T_M(n)$, то L классифицируется в соответствии со свойствами $T_M(n)$. Если $T_M(n)$ является ограниченным (полиномиально или экспоненциально), то существует ограничивающая функция $S(n)$, такая, что

$$T_M(n) \leqslant S(n).$$

Для конкретной функции $S(n)$ соответственно существует класс языков, для которого выдерживается вышеуказанная граница. Этот класс обозначается как

$$\text{DTIME}(S(n)).$$

Таким образом, DTIME $(S(n))$ — это класс языков, распознаваемых в течение времени $S(n)$.

Аналогичное определение класса языков в терминах пространственной сложности (см. С.217 complexity measure) имеет вид

$$\text{DSPACE}(S(n)).$$

Известны различные соотношения между классами сложности. Например, если для двух ограничивающих функций S_1 и S_2

$$\lim_{n \to \infty} S_1(n)/S_2(n) = 0,$$

то в DSPACE $(S_2(n))$ имеется язык, не принадлежащий DSPACE $(S_1(n))$. Отметим, что это относится к случаю, когда S_1 является полиномиальным, а S_2 — экспоненциальным. Аналогичные результаты получены и для классов временно́й сложности.

Можно показать, что класс языков с экспоненциальными ограничивающими функциями представляет собой объединение бесконечного множества языков с полиномиальными ограничивающими функциями. Если p — любой полином, то *экспоненциальное время* и *экспоненциальное пространство* представляют собой объединение классов сложности

$$\text{DTIME}(2^{p(n)});$$

$$\text{DSPACE}(2^{p(n)}),$$

соответственно, для всех неотрицательных целых чисел n.

Классы сложности могут быть определены и для программ недетерминированных машин Тьюринга (T.192 Turing machine). Язык L будет находиться в

$$\text{NSPACE}(S(n)),$$

если существует некоторая программа недетерминированной машины Тьюринга, которая распознает L, такая, что на входной цепочке длиной n ни одно из возможных вычислений не использует больше $S(n)$ квадратов ленты. Аналогичным образом могут быть определены классы временно́й сложности

$$\text{NTIME}.$$

Например, известно, что

$$\text{NSPACE}(S(n)) \subseteq$$
$$\subseteq \text{DSPACE}(S(n)^2).$$

C.216 complexity function (work function)

функция сложности (работы)

Если A — алгоритм решения некоторого класса задач, а n — критерий размерности некоторой задачи в этом классе, то функцией сложности $f_A(n)$ является такая функция n, которая дает верхнюю границу максимального числа базовых операций, необходимых для решения любой задачи размерности n по алгоритму A. Например, n может быть числом записей в файле, а $f_A(n)$ — максимальным числом сравнений, необходимых для сортировки этого файла. См. также C.217 complexity measure.

C.217 complexity measure

критерий сложности

Средство измерения объема ресурсов, используемых в процессе вычисления. В процессе вычисления с помощью любой машины Тьюринга могут использоваться различные ресурсы, например пространство и время. Эти ресурсы формально могут быть определены следующим образом.
Пусть заданы программа M машины Тьюринга и входная цепочка x, тогда временной ресурс Time (M, x) определяется как число шагов в вычислении M на x до останова M. Время будет неопределенным (т. е. равным бесконечности), если M не останавливается на x. *Временная сложность M* определяется как целочисленная функция T_M, где

$$T_M(n) =$$
$$= \max(\text{Time}(M, x) : |x| = n)$$

для неотрицательного целого числа n. Аналогичным образом, пространственный ресурс Space (M, x) определяется как число квадратов ленты, используемых M на x, а *пространственная сложность S_M* — как

$$S_M(n) =$$
$$= \max(\text{Space}(M, x) : |x| = n).$$

Однако, для того чтобы не путать пространство, необходимое для работы, с пространством, выделяемым для входной цепочки x, иногда предполагается, что машина имеет ленту ввода, работающую только на считывание, а Space (M, x) определяется как число квадратов (куда можно записывать данные), используемых M на x.
Можно также определить более общие критерии сложности, в которых сочетаются многие свойства, присущие как времени, так и пространству (см. В.114 Blum's axioms).
Алгоритм, для которого критерий сложности $T_M(n)$ или $S_M(n)$ возрастает при увеличении n не быстрее, чем полином в n, называется *полиномиально ограниченным;* алгоритм, сложность которого возрастает по экспоненте, называется *экспоненциально ограниченным.* Отметим, что в обоих случаях подразумевается, что алгоритм завершается.
См. также C.215 complexity classes.

C.218 composition

композиция

1. (взятие произведения). Метод последовательного объединения функций (F.160 function). Композиция двух функций

$$f : X \to Y \text{ и } g : Y \to Z$$

есть функция

$$h : X \to Z$$

такая, что

$$h(x) = g(f(x)).$$

Это обычно записывается как $g \circ f$. Процесс выполнения композиции — это операция (O.039 operation) над функциями подходящего вида. Это ассоциативная операция (A.153 associative operation), причем тождественные функции (I.017 identity function) выполняют роль единиц.
Если R — множество вещественных чисел, а

$$f : R \to R, \ f(x) = \sin(x);$$
$$g : R \to R, \ g(x) = x^2 + 3,$$

то $f \circ g$ есть функция h:

$$h : R \to R, \ h(x) = \sin(x^2 + 3).$$

Идея композиции функций может быть распространена на функции нескольких переменных.
2. Разбиение положительного целого числа n на части $a_1, a_2, ..., a_k$, в котором существен порядок и в котором

$$n = a_1 + a_2 + ... + a_k,$$

где каждое a_i является положительным целым числом. Следовательно, композиция аналогична разбиению (см. C.331 covering), однако в последнем случае порядок несуществен. В общем случае число композиций n равно 2^{n-1}.

C.219 composition table
композиционная таблица
См. C.043 Cayley table.

C.220 compression coding = source coding
кодирование для сжатия, сжимающее кодирование

C.221 computability
вычислимость
См. E.023 effective computability

C.222 computable (Turing computable)
(функция) вычислимая (по Тьюрингу)
См. T.192 Turing machine; E.023 effective computability.

C.223 computable function
вычислимая функция
Функция (F.160 function), скажем f, для которой существует алгоритм оценки $f(x)$ для любого элемента x в области определения f.

C.224 computational psychology
вычислительная психология
Дисциплина, лежащая на стыке искусственного интеллекта (A.140 artificial intelligence) и психологии. Занимается построением машинных моделей процессов естественного познания, присущих человеку, на основе проведения аналогии между умом человека и машинными программами. Мозг и компьютер рассматриваются как универсальные системы манипулирования символами, способные обеспечивать выполнение программных процессов, однако на аппаратном уровне никакой аналогии не проводится. Ср. C.364 cybernetics.

C.225 computer
компьютер, ЭВМ
Устройство или система, способная выполнять заданную, четко определенную последовательность операций. Это чаще всего операции численных расчетов и манипулирования данными, однако сюда относятся и операции ввода-вывода; операции внутри последовательности могут зависеть от конкретных значений данных. Описание последовательности операций называется программой. Компьютер может иметь либо хранимую в памяти программу (см. S.340 stored program), либо «защитную» программу (см. W.033 wired program). Программа может быть записана либо в памяти, допускающей изменение содержимого [например, в памяти с оперативной записью-считыванием (R.048 read-write-memory)

или ЗУПВ (R.011 RAM)], либо в памяти, не допускающей изменения содержимого [например, в ПЗУ (R.175 ROM)]. См. также D.183 digital computer; A.096 analog computer.

C.226 computer-aided design (CAD)
автоматизированное проектирование
Применение вычислительной техники для проектирования определенных изделий или для проектирования вообще. Наиболее широко автоматизированное проектирование используется в архитектуре и электронике, электротехнике, механике и аэрокосмической технике. В процессе автоматизированного проектирования в качестве входной информации используются технические знания специалистов, которые вводят проектные требования, уточняют полученные результаты и выполняют все другие виды работ (проверку конструкции, ее модификацию и т. д.). Кроме того, в системе автоматизированного проектирования (САПР) накапливается информация, поступающая из библиотек стандартов (данные о компонентах, размерах элементов, нормативные материалы и т. д.); например, в системе могут храниться данные о стандартных ИС, используемых в цифровых устройствах, или информация о длине труб и установочных изделиях гидравлического оборудования или трубопроводов. Обработка входной информации производится по крайней мере в два этапа:
а) в процессе проектирования разработчик или конструктор вызывает определенные интерактивные программы, имена которых обычно отображаются на экране дисплея;
б) осуществляется выполнение этих программ с последующим выводом результатов на дисплей разработчика (следует иметь в виду, что время выполнения некоторых программ, например программ анализа допусков, зазоров, электрических характеристик и т. д., может быть довольно большим).
Из САПР информация выдается в виде распечаток технических характеристик и других данных, а также в виде машинно-читаемых файлов, которые передаются автоматизированным системам управления производственными процессами (АСУПП) (см. C.228 computer-aided manufacturing) и системам

автоматизированного контроля (см. С.229 computer-aided testing). В качестве примеров информации, выдаваемой из САПР в АСУП, можно привести генерируемые ЭВМ оригиналы фотошаблонов для изготовления печатных плат и ленты с программами автоматической установки компонентов и сверления отверстий в платах.

С.227 computer-aided instruction (CAI)
обучение с использованием ЭВМ, автоматизированное обучение
См. С.231 computer-assisted learning.

С.228 computer-aided manufacturing (CAM)
автоматизированное производство
Комплексное использование ЭВМ для управления технологическими (см. Р.242 process control) и другими процессами в различных видах производств. Автоматизированное производство означает комплексную автоматизацию всех производственных систем в пределах завода, т. е. использование вычислительной техники не только для управления технологическими процессами, но и для учета и распределения материалов, прогнозирования расхода материалов, оперативного планирования работ, инвентаризации, прогнозирования замены оборудования и анализа потребностей в людских ресурсах. Автоматизированное производство имеет особую важность потому, что является естественным продолжением автоматизированного проектирования (С.226 computer-aided design). См. также N.097 numerical control; С.229 computer-aided testing.

С.229 computer-aided testing
автоматизированный контроль
Применение ЭВМ для управления аналоговыми или цифровыми процедурами контроля, используемыми для оценки качества деталей и изделий. Автоматизированный контроль предназначен для проверки того, что детали, подсборки и полные изделия изготовлены в пределах требуемых допусков, а их рабочие характеристики соответствуют заданным. Отметим, что соответствие рабочих характеристик заданным может означать способность устройства или системы функционировать в тяжелых условиях, которые не будут возникать при нормальной эксплуатации. Параметры (критерии) тестирования часто поступают в систему автоматизированного контроля от систем автоматизированного проектирования и управления производственными процессами (см. С.226 computer-aided-design; С.228 computer-aided manufacturing).

С.230 computer architecture
архитектура ЭВМ
См. А.122 architecture.

С.231 computer-assisted learning (CAL)
обучение с использованием ЭВМ, автоматизированное обучение
Применение компьютеров в учебном процессе. Компьютеры могут использоваться для проверки уровня знаний в любой точке учебного процесса, ускоренной или, наоборот, замедленной подачи материала в зависимости от способностей обучаемого, а также для регистрации прогресса обучаемого, что может понадобиться преподавателю. Термин computer-assisted learning — один из нескольких, обозначающих такое применение компьютеров. Среди других терминов можно отметить *computer-aided* (*-assisted*) *instruction* (*CAI*), *computer-based learning* (*CBL*) и *computer-managed instruction* (*CMI*).

С.232 computer-based learning (CBL)
обучение с использованием ЭВМ, автоматизированное обучение
См. С.231 computer-assisted learning.

С.233 computer family
семейство ЭВМ
Группа (цифровых) вычислительных машин, которая образована несколькими поколениями некоторой вычислительной системы. Машины одного и того же семейства, как правило, имеют аналогичную, но не всегда идентичную архитектуру (А.122 architecture).

С.234 computer fraud
злоумышленное использование вычислительной машины
Любая деятельность, направленная на манипулирование информацией внутри вычислительной системы с целью личной выгоды, обычно финансовой.

С.235 computer graphics
машинная графика
Режим машинной обработки и вывода данных, при котором значительная часть выводимой информации имеет графический вид. В режиме графического вывода отображается самая различная информация — от простых гистограмм и других графиков до слож-

ных карт и технических чертежей, снабженных буквенно-цифровыми надписями и выводимых на эран в цвете. Информация выводится на экран видеотерминала либо распечатывается в виде документальной копии на печатающем устройстве или графопостроителе. В качестве устройств ввода используются цифровые планшеты (D.197 digitizing tablet) и световые перья (L.047 light pen). Компьютер может осуществлять манипуляцию информацией, например выпрямлять линии, перемещать или стирать заданные области, изменять масштаб изображения и т. д. (см. W.031 windowing). Первой успешно реализованной графической системой была, по-видимому, система Sketchpad — интерактивная система, изобретенная И. Сазерлендом в Линкольновской лаборатории Массачусетского технологического института в 1963 г.

C.236 computer logic
логика вычислительной машины
Базовая организация, конструкция и монтаж, используемые для реализации конкретной архитектуры (A.122 architecture) ЭВМ. Те, кто занимаются логикой вычислительных машин, должны, следовательно, решать вопросы, связанные с разработкой базовых блоков или компонентов (как логических, так и физических) и логическим проектированием, которое используется для реализации требуемого набора команд в машинном коде; логическое проектирование может включать создание средств модификации набора базовых команд, например средств микропрограммирования (M.138 microprogramming).

C.237 computer mail = electronic mail
электронная почта

C.238 computer-managed instruction (CMI)
обучение, направляемое ЭВМ; автоматизированное обучение
Использование компьютеров (обычно в автономном режиме) для выдачи учебных заданий с учетом уровня подготовки студента и его оценок. Сведения и упражнения, включаемые в состав каждого урока, выбираются в соответствии с индивидуальными особенностями каждого обучающегося — оценками, полученными при решении задач предыдущих уроков, общим уровнем подготовки и т. д.

C.239 computer manager
администратор вычислительной системы
См. D.063 data-processing manager.

C.240 computer network
вычислительная сеть, сеть ЭВМ
Сеть передачи данных (D.057 data network), в одном или нескольких узлах которой располагаются вычислительные машины.

C.241 computer power
вычислительная мощность
Характеристика вычислительной системы, иногда определяемая как способность выполнять некоторый заданный набор вычислительных операций. Среди наиболее часто используемых критериев оценки вычислительной мощности следует отметить время сложения-вычитания (A.062 add-subtract time), время цикла (C.366 cycle), производительность (T.082 throughput) и время решения контрольных задач (см. B.048 benchmark).

C.242 computer science
вычислительная техника
Дисциплина, изучающая вычислительные машины, принципы их построения и использования. Включает исследование таких аспектов, как программирование, информационные структуры, разработка программного обеспечения, языки программирования, компиляторы и операционные системы, разработка аппаратных средств и тестирование, архитектура вычислительных систем, сети ЭВМ и сопряжение вычислительных машин, системный анализ и проектирование, теория информации, систем и вычислений, прикладная математика и электроника, вычислительные методы (например, методы машинной графики, имитационного моделирования и искусственного интеллекта), приложения. Кроме того, в рамках этой дисциплины изучаются социальные, экономические, организационные, политические, юридические и исторические аспекты компьютеризации. Вычислительная техника, в строгом смысле слова, не является наукой, т. е. дисциплиной, в которой для объяснения явлений, происходящих в природе или обществе, используется научный метод (хотя она тесно связана с физикой, психологией и наукой о поведении систем); это скорее систематизированная совокупность знаний, основанная на теории. Поскольку вы-

числительная техника занимается, в конечном счете, практическими проблемами, связанными с разработкой и созданием полезных систем с учетом ограничений по стоимости и приемлемости, ее с гораздо большим основанием можно считать отраслью техники, а не наукой. Следует отметить, что если в других отраслях техники существуют отдельно теоретические основы, такие как физика или химия, то вычислительная техника сочетает в себе одновременно и теоретические основы, и практические аспекты. Поэтому идея о том, что к разработке и созданию в основном абстрактных систем (программного обеспечения) можно применять теоретические принципы программотехники, является достаточно новаторской и пока еще не получила широкого признания.

C.243 computer-services manager
администратор вычислительных услуг
См. D.063 data-processing manager.

C.244 computer word
машинное слово

C.245 concatented code
каскадный код
Эффективный составной код (образуемый некоторым внутренним кодом, за которым следует внешний) для систем каскадного кодирования (C.246 concatenated coding systems), либо код, рассчитанный на использование в таким системах в качестве внутреннего или внешнего кода.

C.246 concatenated coding systems
системы каскадного кодирования
Системы связи (C.192 communication system), в которых сообщения перед передачей по каналу кодируются посредством *внутреннего кода*, а затем декодируются в соответствии с ним; вся эта система «кодер—канал—декодер» сама рассматривается как канал (возможно менее зашумленный, чем исходный канал) и поэтому имеет еще один кодер и декодер, расположенные перед и после нее; эти дополнительные устройства реализуют *внешний код*. Следовательно, такую систему можно одновременно считать и каналом, на входе которого установлен составной кодер, а на выходе — составной декодер, причем составные кодер и декодер реализуют разложимый код (F.002 factorable code). Чтобы

обеспечивалась хорошая аппроксимация, внутренний код должен исправлять любые канальные ошибки (C.069 channel error), возникающие в исходном канале, тогда как в задачи внешнего кода входит исправление ошибок, возникающих при работе внутреннего декодера. Поскольку последние обычно возникают в виде пакетов, в качестве внешних кодов, как правило, используются коды с исправлением пакетов ошибок, например, коды Рида—Соломона (R.075 Reed—Solomon codes). В качестве внутренних кодов наиболее часто применяются сверточные коды (C.313 convolutional code).

C.247 concatenation
сцепление, сочленение, конкатенация
Сочленение цепочек (S.350 string) $u = a_1 \ldots a_m$ и $v = b_1 \ldots b_n$, которое представляет собой цепочку вида

$$a_1 \ldots a_m b_1 \ldots b_n.$$

Сцепление обозначается различными способами, например:

$$uv, \quad u + v, \quad u \parallel v, \quad u \text{ и } v$$

и является ассоциативной операцией (A.153 associative operation). В теории формальных языков (F.118 formal language theory), если u и v являются Σ-словами (см. W.036 word). то их конкатенация uv, в соответствии с данным выше определением, также будет Σ-словом. Если Λ — пустое слово (W.036 word), то для некоторого слова w будет справедлива формула

$$\Lambda w = w = w \Lambda.$$

Так как операция конкатенации ассоциативна, при ее выполнении над множеством всех Σ-слов (Σ^*) формируется моноид (M.187 monoid) с единичным элементом Σ; это свободный моноид в Σ. Сцепление двух множеств цепочек, скажем двух языков L_1 и L_2, есть множество цепочек $L_1 L_2$, формируемое попарным сочленением элементов L_1 и L_2:

$$L_1 L_2 = \{w_1 w_2 \mid w_1 \in L_1, \ w_2 \in L_2\}$$

и образующее некоторый язык. В результате также формируется структура типа моноида с единичным элементом $\{\Lambda\}$.

C.248 concatenation closure = Kleene star
конкатенационное замыкание

C.249 concentrator
концентратор

Устройство связи, объединяющее входные каналы, суммарная ширина полосы которых (см. B.023 bandwidth) превышает ширину полосы выходного канала; процесс такого объединения входных каналов называется *концентрацией*. Концентратор используется тогда, когда фактическое число сообщений, передаваемых по каждому входному каналу, меньше потенциально возможного. Поэтому возможны ситуации, когда концентратор становится перегруженным и теряет данные. Наиболее часто используемым в концентраторах методом объединения (уплотнения) входных каналов является асинхронное временное разделение (T.087 time-division multiplexing). См. также C.198 communication processor.

C.250 conceptual schema
концептуальная схема

См. D.031 data description language.

C.251 concurrency
параллелизм

Параллельное выполнение двух или более процессов (программ). Этот термин служит для описания общих принципов организации одновременного выполнения процессов в вычислительных системах, в частности в мультипроцессорных системах (M.245 multiprocessing system). Описание параллелизма и вытекающих из него задач взаимной блокировки (I.143 interlock) и синхронизации (S.428 sunchronization) требует наличия в языке программирования специальных средств; эти средства характерны для класса языков реального времени (R.051 real-time language). Обычным методом описания параллелизма служит *классификация Флинна*, в которой определен параллелизм потока команд (I.116 instruction stream) и параллелизм потока данных (D.071 data stream) в системе. Согласно этой классификации системы делятся на четыре категории:

SISD — система с одним потоком команд и одним потоком данных;

SIMD — система с одним потоком команд и несколькими потоками данных;

MISD — система с несколькими потоками команд и одним потоком данных;

MIMD — система с несколькими потоками команд и несколькими потоками данных.

Первая из этих систем — SISD — представляет собой обычный процессор последовательной обработки. Третья система — MISD — в существующих устройствах обработки данных практически не встречается. Наибольший интерес для мультипроцессорных систем представляют две оставшиеся архитектуры. Система SIMD пригодна для обработки данных, представленных в виде векторов и матриц; здесь используется преимущество внутреннего параллелизма данных такого типа. В качестве примера такой системы можно привести матричный процессор (A.138 array processor). Другим примером системы SIMD является супер-ЭВМ (S.392 supercomputer) с несколькими параллельными арифметическими устройствами, в которой обеспечивается совмещение (см. O.093 overlap), арифметических операций. Система MIMD представляет широкий диапазон архитектур — от больших симметричных мультипроцессорных систем до небольших асимметричных мини-ЭВМ в комбинации с каналами прямого доступа к памяти.

C.252 concurrent programming
параллельное программирование

Этот термин почти синонимичен термину *параллельная обработка* (P.032 parallel processing). Используется для описания как процесса создания программы, содержащей параллельно выполняемые секции, так и ее последующего выполнения.

C.253 condensation
конденсация

См. C.267 connected graph.

C.254 conditional
1. условный 2. условная зависимость, импликация

1. Выполняемый в некоторых, но не во всех случаях.
2. Логический оператор вида

$$P \rightarrow Q \text{ или } P \supset Q, \quad P \Rightarrow Q,$$

который следует читать как «если P истинно (И), то следует Q», хотя его значение в логике лишь частично напоминает его использование в английском языке (см. таблицу).

| P | Л | Л | И | И |
Q	Л	И	Л	И
$P \rightarrow Q$	И	И	Л	И

C.255 conditional branch instruction
команда условного ветвления
Команда ветвления (B.136 branch instruction), выполняемая только при определенном условии, например, когда содержимым заданного регистра является ноль, число, отличное от нуля, отрицательное число и т. д.

C.256 conditional transfer instruction
= conditional branch instruction
команда условной передачи управления

C.257 condition number
число обусловленности
Число, представляющее собой критерий чувствительности решения задачи к изменению входных данных. На практике такие числа часто довольно трудно вычислить; несмотря на это они играют важную роль в сравнении алгоритмов. Особенно важное значение эти числа имеют в численных методах линейной алгебры (N.100 numerical linear algebra). Например, в случае системы линейных алгебраических уравнений (L.050 linear algebraic equations)

$$Ax = b,$$

если b изменяется на $b + \Delta b$ (например, моделируются ошибки в данных), то соответствующее изменение Δx в решении удовлетворяет условию

$$\frac{\|\Delta x\|}{\|x\|} \leqslant \text{cond}\,(A)\,\frac{\|\Delta b\|}{\|b\|},$$

где cond $(A) = \|A\|\,\|A^{-1}\|$ — степень обусловленности A по отношению к решению системы линейных уравнений. Это выражение накладывает ограничения на относительное изменение решения в терминах относительного изменения данных b. Фактические величины измеряются через посредство нормы вектора (см. A.118 approximation theory). Аналогичным образом, степень обусловленности выражается через соответствующую норму матрицы. Можно показать, что cond $(A) \geqslant 1$. Если cond (A) велика, то говорят, что задача *плохо обусловлена*, а это значит, что небольшое относительное изменение b может привести к большому относительному изменению решения x, т. е. любая получаемая точность решения является случайной.

C.258 conferencing
конференц-связь
См. T.034 teleconferencing.

C.259 confidence interval
доверительный интервал
Диапазон значений оценок параметра (P.037 parameter), такой, что вероятность (P.230 probability) нахождения истинного значения этого параметра в пределах данного диапазона представляет собой некоторую постоянную величину α, называемую *доверительным уровнем*. Верхняя и нижняя границы диапазона называются *доверительными границами*. Доверительные границы вычисляют по теоретическому распределению частот (F.144 frequency distribution) оценочной функции. Этот принцип можно обобщить и на несколько параметров. *Доверительная область* уровня α содержит истинные значения параметров с вероятностью α.

C.260 configuration
конфигурация
Определенная совокупность аппаратных средств и соединений между ними в вычислительной системе, используемая в течение определенного периода эксплуатации. См. также R.054 reconfiguration.

C.261 configuration management
управление конфигурацией
Обеспечение пригодности изделия к выполнению возложенных на него функций в течение всего срока службы изделия, например, обеспечение правильных процедур изготовления изделия, выбора соответствующих назначению изделия вариантов всех индивидуальных его компонентов, а также обеспечение всех необходимых проверок, целостности изделия и учета всех известных проблем, так или иначе имеющих отношение к работе изделия. В качестве относительно простого примера управления конфигурацией можно привести выбор таких индивидуальных компонентов системы программного обеспечения, которые подходили бы для реализации системы на определенных аппаратных средствах. Значительно более сложным видом управления конфигурацией была бы оценка влияния недостатков, только что обнаруженных в некоторой версии компилятора, на все системы программного обеспечения и внесение необходимых исправлений.
Проблемы управления конфигурацией могут быть достаточно сложными и тонкими, причем эффективное управ-

ление конфигурацией часто является решающим для успешной реализации многих проектов. Подходы к управлению конфигурацией можно разделить на два широких класса. Один из подходов направлен на обеспечение управления изделием на протяжении всего периода его эволюции, т. е. управление конфигурацией рассматривается как постоянная деятельность, являющаяся неотъемлемой частью процесса совершенствования изделия. В другом подходе управление конфигурацией рассматривается как отдельный вид деятельности; она начинается при первой же модификации изделия, причем процесс управления конфигурацией выполняется над каждой новой версией изделия; однако в периоды доработки и модернизации изделия управление конфигурацией отсутствует.

C.262 configured-in, -off, -out
включение в конфигурацию, выключение из конфигурации
Термины, используемые для детального описания конфигурации (C.260 configuration) системы или ее изменения [реконфигурации (R.054 reconfiguration)].

C.263 confluent
конфлюентный
См. C.107 Church — Rosser theorem.

C.264 congruence relation
отношение конгруэнтности
1. Отношение эквивалентности, заданное на множестве целых чисел следующим образом. Пусть m — некоторое заданное постоянное положительное целое число, а a и b — произвольные целые числа. Тогда a конгруэнтно b по модулю m, если и только если $(a-b)$ делимо на m. Обычно такое отношение записывается как

$$a \equiv b \ (\text{modulo } m).$$

Одним из наиболее важных применений отношения конгруэнтности в вычислительной технике является генерация случайных целых чисел. Последовательность

$$s_0, \ s_1, \ s_2, \ \ldots$$

целых чисел от 0 до $(m-1)$ включительно может быть сформирована с использованием соотношения

$$s_{n+1} \equiv as_n + c \ (\text{modulo } m).$$

Значения a, c и m должны быть выбраны соответствующим образом.

2. Отношение эквивалентности (E.091 equivalence relation) R, заданное на множестве S, на котором определена бинарная операция (D.319 dyalogic operation) $\circ$, и обладающее тем свойством, что всякий раз, когда

$$xR\dot{u} \ \text{и} \ yRv,$$

справедлива формула

$$(x \circ y) \ R \ (u \circ v).$$

Такое отношение часто называют *свойством подстановки*. Отношения конгруэнтности могут быть определены для определенных видов алгебраических структур (A.078 algebraic structure), таких как алгебры (A.074 algebra), автоматы (A.189 automaton), группы (G.058 group) и моноиды (M.187 monoid), а также для целых чисел; в последнем случае это конгруэнтность по модулю m (см. п. 1).

C.265 conjunction
конъюнкция
Логическое выражение вида

$$a_1 \wedge a_2 \wedge \ldots \wedge a_n,$$

где $\wedge$ — операция И (A.104 AND operation).
Особый интерес представляет *конъюнктивная нормальная форма* булева выражения, включающего n переменных x_1, x_2, $\ldots$, x_n. Каждое a_i имеет вид

$$(y_1 \vee y_2 \vee \ldots \vee y_n),$$

где $\vee$ — операция ИЛИ (O.073 OR operation), а y_i равно x_i или является дополнением x_i. Приводя выражения к конъюнктивной нормальной форме, можно легко установить эквивалентность (E.088 equivalence) двух булевых выражений. См. также P.299 propositional calculus. Ср. D.234 disjunction.

C.266 conjunctive normal form
конъюнктивная нормальная форма
См. C.265 conjunction.

C.267 connected graph
связный граф
Неориентированный граф (G.047 graph), в котором между каждыми двумя вершинами имеется путь (P.069 path). В связном графе всегда возможно перемещение между двумя любыми вершинами; ни одна из вершин не является изолированной. Если граф не связан, то он будет состоять из нескольких компонент, каждая из ко-

торых связана; такой граф называется *несвязным*.

Если граф G имеет e ребер, v вершин и p компонент, то *ранг G*, записываемый как $\rho\,(G)$, будет определяться по формуле

$$v - p.$$

Циклический ранг G, записываемый как $\mu\,(G)$, можно представить в виде

$$e - v - p.$$

Отсюда

$$\rho\,(G) + \mu\,(G) = e.$$

Что касается ориентированных графов, то здесь различают *слабо и сильно связные графы*. *Слабо связный* граф — это такой граф, в котором все ориентированные ребра заменены на неориентированные; в противном случае граф нельзя будет связать описанным выше способом. Если, однако, между каждыми двумя вершинами u и v имеется два ориентированных пути, один из которых ориентирован от v к u, а другой — от v к u, то направленный граф будет *сильно связным*.

Воспользуемся более формальным языком. Пусть G — ориентированный граф с вершинами V и ребрами E. Множество V можно разбить на классы эквивалентности (E.089 equivalence class) V_1, V_2, ..., пользуясь следующим отношением эквивалентности: вершины u и v являются эквивалентными, если и только если между ними имеется два пути, один из которых ориентирован от u к v, а другой — от v к u. Пусть E_1, E_2, ... есть множества ребер, соединяющих вершины в V_1, V_2, ... Тогда каждый граф G_i с вершинами V_i и ребрами E_i будет *сильно связной компонентой G*. Сильно связный граф имеет в точности одну сильно связную компоненту. Процесс замены каждой сильно связной компоненты ориентированного графа одной вершиной называется *конденсацией*.

C.268 connectedness
связность

Критерий степени связности данного связного графа (C.267 connected graph). Неориентированный граф является *k-связным*, если между каждыми двумя вершинами u и v имеется, по крайней мере, k путей, таких, что только на одном пути есть вершины, отличные от вершин u и v. Связный граф (C.267 connected graph) является односвяз-

ным, а граф без сочленений (B.054 biconnected graph) — двусвязным,

C.269 connective
связка

Логический элемент, используемый для построения более сложных операторов или выражений из более простых операторов или выражений. Наибольшее распространение имеют связки типа И, ИЛИ и НЕ. Связки находят применение также в булевой алгебре (B.118 Boolean algebra), теории переключательных схем (S.412 switching theory), проектировании цифровых систем (D.185 digital design), формальной логике (F.119 formal logic) и в языках программирования (P.278 programming language). Во всех этих случаях они используются, часто в качестве операторов, для формирования более сложных логических или булевых выражений из более простых компонентов. Эти более простые компоненты всегда имеют одно из двух значений — «истина» или «ложь». Результат использования связки при известных значениях составляющих компонентов описывается с помощью таблицы истинности (T.188 truth table).

C.270 connectivity of a graph
связность графа (G.047 graph)

Минимальное число вершин (и соединяющих их ребер) графа G, удаление которых из G приводит либо к несвязному графу, либо к тривиальному графу с одной вершиной; в случае *k-связных* графов должно быть удалено, по меньшей мере, k вершин. Чем выше связность, тем больше ребер, соединяющих вершины. Описанное выше свойство иногда называют *вершинной связностью*, чтобы отличать его от *реберной связности*, которая по аналогии представляет собой минимальное число ребер, удаление которых из G приводит к несвязному или тривиальному графу.

C.271 connectivity matrix
= adjacency matrix
матрица связности

C.272 consensus
согласие (консенсус)

В комбинаторной логике, условие, которое существует, когда два терма булевой функции (B.120 Boolean function) имеют одну общую переменную, принимающую в одном терме значение «истина», а в другом — значение «ложь». Удаляя согласованную переменную из этих двух термов и беря произведение оставшихся литералов, можно получить новый терм, прибавление которого к первым двум термам не изменяет значения функции. Например, если

$$f = ab + a'c,$$

то и

$$f = ab + a'c + bc.$$

Терм bc иногда называют факультативным произведением. Значение этой операции для исключения статических рисков в логических схемах трудно переоценить. Ее систематическое применение в булевой алгебре создает основу для процедур минимизации булевых функций (M.151 minimization); по сравнению с методом Квайна—Маккласки эти процедуры требуют значительно меньших затрат машинного времени, поскольку нет нужды в полном каноническом расширении исходной функции

C.273 consistency
корректность
Термин, используемый обычно в контексте численных методов решения обыкновенных дифференциальных уравнений и дифференциальных уравнений в частных производных. Формула, полученная в процессе дискретизации (D.230 discretization), является корректной, если локальная ошибка дискретизации (D.231 discretization error) по крайней мере на два порядка (O.062 order) меньше шага дискретизации h. Корректность — это необходимое условие сходимости формул, полученных путем дискретизации (см. E.099 error analysis).

C.274 console
пульт оператора
Рабочее место, с которого осуществляется контроль и управление функционированием вычислительной системы. В существующих системах пульт управления обычно имеет настольное исполнение и состоит из клавиатуры и одного или более дисплеев (имеется также необходимая справочная документация). Кроме того, на панели могут быть установлены дополнительные переключатели и индикаторы. В прошлом в составе пультов управления использовались телетайпы. По мере укрупнения и усложнения вычислительных систем сначала проис-

ходило усложнение пультов операторов, а затем — их упрощение (с появлением все более совершенных операционных систем). В некоторых последних системах среднего размера пульты операторов вообще отсутствуют.

C.275 constant
константа
1. Величина, значение которой не изменяется.
2. Величина, значение которой определяется ее обозначением, т. е. литерал (L.088 literal).

C.276 construct
конструкция
См. L.005 language construct.

C.277 constructive function
конструктивная функция
Функция (F.160 function), определяемая (в явном виде) так, что указывается правило, которое описывает, как может быть эта функция реализована; такие функции используются математиками, которые придерживаются интуиционистских или конструкционистских взглядов на свой предмет. Например, недостаточно сказать, что кубические корни можно вывести, решая кубическое уравнение вида $x^3 = a$. Необходимо дать рекомендации относительно того, как оценивать кубические корни.

C.278 consumable resource
расходуемый ресурс
Любой ресурс, который в силу своих особенностей может быть использован только ограниченное число раз. Отверстия в перфокарте пробиваются только один раз, поэтому, хотя перфокарта может быть считана несколько раз, ее следует рассматривать как расходуемый ресурс. Ср. R.145 reusable resource.

C.279 contact bounce
дребезг контактов
См. B.100 debouncing.

C.280 content-addressable memory (CAM) = associative memory
ассоциативная память
См. C.149 associative addressing.

C.281 context-free grammar
контекстно-свободная грамматика, бесконтекстная грамматика
Грамматика (G.044 grammar), в которой левая часть каждой продукции представляет собой одиночный нетер-

минимальный символ, т. е. продукции имеют вид

$$A \to \alpha,$$

где α — цепочка терминальных и (или) нетерминальных символов. Чтобы указать отдельные продукции

$$A \to \alpha_1,\ A \to \alpha_2,\ \ldots$$
$$\ldots,\ A \to \alpha_n,$$

можно использовать сокращенную запись вида

$$A \to \alpha_1 | \alpha_2 | \ldots | \alpha_n.$$

Например, генерацию простого класса арифметических выражений, типизированных как $(a + b) \times c$, можно представить следующим образом:

$$E \to T \mid T + E \mid (E);$$
$$T \to E \mid E \times T \mid a \mid b \mid c.$$

Простым примером контекстно-свободной грамматики служит БНФ (B.115 BNF), используемая для описания синтаксиса языков программирования. Сам термин является антонимом термина *контекстно-зависимая грамматика* (C.283 context-sensivite grammar).

C.282 context-free language (algebraic language)
контекстно-свободный язык, бесконтекстный язык (алгебраический язык)
Любой формальный язык, генерируемый контекстно-свободной грамматикой (C.281 context-free grammar), или, если встать на другую точку зрения, любой формальный язык, распознаваемый автоматом с магазинной памятью (P.345 pushdown automaton). Языки такого типа тесно соседствуют с древовидными языками (см. T.166 tree language) регулярной структуры.

C.283 context-sensitive grammar
контекстно-зависимая грамматика, контекстная грамматика
Грамматика (G.044 grammar), в которой каждая продукция имеет вид

$$\alpha A \beta \to \alpha \gamma \beta,$$

где A — нетерминальный символ, а α, β и γ — произвольные слова (W.036 word), причем γ не является пустым. Если допускается, чтобы γ было пустым, то возможна генерация любого языка типа 0 в иерархией Хомского (C.105 Chomsky hierarchy). Для генерации пустого слова

необходимо также включить продукцию вида

$$S \to \Lambda,$$

причем S не должно стоять в правой части ни одной из продукций. Термин *контекстно-зависимый* отражает тот факт, что A может быть заменено на γ только в «контексте» $\alpha \ldots \beta$.
В *неукорачивающей грамматике* правая часть каждой продукции имеет по крайней мере такую же длину, что и левая часть (за исключением, пожалуй, $S \to \Lambda$). Ясно поэтому, что любая контекстно-зависимая грамматика является неукорачивающей, однако можно показать также, что любая неукорачивающая грамматика эквивалентна контекстно-зависимой грамматике. Ср. C.281 context-free grammar.

C.284 context-sensitive language
контекстно-зависимый язык, контекстный язык
Любой формальный язык, генерируемый контекстно-зависимой грамматикой (C.283 context-sensitive grammar) или распознаваемый линейно-ограниченным автоматом (L.052 linear-bounded automaton).

C.285 contingency table
таблица сопряженности признаков
В статистическом анализе распределение частот (F.144 frequency distribution) выборок, классифицируемое по двум или более признакам, каждый из которых принадлежит двум или более классам. В качестве простого примера можно привести клиническое испытание двух методов лечения, в котором число пациентов, проходящих каждый курс лечения, классифицируется в соответствии с признаками «улучшение состояния здоровья» и «улучшение состояния здоровья отсутствует». Если между процентным отношением выздоравливающих пациентов нет существенной разницы, то говорят, что между двумя классификациями таблицы нет *взаимодействия*. Статистический анализ таблиц сопряженности признаков зависит от определенных допущений (случайная классификация, отсутствие других релевантных признаков), делающих интерпретацию противоречивой, поэтому необходимо тщательно следить за тем, чтобы применялись правильные критерии. См. также C.103 chi-squared distribution.

C.286 continuation
продолжение

Подход, используемый при решении математических задач. Основан на том, что для решения какой-либо задачи решается последовательность задач с различными параметрами; параметры выбираются так, что конечный результат дает решение исходной задачи. Основное предположение здесь заключается в том, что решение непрерывно зависит от значения параметра. Этот подход используется, например, для решения систем нелинейных и дифференциальных уравнений (см. N.054 nonlinear equations; D.178 differential equations), что представляет довольно сложную задачу. Например, для решения системы нелинейных уравнений

$$F(x) = 0,$$

предположим, что $x^{(0)}$ — первое приближение к решению. Пусть α — параметр, удовлетворяющий неравенству $0 \leqslant \alpha \leqslant 1$. Тогда можно записать систему уравнений

$$\widehat{F}(x, \alpha) = F(x) +$$
$$+ (\alpha - 1) F(x^{(0)}) = 0.$$

При $\alpha = 0$ решением будет $x^{(0)}$; при $\alpha = 1$ решение имеет вид

$$F(x, 1) = F(x) = 0,$$

т. е. представляет собой решение исходной системы уравнений. Отсюда решение последовательности задач с α, определяемым по формуле

$$0 = \alpha_0 < \alpha_1 < \ldots < \alpha_N = 1,$$

дает решение исходной задачи. По мере выполнения вычислений каждое решение используется в качестве начального приближения для следующей задачи.

C.287 continuous function

непрерывная функция

Функция (F.160 function), отображающая одно частично упорядоченное множество (P.054 partially ordered set) на другое, такая, что, нестрого говоря, обеспечивается сохранение точных верхних границ (U.038 upper bound). Функция

$$f : S \to T$$

является непрерывной, если для каждого ориентированного подмножества X (см. D.213 directed set) множества S

функция f отображает точную верхнюю границу X на точную верхнюю границу образа (I.037 image) X под f. Непрерывные функции играют важную роль в детонационной семантике (D.151 denotational semantics), поскольку они соответствуют требованию, что вычислительный процесс дает произвольно тесное приближение к окончательным выходным данным при условии произвольно близкой аппроксимации всей совокупности входных данных.

C.288 continuous signal
непрерывный сигнал

См. D.223 discrete and continuous systems.

C.289 continuous stationery
рулонная бумага для печатающего устройства

См. S.312 stationery

C.290 contradiction
противоречие

См. T.029 tautology

C.291 contrapositive
контрапозиция импликации $P \to Q$

Высказывание вида

$$\neg Q \to \neg P.$$

где $\neg$ — оператор отрицания. Контрапозиция импликации, следовательно, эквивалентна исходной импликации. См. также C.310 converse; I.168 inverse.

C.292 control bus
управляющая шина

Шина (B.164 bus), предназначенная для передачи сигналов управления.

C.293 control character
управляющий символ

Знак, который при вводе с клавиатуры или ввести периферийному устройству вызывает выполнение определенной функции. См. также C.082 character set; A.142 ASCII.

C.294 control circuitry
схемы управления

Электронные схемы аппаратного устройства, предназначенные для управления его работой.

C.295 Control Data Corporation
См. C.047 CDC.

C.296 control design
проектирование управляющих устройств

Одна из стадий создания устройств управления (C.306 control unit). Раньше устройства управления проектировались с применением нерегулярной логики (R.018 random logic); в настоящее время они почти всегда проектируются с использованием микропрограммирования (M.138 microprogramming).

C.297 control key
управляющая клавиша
См. K.008 keyboard; C.293 control character.

C.298 controlled sharing
управляемое разделение
Предоставление используемого ресурса двум или более использующим ресурсам с помощью некоторого механизма управления доступом (см. A.018 access control).

C.299 controller
контроллер
Подсистема, управляющая работой подключенных к ней устройств, но, как правило, не изменяющая данные, которые могут проходить через нее. К контроллерам обычно подключаются периферийные устройства или каналы связи. Одна из функций контроллера заключается в обработке потока данных с целью их форматирования для передачи или записи на носитель.

C.300 control line
управляющая линия
Линия многопроводного интерфейса, служащая для передачи управляющих сигналов.

C.301 control memory = microprogram store
управляющая память

C.302 control record
контрольная запись
Запись, которая содержит *контрольные суммы*, вычисленные путем суммирования значений из других записей файла. Контрольные суммы могут нести дополнительную информацию или использоваться только для проверки правильности данных. См. также H.043 hash total.

C.303 control stack
управляющий стек
Стек, содержащий цепочку выполняемых команд. Является частью устройства управления в вычислительных машинах со стековой архитектурой. См. S.278 stack processing.

C.304 control structure
управляющая структура
Синтаксическая форма в языке, которая служит для представления алгоритма управления. Типичными управляющими структурами являются

if ... then ... else, while ... do,

repeat ... until и case.

C.305 control total
контрольная сумма
См. C.302 control record.

C.306 control unit (CU)
устройство управления (УУ)
Часть центрального процессора (C.055 central processor), содержащая необходимые регистры (R.086 register), счетчики (C.327 counter) и другие элементы, обеспечивающие управление перемещением информации между памятью, арифметико-логическим устройством (A.126 arithmetic and logic unit) и другими частями машины.
В простейших машинах с фон-неймановской архитектурой устройство управления содержит счетчик команд (P.260 program counter), адресный регистр (A.058 address register) и регистр, который содержит и декодирует код операции (O.043 operation code). Последние два регистра иногда рассматривают как одно целое и называют *регистром команд*. Такое устройство управления работает по двухшаговому циклу «выборка—исполнение». На шаге выборки осуществляется извлечение команды из памяти, а дешифратор определяет тип команды. Если это команда с обращением к памяти (M.110 memory reference instruction), то на шаге выполнения производятся все необходимые операции и обращения к памяти. В некоторых случаях, например в случае команд без обращения к памяти (N.057 nonmemory reference instruction), шаг исполнения может отсутствовать. Когда команда реализует обращение по косвенному адресу (I.065 indirect addressing), требуется дополнительный шаг, обычно называемый «задержкой»; на этом шаге производится извлечение косвенного адреса из памяти.
В более сложных машинах и машинах с нефон-неймановской архитектурой (N.066 non von Neumann architecture) устройство управления может содержать дополнительные регистры, например индексные (см. I.063 index register), арифметические устройства для обеспечения модификации адресов, а также регистры, стеки (S.273 stack) или устройства конвейерной

обработки (см. P.114 pipeline processing) для записи команд, подлежащих выполнению, и другие функциональные блоки. В настоящее время большинство устройств управления микропрограммируемые (см. M.138 microprogramming). Исключение составляют устройства управления, ставшие очень мощными и сложными; в супер-ЭВМ, например, они могут содержать специализированные аппаратные средства, обеспечивающие параллельную обработку команд, которые генерируются последовательно.

C.307 control word
управляющее слово
1. Слово, определяющее действия, которые будут производиться в другом месте системы; оно может использоваться для управления использованием какого-либо ресурса.
2. Слово в микропрограмме. См. M.136 microinstruction; M.138 microprogramming.

C.308 convergence
сходимость
См. E.099 error analysis.

C.309 conversational mode
диалоговый режим
См. I.136 interactive.

C.310 converse
— *1. обратная импликация 2. инверсия*
1. Оператор вида

$$\neg P \to \neg Q,$$

где $\neg$ обозначает отрицание. См. также C.291 contrapositive; I.168 inverse.
2. Операция над бинарным отношением. То же, что и inverse.

C.311 conversion
преобразование
Изменение формата данных или программ, например преобразование данных (чисел) из двоичной формы в десятичную или преобразование программ, записанных на языке ассемблера, в машинный код.

C.312 convolution
свертка
В математике операция объединения двух функций w и f, в результате которой получается третья функция g, такая, что

$$g_k = \sum_{i=0}^{\infty} w_i f_{k-i}$$

(или соответствующая непрерывная операция). Эту операцию можно рассматривать как преобразование входной функции f в выходную функцию g путем наблюдения первой через окно w фиксированного размера.

В теории кодирования f — это сигнал (S.150 signal), а g — отклик на него линейного канала (L.053 linear channel); тогда g — это результат действия на данный сигнал (рассматриваемый как последовательность элементов) временнóй характеристики линейного канала. *Временнáя характеристика канала* представляет собой последовательность элементов, формируемую на выходе канала при подаче на его вход сигнала, один элемент которого имеет амплитуду, равную единице, а все остальные элементы — нули. В этом случае говорят, что производится *свертка* входной сигнальной последовательности и временнóй характеристики канала. Обратный процесс называется *деконволюцией*: для восстановления входной сигнальной последовательности над выходной последовательностью, которая была подвергнута свертке, и последовательностью, которая представляет временнýю характеристику канала, выполняется операция деконволюции.

Важно (как с математической, так и с практической точки зрения), чтобы свертка дискретных сигналов соответствовала обычному умножению многочленов (P.150 polynomial). См. также F.028 feedback register; F.029 feedforward register.

C.313 convolutional code
сверточный код
Линейный код (L.054 linear code) с исправлением ошибок, характеризующийся порождающей матрицей размера $k \times n$

$$G = (g_{ij} [x]),$$

элементы которой $g_{ij} [x]$ являются многочленами (P.150 polynomial); наивысшая степень многочлена m называется *памятью* кода. Величина

$$c = m + 1$$

называется *предельной длиной кода*. Сверточный кодер работает следующим образом. Входной поток — коэффициенты многочлена произвольной степени — циклически распределяется (демультиплексируется) по входам k сдвиговых регистров (S.140 shift register), длина каждого из которых равна c; при этом содержимое i-го регистра последовательно умножается на коэффициенты каждого из n многочленов $g_{ij}[x]$ с помощью n включенных параллельно множителей. Эти потоки циклически мультиплексируются, формируя выходную последовательность. Все это может выполняться по основанию q (q — простое число); такие коды обычно реализуются в двоичном виде ($q = 2$). На практике параметр k, как правило, равен единице. Основными алгоритмами декодирования для сверточных кодов являются *алгоритм Витерби* и различные последовательные алгоритмы (S.091 sequential algorithm), из которых наибольшую важность представляют *алгоритм Фано* и *стековый алгоритм*. Алгоритм Витерби — это алгоритм оценки по методу максимального правдоподобия. Линейные блочные коды (B.104 block code) можно рассматривать как специальный случай сверточных кодов с $m = 0$ и $c = 1$. Сверточные коды часто задаются параметрами (n, k) или (n, k, c), хотя, когда говорят «n, k-код», обычно подразумевают блочный код, а не сверточный. По мере того как развивается теория сверточных кодов, разрабатываются все более эффективные алгоритмы декодирования и растет понимание того, что значительно целесообразнее с точки зрения экономической использовать программируемые декодеры (поскольку из-за высокой сложности алгоритмов декодирования их лучше всего реализовывать программными средствами), сверточные коды приобретают все более важное значение.

C.314 coprocessor
сопроцессор
Микропроцессорный элемент, дополняющий функциональные возможности основного процессора. Например, в настоящее время несколько фирм по производству микропроцессоров поставляют свои изделия в комплекте с сопроцессорами, которые расширяют математические возможности первых, реализуя высокоскоростную арифметику с плавающей запятой, вычисление тригонометрических функций и т. д. Сопроцессор расширяет набор команд, которыми может пользоваться программист. Когда основной процессор получает команду, которая не входит в его рабочий набор, он может передать управление сопроцессору, в рабочий набор которого эта команда входит. Сопроцессоры могут реализовывать самые разнообразные функции, причем при надлежащей конструкции основного процессора в системе могут использоваться два и более сопроцессоров. Например, один сопроцессор может обеспечивать высокоскоростную математическую обработку, а другой — генерировать примитивы управления базой данных. Среди выпускаемых в настоящее время сопроцессоров следует отметить сопроцессор типа Intel 8087, который предназначен для реализации математических операций и сопрягается как с восьмиразрядными процессорами серии 8088, так и с 16-разрядными процессорами серии 8086.

C.315 copy
копировать
Формировать копию некоторой записанной информации в другой части памяти или в другом запоминающем устройстве. Копирование часто используется для предотвращения потери или искажения важных записей.

C.316 copyright
авторское право
Право запретить тиражирование конкретного изделия, если того пожелает владелец авторского права. Авторское право защищает, однако, лишь форму выражения идеи, но не саму идею. Распространяется оно и на программы для ЭВМ. В соответствии с законом об авторском праве программы приравниваются к литературным произведениям в большинстве стран, где подобное законодательство имеется. Например, система команд персональной ЭВМ защищается законом так же, как и кулинарная книга — использование какого-либо кулинарного рецепта из этой книги или команды из данного набора не считается нарушением авторского права, однако владелец авторского права может запретить переиздание литературного произведения. Тем не менее, чтобы исключить все возможные неоднозначности, в США и Австралии (после одного судебного разбирательства, в процессе которого судьи были поставлены в затруднительное положение) было принято специальное законодательство, защищающее программы как литературные произведения. Аналогичный

105

законопроект передан в середине 1985 г. на рассмотрение парламента Великобритании.

Простое заимствование идеи, заключенной в авторской работе (например, использование некоторых алгоритмов, выявленных при изучении исходого кода программы), не является нарушением авторского права (однако см. Т. 121 trade secrets). Тем не менее некоторые фирмы по разработке пограммного обеспечения ЭВМ считают, что уровень защиты программ, определенный в рамках законодательства о защите авторских прав, еще недостаточен.

C.317 CORAL
Язык программирования, разработанный в Великобритании для военных применений. Построен на базе Алгола-60 (см. A.081 Algol). Хотя язык CORAL относят к языкам реального времени, в нем отсутствуют средства параллельной обработки, синхронизации, управления прерываниями и т. д. Поскольку эти средства обязательно должны присутствовать в машинном коде, в языке предусмотрены соответствующие макрокоманды и средства перехода на уровень ассемблера. Наиболее широкое распространение получила версия CORAL 66. В настоящее время этот язык постепенно вытесняется языком Ада (A.040 Ada).

C.318 core store
запоминающее устройство на магнитных сердечниках
Тип энергонезависимой памяти, в которой двоичная информация хранится на тороидальных магнитных сердечниках, объединенных в матрицу. Сердечники изготовлены из феррита (F.031 ferrite), который имеет два устойчивых магнитных состояния и может переходить из одного в другое при приложении достаточного магнитного потока; магнитный поток генерируется при прохождении электрического тока в проводниках, пропущенных через сердечники. Принцип, положенный в основу запоминающих устройств этого типа, был открыт Дж. У. Форрестером из Массачусетского технологического института в 1949 г. Хотя запоминающие устройства на магнитных сердечниках широко использовались в качестве основной памяти процессоров с середины 1950-х годов до конца 1970-х годов, в совре-

менных процессорах вместо них сейчас применяются полупроводниковые устройства (см. S.072 semiconductor memory).

C.319 coroutine
сопрограмма
Подпрограмма, обеспечивающая нестандартное структурирование программы. Главное отличие сопрограмм от обычных подпрограмм (см. S.373 subroutine) заключается в следующем. Подпрограмма занимает подчиненное положение по отношению к основной программе: она *вызывается*, а затем *возвращается в начало*. Сопрограммы, напротив, симметричны друг другу: каждая может вызвать другую. Таким образом, выполнение сопрограммы *возобновляется* с точки, которая следует сразу за точкой вызова другой сопрограммы; сопрограмма никогда не возвращается в начало, но прерывается при вызове (возобновлении) другой сопрограммы. Сопрограммы, как правило, не встречаются в высокоуровневых языках. Они представляют особый интерес как средство моделирования параллельной работы в последовательных машинах.

C.320 corrective maintenance = remedial maintenance
корректирующее обслуживание

C.321 correctness proof
доказательство правильности
См. P.259 program correctness proof.

C.322 correlation
корреляция
Мера согласованности двух или более случайных переменных (R.021 random variable). Формула *коэффициента корреляции* r для двух переменных x и y может иметь вид

$$\frac{\sum (x_i - \bar{x})(y_i - \bar{y})}{\sqrt{\left[\sum (x_i - \bar{x})^2 \sum (y_i - \bar{y})^2\right]}}$$

Коэффициент корреляции может изменяться в диапазоне от —1 до +1. Отрицательные значения r указывают на то, что y уменьшается с увеличениет x, тогда как положительные значения говорят о том, что при увеличении (уменьшении) x величина y также увеличивается (уменьшается). Если r равно нулю, то x и y *некоррелированы*. Критерием корреляции между рангами (или порядками) переменных, когда числа расположены, скажем, в порядке возрастания, является *ранговая корреляция*. Корреляция не подразумевает причинной связи. Переменные могут быть коррелированы случайным образом или вследствие их взаимной согласованности с другими неизмеренными факторами — например, переменные могут иметь общую тенденцию к возрастанию со временем. Если зависимость между переменными не является линейной, то оценка согласованности переменных по коэффициенту корреляции может оказаться неверной.

C.323 coset
класс смежности группы (G.058 group) G, в состав которой входит подгруппа (S.366 subgroup) H.
Класс смежности G по модулю H, определяемый элементом x группы G, представляет собой подмножество вида

$$x \circ H = \{x \circ h \mid h \in H\};$$
$$H \circ x = \{h \circ x \mid h \in H\},$$

где $\circ$ — бинарная операция, определенная на G. Первое подмножество называется *левым классом смежности G по модулю H* или левым классом смежности G в H, а второе — *правым классом смежности*. В специальных случаях

$$x \circ H = H \circ x$$

для любого x в G. Тогда H называется *нормальной подгруппой G*. Любая подгруппа абелевой группы (G.058 group) является нормальной подгруппой. Классы смежности G в H формируют разделение группы, причем в каждом классе смежности будет такое же количество элементов, как и самом H. Эти классы можно рассматривать как классы эквивалентности (E.089 equivalence class) *левостороннего отношения смежности*, заданного на элементах g_1 и g_2 группы G следующим образом: $g_1\rho g_2$, если и только если

$$g_1 \circ H = g_2 \circ H.$$

Аналогичным образом может быть определено *правостороннее отношение смежности*. Когда H — нормальная подгруппа, отношение смежности становится отношением конгруэнтности (C.264 congruence relation). Классы смежности находят важное применение в вычислительной технике, например при разработке эффективных кодов, необходимых для передачи информации, и проектировании быстродействующих сумматоров.

C.324 coset relation
отношение смежности
См. C.323 coset.

C.325 cost function
функция стоимости
Скалярный критерий для оценки сложности ситуации, применяемый в оптимизации. См. также W.014 weighted graph.

C.326 countable set
счетное множество
Множество (S.116 set), которое в некотором смысле не больше множества натуральных чисел. Элементы такого множества могут быть упорядочены и сосчитаны. Счетное множество может быть либо конечным (см. F.073 finite set), либо *перечислимым*; перечислимое множество может быть поставлено во взаимно однозначное соответствие множеству натуральных чисел. Можно доказать, что множество рациональных чисел является счетным, чего нельзя сказать о множестве действительных чисел.

C.327 counter
счетчик
Синхронизированное цифровое электронное устройство, выходной сигнал которого переходит в одно и то же состояние (из n возможных), при подаче на его вход каждого синхроимпульса. Таким образом обеспечивается подсчет общего числа импульсов, принятых счетчиком; максимальное число импульсов, которое может зарегистрировать счетчик, называется емкостью счетчика. Все n состояний отображаются последовательно для n активных переходов в синхросигнале; затем последовательность повторяется. Поскольку для перевода выходного сигнала из одного состояния в другое (идентичное) требуется n синхроимпульсов, счетчики могут реализовывать деление на n. В этом случае они называются *делителями*. Счетчик, выходной сигнал которого может принимать n дискретных состояний перед тем, как возникнет состояние «переполнение», называется *счетчиком по модулю n*, поскольку обеспечивает счет входных импульсов по основанию n. Величина n обычно представляет собой целочисленную степень числа 2. Счетчики, как правило, строятся путем каскадного включения триг-

геров (F.097 flip-flop) (см. C.034 cascadable counter), каждый из которых реализует операцию деления на два. Емкость счетчика, состоящего из m триггеров, будет равна 2^m, поскольку возможно 2^m дискретных выходных состояний, т. е. n равно 2^m. Такие счетчики называются *двоичными*. Длина счетной последовательности не обязательно кратна двум. Например, в *десятичных счетчиках* (счетчиках по модулю 10) выходной сигнал может принимать 10 отдельных состояний. Для обеспечения этого в цифровом виде счетчик должен иметь, по меньшей мере, четыре триггера, реализующих $2^4 = 16$ выходных состояний; шесть из этих состояний можно исключить путем установки соответствующих логических схем на входе и выходе отдельных триггеров. В *многорежимных счетчиках* число n состояний, в которых может находиться выходной сигнал, выбирается по усмотрению пользователя. См. также R.162 ripple counter; S.432 synchronous counter; S.136 shift counter.

C.328 counting problem
проблема счета

1. Задача нахождения числа элементов в некотором множестве с определенными свойствами. Такие задачи счета обычно встречаются в комбинаторике (C.177 combinatorics).
2. Проблема определения числа решений какой-либо задачи. Например, для нахождения числа остовных деревьев (S.243 spanning tree) некоторого графа имеется определенная формула, в которой фигурирует детерминант некоторой матрицы и которая может быть вычислена за полиномиальное время (P.157 polynomial time). Однако существуют и другие задачи, например задача подсчета числа гамильтоновых циклов (H.010 Hamiltonian cycle) в некотором заданном графе; это может быть сопряжено со значительными трудностями, так как задача определения того, имеет ли граф гамильтонов цикл, является NP-полной (см. P.138 P = NP question). Несмотря на то что за полиномиальное время можно установить, имеет ли граф *паросочетание* (множество ребер, которые не пересекаются друг с другом, но проходят через все вершины), сам подсчет числа таких паросочетаний можно осуществить за полиномиальное время

только в том случае, если $P = NP$. Задача о паросочетаниях в случае двудольных графов эквивалентна задаче вычисления перманенты матрицы из нулей и единиц, для решения которой пока не найдено хороших методов.

C.329 coupled
связанные (системы или устройства)

Довольно нестрогий термин, используемый для указания того, что системы, которые могут работать независимо друг от друга, функционируют в режиме взаимодействия. Термин применим к отдельным элементам аппаратных средств. Например, в схеме-защелке (L.010 latch), состоящей из двух инвертирующих элементов, включенных так, что выход одного из них заведен на вход другого, эти элементы называются *перекрестно связанными*. Термин применим и к процессорам в целом — например, различают *слабо* и *сильно связанные* процессоры. Однако в толковании этих терминов разными группами специалистов отмечаются существенные различия, особенно это касается толкования наречий «слабо» и «сильно».

C.330 covariance
ковариация

Критерий совместного изменения двух случайных переменных, аналогичный дисперсии (см. M.090 measures of variation). Если x и y — случайные переменные, то их ковариация будет иметь вид

$$\sum (x_i - \bar{x})(y_i - \bar{y}).$$

Ковариационный анализ — это расширение дисперсионного анализа (A.099 analysis of variance), в котором проверяемые переменные упорядочены так, чтобы учитывались их предполагаемое линейное соотношение с другими переменными. См. также C.322 correlation.

C.331 covering
покрытие

1. ~ множества (S.116 set) S. Конечное множество подмножеств (S.378 subset), объединение (U.017 union) которых дает S. В этом случае говорят, что подмножества A_1, A_2, ..., A_m покрывают S. Если элементы A_i, $i = 1, 2, ..., m$ взаимно не пересекаются (см. D.233 disjoint), то покрытие

$$\{A_1, ..., A_m\}$$

называется *разложением S*.

2. Соотношение между двумя элементами частично упорядоченного множества S. Если x и y являются элементами S, то y покрывает x тогда и только тогда, когда $x < y$, причем всякий раз когда для некоторого элемента z в S выполняется неравенство $x \leqslant z \leqslant y$, тогда либо $x = z$, либо $z = y$.

C.332 CPL — combined programming language
комбинированный язык программирования
Язык, разработанный в начале 1960-х годов в Кембриджском и Лондонском университетах (Великобритания). Цель разработки — довольно необычная для того времени — заключалась в создании единого языка для всех приложений, реализуемых на новой ЭВМ, включая и те области, где, по единодушному мнению специалистов того времени, должен был бы применяться язык ассемблера. Хотя язык CPL не получил широкого распространения, в нем были предвосхищены многие концепции, которые реализованы в современных языках высокого уровня, например идея использования управляющих структур структурного программирования (S.360 structured programming) и концепция ссылок, составляющие основу Алгола-68. Этот язык можно считать прямым предшественником языка BCPL (B.043 BCPL) и, таким образом, предком языка *Си* (C.001 C).

C.333 CP/M
Операционная система, рассчитанная на применение в микропроцессорных системах, которые используются в режиме обслуживания одиночных пользователей. В системе имеются средства ведения файлов, проверки и обновления содержимого памяти, а также средства обеспечения доступа к ассемблеру и компиляторам.

C.334 cps — characters per second
(*число*) *знаков в секунду*
Единица измерения скорости обработки, передачи или распечатки информации.

C.335 CPU — central processing unit
центральный процессор (ЦП)
См. C.055 central processor.

C.336 CPU cycle
цикл центрального процессора
Время, требуемое для выборки и выполнения одной простой машинной команды (например, сложения или вычитания). Один из многих параметров, характеризующих вычислительную систему. См. также C.241 computer power; A.062 add-subtract time; C.366 cycle.

C.337 CPU time
время центрального процессора (процессорное время)
Время, в течение которого процессор обслуживал некоторую задачу. См. также S.445 system accounting.

C.338 crash
аварийный отказ
Отказ системы, требующий для возобновления ее нормального функционирования, по крайней мере, вмешательства оператора, а иногда и ремонтных работ. См. также R.058 recovery.

C.339 Cray Research
Компания, основанная в 1972 г. С. Креем. Специализируется на разработке и выпуске сверхбыстродействующих ЭВМ для научных расчетов, включая машины серии Сray-1 и Сray-2. Эти ЭВМ способны выполнять сложные численные расчеты, например в области предсказания погоды.

C.340 CRC — cyclic redundancy check
контроль с использованием циклического избыточного кода

C.341 critical path method (CPM)
метод критического пути (МКП)
Метод планирования работ в рамках какого-либо проекта, включая управление этими работами и составление графика их выполнения. Согласно этому методу для каждого вида работ указываются время и ресурсы, необходимые для их выполнения, а также последовательность выполнения отдельных видов работ. Затем строится граф (сетевой график), отображающий очередность работ и сроки их выполнения. Далее на этом графе ищется *критический путь*, т. е. путь, который требует максимальных затрат времени. Существующие варианты этого метода позволяют решать задачи, в которых фигурируют вероятностные законы распределения временных затрат и различных ресурсов, компромиссные соотношения между временем и ресурсами и т. д.

C.342 critical region
критическая область
Секция программы, выделяемая всякий раз только одному процессу.

См. также С.343 critical resource; С.344 critical section; М.259 mutual exclusion.

С.343 critical resource
критический ресурс

Ресурс, который в каждый момент времени используется не более, чем одним процессом. Типичным примером является секция программы, которая выполняет функции разделения совместно используемого несколькими процессами ресурса, причем в каждый момент времени только одному процессу разрешается изменять данные, определяющие, каким процессам выделены части данного ресурса. В тех случаях, когда требуется, чтобы несколько асинхронных процессов координировали свой доступ к критическому ресурсу, используется управляемый доступ через семафор (S.070 semaphore). Процесс, «желающий» осуществить доступ к ресурсу, порождает операцию *P*, которая проверяет значение семафора; это значение указывает, производит ли в данный момент доступ к критическому ресурсу какой-либо другой процесс. Если нужный ресурс уже используется каким-либо другим процессом, то процесс, породивший операцию *P*, переводится в режим ожидания. По завершении использования критического ресурса процесс порождает операцию *V*, которая не может вызвать перевод породившего её процесса в режим ожидания. Воздействуя на семафор, эта операция дает разрешение на доступ к ресурсу другому процессу.

С.344 critical section
критическая секция

Часть процесса, которая должна выполняться без прерываний со стороны других процессов. Вначале считали, что критическая секция должна выполняться абсолютно без всяких прерываний. В настоящее время придерживаются несколько другого мнения — критическая секция не должна прерываться только другими критическими секциями заданного набора процессов, т. е. теми секциями, которые взаимно исключают друг друга (см. М.259 mutual exclusion).

С.345 cross assembler
кросс-ассемблер

Ассемблер (A.143 assembler), при выполнении которого на одной машине формируется программа в кодах другой машины. Такие ассемблеры обычно используются для генерации программного обеспечения микро-ЭВМ, которые сами слишком малы для обеспечения работы собственных ассемблеров. См. также С.346 cross compiler.

С.346 cross compiler
кросс-компилятор

Компилятор (C.205 compiler), при выполнении которого на одной машине формируется программа в кодах другой машины. Такие компиляторы обычно используются для генерации программного обеспечения микро-ЭВМ, которые сами слишком малы для обеспечения работы собственных компиляторов. См. также С.345 cross assembler.

С.347 cross coupling
перекрестное соединение

Соединение двух логических схем (L.123 logic gate), в результате которого формируется триггер (F.097 flip-flop).

С.348 cross talk
перекрестная помеха

Сигнал, перетекающий из одного канала связи в другой, соседний канал и вызывающий в нем ошибки. Перекрестные помехи обычно присущи физическим каналам связи, например шинам интерфейса RS 232 и другим шинам.

C.349 CRT — cathode-ray tube
электронно-лучевая трубка (ЭЛТ)

С.350 cryogenic memory
криогенная память

Память, функционирующая при очень низкой температуре, обычно при температуре жидкого гелия (около 4К), на основе эффектов сверхпроводимости и туннелирования электронов.

С.351 cryptanalysis
криптографический анализ

Обработка зашифрованного сообщения с целью выделения исходной информации лицом, не знающим секретного ключа. Ср. D.126 decryption.

С.352 cryptography
криптография

Защита сообщения путем превращения его в бессмысленный набор знаков, расшифровать который может только человек, знающий ключ. Существует множество методов преобразования исходного сообщения, называемого *незашифрованным текстом*, в зашифрованный вид, называемый *шифром*, *шифртекстом* или *кодом*. В простых шифровальных системах, например у получателя и отправителя, имеются одинаковые копии секретного ключа, а также алгоритма, с помощью которого каждый из них формирует идентичные псевдослучайные (P.312 pseudorandom) последовательности знаков. В процессе шифрования отправитель изменяет цепочку знаков исходного текста путем ее объединения с псевдослучайной последовательностью с использованием сложения по модулю 2; в результате получается шифртекст, который затем передается получателю. Получатель выполняет обратную процедуру, вычитая идентичную псевдослучайную последовательность из полученного шифртекста. Тем самым восстанавливается исходный текст. Другой метод шифрования основан на использовании *книги шифров*. У отправителя и получателя имеются копии секретной таблицы подстановок. В ней перечислены коды, передаваемые в составе шифртекста в зависимости от значения каждого байта в исходном тексте. Однако на практике обычно используются подстановочные коды, соответствующие более длинным блокам исходного текста, например блокам длиной 64 бит. В таких шифровальных системах подстановочные коды должны генерироваться алгоритмически отправителем и получателем, поскольку в таблице просто бы не хватило места для записи всех подстановочных кодов.

C.353 cryptology
криптология

Наука о криптографии. (C.352 cryptography).

C.354 CSL — control and simulation language
язык управления и моделирования, язык CSL

Один из самых первых языков моделирования (S.173 simulation language).

C.355 CSMA/CD
МДКН/ОС

Протокол управления каналом передачи данных (D.045 data link control protocol), применимый к широковещательным сетям, в которых все станции могут принимать все сообщения (см. B.144 broadcasting). Станция может обнаруживать присутствие переданного сообщения путем контроля несущей в канале передачи. Когда станция желает передать сообщение, она сначала проверяет, не осуществляет ли передачу в данный момент другая станция (*многостанционный доступ с контролем несущей — МДКН*). Если одновременно две и более станций пытаются передать сообщения, могут возникать *столкновения*, поскольку станция обнаружит присутствие в канале сигнала другой станции только после начала своей собственной передачи. Для обнаружения столкновения и уведомления станций о том, чтобы они прекратили передачу и возобновили ее позднее, используется механизм *обнаружения столкновений (ОС)*. Протокол МДКН был разработан Управлением перспективных исследований министерства обороны США для использования в системах спутниковой связи. В таких системах обнаружение столкновений невозможно до тех пор, пока сообщения, претерпевшие столкновение, не будут полностью переданы наземными станциями и затем возвращены им спутником. Когда у многих станций есть сообщения для передачи, столкновения возникают все чаще и чаще до тех пор, пока не возникает насыщение и дальнейшая передача сообщений становится невозможной. Поэтому для восстановления работоспособности системы в такой ситуации должны быть использованы другие протоколы. Протоколы МДКН и МДКН/ОС — это виды протоколов асинхронного временного разделения (см. T.087 time-division multiplexing).

C.356 cumulative distribution function
интегральная функция распределения

См. P.232 probability distribution.

C.357 current address register = instruction register
регистр текущего адреса

C.358 current instruction register (CIR)
регистр текущей команды

Регистр, обычно входящий в состав устройства управления и содержащий информацию о команде, которая выполняется (или будет выполняться). См. также I.111 instruction format.

C.359 curried function
производная функция

111

Функция (F.160 function) одной переменной, связанная с функцией нескольких переменных. Пусть f — функция двух переменных x и y. Тогда,
считая x постоянным, получаем функцию от y; эта функция зависит от
значения x. Таким образом, можно
записать

$$g\,(x)\,(y) = f\,(x,\ y),$$

где g называется производным вариантом f. Отметим, что $g\,(x)$ обозначает
именно функцию, а не просто какую-
либо величину. Такой подход часто
используется в теоретических работах
для упрощения функций нескольких
переменных, например в лямбда-исчис-
лении.

C.360 cursor
курсор
Символ, указывающий на экране дисплея активную позицию, т. е. позицию, на которой будет отображаться
следующий вводимый с клавиатуры
знак. Часто для этой цели используется знак подчеркивания: этот знак
обычно мигает на экране, так что его
легко заметить и отличить от знаков
подчеркивания, которые являются частью текста. Также используются и
другие символы, например рамка.

C.361 cut set of a connected graph
разрез связного графа (C.267 connected graph)
Множество ребер, удаление которых
приводит к несвязному графу; ни
одно множество с меньшим числом элементов не приводит к такому эффекту.
См. также C.270 connectivity.

C.362 cut sheet feed
автоподача страниц
См. S.312 stationery.

C.363 cut vetex (articulation point)
of a connected graph G
точка сочленения связного графа
(C.267 connected graph), G
Вершина в G, удаление которой вместе
со всеми инцидентными ей ребрами
приводит к тому, что граф становится
несвязным. Этот термин допускает более широкое толкование применительно
к более общим графам. Тогда удаление точки сочленения и всех инцидентных ей ребер можно считать увеличением числа связных компонент графа.
См. также C.270 connectivity.

C.364 cybernetics
кибернетика
Дисциплина, изучающая вопросы управления и связи, которые имеют
отношение к животным и машинам.
Кибернетика занимается построением
теории таких систем вне зависимости
от способа их организации. Например,
системой может быть электронное устройство, живой организм или часовой
механизм. Ср. C.224 computational
psychology.

C.365 CYCLADES
Одна из первых экспериментальных
сетей с пакетной коммутацией (см.
P.009 packet switching), реализованная во Франции. Включение в сеть
первых ГВМ было осуществлено в
1973 г. Эта сеть состояла из двух
частей: главных вычислительных машин (H.093 host computer) (ГВМ) и
коммуникационной подсети (C.191 communication subnetwork) CIGALE. Коммуникационная подсеть была чисто
дейтаграммной сетью (см. D.040 datagram), т. е. доставка отдельных пакетов осуществлялась без какого-либо
упорядочения передачи или управления потоком. Кроме дейтаграммной
службы для обеспечения установления
надежных соединений использовались
и ГВМ. Ср. R.034 RCP.

C.366 cycle
*1. цикл (время цикла) 2. цикл
3. цикл (контур) 4. циклическая
перестановка*
1. Интервал времени, в течение которого происходит одна цепь событий
или явлений. Обычно имеется в виду
цикл памяти — интервал времени между последовательными обращениями
к памяти. Время цикла иногда считают критерием оценки вычислительной мощности (C.241 computer power).
2. Набор операций, который регулярно
повторяется в одной и той же последовательности. При каждом повторении
операции могут изменяться. 3. ~ графа
(G.047 graph). Путь, который начинается и заканчивается в одной и той же
вершине. Если ни одно ребро на таком
пути не появляется дважды, то цикл
называется *простым*, если же дважды
не появляется ни одна вершина (кроме
начальной), то цикл называется *элементарным*. См. также E.121 Euler
cycle; H.010 Hamiltonian cycle.

4. Перестановка (P.092 permutation) на множестве, которая отображает некоторое подмножество

$$T = \{t_1, t_2, ..., t_m\}$$

множества S так, что каждое t_i отображается в t_{i+1},

$$(i = 1, 2, ..., m - 1),$$

а i_m — в t_1; оставшиеся в результате перестановки элементы остаются без изменения. Два цикла

$$(u_1 u_2 ...) \text{ и } (v_1 v_2 ...)$$

являются непересекающимися при условии, что множества

$$\{u_1, u_2, ...\} \text{ и } \{v_1, v_2, ...\}$$

также не пересекаются. Каждая перестановка на множестве может быть однозначно выражена в виде композиции (C.128 composition) непересекающихся циклов.

C.367 cycle index polynomial
полином индексов циклов

Формальный полином, связанный с группой (G.058 group) перестановок (P.092 permutation) на множестве. Указывает разложение перестановок на циклы (C.366 cycle). Подобные полиномы встречаются, например, в теории переключательных схем (S.412 switching theory).

C.368 cycle stealing (data break)
занятие цикла памяти (информационное прерывание)

См. D.216 direct memory access.

C.369. cycle time
время цикла

См. C.366 cycle.

C.370 cyclic access
циклический доступ

Режим доступа к записанной информации, в котором доступ обеспечивается в определенные моменты времени цикла событий. Примером устройства с циклическим доступом является магнитный диск.

C.371 cyclic code
циклический код

Линейный код (L.054 linear code) такой, что, если v — кодовое слово, то кодовыми словами будут и все результаты циклического сдвига v. Например, если

abcde

является кодовым словом циклического кода, то

bcdea

cdeab

deabc

eabcd

суть также кодовые слова.

C.372 cyclic redundancy check (cyclic redundancy code; CRC)
контроль с использованием циклического избыточного кода (циклический избыточный код)

Наиболее широко используемый метод контроля с помощью кода с обнаружением ошибок (E.104 error-detecting code). С целью обеспечения контроля данных на наличие ошибок, которые могли возникнуть, скажем, в процессе передачи или при записи (считывании), к каждому блоку добавляются дополнительные цифры. Эти цифры вычисляются на основе содержимого блока на входе, а затем повторно вычисляются приемником или в процессе считывания.

Циклический избыточный код — это разновидность полиномиального кода (P.151 polynomial codes). В принципе, каждый блок можно считать полиномом. Этот полином A умножается в кодере на порождающий полином (P.150 polynomial) G, в результате чего формируется полином AG. В процессе передачи или записи этого полинома к нему прибавляется полином ошибки E:

$$AG + E.$$

В декодере эта последовательность делится на тот же самый порождающий полином G. Остаток деления проверяется. Если он отличен от нуля, то регистрируется ошибка и предпринимаются необходимые действия (см. B.011 backward error correction). На практике используются систематические коды (см. S.446 systematic code), т. е. полином A кодируется как

$$Ax^r + R,$$

где r — степень G, а R — остаток от деления Ax^r на G. В любом случае не регистрируются только те ошибки, для которых G является делителем E: системотехник выбирает G таким, чтобы свести вероятность этого к минимуму.

Обычно, в случае двоичного кода, G представляет собой произведение $(x +$ $+ 1)$ и примитивного делителя подходящей степени. Двоичный код, для которого

$$G = x + 1,$$

называется *простым кодом с контролем по четности*. Когда такой код применяется к каждому знаку, скажем, записи на магнитной ленте, то контроль называется *горизонтальным*, а если вдоль каждой дорожки записи, то — *вертикальным*. Простые коды с контролем (горизонтальным и вертикальным) гораздо менее надежны при обнаружении пакетов ошибок (см. B.162 burst error), чем нетривиальные циклические избыточные коды степени (как правило) 16. Когда говорят о *продольном контроле* с использованием циклического избыточного кода, обычно подразумевают нетривиальный код, хотя речь может идти и о простом вертикальном контроле.

C.373 cylinder
цилиндр
См. D.238 disk drive.

C.374 cypher
шифр
См. C.352 cryptography.

D

D.001 DAC — digital-to-analog (D/A) converter
цифроаналоговый преобразователь (ЦАП).

D.002 D/A converter (DAC)
цифроаналоговый преобразователь (ЦАП)
Устройство (обычно реализованное в виде интегральной схемы), которое способно принимать цифровой сигнал в виде n-разрядного параллельного слова и преобразовывать его в эквивалентный аналоговый сигнал. Таким образом, цифровой сигнал, скажем, от микропроцессора может быть преобразован в вид, пригодный для запуска аналогового устройства, например, двигателя, измерительного прибора или позиционирующего устройства. *Разрешением* цифроаналогового преобразователя называется изменение аналогового выходного сигнала в от-

вет на изменение одного младшего разряда входной последовательности. См. также A.047 A/D converter.

D.003 daisychain (bused interface)
цепочка (шлейфовое подключение)
Средство подключения нескольких устройств к контроллеру (C.299 controller). Кабель, идущий от контроллера, подключается к ближайшему устройству. Затем с помощью отдельного кабеля это устройство подключается ко второму и т. д. При этом для обслуживания нескольких устройств (число которых может меняться) на контроллере достаточно одного разъема. Также снижаются расходы на кабели и упрощается подключение устройств. Для осуществления соединения такого вида пригоден интерфейс IEEE 488. Шлейфовое подключение также используется для реализации приоритетных прерываний ввода-вывода. В этом случае в точках подключения имеются активные логические схемы, обеспечивающие распределение приоритетов в зависимости от положения устройств в цепочке. Устройство, расположенное ближе всех других к контроллеру, имеет высший приоритет.

D.004 daisywheel printer
лепестковое печатающее устройство
Устройство последовательной печати ударного действия (см. S.106 serial printer; I.042 impact printer) с шрифтоносителем в виде вращающегося колеса с лепестками, напоминающего ромашку. Формы литер выполнены на концах лепестков. Колесо имеет привод от сервосистемы и поворачивается так, что на позицию печати попадает тот или иной требуемый знак. Печать осуществляется через красящую ленту при срабатывании молоточка. После пропечатывания знака каретка, на которой установлены «ромашка» и молоточек (а также, как правило, и лента), перемещается на следующую позицию печати в строке. Лепестковое печатающее устройство было выпущено в 1972 г. фирмой Diablo Systems Inc. По сравнению с печатающими устройствами со сферической головкой (G.036 golfball printer) и другими пишущими машинками, которые стали использоваться в качестве низкоскоростных печатающих устройств ЭВМ, это устройство имело значительно более высокую скорость печати и было гораздо

проще по конструкции. Вначале скорость составляла 30 знаков в секунду, а шрифтовой комплект — 96 знаков. Путем усовершенствований удалось достичь скорости 65 знаков в секунду при распечатке среднего текста. В 1982 г. фирма Diablo изготовила устройство, шрифтоноситель которого мог содержать до 192 знаков, причем печать наложением позволяла увеличить фактический шрифтовой комплект до 250 знаков. Эта разработка позволила частично преодолеть один недостаток, характерный, в частности, для матричных печатающих устройств (M.078 matrix printer), — ограниченность набора знаков. Другие разработки привели к созданию более дешевых, но менее быстродействующих (12—20 знаков в секунду) устройств, которые успешно конкурируют с обычными печатающими устройствами и устройствами со сферической головкой. Качество печати, достигаемое при использовании лепестковых печатающих устройств, сравнимо с качеством печати очень хороших пишущих машинок, поэтому они часто используются в составе систем обработки текстов для распечатки писем и документов. Как правило, печатающая головка и бумага допускают инкрементное смещение в обоих направлениях; для этого используются специальные команды. Таким образом, устройство может реализовывать функции, характерные для типографского набора, например, печать с пропорциональными пробелами, выключку, проставление верхних и нижних индексов и т. д.

D.005 DARPA — Defence Advanced Research Projects Agency
Управление перспективных исследований министерства обороны США
Одно из управлений министерства обороны США (первоначальное название — Advanced Research Projects Agency, ARPA), занимающееся исследованиями и техническими разработками в областях, которые не находятся в непосредственном ведении отдельных родов войск (сухопутных войск, ВМС, ВВС, морской пехоты), а представляют взаимный интерес. Наиболее известны разработки технологии вычислительных сетей, которые привели к созданию сети ARPANET (A.136 ARPANET).

D.006 data
данные
Информация (I.073 information), подготовленная для определенных целей (при этом часто подразумевается определенный формат). В вычислительной технике термин имеет три различных значения.
Во-первых, данные — как объекты, отличные от команд. Подразумеваются все обрабатываемые программой операнды, например значения констант и переменных, или файлы данных (в противоположность программным файлам). Однако здесь приходится учитывать контекст: например, команды на исходном языке являются данными для компилятора, а результирующий объектный код — данными для компонующего загрузчика; когда же начинается выполнение, тот же самый объектный код становится программой. Во-вторых, в контексте отдельной программы или пакета программ слово *данные* может использоваться в более узком смысле, означая входные данные в противоположность результатам (выходным данным), как, например, в случае подготовки и проверки данных. (Результаты, полученные при выполнении одного процесса, однако, почти всегда являются данными для следующего процесса.) В-третьих, когда говорят *данные*, часто подразумевают (особенно в последнее время) нечто отличное от текста, речи и изображений. Аналогичным образом обработка данных противопоставляется обработке текста, обработке речи и обработке изображений. При таком употреблении термина подчеркивается высокая форматированность данных в традиционных приложениях обработки данных в противоположность более свободным структурам, используемым для представления текста (например, на естественном языке), при передаче речи или в процессе обработки визуальных изображений.

D.007 data abstraction
абстрактное представление данных
Принцип определения типа данных (D.082 data type) через операции, которые могут выполняться над объектами данного типа. При этом вводится следующее ограничение: значения таких объектов могут модифицироваться и наблюдаться только пу-

тем использования этих операций. Такое применение общего принципа абстрагирования (A.010 abstraction) приводит к понятию абстрактного типа данных (A.008 abstract data type). Абстрактное представление данных имеет очень большую важность в современном программировании, особенно при грубом структурировании программ. Использование такого представления дает целый ряд преимуществ, в частности, возможность использовать естественные единицы для описания и верификации данных (см. M.178 module specification). Оно обеспечивает основу для высокоуровневого проектирования и хорошо согласуется с принципами утаивания информации (I.075 information hiding). Описание типа данных через имеющиеся операции предоставляет всю необходимую для использования этого типа данных информацию, в то же самое время обеспечивая максимальную свободу реализации; в случае необходимости способ реализации можно изменить прозрачно для пользователей. Кроме того, появляется возможность создания «библиотеки» полезных абстракций данных — стеков, очередей и т. д. Типичная реализация абстрактного типа данных в программе — это реализация с помощью многопроцедурного модуля. Этот модуль имеет локальные данные, которые могут использоваться для представления значения данного типа, а каждая процедура реализует одну из операций, ассоциированных с этим типом. Доступ к локальным данным модуля может осуществляться только со стороны этих процедур, так что пользователь этого типа данных может производить доступ только к операциям и не имеет прямого доступа к представлению. Программист, таким образом, имеет полную свободу действий при выборе представления, которое остается прозрачным для пользователей и при необходимости может быть изменено. Для представления значения каждого абстрактного типа данных используется определенная часть локальных данных модуля. Для обеспечения нормального функционирования таких многопроцедурных модулей требуется, чтобы принципы абстрактного представления были заложены в самом языке программирования, который, например, должен допускать организацию модулей в виде

кластеров и иметь определенные правила видимости, отражающие необходимые ограничения на доступ. Первым языком, способным работать с абстрактными типами данных, стал язык SIMULA, в котором была реализована концепция *класса*. Аналогичные средства в настоящее время реализованы во многих современных языках, например, *модуль* — в языке Modula и *пакет* — в языке Ада.

D.008 data acquisition = data capture = data collection
сбор данных

D.009 databank
банк данных
Система, предоставляющая услуги по хранению и поиску данных определенной группе пользователей и по определенной тематике (например, биологические виды, статистика торговли, цены на товары). Хотя такая система не обязательно должна быть открытой системой общего пользования, все же обычно предполагается, что ее пользователи довольно широко разбросаны по стране. Доступ к банку данных может осуществляться, например, через службу видеотекса (V.042 videotex), через любую другую сетевую службу (см. N.021 network) или даже по почте. Сами данные могут быть организованы в виде базы данных (D.010 database) или в виде одного или более файлов (F.045 file).

D.010 database
база данных
1. В обычном, строгом смысле слова — файл данных (D.036 data file), для определения и обращения к которому используются средства системы управления базой данных (СУБД) (D.014 database management systems). Это означает, во-первых, что этот файл определен посредством схемы (S.018 schema), не зависящей от программ, которые к нему обращаются (см. D.042 data independence), и, во-вторых, что он реализован в виде запоминающего устройства с прямым доступом (D.207 direct access storage device). Использование СУБД обеспечивает лучшее управление данными (см. D.011 database administrator), более совершенную организацию файлов и более простое обращение к ним по сравнению с обычными способами хранения данных. Вследствие более совершенных механизмов доступа базы данных могут быть сложнее обычных файлов. Они

часто объединяют данные, которые ранее хранились во многих отдельных файлах. Размер и сложность, однако, — это совсем не обязательные характеристики баз данных; наличие программ СУБД, предназначенных для выполнения на микроЭВМ, например, приводит к созданию большого числа небольших по размеру и простых баз данных, достоинством которых при использовании СУБД является простота определения и доступа.

Пользователей базы данных можно разделить на три категории: конечные пользователи (те, кто вводит и извлекает данные), программисты [те, кто пишет прикладные программы (A.113 applications program) обработки данных] и администраторы базы данных (D.011 database administrator). В случае больших баз данных может быть несколько конечных пользователей, программистов и администраторов, тогда как в случае небольших баз данных функции конечного пользователя, программиста и администратора базы данных может выполнять один человек. См. также D.013 database language; D.016 database system; D.032 data dictionary.

2. В нестрогом смысле слова — один или более файлов данных (D.036 data file) с произвольной организацией данных и доступа (и произвольным образом определенные), которые служат для хранения неизменяющихся данных в вычислительной системе.

D.011 database administrator
администратор базы данных
Лицо, отвечающее за выработку требований к базе данных (D.010 database), ее проектирование, реализацию, эффективное использование и сопровождение. Необходимость в таком лице вытекает из принципа независимости данных (D.042 data independence), а также диктуется важностью баз данных в деятельности организаций. Администратор базы данных взаимодействует с пользователями в определении требований к базе данных в процессе выработки требований к системе в целом, пользуется языком описания данных (D.031 data description language) для определения базы данных в процессе проектирования системы, взаимодействует с программистами, которые пишут программы, использующие

доступ к базе данных, отвечает за загрузку базы данных информацией в процессе реализации системы, контролирует работоспособность базы данных, используя соответствующие программные и аппаратные средства, и определяет, когда следует реорганизовать данные или начать работы по созданию новой, более совершенной базы данных. В целом, функции администратора базы данных сводятся к поддержанию целостности базы данных (D.012 database integrity), необходимого уровня защиты данных (см. S.038 security) и эффективности. Среди его наиболее важных обязанностей — согласование конфликтующих требований (предъявляемых к системе конечными пользователями и программистами), которое требуется довольно часто, поскольку база данных, как правило, обслуживает несколько различных прикладных задач.

D.012 database integrity
целостность базы данных
Состояние базы данных, когда все значения данных правильны в том смысле, что отражают состояние реального мира (в пределах заданных ограничений по точности и временной согласованности) и подчиняются правилам взаимной непротиворечивости. Поддержание целостности базы данных включает проверку целостности и восстановление из любого неправильного состояния, которое может быть обнаружено; это входит в функции администратора базы данных (D.011 database administrator), который пользуется средствами системы управления базой данных (D.014 database management system). Аналогичным образом можно определить *целостность файла*. Однако в типичных случаях файлы подвергаются менее обширным проверкам на целостность, чем базы данных.

D.013 database language
язык базы данных
Общий термин, относящийся к классу языков, которые используются для определения и обращения к базам данных (D.010 database). В состав языка базы данных входят один или более языков описания данных (D.031 data description language) и один или более языков манипулирования данными (D.050 data manipulation language): эти языки можно называть *подъязы-*

ками данных. Здесь важно различать, будет ли язык базы данных использоваться в качестве расширения существующего языка программирования (называемого в данном случае *базовым языком*), или он будет использоваться независимо от какого-либо языка программирования (в этом случае язык базы данных называется *свободным*). Возможен и третий случай, когда язык базы данных используется и в качестве расширения существующего языка, и независимо от него. Конкретный язык базы данных всегда ассоциируется с конкретной системой управления базой данных (D.014 database management system). К организациям, которые занимаются стандартизацией языков баз данных, относятся Комитет по системному планированию и выработке требований АНИС (A.107 ANSI—SPARC), КОДАСИЛ (C.148 CODASYL) и МОС (I.021 ISO).

D.014 database management system (DBMS)
  система управления базой данных (СУБД)
Система программного обеспечения, имеющая средства обработки на языке базы данных (D.013 database language), позволяющие обрабатывать обращения к базе данных, которые поступают от прикладных программ и (или) конечных пользователей, и поддерживать целостность базы данных (D.012 database integrity). Таким образом, СУБД имеет свойства, характерные как для компиляторов (C.205 compiler), так и для операционных систем (O.038 operating system), однако по сравнению с этими системами обеспечивает более высокий уровень абстрагирования (A.010 abstraction), что оказывается полезным как для программистов, так и для конечных пользователей. Обычно различают три класса СУБД, обеспечивающих работу иерархических (H.067 hierarchical database system), сетевых (N.023 network database system) и реляционных (R.100 relational database system) систем баз данных. Однако различия между этими классами постепенно стираются, причем, видимо, будут появляться и другие классы. Поэтому обычной классификацией пользуются все реже и реже. Наиболее известны следующие СУБД: D.089

dBase II; DBOMP; ADABAS; DMS-1100; IDMS; IDS; I.048 IMS; I.085 INGRES; MDBS; N.045 NOMAD; QBE; R.026 RAPPORT; S.266 SQL/DS; TDMS и TOTAL.

D.015 database recovery
  восстановление базы данных
Процесс восстановления целостности базы данных (D.012 database integrity) после обнаружения в ней ошибок. См. также R.059 recovery log.

D.016 database system
  система базы данных
1. Система управления базой данных. 2. База данных (D.010 database) в комплексе с системой управления базой данных (D.014 database management system) (программные средства) и запоминающими устройствами (аппаратные средства). Система базы данных — это сложный вид ассоциативной памяти (A.152 associative memory). Элемент данных в базе данных обычно соответствует многим другим элементам, некоторые из которых могут быть физически непрерывными [т. е. входить в одну и ту же запись (R.056 record)], а другие — нет. Выборка данных обычно осуществляется путем ввода в систему определенных значений элементов данных, с тем чтобы система отреагировала на эти значения значениями соответствующих элементов, связанных с первыми. Например, по заданному табельному номеру служащего система может выдать его имя и ежегодный заработок. Другим примером может служить выдача номерных знаков всех машин заданного цвета и модели, зарегистрированных в определенный год.

D.017 data break (cycle stealing)
  прерывание для обмена данными (занятие цикла памяти)
См. D.216 direct memory access.

D.018 data bus (data path)
  шина данных (путь данных)
Группа сигнальных линий, используемых для параллельной передачи данных между элементами ЭВМ. Число линий в группе называется *шириной* шины данных, причем каждая линия служит для переноса одного бита информации. В универсальных ЭВМ большой мощности ширина шины данных обычно равна длине слова, т. е. 32, 48 или 64 бит. В микроЭВМ эта ширина обычно равна 4, 8 или 16 бит. Шины данных, используемые для со-

единения БИС, не обязательно должны иметь такую же ширину, как шины данных самих БИС. Например, процессор с внутренней шиной данных шириной 16 бит может передавать информацию по 8-разрядной внешней шине. В этих случаях говорят, что процессор использует мультиплексную шину данных (см. M.236 multiplexed bus). Чем шире шина данных, тем выше потенциальная производительность системы, так как по более широкой шине данных можно параллельно передавать больше информации. Более узкие шины данных, как правило, ухудшают производительность, но их дешевле реализовать. Мультиплексные шины данных часто применяются для уменьшения числа выводов интегральных схем, которые соединяются с шиной данных.

D.019 data capture
выделение данных

Процесс извлечения необходимых данных при выполнении некоторой транзакции или операции. Примером является контроль, осуществляемый в универсамах с помощью кассовых аппаратов. В данном случае транзакция заключается прежде всего в продаже товаров покупателю, однако одновременно с простановкой стоимости товаров на чеке кассовый аппарат регистрирует, или выделяет, необходимые данные, которые затем используются для расчетов перемещения запасов и получения другой информации.
Если оборудование для выделения данных работает под непосредственным управлением ЭВМ, то оно становится частью системы сбора данных (см. D.024 data collection). В этом случае его можно называть как оборудованием для выделения данных, так и оборудованием для сбора данных.

D.020 data cartridge
кассета данных, информационная кассета

Кассета с магнитной лентой (M.031 magnetic tape cartridge) — обычно кассета типа 3М.

D.021 data chaining
цепочечная организация данных

Такая организация файла данных (D.036 data file), когда записи являются связанными (см. L.071 link). Одна и та же запись может принадлежать двум и более цепочкам. Цепочечная организация позволяет осуществлять

доступ к данным в различной последовательности. Примером такой организации данных может служить сетевая система базы данных (N.023 network database system).

D.022 data channel
канал передачи данных

Путь передачи информации со всеми необходимыми схемами, который используется для пересылки данных между системами или частями системы. В случае интерфейса, состоящего из нескольких параллельных каналов, каждый канал выделяется для передачи информации одного типа, например данных или сигналов управления.

D.023 data cleaning
очистка данных

Устранение ошибок форматирования и ошибок ввода — обычно с помощью программы проверки правильности исходных данных.
(D.084 data-vet program).

D.024 data collection
сбор данных

Процесс сбора данных из распределенных точек, в которых данные были выделены или введены в результате выполнения отдельной операции. Обычно оборудование сбора данных подключается к главной ЭВМ через систему связи. Иногда для сбора данных используются портативные устройства, которые переносят в каждую точку сбора данных. Данные записывают в память устройства и отдельный модуль памяти, подключаемый к устройству, а затем устройство или модуль памяти подключают к главной системе. См. также D.019 data capture.

D.025 data communication equipment
аппаратура передачи данных

См. D.092 DCE.

D.026 data communications
передача данных, обмен данными

Сбор и перераспределение информации (данных) по каналам связи. Обмен данными включает передачу и прием данных в аналоговом или цифровом виде. Данные генерируются *источниками данных* и принимаются в *пунктах назначения*.

D.027 data compaction
уплотнение данных

См. C.199 compaction.

D.028 data compression
сжатие данных

Любой из многих методов в теории информации (I.084 information theory), с помощью которого производится кодирование данных с целью сокращения их избыточности (R.072 redundancy). Аналогичные методы используются и при регистрации информации. Методы сжатия позволяют, например, уменьшать объем буквенного текста в 2—5 раз. По существу, сжатие данных — это кодирование источника (S.230 source coding). Методы сжатия широко используются при передаче и хранении изображений (например, факсимильных).

D.029 data concentrator
концентратор данных
См. С.249 concentrator.

D.030 data contamination
порча данных
Изменение данных — злоумышленное или случайное — в вычислительной системе. См. также D.043 data integrity.

D.031 data description language (DDL)
язык описания данных (ЯОД)
Часть (подъязык) языка базы данных (D.013 database language). Известно, что данные требуется описывать на нескольких уровнях абстрагирования (A.010 abstraction), а на каждом уровне будет использоваться свой ЯОД. Описание на любом уровне называется *схемой*. Обычно различают три уровня описания данных или схем описания. Первый — это концептуальный уровень, на котором описываются взаимосвязи между элементами данных, вытекающие из взаимосвязей в «реальном мире» проблемной области; описание на этом уровне является частью описания системы и называется *концептуальной схемой*. Второй уровень — это логический уровень. На этом уровне описывается, как выбранные взаимосвязи будут представлены в структуре записей базы данных. Третьим является физический уровень. На нем описывается, как структуры записи будут представлены в первичной и вторичной памяти. Описания на втором и третьем уровнях используются в процессе проектирования системы и называются *внутренними схемами*. Кроме описания базы данных как единого целого на этих уровнях абстракции часто требуется ее описание под разными углами зрения; каждое из этих описаний

можно грубо считать частичным или переопределенным описанием базы данных. Такие описания часто называют *внешними схемами* или *подсхемами*. Язык описания данных, позволяющий описывать базу данных под различными углами зрения, должен обеспечивать определение соотношения между глобальным описанием базы данных и каждым из этих описаний на любом уровне абстракции.

D.032 data dictionary
словарь данных
Набор описаний компонентов данных (D.006 data) системы на базе ЭВМ (которая для большей ясности далее будет называться «объектной системой»). Словарь данных имеет следующие свойства.
1. Он может вестись в виде записей, сделанных от руки (напечатанных на машинке), или в машиночитаемом формате [как файл (F.045 file) или база данных (D.010 database)].
2. В последнем случае термин *словарь данных* обычно распространяется и на программное обеспечение, которое служит для ведения словаря.
3. Компоненты данных, входящие в словарь, могут быть элементарными (атомарными) или структурированными. Многие из них являются резидентными (т. е. хранятся в файлах или базе данных объектной системы), хотя словарь может содержать и нерезидентные переменные (V.011 variable), используемые только в программах.
4. Во многих случаях записи в словаре не ограничиваются только компонентами данных. Они могут описывать целые файлы, программы, именованные компоненты программ [например, модули (M.176 module) или процедуры (P.239 procedure)] или даже объекты реального мира в проблемной области объектной системы. Для объектных систем, оперирующих большим числом типов данных (D.082 data type), словарь данных представляет собой очень важный инструмент для централизации управления присваиванием имен, а также семантики и синтаксиса в системе. Этот инструмент широко используется администраторами баз данных (D.011 database administrator) и все чаще применяется в качестве вспомогательного средства для решения более широкой задачи

проектирования систем (S.449 system design): на использовании словарей данных основаны многие существующие методологии проектирования. В случае более сложных систем словарей данных на базе программных средств в качестве синонима термина *словарь данных* употребляется термин *системный словарь.*

D.033 data directory
справочник данных
См. D.032 data dictionary.

D.034 Data Encryption Standard (DES)
стандарт на шифрование данных
Алгоритм, используемый в США для шифрования сообщений. См. С.352 cryptography.

D.035 data entry
ввод данных
Процесс непосредственного ввода в систему данных с клавиатуры или другого устройства. Иногда этот термин ошибочно отождествляют с термином *выделение данных* (D.019 data capture), обозначающим процесс, главная цель которого заключается не в вводе данных в систему, а их извлечения, и с термином *подготовка данных* (D.061 data preparation), означающим не только. ввод данных в систему, но и их предварительное кодирование.
Прямой ввод данных — это диалоговый процесс ввода данных в систему и их записи в оперативные файлы. Данные могут вводиться оператором с клавиатуры (это обычное толкование термина) или поступать в систему от устройства сбора данных. Ср. К.014 key to tape; К.013 key to disk.

D.036 data file
файл данных
Файл (F.045 file), содержащий данные. Файлы наборов записей (R.056 record). Ср. D.010 database.

D.037 dataflow diagram
схема потоков данных
См. S.361 structured systems analysis.

D.038 dataflow machine
(вычислительная) машина, управляемая потоком данных
Вычислительная машина, в которой выполнение примитивных операций инициируется наличием операндов. В классических фон-неймановских машинах (V.064 von Neumann machine) реализована концепция последовательного потока команд управления: операции (команды) выполняются последовательно, по мере того как в алгоритме достигается та или иная операция. В противоположность этому в машине, управляемой потоком данных, имеется поток значений данных, который направлен от операций, генерирующих эти значения, к операциям, «потребляющим» эти значения в качестве операндов, причем операция выполняется сразу, как только будут известны все ее операнды. Поскольку результат выполнения одной операции может быть операндом для многих других операций и, следовательно, может одновременно инициировать выполнение многих операций, создаются условия для реализации высокой степени параллелизма.
Архитектура машин, управляемых потоком данных, — это один из наиболее ярких примеров нефон-неймановской архитектуры (N.066 non von Neumann architecture). Поэтому эти машины представляют значительный интерес для исследователей. Традиционные императивные языки программирования (см. I.043 imperative language), которые предписывают строго определенный поток команд управления, плохо подходят для машин, управляемых потоком данных. Эти машины обычно программируются с использованием языков с однократным присваиванием (S.177 single-assignment languages) или декларативных языков (D.116 declarative languages).

D.039 Data General (DG)
Компания, основанная несколькими бывшими сотрудниками фирмы Digital Equipment Corporation (DEC). Один из них — Э. Декастро — был разработчиком машин семейств PDP-5 и PDP-8. Компания выпускает мини-ЭВМ и периферийные устройства и является одним из главных конкурентов фирмы DEC. Машины, выпускаемые компанией Data General, имеют следующие фирменные названия: Eclipse, MV и Desktop Generation.

D.040 datagram
дейтаграмма
1. Самостоятельный пакет данных, содержащий достаточно информации, чтобы его можно было передать от источника получателю независимо от всех предыдущих и последующих со-

общений. *Дейтаграммная служба* обеспечивает передачу дейтаграмм на основе «принципа оптимальных затрат». В такой службе существует ненулевая вероятность потери или искажения дейтаграммы в процессе ее передачи получателю. Порядок передачи дейтаграмм источником не всегда сохраняется на приеме. В некоторых сетях существует вероятность того, что дейтаграмма будет дублироваться и доставляться получателю несколько раз.

2. См. S.001 SADT.

D.041 data hierarchy
иерархия данных
Иерархическая структура записей (R.056 record), в которой запись уровня i содержит данные, общие для набора записей уровня $i + 1$, и в которой, начиная с высокоуровневой записи, можно осуществить доступ к набору низкоуровневых записей. Любая запись может «владеть» только одним набором записей более низкого уровня и может быть членом только одного такого набора. Для хранения данных, имеющих иерархическую организацию, можно использовать либо магнитный диск, либо магнитную ленту. Иерархия данных может отражать иерархические отношения «реального мира» или может накладываться на более сложные отношения из-за ограничений, присущих системе управления данными (D.049 data management system).

D.042 data independence
независимость данных
Независимость различных уровней описания данных (см. D.031 data description language). Наиболее часто различают два вида независимости данных: логическую и физическую. Логическая независимость данных, в базах данных (D.010 database) коллективного пользования означает, что одно представление о базе данных с точки зрения конечного пользователя или программы не изменяется при создании или изменении других представлений. Физическая независимость данных в любой базе данных или файле данных (D.036 data file) означает, что представление о данных с точки зрения программы или конечного пользователя не изменяется при изменении способа их хранения.

D.043 data integrity
целостность данных
Устойчивость данных, хранящихся в памяти ЭВМ, к системным ошибкам. Целостность данных означает, что возможно только санкционированное и правильное изменение данных. Это критерий надежности данных, считанных с магнитного носителя, выраженный через отсутствие необнаруженных ошибок (см. E.112 error rate). Следует отметить, что частота необнаруженных ошибок, воспринимаемая главной системой, может быть выше частоты необнаруженных ошибок при считывании данных с магнитного диска или ленты (если такие ошибки возникают, например вследствие шума в местах подключения кабелей, т. е. когда соответствующие интерфейсы не имеют средств обнаружения ошибок). С точки зрения системы частота необнаруженных ошибок при работе периферийного устройства может быть слишком высокой. Для снижения частоты ошибок в программном обеспечении системы предусматриваются дополнительные средства контроля.

D.044 data link
канал передачи данных
Физическое соединение двух или более устройств (называемых *узлами* или *станциями*) с помощью канала связи, который можно считать «проводом», т. е. биты прибывают в пункт назначения в том порядке, в котором они были отправлены. Каналами передачи данных могут быть коаксиальные кабели, телефонные линии, волоконно-оптические, лазерные и даже спутниковые каналы. Каналы передачи данных подвержены влиянию шума (т. е. в них могут возникать ошибки), а также имеют конечную скорость передачи и ненулевую задержку распространения.

D.045 data link control protocol
протокол управления каналом передачи данных
Протокол (P.302 protocol) связи, преобразующий зашумленные (подверженные ошибкам) каналы передачи данных (D.044 data link) в каналы связи, свободные от ошибок передачи. Данные разбиваются на кадры (F.136 frame), каждый из которых защищен контрольной суммой (C.094 checksum). Повторная передача кадров осуществляется столько раз, сколько нужно

для достижения правильной передачи (т. е. доставки кадров получателям без ошибок). Протокол управления каналом передачи данных должен предотвращать потерю данных вследствие рассогласования средств приема и передачи. Для этого служит процедура управления потоком (F.107 flow control), чаще всего реализуемая в виде простого механизма скользящего окна (см. W.030 window). Протоколы управления каналами передачи данных должны обеспечивать прозрачную передачу данных (см. T.154 transparent). Для маскирования управляющих комбинаций в передаваемом тексте используются методы вставки битов (B.098 bit stuffing) или байтов. Для установления и ликвидации логических соединений на каналах используются управляющие кадры. Для обеспечения нескольких виртуальных соединений (V.046 virtual connection) на одном и том же физическом канале используются специальные схемы адресации (A.055 addressing schemes).

D.046 data link layer of network protocol function
уровень канала передачи данных сетевого протокола
См. S.120 seven-layer reference model.

D.047 data logging
регистрация данных
Процедура, включающая запись всех данных и результатов взаимодействий, которые проходят через данную конкретную точку системы. Эта точка обычно выбирается на канале связи или шине данных, идущей от некоторого устройства (например, клавиатуры или дисплея), которое служит лишь для временного хранения данных. При отказе системы или получении неправильного результата можно восстановить ситуацию, которая существовала до момента отказа. Журналы оперативной регистрации данных, как правило, не заносятся в архив и после выполнения какого-либо задания используются повторно.

D.048 data management
управление данными
Термин используется обычно применительно к системам, пользователи которых освобождаются от большинства операций по физическому манипулированию файлами и могут сосредоточить внимание главным образом на логических свойствах данных.

D.049 data management system
система управления данными
Класс систем программного обеспечения, в состав которых включены системы управления базами данных (D.014 database management system) и системы управления файлами (F.054 file management system).

D.050 data manipulation language (DML)
язык манипулирования данными (ЯМД)
Часть (подъязык) языка базы данных (D.013 database language). Имеет средства (обычно более мощные, чем те, которые имеются в языках программирования) для хранения, поиска, обновления и стирания записей. С его помощью можно, например, задать описание процедуры поиска набора записей на основе некоторого (произвольной сложности) набора условий, которые будут применяться к содержимому записей в базе данных. Языки манипулирования данными, которые могут использоваться конечными пользователями в диалоговом режиме (т. е. не являются вложенными в язык программирования главной системы), часто называют *вопросными языками*.

D.051 data mark
метка данных
См. A.057 address mark.

D.052 data matrix
матрица данных
Прямоугольный массив переменных, который может быть числовым, классификационным или алфавитно-цифровым. Матрица данных — это исходная структура, над которой выполняются статистические процедуры регрессионного (R.089 regression analysis), дисперсионного (A.099 analysis of variance), многомерного (M.255 multivariate analysis) и кластерного (C.139 cluster analysis) анализа, а также обследования.

D.053 data medium
носитель данных
Материал с определенными физическими свойствами, который может использоваться для хранения данных. Эти свойства обеспечивают совместимость с устройствами записи-считывания данных. Примерами носителей данных являются магнитная лента (M.030 mag-

netic tape), магнитные диски (М.023 magnetic disk), перфолента (Р.020 paper tape), оптические диски (О.051 optical disk), а также бумага, используемая для распечатки.

D.054 data model
модель данных
Термин, используемый в самых различных случаях в связи с хранением данных на логическом или физическом уровне, чаще на первом. Обычно имеется в виду формально определенная структура, которая используется для представления данных.

D.055 Data Module
модуль данных
Название съемных герметизированных дисковых пакетов фирмы IBM, в состав которых включены головки записи-считывания и каретка. Дисковые пакеты этого типа использовались в винчестерских накопителях (см. W.029 Winchester technology). В настоящее время термин *модуль данных* толкуется более широко и является синонимом терминов *дисковый пакет* и *модуль памяти*.

D.056 data name
имя данных
Символическое имя, используемое программистом для обозначения объекта данных в случае, когда программирование ведется на высокоуровневом языке.

D.057 data network
сеть передачи данных
Сеть связи, используемая для передачи машинной информации, в противоположность речи, видеоинформации и т. д. Состоит из нескольких узлов (станций), соединенных различными каналами связи.

D.058 Datapac
Название канадской сети пакетной передачи данных общего пользования (Р.324 public packet network), эксплуатируемой компанией Trans-Canada Telephone System (TCTS). Для сопряжения с главными ЭВМ в ней используется протокол Х.25 (Х.001 Х.25), а для подключения к другим сетям общего пользования — протокол Х.75 (Х.002 Х.75). Сеть Datapac — одна из первых в мире сетей пакетной передачи данных общего пользования, в которых реализованы международные стандарты МККТТ.

D.059 data path = data bus
путь данных; *магистраль данных*
Между этими терминами существует незначительное различие. Термин *путь данных* часто используется в более широком контексте, обозначая любое не только физическое, но и логическое соединение между источником и получателем цифровой или аналоговой информации.

D.060 Datapoint
Компания, которая вначале была производителем простых терминалов для вычислительных машин; эти терминалы тогда часто называли «стеклянными телетайпами». В конце 1960-х годов эта компания начала разработку программируемых терминалов и для этой цели спроектировала базовую машину. Чтобы реализовать эту машину в виде одной интегральной схемы, компания обратилась за помощью в фирму Intel. В результате последняя разработала 8-разрядный процессор, получивший название Intel 8008. Однако этот процессор не был использован компанией Datapoint, так как хотя он выполнял все необходимые функции, его быстродействие было слишком низким для реализации первого интеллектуального терминала. В настоящее время компания выпускает целый ряд вычислительных машин и интеллектуальных терминалов, которые могут быть связаны в сеть, образуя довольно сложное оборудование обработки данных.

D.061 data preparation
подготовка данных
Процесс преобразования данных в машиночитаемый вид для последующего ввода в систему с помощью соответствующего устройства. Примерами устройств подготовки данных могут служить клавишный перфоратор (К.011 keypunch) и устройство записи с клавиатуры на ленту (К.014 key to tape). Эти машины обычно не подключаются к системе, однако даже в том случае, если эти машины специально адаптированы для подключения, они не взаимодействуют с системой в процессе работы. В настоящее время на смену этим устройствам приходят устройства прямого ввода данных (см. D.035 data entry) и устройства сбора данных (см. D.019 data capture).

D.062 data processing
обработка данных

Термин, используемый преимущественно в контексте применения вычислительной техники в промышленности, коммерческой деятельности, а также в государственных учреждениях и других организациях. В этом контексте он обозначает класс применений или функцию системы в организации. Хотя вводить какие-либо обобщения здесь довольно трудно, можно тем не менее утверждать, что приложения обработки данных — это такие приложения, которые обеспечивают рутинную обработку и хранение больших количеств данных с целью выдачи (регулярной или по запросам) информации, которая может потребоваться служащим какой-либо организации, ее клиентам или поставщикам, включая правительственные учреждения и другие организации. Типичные приложения в пределах этой категории следующие: финансовый учет, учет производственных и управленческих затрат, изучение рынка и прогнозирование объемов продаж, обработка заказов, анализ инвестиций, финансовое моделирование, управление запасами, планирование и управление производством, планирование и управление транспортными перевозками, расчет зарплаты и ведение личных дел. В настоящее время в большинстве приложений обработки данных программирование осуществляется на языке Кобол (С.146 COBOL). Системы обработки данных, как правило, имеют продолжительное время жизни (за исключением необходимости в периодическом перепроектировании/доработке программного обеспечения, они могут существовать столько же, сколько организации, где они установлены) и обрабатывают большие объемы сложных по структуре данных (т. е. основная проблема здесь — это трудность и стоимость ввода и хранения данных).

Функции обработки данных внутри организации реализуются отделом обработки данных, который отвечает за разработку и эксплуатацию прикладных систем (главным образом вышеуказанных типов), обслуживающих другие подразделения организации. В его задачи обычно входит системный анализ и проектирование, разработка и ведение программ, управление базой данных, эксплуатация ЭВМ, подготовка данных, управление данными и управление сетью. Отдел обработки

данных может, однако, не отвечать за все приложения обработки данных в пределах организации (в связи с широким внедрением микроЭВМ и небольших систем обработки коммерческой информации и их рассредоточением в пределах одной и той же компании это становится актуальной проблемой) и, наоборот, может нести ответственность за нормальную работу некоторых систем, которые обычно не относятся к системам обработки данных (например, систем управления производством). Термин выбран довольно неудачно, поскольку все вычислительные операции можно считать обработкой данных (по крайней мере, в одном из значений этого слова). Конечно, он используется в других контекстах, чем тот, который указан выше: например, обработка научных данных — это непосредственная в большинстве случаев обработка больших количеств экспериментальных результатов, а персональная обработка данных — это индивидуальное использование микроЭВМ для ведения персональных записей. Термин никогда серьезно не использовался для описания каких-либо приложений не на базе ЭВМ, однако понятно, что многие канцелярские задачи и задачи по заполнению учетных карточек также являются обработкой данных. Для того чтобы исключить возможность такой неправильной интерпретации термина, были введены термины *автоматическая обработка данных* и *электронная обработка данных*, которые время от времени используются и сегодня. Одно время, главным образом в 1960-е годы, был в употреблении термин *интегрированная обработка данных*. В те годы стало ясно, что бо́льшая часть данных организации одновременно обрабатывается несколькими системами различных фирм и моделей, и усилия были направлены на интеграцию и рационализацию этих систем. Затем направление исследований и разработок изменилось главным образом в сторону создания баз данных (D.010 database) и систем управления базами данных (D.014 database management system).

D.063 data-processing manager
руководитель отдела обработки данных
Лицо, ответственное за реализацию функций обработки данных (D.062

data processing) в организации, т. е. за организацию, планирование и управление службой обработки данных в соответствии с директивами вышестоящих работников управленческого аппарата, администрации или финансовых подразделений. Руководитель отдела обработки данных обычно участвует в определении политики и стратегии обработки данных и отвечает за закупку наиболее эффективных аппаратных и программных средств, за разработку и внедрение прикладных систем, наиболее подходящих для нужд организации, а также за поддержание высокого уровня подготовки своих подчиненных. Уровень докладных записок, направляемых им руководству, может быть определяющим фактором успеха организации в применении средств обработки данных. Поскольку деятельность руководителя отдела обработки данных связана с компьютерами, то в его подчинении может быть *администратор вычислительной системы* или *администратор вычислительных услуг*, отвечающий за вычислительную часть системы обработки данных.

D.064 Data Protection Act 1984
закон о защите данных 1984 г.
Закон, принятый в 1984 г. в Великобритании в соответствии с принципами Совета европейской конвенции.

D.065 data protection legislation
законодательство о защите данных
Законодательство, принятое или принимаемое во всех странах для защиты персональных данных, обрабатываемых компьютерами. Цель законодательства заключается в контроле и предотвращении неправильного использования информации в случае, когда персональные данные хранятся в компьютере (вероятность такого использования в настоящее время очень высока). Как только данные перенесены из бумажного файла в машинный файл, к которому легко обратиться и считать эти данные, становится очень легко выделить данные из одной записи и скоррелировать их с персональными данными, касающимися одного и того же лица, из другого файла. В результате получается синергическая комбинация информации, что считается нарушением секретности (P.228 privacy). Чтобы предотвратить злоумышленное использо-

вание данных, правительствами различных стран принято специальное законодательство, которое, среди прочего, обязывает организации, использующие компьютеры для хранения персональных записей:
сообщать о целях хранения этих записей и (или) регистрировать эти цели;
предоставлять субъектам данных право на доступ к касающимся их данным, которые хранятся в компьютерах организации; поддерживать требуемый уровень электронной и физической защиты (S.038 security) и в своих вычислительных системах;
не передавать персональные данные другим организациям, в которых не имеется аналогичных средств защиты от злоумышленного использования данных.
Последнее требование вызвало опасения, что страны, не имеющие законодательства о защите данных, потеряют контракты на обработку данных, поскольку страны, имеющие подобное законодательство, могут отказаться экспортировать данные в страны, где эти данные не будут должным образом защищены. По этой причине компании, которые считают, что опасения относительно недостаточной защиты данных в правовом порядке не подтверждаются реальными случаями злоупотребления данными, тем не менее пытаются убедить свои правительства в необходимости принятия такого законодательства. В Зап. Европе конвенция о защите данных была подписана всеми странами — участницами Европейского совета и должна вступить в действие к середине 1980-х годов. В рамках Организации экономического сотрудничества и развития (OECD) также подготовлен проект подобной конвенции. В США действует Закон о секретности, который распространяется на данные, хранящиеся в компьютерах правительственных учреждений, однако по мнению некоторых юристов в США по конституционным причинам не может быть принято законодательство, ограничивающее использование данных в такой же мере, как конвенция OECD и Европейского совета. В настоящее время дебаты с каждым днем становятся все острее: например, страны третьего мира сейчас считают, что законодательство о защите данных позволит им создать нетарифные барь-

126

еры вокруг компаний, поставляющих в эти страны оборудование для обработки данных, т. е. проблема, таким образом, переместилась из области гражданских прав в сферу экономики. В 1984 г. закон о защите данных принят и в Великобритании. В нем отражены принципы Совета европейской конвенции.

D.066 data reduction
сжатие данных
Преобразование большого объема данных в меньший объем. В типичном случае входные данные конкретного процесса преобразования будут необработанными данными (R.031 raw data), формируемыми некоторым датчиком, а выходные данные будут генерироваться ·посредством дискретизации или в результате некоторого простого анализа.

D.067 data retrieval
выборка данных
Процесс выборки и извлечения данных из файла, группы файлов или базы данных, которому предшествует поиск в файле (файлах) по заданному ключу.

D.068 data selector/multiplexer
селектор/мультиплексор данных
Логическая схема, которую можно рассматривать как однополюсный многопозиционный переключатель; выход этого переключателя определяется положением сользящего контакта (см.

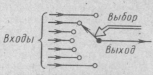

Входы / Выбор / Выход

рисунок). Для управления положением скользящего контакта используется сигнал выбора (обычно цифровой), который указывает, какой из входов должен быть соединен с выходом. Таким образом определенное число каналов данных последовательно подключается к выходной шине в режиме разделения времени. Этот процесс называется временным мультиплексированием (T.087 time-division multiplexing). Входные и выходные сигналы мультиплексора могут иметь цифровую или аналоговую форму. См. также D.118 decoder/demultiplexer.

D.069 data set
1. модем 2. файл

D.070 data sheet
техническое описание
Спецификация изготовления, в которой указаны параметры устройства или интегральной схемы, ее функции и схема расположения выводов.

D.071 data stream
поток данных
Последовательность элементов данных, часто упакованная в виде последовательности слов, имеющих размеры, отличные от размеров элементов данных.

D.072 data structure (information structure)
структура данных (информации)
Аспект типа данных (D.082 data type), выражающий природу величин, которые являются составными, т. е. отличными от атомарных (A.162 atom). Такие величины состоят из элементов (которые сами не обязательно являются атомами), и структура данных выражает, как из этих элементов может быть составлена некоторая величина или как составную величину разделить на элементы. Таким образом, например, структура данных «дата» — это набор, содержащий член для каждого возможного календарного дня совместно с операциями для составления даты из ее элементов — года, месяца и числа — и выбора желаемых элементов. Реализация структуры данных включает как выбор определенной структуры хранения (S.336 storage structure), так и обеспечение набора процедур/функций, которые реализуют соответствующие операции с использованием выбранной структуры хранения. Формально структура данных определяется как некоторая хорошо обозначенная область в абстрактном типе данных (A.008 abstract data type), которым задается эта структура. Решение на ЭВМ задач реального мира включает определение некоторой идеальной структуры данных и ее последующее отображение на имеющиеся структуры данных [например, массивы (A.137 array), записи (R.056 record), списки (L.081 list), очереди (Q.017 queue) и деревья (T.163 tree)], в результате чего достигается ее реализация. Отметим, что термин *структура данных* используется как для обозначения самой структуры, так и данных, имеющих эту структуру.

См. также D.323 dynamic data structure; S.309 static data structure.

D.073 data subject
субъект данных
Лицо, о котором хранится информация в памяти ЭВМ. См. D.065 data protection legislation.

D.074 data sublanguage
подъязык данных
См. D.013 database language.

D.075 data summarization
суммирование данных
См. S.314 statistical methods

D.076 data tablet
графический планшет
Устройство графического ввода, способное генерировать цифровые (или в некоторых случаях аналоговые) сигналы, которые соответствуют положениям указателя типа пера при его перемещении по плоской поверхности. Этот термин первоначально использовался в качестве фирменного названия устройств, выпускаемых компанией Sylvania, но сейчас употребляется более широко.

D.077 data terminal equipment
оконечное оборудование данных
См. D.302 DTE.

D.078 data transfer rate
скорость пересылки данных
Скорость перемещений данных между устройствами. Средняя скорость определяется быстродействием устройства записи-считывания, а мгновенная скорость — пропускной способностью интерфейса или канала. Для изменения скорости пересылки используются буферные запоминающие устройства (см. B.154 buffer). В случае типичной магнитной ленты с плотностью записи 800 байт на дюйм и скоростью записисчитывания 75 дюймов в секунду скорость пересылки составляет около 60 кбайт в секунду. В системах с накопителями на магнитных дисках скорость пересылки может составлять более 3 Мбайт в секунду. Быстродействующие последовательные интерфейсы работают со скоростью 50 Мбайт/с.

D.079 data translation
преобразование данных
Перевод данных из одной формы представления, используемой в одной системе, в другую форму представления, используемую в другой системе.

D.080 data transmission
передача данных
Процесс пересылки данных (аналоговых или цифровых результатов измерений, закодированных знаков или информации вообще) от отправителя одному или более получателям, т. е. от источника в один или несколько пунктов назначения.

D.081 data transparency
1. независимость от данных
2. прозрачность данных
1. Свойство системы (сети) связи, такое, что доставляемый выходной поток данных в точности повторяет последовательность битов, введенных в систему, без каких-либо ограничений или исключений.
2. Свойство системы связи такое, что доставляемый выходной поток данных обеспечивает выходную последовательность битов, функционально эквивалентную входной последовательности битов, т. е. из выходной последовательности можно выделить последовательность, в точности соответствующую входной последовательности.
Во втором определении подразумевается, что система связи обеспечивает преобразование протокола передачи устройства, расположенного на входе системы, в протокол приема устройства, расположенного на ее выходе, тогда как из первого следует, что выполняется компенсирующее преобразование. Второе определение не всегда может быть реализовано на практике, поскольку функции, обеспечиваемые одним терминальным устройством, могут не иметь эквивалентов в другом.

D.082 data type
тип данных
Абстрактный набор возможных значений, которые может принимать некоторый тип данных. Может задаваться в неявном виде, например, INTEGER (ЦЕЛОЕ ЧИСЛО), REAL (ДЕЙСТВИТЕЛЬНОЕ ЧИСЛО), STRING (СТРОКА), или в явном виде, например, на языке Паскаль:
TYPE color = (red, green, orange).
Тип данных указывает класс реализаций для этих значений. См. также A.008 abstract data type.

D.083 data validation
проверка (правильность) данных
Процесс контроля данных на соответствие ожидаемым характеристикам.

Обычно применяется только к тем данным, которые только что были введены в систему. Проверяется число знаков в каждом поле данных и их тип; например, в поле, задающем количественную величину, должны стоять цифровые знаки, лежащие в заданном диапазоне.

D.084 data-vet program
программа проверки правильности исходных данных
Программа, с помощью которой выполняется контроль входных данных на соответствие заданным характеристикам и целостность. Используется для подготовки исходных данных для другой программы в тех случаях, когда неправильный ввод может привести к катастрофическим последствиям.

D.085 data word
слово данных
Слово, которое может или должно содержать только данные.

D.086 datum
элемент данных
Наименьшая информационная посылка, влияющая на исход вычисления.

D.087 datum-limit register
= basebound register

D.088 DBA — database administrator
администратор базы данных

D.089 dBase II
«ди-бэйс-два»
Название довольно сложной системы реляционной базы данных (R.100 relational database system) для микроЭВМ.

D.090 DBMS — database management system
система управления базой данных

D.091 DC300, DC100 cartridges
кассеты типа DC300, DC100
См. M.031 magnetic tape Cartridge.

D.092 DCE — data communication equipment
аппаратура передачи данных (АПД)
Часть стандартного интерфейса, например, RS232C или X.25, представляющая передающую сторону системы. В качестве АПД обычно используются аналоговые или цифровые модемы (M.166 modem). Ср. D.302 DTE.

D.093 d. c. signalling
сигнализация посылками постоянного тока
См. B.030 baseband networking.

D.094 DDC — direct digital control
прямое цифровое управление

D.095 DDCMP — digital data communication message protocol
протокол цифровой передачи сообщений
Протокол управления каналом передачи данных (D.045 data link control protocol), разработанный фирмой Digital Equipment Corporation. Аналогичен протоколам SDLC (S.029 SDLC) и HDLC (H.047 HDLC), но в отличие от них является знак-ориентированным, а не бит-ориентированным. Обеспечивает работу по самым разнообразным каналам передачи данных: дуплексным и полудуплексным, асинхронным и синхронным, коммутируемым и выделенным, двухточечным и многоточечным, последовательным и параллельным. Прозрачность данных достигается путем использования поля длины данных, а не вставки битов или байтов. Кроме тайм-аутов для исправления ошибок применяются отрицательные квитанции.

D.096 DDE — direct data entry
прямой ввод данных
См. D.035 data entry.

D.097 DDL — data description language
язык описания данных

D.098 deadlock
тупик
1. См. D.099 deadly embrace.
2. Встречающийся в сети Петри (P.096 Petri net) вид тупиковой ситуации (D.099 deadly embrace), при которой некоторые состояния сети становятся абсолютно недостижимыми.

D.099 deadly embrace (deadlock)
тупиковая ситуация (тупик)
Ситуация, которая может возникнуть, когда два (или более) активных процесса вступают в состязание за использование ресурсов. Предположим, что процесс P требует сначала предоставления ресурса X, а затем ресурса Y, а процесс Q — сначала ресурса Y, а затем ресурса X. Если процесс P получил ресурс X и одновременно процесс Q получил ресурс Y, то ни один из этих процессов не сможет продолжить выполнение, поскольку каждый из них требует предоставления ресурса, который уже был выделен другому процессу. В больших системах, где одновременно выполняется больше двух процессов и имеет-

ся больше двух ресурсов, тупиковые ситуации также возможны, хотя выявить их значительно труднее.

D.100 debouncing
устранение дребезга
Компенсация эффекта дребезга электрических контактов выключателя или другого переключательного устройства с тем, чтобы возникающие при этом кратковременные замыкания и размыкания не воспринимались системой как отдельные события. После обнаружения замыкания контактов вырабатывается короткий импульс, который вызывает подавление импульсов, генерируемых при последующем *дребезге контактов*. Затем контакты опрашиваются снова для определения окончательного их состояния. Устранение дребезга часто используется при считывании знаков, вводимых с клавиатуры.

D.101 de Bruijn diagram (de Bruijn graph)
диаграмма де Бруина (граф де Бруина)
См. G.037 Good—de Bruijn diagram.

D.102 debugging
отладка
Поиск и устранение ошибок реализации в программе или системе. В противоположность отладке, тестирование (T.059 testing) служит лишь для обнаружения факта существования ошибок, а не для их локализации и устранения. Отладка программ осуществляется часто с использованием специальных программных средств (S.218 software tool), называемых *средствами отладки*. Эти средства позволяют исследовать внутреннее поведение программы. Типичный отладчик имеет средства трассировки (см. T.117 trace program), позволяет вводить в программу *точки останова* (т. е. точки, в которых программа временно прекращает свое выполнение, так как можно оценить промежуточные результаты, а также производить проверку и, возможно, модификацию значений переменных в этих точках.

D.103 debug tool (debugger)
средства отладки (отладчик)
См. D.102 debugging.

D.104 DEC — Digital Equipment Corporation
Компания, основанная бывшими сотрудниками Линкольновских лабораторий Массачусетского технологического института К. Олсеном и Х. Андерсеном. Компания была организована для изготовления цифровых схемных модулей на базе транзисторов. Впоследствии после выпуска этой фирмой компьютера PDP-1, было доказано, что на базе этих модулей можно создавать полноценные ЭВМ с хранимой программой. Эта машина не имела себе равных, поскольку была первым компьютером с оперативной памятью на магнитных сердечниках стоимостью меньше 100 000 долл.
Фирма DEC была первым производителем мини-ЭВМ и в настоящее время является ведущим поставщиком машин этого типа. Выпускает целый ряд микро-, мини- и супермини-ЭВМ. Особенно следует отметить машины серии VAX, которая перекрывает диапазон от микроЭВМ настольного исполнения — до достаточно больших супермини-ЭВМ, пришедших в настоящее время на смену машинам DEC-10. Вероятно, наиболее известными изделиями фирмы DEC были мини-ЭВМ серии PDP-11, которые, хотя и изготавливались в виде автономных систем, пользовались большим успехом у системотехников. Из этих машин строились многие комплексы связи и управления. Кроме того на них разрабатывались операционная система UNIX (U.020 UNIX) и язык программирования Си (C.001 C).

D.105 decade counter
десятичный счетчик
См. C.327 counter.

D.106 decay time of a pulse
время спада импульса
См. P.326 pulse.

D.107 decidable
разрешимый
См. S.222 solvable.

D.108 decision gate
схема принятия решения
Электронный логический элемент (L.123 logic gate), выходной сигнал которого указывает, является ли логическое соотношение истинным или ложным. В качестве примеров можно привести: компаратор (C.200 comparator), указывающий, являются ли два двоичных числа равными друг другу; устройство контроля по нечетности (см. O.012 odd parity), указывающее, имеет ли двоичный входной

сигнал нечетное число единиц; мажоритарный элемент (M.043 majority element), указывающий, имеет. ли двоичный входной сигнал больше единиц, чем нулей.

D.109 decision problem
проблема разрешимости
Проблема определения за конечное число шагов, имеет ли решение данная задача. Задача может заключаться, например, в определении того, принадлежит ли какой-либо элемент какому-либо множеству, или является ли некоторое логическое выражение тавтологией. Когда решение может быть достигнуто, то результирующий алгоритм называется *разрешающей* или *эффективной процедурой*. См. также S.222 solvable.

D.110 decision procedure
разрешающая процедура (эффективная процедура)
См. D.109 decision problem.

D.111 decision support system
система поддержки принятия решений
См. M.045 management information system.

D.112 decision table
таблица решений
Таблица, в которой указаны действия, предпринимаемые в различных условиях, причем *решение* — это выбор между альтернативными действиями. Обычно таблица решений состоит из четырех частей, расположение и назначение которых показано в табл. 1. В разделе *предусловия* перечислены отдельные условия, от которых зависят предпринимаемые действия, а в разделе *возможные действия* — действия, которые могут быть предприняты. В разделе *окончательные условия* перечислены уточнения предусловий, при которых предпринимаются те или иные действия. Этот раздел организован в виде столбцов, в каждом из которых дается уточнение

Т а б л и ц а 1

Предварительные условия	Окончательные условия
Возможные действия	Предпринимаемые действия

Т а б л и ц а 2

Дождь	N	N	Y	—	—	—
Снег	N	N	N	Y	—	—
Туман	N	N	N	N	Y	Y
Температура	>8	<8	—	—	>0	>0
Ехать на велосипеде	X					
Ехать на автомобиле		X	X			
Ехать поездом				X	X	
Остаться дома						X

О б о з н а ч е н и я: N — нет; Y — да.

каждого предусловия. Затем в столбцах раздела *предпринимаемые действия* проставляются крестики, указывающие на совершение того или иного действия. Обычно в таблице все возможные комбинации входных значений (предусловий) перечислены так, что применение таблицы всегда дает в точности одно предпринимаемое действие (см. также E.045 ELSE rule). Таблица 2 представляет собой пример таблицы решений при выборе способа, как добираться до работы. Символ «—» в разделе *окончательные условия* означает «безразлично».
Таблицы решений используются как для разработки (описания), так и для реализации программ. В последнем случае система должна иметь средства интерпретации данных в формате таблиц решений (или средства генерации выполняемых программ на базе этих таблиц).

D.113 decision tree
дерево решений
Двоичное дерево (B.077 binary tree), в котором каждый нетерминальный узел (N.064 nonterminal node) представляет решение. В зависимости от решения, принятого в таком узле, управление передается левому или правому (относительно этого узла) поддереву. Результатом принятия последовательности решений, представленных узлами, начиная с корня,

является лист дерева (см. L.021 leaf node).
См. также B.055 bifurcation.

D.114 deck
1. лентопротяжный механизм
2. колода (перфокарт)
1. См. M.030 magnetic tape.
2. Пакет связанных между собой перфокарт.

D.115 declaration
описание, определение
Один из двух основных видов элементов обычной программы [другим является оператор (S.302 statement)]. Описание вводит объект для части программы (ее *контекст*), присваивая ей имя и определяя ее статические свойства. В качестве примеров можно привести описание переменных, описания процедур, описания портов ввода-вывода или файлов.

D.116 declarative languages (nonprocedural languages)
декларативные языки (непроцедурные языки)
Класс языков программирования. При использовании декларативного языка в программе в явном виде указывается, какими свойствами должен обладать результат, но не говорится, каким способом он будет получен; подходит любой способ получения результата, обладающего требуемыми свойствами (ср. I.043 imperative languages).
Поскольку в основу декларативных языков заложены статические, а не динамические понятия (т. е. определяется «что», а не «как»), такие понятия как упорядочение и поток команд управления, не имеют никакого отношения к этим языкам и в них нет каких-либо операторов присваивания (A.148 assignment statement). В идеальном случае программа на декларативном языке будет состоять только из неупорядоченной системы уравнений, характеризующей требуемый результат. Однако в связи с тем, что реальная программа должна быть легко реализуемой и достаточно эффективной, такая идеальная модель не выдерживается — для этого существующие декларативные языки должны были бы иметь абсолютно совершенный синтаксис и стиль. Декларативные языки не привязаны к классической фоннеймановской модели вычислений, и в типичном случае алгоритм достижения требуемого результата может иметь высокую степень параллелизма. См. также F.161 functional languages; L.129 logic programming languages.

D.117 decoder
декодер
1. Средство, реализующее процесс декодирования (см. C.149 code). Поскольку процесс декодирования по существу является алгоритмическим, это средство может быть и аппаратным, и программным.
2. См. D.118 decoder/demultiplexer.

D.118 decoder/demultiplexer
декодер/демультиплексор
Логическая схема (обычно интегральная), которая при подаче на ее вход n-разрядного двоичного кода переводит один из своих 2^n выходов в активное состояние, т. е. в состояние логической единицы. В случае n-разрядного устройства на его вход могут подаваться 2^n элементов кода.
Декодер/демультиплексор можно рассматривать как переключатель, который направляет данные, поступающие по шине, работающей в режиме разделения времени, на один из нескольких возможных выходов при прохождении сигнала выбора (обычно цифрового); сигнал выбора указывает, какой из выходов будет подключаться к входу (см. рисунок). Индивидуальные каналы передачи данных

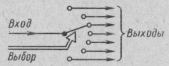

могут быть выделены из мультиплексной входной шины при условии, что стробирование сигнала выбора осуществляется синхронно со стробированием мультиплексора. Входные и выходные сигналы декодера/демультиплексора могут быть цифровыми или аналоговыми. См. также D.068 data selector/multiplexer.

D.119 decoder/driver
декодер/драйвер
Электронное устройство, способное принимать на свой вход кодированные данные и генерировать на своем выходе декодированные данные. Процесс декодирования, реализуемый этим устройством, может быть стан-

дартным или определяться пользователем. Выходные сигналы этих устройств могут использоваться для прямого управления внешними устройствами, например, светодиодными (L.026 LED) или жидкокристаллическими индикаторами (L.015 LCD).

D.120 decoder error
ошибка декодирования
См. C.069 channel error.

D.121 decoding
декодирование
Процесс преобразования кодированного сообщения в исходное. См. C.149 code.

D.122 decollator
раскладочное устройство
1. Машина, используемая для разделения на отдельные стопки экземпляров (первых, вторых, третьих и т. д.) распечатки и копировальной бумаги. Устройство обычно используется в автономном режиме совместно с разделителем-сортировщиком (B.161 burster), которое разделяет распечатку на рулонной бумаге на отдельные страницы.
2. Машина, используемая в системах обработки данных на перфокартах для разделения файлов перфокарт на составные части, т. е. на перфокарты-заголовки, которые часто используются повторно, и перфокарты данных, которые после обработки долго не хранятся. Эти устройства иногда используются в составе сортировально-подборочных машин (C.163 collator).

D.123 decompiler
декомпилятор
Программа, которая делает с выходными данными компилятора то же, что и обратный ассемблер (D.221 disassembler) — с выходными данными ассемблера, т. е. преобразует программу в машинном коде в нечто напоминающее исходный язык. Задача декомпиляции довольно трудна и выполняется нечасто.

D.124 decomposition
декомпозиция
1. В теории переключательных схем — реализация переключательной функции с *n* переменными в виде композиции функций, каждая из которых имеет меньше *n* переменных. Как и другие алгоритмы минимизации, декомпозиция облегчается при использовании карт Карно (K.003 Karnaugh map)

2. В программировании — разбиение задачи на более простые подзадачи. См. P.261 program decomposition; M.173 modular programming.

D.125 deconvolution
деконволюция
См. C.312 convolution.

D.126 decryption
дешифрация
Обработка зашифрованного сообщения получателем, имеющим ключ, с целью выделения исходного сообщения. См. также C.352 cryptography. Ср. C.351 cryptanalysis.

D.127 dedicated
закрепленный, выделенный
Предназначенный целиком для выполнения одной конкретной задачи или закрепленный за одним устройством. Например, вычислительная система может использоваться только для управления станком. Выделенное устройство или ресурс может значительное время простаивать.

D.128 dedicated mode
специальный режим
Режим определения секретности (S.048 security processing mode), при котором вся информация в системе рассматривается как информация одного класса секретности, равнодоступная для всех пользователей системы.

D.129 defect skipping
пропуск дефекта
Метод, позволяющий предотвратить запись данных на дефектный участок носителя [например, дорожки (T.118 track) магнитного диска]. При использовании этого метода данные в окрестности дефекта не записываются. При обнаружении дефекта, т. е. после безуспешных попыток записать и проконтролировать данные на каком-либо участке, координаты центра дефекта записываются в заголовок сектора 0 в виде некоторого числа байтов, отсчитываемых от индексной точки. Также регистрируется площадь дефекта. Для этого перед полем, обозначающим дефект, и после него проставляется преамбула (специальная последовательность). После преамбулы записывается специальная синхронизирующая последовательность, позволяющая возобновить нормальную запись данных при следующем проходе. Пропуск дефекта прозрачен для рабочих программ ЦП и позволяет повысить эко-

номичность функционирования накопителя.

D.130 deferred addressing =indirect addressing
косвенная адресация

D.131 deferred approach to the limit (Richardson extrapolation)
постепенный переход к пределу (экстраполяция Ричардсона)
См. E.176 extrapolation.

D.132 deflation
понижение порядка
См. P.152 polynomial equation.

D.133 degree
степень
1. ~ вершины графа (G.047 graph). Число ребер, инцидентных данной вершине, т. е. исходящих из этой вершины. В ориентированных графах используются также термины *полустепень захода* и *полустепень исхода*. Первый означает число дуг, входящих в данную вершину, а второй — число дуг, исходящих из нее.
2. ~ узла дерева (T.163 tree). Число потомков данного узла, т. е. число поддеревьев, исходящих из этого узла. Если говорить более строго, — это *полустепень исхода* данного узла.
3. ~ дерева. Максимальная степень всех узлов дерева.
4. ~ многочлена. См. P.152 polynomial equation; P.150 polynomial.

D.134 degrees of freedom
число степеней свободы
В статистическом анализе это число независимых наблюдений, используемых для получения оценки дисперсии (см. M.090 measures of variation) или компоненты дисперсии при дисперсионном анализе (A.099 analysis of variance). Простейший пример состоит в оценивании дисперсии по выборке из n наблюдений. В данном случае число степеней свободы, равное $n - 1$, представляет собой знаменатель оценки, в числителе которой стоит сумма квадратов уклонений от выборочного среднего. В более общем смысле число f степеней свободы представляет собой разность между количеством параметров (P.037 parameter) заданной модели и меньшим количеством параметров ее частного вида. Число степеней свободы необходимо для задания распределения χ^2 (C.103 chi-squared distribution), а также распределения Стьюдента (S.364 Stu-

dent's t-distribution) и F-распределения F.023 F-distribution).

D.135 delay differential equations
дифференциальные уравнения с запаздывающим аргументом
Обыкновенные дифференциальные уравнения (O.070 ordinary differential equations), в которых производные зависят от значений искомой функции в текущей точке и в нескольких предыдущих точках из области изменения аргумента. В простейшем случае уравнения имеют вид.

$$y'(x) = f[x, y(x), y(x - \tau(x))],$$
$$a \leqslant x \leqslant b,$$

где $\tau(x) \geqslant 0$. Для нахождения решения необходимо определять $y(x)$ на интервале $a^* \leqslant x \leqslant a$, где a^* зависит от значений, принимаемых $\tau(x)$. Для решения подобных задач можно приспособить большинство широко используемых методов решения обыкновенных дифференциальных уравнений, хотя особенности таких нетрадиционных приложений исследованы еще в недостаточном объеме. Для вычисления функции

$$y(x - \tau(x)),$$

которая, как правило, отличается от ранее найденного приближения, следует воспользоваться тем или иным методом интерполяции (I.151 interpolation).

D.136 delay line
линия задержки
Электронное устройство, обеспечивающее временную задержку между входным сигналом и аналогичным сигналом, появляющимся на выходе устройства. Значение задержки конечно и задается с определенной точностью. В системах обработки сигналов такие устройства могут выполнять функции кратковременного запоминания сигналов или их задержки на определенный период времени. В акустических линиях задержки электрические сигналы преобразуются в акустические (звуковые) волны, распространяющиеся в среде между получателем и приемником. Линии задержки были наиболее распространенным видом запоминающих устройств в ЭВМ первого поколения (F.079 first generation), таких как EDSAC, EDVAC, UNIVAC!, LEO1, ACE, а также в опытном образце ЭВМ *ACE*. В машине EDSAC

(1949 г.) в качестве излучателей использовались кварцевые резонаторы, генерируемые ими ультразвуковые импульсы пропускались по заполненным ртутью трубами длиной 1,5 м. Время задержки составляло всего около 1 мс, и тем не менее такие линии позволяли запоминать около 1 тыс. импульсов. В более поздних моделях акустических ЗУ использовались магнитострикционные излучатели и проволока из железо-никелевого сплава, причем электрические сигналы преобразовывались в волны напряжений.

D.137 delay-power-product
произведение времени задержки сигнала на мощность рассеяния
Показатель качества, часто играющий роль количественной характеристики при сравнении различных серий логических элементов (L.121 logic family) и определяемый для типичного вентиля серии. Задержка на распространение сигнала (P.296 propagation delay) обычно измеряется в наносекундах, мощность рассеяния — в милливаттах, а их произведение имеет размерность энергии и, как правило, измеряется в пикоджоулях (пДж). Считается, что чем меньше указанная характеристика, тем выше качество рассматриваемого семейства логических элементов.

D.138 delete
удалить
Одна из основных операций над множествами (S.116 set). Ее запись в виде

delete (*el*, *S*)

соответствует удалению элемента *el* из множества *S*; если *el* отсутствует в *S*, то данная операция никак не сказывается на составе *S*. См. также O.045 operations on sets.

D.139 deletion
удаление
Удаление или стирание записи или элемента данных. Стирание данных с магнитной ленты или магнитного диска осуществляется путем записи на то же место новых данных или нулевых символов. В массиве, записанном на перфоленте, отдельный символ или блок символов стирается при помощи пробивки отверстий во всех позициях соответствующей строки или совокупности строк. Символ, представленный пробивками во всех позициях, считается нулевым.

D.140 delimiter
разделитель
Символ, с помощью которого помечается начало или конец той или иной программной конструкции, например, точка с запятой, разделяющая операторы в языках типа АЛГОЛ, точка, означающая конец предложения в КОБОЛе, символ ENDIF, указывающий конец оператора IF в языке ФОРТРАН 77.

D.141 delta modulation
дельта-модуляция
То же, что и дельта-ИКМ. См. P.327 pulse code modulation.

D.142 delta PCM = ΔPCM
дельта-ИКМ
См. P.327 pulse code modulation.

D.143 demand paging
подлистывание по запросу
Метод, применяющийся в тех случаях, когда в процессе вычислений возникает необходимость доступа к странице (P.013 page) памяти, переписанной во вспомогательное запоминающее устройство. В некоторых системах делается попытка предсказания структуры запросов на те или иные страницы памяти, в других системах прогнозирование не применяется и страницы вызываются из вспомогательной памяти по запросам конкретного вычислительного процесса.

D.144 demand reading, writing
считывание (запись) по запросу
Процесс, при котором происходит непосредственный обмен данными между процессором и ЗУ. Такой способ является основным при обмене с оперативным ЗУ, но иногда он используется и для других устройств памяти.

D.145 demodulator
демодулятор
Устройство, преобразующее входные аналоговые сигналы в выходные цифровые. Принцип действия демодулятора обратен принципу действия модулятора (M.175 modulator), в котором цифровые сигналы преобразуются в аналоговые. См. также M.174 modulation; M.166 modem.

D.146 demon
демон
В некоторых операционных системах так называется процесс, управляющий каким-либо периферийным устройством. Этот термин иногда распространяется на любой процесс в операцион-

ной системе, даже если он не связан с периферийными устройствами.

D.147 de Morgan's laws
законы де Моргана
Два закона булевой алгебры (B.118 Boolean algebra), позволяющие представить дополнение сложного выражения через дополнения его членов в виде

$$(x \lor y)' = x' \land y';$$
$$(x \land y)' = x' \lor y'.$$

Данная пара выражений является самодвойственной. Термин «законы де Моргана» часто употребляется применительно к аналогичным соотношениям, используемым в других случаях, например, при операциях над множествами или логическими выражениями. Названы по имени Августа де Моргана.

D.148 demultiplexer
1. устройство разуплотнения
2. демультиплексор
1. В связи так называется устройство, выполняющее операцию, обратную той, которую выполняет устройство уплотнения (M.237 multiplexer).
2. Комбинационная схема (C.176 combinational circuit), имеющая n входов и от 1 до m выходов, причем $m \leqslant 2^n$.
См. также D.118 decoder/demultiplexer.

D.149 dendrogram
древовидная схема
См. C.138 cluster analysis.

D.150 denial of service
отказ в обслуживании
Разновидность угрозы (T.076 threat), направленной на разрушение защиты данных в вычислительной системе.

D.151 denotational semantics
денотационная семантика
Один из способов определения семантики (S.069 semantics) языков программирования, согласно которому смысл программы, написанной на конкретном языке задается некоторой оценочной функцией, которая присваивает каждой законченной синтаксической конструкции языка определенное абстрактное значение, будь то число, значение истинности или функция. Оценочные функции по своей природе могут быть композиционными или рекурсивными, при этом значение программы определяется как функция значений, соотнесенных с отдельными синтаксическими элементами. В на-

стоящее время значительная доля исследований в этой области связана с семантикой параллельных вычислений. Данный подход был предложен и развит в работах Страчи и Скотт.

D.152 density
1. плотность записи 2. плотность упаковки
1. Мера объема информации, хранимой в единице запоминающей среды. В случае магнитной ленты это количество информации на единицу длины ленты, обычно измеряемое в битах на дюйм или битах на миллиметр. Вообще говоря, число переходов намагниченности на дюйм (или на миллиметр) оказывается скорее оценкой номинальной плотности записи, что связано с избыточностью, вносимой при кодировании. Значение плотности задается для одной дорожки записи. Благодаря программному управлению многие накопители на магнитной ленте могут считывать данные, записанные с разной плотностью. Плотность записи информации на магнитном диске почти всегда представляет собой фиксированное число бит в секторе, секторов в дорожке и дорожек на диске. В случае бумажной ленты стандартное значение плотности, как правило, составляет 10 отверстий на дюйм на каждой дорожке.
2. См. P.010 packing density

D.153 denumerable density
счетное множество
См. C.325 countable set.

D.154 deposit
помещать
Записывать какое-либо значение в регистр процессора или в ЗУ. Во многих микропроцессорах и мини-системах эту операцию можно осуществить вручную с системной панели управления

D.155 depth
глубина
1. Глубина узла в дереве представляет собой длину единственного пути из корневого узла. Так, если узел A является корневым, то его глубина равна нулю, в противном случае она на единицу превышает глубину узла-родителя. Некоторые авторы используют синонимическое понятие «уровень» (L.038 level) узла.
2. Глубина дерева определяется как максимальная глубина узлов этого дерева. Для заданного дерева ее чис-

ленное значение совпадает с высотой (H.054 height) дерева.

D.156 depth-balanced
сбалансированный по глубине
См. B.015 balanced.

D.157 depth-first search
поиск преимущественно в глубину
Разновидность поиска по ориентированному графу (G.047 graph), а следовательно, и по дереву. (T.163 tree), производимого следующим образом. Сначала выбирается и просматривается некоторая начальная вершина *и*. Затем выбирается (ориентированное) ребро (*u*, *v*), инцидентное *и*, после чего просматривается вершина *v*. Если *x* — последняя из просмотренных вершин, то выбирается еще не участвовавшее в поиске ребро (*x*, *у*), инцидентное *x*. Если вершина *у* ранее не просматривалась, то производится ее просмотр и поиск продолжается из *у*. В противном случае выбирается другое ребро, инцидентное *x*. После окончания поиска по всем путям, начинающимся из вершины *у*, производится возврат в *x*. Далее исследуются ребра, инцидентные *x*. Поиск в глубину играет важную роль при разработке эффективных алгоритмов (A.082 algorithm) решения задач теории графов, в теории игр, эвристическом программировании, в системах искусственного интеллекта. Ср. B.138 breadth-first search.

D.158 deque = double-ended queue
очередь с двусторонним доступом
Линейный список (L.081 list), в котором всякое добавление и удаление элементов, а также доступ к элементам могут осуществляться с обоих его концов. См. также S.273 stack.

D.159 derivation sequence
последовательность вывода
В теории формальных языков это последовательность слов (W.036 word) вида

$$w_1 \Rightarrow w_2 \Rightarrow \cdots \Rightarrow w_n$$

(обозначения см. в S.075 semi-Thue system).
В бесконтекстных грамматиках (C.281 context-free grammar) эта последовательность получена выводом *слева-направо* (*справа-налево*), если для любого $1 \leqslant i \leqslant n$ слово w_{i+1} получается из w_i путем замены крайнего слева (справа) нетерминального символа из w_i. Та-

кие последовательности существуют для всех вводимых слов.

D.160 derivation tree
дерево вывода
Форма наглядного представления вывода слова в заданной бесконтекстной грамматике (C.281 context-free grammar). Концевые узлы (L.021 leaf node) этого дерева являются терминальными элементами, а остальные узлы — нетерминальными. В качестве примера на рисунке задана грамматика и показано дерево вывода для слова *aabcbb*. Одному дереву вывода могут соответствовать несколько различных последовательностей вывода (D.159 derivation sequence).

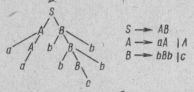

D.161 derivative (of a formal language)
вывод формального языка
Левосторонний вывод Σ-языка L относительно Σ-слова w задается соотношением

$$\{w' \mid ww' \in L\}.$$

Аналогично определяется *правосторонний вывод*

$$\{w' \mid w'w \in L\}.$$

D.162 DES — Data Encryption Standard
стандарт шифрования данных
D.163 descendant (of a node)
узел-потомок
В дереве потомком узла *A* является такой узел *B*, для которого узел *A* является узлом-предком (A.102 ancestor).
D.164 descriptor
дескриптор
Хранимый в памяти информационный объект, указывающий в каком виде запоминается та или иная информация (например в массиве записи или файле). Обратившись к дескриптору, программа получает возможность интерпретировать характеризуемые им данные. См. также F.048 file descriptor.
D.165 destructive read-out — DRO
считывание с разрушением информации
См. N.047 nondestructive read-out.

D.166 determinant
определитель

Количественная характеристика квадратной матрицы (S.267 square matrix), элементами которой являются числа. Определитель ($n \times n$)-матрицы A обозначается как det (A) или $|A|$ и вычисляется по формуле

$$\sum_{\sigma} \text{par} (\sigma)\, a_{1\sigma_1} a_{2\sigma_2} \ldots a n_{\sigma_n},$$

где суммирование производится по всем $n!$ перестановкам (P.092 permutation)

$$\sigma = \sigma_1 \sigma_2 \ldots \sigma_n$$

целых чисел 1, 2, ..., n. Функция par (σ) характеризует четность σ и равна $+1$ для четной перестановки σ и -1 для нечетной перестановки σ.

D.167 deterministic
детерминированный, детерминистский

Детерминированным может быть метод, процесс и т. д., исход реализации которого полностью определяется значениями входных переменных и начальным состоянием системы (см. N.048 nondeterminizm; S.314 statistical methods; P.312 pseudorandom).

D.168 deterministic language
детерминированный язык

Любой бесконтекстный язык (C.281 context-free language), распознаваемый детерминированным автоматом с магазинной памятью (P.345 pushdown automaton). Примером простого недетерминированного языка может служить множество всех палиндромов на алфавите из двух или более символов. Язык является детерминированным тогда и только тогда, когда он определяется грамматикой LR (k), где k — целое. См. L.149 LR parsing.

D.169 deterministic Turing machine
детерминированная машина Тьюринга

См. T.192 Turing machine. См. также N.048 nondeterminizm.

D.170 D flip-flop
D-триггер

Тактируемый триггер (F.097 flip-flop) с одним входом D (см. рисунок). На выходе Q триггера воспроизводится текущее состояние его входа D только в момент смены логического состояния тактового сигнала. Если такая смена происходит при переходе от низкого уровня напряжения к высокому, то говорят о *запуске положительным фронтом*, в противном случае — о *запуске отрицательным фронтом*.

D.171 diagnostic routine
диагностическая подпрограмма

Подпрограмма, переход к которой осуществляется при обнаружении какой-либо ошибки в основной программе. Диагностическая подпрограмма анализирует причину возникновения ошибки или же предоставляет информацию, используемую для последующего анализа. В типичном случае диагностическая программа может предназначаться для локализации причины ошибки в конкретной аппаратной или программной подсистеме, или же просто для регистрации значений основных информационных объектов на момент возникновения ошибки.

D.172 diagonalization
приведение к диагональной форме

Метод, используемый в теории рекурсивных функций для доказательства неразрешимости проблемы остановки (H.009 halting problem). Это доказательство основано на предположении (в дальнейшем оно оспаривается) о существовании эффективной процедуры, позволяющей определять условия остановки заданной программы. Опираясь на метод диагонального процесса, можно, исходя из этого предположения, прийти к противоречию. Отсюда делается вывод об отсутствии указанной процедуры. Данный метод был развит Кантором для доказательства того факта, что кардинальное число (C.020 cardinality) множества целых чисел меньше по сравнению с кардинальным числом множества вещественных чисел. Идея доказательства состоит в том, что сначала подсчитывается количество вещественных чисел, упорядоченных в виде решетки, а затем формируется новое вещественное число, соответствующее диагонали решетки и не учтенное при первоначальном подсчете.

D.173 diagonal matrix
диагональная матрица

Квадратная матрица A, в которой $a_{ij} = 0$ при $i \neq j$. Если для некоторой диагональной матрицы существует обратная матрица (I.170 inverse matrix), то она также диагональна и легко вычисляется.

D.174 DIAM
Название системы анализа баз данных, которая, в силу особенностей своей структуры, имела важное значение для анализа и разработки баз данных. Идея системы DIAM была сформулирована в работах сотрудника фирмы IBM М. Сенко. Эта система, однако, не была рассчитана на широкое применение и не была реализована в коммерческом варианте.

D.175 dichotomizing search = binary search
дихотомический поиск, двоичный поиск

D.176 dictionary
словарь
Любая структура данных, представляющая собой множество элементов, для которого определены такие операции, как вставки и удаление, а также проверка на принадлежность. См. также D.032 data dictionary.

D.177 difference equations
разностные уравнения
Уравнения, записываемые в той же общей форме, что и рекуррентные соотношения (R.069 recurrence). Однако этот термин употребляется и в тех случаях, когда решение нельзя получить из начальных условий с помощью рекуррентных соотношений. Разностные уравнения играют важную роль в численном анализе. Эти уравнения иногда записываются не через значения функций, а через их разности. Стандартные выражения для разностей имеют вид:
нисходящая разность
$$\Delta f(x) = f(x + h) - f(x);$$
восходящая разность
$$\Delta f(x) = f(x) - f(x - h);$$
центральная разность
$$\delta f(x) = f(x + h/2) - f(x - h/2).$$
Разностные уравнения встречаются при использовании метода конечных разностей (F.068 finite difference method).

D.178 differential equations
дифференциальные уравнения
Уравнения, содержащие одну или несколько неизвестных функций и их производные. Дифференциальные уравнения описывают изменение в системе

и, как правило, служат математической моделью какого-либо физического или иного закона. За исключением простейших случаев, решение дифференциальных уравнений нельзя получить аналитическими методами. См. обычные дифференциальные уравнения (O.070 ordinary differential equations), дифференциальные уравнения в частных производных (P.052 partial differential equations).

D.179 differential PCM — DPCM
дифференциальная ИКМ
См. P.327 pulse code modulation.

D.180 digital
цифровой
Метод, тем или иным образом использующий цифры (т. е. дискретные величины) для представления арифметических чисел; аппроксимации непрерывно изменяющихся величин, логических выражений или логических переменных. См. также D.223 discrete and continuous systems.

D.181 digital cassette
кассета для цифровой записи
Одна из разновидностей кассет с магнитной лентой (M.031 magnetic tape cartridge).

D.182 digital circuit
цифровая схема
Электронная схема, реагирующая на дискретные сигналы (D.190 digital signals) и вырабатывающая дискретные сигналы на выходе.

D.183 digital computer
цифровая ЭВМ, ЦВМ
ЭВМ, оперирующая с дискретными величинами (ср. A.096 analog computer). Все вычисления в ЦВМ производятся над конечными числами и с ограниченной точностью, определяемой разрядностью представления дискретных чисел. Цифровая информация, как правило, представляется при помощи электрических процессов, для которых характерны два состояния (например включено/выключено, высокий/низкий уровень напряжения, наличие/отсутствие тока в цепи и т. д.). Каждое из таких состояний указывает на равенство значения двоичной переменной «нулю» или «единице». Обычно в ЦВМ предусматривается автоматическое управление или задание последовательности выполнения операций [с помощью программы (P. 256 program)], благодаря чему операции могут вы-

полняться до останова без какого-либо вмешательства извне. См. также D.223 discrete and continuous systems.

D.184 digtal data transmission
цифровая передача данных
Для представления цифровых данных при их передаче используются дискретные сигналы, принимающие конечное множество значений. В системах с гальванической связью для представления дискретных величин (обычно 0 и 1) используются различающиеся значения напряжения (или тока). Цифровой передаче данных свойствнны весьма низкие значения коэффициента ошибок и довольно высокие скорости. Слабые сигналы можно регенерировать, сохраняя при этом суммарную вероятность ошибки на довольно низком уровне. Поскольку при цифровой передаче используются только логические нули и единицы, сигналы от нескольких источников легко уплотнять цифровыми методами (см. M.239 multiplexing). Цифровые данные можно передавать и по линиям переменного тока. Такие линии не пропускают постоянную составляющую сигнала, поэтому здесь используется иной метод передачи. По линиям переменного тока данные передаются при помощи аналоговых сигналов. Цифровые сигналы преобразуются в аналоговую форму при помощи устройства, называемого модулятором (M.175 modulator). См. также M.174 modulation.

D.185 digital design = logical design
цифровое проектирование, логическое проектирование
Проектирование схем и систем, входы и выходы которых представлены как дискретные переменные. Эти переменные обычно являются двоичными, т. е. принимающими по сути два значения. При проектировании схем, как правило, пользуются таблицами истинности (T.188 truth table) и таблицами состояний (S.304 state table), тогда как при проектировании систем применяют структурные схемы (B.106 block diagram) или языки цифрового проектирования (D.186 digital design language).

D.186 digital design language
язык цифрового проектирования
Язык высокого уровня, часто называемый языком межрегистровых пересылок (R.088 register transfer language), используемый для облегчения описания и преобразования цифровых си-

стем, а также их межсоединений. См. также D.185 digital design, H. 032 hardware description.

D.187 Digital Equipment Cofporation — DEC
См. D.104 DEC.

D.188 digital filtering
цифровая фильтрация
Фильтрация (F.065 filtering) сигналов на основе методов их цифровой обработки (D.191 digital signal processing).

D.189 digital logic
дискретная логика
Методологическая основа обработки выражений и таблиц состояний (S.304 state table), содержащих дискретные (обычно двоичные) переменные. В этом смысле данный термин является синонимом булевой алгебры (B.118 Boolean algebra) (см. также M.235 multiple-valued logic). «Дискретной логикой» называют также аппаратуру (на уровне схем и схемных компонентов), реализующую упомянутые выражения и таблицы. См. также D.185 digital design; L.116 logic circuit; C.176 combinational circuit; S.092 sequential circuit; Q.002 q-ary logic.

D.190 digital signal
цифровой сигнал
Сигнал, значение напряжения которого в любой момент времени совпадает с одним из нескольких (обычно двух) уровней. Двухуровневый сигнал иногда называют *двоичным цифровым сигналом* или просто *двоичным сигналом*. В двоичных логических схемах, работающих с двумя дискретными уровнями напряжения, один из уровней (обычно высокий) соответствует логической «1» (истина), а другой — логическому «0» (ложь).

D.191 digital signal processing
цифровая обработка сигналов (ЦОС)
Группа методов обработки сигналов (S.153 signal processing), для которой характерно преобразование сигналов цифровыми способами. Преимущества цифровых методов по сравнению с аналоговыми состоят в упрощении работы с памятью (например, последовательности отсчетов можно воспроизводить при разных скоростях и в разных направлениях), а также в расширении набора используемых арифметических операций и в повышении допустимой сложности алгоритмов. Однако их

основное достоинство состоит в возможности беспредельного увеличения точности вычислений. Главный недостаток цифровых методов заключается в том, что для некоторых специфических приложений они оказываются более медленными, чем аналоговые методы. К настоящему времени разработан целый ряд специализированных цифровых устройств, имеющих при сохранении всех названных преимуществ достаточное высокое быстродействие, что достигается, однако, ценой потери гибкости.

D.192 digital sorting = radix sorting
цифровая сортировка

D.193 digital system
цифровая система
Любая система, оперирующая с цифровыми (дискретными) сигналами (S.150 signal). См. D.223 discrete and continuous systems.

D.194 digital-to-analog converter — **D/A converter**
цифроаналоговый преобразователь

D.195 digitization
преобразование в цифровую форму, оцифровка
Процесс квантования сигнала (S.150 signal) и представления его в цифровом виде. См. также Q.008 quantization; D.223 discrete and continuous systems; D.196 digitizer; A.047 A/D converter.

D.196 digitizer = quantizer
цифровой преобразователь, квантователь
Первый из двух английских терминов обычно предполагает наличие на выходе устройства двоичных чисел (B.067 binary numbers).

D.197 digitizing tablet = digitizing pad
цифровой планшет
Плоская панель, располагаемая на столе и снабженная специальным инструментом, называемым пером. Служит для ввода данных в вычислительную систему обработки графической информации. Подобные устройства больших размеров называются планшетными столами. Существует целый ряд методов быстрого и точного определения местоположения пера на планшете, которое характеризуется его координатами *x, y* в системе координат, связанной с планшетом. При перемещении пера по планшету производятся отсчеты его координат в близко расположенных точках. В результате вырабатывается цифровой сигнал, характеризующий последовательность точек, через которые прошло перо. Процесс оцифровки запускается одним или несколькими переключателями или кнопками, расположенными на пере. Координаты точек, выраженные в единицах, соответствующих шагу координатной сетки планшета, преобразуются в ЭВМ в требуемые единицы измерения. Коэффициенты преобразования задаются оператором перед началом процесса оцифровки, в результате чего устанавливается строгое соответствие между координатной сеткой планшета и параметрами оцифровываемой кривой. Основная сфера применения цифрового планшета — преобразование готовых изображений (таких как карта или чертеж) в цифровую форму. Изображение помещается на планшет или проецируется на него, после чего оператор перемещает перо вдоль контуров.

D.198 digraph = directed graph
орграф, ориентированный граф
См. G.047 graph.

D.199 DIL — **dual-in-line**
двухрядный
См. D.206 DIP; D.200 DIL switch.

D.200 DIL switch
переключатель с двухрядным расположением выводов, переключатель DIL-типа
Устройство, по виду напоминающее стандартный корпус типа DIP с двухрядным расположением выводов (D.206 DIP), однако вместо интегральной схемы в этом корпусе находится ряд небольших переключателей, устанавливающих соединение между противоположными парами выводов. Переключатели DIL-типа, как правило, используются для задания подразумеваемых по умолчанию режимов работы печатающих устройств, терминалов и т. п.

D.201 dimension = dimensionality
размерность
Размерность массива (A.137 array) — это число подстрочных индексов, необходимых для отыскания элемента этого массива.

D.202 diminshed radix complement = radix-minus-one complement
поразрядное дополнение

D.203 diminshing increment sort = Shell's method
сортировка с убывающим шагом

D.204 diode
диод
Электронный прибор, как правило, полупроводниковый, имеющий два вывода и способный пропускать ток только в одном направлении. Его выводы называются *анодом* и *катодом*. Диод обладает весьма низким сопротивлением при подаче прямого смещения (F.126 forward bias) и высоким — в случае обратного смещения (R.148 reverse bias).

D.205 diode-transistor logic
диодно-транзисторная логика
См. D.199 DIL.

D.206 DIP — dual-in-line package
корпус типа DIP, корпус с двухрядным расположением выводов
Прямоугольный пластмассовый или керамический корпус с рядом металлических выводов вдоль каждой из длинных сторон (см. рисунок), в который

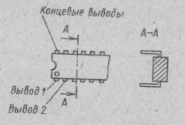

встраивается интегральная схема (I.122 integrated circuit). Ножками корпуса являются выходные контакты. Число выводов, а следовательно, и размер корпуса, зависит от числа необходимых внешних контактов кристалла. При монтаже выводы вставляются либо в отверстия печатной платы (см. P.218 printed circuit) с последующей пайкой, либо в панельку для ИС (S.102 socket).

D.207 direct-access storage device
запоминающее устройство с прямым доступом
Разновидность ЗУ, в котором физические записи (R.056 record) являются адресуемыми (A.050 addressable) и, следовательно, доступ к ним может производиться в любом порядке без необходимости последовательного поиска. Термин «ЗУ с прямым доступом» практически представляет собой синоним термина «дисковое ЗУ».

D.208 direct addressing
прямая адресация

«Естественный» способ адресации, при котором указанный в команде адрес представляет собой машинный адрес (M.004 machine address), по которому и производится обращение. См. также A.055 addressing schemes.

D.209 direct-coupled machines
ЭВМ с непосредственной связью
Система из двух (или более) ЭВМ, соединенных высокоскоростной линией связи с целью совместного выполнения общей задачи. В такой системе ЭВМ меньшей производительности, называемая ведущей ЭВМ, обычно осуществляет редактирование файлов, распределение заданий и все операции по планированию вычислений. Крупные задания, занимающие слишком много времени ведущей ЭВМ, передаются на обработку более производительной ЭВМ, называемой ведомой. Результаты вычислений предоставляются пользователю ведущей ЭВМ. См. также M.070 master-slave system.

D.210 direct data entry — DDE
непосредственный ввод данных
См. D.035 data entry.

D.211 direct digital control — DDC
прямое цифровое управление
Управление процессом при помощи цифровой ЭВМ. Информация передается процессу в виде соответствующим образом синхронизированных последовательностей цифровых величин. См. N.097 numerical control.

D.212 directed graph = digraph
ориентированный граф, орграф
См. G.047 graph.

D.213 directed set
направленное множество
Подмножество X частично упорядоченного множества S (P.054 partially ordered set), такое, что каждое конечное подмножество X содержит свою верхнюю границу (U.038 upper bound). В качестве частного случая такого множества можно упомянуть *цепь*, являющуюся счетным подмножеством со следующей структурой:

$$x_0 \subseteq x_1 \subseteq x_2 \subseteq \ldots,$$

где $\subseteq$ означает частичное упорядочение на множестве S.

D.214 directed tree
ориентированное дерево
См. T.163 tree.

D.215 directive
директива

Компонент программы на языке ассемблера, управляющий последующей компоновкой программы, но не вызывающий появления машинной команды. Примеры директив:
выбор режима адресации генерируемой программы (абсолютная или относительная);
запрос протяжки бумаги на следующую страницу при распечатке;
начало нового сегмента;
выделение в памяти места для констант или переменных.

D.216 direct memory access — DMA
прямой доступ к памяти (ПДП)
Метод организации доступа процесса ввода-вывода к памяти центрального процессора в ходе исполнения программы. Для осуществления ПДП устройству управления вводом-выводом или каналу, которому предварительно была выдана команда на обмен с памятью некоторым массивом данных, временно передается управление памятью [обычно на период времени, равный одному циклу памяти (M.099 memory cycle)], благодаря чему отдельное слово (или группа слов, если память организована соответствующим образом) может быть записано в память или считано из нее. Метод ПДП иногда называют методом *занятия цикла памяти*. Момент осуществления ПДП обычно определяется готовностью низкоскоростного внешнего устройства к приему или передаче требуемых данных, поэтому вместо термина ПДП также употребляется термин *«прерывание для обмена данными»*

D.217 directory
справочник, указатель
Средство, позволяющее отыскивать элементы данных, обычно файлы. Составление справочника можно рассматривать как установление связей между именованными элементами данных и местами их расположения в памяти с прямым доступом (D.207 direct access storage device). Во многих системах справочники имеют сложную структуру, которая отражает взаимосвязи различных категорий файлов. Например, справочник может предусматривать наличие у некоторого главного пользователя подчиненных ему пользователей, которым, с разрешения первого, предоставляется доступ к их собственным и некоторым чужим файлам. См. также D.032 data dictionary.

D.218 direct product = product group
прямое произведение (произведение групп)
Определяется для двух групп (G.058 group) G и H с групповыми операциями ρ и τ соответственно. Получаемая группа содержит элементы декартова произведения (C.029 Cartesian product) групп G и H. Групповая операция $\circ$ является бинарной и определяется соотношением

$$(g_1, h_1) \circ (g_2, h_2) =$$
$$= (g_1 \rho g_2, h_1 \tau h_2).$$

Единица получаемой группы равна (e_G, e_H), где e_G и e_H — единицы групп G и H соответственно. Элемент, обратный к (g, h), равен тогда (g^{-1}, h^{-1}). Указанные понятия можно обобщить на случай прямого произведения любого конечного числа групп с соответствующими групповыми операциями.

D.219 disable
блокировать
1. Выключить из работы какое-либо устройство.
2. Заблокировать реакцию на прерывание.

D.220 disarm
перевести в дежурный режим
Перевести устройство в состояние, при котором работа с ним возможна, однако для этого необходимо произвести определенные подготовительные операции.

D.221 disassembler
обратный ассемблер
Программа, служащая вспомогательным средством отладки и переводящая программу в машинных кодах обратно на язык ассемблера. Простой обратный ассемблер обрабатывает каждую команду по отдельности, переводя код операции в соответствующий мнемокод с указанием задействованных регистров и режимов адресации в символическом виде, используемом в языке ассемблера, и преобразуя адреса в шестнадцатеричные коды или в символы. Более сложные обратные ассемблеры показывают структуру программы путем замены адресов команд перехода буквенно-цифровыми символами и помещения последних в качестве меток в соответствующие места программы.

D.222 disconnected graph
несвязный граф
См. C.267 connected graph.

D.223 discrete and continuous systems
дискретные и аналоговые системы
Системы, в которых регистрируемые, передаваемые и отображаемые сигналы (S.150 signal) могут представлять данные соответственно в дискретном виде (т. е. как целые числа) и в аналоговом виде (т. е. как «действительные» числа). Важные с точки зрения классификации признаки — это выбор дискретного или аналогового представления амплитуды сигнала и выбор дискретного или аналогового представления времени, в течение которого сигнал достигает заданной амплитуды. В аналоговых вычислительных машинах (A.096 analog computer) используются физические величины, являющиеся приближениями аналоговых представлений. В цифровых вычислительных машинах (ЦВМ) (D.183 digital computer), напротив, требуется дискретное представление как амплитуды, так и времени. Вопрос о принадлежности сигнала (или его источника) к чисто дискретному или чисто аналоговому классу неразрешим, поскольку для постановки соответствующего эксперимента потребуется бесконечно широкая полоса частот (B.023 bandwidth) (или бесконечное время), а также бесконечное отношение сигнал/шум (S.154 signal-to-noise ratio), которых невозможно достичь в практических условиях. Поэтому выбор того или иного представления осуществляется исходя из соображений удобства, полезности и целесообразности. Сигналы, которые на основании интуитивных соображений можно отнести к непрерывным по времени или непрерывным по амплитуде, но для которых предпочтительным оказывается дискретное представление по времени или по амплитуде, считаются соответственно *дискретизованными по времени* или *квантованными по амплитуде*. Условия приемлемости того или иного шага дискретизации по времени определяется критерием Найквиста (N.106 Nyquist's criterion). Дискретизованные по времени сигналы называют *импульсными*, а системы, работающие с такими сигналами, — *импульсными системами*. Квантование по амплитуде ухудшает отношение сигнал/шум, и такой

эффект обычно называют внесением шума квантования (Q.009 quantization noise). Поскольку ЦВМ имеют ограниченное быстродействие и могут работать лишь с конечными объемами данных, представленных с конечной точностью, для обработки сигналов в ЦВМ (или в других цифровых устройствах) необходимы дискретизация по времени и квантование по амплитуде. Те же физические ограничения лимитируют возможности аналоговых вычислительных машин в плане аппроксимации непрерывных представлений сигналов, хотя эти ограничения проявляются в ином виде.
См. также Q.008 quantization.

D.224 discrete channel
дискретный канал
Канал (C.064 channel) связи, со входом и выходом которого связаны алфавиты, состоящие из различающихся символов. В случае физического канала на его входе и выходе присутствуют сигналы (S.150 signal), дискретные по времени и по амплитуде (см. D.223 discrete and continuous systems). Размер алфавита и число уровней амплитуды, как правило, конечны. *Дискретный канал без памяти (ДКБП)* обладает тем свойством, что символ, введенный в него в какой-либо момент времени, преобразуется независимо как от символов, введенных в него в предшествующие моменты времени, так и от способов обработки этих символов. *Дискретный канал с памятью (ДКП)* обладает тем свойством, что его работа зависит от состояния его входа в несколько предшествующих моментов времени. См. также S.126 Shannon's model; C.066 channel coding theorem.

D.225 discrete Fourier transform
дискретное преобразование Фурье
См. F.130 Fourier transform.

D.226 discrete signal
дискретный сигнал
См. D.223 discrete and continuous systems.

D.227 discrete source
дискретный источник
Источник информации, с выходом которого связан алфавит, состоящий из различающихся символов. В случае физического источника на его выходе присутствует сигнал (S.150 signal), дискретный по времени и по амплитуде (см. D.223 discrete and continuous systems). Объем алфавита и число

уровней амплитуды, как правило, конечны, хотя для целей математического анализа иногда удобно считать их бесконечными. *Дискретный источник без памяти (ДИБП)* обладает тем свойством, что его выходной сигнал в любой момент времени не зависит от своей предыстории. *Дискретный источник с памятью (ДИП)* обладает тем свойством, что его выходной сигнал в какой-либо момент времени может зависеть от своих значений, имевших место в несколько предшествующих моментов времени. Если число этих моментов конечно, источник имеет *конечный порядок, в противном случае — бесконечный*. ДИП обычно моделируются цепями Маркова (M.059 Markov chain). В этом случае их называют *марковскими источниками. Эргодический источник* обладает тем свойством, что его выходной сигнал в определенный ·момент времени имеет те же статистические свойства, что и в любой другой момент времени. Очевидно, что ДИБП всегда являются эргодическими. ДИП является эргодическим только в том случае, если он моделируется эргодической цепью Маркова. См. также I.084 information theory; S.126 Shannon's model; S.231 soure coding theorem.

D.228 discrete structure
дискретная структура
Множество (S.116 set) дискретных элементов, на котором определены некоторый набор операций. Термин «дискретный» означает отсутствие непрерывности, поэтому к дискретным множествам следует относить конечные множества (F.073 finite set) и счетные множества (C.325 countable set), в то же время несчетные множества, такие как множество действительных чисел, не являются дискретными. Термин «дискретная структура» охватывает многие понятия современной алгебры, среди них: арифметику целых чисел, моноиды (M.187 monoid), полугруппы (S.073 semigroup), группы (G.058 group), графы (G.047 graph), решетки (L.012 lattice), полукольца (S.074 semiring), кольца (R.157 ring), поля (F.040 field), а также их подмножества (S.378 subset).

D.229 discrete system
дискретная система
См. D.223 discrete and continuous systems.

D.230 discretization
дискретизация
Процесс замены задачи, определенной на континууме, например на интервале [0, 1], аппроксимирующей задачей, определенной на конечном множестве точек, например точек с координатами nh:

$$n = 0, 1, 2, ..., N,$$

где

$$h = 1/N.$$

Дискретизация используется во многих областях численного анализа, в основном при решении обыкновенных дифференциальных уравнений и уравнений в частных производных, где наиболее распространенным методом дискретизации служит метод конечных разностей (F.068 finite difference method). Для обыкновенного дифференциального уравнения вида

$$y' = f(x, y),$$
$$0 \leqslant x \leqslant 1, \ y(0) = y_0,$$

простой способ дискретизации состоит в применении *метода Эйлера*

$$(1/h)(y_{n+1} - y_n) \doteq f(x_n, y_n),$$

где

$$x_n = hn, \ n = 0, 1, ..., N,$$
$$h = 1/N,$$

а через y_n обозначена аппроксимация точного решения $y(x)$ в точке x_n. См. также D.231 discretization error.

D.231 discretization error = truncation error
ошибка дискретизации, ошибка усечения
Ошибка, возникающая при использовании численного метода, предполагающего дискретизацию (D.230 discretization). Она появляется в результате дискретизации «непрерывной» задачи, в которой предполагается, что все вычисления проводятся точно. Ошибка дискретизации играет важнейшую роль при численном решении дифференциальных уравнений. Различают глобальные и локальные ошибки. Так, например, в методе Эйлера (см. D.230 discretization) y_n является аппроксимацией точного решения $y(x)$ в точке x_n. *Глобальная ошибка дискретизации (усечения)* равна

$$y_n - y(x_n)$$

(в некоторых работах предлагается искать максимум этого выражения для $n = 0, 1, ..., N$). *Локальная ошибка дискретизации (усечения)* представляет собой ошибку, получающуюся при подстановке точного решения дифференциального уравнения в формулу дискретизации, т. е.

$$y(x_{n+1}) - y(x_n) - hf(x_n, \dot y(x_n)).$$

Эту величину можно рассматривать как точность формулы в первом приближении. Ее оценка может производиться на каждом шаге интегрирования, причем она может служить средством косвенного контроля глобальной ошибки дискретизации. Приведенные определения распространяются и на другие методы и задачи.

D.232 discriminant analysis
дискриминантный анализ
См. M.255.

D.233 disjoint
непересекающиеся
Термин, относящийся к двум множествам, не имеющим общих элементов, т. е. таким множествам, пересечение (I.162 intersection) которых дает пустое множество (E.053 empty set). Несколько множеств называются взаимно непересекающимися, если они попарно не пересекаются.

D.234 disjunction
дизъюнкция, логическое сложение
Логическое выражение вида

$$a_1 \lor a_2 \lor \ldots \lor a_n,$$

где $\lor$ — операция ИЛИ (O.073 OR operation). Среди прочих дизъюнктивных форм особый интерес представляет *дизъюнктивная нормальная форма* булева выражения от n переменных x_1, $x_2, ..., x_n$.
В этом случае каждое a_i имеет вид

$$(y_1 \land y_2 \land \ldots \land y_n),$$

где $\land$ — операция И (A.104 AND operation), а каждое y_i равно либо x_i, либо его дополнению. Приведение выражений к дизъюнктивной нормальной форме представляет собой удобный метод определения эквивалентности (E.088 equivalence) двух булевых выражений. См. также P.299 propositional calculus Ср. C.265 conjunction.

D.235 disjunctive normal form
дизъюнктивная нормальная форма
См. D.234 disjunction

146

D.236 disk
диск
Носитель информации, имеющий форму круглой пластины. В 1985 г., когда писалась настоящая статья, почти все диски являлись магнитными (M.023 magnetic disk), а информация на них записывалась при помощи магнитного кодирования (M.025 magnetic encoding). См. также O.051 optical disk; M.035 magneto-optic disk storage.

D.237 disk cartridge
кассета дискового накопителя
Конструктивно законченный сменный блок дискового накопителя (E.132 exchangeable disk store), состоящий из одного жесткого магнитного диска (M.023 magnetic disk), постоянно находящегося в защитном пластмассовом корпусе. Раньше этот термин был синонимом термина «пакет дисков» (D.242 disk pack), но сейчас утратил такой смысл. Кассета дискового накопителя была разработана фирмой IBM в 1964 г. В зависимости от типа кассета может устанавливаться в дисковод вертикально сверху (*верхняя загрузка*) или горизонтально спереди (*фронтальная загрузка*). В любом случае втулка кассеты, на которой крепится диск, надевается на ведущий вал и фиксируется с помощью магнита. В корпусе кассеты имеются выемки, помогающие точно установить ее в дисковод, а также дверца, открываемая специальным механизмом дисковода, для введения в кассету магнитных головок. После загрузки диск может вращаться, не касаясь корпуса. У некоторых типов кассет на втулке имеется выемка, которая регистрируется специальным датчиком дисковода и сигнализирует о начале дорожки записи. Кроме того, иногда предусматривается несколько расположенных на одинаковом расстоянии выемок, указывающих на начало секторов в пределах каждой дорожки. Наличие секторных выемок и их число определяются типом использованного в дисковом накопителе контроллера. В других случаях эта информация записывается заранее на одной из двух поверхностей (так называемых *сервоповерхностей*) вместе с информацией о расстоянии между дорожками. Емкость кассеты достигает 15 Мбайт и зависит от плотности расположения дорожек, плотности записи и диаметра диска, который может

составлять от 3 до 14 дюймов (76—356 мм). Схожие кассеты используются для оптических дисков (O.051 optical disk), емкость которых находится в пределах от нескольких сотен мегабайт до нескольких гигабайт. В некоторых конструкциях диск извлекается из кассеты и вращается вне ее.

D.238 disk drive = disk unit
накопитель на дисках, дисковод
Периферийное устройство, включающее в себя головки считывания/записи (P.047 read/write head) и соответствующие электронные схемы. Обеспечивает запись и считывание данных с вращающихся магнитных дисков (M.023 magnetic disk). В таком устройстве может использоваться либо один диск, либо кассета (D.237 disk cartridge), либо пакет дисков (D.242 disk pack). Данный термин применим также и к устройствам, работающим с оптическими дисками (O.051 optical disk). В накопителе на магнитных дисках запись производится на одной или обеих сторонах диска вдоль концентрических дорожек, которые обычно делятся на секторы (S.037 sector): Головки считывания/записи устанавливаются на рычагах, перемещаемых с помощью устройства позиционирования (A.037 actuator) таким образом, чтобы головки устанавливались точно над требуемой дорожкой. Доступ к секторам этой дорожки осуществляется при вращении диска. В накопителях, предназначенных для работы с пакетами дисков, все головки считывания/записи обычно имеют общее устройство позиционирования. При такой конструкции можно минимизировать время выборки взаимосвязанных записей, размещая их на *цилиндре*, который образуют дорожками с одинаковыми номерами, находящимися на различных поверхностях дисков. В *накопителях с фиксированными дисками* носитель постоянно находится внутри устройства. Используются также и накопители со сменными дисками (E.132 exchangeable disk store), в которых дисковая кассета или пакет дисков могут быть сняты и заменены носителями, содержащими другие файлы. См. также F.104 floppy-disk drive; D.241 disk format.

D.239 diskette, diskette drive
дискет, накопитель на дискетах

Синонимы терминов «гибкий диск» и «накопитель на гибких дисках».

D.240 disk file
дисковый файл
Набор взаимосвязанных записей, хранимых на диске. Этим термином иногда неправильно называют дисковод (D.238 disk drive) вместе с диском (D.236 disk) или пакетом дисков (D.242 disk pack) и хранимыми на них данными.

D.241 disk format
формат диска
Формат (F.120 format), в котором информация записана на магнитном (или оптическом) диске. Форматы обеспечивают возможность идентификации, контроля и верификации данных. Они определяются на двух уровнях; а) как способ разделения потока данных на независимо адресуемые порции, называемые секторами (S.037 sector), внутри каждого из которых имеются адресные метки (A.057 address mark) и метки данных, помогающие отличать различные типы информации, хранящиеся в пределах сектора; кроме того, формат предполагает циклическое избыточное кодирование (см. C.371 cyclic redundancy check) или кодирование с исправлением ошибок (E.103 error correcting code);
б) как способ кодирования двоичной информации в виде последовательности изменений направления намагниченности. На диске поток двоичных символов записывается по очереди на отдельные дорожки, поэтому для обеспечения синхронизации системы считывания принимаются специальные меры. В частности может использоваться особый *формат кодирования*, согласно которому либо вводятся тактовые импульсы (C.128 clock pulses), либо осуществляется такое кодирование данных, при котором не допускается запись последовательности длиной 8 и более элементов без изменения направления магнитного потока. Электронные схемы считывания способны в течение коротких отрезков времени обеспечивать синхронизацию и при отсутствии изменений потока намагниченности. Наиболее распространены следующие методы кодирования.
Частотная модуляция (ЧМ, F2F) представляет собой разновидность записи с самосинхронизацией. Начало каждого элемента отмечается тактовым

импульсом в виде смены направления намагниченности. Если элемент должен представлять двоичную «1», то в его центральной части записывается еще один тактовый импульс (дающий изменение направления магнитного потока), а если «0», то смены направления намагниченности не происходит вплоть до начала следующего элемента. Если тактовая частота равна F, то поток двоичных единиц даст частоту $2F$ (отсюда и название метода — F2F). При ЧМ-записи минимальное разнесение переходов намагниченности составляет половину элемента, а максимальное — один элемент.

При *модифицированной частотной модуляции* (МЧМ) двоичная «1» всегда представляется переходом намагниченности в центре элемента, но на его границе переход возникает не всегда. Переход вводится в начале элемента только тогда, когда этот элемент должен представлять двоичный «0» и за ним не следует «1». Таким образом минимальное разнесение между переходами намагниченности составляет один элемент, а максимальное — два элемента. При том же разнесении переходов метод МЧМ позволяет записывать на единицу длины вдвое больше двоичных символов, поэтому МЧМ-запись иногда называют записью с удвоенной плотностью.

Дважды модифицированный метод частотной модуляции (М²ЧМ) представляет собой видоизмененную форму МЧМ, в которой исключаются переходы намагниченности между двумя «0», если за ними следует «1».

Кодирование с ограничением длины серий представляет собой разновидность записи без возвращения к нулю (N.080 NRZ recording), в которой группы двоичных символов перед записью «отображаются» на группы большей длины. Часто используется метод, называемый *«запись с групповым кодированием»* (ЗГК), в котором поток двоичных символов разбивается на группы по 4 бит, которые отображаются на группы длиной 5 бит. Благодаря возникающей при этом избыточности эти пятибитовые группы могут выбираться из расчета ограничения числа последовательных «0», что позволяет уменьшить максимальное разнесение переходов намагниченности. К числу других подобных кодов относятся «запись с индикацией ошибок» (ЗИО), являющаяся разновидностью отображения «четыре на шесть» и использующая лишь нечетные комбинации, т. е. содержащие три или пять «1», и «трехфазная модуляция» (ТФМ), для которой характерны последовательности, содержащие от двух до одиннадцати «0». Форматы записи на оптический диск в целом аналогичны форматам для магнитных дисков, однако дорожки здесь имеют вид непрерывной спирали, отмечаемой путем нанесения канавки в процессе изготовления диска. Кодирование данных для оптических дисков, как правило, носит весьма сложный характер (и зачастую осуществляется с помощью кодов Рида—Соломона [R.075 Reed—Solomon code]), что требуется для обеспечения эффективного механизма исправления ошибок. Такой механизм необходим ввиду того, что для оптических носителей характерны высокие значения исходного коэффициента ошибок — обычно одна ошибка на 10^5 бит. См. также F.121 formatter.

D.242 disk pack
пакет дисков

Сменный блок дисков (E.132 exchangeable disk store), в котором несколько одинаковых жестких 14-дюймовых магнитных дисков (M.023 magnetic disk) расположены соосно на одинаковом расстоянии друг от друга. Аналогичные нерабочие защитные диски расположены сверху и снизу рабочего пакета. Весь узел жестко скреплен так, чтобы сохранить устойчивость в динамике [номинальная частота вращения при установке в дисковод (D.238 disk drive) может достигать 3600 мин$^{-1}$]. Пакеты дисков проектируются с учетом совместимости с дисководами как по механическим, так и по магнитным характеристикам, и большинство их типов удовлетворяет международным стандартам. Снятый с дисковода пакет заключается в герметизированный пластмассовый кожух, состоящий из двух частей, что позволяет предохранять диски от повреждений, пыли и загрязнения. Нижняя часть кожуха снимается непосредственно перед установкой пакета в дисковод, а верхняя — только после окончательной установки. Механическое сопряжение пакета с дисководом осуществляется при помощи соосной втулки с внутренней резьбой, наворачиваемой на ведущий вал дисковода. У некоторых типов пакетов на периферийной части нижнего защитного диска имеется выемка, регистрируемая специальным датчиком дисковода и сигнализирующая о начале дорожки записи. Кроме того, иногда предусматривается несколько расположенных на одинаковом расстоянии выемок, указывающих на начало секторов (S.037 sector) в пределах каждой дорожки. Наличие секторных выемок и их число определяются типом используемого в дисковом накопителе контроллера. В других случаях эта информация вместе с информацией о шаге дорожек записи записывается заранее на специальной поверхности, предусмотренной для этой цели и называемой *сервоповерхностью*. Емкость пакета лежит в пределах 30—300М байт, плотность расположения дорожек достигает 400 на 1 дюйм (25,4 мм), плотность записи — 6000 бит на 1 дюйм, а число дисков в пакете может составлять 5—12. Пакеты дисков были разработаны фирмой IBM в 1963 г.

D.243 disk unit = disk drive
дисковое запоминающее устройство, дисковод, накопитель на дисках

D.244 dispatcher = low-level scheduler
диспетчер, планировщик нижнего уровня
См. S.016 scheduler.

D.245 dispersion
дисперсия
См. M.090 measures of variation.

D.246 display
1. отображение (информации)
2. дисплей, индикатор
1. Воспроизведение информации без ее долговременной фиксации.
2. Устройство визуализации текстовой или графической информации без ее долговременной фиксации.
В настоящее время используются разнообразные устройства отображения информации, однако наиболее широкое распространение получили индикаторы на основе электронно-лучевой трубки (ЭЛТ) (C.041 cathode-ray tube). Под управлением ЭВМ в качестве дисплея может работать даже бытовой телевизор, однако если оператор должен использовать дисплей в течение продолжительного периода времени, то обычно применяют специализированные устройства. В таком случае необходимо оптимизировать характеристики экрана и добиться более четкого и устойчивого изображения, чтобы избежать излишней утомляемости оператора (см. также V.021 VDU). Совместно с вычислительными системами могут использоваться следующие типы устройств воспроизведения информации, позволяющие уменьшить габариты экрана и даже сделать его плоским (см. F.903 flat screen):
а) плазменные индикаторы (P.125 plasma display), представляющие собой заманчивую альтернативу ЭЛТ в тех ситуациях, когда достаточно воспроизводить небольшие объемы информации (до 240 знаков); плазменные индикаторы больших размеров оказываются, однако, дороже ЭЛТ;
б) светодиодные (L.026 LED display) индикаторы, как правило, используемые если число воспроизводимых знаков не превышает 40;
в) жидкокристаллические индикаторы (L.015 LCD), нашедшие широкое применение в наручных и настольных часах; появились и более совершенные типы жидкокристаллических индикаторов, пригодные для отображения информации, хотя пока они не получили всеобщего признания;
г) *электролюминесцентные индикаторы*, которые начинают использоваться в портативных компьютерах.

D.247 display processor
дисплейный процессор
Специализированный процессор ввода-вывода (I.188 I/O processor), выполняющий функцию передаточного звена между файлом данных, подлежащим воспроизведению, и дисплеем. Дисплейный процессор преобразует формат представления информации в соответствии с определенными требованиями и обеспечивает синхронизацию при передаче данных в систему отображения.

D.248 distributed array processor
распределенный матричный процессор
См. A.138 array processor.

D.249 distributed database
распределенная база данных
База данных (D.010 database), содержимое которой хранится в нескольких отдельных подсистемах, как правило, физически разнесенных. Если эти подсистемы практически одинаковы, система в целом считается *однородной*, в противном случае ее называют *неодно-*

родной. Распределенные базы данных могут быть самых разных типов. В одном случае вся система может быть задумана, спроектирована и реализована как единое целое. Такие системы устанавливаются в крупных коммерческих организациях и, как правило, однородны. В другом, противоположном случае несколько существующих систем, которые поначалу предполагалось использовать автономно, продолжают работать в нормальном режиме, но при этом между ними организуются связи, не накладывающие жестких ограничений на их функционирование. Благодаря таким связям образуется укрупненная распределенная система, которая обычно оказывается неоднородной. Распределенные структуры в настоящее время активно исследуются в рамках программ по анализу и разработке баз данных. Этот интерес вызван прежде всего появлением национальных и международных систем связи.

D.250 distributed file system
распределенная файловая система
Система, в которой несколько пользователей, используя различные процессоры, имеют возможность коллективного доступа к своим и чужим файлам (F.045 file). Файлы могут содержать информацию любого типа (например данные, программы, текст). Распределенные файловые системы реализованы в некоторых версиях операционной системы UNIX (U.029 UNIX). Ср. D.249 distributed database.

D.251 distributed processing
распределенная обработка
Обработка, проводимая в распределенной системе (D.252 distributed system). Каждый из процессов может независимо обрабатывать локальные данные и принимать соответствующие решения. Отдельные процессы обмениваются информацией через сеть связи с целью обработки данных или получения результатов анализа, представляющих для них взаимный интерес.

D.252 distributed system
распределенная система
Любая система, позволяющая организовать взаимодействие независимых, но связанных между собой вычислительных машин. См. D.251 distributed processing.

150

D.253 distribution
распределение
См. F.144 frequency distribution; P.232 probability distributions.

D.254 distribution counting sort
сортировка с подсчетом и распределением
Алгоритм сортировки, согласно которому для каждого значения сортировочного ключа отбираются все записи, обладающие этим ключом (при этом предполагается, что у нескольких записей может быть один и тот же ключ). Благодаря такой сортировке можно правильно расположить записи в отсортированном файле. Этот алгоритм полезен в тех случаях, когда значения ключей принадлежат ограниченному диапазону и многие из них одинаковы.

D.255 distributive lattice
дистрибутивная решетка
Решетка (L.012 lattice) L, на которой определены операции конъюнкции $\wedge$ и дизъюнкции $\vee$ и для всех элементов которой выполняются оба распределительных закона дистрибутивности (D.256 distributive laws). Поскольку эти законы самодвойственны, принцип двойственности (D.308 duality) выполняется и для дистрибутивных решеток.

D.256 distributive laws
распределительные законы (законы дистрибутивности)
Два самодвойственных закона
$$x \wedge (y \vee z) = (x \wedge y) \vee (x \wedge z);$$
$$x \vee (y \wedge z) = (x \vee y) \wedge (x \vee z),$$
выполняющиеся для всех элементов x, y и z булевой алгебры (см. B.118 Boolean algebra), в которой определены операции конъюнкции $\wedge$ и дизъюнкции $\vee$. Первый закон показывает дистрибутивность конъюнкции относительно дизъюнкции, а второй — наоборот.

D.257 divide and conquer sorting
сортировка по принципу «разделяй и властвуй»
Алгоритм сортировки, аналогичный поразрядной сортировке (R.009 radix sorting), но отличающийся тем, что в нем обработка начинается со старшего значащего разряда ключа сортировки и оканчивается младшим.

D.258 divider
делитель
См. C.326 counter.

D.259 DL/1
Язык манипулирования данными (D.050 data manipulation language) в системе управления базой данных IMS (I.048 IMS).

D.260 DMA — direct memory access
прямой доступ к памяти

D.261 DME
Зарегистрированный товарный знак фирмы ICL. DME представляет собой программную систему, опирающуюся на микропрограммные возможности машин серии ICL 2900 и позволяющую пользоваться программным обеспечением машин серии ICL 1900, включая операционную систему GEORGE. Система DME была задумана как временное средство для пользователей, переходящих от машин серии 1900 к машинам серии 2900. Тем не менее DME представляет собой достаточно мощный инструмент, который вполне может быть использован в качестве основной рабочей среды.

D.262 DML — data manipulation language
язык манипулирования данными (ЯМД)

D.263 documentation
документация
Любые материалы, служащие прежде всего для описания системы, облегчающие понимание принципов ее работы и не имеющие непосредственного отношения к ее функционированию. Документацию часто классифицируют в соответствии с ее задачами, поэтому для одной и той же системы могут создаваться разные документы, технические условия, технические описания и т. п. В отличие от документации, служащей для развития и технического обслуживания системы, пользовательская документация содержит сведения, которые могут представлять интерес для конечного пользователя.

D.264 document processing
обработка документов
Автоматизированная обработка (считывание, сортировка и т. п.) документов, которые понятны как человеку, так и машине (например, банковские чеки, копии счетов магазинов на покупки по кредитным карточкам, счета предприятий коммунального обслуживания). Помимо напечатанного текста, который может прочесть человек, такой документ содержит определенные коды,

предназначенные для распознавания машиной и напечатанные шрифтом OCR (O.007 OCR) или MICR (M.127 MICR). Такие документы часто называют оборотными, поскольку получатель возвращает их в систему для завершения требуемой операции.

D.265 document reader
устройство считывания документов
Устройство считывания с документов информации, представленной в форме, пригодной для чтения как человеком, так и машиной. См. также D.264 document processing.

D.266 document scanner
устройство сканирования документов
Устройство, на выходе которого образуются электрические сигналы, соответствующие содержимому одной или нескольких страниц документа. В наиболее распространенных конструкциях фотоэлемент или линейка фотоэлементов методично «просматривает» соответствующим образом освещенную страницу. В каждый момент времени фотоэлемент регистрирует яркость весьма малого участка страницы, называемого элементом изображения (P.118 pixel), и вырабатывает электрический сигнал, пропорциональный яркости. Полученные сигналы, как правило, подвергаются обработке для перевода их в двоичную форму, после чего могут быть применены методы оптического распознавания знаков (O.07 OCR), сжатия с целью экономного использования пропускной способности канала связи или емкости запоминающего устройства, или же методы специальной обработки, улучшающие качество изображения.

D.267 document sorter
устройство сортировки документов
Устройство, способное считывать с документов закодированную информацию и распределять их по стопкам в соответствии с кодом. Таким образом обрабатываются, например, банковские чеки. См. также D.264 document processing.

D.268 DO loop
цикл DO
Программный цикл с подсчетом числа проходов. При выполнении такого цикла некоторая часть программы периодически повторяется, а число повторений регистрируется счетчиком. На

ФОРТРАНе цикл типа DO записывается следующим образом:

$$DO\ 10\ I = 1,100$$
$$\langle операторы \rangle$$
$$10\ \ CONTINUE$$

При такой записи участок (операторы) повторяется 100 раз. Текущее значение счетчика часто используется в самом цикле, например для индексирования массивов. Цикл имеет ряд синтаксических разновидностей: в Паскале и в алголоподобных языках та же конструкция называется циклом «for»:

$$for\qquad i := 1 to\ 100\ do$$
$$begin$$
$$end\qquad \langle операторы \rangle$$

Цикл такого типа присутствует почти во всех языках программирования (кроме APL, в котором для преобразования массивов имеются специальные операторы). См. также D.283 do-while loop.

D.269 DOL system
система DOL
См. L.152 L-system.

D.270 domain
1. область 2—4. домен
1. См. F.160 function, R.097 relation, C.040 category. См. также R.022 range.
2. В реляционной модели (R.101 relational model) — множество возможных значений, из которых должны выбираться реальные значения любого столбца таблицы (отношения).
3. В денотационной семантике (D.151 denotational semantics) — это структурированный набор математических объектов, из которого выбираются содержательные характеристики программных конструкций.

Идея такого подхода была предложена Д. Скотт, которая первой занялась математическим анализом семантики языков программирования. Она требовала, чтобы указанные множества были полными решетками (C.212 complete lattice), однако в настоящее время такое условие не считается необходимым.
4. См. P.301 protection domain.

D.271 dominator
доминанта
Вершина x_i графа G является доминантой вершины x_j по отношению к вершине x_h, если любой путь от x_j и x_h проходит через x_i. Это понятие исполь-

зуется для анализа алгоритмов с целью оптимизации программ.

D.272 do-nothing instruction = no-op instruction
холостая команда, фиктивная команда

D.273 dope vector
дескриптор массива
Информационный вектор, предназначенный для упрощения доступа к элементам массива (A.137 array) и содержащий: а) адрес начального элемента массива — им может быть первый используемый элемент или элемент, все индексы которого равны нулю; б) количество измерений массива, т. е. его размерность; в) шаг, соответствующий каждому индексу, т. е. то количество хранимых элементов, которое нужно пропустить, чтобы этот индекс изменился на единицу. Адрес элемента в памяти равен сумме адреса начального элемента и скалярного произведения вектора шагов на вектор разностей между текущими значениями индексов и значениями индексов начального элемента, определенного в пункте (а).

D.274 DOS — disk operating system
дисковая операционная система
Зарегистрированный товарный знак фирмы IBM. Первая версия, разработанная для ЭВМ серии 700, появилась вслед за более примитивной системой OS (O.082 OS) и была первой крупной операционной системой, созданной фирмой — изготовителем универсальных ЭВМ. Система DOS представляла пользователю возможность создавать на дисках файлы, содержащие образы перфокарт. Эти файлы могли использоваться для ввода данных в программы. Результаты работы программ, предназначенные для вывода на печать, аналогичным образом «откачивались» (S.280 spool) на диск для временного хранения. Большая часть операций по управлению этими файлами возлагалась на пользователя, которому приходилось вникать в подробности физического расположения файлов на диске, заниматься их созданием и уничтожением.

D.275 dot matrix printer
матричное печатающее устройство (МПУ)
Печатающее устройство, в котором символы формируются с помощью точеч-

ной матрицы, а их печать осуществляется путем переноса на бумагу красителя в результате удара. МПУ могут относиться к построчно-печатающим устройствам (L.069 line printer) и к устройствам последовательной печати (S.107 serial printer) символом. Посимвольное МПУ имеет печатающую головку, обычно содержащую 7 или 9 игл, приводимых в движение электромагнитами. В МПУ с проволочной матрицей роль игл выполняют стальные или вольфрамовые проволочки, удерживаемые направляющими печатающего наконечника. Печатающие иглы могут иметь вид коротких штырей, жестко закрепленных на вращающемся якоре. Головка крепится на каретке, перемещаясь по направляющим параллельно бумаге и вдоль печатаемой строки. Часть игл матрицы приводится в движение таким образом, что из маленьких точек, которые почти касаются друг друга, на бумаге отпечатываются буквенно-цифровые и другие символы. Буквенно-цифровые символы, по качеству пригодные для автоматизированной обработки данных, получаются при размерах матрицы семь или девять точек в высоту и четыре или пять точек в ширину. Напечатанные символы обычно имеют пустые участки и зазубрины по краям, однако их форму можно исправить; обеспечив несколько проходов головки по той же строке и немного смещая ее при каждом проходе. В результате точки перекрываются в горизонтальном и вертикальном направлениях. Количество игл в современных моделях МПУ достигает 18 и даже 24, так что печатаемые ими символы по качеству приближаются к символам, получающимся на обычной пишущей машинке. Диапазон рабочих скоростей наиболее распространенных МПУ составляет 100—400 знаков в 1 с при печати документов с качеством, обычным для систем автоматической обработки данных, и до 100 знаков в 1 с при более высоком качестве. В наиболее распространенных построчных МПУ имеется гребенка подпружиненных молоточков, по длине равная печатаемой строке. Такие МПУ имеют рабочую скорость в диапазоне 200—600 строк в 1 мин. Усовершенствованные модели МПУ позволяют осуществлять семицветную печать. Имеются варианты МПУ без крася-

щей ленты, в которых краситель подается непосредственно на иглы.

D.276 double buffering
двойная буферизация
Разновидность метода буферизации (B.155 buffering), в котором используются два буфера. Выходные данные программы могут заполнять один из буферов, в то время как содержимое другого буфера пересылается периферийному устройству; затем буферы меняются ролями. Аналогичный подход используется при вводе.

D.277 double complement
двойное дополнение
Двойное дополнение множества (S.116 set) S — это дополнение (C.207 complement) множества S', такого, которое само является дополнением S. Таким образом, двойное дополнение S есть само S. В логике двойное дополнение означает *двойное отрицание* элемента т. е. двойное отрицание x равно x.

D.278 double density recording = modified frequency modulation
запись с удвоенной плотностью, модифицированная частотная модуляция
См. disk format D.241.

D.279 double-length arithmetic
арифметические операции со словами удвоенной длины
См. D.281 double precision.

D.280 double negation
двойное отрицание
См. double complement D.277.

D.281 double precision
двойная точность \
Метод представления чисел, требующий вдвое больше разрядов, чем обычно. Арифметические операции над числами с двойной точностью называют *арифметикой двойной точности* (или *арифметикой над словами двойной длины*). В случае представления чисел с плавающей точкой в большинстве ЭВМ используется одно и то же число разрядов порядка как в режиме обычной точности, так и в режиме двойной точности. Следовательно, если разрядность числа при обычной точности равна l бит, из которых p бит используются для представления мантиссы, то при двойной точности мантисса займет $(p + l)$ бит из общего числа $2l$ бит. В некоторых моделях ЭВМ реализуется *многократная точность*, т. е. разрядность увеличивается

не вдвое, а в большее число раз. Двойная точность иногда обеспечивается аппаратно, тогда как многократная точность почти всегда реализуется программными средствами.

D.282 doubly linked list = two-way linked list, symmetris list
двунаправленный список
Связный список (L.074 linked list), каждый элемент которого связан с предшествующим и с последующим элементами. Благодаря такой организации можно переходить от одного элемента списка к другому. В обоих его направлениях. Гибкость двунаправленной структуры имеет свои отрицательные стороны, которые необходимо принимать во внимание, а именно: дополнительные связи требуют увеличения необходимого объема памяти, на их установление и разрушение приходится тратить время.

D.283 do-while loop
цикл DO WHILE
Разновидность программного цикла, в котором условия выхода из цикла (либо продолжения вычислений) определяются при каждом его прохождении. Существует несколько разновидностей этого цикла. Например, в Паскале может организовываться цикл вида

```
    while    (условие) do
      begin
                 (операторы)
      end
и цикл вида
    repeat
                 (операторы)
    until    (условие)
```

Первый цикл (типа *while*) включает в себя проверку условия продолжения вычислений, а второй цикл (типа *repeat*) — прекращения вычислений. Между ними есть и более существенное различие. Первый цикл является так называемым циклом с холостым проходом, т. е. если проверка условия при первом проходе дает значение «ложно», то тело цикла вообще не выполняется. Во втором варианте, напротив, тело цикла должно выполняться по крайней мере один раз. Аналогичные конструкции встречаются в большинстве языков программирования, однако между ними имеется много синтаксических различий. См. также D.268 do loop.

154

D.284 downline
из центра
Направление от центрального или управляющего узла к удаленному узлу в иерархической сети или (в некоторых случаях) направление от текущего узла без учета иерархической структуры. Термины *downline* и *downline load* часто употребляются как глаголы, означающие «переслать программы или данные от центрального или управляющего узла сети к удаленному узлу». На удаленном узле может не быть средств для постоянного хранения данных или программ, поэтому загрузка из центра окажется необходимой при каждом перезапуске узла. Если на удаленном узле имеются средства для постоянного хранения, то загрузка из центра может использоваться для пересылки новых версий программ и новых данных. Ср. U.036 upline.

D.285 download
загрузка по линии связи
Пересылка программ или данных из центральной или управляющей ЭВМ удаленному терминалу. См. также D. 284 downline.

D.286 down operation = P operation
операция «занять»
См. S.070 semaphore

D.287 downtime
коэффициент простоя
Отношение непроизводительно потраченного времени к общему времени работы вычислительной системы, выраженное в процентах.

D.288 DP — data processing
обработка данных

D.289 DPCM—differential PCM
дифференциальная ИКМ
См. P.327 pulse code modulation.

D.290 DPM — data-processing manager
руководитель отдела обработки данных

D.291 DRAW — direct read after write
считывание сразу после записи
Метод, применяемый в оптичесих запоминающих устройствах и. состоящий в считывании каждого бита информации либо после его записи, либо после записи нескольких следующих бит. Благодаря такому подходу можно определить содержащий ошибку сектор еще до начала записи следующего сектора. Обычно в таком секторе устанавливается флаг ошибки, и те же

данные записываются в следующем секторе. Иногда этот термин ошибочно применяют для описания ситуаций, в которых записанная информация может считываться без какой-либо промежуточной обработки, требуемой, например, при фотографической регистрации.

D.292 driver
1. драйвер 2. формирователь
1. Программа операционной системы, обслуживающая отдельные периферийные устройства вычислительной системы. Драйвер должен учитывать все детали конструкции каждого из устройств и особенности их работы в реальном времени. Поэтому по крайней мере часть этой программы должна быть написана на машинно-ориентированном языке программирования.
2. Электронная схема, зачастую выполняемая в виде логического вентиля и способная обеспечить большие токи или напряжения для других схем, подключенных к ее выходу. Формирователи нередко нагружаются на шины, что привело к появлению термина «шинный формирователь».

D.293 DRO — destructive read-out
считывание с разрушением информации
См. N.047 nondestructive read-out.

D.294 drop-in
вклинивание сигнала, появление ложного сигнала
В технике магнитной записи (на диск и ленту) вклиниванием называют появление на выходе устройства одного или более бит, которые не были записаны. Такой эффект возникает в результате какой-либо неисправности, часто из-за плохого стирания данных, ранее находившихся на носителе. Обычно ложные сигналы вызывают трудности только при появлении в промежутках между записями; в других местах с ними борются теми же средствами, что и с выпадениями сигнала (D.295 drop-out). Накопители на магнитных лентах и дисках, как правило, обладают способностью обнаруживать ложные сигналы и отбрасывать их.

D.295 drop-out
выпадение сигнала, пропадание сигнала
В технике магнитной записи (на диск и ленту) выпадением называют пропадание одного или нескольких бит

в результате неисправности, чаще всего из-за дефекта носителя. В накопителях на магнитной ленте и диске обычно используется тот или иной метод введения избыточности при записи, что позволяет обнаруживать ошибки, а зачастую и исправлять их.

D.296 drum
барабан
См. M.024 magnetic drum; D.298 drum printer, P.131 plotter.

D.297 drum plotter
барабанный графопостроитель
См. P.131 plotter.

D.298 drum printer
барабанное печатающее устройство
Разновидность построчно-печатающего устройства (L.069 line printer) с цельным очертанием символов (S.219 solid-font printer). В таком устройстве шрифтовые символы путем травления или гравировки наносятся на внешнюю поверхность цилиндра, по длине равного строке печати. Этот шрифтоноситель в США называется *drum* (барабан), а в Великобритании *barrel* (бочонок), поэтому соответствующее печатающее устройство получило название *barrel printer*. В барабанном печатающем устройстве был впервые использован принцип «удара в движении», реализованный в цепных печатающих устройствах (C.062 chain printer), а также в современных ленточных и некоторых других устройствах. С внедрением этого принципа в технике печати произошел крутой поворот от предшествующих методов, для которых было характерно применение большого числа сложных механических узлов. Первое барабанное печатающее устройство было выпущено фирмой Shepard в 1955 г.

D.299 dry run
пробный прогон
Выполнение программы в том же режиме, что и при рабочем прогоне (P.251 production run), но не с целью получения полезного эффекта, а для проверки ее правильности. Результаты вычислений сравниваются с ожидаемыми, при этом наличие каких-либо расхождений указывает на присутствие ошибки, которую необходимо устранить до начала рабочей эксплуатации программы.

D.300 DSL — database sublanguage
подмножество языка базы данных
См. D.013 database language.

D.301 D SPACE
Название класса языков. См. C.215 complexity classes.

D.302 DTE — data terminal equipment
терминальное оборудование
Оборудование, обеспечивающее пользователя системы передачи данных стандартным интерфейсом, например RS232C или X.25. Роль терминального оборудования могут играть ЭВМ или их терминалы. Ср. D.092 DCE.

D.303 DTIME
название класса языков
См. C. 215 complexity classes.

D.304 DTL — diode-transistor logic
диодно-транзисторная логика (ДТЛ)
Одно из ранних семейств логических элементов (L.121 logic family), обычно реализуемых в интегральном исполнении и построенных на основе таких переключательных приборов, как полупроводниковые диоды и транзисторы. На рисунке приведена экви-

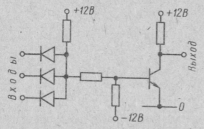

валентная схема трехвходового ДТЛ-вентиля И-НЕ (N.003 NAND gate). Входные сигналы подаются на диоды, а выходной сигнал снимается с коллектора биполярного транзистора (B.084 bipolar transistor). Когда на всех входах присутствует логическая «1», в базу транзистора поступает ток, переводящий его в режим насыщения. В результате напряжение на коллекторе падает до уровня логического «0».

D.305 D-type flip-flop
D-триггер
См. D.170 D flip-flop.

D.306 dual
двойственный
См. D.308 duality.

D.307 dual in-line package
корпус с двухрядным расположением выводов
См. D.206 DIP.

D.308 duality
двойственность
Свойство, присущее некоторым законам и правилам алгебры множеств (S.117 set algebra), исчисления высказываний (P.299 propositional calculus) и булевой алгебры (B.118 Boolean algebra) и состоящее в том, что каждый такой закон (или правило) имеет *двойственный* закон или правило, получающееся путем одновременной замены всех «0» на «1», «1» на «0», операций конъюнкции на операции дизъюнкции и операций дизъюнкции на операции конъюнкции. Пары таких законов (или правил) называются самодвойственными. Например, законы де Моргана (D.147 de Morgan's laws) являются самодвойственными. Если закон (правило) содержит отношение частичного упорядочения (P.055 partial ordering) вид ≤, определенное в любой решетке, то при образовании двойственного закона (правила) его следует изменить на обратное отношение ≥, и наоборот. Таким образом, знаки в неравенствах следует поменять на обратные.

D.309 dual port memory
двухпортовая память
Память, способная принимать запрос на доступ сразу по двум адресам. В зависимости от внутренней организации такой памяти реакции на запросы могут осуществляться либо одновременно, либо поочередно. Такие устройства памяти используются в сильносвязных мультипроцессорных системах.

D.310 dual processor
сдвоенный процессор
Мультипроцессорная система (M.245 multiprocessor system), включающая в себя два центральных процессора. Иногда этим термином обозначают двухпроцессорная система, в которой один из процессоров является резервным, что существенно повышает надежность системы в целом.

D.311 dummy instruction = dummy
холостая команда
Элемент данных, записанный в формате команды (I.108 instruction) и вводимый в поток команд (I.116 instruction stream), но как команда не исполняющийся.

D.312 dump
1. загрузка 2. аварийная распечатка
3. разгружать, делать аварийную распечатку
1. В системе обработки большого количества пользовательских файлов, хранящихся на магнитных дисках, периодически производится разгрузка, т. е. перепись содержимого дисков на магнитную ленту, что помогает предохранить данные от разрушения из-за механических повреждений дисков или случайного стирания.
2. Распечатка содержимого системной памяти в момент аварийного останова системы. Изучив аварийную распечатку и определив причину возникновения несоответствий в ее содержании в принципе можно установить, почему произошел аварийный останов. Однако на практике эта задача оказывается весьма сложной, даже в случае применения специальных программ анализа аварийных распечаток.
3. См. определения (1) и (2).

D.313 dump check
контрольная распечатка
Копия содержимого рабочего пространства памяти, связанного с некоторым заданием или процессом. Если выполнение задания или процесса прекращается вследствие какой-либо неисправности, то их можно вновь запустить, начиная с того места, где была выдана контрольная распечатка. Следует отметить, что состояние периферийных устройств, связанных с данным заданием или процессом, должно быть также отражено в соответствующем рабочем пространстве.

D.314 dump point
точка контрольной разгрузки
См. C.093 checkpoint.

D.315 duplex = full duplex
дуплекс, дуплексный
Соединение между двумя точками (физические или логические), обеспечивающее возможность одновременной передачи данных в обоих направлениях. См. также H.005 half duplex; S.168 simplex; R.143 return channel.

D.316 duty cycle
коэффициент заполнения
В случае импульсных последовательностей и сигналов прямоугольной формы коэффициентом заполнения называют обычно выражаемое в процентах отношение длительности импульса к интервалу между соседними импульсами. Так, для меандра коэффициент заполнения равен 50%, т. е. длительность импульсов равна интервалу между ними.

D.317 DX-2
сеть DX-2
Основанная на стандарте X.25 японская пакетная сеть общественного пользования (P.324 public packet network). Начала функционировать в 1979 г.

D.318 dyadic
бинарная, двуместная
Родовое определение операции, имеющей два операнда.

D.319 dyadic operation = binary operation
бинарная операция, операция с двумя операндами
Определяется на множестве S. Функция, отображающая множество $S \times S$ на множество S. Многие из обычных арифметических и алгебраических операций относятся к бинарным, например, сложение двух целых чисел, нахождение объединения двух множеств, конъюнкция двух булевых выражений. Являясь по сути дела функциями, бинарные операции обычно представляются с помощью инфиксной записи, например:

$$3 + 4, \quad U \cup V, \quad P \wedge Q.$$

Для обозначения обобщенной бинарной операции может использоваться специальный символ, например $\circ$. Когда множество, на котором определена операция, конечно, ее можно задать с помощью таблиц Кэли (C.043 Cayley table), а иногда — таблиц истинности (T.188 truth table).

D.320 Dyck language
язык Дика
Понятие теории формальных языков (F.118 formal language theory). Обозначим через Σ алфавит

$$\{a_1, ..., a_n, b_1, ..., b_n\}.$$

Язык Дика над алфавитом Σ представляет собой множество всех строк, приводимых к пустой строке Λ с помощью «стираний» вида

$$a_i b_i \rightarrow \Lambda.$$

Если, например,

$$\Sigma = \{(,)\},$$

157

то язык Дика образуют все уравновешенные строки скобок. Известна важная теорема, согласно которой бесконтекстные языки (C.281 context-free language) интерпретируются как гомоморфные образы (см. H.086 homomorphism) пересечения языка Дика и регулярного языка (R.093 regular language).

D.321 dynamic
динамический
Способный изменяться или подвергаться изменению. Применительно к операционной системе это означает, что система может изменяться в процессе работы. Например, полный объем доступной памяти может определяться содержимым некоторого слова в операционной системе. Если это слово можно изменить не прекращая работу системы и не загружая ее новую версию, то данная система обладает возможностью динамического изменения объема памяти. В программировании прилагательное «динамический» относится к тем операциям, которые выполняются в процессе работы программы, а не на стадии компиляции. Например, выделение места в памяти для динамических массивов происходит в процессе работы программы. Ср. S.307 static.

D.322 dynamic allocation
динамическое распределение
Распределение, осуществляемое в процессе работы. Статическое распределение, напротив, производится в момент первой инициации системы.

D.323 dynamic data structure
динамическая структура данных
Структура данных, определяющие характеристики которой могут изменяться на протяжении ее существования. Обеспечиваемая такими структурами (например, связными списками) способность к адаптации часто достигается ценой меньшей эффективности доступа к их элементам. Динамические структуры отличают от статических структур данных (S.309 static data structure) два основных свойства. Во-первых, в них нельзя обеспечить хранение в заголовке (H.051 header) всей информации о структуре, поскольку каждый элемент должен содержать информацию, логически связывающую его с другими элементами структуры. Во-вторых, для динамических структур данных зачастую не удобно использовать единый массив смежных элементов памяти, поэтому для них необходимо предусматривать ту или иную схему динамического управления памятью.

D.324 dynamic memory
динамическое ЗУ
Разновидность энергозависимой полупроводниковой памяти (V.060 volatile memory), в которой хранимая информация с течением времени разрушается. Наиболее типичный пример такой памяти — динамическое ЗУПВ (R.011 RAM), в ячейках которого данные хранятся в виде напряжений на затворных емкостях выходных МОП-транзисторов этих ячеек. Из-за токов утечки, указанные напряжения со временем уменьшаются, поэтому необходимо периодически производить регенерацию информации (R.082 refresh), т. е. перезаряжать конденсаторы, что осуществляется специальными внешними схемами.

D.325 dynamic programming
динамическое программирование
Математическая теория и метод планирования многоэтапных процессов принятия решений. Этот термин был введен Беллманом в 1957 г. Динамическое программирование можно рассматривать как раздел математического программирования (M.073 mathematical programming) или как метод решения задач оптимизации (O.056 optimization), представленных через последовательность этапов принятий решений. Область приложения динамического программирования весьма широка, она охватывает как задачи технического характера, так и планирование работы предприятий.

E

E.001 EAROM — electrically alterable read-only memory
электрически перепрограммируемое постоянное запоминающее устройство, ЭППЗУ
Разновидность полупроводниковой памяти, допускающая изменение содержимого некоторых ячеек путем подачи определенных электрических сигналов. В обычных условиях эти изменения производятся достаточно редко, поэтому ЭППЗУ ближе по своей сути

к ПЗУ (R.175 ROM), чем к ЗУПВ (R.011 RAM).

E.002 Easyload
зарегистрированный товарный знак
См. М. 031 magnetic tape cartridge.

E.003 EBCDIC — extended binary coded decimal interchange code
расширенный двоично-десятичный код для обмена информацией
Восьмибитовый код для кодирования знаков (C.074 character encoding), в основном используемый в вычислительных машинах фирмы IBM. См. C.082 character set.

E.004 EBNF — extended BNF
расширенная нормальная форма Бэкуса

E.005 echo
1. эхопередача 2. отражение
1. Отражение переданных данных обратно к их источнику. Например, символы, набранные на клавиатуре терминала, подключенного к ЭВМ, смогут появиться на его экране только благодаря эхопередаче. Отражение может осуществляться локально (самим терминалом), модемом, включенным в линию передачи, связным процессором или же вычислительной машиной, к которой подключен терминал. Если отражение осуществляется самим терминалом, то такой режим его работы часто называют *полудуплексным*, хотя здесь больше подошел бы термин *«режим локального отражения»*. При дуплексной посимвольной передаче отражение производится вычислительной машиной. Тем самым некоторые прикладные программы, такие как редактор, получают возможность определять необходимость отражения того или иного символа. Полудуплексный и (или) построчный режимы обычно предполагают использование локального отражения.
2. Явление, встречающееся в линиях передачи речевых сигналов (например, в телефонных линиях) и мешающее работе модемов (M.166 modem). Поэтому многие модемы используют те или иные методы эхоподавления.

E.006 echo check
эхоконтроль
Метод подтверждения правильности передачи данных по линии связи, сети ЭВМ и т. п. Полученные данные запоминаются и передаются обратно к источнику, где они сравниваются с исходными данными. Термин «эхоконтроль» применяется и в других ситуациях, в которых переданный сигнал непосредственно вызывает появление сигнала, передаваемого в обратном направлении. Например, в некоторых устройствах построчной печати в момент удара молоточка ток в обмотке соответствующего электромагнита резко увеличивается, что используется как подтверждение факта успешного завершения операции печати символа.

E.007 echo suppression
эхоподавление
См. E.005 echo.

E.008 ECL — emitter-coupled logic
эмиттерно-связанная логика (ЭСЛ)
Семейство быстродействующих логических элементов (L.121 logic family), выпускающихся в виде интегральных схем на биполярных транзисторах (B.084 bipolar transistor). Высокая скорость переключения достигается благодаря тому, что транзисторы в ЭСЛ-схемах не вводятся в насыщение. Основу ЭСЛ-схем составляет дифференциальный усилитель, показанный на рисунке сплошными линиями. В си-

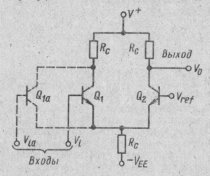

лу симметричности схемы суммарный эмиттерный ток, протекающий через резистор R_e, поддерживается практически постоянным. Если входное напряжение V_i равно опорному напряжению V_{ref}, то через транзисторы Q_1 и Q_2 протекают одинаковые токи и выходное напряжение V_o равно V_{ref}. Если V_i превышает V_{ref} на 0,1 В и более, то Q_2 запирается, а Q_1 открывается и V_o становится равным V^+. Аналогично, если V_i опускается ниже V_{ref} на 0,1 В и более, то V_o уменьшается до некоторой величины, определяемой главным образом значения-

159

ми V_{EE}, R_e и R_c. Подсоединяя параллельно Q_1 дополнительные транзисторы, как показано на рисунке штриховыми линиями, получаем ЭСЛ-вентиль ИЛИ (O.072 OR gate). На выходе схемы имеются дополнительные буферные элементы, позволяющие довести перепад выходного напряжения до значения, требуемого для работы последующих вентилей. ЭСЛ-схемы обладают наибольшим быстродействием среди всех семейств полупроводниковых логических элементов. К ее недостаткам относятся значительная мощность рассеяния и низкие значения перепада выходного напряжения.

E.009 ECMA — European Computer Manufacturers' Association
Европейская ассоциация изготовителей средств вычислительной техники
Основана в 1961 г. Штаб-квартира находится в Женеве. Основные задачи ассоциации состоят в том, чтобы с учетом общих интересов национальных и международных организаций и при их содействии способствовать развитию всевозможных средств и методов, призванных облегчать и стандартизировать использование систем обработки данных.

E.010 edge
ребро
Связь между двумя вершинами графа.

E.011 edge board
плата с печатным соединителем
Схемная плата (C.113 circuit board), являющаяся модульным элементом более крупной схемы. Иногда вместо термина *edge board* пользуются термином *edge card*, который, однако, в ряде случаев обозначает плату меньших размеров. Соединение этого модуля с другими модулями осуществляется через разъем, выполняемый печатным способом на одном из краев платы и вставляемый в ответную часть торцевого соединителя (E.013 edge connector), обычно монтируемую на объединительной плате (B.006 backplane, M.198 mother board). Объединительная плата содержит проводники, необходимые для соединения отдельных модулей в единую систему.

E.012 edge card
плата с печатным соединителем
См. E.011 edge board.

160

E.013 edge connector
торцевой соединитель
Многоконтактное гнездо со стандартным расположением контактов. Такое гнездо предназначено для контактирования стандартизованной схемной платы, печатные контактные площадки которой расположены вдоль одного из ее краев и соответствуют контактным гнездам. Таким образом, соединение с различными точками схемной платы осуществляется не напрямую, а через гнездо. См. также B.006 backplane.

E.014 Edison
Эдисон
Язык программирования для разработки надежного программного обеспечения мультипроцессорных систем реального времени. Язык Эдисон относится к языкам с блочной структурой (B.112 block-structured language) и включает в себя средства модульного программирования, операторы параллельной обработки и операторы «when».

E.015 editor
редактор
См. L.073 link editor; T.062 text editor.

E.016 EDP — electronic data processing
электронная обработка данных
См. D.062 data processing.

E.017 EDS — exchangeable disk store
сменный дисковый блок

E.018 EDSAC — Electronic Delay Storage Automatic Calculator
ЭВМ EDSAC
Вычислительная машина, разработанная М. В. Уилксом из Кембриджского университета в 1946 г. В ее основе лежал принцип хранимой в памяти программы, предложенный в США фон Нейманом и др. Отличительной особенностью машины было использование в качестве запоминающих элементов акустических линий задержки (D.136 delay line). Эксплуатация машины EDSAC началась в мае 1949 г. Она была первым законченным и работоспособным вычислительным устройством, основанным на принципе хранимой программы. См. также M.047 Manchester Mark I.

E.019 EDVAC — Electronic Discrete Variable Automatic Computer
ЭВМ EDVAC
Одна из первых электронных цифровых вычислительных машин с хра-

нимой программой. Разрабатывалась в 1944 г. в школе Мура при Пенсильванском университете по заказу министерства обороны США. В это время машина ENIAC (E.070 ENIAC) еще не была создана. Эксплуатация машины EDVAC началась только в 1952 г. В 1945 г. Дж. фон Нейман подготовил проект машины EDVAC, в котором описывалась логическая структура ЭВМ с «хранимой программой». Этот принцип состоял в том, что программы для ЭВМ должны были храниться в памяти практически в том же виде, что и данные. Хотя по-прежнему неизвестно, кому принадлежала первоначальная идея хранимой программы — Мокли и Экерту или фон Нейману, — в упомянутом проекте эта идея впервые изложена в письменном виде. Вне зависимости от авторства принцип хранимой программы лег в основу конструкции машины EDVAC и был использован во всех последующих ЭВМ.

E.020 EEROM — electrically erasable read-only memory
электронно-стираемое постоянное запоминающее устройство (ЭСПЗУ)
Разновидность полупроводниковой памяти, все содержимое которой можно стереть, подав соответствующие электрические сигналы. После стирания ЭСПЗУ может быть запрограммировано вновь. Эту процедуру можно повторять сотни раз без ухудшения характеристик устройства.

E.021 effective address
исполнительный адрес
Прямой адрес, получающийся в соответствии с каким-либо способом адресации (A.055 addressing scheme), например аугментной, относительной или индексной. См. также M.004 machine address.

E.022 effective algorithm
эффективный алгоритм
Алгоритм, являющийся эффективно вычислимым (см. E.023 effective computability). Анализ существования эффективных алгоритмов для вычисления тех или иных величин составляет основу теории алгоритмов.

E.023 effective computability
эффективная вычислимость

Пусть

$$N = \{0, 1, ...\};$$
$$N^k = N \times ... \times N$$

(k сомножителей).

Функция

$$f : N^k \to N$$

является эффективно вычислимой, только если существует *эффективная процедура* (т. е. алгоритм) правильного вычисления f. Эффективная процедура должна удовлетворять следующим требованиям. Во-первых, процедура должна состоять из конечного множества «простых» команд (т. е. быть программой), а порядок исполнения команд должен быть однозначно задан (см. T.192 Turing machine). Во-вторых, если процедуре задан k-кортеж x из области определения f, то после конечного числа шагов вычисления должны закончиться и дать в результате $f(x)$; если k-кортеж не принадлежит области определения f, то процедура не должна приводить к какому-либо результату.

E.024 effective enumeration
эффективное перечисление
См. E.076 enumeration.

E.025 effective procedure
эффективная процедура
См. E.023 effective computability; D.109 decision problem.

E.026 EFTS — electronic funds transfer system
автоматизированная система электронных платежей

E.027 EIA — Electronics Industries Association
Ассоциация электронной промышленности
Ассоциация, объединяющая изготовителей электронного оборудования в США и ставящая перед собой цели выработки законодательных документов, просвещения и агитации в пользу поддержки ее решений.

E.028 eigen functions
собственные функции
См. E.029 eigenvalue problems.

E.029 eigenvalue problems
задачи о собственных значениях
Задачи, часто встречающиеся в науке и технике и распадающиеся на два основных класса. Стандартная задача о собственных значениях (матрицы)

6 П/р В. Иллингуорта и др.

состоит в определении действительных или комплексных чисел
λ_1, λ_2, ..., λ_n (собственных значений) и соответствующих ненулевых векторов
x_1, x_2, ..., x_n (собственных векторов) таких, чтобы удовлетворялось уравнение

$$Ax = \lambda x,$$

где A — заданная действительная или комплексная матрица размерностью $n \times n$. По аналогии непрерывная задача о собственных значениях состоит в нахождении подобных же собственных значений и соответствующих ненулевых (собственных) функций, удовлетворяющих уравнению

$$Hf(x) = \lambda f(x),$$

где H — заданный оператор над функциями f. Простой пример, связанный с задачей о колебаниях струны, записывается следующим образом:

$$y''(x) = \lambda y(x);$$
$$y(0) = 0, \; y(1) = 0,$$

где требуется найти значения параметра λ (собственные значения), соответствующие нетривиальным собственным функциям $y(x)$ (т. е. $y(x) \not\equiv 0$). Применение к таким задачам метода конечных разностей (F.068 finite-difference methods) обычно приводит к задачам о собственных значениях матрицы.

E.030 eigenvectors
собственные векторы
См. E.029 eigenvalue problems.

E.031 either-or operation
операция «включающее ИЛИ»
См. O.073 OR operation.

E.032 elapsed time
полное время
Реальное время между двумя событиями, измеряемое с помощью независимых часов. Ср. C.336 CPU time.

E.033 electrographic printer
электрографическое печатающее устройство
Термин, охватывающий электростатические (E.042 electrostatic printer), электрочувствительные (E.041 electrosensitive printer) и электрофотографические (E.040 electrophotographic printer) печатающие устройства.

162

E.034 electroluminescent display
электролюминесцентный индикатор
См. D.246 display.

E.035 electronic data processing
электронная обработка данных
См. D.062 data processing.

E.036 electronic filing
электронная картотека
Система, предназначенная для хранения, каталогизации и поиска документов с применением ЭВМ. Такая система незаменима для успешной организации всеобъемлющей системы автоматизации конторских работ (O.014 office automation), поскольку она обеспечивает основные средства манипулирования объектами, позволяющие создавать, обрабатывать и исключать так называемые объекты конторской деятельности. К этим объектам могут относиться письма, сложные отчеты, диаграммы, графики и любая другая информация, которая может храниться в вычислительной системе. Совершенная система электронного ведения документации должна обеспечивать надежную защиту вверенных ей объектов как от сбоев вычислительной машины, так и от несанкционированного доступа, а также гибкие методы организации этих объектов. Она должна также обеспечивать коллективный доступ к общим объектам и защищать конфиденциальные объекты. Информационные объекты хранятся в системе, как правило, на магнитных дисках или лентах. Для хранения крупных массивов информации иногда используется микрофильмирование. Современные системы, как правило, позволяют каталогизировать также «бумажные» документы, которые невозможно хранить в памяти ЭВМ. Благодаря этой функции упрощается переход от работы с чисто бумажными документами к автоматизированному ведению документации.

E.037 electronic funds transfer system — EFTS
автоматизированная система электронных платежей (АСЭП)
В самом общем смысле это служба, использующая ЭВМ для перевода платежей между отдельными лицами и (или) организациями. Иногда этот термин используют для обозначения развитых перспективных систем, в которых расход и приход сможет исчи-

сляться непосредственно в момент осуществления сделки. В других случаях имеют в виду все АСЭП на базе ЭВМ, включая давно существующие банковские системы клиринга чеков. Полномасштабное развертывание АСЭП особо беспокоит лиц, озабоченных сохранением гарантий свободы и тайны личной жизни в компьютеризованном обществе, поскольку указанные системы позволят с большой точностью прослеживать деятельность всех граждан.

E.038 electronic mail = computer mail
электронная почта

Система пересылки сообщений между пользователями вычислительных систем, в которой ЭВМ берет на себя все функции по хранению и пересылке сообщений. Для осуществления такой пересылки отправитель и получатель (получатели) не обязательно должны одновременно находиться у терминалов и не обязательно должны быть подключены к одной ЭВМ. Электронная почта является важным компонентом системы автоматизации учрежденческой деятельности. Отправитель сообщения прежде всего запускает программу отправки почты и создает специальным образом форматированный файл сообщения. Зачастую сообщение можно вводить и видоизменять, пользуясь универсальным редактором, имеющимся в распоряжении отправителя. Процесс ввода сообщения включает в себя указание перечня адресатов. По окончании процесса подготовки сообщение передается в систему пересылки сообщений, которая отвечает за его доставку адресатам. Когда отправитель и получатель подсоединены к разным ЭВМ, пересылка может осуществляться через систему коммутации сообщений (см. S.339 store and forward). Спустя некоторое время сообщение доставляется адресату и помещается в его «почтовый ящик» входящих документов. Затем получатель запускает программу, которая извлекает полученные сообщения, заносит их в архив, составляет их перечень и т. п. Часто одна и та же программа интерфейса пользователя позволяет и отправлять, и получать сообщения. Поначалу системы электронной почты использовали стандартные устройства для выдачи машинных документов и дисплеи с электронно-лучевыми труб-

ками. В более новых системах применяются средства составления и пересылки комбинированных почтовых отправлений, которые могут объединять текст, графику, речь, факсимиле и другие виды информации в одном сообщении. К числу дополнительных функций, выполняемых системами электронной почты, относятся проверка полномочий пользователя, преобразование именного списка рассылки в перечень адресатов и поиск пользователя в условиях недостаточной информации о нем (справочные службы).

E.039 electronic office
электронное учреждение

Система автоматизации работы учреждений, основанная на использовании ЭВМ. В нее могут входить такие компоненты, как система электронной картотеки (E.036 electronic filing), система текстообработки (W.038 word processing), базы данных (D.010 database), электронная почта (E.038 electronic mail) и система организации телеконференций (T.034 teleconferencing).

E.040 electrophotographic printer
электрофотографическое печатающее устройство

Печатающее устройство, в котором выводимое изображение записывается световым лучом на барабан или ленту, покрытую светочувствительным материалом. Электрический заряд равномерно распределен по поверхности носителя. В результате действия света образуются участки локальной проводимости, потенциал поверхности которых оказывается таким же, как потенциал подложки. Поверхностное распределение заряда соответствует рисунку, который проявляется путем обработки красителем, частицы которого обладают определенным электрическим зарядом. В результате электростатического взаимодействия частицы виража притягиваются к рисунку и отталкиваются фоном. Рисунок переносится на бумагу в результате ее прижатия к барабану (ленте) и подачи электрического поля. Вираж фиксируется на бумаге за счет нагрева и (или) давления, или же в результате воздействия паров какого-либо растворителя. Принцип работы электрофотографического печатающего устройства по сути тот же, что у обычного копировально-множительного устройства. Новые модели печатающих устройств могут использоваться для копирования. В обычном копировальном устройстве изображение исходного документа проецируется на барабан с помощью объектива, а в печатающем устройстве изображение может формироваться модулированным лазерным лучом с помощью электронно-лучевой трубки, матрицы светодиодов или матрицы электрооптических модуляторов. Электрофотографическое устройство обеспечивает весьма высокое качество печати. Изображения в нем формируются при помощи мельчайших точек. С его помощью легко получить и графические изображения, и шрифты разнообразных начертаний. На 1983 г. число типов таких устройств (включая освоенные промышленностью и находящиеся на заключительных этапах разработки) достигло сорока, причем некоторые из них обеспечивают двустороннюю и цветную печать.

E.041 electrosensitive printer
электрочувствительное печатающее устройство

Печатающее. устройство, в котором изображение формируется в результате протекания тока сквозь поверхность специальной бумаги. В наиболее распространенной конструкции используется бумага, покрытая сажей, поверх которой наносится тонкая алюминиевая пленка, придающая листу бумаги белый цвет. Печать производится с помощью ряда игл, через которые протекает ток, локально испаряющий участки алюминиевой пленки. Через образующиеся отверстия просвечивает темная подложка. В некоторых моделях используется небольшое число (обычно 7) игл, которые при движении вдоль строки последовательно печатают символы. В более производительных моделях число игл может достигать 400. Они располагаются таким образом, чтобы перекрыть участок строки длиной до 10 см. Такое устройство может выдать на печать содержимое экрана дисплея (25 строк по 80 знаков в каждой) за несколько секунд, причем благодаря своим малым габаритам оно может быть встроено в дисплей.

E.042 electrostatic printer
электростатическое печатающее устройство

Разновидность печатающего устройства, в котором требуемое изображение сначала записывается при помощи электростатического заряда, а затем проявляется при помощи обработки частицами красителя, которые имеют противоположный заряд. При этом частицы притягиваются только к рисунку, образованному электростатическим зарядом. Затем производится закрепление частиц на бумаге путем сплавления или сварки. В некоторых конструкциях рисунок, образуемый зарядом, наносится непосредственно на специальную бумагу при помощи игл. Другой подход состоит в нанесении рисунка на металлический барабан со специальным покрытием, например, из окиси алюминия. Изображение проявляется путем промывки барабана или бумаги коллоидной взвесью, содержащей заряженные частицы красителя. Изображение переносится с барабана на обычную бумагу под давлением и при воздействии электрического поля. Частицы красителя очень малы и поэтому способны проникать в волокна бумаги, что способствует получению долговечного изображения. Описываемая технология недавно была усовершенствована. В новом варианте заряд образуется на барабане под воздействием управляемого пучка ионов. Иногда в литературе термин «электростатическое печатающее устройство» распространяется на все устройства печати, в которых на том или ином этапе процесса образуется электростатический рисунок, включая электрофотографические печатающие устройства (E.040 electrophotographic printer).

E.043 electrostatic storage device
электростатическое запоминающее устройство

Устаревший тип ЗУ, в котором данные хранились в виде совокупности зарядов в электронно-лучевой трубке (C.041 cathode-ray tube) и считывались сканирующим пучком электронов. Обычно запомненные данные визуально не наблюдались. Одной из первых таких конструкций была запоминающая трубка Уильямса, названная по имени ее разработчика Ф. К. Уильямса из Манчестерского университета (Великобритания). Эта трубка была одним из первых ЗУПВ. Электростатические ЗУ использовались в нескольких вычислительных машинах первого поколения (Ferranti Mark I, Whirlwind, IBM 701, IAS). По сравнению с ЗУ на ртутных линиях задержки (D.136 delay line) электростатические ЗУ давали большой выигрыш в стоимости, однако информация в них должна была часто переписываться (т. е. проводилась регенерация) и терялась при отключении питания. В середине 1950-х годов на смену электростатическим ЗУ пришли ЗУ на магнитных сердечниках (C. 317 core store). В 1970-х годах в Станфордском университете примерно в двух фирмах были разработаны более совершенные электростатические ЗУ, в которых применялись наборы электронных линз, однако они так и не появились в продаже.

E.044 element
элемент
1. = member (of a set). Элемент (множества).
2. См. L.120 logic element.

E.045 ELSE rule
правило ELSE
Последнее (обычно крайнее справа) правило в неполной таблице решений (D.112 decision table), т. е. такой таблице, которая не включает в себя все возможные комбинации условий. Правило определяет совокупность шагов для всех действий, не удовлетворяющих явным правилам таблицы решений. Таблица, дополненная правилом ELSE, полна, поскольку в ней учитываются все возможные комбинации.

E.046 EMACS
Широко используемый экранный редактор текстов (T.062 text editor). Пользователь может расширять набор функций этого редактора и приспосабливать его к своим задачам.

E.047 EMAS — Edinburgh multiaccess system
Эдинбургская система коллективного пользования
Операционная система, разработанная в Эдинбургском университете и ориентированная на работу с большим числом интерактивных терминалов. Была одной из первых систем, почти полностью реализованных на языке высокого уровня. Для этой цели был разработан специальный язык IMS.

E.048 embedded computer system
система со встроенной ЭВМ

Любая аппаратная система, включающая в себя ЭВМ, но не предназначенная для выполнения обычных вычислительных функций. В качестве примеров можно назвать военные системы наведения и автоматизированный анализатор крови. В последнем устройстве управление ходом проведения различных анализов осуществляется мини- или микроЭВМ, а результаты выдаются в виде общей распечатки. См. также A.040 Ada.

E.049 embedded servo
внутренняя сервосистема
См. A.037 actuator.

E.050 emitter-coupled logic
эмиттерно связанная логика
См. E.008 ECL.

E.051 empty list = null list
пустой список
См. L.081 list.

E.052 empty medium
пустой носитель
Носитель данных (D.053 data medium), не содержащий данных как таковых, но, возможно, содержащий контрольную информацию или предварительно размеченный. Ср. V.044 virgin medium.

E.053 empty set = null set, void set
пустое множество
Множество (S.116 set), не содержащее элементов. Обычно обозначается символом $\emptyset$.

E.054 empty string = null string
пустая строка
Строка нулевой длины (L.032 length). Обычно обозначается символом ε или Λ. Возможность существования пустых строк зачастую является источником ошибок в программах.

E.055 emulation
эмуляция
Точное выполнение на некоторой ЭВМ программы, написанной для другой ЭВМ. В обоих случаях используются одинаковые входные данные, и на выходе получаются одинаковые результаты. Согласно формальному определению, эмуляция осуществляется на аппаратном уровне, обычно при помощи микропрограмм. См. также S.172 simulation; C.203 compatibility.

E.056 emulator
эмулятор
Система, как правило, программа или микропрограмма, позволяющая осу-

ществлять эмуляцию (E.055 emulation).

E.057 enable
разрешать
Выборочно активизировать некоторое устройство или функцию. Если несколько устройств соединены параллельно, то выборочная активизация осуществляется путем разрешающего действия, которым может быть подача определенного сигнала по выделенной линии или комбинации сигналов по общей линии или шине. В результате такого разрешения выбранное устройство переводится в состояние, в котором оно может получать следующие сигналы. Ср. I.088 inhibit.

E.058 enable pulse
импульс разрешения
Импульс, используемый в некоторых логических схемах и разблокирующий их для приема других сигналов. В настоящее время данный термин применяется для описания логической функции, выполняемой электронной схемой. Ранее он использовался в аналогичном смысле в связи с запоминающими устройствами на магнитных сердечниках (C.317 core store), где для изменения состояния сердечника требуется совпадение двух импульсов. Один из импульсов — импульс записи — является общим для нескольких сердечников. Импульс разрешения подается на определенный сердечник одновременно с импульсом записи, и в результате их совместного действия состояние этого сердечника меняется.

E.059 encapsulation
пакетирование
См. I.150 internetworking.

E.060 encoder
1. кодер 2. шифратор
1. Аппаратное или программное средство, при помощи которого осуществляется кодирование (см. C.149 code). Процесс кодирования имеет алгоритмический характер.
2. Логическая схема, реализуемая, как правило, в интегральном виде и вырабатывающая на выходе определенное двоичное слово длиной n бит в зависимости от того, на каком из его 2^n входов присутствует логическая «1». Например, *шифратор клавиатуры* используется для выработки определенного двоичного кода, соответствующего нажатой клавише. Если логическая «1» может присутствовать

одновременно на нескольких входах, то применяется *приоритетный шифратор*, который обычно реагирует только на самый старший разряд входного слова.

E.061 encoding
кодирование
1. Преобразование сообщения в кодированную форму (см. C.149 code).
2. Представление символа какого-либо алфавита при помощи символов или строк символов из другого алфавита. Типичным примером является двоичное кодирование (B.064 binary encoding), т. е. перевод числа в двоичную форму.

E.062 encoding format
формат кодирования
См. D.241 disk format.

E.063 encryption
шифрование
Обработка сообщения отправителем с целью преобразования его к виду, непонятному несанкционированному пользователю. См. также C.351 cryptography.

E.064 end-around-carry
циклический перенос
Вид переноса, требуемый при суммировании двух целых чисел, представленных в обратном коде (см. R.006 radix-minus-one complement). Если при суммировании старших разрядов чисел возникает перенос, то его необходимо прибавить к младшему разряду результата, который при этом представляется в обратном коде.

E.065 end-around shift = circular shift
циклический сдвиг

E.066 endomorphism
эндоморфизм
Гомоморфизм (H.086 homomorphism) алгебраической системы (см. A.074 algebra) в себя.

E.067 endorder traversal = postorder traveral
обход в глубину

E.068 end-to-end encryption
сквозное шифрование
Передача шифрованного сообщения через всю систему без промежуточных этапов расшифровки и повторного шифрования. Ср. L.075 link encryption.

E.069 energizer
активизатор
Аппаратная или программная система, служащая для проверки работы какой-

166

либо подсистемы. Активизатор создает проверяемой подсистеме условия, имитирующие ее функционирование в реальном режиме, и в то же время анализирует ее реакцию с целью обнаружения ошибок в работе.

E.070 ENIAC — Electronic Numerical Integrator and Calculator
ЭВМ ENIAC

Первая универсальная ЭВМ, которую в период 1943—46 гг. спроектировали и изготовили Дж. У. Мокли и Дж. П. Эккерт из Электротехнической школы Мура Пенсильванского университета. Машина ENIAC первоначально предназначалась для проведения баллистических расчетов в период второй мировой войны, однако ее сооружение было завершено лишь после войны. Вплоть до начала 50-х годов она активно использовалась для научных расчетов.

E.071 entropy
энтропия

Мера количества информации, вырабатываемой источником, пропускаемой каналом или попадающей к получателю (в пересчете на символ или секунду). Понятие энтропии в теории информации было введено К. Э. Шенноном в 1948 г. и позднее развито другими исследователями. Энтропия дискретного источника без памяти (см. D.227 discrete source) с алфавитом $A = \{a_i\}$ объема n и выходом X в момент времени t

$$H(X) = \sum_{i=0}^{n-1} p(x_i) \log b (1/p(x_i)),$$

где $p(x_i) = \text{Prob}(X_t = a_i)$. Основание логарифма b выбирают из соображения удобства пересчета. Обычно

$$b = 2;$$
$$b = e = 2{,}71828\ldots$$

или

$$b = 10;$$

в этих случаях энтропия измеряется соответственно в *битах*, *натуральных единицах*, или *натах*, и в *Хартли*. Если рассматривается источник с памятью, то следует учитывать зависимость между последовательными символами, вырабатываемыми источником. Термин «энтропия» взят по аналогии с энтропией в термодинамике, где она определяется выражением, имеющим

ту же форму с точностью до физического масштабного множителя k (постоянная Больцмана) и знака. Поэтому иногда для обозначения меры информации пользуются термином *негэнтропия*, *неопределенность* или просто «информация».

E.072 entry
1. элемент, статья 2. точка входа

1. Элемент данных в списке или таблице.
2. = entry point.

E.073 entry point = entry
точка входа

Команда, которой передается управление при вызове подпрограммы.

E.074 entry time
время входа

Момент запуска или перезапуска процесса планировщиком процессов.

E.075 Entscheidungsproblem = halting problem
проблема остановки

E.076 enumeration
перечень

Список элементов, расположенных в определенном порядке, т. е. таким образом, что их можно перечислить, причем каждому неотрицательному целому числу i из некоторого диапазона соответствует единственный элемент такого перечня. Перечень может быть конечным или бесконечным. В последнем случае бесконечное множество должно быть счетным (C.325 countable set). Перечень называется *эффективным*, если существует алгоритм (A.082 algorithm) для его составления. Понятие перечня используется для определения типов (T.208 type) в языках, напоминающих Паскаль и Джовиал. Оно также играет важную роль в комбинаторике (C.177 combinatorics), где обычно можно говорить о перечне всех перестановок (P.092 permutation), сочетаний (C.173 combination), двоичных деревьев (B.077 binary tree), графов (G.047 graph), групп (G.058 group) и т. д.

E.077 EOB — enb of block
конец блока

E.078 EOD —end of data
конец данных

Код, записываемый в память с последовательным доступом (например, в файл на магнитной ленте) сразу же после окончания последней информационной записи. Этот код указывает точку, с которой должна начаться следующая группа записей. При добавлении новых записей код «конец данных» стирается и записывается в новое место.

E.079 EOF — end of file
конец файла

E.080 EOJ — end of job
конец задания

E.081 EOR — end of record
конец записи

E.082 EOT
1. end of transmission
конец передачи
Последовательность символов, передаваемая по линии связи и указывающая, что работающий блок закончил передачу. Получив такую последовательность, все активные терминалы, подключенные к данной линии, переходят в дежурный режим и ждут новых сообщений.
2. end of tape
конец ленты

E.083 EOT marker — end of tape marker
признак конца ленты
Метка на магнитной ленте (M:030 magnetic tape), по которой лентопротяжное устройство определяет конец рабочего пространства, в которое может производиться запись (или же была произведена запись). Его назначение противоположно назначению маркера начала ленты (B.126 BOT marker), а практическая реализация аналогичным образом определяется стандартом для данного типа ленты.

E.084 epimorphizm
эпиморфизм
Гомоморфизм (H.086 homomorphizm), который, если его рассматривать как функцию (F.160 function), представляет сюръекцию (S.403 surjection).

E.085 epoch
период дискретизации
Временной интервал между последовательными элементами дискретного во времени сигнала или между отсчетами непрерывного во времени сигнала (см. D.223 discrete and continuous systems).
Обычно для заданного сигнала период его дискретизации представляет собой постоянную величину.

E.086 EPROM —erasable programmable read-only memory

стираемое программируемое постоянное запоминающее устройство, СППЗУ
Разновидность ППЗУ (P.292 PROM), которое пользователь может неоднократно программировать. Как правило, содержимое ячеек СППЗУ стирается (т. е. переводится в исходное состояние, обычно соответствующее логической «1») путем облучения кристалла жестким ультрафиолетовым излучением. Затем СППЗУ можно снова запрограммировать с помощью программатора ППЗУ (P.293 PROM programmer), что сводится к записи в определенные ячейки логических «0».

E.087 equipotent
равномощность
См. C.020 cardinality.

E.088 equivalence
эквивалентность
1. Логическая связка двух высказываний или функций P и Q, принимающая значение «истина» И либо когда и P, и Q имеют значение «истина», либо когда и P, и Q имеют значение «ложь» (Л) (см. таблицу).

P	Л	Л	И	И
Q	Л	И	Л	И
$P \equiv Q$	И	Л	Л	И

В таком случае P и Q считаются эквивалентными. Такая логическая связка читается «тогда и только тогда» и обычно обозначается одним из следующих символов:

$$\equiv \leftrightarrow \langle - \rangle \langle = \rangle$$

См. также E.134 exclusive-NOR gate, P.299 propositional calculus.
2. Соотношение между функционально или структурно неразличимыми объектами, встречающееся в комбинационных схемах (C.176 combinational circuits), графах (G.047 graph) и грамматиках (G.044 grammar). Понятие эквивалентности не столь сильно, как понятия тождественности или равенства, однако значительно более полезно на практике. См. также M.006 machine equivalence.

E.089 equivalence class
класс эквивалентности
Для множества S, на котором определено отношение эквивалентности

(E.091 equivalence relation), это подмножество (S.378 subset), состоящее из всех элементов S, которые эквивалентны друг другу, но не какимлибо иным элементам S. Отношение эквивалентности позволяет осуществить покрытие (см. C.380 covering) множества рядом попарно непересекающихся (D.233 disjoint) классов эквивалентности.. Отношение вида «однофамилец», определенное на множестве людей, дает один класс эквивалентности, объединяющий всех людей по фамилии Джонс, другой класс для всех людей по фамилии Смит и т. д.

E.090 equivalence gate
схема функции эквивалентности
См. E.134 exclusive — NOR gate.

E.091 equivalence relation
отношение эквивалентности
Отношение, обладающее свойствами транзитивности (T.145 transitive relation), симметричности (S.426 symmetric relation) и рефлексивности (R.081 reflexive relation). Это понятие является удобным обобщением абстрактного понятия равенства. Оно включает в себя большинство понятий равенства, эквивалентности и подобия, определяемых для треугольников, алгоритмов, булевых выражений, алгебраических структур, утверждений и т. п. См. также E.089 equivalence class, P.055 partial ordering.

E.092 equivalent binary digits
эквивалентные двоичные знаки
Для заданного исходного алфавита S число эквивалентных двоичных знаков есть минимальное число бит, необходимое для получения при помощи некоторого блочного кода (B.104 block code) такого числа кодовых слов, которое по крайней мере было бы не меньше числа символов в алфавите S.

E.093 equivalent trees
эквивалентные деревья
Подобные деревья (S.166 similar trees) с одинаковыми данными в соответствующих вершинах.

E.094 erasable PROM — EPROM
стираемое программируемое постоянное запоминающее устройство, СППЗУ
См. также P.268 programmable device.

E.095 erase head
головка стирания
См. H.048 head, M.030 magnetic tape.

E.096 eraser
стирающее устройство
Электронное устройство, осуществляющее стирание СППЗУ (E.086 EPROM) и, как правило, состоящее из источника ультрафиолетового излучения в корпусе и таймера. Кристалл СППЗУ располагается в непосредственной близости от источника.

E.097 erasure channel
канал со стиранием
Канал (C.064 channel) связи, в котором из-за помех (N.038 noise) на вход устройства декодирования могут иногда поступать «ошибочные» символы. Дальнейшая работа этого устройства строится исходя из того, что такие символы на самом деле ему неизвестны. При этом устройство декодирования находится в лучшем положении, чем если бы на его вход поступали ошибочные символы, но никакой информации об этом не было, за исключением информации, связанной с использованием кодов с обнаружением ошибок (E.104 error-detecting code) или кодов с исправлением ошибок (E.103 error-correcting code).

E.098 ergodic source
эргодический источник
См. D.227 discrete source.

E.099 error analysis
анализ ошибок
Термин, который применительно к численному анализу (N.095 numerical analysis) подразумевает математическое исследование всевозможных аспектов возникновения погрешностей при использовании численных методов (или алгоритмов). Важнейшим требованием к таким алгоритмам является их *сходимость*. Как правило, алгоритм задает способ построения последовательности приближений. Если эти приближения с каждым шагом итерации оказываются все ближе и ближе к точному решению, то алгоритм считается сходящимся. Скорость сходимости непосредственно связана с эффективностью метода и оценивается порядком (O.062 order) сходимости алгоритма. Поскольку большинство алгоритмов заканчивают свою работу до получения точного решения, важную роль играет оценка величины ошибки после конечного числа шагов итерации. Для определения максимального значения погрешности используется *граница ошибок*. Граница

ошибок должна выбираться такой, чтобы оценки ошибок не получались чрезмерно завышенными. Оценка ошибки позволяет приблизительно определить ее величину и обычно вычисляется с помощью асимптотических формул. Подобные оценки широко используются в пошаговых методах решения обыкновенных дифференциальных уравнений (O.070 ordinary differential equations), где для получения хорошего приближения шаг h должен выбираться достаточно малым. В численных методах линейной алгебры (N.100 numerical linear algebra) для определения ошибок весьма успешно применяется *метод обратного анализа ошибок*. В этом методе исходят из того, что численное решение является точным решением «возмущенной» исходной задачи. При этом определяются предельные значения возмущений, которые учитываются в решении, что позволяет определить границу ошибки численного результата. Такой подход может быть использован и в других областях.

E.100 error bound
граница ошибки
См. E.099 error analysis.

E.101 error burst = burst error
пакет ошибок

E.102 error control
защита от ошибок
Применение в системе связи или в вычислительной системе кодов с обнаружением ошибок (E.104 error-detecting code) и кодов с исправлением ошибок (E.103 error-correcting code) с целью регистрации возникновения ошибки в системе и (или) устранения ее последствий. Последствия ошибки в большинстве случаев могут быть устранены путем ее исправления. Средства защиты используются для борьбы с ошибками, возникающими вследствие действия помех (N.038 noise) и неисправностей оборудования. В этом смысле здесь наблюдается определенная аналогия с методами обеспечения отказоустойчивости (см. F.021 fault-tolerant system). Ошибки, допущенные при проектировании аппаратных и программных средств, как правило, указанными методами не устраняются. Защита от ошибок требует существенных затрат. Достигаемый при этом эффект характеризуется степенью защиты и должен оцениваться с учетом технических и финансовых ограничений, учитываемых при проектировании конкретной системы.

E.103 error-correcting code
код с исправлением ошибок
Код (C.149 code), предназначенный для кодирования в канале (C.066 channel coding). Кодирование информации позволяет декодеру с большой вероятностью успеха исправить любые ошибки, возникающие в канале при искажении сигнала помехой. Коды с исправлением ошибок могут быть как блочными (B.104 block code), так и сверточными (C.312 convolutional code), причем в обоих случаях они применяются в системах с прямым исправлением ошибок (F.127 forward error-correction). Наиболее часто используемыми кодами с исправлением ошибок являются коды Хемминга (H.012 Hamming codes), коды Боуза—Чоудхури—Хокенгема (B.125 Bose—Chaudhuri—Hocquenghem (BCH) codes), коды Рида—Соломона (R.075 Reed—Solomon codes), симплексные коды (S.169 simplex codes) и код Голея (23,12) (G.035 Golay codes). Поскольку ошибки можно устранять путем их обнаружения и запроса повторной передачи, в число систем с исправлением ошибок иногда включают системы с перепросом (см. B.011 backward error-correction), в которых используются коды с обнаружением ошибок (E.104 error-detecting code). См. также S.126 Shannon's model; C.160 coding theory, C.157 coding bounds.

E.104 error-detecting code
код с обнаружением ошибок
Код (C.149 code), предназначенный для кодирования в канале (C.066 channel coding). Кодирование информации позволяет декодеру с большой вероятностью успеха обнаруживать ситуации, когда в результате действия помех в канале сигнал принимается с ошибкой. Коды с обнаружением ошибок обычно бывают блочными (B.104 block codes) и, как правило, применяются в системах с перепросом (B.011 backward error-correction). Для обнаружения ошибок наиболее часто используются циклические избыточные коды (см. C.371 cyclic redundancy check). Простая разновидность таких кодов — код с контролем по четности — играет важную роль

в технике. См. также E.103 error-correcting code; S.126 Shannon's model; C.160 coding theory; C.157 coding bounds; H.013 Hamming distance.

E.105 error detection and correction
обнаружение и исправление ошибок
Ошибки в данных могут возникать при их запоминании, передаче, а также в процессе вычислений с использованием этих данных. Для обнаружения ошибок либо в данные вводится некоторая избыточность (R.072 redundancy), позволяющая осуществлять контроль (см. R.073 redundancy check), либо процесс вычислений дублируется. Некоторые ошибки, связанные с передачей данных, могут быть исправлены путем повторной пересылки этих данных (например, путем повторного считывания с магнитной ленты, если в первый раз произошел сбой). В других случаях приходится применять системы с прямым исправлением ошибок (F.127 forward error-correction). При осуществлении вычислений обнаруженные ошибки, как правило, исправляются с помощью резервных вычислительных устройств. См. также E.102 error control; E.103 error-correcting code; E.104 error-detecting code.

E.106 error diagnostics
диагностические сообщения об ошибках, диагностика ошибок
Информация, которая сообщается после обнаружения некоторой ошибки и предназначена главным образом для того, чтобы способствовать определению причины этой ошибки. Рассмотрим, например, процесс компиляции и последующего выполнения программы. Синтаксические ошибки, т. е. несоответствие программы синтаксису (S.437 syntax) используемого языка программирования, как правило, могут быть обнаружены во время компиляции, после чего компилятор обычно выдает сообщения об ошибках, содержащие сведения об их месте и типе (недопустимый оператор, неописанный идентификатор и т. п.). Во время выполнения можно обнаруживать некоторые семантические ошибки, т. е. факты неправильной работы синтаксически верной программы. В этом случае исполнительная система может также осуществлять определенную диагностику.

E.107 error estimate
оценка ошибки
См. E.099 error analysis.

E.108 error handling = error management
обработка ошибок

E.109 error management
обработка ошибок
В технике магнитной записи обработкой ошибок называется процедура, инициируемая при обнаружении ошибки в данных, считанных с магнитной ленты (МЛ), либо в ходе операции считывания, либо при проведении контрольного считывания, предусмотренного алгоритмом записи на ленту (см. M.030 magnetic tape). Эта процедура обычно проводится под управлением программного обеспечения ведущей ЭВМ, однако в так называемых буферизованных накопителях она может осуществляться частично или полностью *автономно* под управлением подсистемы магнитной ленты (M.032 magnetic tape subsystem). Эта подсистема либо подсчитывает случаи появления ошибок, либо информирует ведущую ЭВМ о каждой из них. Обработка ошибок проводится поблочно. *Исправление ошибок считывания* обычно осуществляется путем повторного чтения блока (B.103 block), в котором обнаружена ошибка, для чего несколько раз производится перемотка ленты. При каждой такой попытке считывания могут изменяться режимы работ лентопротяжной системы (включая и направление движения ленты). В типичном случае производится около десяти повторов, после чего ошибка признается неустранимой (см. E.112 error rate). Во многих форматах магнитной ленты (T.016 tape format) предусматриваются логические средства борьбы с ошибками, основанные на избыточном кодировании, благодаря которым ошибки устраняются без повторного считывания. В случае неудачного применения процедуры логического исправления ошибок (оно осуществляется либо автономно, либо с помощью программных средств, что зависит от используемого формата) инициируется основная процедура устранения ошибок. *Исправление ошибок* записи обычно производится после одной или нескольких попыток скорректировать ошибку считывания, поскольку ошибка, возможно, произошла

при проведении контрольного считывания в ходе записи на ленту. Затем, как правило, стирают весь блок, содержащий ошибку (это будет последний из блоков, записанных на ленту или по крайней мере в файл), и переписывают его заново. Перед записью перематывается некоторая заранее заданная часть ленты, что позволяет застраховаться от возможных дефектов носителя. В результате межблочный промежуток удлиняется. Этот процесс повторяется несколько раз (обычно пять), и в случае неудачного исхода ошибка признается неустранимой. В некоторых новых форматах записи (особенно в форматах записи на кассету с бегущей лентой) предусмотрено *исправление ошибок записи без остановки ленты*. В этом случае содержащий ошибку блок не стирается, а просто записывается вновь, причем остановка ленты не производится. На практике для обеспечения синхронизации иногда приходится повторно записывать не один блок, а два. Дублированные блоки различаются при считывании по номерам, содержащимся в их заголовках. От характера используемой процедуры исправления ошибок зависит коэффициент постоянных ошибок (E.112 error rate), поскольку чем больше предпринимается попыток исправления (особенно в тех случаях, когда каждый раз меняются режимы работы лентопротяжного устройства), тем больше вероятность успешного исхода этой процедуры и, соответственно, отнесения ошибки к разряду перемежающихся, а не постоянных ошибок. Таким образом, значение коэффициента ошибок, указываемое для конкретной подсистемы, будет соответствовать действительности, только если используется именно та процедура исправления ошибок, которую имел в виду изготовитель данного устройства. Величина коэффициента ошибок и тип процедуры их исправления зависят также от длины блока.

E.110 error message
сообщение об ошибке
См. E.114 error routine.

E.111 error propagation
распространение ошибки
Явление, наблюдаемое в вычислительных процессах и состоящее в том, что ошибка на некотором этапе вычислений отчасти обусловлена ошибкой, имеющейся на предыдущем этапе. Это явление не связано с ошибками округления (R.182 roundoff errors), неизбежно вносимыми при переходе от одного этапа вычислений к другому. В неблагоприятных условиях ошибка может сильно повлиять на результаты вычислений. Исследование распространения ошибок в простых арифметических операциях служит основой для подробного анализа сложных вычислительных процессов. Характер влияния неопределенностей исходных данных на конечный результат вычислений можно практически исследовать, повторив вычисления при несколько измененных исходных данных.

E.112 error rate
коэффициент ошибок
1. В технике связи коэффициент ошибок (КО) представляет собой частоту, с которой в канале связи возникают ошибки. КО можно измерять отношением числа принятых ошибочных битов к числу переданных битов. Например, в узкополосной двухточечной линии связи из 100 000 переданных битов в типичном случае один-два принимаются с ошибкой. Распределение ошибок обычно бывает неравномерным, и ошибки имеют тенденцию группироваться в пакеты (см. B.162 burst error). Поэтому КО в канале можно оценивать долей времени, на протяжении которого ошибок не возникало. КО часто выражается в виде отрицательной степени числа 10, например, если на 100 000 переданных бит приходится один ошибочный бит, то КО будет равен 10^{-5}. Другой метод характеристики КО состоит в рассмотрении ошибок как результата наложения полезного сигнала на исходный сигнал ошибки. Величина КО в таком случае может быть выражена как энтропия (E.071 entropy) сигнала ошибки. В случае физических сигналов ошибка оценивается отношением величин этих двух сигналов — так называемым отношением сигнал/шум (S.154 signal-to-noise ratio) и выражается в децибелах.
2. В технике ЗУ КО представляет собой меру относительного количества ошибок, возникающих при записи или считывании данных. Обычно КО выра-

жается числом ошибок в некотором среднем числе записанных или считанных битов или байтов данных (например, 1 ошибка на 10^9 байт). В некоторых случаях, однако, КО полезно характеризовать средним временем между ошибками при стандартных условиях эксплуатации ЗУ (например одна необнаруженная ошибка за шесть, недель при 10%-ном коэффициенте загрузки). Наиболее часто встречающиеся в технической документации КО относятся к следующим видам ошибок. *Перемежающаяся (исправляемая) ошибка считывания* исправляется с помощью процедуры коррекции ошибок, принятой для данной подсистемы памяти (см. Е.109 error management). Для магнитной ленты типичное значение КО составляет 1 ошибку на 10^9 байт. Если форматом записи предусмотрена избыточность, достаточная для устранения ошибки *без остановки ленты*, т. е. без повторного считывания блока, то в технических условиях необходимо указывать *исходный коэффициент ошибок*, т. е. КО, получающийся в том случае, когда устранение ошибок без остановки ленты не применяется.

Постоянная (неисправляемая) ошибка считывания не корректируется стандартной процедурой устранения ошибок. Типичное значение КО составляет 1 ошибку на 10^{11} байт.

Перемежающаяся (исправляемая) ошибка записи корректируется с помощью стандартной процедуры устранения ошибок. Желательно различать две компоненты общего КО: ошибки из-за дефектов носителя и ошибки вследствие сбоев самого устройства. Сделать это не просто, поскольку обе причины возникновения ошибок могут оказаться взаимозависимыми. Для ЗУ на магнитной ленте типичное значение КО составляет одну ошибку на 10^8 байт (без учета дефектов носителя). *Постоянная (неисправляемая) ошибка записи* не корректируется стандартной процедурой устранения ошибок. Здесь, как и выше, следует различать ошибки из-за дефектов носителя и вследствие сбоев устройства. В последнее время в технические условия, как правило, не включают КО, обусловленный сбоями устройства. Такие сбои учитываются при подсчете интенсивности отказов устройства (см. H.033 hardware reliability).

Необнаружимая ошибка не регистрируется подсистемой памяти. Считается, что причиной этого может быть неадекватность средств контроля ошибок, предусматриваемых данным форматом недостатки практической реализации этих средств или же несоответствие возникающей ошибки их возможностям (см. D.043 data integrity). Типичное значение КО составляет одну ошибку на 10^{13} байт. Вполне возможно получить и более высокие значения КО, однако измерение таких величин затруднительно.

E.113 error recovery
исправление ошибок
Способность некоторых компиляторов исправлять встретившуюся синтаксическую ошибку в исходной программе и возобновлять процесс анализа программы.
2. См. Е.109 error management.

E.114 error routine
подпрограмма обработки ошибок
Подпрограмма, к которой осуществляется переход из основной программы при обнаружении какой-либо ошибки. Действия, осуществляемые программой обработки ошибок, зависят от требований надежности, которым должна удовлетворять основная программа, а также от принятой методики анализа и устранения ошибок. В типичном случае подпрограмма обработки ошибок может либо выработать сообщение об ошибке, либо попытаться установить причину возникновения ошибки, либо таким образом скорректировать ее, чтобы стало возможным продолжение нормальной работы.

E.115 escape character
знак перехода
Управляющий знак, меняющий смысл следующего непосредственно за ним знака или целой группы знаков. Аналогичен знаку смены регистра (S.135 shift character), но в отличие от него модифицирует ограниченное число знаков.

E.116 Estriel
Товарный знак семейства ЭВМ, построенных в соответствии с архитектурой машин серии ICL 2900 на микросхемах фирмы Fujitsu.

E.117 Ethernet
сеть Ethernet (Эзернет)

Первоначально — экспериментальная локальная сеть (L.095 local-area network). В ней используется передача данных в исходной полосе частот (см. B.029 baseband networking) со скоростью 3М бит/с по коаксиальному кабелю в соответствии с протоколом CSMA/CD (C.354 CSMA/CD). Разработана в 1976 г. исследовательским центром фирмы Xerox, г. Пало-Альто, для связи персональных ЭВМ. В 1980 г. эта сеть была принята фирмами DEC, Intel и Xerox в качестве стандартной связной среды, ориентированной на передачу данных в исходной полосе частот со скоростью 10М бит/с по коаксиальному кабелю в соответствии с протоколом CSMA/CD.
В сети Ethernet фактически реализованы два нижних уровня предложенной ISO семиуровневой эталонной модели (S.120 seven-layer reference model) взаимодействия открытых систем.

E.118 ETX/ACK
подтверждение конца транзакции
Метод, согласно которому в завершение последовательности сообщений, относящихся к одной полной транзакции, передается управляющий символ (C.292 control character). Передающий блок заканчивает транзакцию управляющим знаком ETX (end of transmission — конец передачи), а приемный блок подтверждает успешный прием этого знака путем передачи символа «ACK» (см. A.029 acknowledgment). Описанный способ завершения транзакции не следует смешивать с управлением потоком (F.107 flow control), которое призвано регулировать трафик в процессе передачи.

E.119 Euclidean norm = two-norm
евклидова норма
См. A.118 approximation theory.

E.120 Euclid's algorithm
алгоритм Евклида
Алгоритм определения наибольшего общего делителя (НОД) двух целых чисел, m и n, согласно которому при $m > n$ следует разделить m на n и найти остаток r. Если $r = 0$, то НОД $= n$, в противном случае следует повторить те же действия для целых чисел n и r.

E.121 Euler cycle = Euler path
эйлеров маршрут
Путь (P.069 path) в ориентированном графе (G.047 graph), который проходит через каждую вершину графа ровно один раз и поэтому представляет собой замкнутую цепь, образуемую дугами графа. Это понятие названо в честь Леонарда Эйлера, который ввел его при решении классической оптимизационной задачи о Кенигсбергских мостах (ныне это город Калининград). Эйлер показал, что необходимое и достаточное условие наличия в графе такого пути состоит в том, что этот граф должен быть связным (C.267 connected graph) и что каждая его вершина должна иметь равное количество входящих и исходящих дуг.

E.122 Euler's mehtod
метод Эйлера
См. D.230 discretization.

E.123 Euronet
сеть Euronet (Евронет)
Сеть с коммутацией пакетов (P.009 packet switching), созданная под эгидой Комиссии ЕЭС (Европейского экономического сообщества) и введенная в эксплуатацию в 1979 г. Официальное название сети — Euronet-Diane, где Diane является аббревиатурой от «direct information access network for Europe» (европейская сеть прямого доступа к информации). Проект объединяет: наиболее крупные фирмы ЕЭС, обеспечивающие централизованные службы интерактивного поиска НТИ (научно-технической информации); министерства связи (P.321 PTT) стран ЕЭС, которые специально для проекта создали международную европейскую сеть передачи данных, охватившую все страны ЕЭС; Комиссию ЕЭС, финансирующую не только проект, но и обеспечение типовых услуг для пользователей.

E.124 even parity
четность
Свойство совокупности двоичных символов, состоящее в том, что число «1» в такой совокупности четно. См. P.043 parity.

E.125 event
событие
См. R.105 relative frequency.

E.126 EVFU — electronic vertical format unit
блок управления форматом по вертикали
См. V.036 vertical format unit.

E.127 exception
исключительная ситуация
Ситуация ошибки или сбоя, в которой дальнейшее выполнение программы нецелесообразно. Примерами исключительных ситуаций могут служить арифметическое переполнение, ссылка на элемент массива с недопустимыми значениями индексов, сбой периферийного устройства или внешнее прерывание. В большинстве языков программирования возникновение такой ситуации приводит к аварийному останову, однако в других языках (например, в языке Ада) программисту предоставляется возможность написать подпрограмму — она называется подпрограммой обработки исключительных ситуаций — которая автоматически вызывается при возникновении соответствующей ситуации. Эта подпрограмма после требуемых восстановительных операций может либо снова передать управление основной программе (в точку, где возникла исключительная ситуация, или в любую другую точку), либо нормальными средствами завершить выполнение основной программы.

E.128 excess-3 code
код с избытком три
Способ кодирования десятичной цифры четырехразрядной двоичной последовательностью, при котором взвешенная сумма разрядов кодового слова (см. C.149 code) больше десятичной цифры на три. Например, 9 кодируется словом 1100, для которого взвешенная сумма разрядов

$$8 \times 1 + 4 \times 1 + 2 \times 0 + 1 \times 0 = 12.$$

E.129 excess factor = bias
избыточный множитель, смещение
См. F.100 floating-point notation.

E.130 excess-n notation
представление с избытком n, избыточное представление
См. F.100 floating-point notation.

E.131 exchange in a network
обмен (в сети)
См. N.037 node.

E.132 exchangeable disk store — EDS
сменный диск
Носитель информации, выполненный в виде пакета магнитных дисков (D.242 disk pack) или кассеты дискового накопителя (D.237 disk cartridge), который можно, изъяв из накопителя, поместить в архив и заменить на другой носитель того же типа. Такой сменный диск можно использовать в другой базовой системе, имеющей аналогичный дисковод и совместимые средства записи-считывания.

E.133 exchange selection = bubble sort
выборка с обменом, пузырьковая сортировка

E.134 exclusive-NOR gate
схема функции «исключающее НЕ— ИЛИ»
Электронный логический вентиль (L.123 logic gate), выходной сигнал которого равен логическому «0» (ложь) только в тех случаях, когда один из входных сигналов равен логической «1» (истина), а остальные — логическому «0». В противном случае выходной сигнал равен логической «1». Этот вентиль реализует логическую операцию эквивалентности (E.088 equivalence), имеет ту же таблицу истинности (T.188 truth table) и известен также под названием *вентиля эквивалентности*. Подобно схеме функции «исключающее ИЛИ» (E.135 exclusive-OR gate) его можно использовать как простой цифровой компаратор (C.200 comparator). На рисунке показано схемное обозначение и таблица истинности двухвходового вентиля.

E.135 exclusive-OR gate
схема функции «исключающее ИЛИ»
Электронный логический вентиль (L.123 logic gate), выходной сигнал которого равен логической «1» (истина) только в тех случаях, когда один из входных сигналов равен логической единице «1», а остальные — логическому «0». Поэтому он реализует логическую операцию «исключающее ИЛИ» (E.136 exclusive OR operation), имеет такую же таблицу истинности (T.188 truth table) и называется вентилем отрицания эквивалентности. Подобно схеме функции «исключающее НЕ— ИЛИ», его можно использовать как простой цифровой компаратор (C.200 comparator). На рисунке показано схемное обозначение и таблица истинности двухвходового вентиля.

Входы	A1	0	0	1	1
	A2	0	1	0	1
Выход	B	1	1	1	0

$$A1 \;\rangle\!\!\supset\!\!- B$$
$$A2$$

Входы	A1	0	0	1	1
	A2	0	1	0	1
Выход	B	0	1	1	0

E.136 exclusive-OR operation
операция «исключающее ИЛИ»
Логическая связка (C.269 connective), объединяющая два утверждения, значения истинности или формулы P и Q таким образом, что, как следует из приведенной ниже таблицы истинности,

P	Л	Л	И	И
Q	Л	И	Л	И

P XOR Q	Л	И	И	Л

результат оказывается истинным (И), если P или Q (но не P и Q) истинны. В связи с тем, что истинность результата имеет место только при неодинаковых операндах, ее называют также операцией отрицания эквивалентности. Известно много способов обозначения этой операции, наиболее распространенными из которых являются XOR, хог и V. См. также O.073 OR operation.

E.137 execute
выполнить
Осуществить некоторые действия, предполагаемые некоторой командой или программой, например, интерпретировать машинные коды, выполнить подпрограмму, рассчитать функцию для заданных наборов параметров.

E.138 execute phase
исполнительная фаза
Этап прогона программы, на котором происходит собственно выполнение оттранслированной программы.

E.139 execution states
рабочие режимы
Различные режимы работы вычислительной системы, которым соответствуют различные уровни доступа или привилегий. Система может находиться по крайней мере в двух состояниях. В простейшем случае система может работать в супервизорном режиме (или режиме выполнения) и в пользователь-

ском режиме. При наличии более двух рабочих режимов разного уровня возможно использование различных уровней привилегий. Указанные режимы могут соответствовать в матрице доступа некоторым используемым ресурсам. См. A.018 access control.

E.140 execute step
шаг исполнения
Этап исполнения команды, на котором осуществляются предписанное (ые) ею действие (я) и соответствующие обращения к памяти. См. C.305 control unit.

E.141 execution time = run time
время выполнения, время прогона

E.142 executive program
управляющая программа
Старое название супервизора (S.398 supervisor). По современной терминологии, супервизор, строго говоря, не является программой, которой обычно считаются один или несколько процессов, взаимодействующих друг с другом для получения определенного результата, нужного некоторому пользователю. Супервизор, напротив, призван осуществлять диспетчеризацию ряда независимых процессов, не взаимодействующих друг с другом.

E.143 executive state = supervisor state
режим исполнения, режим супервизора
См. E.139 execution states.

E.144 exerciser
тестер
Устройство или программа, осуществляющая проверку подсистемы путем тщательного и неоднократного выполнения стандартных операций и анализа их результатов. Примером может служить тестер накопителя на гибких магнитных дисках.

E.145 existential quantifier
квантор существования
См. Q.007 quantifier.

E.146 exit point = exit
точка выхода, выход
Точка, в которой происходит передача управления из подпрограммы.

E.147 EXNOR gate — exclusive-NOR gate
вентиль «исключающее НЕ—ИЛИ»

E.148 EXOR gate — exclusive-OR gate
вентиль «исключающее ИЛИ»

E.149 expectation
математическое ожидание
См. M.089 measures of location.

E.150 experimental design
планирование эксперимента
Система комбинирования воздействий на исследуемые объекты, обеспечивающая возможность оценивания результатов этих воздействий статистическими методами (S.314 statistical methods). Основными принципами планирования эксперимента являются *повторение* эксперимента, т. е. испытание разных объектов в одинаковых условиях; *рандомизация*, обеспечивающая для каждого объекта равную вероятность каждого вида испытаний; и *группирование в блоки*, т. е. объединение сходных объектов, каждый из которых должен испытываться в разных условиях. Планы факторных экспериментов обеспечивают одновременную проверку разнообразных показателей или факторов. Дисперсионный анализ (A.099 analysis of variance) позволяет оценить влияние условий эксперимента.

E.151 expert systems
экспертные системы
Коммерческие комплексы программного обеспечения ЭВМ, основанные на алгоритмах искусственного интеллекта (A.140 artificial intelligence), в особенности на методах решения проблем, и предполагающие использование соответствующей информации, полученной заранее. от специалистов. *Инженерия знаний* является подразделом теории искусственного интеллекта, связанным с построением экспертных систем, которые могут использоваться в различных областях — медицинской диагностике, при поиске неисправностей, разведке полезных ископаемых и выборе архитектур вычислительных систем.

E.152 exploratory data analysis — EDA
разведочный анализ данных
Термин, предложенный Дж. Ч. Тьюки для обозначения методов исследования численной информации с целью распознавания ее структуры. Этот вид анализа является открытым, не требует сколько-нибудь определенных предположений об особенностях искомой структуры и рассчитан на довольно широкое использование графических методов. Разведочному анализу противоположен метод подбора моделей, согласно которому приходится до начала анализа принимать весьма конкретные допущения. Реализация указанных подходов осуществляется на основе статистических методов. (S.314 statistical methods).

E.153 exponent
порядок
См. F.100 floating-point notation

E.154 exponentially bounded algorithm
алгоритм с экспоненциальной сигнализирующей
См. C.217 complexity measure.

E.155 exponential space, time
экспоненциальное пространство или время
См. C.215 complexity classes.

E.156 exponential waveform
экспоненциальный сигнал
Непериодический сигнал, который экспоненциально нарастает или спадает от некоторого исходного значения, принимаемого в начальный момент времени, и описывается показательным законом

$$y(t) = e^{at}.$$

При $a > 0$ сигнал $y(t)$ с течением времени t неограниченно возрастает, а при $a < 0$ — стремится к нулю. Одна из форм искажения логических сигналов при их прохождении через систему состоит в том, что фронты переключения принимают экспоненциальную форму.

E.157 exponentiation
потенцирование
Операция (O.039 operation) возведения в степень. n-кратное умножение числа x на себя записывается как x^n. Для ненулевых x обычно предполагается, что $x^0 = 1$. С .другой стороны, x^n можно определить индуктивно (см. I.066 induction):

$$x^0 = 1;$$
$$x^n = x \times x^{n-1} \text{ для } n > 0.$$

Понятие потенцирования можно обобщить для отрицательных, дробных, переменных и комплексных показателей степени. Операция потенцирования в той или иной форме реализуется в большинстве распространенных языков программирования (важным исключением является Паскаль). Она играет также ключевую роль при представлении вещественных чисел в формате с плавающей точкой (F.100 floating-point notation).

E.158 expression
выражение

Компонент языка программирования, определяющий способ вычисления некоторого значения, например

$$(-b + sqrt (b * b - 4 * a * c))/(2 * a).$$

E.159 expression of requirements
техническое задание

Перечень требований, которым должна удовлетворять создаваемая вычислительная система (или программа). Для адекватного определения этих требований обычно необходимо, чтобы техническое задание описывало не только проектируемую систему, но и условия ее эксплуатации. Хорошее техниче-

ным, что заставляет перейти к более формальной записи, которая зачастую основана на использовании графических структур с записью текстов на естественном языке.

E.160 extended addressing
расширенная адресация

Любой из методов адресации, обеспечивающих доступ к ЗУ с адресным пространством (A.060 address space), большим нежели адресное пространство, предусматриваемое форматом команды.

См. A.055 addressing schemes.

E.161 extended BNF (EBNF)
расширенная нормальная форма Бэкуса (РНФБ)

Система обозначений для определения синтаксиса (S.437 syntax) языков программирования, в основе которой ле-

〈цепочка цифр〉 :: = 〈цифра〉 | 〈цифра〉 〈цепочка цифр〉
〈знак〉 :: = + | —
〈число без знака〉 :: = 〈цепочк а цифр〉 |
〈цепочк а цифр〉.
〈число〉 :: = 〈число без знака〉|
〈знак〉 〈число без знака〉

Рис. 1

ское задание должно быть создано на самых первых этапах разработки системы. Для крупных проектов это играет ключевую роль, в немалой степени из-за того, что ошибки, допущенные на стадии составления технического задания, исправить особенно трудно. Поскольку указанный документ является первым достаточно полным описанием нужной системы, его создание представляется во многих отношениях затруднительным. В частности, может оказаться необходимым получить информацию от многих лиц, ни одно из которых не имеет всестороннего понимания проектируемой системы. Таким образом, требуется согласовать ряд непоследовательных, неполных и противоречивых точек зрения, чтобы получить согласованное представление о системе. Техническое задание является основным средством общения между заказчиками и разработчиками системы. Поэтому оно должно быть понятным без специального знания вычислительной техники и формальных языков. Формулирование технического задания на обычном языке, как правило, оказывается недостаточ-

жит нормальная форма Бэкуса (B.115 BNF). Создателям РНФБ удалось устранить основные недостатки НФБ: рекурсивное определение повторов и необходимость дополнительного определения альтернатив и факультативных возможностей. Для этого пришлось ввести особые средства обозначения повторов и вариантов. Сравним, например, БНФ-запись (рис. 1) с эквивалентной РБНФ-записью (рис. 2). Со-

цепочка цифр = цифра {цифра}
число без знака = цепочка цифр [.]
число = число без знака|
("+" | "—") число без знака

Рис. 2

гласно РБНФ для обозначения повторов используется знак {...}, для обозначения вариантов — знак /, для группирования конституент — знак (...), а для обозначения факультативных возможностей — знак [...]. Другая важная особенность состоит в способе различения литералов и синтаксических элементов. Согласно НФБ литералы никак не выделяются, а синтаксические элементы заключаются в угловые скобки. Напротив, РНФБ предполагает, что синтаксические элементы не выделяются, а литералы заключаются в кавычки. Это позволяет определить синтаксис РНФБ с помощью РНФБ.

E.162 extended precision
повышенная точность
Двойная (D.281 double precision) или еще более высокая точность.

E.163 extensibility
расширяемость
Возможность определения на языке программирования новых языковых конструкций.

E.164 extensible addressing
расширенная адресация
См. A.054 addressing.

E.165 extensible language
расширяемый язык
Язык программирования, обладающий свойством расширяемости. (E.163 extensibility).

E.166 extension of a source
расширение (источника)
В теории кодирования расширением называется процесс одновременного кодирования группы символов или результаты этого процесса. Если символы q-ичного (Q.001 q-ary) источника информации группируются в блоки длиной r и эти блоки обрабатываются (например, кодируются) подобно символам из алфавита объемом q^r, то подобный составной источник называется r-расширением исходного источника. См. также S.231 source coding theorem.

E.167 extension field
расширение поля
См. P.150 polynomial.

E.168 external device
внешнее устройство
Вспомогательное или периферийное устройство вычислительной системы, обычно терминал или другой удаленный аппарат. В некоторых командах ввода-вывода внешние устройства обозначаются числами (обычно двоичными), по которым одно устройство отличается от всех остальных. Такое число часто называют *адресом внешнего устройства*, хотя, строго говоря, оно не является адресом в истинном смысле этого слова.

E.169 external fragmentation
внешняя фрагментация
Вид фрагментации (F.135 fragmentation), соответствующий распределению памяти участками произвольного размера. При высвобождении большого участка памяти часть его может быть выделена в ответ на текущий запрос, при этом остаток может оказаться слишком малым для удовлетворения любых последующих запросов.

E.170 external interrupt
внешнее прерывание
Прерывание, которое инициируется устройством, не входящим в состав процессора. Источниками внешних прерываний могут оказаться периферийные устройства и каналы связи.

E.171 external node = leaf node
концевая вершина, узел-лист

E.172 external path length
длина концевого маршрута
В некотором дереве это сумма длин всех маршрутов из корневой вершины в концевую.

E.173 external scheme
внешняя схема
См. D.031 data description language.

E.174 external sorting
внешняя сортировка
См. S.225 sorting.

E.175 external storage
внешнее ЗУ
Любое ЗУ, связанное с ЭВМ и управляемое ею, но в конструктивном отношении выполненное отдельно. Обычно к внешним ЗУ относятся такие внешние устройства, как лентопротяжные механизмы и дисководы. Внешнее ЗУ может коллективно использоваться несколькими ЭВМ.

E.176 extrapolation
экстраполяция
Оценка значения функции (по другим ее значениям) в точке, лежащей вне интервала, на котором определены известные значения этой функции. Один из возможных подходов состоит в вычислении значения интерполяционного (I.151 interpolation) многочлена в этой точке. Важным примером использования экстраполяции является обработка исходных данных, которые представляют собой последовательность приближенных решений некоторой задачи при различных значениях пара-

метра, определяющего величину допустимой ошибки используемого метода. Для повышения точности этого метода достаточно на основе теоретических сведений о зависимости ошибки от указанного параметра вычислить экстраполированное значение в точке, соответствующей нулевой ошибке. Этот подход называется *экстраполяцией по Ричардсону* (или *косвенным приближением к пределу*).

E.177 extrinsic semiconductor
примесный полупроводник
См. S.071 semiconductor.

F

F.001 facsimile
система факсимильной связи
Система, обеспечивающая электронную передачу обычных документов, в том числе чертежей, фотографий и схем. На передающей станции исходный документ сканируется, преобразуется в аналоговую или цифровую форму и подается в канал связи. На приемной станции производится формирование на бумажном носителе дубликата — факсимиле — исходного документа. Первые системы факсимильной связи были исключительно аналоговыми, однако в последнее время появились системы, основанные на цифровых методах кодирования и передачи данных.

F.002 factorable code
каскадный код
Код с исправлением ошибок, который можно рассматривать как результат последовательного применения нескольких других кодов. Порождающие многочлены этих элементарных кодов являются сомножителями порождающего многочлена исходного сложного кода.
См. C.246 concatenated coding systems.

F.003 factor analysis
факторный анализ
См. M.255 multivariate analysis.

F.004 factorial designs
план факторного эксперимента
См. E.150 experimental design.

180

F.005 fail-safe
отказобезопасный
Определение, задающее или характеризующее способность вычислительной системы работать правильно (безопасно), несмотря на возникновение одиночного отказа. См. также F.021 faulttolerant system.

F.006 fail-soft
с амортизацией отказов
Атрибут, определяющий или характеризующий способность вычислительной системы обеспечивать обслуживание, несмотря на возникновение одиночного отказа, хотя и с пониженным качеством. При этом говорят, что система находится в состоянии постепенного снижения эффективности. См. также F.021 fault-tolerant system.

F.007 failure
отказ
Ситуация, в которой некоторая часть вычислительной системы оказывается неспособной выполнять возлагаемые на нее функции. Английские термины fault и failure имеют сходный смысл, однако первый из них иногда относится к действительной (физической) причине ухудшения функциональных возможностей.
См. также F.021 fault-tolerant system.

F.008 failure recovery
восстановление после отказа
Процедура, обеспечивающая перезапуск отказавшей системы и при этом исключающая выработку системой неверных результатов или минимизирующая количество таких результатов. Обычно процедура восстановления программы используется в сочетании с процедурой организации контрольных точек (C.093 check point).

F.009 fall back
нейтрализация неисправности
Повторный запуск (R.139 restart) процесса в контрольной точке (C.093 checkpoint) после устранения отказа.
См. также F.008 failure recovery.

F.010 fan-in
коэффициент объединения по входу
Количество входных сигналов (обычно фиксированное), подаваемых на вход логического вентиля или логического прибора.

F.011 Fano coding = Shannon — Fano coding

алгоритм кодирования Фано, алгоритм кодирования Шеннона—Фано
См. S.230 source coding.

F.012 Fano decoding
алгоритм декодирования Фано
Предложенный Фано алгоритм декодирования сверточных кодов.
(C. 312 convolutional code).

F.013 fan-out
коэффициент разветвления по выходу
Максимальное количество приборов, которыми можно надежно управлять при помощи выходного сигнала логического вентиля или логического прибора (это количество обязательно ограничено). При подключении большого числа управляемых приборов уровни напряжения, соответствующие сигналам логических «1» и «0», сближаются, что повышает вероятность ошибок.

F.014 fast core
сверхоперативное ЗУ
Вид оперативного ЗУ (см. С. 317 core store), время доступа к которому меньше, чем у приборов, на которых построено основное ЗУ этого же процессора.

F.015 fast Fourier transform — FFT
быстрое преобразование Фурье (БПФ)
Точный и эффективный алгоритм вычисления дискретного преобразования Фурье (F.130 Fourier transform) на ЭВМ. Методы БПФ находят широкое применение при исследованиях в области линейных систем, оптики, теории вероятности, квантовой физики, антенной техники, а также при анализе сигналов.

F.016 father of a node = parent
узел-родитель

F.017 father file
последняя версия файла
См. F.058 file recovery.

F.018 fault
неисправность, дефект
См. F.007 failure.

F.019 fault detection
обнаружение неисправностей
Процедура, связанная обычно с обнаружением при проверке (C.088 check) факта неисправности в работе логической или арифметической схемы или ошибки при передаче информации.

F.020 fault diagnosis
диагностика неисправностей
Задача определения места возникновения и логической природы неисправности в (ремонтопригодной) вычислительной системе.

F.021 fault-tolerant system
отказоустойчивая система
Вычислительная система, которая при возникновении отказа сохраняет свои функциональные возможности в полном (см. F.005 fail-safe) или уменьшенном (см. F.006 fail-soft) объеме. Отказоустойчивость обычно обеспечивается сочетанием избыточности системы и наличия процедур обнаружения и устранения ошибок.

F.022 FCC — Federal Communications Commission
Федеральная комиссия связи (ФКС)
Правительственная комиссия США, координирующая деятельность общественных связных служб. Под ее юрисдикцию попадают наземные линии связи, а также кабельные, радио- и спутниковые каналы связи. Является участником международных соглашений по распределению частот в диапазоне радиоволн.

F.023 F-distribution
F-распределение
Важное распределение вероятности (P.232 probability distribution), используемое при проверке значимости среднеквадратических оценок в дисперсионном анализе (A.099 analysis of variance) и в регрессионном анализе (R.089 regression analysis). Теоретически F-распределению подчиняется отношение двух независимых случайных величин S_1/f_1 и S_2/f_2, где величина S_i распределена по закону $\varkappa^2$ (C.103 chi-squared distribution) с f_i степенями свободы. Таблицы критических значений F-распределения для различных величин параметров f_1 и f_2 общедоступны, однако непосредственное вычисление этих значений требует трудоемкого расчета неполной бета-функции.

F.024 FDM — frequency division multiplexing
частотное уплотнение

F.025 feasibility study
анализ осуществимости
Анализ, проводимый перед опытно-конструкторской работой с целью доказательства реализуемости и полезности предлагаемой системы. Он может выполняться чисто теоретически или включать в себя создание экспери-

ментальных систем и макетов. Зачастую такой анализ не охватывает всю предлагаемую систему, а затрагивает только те конкретные аспекты или решения, реализуемость которых представляется спорной или связана с наибольшим риском.

F.026 feed
1. подающий механизм 2. подавать
1. Устройство перемещения носителя — обычно это лента или перфокарты — в положение, .в котором осуществляется считывание. 2. Вызывать ввод информации или носителя в систему или периферийное устройство.

F.027 feedback queue
очередь с обратной связью
Распространенная форма диспетчеризации в системах коллективного пользования. Отдельным процессам выделяются кванты (Q.011 quantum) процессорного времени. Запущенный процесс будет выполняться до истечения своего кванта, до того, как этот процесс инициирует обмен с периферийным устройством, или до возникновения прерывания от некоторого другого процесса. Если процесс исчерпал свой квант, то он (процесс) получает более длинный квант и помещается в очередь. Если процесс инициирует обмен, то квант остается неизменным, а процесс помещается в очередь. Все возникающие внешние прерывания обслуживаются, при этом могут высвобождаться некоторые процессы, находящиеся в очереди, что приводит к их приоритетному перезапуску.

F.028 feedback register = feedback shift register
регистр с обратной связью, сдвиговый регистр с обратной связью
Сдвиговый регистр (S.140 shift register), состоящий, вообще говоря, из нескольких ячеек, вход первой из которых соединен с выходом комбинационной схемы, реализующей логическую функцию от выходных сигналов нескольких других ячеек и, возможно, внешнего входного сигнала. Важным частным случаем является *регистр с линейной обратной связью*, в котором сигнал обратной связи формируется линейной логической схемой (L.058 linear logic). В регистре с линейной обратной связью осуществляется обращение свертки внешней входной последовательности с последовательностью комбинационных ко-

эффициентов (см. C.311 convolution). Если представить внешний входной сигнал в виде многочлена (P.150 polynomial), в котором степени независимой переменной означают временную задержку, а комбинационные коэффициенты аналогичным образом представить в виде второго многочлена, то регистр с линейной обратной связью можно рассматривать как устройство деления первого многочлена на второй. В системах кодирования или цифровой обработки сигналов регистры с обратной связью могут быть двоичными или q-ичными (Q.001 q-ary) и могут реализовываться аппаратно или программно. При отсутствии внешней входной последовательности регистр с линейной обратной связью может сам по себе использоваться для формирования m-последовательностей (M.205 m-sequence) или (при обеспечении параллельной загрузки сдвигового регистра исходным словом) может работать как кодер (E.060 encoder) симплексных кодов (S.169 simplex codes). В обоих указанных применениях требуется, чтобы коэффициенты логической схемы обратной связи соответствовали примитивному многочлену (P.150 polynomial). См. также G.037 Good—de Bruijn diagram.

F.029 feed-forward register = feed-forward shift register
регистр с прямой связью, сдвиговый регистр с прямой связью
Сдвиговый регистр (S.140 shift register), состоящий, вообще говоря, из нескольких ячеек, выходные сигналы нескольких из которых подаются на вход комбинационной логической схемы. Важным частным случаем является регистр с линейной прямой связью, в котором функция прямой связи реализуется линейной логической схемой (L.058 linear logic). В регистре с линейной прямой связью осуществляется свертка входной последовательности регистра с последовательностью комбинационных коэффициентов (См. C.311 convolution). Если представить входной сигнал в виде многочлена (P.150 polynomial), в котором степени независимой переменной означают временную задержку, а комбинационные коэффициенты аналогичным образом представить в виде второго многочлена, то регистр с линейной прямой связью можно рассматривать как устройство умножения

указанных многочленов. В системах кодирования или цифровой обработки сигналов регистры с прямой связью могут быть двоичными или q-ичными и могут реализовываться аппаратно или программно.

F.030 Ferranti Ltd.

Первоначально компания, теперь — группа компаний Ferranti plc, расположенных в Манчестере, Великобритания. Первой из электротехнических компаний занялась изготовлением ЭВМ с хранимой программой, концепция которых сформировалась в конце 1940-х годов в Манчестерском университете. Сотрудничество компании с университетом началось в 1948 г. по инициативе правительства и было направлено на создание промышленного образца ЭВМ Manchester Mark I (M.047). Выпущенная в 1951 г. ЭВМ Ferranti Mark I стала первой в мире коммерческой ЭВМ. Вслед за ней последовали Mark I Stor (1953 г.), Pegasus I и II (1956, 1959 гг.) и Atlas (A.161) (1963 г.). Доля фирмы Ferranti в производстве вычислительной техники коммерческого назначения была продана в 1963 г. фирме ICT (International Computers and Tabulators). Фирмы ICT и EELM (English Electric Leo Marconi, слившись в 1968 г., образовали компанию ICL (I.010). После этого фирма Ferranti сосредоточила свои усилия на ЭВМ, предназначенных для управления технологическими процессами. В 1975 г. три отделения фирмы слились и образовали компанию Ferranti Computer Systems Ltd. С тех пор эта компания освоила выпуск продукции промышленного, военного и коммерческого назначения.

F.031 ferrite
феррит
Материал, полученный спеканием ферромагнетика с керамикой. Сочетает высокую магнитную проницаемость первого из них с высоким электрическим сопротивлением второго. Поэтому феррит может использоваться для изготовления магнитных сердечников высокочастотных быстродействующих переключательных схем, для которых существенное значение имеют потери в сердечнике. См. также C.317 core store.

F.032 FET — field-effect transistor
полевой транзистор (ПТ)

F.033 fetch-execute cycle = instruction cycle
цикл выборки-исполнения, командный цикл
Два шага — формирования и исполнения — команды. См. C.305 control unit.

F.034 fetch protect
защита от несанкционированной выборки
Ограничение возможности считывания из определенного сегмента ЗУ. См. M.109 memory protection.

F.035 FFT — fast Fourier transform
быстрое преобразование Фурье (БПФ)

F.036 fiber optics transmission system
волоконно-оптическая система передачи
Система передачи данных, в которой оптические волокна — изготовленные из специальных стекол или пластмасс — заменяют медные провода. Информация переносится модулированным световым потоком. Оптические волокна малогабаритны, имеют малый вес и высокое электрическое сопротивление. Кабели, изготовленные из оптических волокон и других непроводящих материалов, могут использоваться в военной и промышленной аппаратуре, где применение обычных проводящих кабелей небезопасно. Кроме того, поскольку у волоконно-оптических кабелей отсутствует электромагнитное излучение и от них трудно сделать отвод, волоконно-оптические линии связи в известной степени гарантируют от утечки информации. В настоящее время используются оптические волокна трех основных видов: одномодовые и многомодовые с резким изменением коэффициента преломления, а также многомодовые с плавным изменением коэффициента преломления. Они отличаются законом изменения оптической плотности волокна от его середины к краю, что влияет на распространение света по кабелю и тем самым обусловливает различия в эффективности передачи и в количестве различных световых сигналов (отличающихся по длине волны или по поляризации), которые могут одновременно распространяться в волокне.

F.037 Fibonacci search
поиск Фибоначчи
Алгоритм поиска, в котором числа Фибоначчи используются так же, как степени двойки при двоичном поиске (См. B.070 binary search algorithm).

F.038 Fibonacci series
последовательности Фибоначчи
Последовательность чисел, в которой каждый член является суммой двух предыдущих членов, например

$$0, 1, 1, 2, 3, 5, 8 \ldots .$$

Числа Фибоначчи F_n формально определяются следующим образом:

$$F_0 = 0, \ F_1 = 1;$$
$$F_{n+2} = F_{n+1} + F_n, \ n \geqslant 0.$$

Всякое положительное число m можно единственным образом представить в виде суммы чисел Фибоначчи, причем в этом разложении наибольшее F_n не будут превосходить m и никакие два F_n не будут соседними членами последовательности Фибоначчи.

F.039 fiche = microfiche
микрофиша
См. C.170 COM.

F.040 field
поле
1. Элемент данных, состоящий из ряда символов, байтов, слов или кодов, рассматриваемых совместно, т. е. образующих число, имя или адрес. Совокупность полей образует запись (R.056 record), причем длина полей может быть как постоянной, так и переменной. Термин возник применительно к системам, в которых информация хранилась на перфокартах.
2. Обычное наименование части слова, имеющей особое значение или выполняющей конкретную функцию внутри этого слова, например, поле адреса в команде или поле символа в информационном слове.
3. В математике поле — это коммутативное кольцо (R.157 ring), содержащее более одного элемента и характеризуемое наличием для каждого ненулевого элемента обратного элемента (I.168 inverse) по отношению к операции умножения. Помимо очевидной взаимосвязи с арифметическими операциями над числами различных видов, поля играют весьма важную роль при исследовании вопросов анализа алгоритмов (A.082 algorithm). Результаты в этой области формулируются

при помощи множества операций, обычно связанных со сложением и умножением элементов некоторого поля.

F.041 field-effect transistor — FET
полевой транзистор (ПТ)
Полупроводниковый прибор с тремя выводами: *истоком, затвором* и *стоком*. Ток, протекающий по узкому проводящему *каналу* между стоком и истоком, управляется напряжением затвор—сток, которое обедняет проводящий канал носителями заряда. Если области истока и стока выполнены из полупроводника n-типа, то канал также имеет проводимость n-типа; такие приборы называются n-канальными. Приборы с истоком, стоком и каналом p-типа называются p-канальными. В противоположность биполярным транзисторам (B.084 bipolar transistor) полевые транзисторы являются *униполярными* приборами, перенос заряда осуществляется электронами (в n-канальных приборах) или дырками (в p-канальных приборах). В *полевых транзисторах с управляющим* (p—n)-*переходом* канал является составной частью структуры. В МОП-транзисторах (M.193 MOSFET) затвор изолируется от областей истока и стока, а канал образуется при подаче на затвор определенного напряжения. В противоположность биполярным транзисторам МОП-транзисторы обоих типов практически не потребляют входного тока по цепи затвора, за исключением импульсного потребления в процессе заряда или разряда затворной емкости. Для полевых транзисторов с управляющим p—n-переходом по сравнению с биполярными и МОП-транзисторами характерна относительно низкая скорость переключения (S.411 switching speed), поэтому они не используются в логических схемах.

F.042 field-programmable devices
приборы, программируемые в процессе эксплуатации
См. P.268 programmable devices, P.122 PLA.

F.043 FIFO — first in first uot = fifo
первым пришел — последним обслужен, обратного магазинного типа
(о стеке)
Список обратного магазинного типа является синонимом очереди. (Q.017 queue).

F.044 fifth generation
пятое поколение
Класс ЭВМ, разрабатываемых ныне в ряде стран и намечаемых к выпуску в 1990-х годах. В настоящее время об особенностях этих ЭВМ можно говорить только предположительно, однако основной упор будет, очевидно, сделан на их «интеллектуальность».

F.045 file
файл
Информация, хранимая во вспомогательном ЗУ (В.005 backing store) (т. е. обычно на магнитном диске или магнитной ленте) с целью ее сохранения после завершения отдельного задания (а) (или) преодоления ограничений, связанных с объемом основного ЗУ (б). В файле могут содержаться данные, программы, тексты и любая другая информация. Файлы, существующие очень небольшое время [т. е. создаваемые по указанной выше причине (б) или просто для последовательной передачи информации от одного задания к другому], называются рабочими файлами.

F.046 file astivity
воздействие на файл
Всякая операция запоминания или поиска, выполняемая над файлом (F.045 file). В некоторых системах осуществляется запись воздействий на файл, причем эта информация используется для оптимизации использования имеющейся поддерживающей памяти (В.005 backing store). Например, если интенсивность работы с некоторым файлом падает ниже установленного уровня, то этот файл можно перенести в автономное ЗУ.

F.047 file activify ratio
интенсивность воздействия на файл
Количество воздействий (F.046 file activity) на указанный файл за один его просмотр или в течение заданного промежутка времени.

F.048 file descriptor
описатель файла
Информационная структура, описывающая файл и указывающая в том числе такие детали, как имя файла, номер поколения, дата последнего обращения, дата уничтожения, структура содержащихся записей. Обычно описатель является первой (от начала) записью файла, хранимого на магнитной ленте или диске.

F.049 file directory
справочник файла
См. D.217 directory.

F.050 file editing
редактирование файла
См. F.062 file updating.

F.051 file integrity
целостность файла
См. D.012 database integrity.

F.052 file maintenance
ведение файла
Операции, связанные с поддержанием эффективности и целостности файла (F.051 file integrity) и выполняемые программным способом главным образом над файлами данных (D.036 data file). Процедуры ведения файла затрагивают его внутреннюю структуру [в противоположность процессам управления файлами (F.053 file management), которые этого не делают], но не приводят к изменению элементов файла (в противоположность процессам обновления файла (F.062 file updating), обеспечивающим такие функции).

F.053 file management
управление файлами
Программные процессы, связанные с общим управлением файлами (F.045 file), т. е. с размещением во вспомогательной памяти (В.005 backing store), контролем доступа к файлам, записью резервных (В.008 backup) копий и ведением справочников (D.217 directory). Основные функции управления файлами обычно выполняются операционными системами (O.038 operating system), а дополнительные — системами управления файлами (F.054 file management system).
См. также F.052 file maintenance.

F.054 file management system
система управления файлами
Программная система, обеспечивающая функции управления файлами (F.053 file management), причем зачастую только файлами данных (D.036 data file), на таком уровне, который недоступен операционной системе (O.038 operating system). Однако в случае файлов данных более мощными средствами обладают СУБД (D.014 database management system).

F.055 file mark
метка файла
См. Т.020 tape mark.

185

F.056 file organization
организация файла

Структура файла (F.045 file) — в особенности, файла данных (D.036 data file) — определенная в терминах его компонентов и способа их размещения во вспомогательной памяти (B.005 backing store). Всякая организация файла обеспечивает один или несколько методов доступа (A.019 access methods) к нему. Таким образом она близко связана с методами доступа, но в теоретическом плане принципиально отлична от них. Это различие подобно тому, которое имеется между структурами данных (D.072 data structure) и процедурами и функциями их обработки (по сути дела организация файла является крупной структурой данных) или между схемой базы данных (см. D.031 data description language) и средствами языка манипулирования данными (D.050 data manipulation language). В настоящее время отсутствует сколько-нибудь полезная и общепризнанная классификация способов организации файлов: в большинстве предлагавшихся вариантов смешиваются понятия «организация» и «методы доступа», которые классифицируются проще. Поэтому на практике организация файла обычно определяется через совокупность обеспечиваемых ею методов доступа.

F.057 file protection
защита файлов

Защита файлов от ошибочной или несанкционированной записи или выборки информации (или, в случае программных файлов, от ошибочного или несанкционированного исполнения). Защита может быть физической, т. е. связанной с обеспечением безопасности носителя файла и реализуемой при помощи эксплуатационных процедур, или логической, т. е. связанной с безопасностью содержимого файлов и реализуемой программными средствами.

F.058 file recovery
восстановление файла

Процесс восстановления целостности файла (F.051 file integrity) после обнаружения в файле ошибок. Известны две основные группы методов. В системах обработки транзакций (T.129 transaction processing), для которых характерно пошаговое обновление главного файла (M.067 master file), вос-

становление основано на использовании резервных (B.008 backup) копий и журналов восстановления (R.059 recovery log). В системах пакетной обработки (B.038 batch processing), в которых главный файл при обновлении полностью · переписывается, последняя версия главного файла используется как резервная копия, а файл сообщений — как журнал восстановления. В английской литературе последнюю версию главного файла называют father (отец), а предпоследнюю — grandfather (дед).

F.059 file reel
бобина с лентой
См. M.030 magnetic tape.

F:060 file server
служебный файловый процессор
См. S.110 server.

F.061 file transfer
передача файла

Перемещение файла в сети (N.021 network) с одной ЭВМ на другую. Данные могут пересылаться по организованному в сети каналу прямо в пункт назначения или совместно с управляющей информацией — через ретрансляционные узлы путем коммутации сообщений (M.119 message-switching). Протоколы (P.302 protocol) передачи файлов часто предполагают средства преобразования данных из формата, принятого в главной ЭВМ, в стандартный сетевой формат. Это позволяет пересылать файлы между системами, которые в любом другом случае оказались бы несовместимыми. К сожалению, в различных сетях действуют разные стандарты передачи файлов. Это обстоятельство стимулировало разработку протоколов межсетевой передачи файлов, подобных протоколу NIFTP (N.032 NIFTP).

F.062 file updating
обновление файла, корректировка файла

Изменение некоторых элементов файла (F.045 file), в особенности файла данных (D.036 data file), не затрагивающее структуры или семантики файла. Обновление файла может выполняться двумя путями. Первый из них характерен для систем обработки данных (D.062 data processing) и отличается тем, что процесс обновления выполняется отдельно от ввода исправлений и незаметно для человека-оператора. Второй метод предполагает отображение файла на интерактивном терминале, при этом оператор может наблюдать вносимые им исправления: такой способ обычно называется редактированием файла.

F.063 fill character = ignore character
знак-заполнитель

F.064 filter
фильтр
1. Программа, которая обрабатывает последовательный поток текстовой информации, осуществляя при этом некоторые простые операции, например, заменяет подряд идущие пробелы одним пробелом, подсчитывает количество слов и т. д. В операционной системе UNIX (U.029 UNIX) можно добиться хороших результатов, соединив несколько фильтров в виде конвейера, при этом на вход каждого фильтра поступает информация, сформированная его предшественником.
2. Простая электрическая схема или несколько более сложное устройство, осуществляющее процесс фильтрации (F.065 filtering).

F.065 filtering
1. фильтрация 2. маскирование
1. Обработка сигнала (S.150 signal) (в простой электрической цепи или в несколько более сложном устройстве, приводящая к изменению как формы сигнала во *временно́й области*, так и образа сигнала в частотной области. При фильтрации во временной области каждый элемент исходного сигнала заменяется последовательностью элементов, пропорциональных ему по амплитуде, но сдвинутых по времени, сумма (в случае линейной фильтрации) этих элементов образует новый сигнал. При фильтрации в преобразованной области элементами исходного сигнала будут не его смещенные по времени копии, а компоненты его преобразования Фурье (См. F.128 Fourier analysis) или Уолша (См. W.004 Walsh analysis), соответствующие различным частотам (F.143 frequency) или секвентам (S.089 sequency). Используется также ряд других преобразований. Как во временной области, так и в различных преобразованных областях фильтрация играет весьма важную роль при уплотнении (M.239 multiplexing). Простой, но весьма типичный пример фильтрации в частотной (Фурье-) области связан с использованием резонансных цепей, реализующих фильтры нижних частот (L.147 low-pass filter), полосовые фильтры (B.019 band-pass filter), фильтры верхних частот (H.075 highpass filter) и режекторные фильтры (B.022 band-stop filter).
Такие фильтры широко используются в каналах передачи данных (D.080 data transmission) и в модемах (M.166 modem).
2. См. M.064 masking.

F.066 find
найти
Одна из основных операций над множествами (S.116 set). Ее запись в виде

$$find\ (el)$$

соответствует поиску множества, которому •принадлежит элемент.
Если *el* не принадлежит ни одному из множеств или принадлежит сразу нескольким множествам, то результат операции не определен. См. также O.045 operations on sets.

F.067 finite automaton
конечный автомат
См. F.074 finite-state automaton.

F.068 finite-difference method
метод конечных разностей
Широко распространенный метод дискретизации (D.230 discretization), используемый при решении обыкновенных дифференциальных уравнений (O.070 ordinary differential equations) и дифференциальных уравнений в частных производных (P.052 partial differential equations). Согласно этому подходу все производные заменяются приближенными соотношениями, включающими только значения искомой функции. При этом, вообще говоря, приходится вместо дифференциального уравнения решать систему нелинейных уравнений (N.054 nonlinear equations) или систему линейных алгебраических уравнений (L.050 linear algebraic equations). Пусть, например, требуется решить уравнение

$$y'' + by' + cy = d,\ 0 \leqslant x \leqslant 1,$$
$$y\,(0) = \alpha,\ y\,(1) = \beta,$$

где *b*, *c*, *d*, α и β — известные константы. Разобьем сначала интервал [0, 1] на равные подынтервалы длиной *h* (эту величину называют длиной шага, шагом сетки или решетки). В результате получаем сетку (или решетку) узловых значений

$$x_n = nh,$$
$$n = 0, 1, \ldots, N + 1,$$
$$h = 1/(N + 1).$$

Во внутренних узлах сетки осуществляется конечноразностная аппроксимация производных, например:

$$y'(x_n) \simeq (h/2) [y(x_{n+1}) - y(x_{n-1})];$$
$$y''(x_n) \simeq (1/h^2) [y(x_{n+1}) - 2y(x_n) + y(x_{n-1})].$$

В совокупности с граничными условиями указанные приближенные соотношения образуют систему уравнений относительно приближенных решений $y(x_n)$, $n = 1, 2, \ldots, N$. Нелинейным дифференциальным уравнениям соответствуют системы нелинейных приближенных уравнений.

F.069 finite-element method
метод конечных элементов
Широко распространенный подход к решению обычных дифференциальных уравнений (O.070 ordinary differential equations), дифференциальных уравнений в частных производных (P.052 partial differential equations) и других аналогичных задач. Существует ряд методов, основанных на этом подходе, главные из них — метод Галеркина и метод Рэлея—Ритца. Все эти методы базируются, однако, на общей идее — аппроксимации решения задачи линейной комбинацией

$$u(x) = \sum_{j=1}^{n} c_j \varphi_j(x).$$

Функции φ_1, φ_2, $\ldots$, φ_n называют *пробными функциями*. Обычно их выбирают по возможности простыми. Плодотворность этого подхода отчасти связана с использованием в качестве пробных функций сплайнов (S.256 spline) низкого порядка, в результате чего система уравнений для коэффициентов c_1, c_2, $\ldots$, c_n выражается через разреженные матрицы (S.244 sparse matrices), т. е. матрицы с большой относительной долей нулевых элементов. Это, в свою очередь, позволяет использовать весьма эффективное программное обеспечение. Согласно методу Галеркина, критерием выбора коэффициентов является малость определенного некоторым образом рассогласования функции $u(x)$ и точного решения. Метод Рэлея—

Ритца относится к числу вариационных методов (V.018 variational method). В целом метод конечных элементов можно рассматривать как процесс замены решения в бесконечномерном пространстве на приближение, принадлежащее подпространству конечной размерности.

F.070 finite field = Galois field
конечное поле, поле Галуа
(Математическое) поле (F.040 field) с конечным числом элементов. Количество элементов должно равняться p^k, где p — некоторое простое число, а k — положительное целое число. Свойства конечных полей находят широкое применение в теории обнаружения и исправления ошибок.

F.071 finite-length arithmetic = fixed-length arithmetic
арифметика конечной точности
Приближенное выполнение арифметических операций в ЭВМ. Термин появился в связи с тем, что в ЭВМ точность представления чисел в формате с плавающей запятой конечна из-за ограниченной разрядности мантиссы. См. F.100 floating-point notation.

F.072 finite sequence = list
конечная последовательность, список

F.073 finite set
конечное множество
Множество (S.116 set), содержащее конечное число элементов.

F.074 finite-state automaton — FSA = finite-state machine
конечный автомат (КА)
Простая разновидность автомата (A.189 automaton). Входная строка КА однократно считывается слева направо, при этом осуществляется поочередный просмотр символов. В любой момент времени КА находится в некотором внутреннем *состоянии*, которое меняется после считывания очередного символа. Новое состояние определяется только что считанным символом и текущим состоянием. Поэтому КА можно определить функцией f, отображающей $I \times Q$ на Q, где I — множество возможных входных символов; Q — множество состояний; $I \times Q$ — декартово произведение (C.029 Cartesian product) множеств I и Q. Для конечных автоматов множество Q должно быть конечным. Функция f назы-

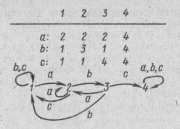

	1	2	3	4
a:	2	2	2	4
b:	1	3	1	4
c:	1	1	4	4

вается *функцией перехода* (в следующее состояние). Обычно ее задают либо таблицей, либо ориентированным графом (G.047 graph), называемыми, соответственно, *таблицей переходов* и *диаграммой переходов*. На рисунке показаны два эквивалентных представления функции перехода для случая

$$I = \{a, b, c\};$$
$$Q = \{1, 2, 3, 4\}.$$

В данном примере

$$f(a, 1) = 2;$$
$$f(c, 4) = 4 \text{ и т. д.}$$

Функция f очевидным образом обобщается применительно к строковым входным воздействиям. В нашем примере

$$f(bc, 2) = 4$$
$$f(aaa, 3) = 1 \text{ и т. д.}$$

Разобьем множество Q на подмножество *принимающих* состояний и подмножество *отвергающих* состояний. Пусть также состояние q_0 (называемое *начальным состоянием*) будет одним из элементов Q. Тогда язык, распознаваемый данным КА, содержит все строки w, такие, что состояние

$$f(w, q_0)$$

является принимающим, т. е. те строки, которые вызывают переход из начального состояния в принимающее состояние. Пусть, например, в показанном на рисунке КА $q_0 = 1$, а единственным принимающим состоянием является состояние 4, тогда распознаваемый этим автоматом язык будет содержать все строки символов $\{a, b, c\}$, содержащие abc в качестве подстроки. В более общем случае для каждого входного символа и каждого текущего состояния существует несколько состояний, в которые может перейти автомат. Такой КА называется *недетерминированным*. Входная строка при

этом принимается, если существует некоторая реализация последовательности переходов, ведущая в принимающее состояние. Подобный автомат можно преобразовать в детерминированный КА, распознающий тот же язык. См. также S.095 sequential machine. M.148 minimal machine.

F.075 FIPS — Federal Information Processing Standard
  Федеральный стандарт по обработке информации
Публикации (FIPS PUB) Национального бюро стандартов США служат официальным источником информации в федеральном правительстве США о стандартах, выпускаемых этим бюро.

F.076 Fire codes
  коды Файра
Семейство полиномиальных (P.151 polynomial code) блочных кодов (B.104 block code), предназначенных для исправления пакетов ошибок (B.162 burst errors).

F.077 firmware
  встроенные программы
Системное программное обеспечение, хранимое в ПЗУ (R.175 ROM). См. также L.116 logic circuit.

F.078 first fit
  метод первого подходящего
Метод выбора непрерывного участка памяти для размещения в нем сегмента. Заключается в просмотре списка свободной памяти (F.142 free space list) и выделении первого свободного участка, размер которого превосходит размер сегмента. Несмотря на свою кажущуюся простоту, этот алгоритм обладает рядом удобных рабочих характеристик.

F.079 first generation
  первое поколение (ЭВМ)
Ряд счетных и вычислительных машин, проектирование которых началось между 1940 (приблизительно) и 1955 гг. К особенностям этих машин относится использование электронных ламп в качестве элементной базы, а также применение ЗУ на линиях задержки, ЗУ вращающегося типа и электростатических ЗУ (на трубках Уильямса). В большинстве машин первого поколения была реализована концепция хранимой программы, а для вводавывода использовалась перфорируемая бумажная лента, перфокарты, магнитная проволока, магнитная лента и печатающие устройства. Несмотря

на кажущуюся ограниченность возможностей эти машины позволили сделать реальностью сложнейшие расчеты, необходимые для прогнозирования погоды, решения задач атомной энергетики и ряда других научных проблем. Наиболее важными экспериментальными проектами машин первого поколения стали Manchester Mark I (M.047), EDSAC (E.018), EDVAC (E.019), SEAC (S.030), Whirlwind (W.022), IAS (I.004) и ENIAC (E.070).

Самыми первыми серийными машинами стали Ferranti Mark I (F.030), UNIVAC I (U.024) и LEO I (L.034).

F.080 first in first out (FIFO)
первым пришел — первым обслужен
См. F.043 FIFO.

F.081 fixed-base system = fixed radix system
система счисления с постоянным основанием
См. N.094 number system.

F.082 fixed disk drive
накопитель на фиксированном диске
Накопитель на диске (D.238 disk drive), имеющий несъемный носитель информации.
Ср. E.132 exchangeable disk store.

F.083 fixed head
неподвижная головка
Головка считывания-записи в накопителе на дисках, которая не может смещаться относительно центра диска. Обычно несколько неподвижных головок собираются в блок таким образом, что на каждую дорожку отводится своя головка, и это является отличительной особенностью отдельного класса накопителей. Достоинством неподвижной головки является то, что время доступа не может превышать время полуоборота диска, так как при рассмотренной конструкции не требуется искать нужную дорожку. В некоторых накопителях имеются как неподвижные, так и движущиеся головки.

F.084 fixed-length arithmetic = finite-length arithmetic
арифметика конечной точности

F.085 fixed-length code
код постоянной длины
Код (C.149 code), ставящий в соответствие определенному количеству символов источника определенное количество выходных символов. Как правило, это блочный код (B.104 block code). Атрибут «постоянной длины» по смыслу противоположен атрибуту «переменной длины» (V.012 variable length code) и в этом отношении блочный код отличается от сверточного кода (C.312 convolutional code).

F.086 fixed-point notation
представление с фиксированной точкой (запятой)
Представление действительных чисел, согласно которому место точки (R.008 radix point) является неизменным и определяет абсолютную точность представления. Если точка расположена за последней справа цифрой числа, то такие числа с фиксированной точкой будут целыми. Ввиду ряда недостатков арифметики с фиксированной точкой она редко применяется в современных ЭВМ при вычислениях с действительными числами.

F.087 fixed-point theorem
теорема о неподвижной точке
Утверждение теории рекурсивных функций, находящее применение в денотационной семантике (D.151 denotational semantics) языков программирования. В частности с его помощью определяется семантика итераций, а также рекурсивных функций и процедур.

F.088 fixed-radix system = fixed-base system
система счисления с постоянным основанием
См. N.094 number system.

F.089 fixed word length computer
ЭВМ с фиксированной длиной слова
ЭВМ, в которой информация может представляться только словами одинаковой длины. В более общем смысле этот термин иногда означает, что каждая команда также хранится только в одном слове.

F.090 flag
флаг, признак
Переменная, значение которой свидетельствует о том, что некоторый аппаратный или программный компонент находится в определенном состоянии или что для него выполняется определенное условие. Впоследствии флаг используется для реализации условного ветвления и прочих процессов принятия решений.

F.091 flat addressing
простая адресация
См. A.054 addressing.

F.092 flatbed plotter
планшетный графопостроитель
См. P.131 plotter.

F.093 flat screen
плоский экран
Разновидность дисплея (D.246 display), выполненная в виде тонкой плоской панели. Такой дисплей не имеет выпуклости в направлении, перпендикулярном экрану, которая характерна для электронно-лучевой трубки (C.041 CRT), входящей в состав многих устройств отображения.

F.094 flexible array
массив с переменными границами
Массив (A.137 array), нижняя и (или) верхняя границы которого не фиксируются и могут принимать различные заданные значения. См. S.350 string.

F.095 flexible disk cartridge
кассета накопителя на гибких дисках
Формальное название, закрепленное за гибким диском (F.103 floppy disk) в международных стандартах.

F.096 flexi-disk = floppy disk
гибкий диск

F.097 flip-flop = bistable
триггер
Элемент электронных схем, который может находиться в любом из двух устойчивых состояний, а также многократно переходить из одного состояния в другое. Применительно к логическим схемам (L.116 logic circuit) эти два состояния соответствуют логической «1» и логическому «0». Таким образом, триггеры являются одноразрядными элементами памяти. Они часто используются в цифровых схемах. Простейшим видом триггера является *RS-триггер*, на рисунке показана его реализация с помощью вентилей НЕ—И (N.003 NAND gate) и соответствующая таблица истинности. Подача логической «1» на один из входов приводит к установке выхода Q в единичное состояние или сбросу этого выхода в нулевое состояние. Выходной сигнал $\bar{Q}$ является логическим отрицанием сигнала Q. Если на входы $\bar{R}$ и $\bar{S}$ подана логическая «1» (что эквивалентно нулевым сигналам R и S), то состояние Q не меняется. Результат подачи на оба входа $\bar{R}$ и $\bar{S}$ логического «0» является неоднозначным, поэтому в более сложных триггерах (см. J.004 JK flip-flop) эта ситуация исключается. Выходные сигналы RS-триггера (и триггеров других видов) зависят не только от входных сигналов, но и в равной степени и от выходных, т. е. триггер является простой последовательностной схемой (S.092 sequential circuit). Введением дополнительных логических вентилей в RS-триггер и в более сложные триггеры можно обеспечить тактируемый режим работы — при этом триггер называется *тактируемым* (см. C.124 clock). В таком случае состояние выхода Q не будет меняться до прихода активного фронта тактового импульса (в *триггерах, запускаемых фронтом*) или до появления всего импульса (в *триггерах, запускаемых импульсом*). Могут быть также предусмотрены средства установки заданного выходного сигнала вне зависимости от состояния входов. Для выполнения конкретных функций используются различные виды триггеров, в том числе JK-триггеры, D-триггеры (D.170 D flip-flop), T-триггеры (T.065 T flip-flop), двухступенчатые триггеры (M.069 master-slave flip-flop). Триггерные ячейки памяти являются основой двоичных счетчиков. RS-триггер часто называют *универсальным триггером*, поскольку на его основе можно построить более сложные триггеры. Двухступенчатые JK- и D-триггеры выпускаются в стандартном микроэлектронном исполнении.

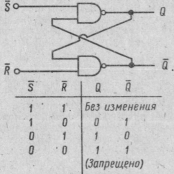

$\bar{S}$	$\bar{R}$	Q	$\bar{Q}$
1	1	Без изменения	
1	0	0	1
0	1	1	0
0	0	1	1
		(Запрещено)	

F.098 float
Оператор или функция, преобразующие число, представленное в форме с фиксированной точкой (F.086 fixed-

point notation) в эквивалентное представление с плавающей точкой (F.100 floating-point natation).

F.099 floating-point accelerator (FPA)
акселератор арифметических операций с плавающей точкой

Устройство, повышающее общую производительность ЭВМ за счет освобождения центрального процессора от необходимости выполнять операции с плавающей точкой.

F.100 floating-point notation
представление (чисел) с плавающей точкой

Представление вещественных чисел, обеспечивающее одинаково эффективные средства записи как очень малых, так и очень больших чисел. Число в форме с плавающей точкой в общем случае записывается как

$$\pm\, m \times R^e,$$

где *m* — *мантисса*, *R* — основание систем счисления (R.003 radix), *e* — *порядок*. Приводимый ниже формат типичен для представления в ЭВМ чисел с плавающей точкой. Первый разряд является *знаковым* и обозначает знак мантиссы. За ним следует группа разрядов, определяющих порядок, а далее — группа разрядов, определяющих абсолютную величину мантиссы. Размер обеих этих групп фиксирован. Порядок зачастую хранится в представлении с избытком *n*, т. е. вместо самого порядка запоминается число, называемое *характеристикой* (или *смещенным порядком*). Для получения характеристики числа с плавающей точкой необходимо прибавить к его порядку *смещение* (или *показатель избытка*). Например, порядок, принимающий значения в диапазоне от —128 до +127, представляется 8-разрядной характеристикой с избытком 128, при этом ее значения меняются от 0 до 255. Отличное от нуля число с плавающей точкой называется *нормализованным*, если первая цифра его мантиссы не равна нулю.

F.101 floating-point operation
операция с плавающей точкой

Сложение, вычитание, умножение или деление двух чисел с плавающей точкой, результатом чего снова является число с плавающей точкой. См. также F.100 floating-point notation; F.102 flop.

F.102 flop
флоп

Единица затрат, требуемых при выполнении матричных и векторных операций. Термин широко используется применительно к численным алгоритмам линейной алгебры (N.100 numerical linear algebra). Флоп соответствует затратам, необходимым для вычисления фортрановского выражения

$$S = S + A\,(I,\, J)\, *\, X\,(J),$$

т. е. затратам на выполнение умножения и сложения с плавающей точкой, а также на обеспечение индексации. Так, например, гауссово исключение для системы *n*-го порядка эквивалентно $n^3/3$ флопам (см. L.050 linear algebraic equations).

F.103 floppy disk = diskette, flexi-disk
гибкий диск, дискет(а)

Гибкий магнитный диск (M.023 magnetic disk), который состоит из круглой полиэфирной подложки (с отверстием в центре), покрытой с одной или с обеих сторон магнитным окислом и помещенной в плотный конверт, на внутреннюю поверхность которого нанесено очищающее покрытие. В конверте сделана радиальная прорезь (в двухсторонних гибких дисках имеется две такие прорези), через которые головки считывания/записи накопителя (см. F.104 floppy-disk drive) получают доступ к диску. Так же как и в случае магнитных дисков других типов, информация записывается на магнитном носителе по концентрическим дорожкам, которые делятся на секторы (S.037 sector). Известны методы записи, позволяющие удвоить емкость каждой дорожки, при этом говорят о *двойной плотности* в противоположность *обычной плотности* (см. также D.241 disk format). Небольшое индексное отверстие, имеющееся в конверте и диске, позволяет с помощью фотодатчика сформировать один индексный импульс за время оборота диска. В некоторых вариантах дисков помимо индексного отверстия имеется ряд других отверстий (обычно их бывает 32), которые используются для инициации записи секторов. На одной из кромок конверта (при установке диска в накопитель эта кромка будет внутренней) имеется *прорезь блокировки записи*, при заклеивании которой можно предотвратить запись информации на установленный в накопитель диск. В настоящее время наиболее типичны гибкие диски диаметром 5 1/4 дюйма (133 мм), их иногда называют *мини-дискетами*, чтобы отличить от более старых 8-дюймовых (203-мм) дисков, которые теперь не так популярны. Кроме того, разработаны так называемые *микродискеты*, емкость которых такая же как и у 5 1/4 и 8-дюймовых дисков (она достигает примерно 1M байт). Наибольшее распространение получают 3 1/2-дюймовые (89-мм) микродискеты, для которых сейчас стандартизуется конструкция фирмы Sony. Известны также 3-дюймовые (76-мм) диски. В противоположность своим предшественникам микродискеты помещаются в жесткую пластиковую упаковку. Имеющиеся в ней отверстия для ввода головок прикрываются подпружиненными защитными крышками. Такие микродискеты ориентированы на работу в самых различных условиях. Сфера их применения может поэтому сильно расшириться и захватить даже дешевые домашние компьютеры.

F.104 floppy-disk drive = diskette drive
накопитель на гибких дисках, накопитель на дискетах
Устройство, в которое устанавливаются гибкие магнитные диски (F.103 floppy disk), и которое обеспечивает запись и считывание магнитных структур, соответствующих извлекаемой или запоминаемой информации. Эта информация кодируется согласно одному из форматов диска (D.241 disk format). Дискета вводится в механизм через щель, которая обычно закрыта откидной заслонкой или дверцей. Позиционирование и фиксация дискеты в механизме производится автоматически, после чего он раскручивается (обычно до частоты вращения 360 мин$^{-1}$). Контактирование головок считывания—записи (R.047 read-write head) с дискетой производится через отверстия в его упаковке. Накопитель на дискетах был впервые разработан в фирме IBM как устройство загрузки диагностического программного обеспечения. Однако со временем он стал широко использоваться для хранения информации в малых вычислительных системах. См. также D.238 disk drive.

F.105 flops
число операций с плавающей точкой, выполняемых за секунду; флопс

Типовая мера мощности ЭВМ (C.241 computer power), используемая применительно к высокопроизводительным ЭВМ (суперЭВМ) (S.392 supercomputer), ЭВМ с векторной обработкой (V.026 vector processing) и матричным процессорам (A.138 array processor). Оценка производительности ЭВМ, которая для очень мощных машин обычно измеряется в мегафлопсах (миллионах флопсов), должна осуществляться с учетом точности выполнения операций.

F.106 flowchart
блок-схема, структурная схема
Подробное графическое представление структуры программы, в котором упор сделан на логические взаимосвязи и осуществляемые в программе элементарные операции, а не на используемые в ней информационные структуры. Состоит из множества *блоков* различной формы, соединенных совокупностью направленных *связей*. Связь показывает передачу управления, а форма блока характеризует особенности выполняемых действий и принимаемых решений. Для описания действий и логических операций внутри блоков применяется произвольная форма записи, типичными вариантами являются псевдокод и естественный язык. Блок-схемы широко использовались в течение ряда лет, однако сейчас их популярность падает. Дело отчасти состоит в том, что они затемняют особенности программ, созданных по правилам структурного программирования (см. S.360 structured programming) и, что более важно, не раскрывают структуру данных.

F.107 flow control
управление потоком
Процедура ограничения скорости передачи данных до величины, соответствующей скорости их приема. Управление потоком может осуществляться главным образом на двух уровнях, на уровне сквозной линии источник—приемник и на уровне ретрансляционных участков. При сквозном управлении потоком объем информации ограничивается в соответствии со способностью узла-адресата принимать ее, без учета того пути, который информация проходит по сети (и который может меняться от сообщения к сообщению). При управлении потоком на уровне ретрансляционных участков объем передаваемой информации огра-

ничивается согласно пропускной способности отдельного узла и (или) участка пути, проходящего через сеть. В последнем случае путь обычно остается неизменным во время существования соединения между узлом-источником и узлом-адресатом. См. также W.030 window.

F.108 fluid logic
струйные логические схемы
Средства, реализующие логические функции без помощи обычных электронных схем. Вместо них используется система соединенных между собой труб разного сечения, по которым протекает несжимаемая среда (жидкость) или газ. Образуемые таким образом логические вентили находят применение в тех случаях, когда-из-за сильных электромагнитных помех нельзя использовать электронные компоненты. Если рабочая среда газообразна, то часто говорят о *пневматических логических схемах*.

F.109 Flynn's classification
классификация Флинна
См. C.251 concurrency.

F.110 FM — frequency modulation = = f. m.
частотная модуляция
См. M.174 modulation.

F.111 folding
свертка
Простой метод хэширования (H.038 hashing) ключа, согласно которому ключ разбивается на несколько частей, сложение которых дает адрес. Коэффициент свертки равен отношению размера области определения соответствующей функции хэширования к размеру области ее значений.

F.112 footprint
след
Площадь передней панели, пульта или основания прибора. Если говорится, что кассетный ленточный накопитель имеет след накопителя на 5 1/4-дюймовых (133-мм) гибких дисках, то это означает, что форма и размеры панели указанных накопителей одинаковы.

F.113 foreground processing
выполнение работ с высоким приоритетом
Действия, связанные с поддержкой интерактивных операций в системе, ориентированной как на интерактивную, так и на пакетную обработку. См. также B.004 background processing.

cessing.

F.114 forest
лес
Ориентированный граф (G.047 graph), представляющий собой совокупность деревьев (T.163 tree). После удаления корня дерева вместе с ветвями, выходящими из корня, оставшиеся поддеревья образуют лес.

F.115 for loop
цикл FOR
См. D.268 do loop.

F.116 form
форма
Страница носителя информации, используемого в печатающем устройстве. Может представлять собой один лист либо многослойный «пирог», т. е. несколько листов, переложенных копировальной бумагой или покрытых специальным составом, обеспечивающим при ударе пропечатывание одинаковых символов на всех листах. Нередко листы соединяются друг с другом, образуя рулон или пачку, а по краю листов перфорируются отверстия, необходимые для автоматической протяжки носителя через печатающее устройство. На бумаге могут быть предварительно отпечатаны заголовки, некоторая неизменная информация и рамки, а также может быть сделана разлиновка. На универсальных формах часто печатаются близко расположенные группы линий — направляющие, — которые облегчают визуальное совмещение.

F.117 formal language
формальный язык
Конечное или бесконечное подмножество множества Σ^* всех Σ-слов образованных из некоторого конечного набора символов Σ (см. W.036 word). Множество Σ называется *алфавитом* языка. Указанное подмножество множества Σ^* называют *языком над алфавитом* Σ или Σ-*языком*. Таким образом, в теории формальных языков (F.118 formal language theory) под языком понимается просто совокупность строк без всякой связи с их возможной семантикой. Несмотря на существенную роль, которую играют бесконечные языки, их исследование ограничено классом рекурсивно перечислимых языков (см. R.066 recursively enumerable set).

F.118 formal language theory
теория формальных языков

194

Наука о формальных языках (F.117 formal language), в частности, о структуре и способах представления бесконечных классов формальных языков. Эти языки описываются главным образом при помощи грамматик (G.044 grammar), L-систем (L.152 L-system) и автоматов (A.189 automaton). Изучение формальных языков начато Н. Хомским в 1956 г. в связи с попытками формализации методов исследования естественных языков. В дальнейшем теория формальных языков применялась или развивалась в связи с синтаксическим анализом (P.050 parsing) языков программирования, проблемами эффективной вычислимости (E.023 effective computability) и сложности вычислений (C.214 complexity), теорией полугрупп (S.074 semiring) и теорией генетических систем. Наиболее распространенными предметами исследования являются: разрешимость задачи определения свойств языков, характеристики классов языков с точки зрения их замкнутости (C.137 closure properties), а также выявление различных способов описания классов языков с помощью например, языка Дика (D.320 Dyck language). Ряд важных проблем остается открытым. В частности, до сих пор неизвестно, являются ли контекстные языки (C.283 context-sensitive languages) замкнутыми относительно операции образования дополнения, а также разрешима ли задача определения эквивалентности детерминированных автоматов с магазинной памятью (P.345 pushdown automaton). К настоящему времени в предмет теории формальных языков вошло изучение бесконечных строк, деревьев и графов.

F.119 formal logic
формальная логика

Наука о методах анализа высказываний и доказательств, в которой рассматриваются абстрактные символы и сформированные из них выражения, но не придается никакого значения семантике этих абстракций. См. также S.417 symbolic logic.

F.120 format
формат

Определенная структура информационного объекта, подвергаемого обработке, записываемого на магнитный или оптический носитель, отображаемого на дисплее или распечатываемого на бумаге. Английское слово *format* используется так же как глагол, указывающий на такие действия, как запись информации в предписанной форме или разбиение запоминающей среды — например, разделение диска на секторы — с целью подготовки ее к приему информации. См. D.241 disk format; T.016 tape format; P.220 printer format; I.111 instruction format.

F.121 formatter
1. форматтер подсистемы памяти.
2. программа форматирования текстов

1. ~ of a storage subsystem. Логический блок, задающий формат (F.120 format) данных, записываемых на магнитный или оптический носитель, и входящий в состав контроллера устройства. Нередко форматтером ошибочно считают весь контроллер ЗУ, в том числе и логические схемы управления движением механизмов. Форматтер в основном реализуется аппаратными средствами, однако в последнее время часть его функций выполняется программно-аппаратным способом на основе специализированного микропроцессора (при помощи которого могут реализовываться все функции контроллера, а не только те, которые свойственны собственно форматтеру). См. также D.241 disk format; T.016 tape format.
2. = text formatter. Программа, преобразующая исходный текст и введенные в него команды форматирования в новую версию документа с предписанными полями, выравниванием, разбиением на страницы и т. д.

F.122 form overlay
форматированный бланк

Определенная совокупность линий, специальных знаков и неизменной информации, которая может формироваться выходным печатающим устройством ЭВМ вдобавок к меняющейся информации. Во многих безударных печатающих устройствах и в некоторых ударных матричных печатающих устройствах бланк может печататься одновременно с меняющейся информацией.

F.123 form stop
датчик отсутствия бумаги

Датчик, установленный на печатающем устройстве и формирующий сигнал в тех случаях, когда оставшейся бумаги недостаточно для продолжения

7*

печати.

F.124 FORTH
язык ФОРТ

Язык программирования, весьма популярный среди пользователей микроЭВМ. Операнды этого языка хранятся в стеке (S.273 stack), а программы имеют вид строк в обратной польской записи (R.149 reverse Polish notation). Важная особенность языка состоит в том, что любой программной строке может быть поставлен в соответствие задаваемый пользователем символ (WORD), который затем может использоваться наравне с системными словами (операторами). Эта особенность делает ФОРТ гибким расширяемым языком (E.165 extensible language), на котором можно определить специализированный язык, предназначенный, скажем, для управления научным прибором. Система ФОРТ очень компактна; интерпретатор и словарь системных слов занимают 8K байт памяти.

F.125 FORTRAN = Fortran
Фортран, ФОРТРАН

Язык программирования, широко используемый при научных расчетах. Его первая версия — ФОРТРАН I — была разработана фирмой IBM в 1956 г. В 1958 г. появилась версия ФОРТРАН II, которую в свою очередь сменил язык ФОРТРАН IV, стандартизованный в 1966 г. Американским национальным институтом стандартов и поэтому называемый также ФОРТРАН 66. Он стал поистине «рабочей лошадью» научных исследований, хотя со временем был заменен на ФОРТРАН 77. Появление следующей версии — Фортран 8x — ожидается в 1988 г. Запись фортрановских программ сильно напоминает алгебраические уравнения (отсюда произошло и название formula translation — трансляция формул), что в значительной мере облегчает научному работнику программирование вычислений. Единственной информационной структурой языка является массив (A.137 array), который соответствует матрицам, широко используемым в научных расчетах. В языке ФОРТРАН II впервые была реализована важная идея независимой компиляции подпрограмм, что дало возможность создавать библиотеки научных подпрограмм. Эффективность программ,

создаваемых первыми компиляторами языка ФОРТРАН, во многом обусловила переход к языкам высокого уровня как основному средству программирования ЭВМ.

F.126 forward bias
прямое смещение

Постоянное напряжение, необходимое для поддержания электрического тока в биполярном транзисторе (B.084 bipolar transistor) и диоде (D.204 diode) или для увеличения электрического тока в полевом транзисторе (F.041 field-effect transistor). Например, кремниевый диод будет проводить ток только в том случае, когда потенциал анода больше потенциала катода примерно на 0,6 В. При этом говорят, что диод смещен в прямом направлении. Ср. R.148 reverse bias.

F.127 forward error correction = forward error protection
прямое исправление ошибок, прямая защита от ошибок

Метод исправления ошибок, состоящий в добавлении избыточной информации в исходную информацию, что позволяет обнаруживать и исправлять определенные виды ошибок. Его отличие от ряда других применяемых в технике связи методов исправления ошибок заключается в отсутствии запросов на повторную передачу данных (хранимых, например, в ЗУ), т. е. передача слова не сопровождается обратным сообщением. Способ введения избыточности зависит от особенностей ожидаемых ошибок. См. также B.011 backward error correction, E.103 error-correcting code.

F.128 Fourier analysis
гармонический анализ, Фурье-анализ

Разложение произвольной функции на сумму синусоидальных колебаний (с разными частотами и амплитудами). См. F.130 Fourier transform. См. также O.080 orthonormal basis.

F.129 Fourier series
ряд Фурье

Бесконечный тригонометрический ряд вида

$$\frac{1}{2} a_0 + \sum_{n=1}^{\infty} (a_n \cos nx + b_n \sin x).$$

При соответствующем выборе коэффициентов a_i и b_i такой ряд может с любой точностью приближаться к значениям произвольной функции от x, определенной на интервале $[-\pi, \pi]$. Коэффициенты Фурье для функции $f(x)$ определяются по формулам

$$a_n = (1/\pi) \int\limits_{-\pi}^{\pi} f(x) \cos nx\, dx,$$

$$(n = 0, 1, 2, \ldots);$$

$$b_n = (1/\pi) \int\limits_{-\pi}^{\pi} f(x) \sin nx\, dx,$$

$$(n = 0, 1, 2, \ldots).$$

F.130 Fourier transform
преобразование Фурье
Математическая операция, при помощи которой произвольная функция представляется в виде совокупности синусоидальных составляющих (с разными частотами и амплитудами). Задается она соотношением

$$S(f) = \int\limits_{-\infty}^{\infty} s(t) \exp(-2\pi i f t)\, dt,$$

где $s(t)$ — функция, преобразуемая в сумму синусоид; $S(f)$ — преобразование Фурье от $s(t)$, $i = \sqrt{-1}$. Аналогичное соотношение, содержащее однако нормирующий множитель $1/2\pi$ связывает $s(t)$ и $S(f)$. Иногда для обеспечения симметрии этот множитель разделяют между прямым и обратным преобразованиями. Для выполнения вычислений на ЭВМ пару функций, связанных преобразованиями Фурье, $s(t)$ и $S(f)$ — необходимо представить в видоизмененной форме. Соответствующие функции, связанные дискретным преобразованием Фурье, должны как можно лучше приближать исходные непрерывные функции. Непрерывная функция времени аппроксимируется N отсчетами с интервалом дискретизации T:

$$g(kT),\ k = 0, 1, \ldots, N-1.$$

Непрерывное преобразование Фурье также аппроксимируется N отсчетами с шагом дискретизации по частоте $1/NT$

$$G(n/NT),\ n = 0, 1, \ldots, N-1.$$

N отсчетов, взятых во временной и частотной областях, связаны непре-

рывным преобразованием Фурье, поэтому справедливо следующее дискретное соотношение:

$$G(n/NT) = \sum_{k=0}^{N-1} g(kT) \exp(-2\pi ink/T).$$

F.131 fourth generation of computers
четвертое поколение (ЭВМ)
Обобщенное название ЭВМ, разработанных после 1970 г., т. е. теперешнее поколение. Наиболее важный в концептуальном отношении критерий, по которому эти ЭВМ можно отделить от ЭВМ третьего поколения (Т.072 third generation) состоит в том, что машины четвертого поколения проектировались в расчете на эффективное использование современных высокоуровневых языков и упрощения процесса программирования для конечного пользователя. В аппаратурном отношении для них характерно широкое использование интегральных схем (I.122 integrated circuit) в качестве элементной базы, а также наличие быстродействующих МОП-ЗУПВ емкостью в несколько мегабайт. Эти энергозависимые ЗУ работают в тесном взаимодействии с высокоскоростными накопителями на магнитных дисках, так что в случае пропадания питающего напряжения или выключения машины, данные, содержащиеся в МОП-ЗУ, сохраняются путем автоматического переноса на диски. При включении машины запуск системы производится при помощи хранимой в специальном ПЗУ программы самозагрузки, обеспечивающей выгрузку операционной системы и резидентного программного обеспечения в МОП-ЗУ. Появление все более разнообразных интегральных схем и рост числа специалистов по вычислительной технике привели к быстрому уменьшению стоимости аппаратных средств, в то время как стоимость программного обеспечения постоянно увеличивается. В связи с этим появилось множество ЭВМ, ориентированных на специальные применения — связь, автоматическое управление, решение военных задач — для чего в прошлом использовались универсальные ЭВМ со специализированным программным обеспечением.

F.132 FPA — floating-point accelerator
акселератор арифметических опе-

раций с плавающей точкой

F.133 FPLA — field-programmable logic array
логическая матрица, программируемая в процессе эксплуатации
См. P.122 PLA.

F.134 fractional part
1. дробная часть 2. мантисса
1. Часть числа, записываемая справа от запятой в позиционном представлении числа.
2. = mantissa.
См. F.100 floating-point notation.

F.135 fragmentation
фрагментация
Появление множества небольших участков памяти, связанное с распределением памяти между процессами и последующим освобождением ее этими процессами. Участки незанятой памяти со временем становятся столь малыми, что они не могут удовлетворить ни один из запросов и остаются неиспользуемыми. См. также E.169 external fragmentation; I.146 internal fragmentation.

F.136 frame
кадр
1. Одиночное сообщение или пакет, пересылаемый по каналу передачи данных с использованием протоколов управления этим каналом (D.045 data link control protocol) типа HDLC, ADCCP и т. д. Кадр является элементарным объектом при обнаружении ошибок, повторной передаче и т. д. Начало и конец кадра отмечаются особой последовательностью битов — флагом. В протоколе HDLC флагом является 8-разрядная комбинация

0 1 1 1 1 1 1 0.

Если за флагом следует любая последовательность двоичных символов, отличная от еще одного флага, то он обозначает начало кадра. Правила протокола обеспечивают возможность использования флага как уникальной синхрокомбинации, поскольку при появлении во входном информационном потоке последовательности из пяти 1 передающая аппаратура автоматически вставляет за ними 0.
2. Вообще говоря, это полное или содержащее всю необходимую для его идентификации информацию сообщение, используемое в системе передачи данных.
3. Участок записи на магнитной ленте, содержащий на каждой дорожке по

одному разряду.

F.137 FranzLisp
язык FranzLisp
Популярная версия · языка ЛИСП (L. 080 LISP).

F.138 Fredholm integral equation
интегральное уравнение Фредгольма
См. I.121 integral equation.

F.139 freedom of information
свобода информации
Каверзное словосочетание имеющее ряд значений.
1. Отсутствие цензуры — состояние, при, котором отсутствуют ограничения на получение или использование информации.
2. Отмена правил, регулирующих пользование ресурсами связи — устранение ограничений на использование широковещательных диапазонов частот и связных кабелей.
3. Законное использование материалов, сохраняемых авторским правом — обмен новостями и информацией по правилам, принятым в западном мире.
4. Законное ознакомление американских граждан практически со всеми правительственными документами в соответствии с Актом о Свободе Информации.
5. Передача технологической информации в страны третьего мира — право слаборазвитых народов на бесплатное получение сведений о новой технологии. В последнем случае некоторые аргументы говорят в пользу того, чтобы передача технологии осуществлялась бесплатно или за небольшую плату. В частности речь идет о том, что понятие собственность довольно трудно истолковать применительно к информации, а также что обмен информацией приводит к созданию новой информации.

F.140 free list = available list
список свободных ресурсов

F.141 free semigroup
свободная полугруппа
Полугруппа (S.073 semigroup), состоящая из слов, т. е. строк элементов, принадлежащих некоторому алфавиту A; при этом операция ∘ суть конкатенация (C.247 concatenation) или соединение элементов S. Так, если

$$A = \{a, b, c\},$$

то $ab \circ aabb = abaabb$.
S представляет собой свободную полу-

группу, порождаемую алфавитом *A*, элементы которого называются *генераторами A*. Между этими элементами отсутствуют взаимосвязи.

F.142 free-space list
список свободной памяти
Список незанятых участков основного или вспомогательного ЗУ. Является частным случаем списка свободных ресурсов. (См. A.194 available list).

F.143 frequency
частота
Количество полных циклов периодически изменяющейся величины — например, импульсной последовательности или волны — происходящих за единицу времени. Измеряется в герцах.

F.144 frequency distribution
гистограмма, распределение частот
Ступенчатая функция, полученная путем классификации всех возможных исходов и последующего подсчета числа событий, соответствующих в данной выборке каждому классу. События могут заключаться в выпадении определенного числа очков при игре в кости, в попадании измеренного роста человека в некоторый диапазон значений, в фиксации определенного числа смертных случаев в различных группах населения, выделенных по возрастному, половому или любому другому признаку. На практике обычно выделяют довольно мало категорий так, чтобы относительные частоты (R.105 relative frequency) попадания в эти категории были достаточно велики. Если неизвестны точные верхние или нижние грани измеряемой величины, то все значения, оказавшиеся выше (ниже) некоторого предела группируются в одну категорию, называемую верхним (или нижним) «хвостом». В сжатой форме гистограмма характеризуется такими статистиками (S.317 statistics) как выборочное среднее (или другая характеристика) положения (M.089 measure of location), выборочное стандартное отклонение (или другая характеристика) рассеяния (M.090 measure of variation). В некоторых случаях определяются также характеристики асимметрии или скошенности и эксцесса (т. е. отношение частот в центральной и хвостовой частях распределения). Термин гистограмма используется применительно к выборочным данным. Напротив, распределения вероятностей (P.232 probability distributions) характеризуют теоретическую вероятность (P.230 probability) наблюдения каждого значения. Подбор теоретического распределения для гистограммы является фундаментальным статистическим методом (S.314 statistical methods) анализа данных.

F.145 frequency divider
делитель частоты
Электронный прибор, способный уменьшать частоту поданной на вход импульсной последовательности в постоянное целое число раз (2^n). Часто выполняется в виде *n*-разрядного счетчика (C.326 counter), в котором частота на выходе *n*-го разряда в 2^n раз меньше входной частоты.

F.146 frequency division multiplexing (FDM)
частотное уплотнение, ЧУ
Способ уплотнения (M.239 multiplexing), согласно которому отведенная каналу связи полоса частот (B.023 bandwidth) делится на логические каналы для одновременной передачи ряда сообщений. ЧУ широко используется во всем мире для объединения речевых телефонных сигналов. При этом ширина каждого канала равна 4000 Гц, из которых собственно сигнал занимает 3000 Гц, а остаток (он не используется) делится на две *защитные полосы* по 500 Гц каждая, располагаемые по обе стороны от сигнальной полосы. Спектр каждого сигнала содержит все частоты, начиная с нулевой, однако все сигналы накладываются на разные несущие частоты и поэтому в частотной области не перекрываются. Несмотря на наличие защитных полос, спектральные компоненты сигнала, выходящие за границы канала и имеющие достаточный уровень, могут попадать в соседний канал, вызывая там шумовые помехи.

F.147 frequency function
плотность вероятности
См. P.232 probability distributions.

F.148 frequency modulation
частотная модуляция ЧМ
См. M.174 modulation. См. также D.241 disk format.

F.149 frequency shift keying (FSK)
частотная манипуляция, ЧМн
Метод представления дискретной информации в виде аналогового сигнала,

согласно которому информация заложена в переменной частоте несущего колебания. ЧМн является разновидностью модуляции (M.174 modulation). Двоичная ЧМн, при которой логическим «0» и «1» соответствуют различные частоты (см. рисунок), ши-

роко используется при построении низкоскоростных модемов (M.166 modem). См. также D.184 digital data transmission.

F.150 front-end processor
буферный процессор, препроцессор
Процессор ввода-вывода (I.188 (I/O processor), осуществляющий форматирование и (или) обработку входной информации. Иногда также его называют связным процессором (C.189 communication processor). Ср. B.003 back-end processor.

F.151 FSA — finite-state automaton
КА, конечный автомат

F.152 FSK — frequency shift keying
ЧМн, частотная манипуляция

F.153 FTP — file transfer protocol
протокол передачи файлов
См. F.061 file transfer.

F.154 Fujitsu
Японская многоотраслевая компания, деятельность которой в области вычислительной техники свелась, во-первых, к тому, что она являлась основным вкладчиком фирмы Amdahl Corporation на начальных этапах деятельности последней, и, во-вторых, к выпуску ЭВМ, полностью совместимых с машинами фирмы IBM, т. е. ЭВМ, на которых можно использовать программное обеспечение фирмы IBM.

F.155 full adder
полный сумматор
См. A.048 adder.

F.156 full duplex = duplex
дуплекс, дуплексный

F.157 full subtractor
полный вычитатель
См. S.382 subtractor.

F.158 full text retrieval
поиск по всему тексту
Метод поиска информации, предполагающий хранение полного текста документа и сводящийся к обнаружению вхождения заданной строки в текст. Этот подход можно сравнить с альтернативным методом поиска информации по совпадению с одним из ключей, принадлежащих заранее определенной совокупности.

F.159 full tree
полное дерево
Дерево степени (D.133 degree) m и уровня (L.038 level) k, в котором каждая вершина с глубиной меньшей m, имеет m потомков и поэтому, в частности, все концевые вершины находятся на глубине k.

F.160 function
1. функция   2. оператор-функция, подпрограмма-функция
1. = map, mapping, transformation. Отображение (преобразование) одного множества X на (в) другое множество Y. Отношение (R.097 relation) R на декартовом произведении (C.029 Cartesian product) $x \times y$ такое, что каждому элементу x из X соответствует в точности один элемент y из Y, находящийся в отношении R с x. В этом случае целесообразно говорить, например, о функции f и писать

$$f : X \to Y.$$

Однозначное соответствие между элементами x и y обозначается как

$$y = f(x) \text{ или } y = fx.$$

X называют *областью определения* функции f, а Y — *областью значений* функции f. Кроме того, y является *значением* f в точке x или *образом* x при отображении f. Будем говорить, что f задает отображение или преобразование между множествами X и Y или что f отображает X в Y, а также x в y. Если область определения X является декартовым произведением n множеств, то f будет функцией n переменных. В противном случае это функция одной переменной. Примерами функций могут служить математические эквиваленты стандартных функций и операций, реализуемых обычно в языках программирования. Обычные тригонометрические функции sin, cos и tg являются функциями одной переменной. Правила преобразо-

вания символов в целочисленные коды или эквиваленты также задают функцию. Функции часто представляют наглядно при помощи графов (G.047 graph). См. также B.056 bijection; I.092 injection; S.403 surjection; O.039 operation; H.089 homomorphizm.
2. Программный блок (см. P.288 program unit), который по заданным входным параметрам вычисляет выходное значение. Примером могут служить стандартные функции sin (x), cos (x), exp (x); кроме того в большинстве языков программирования пользователь может сам определять функции. Функция является «черным ящиком», ее можно применять совершенно не зная и не понимая деталей алгоритма ее работы. В некоторых языках использование функций может давать побочный эффект (S.144 side effect).

F.161 functional languages = applicative languages
функциональные языки, аппликативные языки
Класс языков программирования и подкласс декларативных языков (D.116 declarative languages), основанный на идеях лямбда-исчисления (L.002 lambda calculus) и теории рекурсивных уравнений (см. R.061 recursion). Программа, написанная на функциональном языке состоит из неупорядоченного набора уравнений, определяющих функции и значения; функции определяются рекурсивно через другие функции и значения; значения задаются как функции от других значений. В конечном счете полный набор уравнений достаточен для определения всех функций и значений через элементарные функции и значения, имеющиеся в языке. Среди задаваемых уравнениями значений содержатся и требуемые результаты, эти значения вычисляются в ходе выполнения программы.

F.162 functional partitioning
функциональное разбиение
Метод декомпозиции систем или программ, основной отличительной особенностью которого является то, что элементы, входящие в состав любого идентифицируемого модуля, должны обеспечивать решение единственной задачи. Следовательно, каждый модуль должен выполнять одну функцию, понимаемую в широком смысле как некоторый фрагмент работы (такое определение субъективно и кроме того зависит от уровня, на котором производится анализ). Указанный подход часто ассоциируется с общим методом *структурного проектирования*, созданным в фирме IBM в начале 1970-х годов.

F.163 functional specification
функциональное описание
См. M.178 module specification.

F.164 functional unit
функциональный блок
Любой важный элемент вычислительной системы, например, центральный процессор, основное или вспомогательное ЗУ, периферийное устройство.

F.165 function key
функциональная клавиша
Клавиша на клавиатуре (K.008 keyboard), нажатие которой вызывает выполнение некоторой операции или ввод кода, инициирующего впоследствии выполнение этой операции.

F.166 functor
функтор
Функция (F.160 function), отображающая одну категорию (C.040 category) на другую. В терминах вычислительной техники специальный функтор описывает отображения между математическими понятиями, такими, как множества (S.116 set) и функции (F.160 function), с одной стороны, и их реализацией в языке программирования, с другой стороны; такой функтор часто называют *функтором представления*. Эту идею можно обобщить на случай отображений различных абстрактных автоматов (A.011 abstract machine).

F.167 fusible link = fuse link
плавкая перемычка
Физическая связь, обеспечивающая передачу электрического сигнала через отдельную ячейку матрицы ППЗУ (P.292 PROM). Если эта перемычка цела, то при опросе ячейки будет зафиксировано известное логическое состояние (L.130 logic state). В процессе программирования перемычки можно пережигать, что приводит к изменению логического состояния ячейки; указанная перемычка необратима. Пережигание перемычки аналогичным образом используются в логических матрицах, программируемых пользователем (см. P.122 PLA).

F.168 fuzzy theory
нечетная логика
Раздел логики, созданный специально
для представления знаний и процессов человеческого мышления в такой форме, которая обеспечивала бы
удобство использования ЭВМ. Нечеткая логика находит применение в экспертных системах (E.151 expert systems), технике представления знаний
и в системах искусственного интеллекта (A.140 artificial intelligence).
В более традиционных логиках высказываний или предикатов нельзя
учитывать различные степени неопределенности, присущие таким словам
и словосочетаниям как «в известной
степени», «очень», «весьма возможно».
Вместо логических значений «истина»
и «ложь» можно ввести логические
величины, принимающие целый ряд
значений, например, «верно», «неверно»
«в высшей степени верно», «не совсем верно», «более или менее верно»,
«не совсем ошибочно», «в высшей степени ошибочно», «не ошибочно», «ошибочно». С другой стороны можно рассмотреть интервал [0, 1] и поставить
в соответствие каждой степени истинности некоторое действительное число
из этого интервала. Тогда предика-
тами будут функции, отображающие
не на множество «истина, ложь», а на
множества более общей структуры.
Нечеткая логика занимается изучением множеств (S.116 set) и предикатов
(P.192 predicate) указанного типа.
В ней рассматриваются такие понятия,
как нечеткие множества, нечеткие отношения и нечеткие кванторы.

G

G.001 Galerkin's method
метод Галеркина
См. F.069 finite-element method.

G.002 gallium arsenide (GaAs) devices
арсенид-галлиевые приборы
Полупроводниковые приборы, выполненные по интегральной технологии
с использованием арсенида галлия
в качестве собственного полупроводникового (S.071 semiconductor) материала вместо, скажем, кремния.
По сравнению с другими полупроводниками арсенид галлия имеет ряд
преимуществ в таких приложениях

как, например, создание быстродействующих схем, а также оптических
и оптически связанных приборов —
в частности, светодиодов и оптронов.

G.003 Galois field = finite field
поле Галуа
Названо в честь французского математика Эвариста Галуа.

G.004 game theory
теория игр
Математическая теория, в которой
исследуются вопросы принятия решений участниками игры, имеющими
разные интересы. Впервые упомина-
ется Эмилем Борелем в 1921 г., в строгом виде сформулирована Джоном фон
Нейманом в 1928 г. Целью создания
этой теории являлось лучшее понимание экономических вопросов, что
достигается путем выделения тех аспектов, которые в своей простейшей
форме характерны для стратегических
игр. Согласно даваемому в теории определению, в игре двух участников
каждый игрок имеет некоторый выбор
ходов, каждому из которых соответствует несколько возможных исходов,
выигрышей или проигрышей, определяемых ответным ходом соперника.
Оптимальная стратегия указывает относительные частоты выбора игроком
отдельных ходов, максимизирующие
средний выигрыш (или минимизирую-
щие средний проигрыш). Проблема
выбора оптимальной стратегии может
быть сведена к задаче линейного программирования (L.062 linear programming). Теория обобщается на случай
игр *n* участников.

G.005 gap on magnetic tape
промежуток (на магнитной ленте)
Любой интервал между записанными
на магнитной ленте группами сигналов. Обычно этот интервал вводится
между блоками (см. B.103 block).

G.006 gap theorem
теорема о промежутке
Теорема, доказываемая в теории сложности вычислений. Подобно теореме
ускорения (S.253 speedup theorem)
она может быть сформулирована в терминах абстрактных мер сложности
(см. B.111 Blum's axioms), однако
более понятной представляется формулировка через меры временных затрат:
пусть задана любая полная (T.111
total function) рекурсивная функция

(R.064 recursive function):

$$g(n) \geqslant n,$$

тогда существует полная рекурсивная функция $S(n)$, такая, что

$$\text{DTIME}(S(n)) = \text{DTIME}(g(S(n)))$$

(см. C.215 complexity classes). Другими словами, между временными границами $S(n)$ и $g(S(n))$ имеется «промежуток», в который не умещается минимальная пространственная сложность ни одного языка. Это утверждение имеет парадоксальное следствие: рассмотрим две универсальные модели вычислений, скажем, машину Тьюринга, состояние которой меняется один раз за век, и сверхбыстродействующую машину с произвольным доступом, способную выполнять миллионы арифметических операций в секунду; тогда существует полная рекурсивная функция $S(n)$ такая, что любой язык, распознаваемый за время $S(n)$ одной машиной будет также распознаваться в течение времени $S(n)$ другой машиной.

G.007 garbage
ненужная информация, мусор
Содержащаяся в ЗУ информация, которая уже недостоверна или не нужна. Обычно она появляется в результате уплотнения информации в памяти (M.098 memory compaction). Удаление из памяти этой излишней информации известно как сборка мусора и, как правило, осуществляется одновременно с уплотнением.

G.008 gate
вентиль
См. L.123 logic gate.

G.009 gateway
шлюз, межсетевой интерфейс
Устройство, служащее для соединения двух сетей (N.021 network и обычно) заметное пользователям этих сетей (в отличие от моста (B.140 bridge), присутствие которого как правило незаметно). Введение шлюза может потребоваться в связи с необходимостью учета одного или нескольких перечисляемых ниже различий соединяемых им сетей:

а) *различие адресации* — если адресация в соединяемых сетях определяется разными организациями, то шлюз может потребоваться для преобразования адресов проходящих через него сообщений;

б) *различие способов оплаты* — если в соединяемых сетях реализованы различные способы оплаты (например, локальная сеть, в которой оплата не производится, может соединяться с глобальной сетью, в которой оплачивается передача каждого пакета), то шлюз может использоваться для проверки полномочий пользователей и учета использования ресурсов;

в) *различие протоколов* — если в соединяемых сетях реализованы разные протоколы, то в шлюзе можно осуществить требуемые преобразования протоколов (если это возможно) или предотвратить попытку пользователя одной сети воспользоваться средствами, недоступными в другой сети, и выдать соответствующие ответные сообщения.

Термины *мост, шлюз и ретранслятор* (R.109 relay) относятся к разряду тех понятий, которые всегда могут толковаться по-разному разными группами пользователей, а смысл, вкладываемый в них каждой такой группой, может меняться во времени.

G.010 gather write
запись со слиянием
Операция записи в память блока данных, элементы которого могут непосредственно выбираться из разрозненных участков памяти и/или регистров.

G.011 Gaussian distribution = normal distribution
гауссово распределение, нормальное распределение

G.012 Gaussian elimination
гауссово исключение
См. L.050 linear algebraic equations.

G.013 Gaussian noise
гауссов шум
Шум (N.038 noise), для которого распределение амплитуды во времени является гауссовым (G.011 Gaussian distribution).

G.014 GCD — greatest common divisor
НОД, наибольший общий делитель

G.015 GCR — group code recording
запись с использованием группового кодирования
См. D.241 disk format, T.016 tape format.

G.016 generalized sequential machine
обобщенная последовательная машина
См. S.095 sequential machine. См. также G.064 gsm mapping.

203

**G.017 general-purpose computer (GP) =
= GP computer**
универсальная вычислительная машина
Вычислительная машина, которая может легко программироваться и использоваться для решения широкого круга задач.

G.018 general-purpose interface bus (GPIB)
универсальная интерфейсная шина
См. B.164 bus.

G.019 general recursivness
общая рекурсивность
См. C.108 Church thesis.

G.020 generating polynomial
порождающий многочлен
См. P.150 polynomial.

G.021 generations of computers
поколения (ЭВМ)
Нестрогая классификация вычислительных систем по степени развития аппаратных и в последнее время — программных средств.
См. F.079 first generation; S.036 second generation; T.072 third generation; F.131 fourth generation; F.044 fifth generation.

G.022 generator
генератор
1. Программа, которая на основе описания некоторой операции автоматически формирует программу, реализующую эту операцию. Самым первым примером подобных программных средств стал генератор программ сортировки, который на основе описания формата файла и требуемого вида сортировки создавал соответствующую программу сортировки. Впоследствии появились генераторы отчетов — из них наиболее известна система RPG II (R.190), которые предназначены для создания программ печати отчетов на основе использования файлов, содержащих информацию в определенном формате.
2. Элемент g группы (G.058 group) G, обладающий тем свойством, что множество его степеней

$$g^0, g^1, g^2, \ldots$$

в конечном счете содержит все элементы группы G. Такую группу называют *циклической*, она также является абелевой группой (G.058 group). Аналогичным образом определяется понятие генератора для моноидов (M.187 monoid). Множество S генераторов группы G является подмножеством элементов G, обладающим тем свойством, что любой элемент G может быть выражен через элементы S. См. также G.061 group graph. 3. См. F.141 free semigroup.

G.023 generator matrix
порождающая матрица
См. L.054 linear codes; C.312 convolutional code.

G.024 geodesic
геодезическая
См. R.035 reachability.

G.025 giga-
гига, Г
Приставка, означающая умножение на один миллиард, 10^9, или иногда — на число 2^{30}, т. е. на

$$1\ 073\ 741\ 824.$$

G.026 GIGO — garbage in garbage out
«мусор на входе — мусор на выходе»
Сокращение, означающее, что некорректные исходные данные преобразуются программой в некорректные результаты.

G.027 Gilbert — Varshamov bound
граница Варшамова—Гильберта
Варшамовым и Гильбертом доказано, что максимально возможное число N кодовых слов двоичного (B.059 binary code) линейного (L.054 linear codes) блочного кода (B.104 block code) удовлетворяет неравенству

$$N \geqslant 2^n \Big/ \sum_{r=0}^{d-1} \binom{n}{r},$$

где длина кода (C.153 code length) составляет n символов, а минимальное хеммингово расстояние (H.013 Hamming distance) между кодовыми словами равно d. См. также C.157 coding bounds, H.011 Hamming bound.

G.028 GINO — graphical input output
Пакет подпрограмм машинной графики, написанных на языке ФОРТРАН. Эти подпрограммы образуют «язык», позволяющий решать довольно сложные графические задачи — например, получать изображения трехмерных объектов в различных проекциях. В пакете GINO проводится разделение между абстрактным описанием изображения и техническими особенностями используемых устройств, что

делает графическое программирование в основном машинонезависимым. В течение многих лет этот пакет был фактическим стандартом систем машинной графики (особенно в Великобритании), но в настоящее время все большее распространение получает система GKS (G.029).

G.029 GKS — graphics kernel system
Проект международного стандарта на системы графического ввода—вывода. Основан на концепции виртуального устройства ввода—вывода с экраном прямоугольной формы, который может полностью или частично воспроизводиться реальными устройствами.

G.030 global
глобальный
Термин, определяющий область действия объекта: глобальные объекты доступны в любой части программы. Напротив локальные (L.094 local) объекты доступны только в том программном модуле, в котором они определены.

G.031 global discretization error = = global truncation error
полная ошибка дискретизации, полная ошибка усечения
См. D.231 discretization error.

G.032 global optimization
глобальная оптимизация
См. O.056 optimization (in programming).

G.033 Gödel numbering of a formal system
гёделевская нумерация формальной системы
Взаимно-однозначные отображения [т. е. инъекция (I.092 injection)] символов, формул или конечных последовательностей формул формальной системы на некоторое подмножество натуральных чисел. Для этого отображения должен существовать алгоритм, позволяющий поставить в соответствие любым символам, формулам или конечным последовательностям формул некоторые натуральные числа, называемые гёделевскими номерами этих объектов. Кроме того должен существовать другой алгоритм, позволяющий определить условия соответствия данного натурального числа гёделевскому номеру некоторого объекта, а при выполнении этих условий — указать этот объект. Введение гёделевских нумераций позволяет преобразовать утверждения об элементах нечисловых систем в утверждения относительно натуральных чисел. Свойства натуральных чисел изучены весьма хорошо, поэтому такое преобразование позволяет доказывать утверждения о свойствах нечисловых систем. Впервые указанное отображение было применено немецким математиком Гёделем.

G.034 Gödel's incompleteness theorems
теоремы Гёделя о неполноте
Две теоремы, доказанные Куртом Гёделем в 1931 г. В одной из формулировок первой теоремы утверждается, что совокупность истинных утверждений арифметики не является рекурсивно перечислимой (См. R.066 recursively enumerable set). На самом деле отсюда следует более сильный результат — множество истинных высказываний арифметики не является арифметическим, т. е. не лежит на уровне ω гиперарифметической иерархии. Действительно, во всякой нетривиальной математической системе (т. е. системе, включающей арифметику) можно сформулировать верные теоремы, которые в рамках этой системы невозможно доказать (или опровергнуть). Вторая теорема о неполноте связана с программой Гильберта в области оснований математики. Гильберт пытался найти конечные способы доказательства непротиворечивости математики. Во второй теореме Гёделя утверждается, что эта программа Гильберта невыполнима. Указанные теоремы отражают внутренние ограничения формальных систем.

G.035 Golay codes
коды Голея
Семейство совершенных (P.084 perfect codes) линейных (L.054 linear codes) блочных (B.104 block codes) кодов с исправлением ошибок (E.103 error-correcting codes). Наиболее полезным является двоичный (23, 12)-код Голея. Известен также троичный (11,6)-код Голея. Коды Голея можно рассматривать как циклические коды (C.370 cyclic codes).

G.036 golfball printer
печатающее устройство со сферической головкой
Разновидность последовательного (S.106 serial printer) печатающего устройства с монолитным шрифтом (S.219 solid-font printer), в котором литеры, соответствующие различным символам, запрессованы в сферический носитель.

Путем вращения носителя относительно двух осей требуемая литера устанавливается напротив бумаги, затем она через красящую ленту ударяет по бумаге. Сначала это устройство предназначалось для пишущих машинок, а затем было дополнено приводом, что позволило применять его в качестве выходного печатающего устройства, которое оказалось весьма сложным и медленным (скорость печати 10—12 символов в секунду) по сравнению с лепестковыми печатающими устройствами (в которых скорость достигает 60 символов в секунду) и постепенно выходит из употребления.

G.037 Good — de Bruijn diagram =
= Good — de Bruijn graph
диаграмма Гуда—де Брюйна, граф Гуда—де Брюйна

Ориентированный граф (G.047 graph), на котором показаны возможные смены состояний сдвигового регистра (S.140 shift register). Каждому возможному состоянию этого регистра (определяемому содержимым регистра) соответствует узел графа, выходящие дуги соединяют этот узел со всеми возможными узлами—потомками. (Смена состояний происходит при подаче одного тактового импульса и управляется информацией с последовательного входа). Если q-ный (Q.002 g-ary) сдвиговый регистр состоит из n ячеек, то в графе будет q^n узлов, с каждым из которых соединен q дуг, т. е. общее число дуг составляет q^{n+1}. Если информация, подаваемая на последовательный вход, каким-либо образом зависит от текущего состояния, то в графе Гуда-де Брюйна, описывающем работу такого регистра сдвига, будут отсутствовать некоторые дуги, подобные подграфы используются при анализе регистров с обратной связью (F.028 feedback register).

G.038 goodness-of-fit test
критерий согласия

Статистический критерий значимости (S.160 significance test) гипотезы о том, что выборочное распределение частот (F.144 frequency distribution) достаточно хорошо согласуется с некоторой теоретической моделью. Если исходная информация представляет собой совокупность выборочных частот различных исходов, то проверка основана на использовании распределения χ^2

206

(C.103 chi-squared distribution). Проверка согласованности непрерывных наблюдений более сложна, она производится методами дисперсионного анализа (A.099 analysis of variance) и предполагает повторение определенных наблюдений.

G.039 Goppa codes
коды Гоппы

Семейство линейных (L.054 linear codes) блочных (B.104 block codes) кодов с исправлением ошибок (E.103 error-correcting codes). Наиболее важными разновидностями кодов Гоппы являются коды Рида—Соломона (R.075 Reed—Solomon codes) и двоичный (23,12)-код Голея (G.035 Golay codes). Коды Гоппы вообще говоря не являются циклическими (C.370 cyclic codes).

G.040 GOTO statement
оператор GOTO

Команда ветвления (B.136 branch instruction) в языке высокого уровня, вызывающая нарушение естественной последовательности передач управления путем явного указания следующего выполняемого оператора. Это указание обычно осуществляется при помощи метки, например,

GOTO 99
(операторы)
99: ...

Согласно современному подходу к программированию использование операторов GOTO нежелательно, поскольку они затрудняют чтение программ и делают логическую структуру менее наглядной. Однако в некоторых случаях операторы GOTO незаменимы, особенно тогда, когда из-за возникновения ошибки необходимо прекратить выполнение группы вложенных циклов или процедур, а в используемом языке отсутствуют средства обработки исключительных ситуаций.

G.041 GP — general purpose, general-purpose computer
универсальный, универсальная ЭВМ

G.042 GPIB — general-purpose interface bus.
См. B.164 bus.

G.043 graceful degradation
постепенное сокращение возможностей (системы)
См. F.006 fail-soft.

G.044 grammar
грамматика

Один из основных подходов к описанию бесконечного формального языка (F.117 formal language) конечными средствами. Подобно полусистеме Туэ (S.075 semi-Thue system) содержит набор правил (называемых *правилами подстановки*), которые могут использоваться для вывода одной строки из другой путем замены подстрок. Строки определенного языка выводятся из некоторой начальной строки путем многократного применения этих правил. Дополнительная особенность грамматики состоит в разбиении алфавита на множество T *терминальных символов* и множество N *нетерминальных символов*. Хотя правила подстановки могут включать произвольные сочетания терминальных и нетерминальных символов, строки определяемого языка состоят только из терминальных символов. Таким образом грамматику G можно определить как полусистему Туэ над объединением $T \cup N$, где T и N — множества символов, причем N содержит особый символ S. *Язык, порождаемый грамматикой* G, содержит все те строки над множеством T, которые можно вывести из S путем последовательной замены подстрок (см. S.075 semi-Thue system); S называют *начальным или сентенциальным символом*. Например, пусть $T = \{b, c\}$, $N = \{S, A\}$, а правила подстановки имеют вид

1) $S \to SA$;
2) $S \to A$;
3) $A \to bc$.

Тогда, в частности из начального символа S можно получить строку $bcbcbc$ применяя правила подстановки в следующей последовательности (могут быть и другие варианты вывода):

SA — по правилу 1;

SAA — по правилу 1;

AAA — по правилу 2;

$bcAA$ — по правилу 3;

$bcbcA$ — по правилу 3;

$bcbcbc$ — по правилу 3.

Эта грамматика порождает язык

$\{bc, bc\ bc, bcbcbc, \dots$ и т. д.$\}$.

В него входят только строки вида bs и cs, выводимые из S. Строка вида

$SAbcA$, также выводимая из S, но содержащая нетерминальные символы, называется *сентенциальной формой*. Выше грамматика определялась в наиболее общем виде. Однако в большинстве случаев на структуру правил подстановки накладываются определенные ограничения (см. R.092 regular grammar; C.280 context-free grammar; C.283 context-sensitive grammar). Синтаксис языков программирования обычно определяется бесконтекстными грамматиками, выше приводился пример бесконтекстной грамматики, хотя определяемый ею язык является регулярным. Несколько иной способ порождения языков возможен на основе L-систем (L.152 L-system). Совершенно иной подход, заключается в определении машины, т. е. автомата (A.189 automaton), которая могла бы определять принадлежность строк заданному языку.

G.045 grandfather file
предпоследняя версия главного файла, файл «дед»

См. F.058 file recovery.

G.046 granularity
крупность

Мера величины сегментов (S.051 segment), на которые разбивается память с целью ее защиты [М.109 memory protection] или для управления [если память является виртуальной (V.048 virtual-memory)].

G.047 graph
1. граф 2. график функции

1. Непустое конечное множество *узлов* (или *вершин*) вместе с множеством *ребер* (*дуг*), соединяющих пары различных вершин. Если ребро e соединяет вершину v_1 и v_2, то говорят, что v_1 и v_2 *инцидентны* e и что эти вершины являются *соседними*, а e — неупорядоченной парой (v_1, v_2). Граф обычно представляется в наглядной форме, при этом вершины изображаются точками или другими фигурами, которые иногда помечают с целью идентификации, а ребра изображаются линиями, соединяющими соответствующие точки. Если каждому ребру также приписано направление, то такой граф называется *ориентированным* или *орграфом*. В этом случае ребра образуют конечное множество упорядоченных пар (O.064 ordered pair) различных вершин и часто называются дугами. При наглядном представлении орграфа

каждая дуга снабжается стрелкой. Если направления не указаны, то граф называется *неориентированным*. Данные представления полезны ввиду их наглядности, но не подходят для обработки с помощью ЭВМ. С этой точки зрения более удобны представления с помощью матрицы инцидентности (I.050 incidence matrix) или матрицы смежности (A.064 adjacency matrix). Графы находят широкое применение при организации вычислений: вершины обычно соответствуют объектам некоторого вида, а ребра — физическим или логическим связям между ними. Таким образом графы можно использовать для математического моделирования самых разнообразных систем и структур: ЭВМ с периферийным оборудованием, вычислительных сетей, деревьев синтаксического анализа (P.049 parse tree), логических взаимосвязей между подпрограммами (S.373 subroutine) или нетерминальными символами грамматики (G.044 grammar), схем СБИС (V.053 VLSI) и связанных объектов баз данных (D.010 database). Специальными видами графов являются деревья (T.163 tree) и списки (L.081 list). Существует несколько различных определений графа. Эти различия касаются возможности соединения ребрами одноименных вершин, допустимости графов с пустым множеством вершин или с бесконечными множествами вершин и ребер, и т. д. См. также С.267 connected graph; N.021 network; W.014 weighted graph.

2. ~of a function. Множество всех упорядоченных пар (O.064 ordered pair) (x, y) таких, что $y = f(x)$. Часто такой график представляется в виде кривой.

G.048 graphics
графика
См. С.235 computer graphics.

G.049 graphics characters
графические знаки
См. С.082 character set.

G.050 graph plotter
графопостроитель
См. P.131 plotter.

G.051 Gray code
код Грея
Двоичный (n, n) блочный код (B.104 block code), обладающий следующими свойствами:

208

а) число кодовых слов равно 2^n, длина каждого из них составляет n бит, б) соседние кодовые слова различаются только в одном разряде, т. е. хеммингово расстояние (H.013 Hamming distance) между ними равно единице. Код Грея удобно описывать при помощи последовательности переходов, т. е. упорядоченного списка тех разрядов, которые меняются при переходе от одного кодового слова к другому. Граф Гуда—де Брюйна (G.037 Good—de Brujin graph) в случае кода Грея образует гамильтонов цикл (H.010 Hamiltonian cycle). Коды Грея используются для кодирования положений валов, дисков и т. д. с тем, чтобы разрешить проблемы, связанные с возможностью одновременного изменения нескольких разрядов кодового слова.

G.052 gray-level array
матрица (уровней) яркости
Массив чисел, определяющих уровень яркости соответствующих участков отображаемого объекта. При помощи этой матрицы может описываться выходной сигнал телевизионной камеры или аналогичного устройства.

G.053 gray scale
шкала яркостей, яркостная шкала
Шкала, ставящая определенные числа в соответствие оттенкам серого цвета, простирающимся от белого до черного цветов. Термин также относится к градациям диапазона изменения других величин, в частности к уровням яркости изображений, получаемых на ЭЛТ. Информативность и визуальная четкость изображения на графическом дисплее могут быть увеличены за счет определения относительной яркости каждого элемента изображения.

G.054 greatest common divisor (GCD)
наибольший общий делитель, НОД
НОД двух целых чисел m и n представляет собой наибольшее целое число d, делящее без остатка m и n. Если $d = 1$, то m и n являются взаимно простыми. Например НОД чисел 18 и 24 равен 6, а числа 21 и 25 — взаимно простые.

G.055 greedy method
«жадный» алгоритм
Алгоритм решения некоторой задачи, в котором на каждом шаге делается все возможное, чтобы сразу подойти как можно ближе к решению. Другими словами, это метод, в котором воз-

можные в перспективе преимущества приносятся в жертву немедленному приближению к цели.

G.056 Greibach normal form
нормальная форма Грейбаха

Частный класс бесконтекстных грамматик (C.280 context-free grammar), в которых все правила подстановки имеют вид

$$A \to bC_1 \ldots C_n,$$

т. е. правая часть любого правила представляет собой терминальный символ, за которым следует некоторое (в том числе нулевое) число нетерминальных символов. Любой бесконтекстный язык порождается такой грамматикой, за тем исключением, что для вывода пустой строки A требуется дополнительное правило подстановки

$$S \to \Lambda.$$

Весьма важно, что такое представление делает очевидным существование эквивалентного автомата с магазинной памятью (P.345 pushdown automation): при считывании символа b автомат выталкивает A из стека и проталкивает туда символы $C_1 \ldots C_n$.

G.057 Grosch's law
закон Гроша

Наиболее известное эмпирическое соотношение между производительностью и стоимостью ЭВМ. Впервые сформулировано в 1953 г. Х. Р. Грошем в виде

производительность = константа $\times$
$\times$ стоимость.

Некритическое отношение к этому закону, который в то время в общем соответствовал действительности, привело к появлению концепции «экономии за счет масштабов», согласно которой стоимость выполнения одной операции на крупной ЭВМ будет меньше, чем на малой ЭВМ. С тех пор предлагался ряд других значений показателя степени: можно привести веские доказательства в пользу того, что значение 1 лучше, чем значение 2. В настоящее время в связи с появлением технологии БИС закон Гроша практически полностью утратил свою силу.

G.058 group
группа

Множество (S.116 set) G, на котором определена бинарная операция (D.319 dyadic operation) $\circ$ (отображение $G \times G$ на G); обладающая следующими свойствами:

а) ассоциативность (A.153 associative operation);

б) наличие единицы, т. е. единственного элемента e из G такого, что

$$x \circ e = e \circ x = x$$

для всех x из G; элемент e называется *единицей* группы; в) наличие *обратных элементов*, т. е. для любого элемента x из G существует обратный ему элемент, обозначаемый как x^{-1} и обладающий свойством

$$x \circ x^{-1} = x^{-1} \circ x = e.$$

Перечисленные свойства являются аксиомами группы. Некоторые виды групп представляют особый интерес. Если бинарная операция коммутативна (C.196 commutative operation), то группа называется *коммутативной* или *абелевой* (в честь норвежского математика Абеля). Если в группе имеется конечное число n элементов, то группа называется *конечной*, а число n — ее порядком. Конечные группы можно представлять или изображать при помощи таблицы Кэли (C.043 Cayley table). Если группа содержит генератор (G.022 generator), то она называется *циклической* и должна быть абелевой. Группа является весьма важной алгебраической структурой (A.080 algebraic structure), при помощи которой определяются многие другие алгебраические структуры такие, как кольца (R.157 ring) и поля (F.040 field). Теория групп непосредственно используется при изучении симметрий, преобразований и, в особенности, — перестановок (P.092 permutations); в теории кодирования с обнаружением и исправлением ошибок, а также при разработке быстродействующих сумматоров. Первоначально понятие группы было введено для решения алгебраических задач. С помощью теории групп доказывается отсутствие алгебраических методов определенного вида, позволяющих определять корни произвольных многочленов степени выше четвертой. См. также S.073 semigroup.

G.059 group code = linear code
групповой код

G.060 group code recording
запись с использованием группового кодирования
См. D.241 disk format; T.016 tape format.

G.061 group graph
граф группы
Ориентированный граф (G.047 graph), при помощи которого представляется конечная группа (G.058 group). Вершины графа соответствуют элементам группы, а ребра — ее генераторам (G.022 generator). Если ребро E (представляющее генератор g) соединяет вершины V и V' (представляющие элементы v и v', соответственно), то

$$v \circ g = v',$$

где $\circ$ — групповая операция. Полустепень исхода (см. D.133 degree) каждой вершины графа группы равна числу генераторов группы.

G.062 group mark
метка группы
Элемент записи, указывающий начало или конец группы связанных полей. Если поля повторяются, то в метке группы часто указывается число повторений.

G.063 Grzegorczyk hierarchy
иерархия Гржегорчика
См. H.070 hierarchy of functions.

G.064 gsm mapping — generalized sequential machine mapping
функция обобщенной последовательностной машины
Функция, являющаяся откликом обобщенной последовательностной машины (S.095 sequential machine) и поэтому обобщающая понятие последовательностной функции (S.094 sequential function). Если не ограничиваться случаем машин с конечным числом состояний, то обобщенная последовательность эквивалентна следующему свойству *сохранения исходных подслов*: для любых u, v из I^* функция $f(uv)$ имеет вид $f(u) w$ при некотором w из O^*, где I^*, O^* — множества всех входных и выходных строк.

G.065 guard band
защитная полоса
См. F.146 frequency division multiplexing.

G.066 gulp
галп
Несколько байтов (обычно два).

H

H.001 hacker
хэкер
Пользователь, который пытается вносить изменения в системное программное обеспечение, зачастую не имея на это права. Хэкером можно назвать программиста, который создает более или менее полезные вспомогательные программы, обычно плохо документированные и иногда вызывающие нежелательные побочные результаты. Такие программисты часто имеют высокую квалификацию, их пренебрежение необходимыми мерами предосторожности зачастую бывает вызвано именно изощренностью. В связи с развитием вычислительных сетей появляются хэкеры, пытающиеся преодолеть средства защиты данных в банковских или государственных распределенных вычислительных системах. При этом мотивом часто является просто получение личного удовлетворения, но иногда дело сводится к нанесению умышленного ущерба или к мошенничеству. Для деятельности хэкера достаточно наличия персональной ЭВМ и модема (M.166 modem) для подключения к телефонной сети.

H.002 Hadamard codes
коды Адамара
См. H.003 Hadamard matrices.

H.003 Hadamard matrices
матрицы Адамара
Семейство квадратных матриц, элементы которых могут принимать значения: $+1$ и -1. Матрица Адамара H порядка m удовлетворяет равенству

$$H \cdot H^T = \lambda I,$$

где H^T — транспонированная матрица (T.158 transpose) H; I — единичная матрица (I.018 identity matrix); λ — скалярная константа. Эти матрицы часто записывают в «нормализованном» виде, т. е. когда знаки столбцов и строк выбраны таким образом, что элементами верхней строки и левого столбца являются только $+1$. Существуют матрицы Адамара только порядков $m = 1$, 2 или $4r$ при некоторых r. Известно, что также матрицы существуют при всех $m = 2^s$. Высказывается предположение, правда недоказанное, о существовании матриц всех порядков вида $m = 4r$. Строки матрицы Адамара образуют ортонормальный базис (O.080 orthonormal basis). В связи с этим они находят применение в теории кодов (C.149 code), в области цифровой обработки сигналов (D.191 digital signal processing) и при случайной выборке (S.004 sampling). Матрицы порядка $m = 2^s$ называют матрицами Сильвестра. Для матрицы Сильвестра имеется эквивалентная матрица, строки которой образуют совокупность m-точечных функций Уолша (W.005 Walsh functions) или, при другом упорядочении, — функций Пэли. С помощью нормализованной матрицы Сильвестра можно получить различные линейные (L.054 linear codes) коды Адамара, заменяя $+1$ на 0, а -1 на 1.

H.004 half adder
полусумматор
См. A.048 adder.

H.005 half duplex
полудуплексный
Определение, указывающее или подразумевающее, что между двумя объектами, физическими или логическими, имеется двунаправленная линия связи, по которой передача информации в каждый момент времени может производиться только в одном направлении. Важной характеристикой полудуплексного соединения является время реверсирования режима, т. е. время, за которое производится переход от передачи сообщений к приему и наоборот. См. также D.135 duplex; S.168 simplex.

H.006 half subtractor
полувычитатель
См. S.382 subtractor.

H.007 half word
полуслово
Участок памяти, по размеру равный половине машинного слова (W.036 word).

H.008 halt = HALT
команда останова
Команда, по которой прекращается выполнение программы. (Во многих языках программирования используются аналогичные команды PAUSE и STOP). Первоначально по этой команде действительно производился останов процессора (с этим связано английское название команды), однако в более современных ЭВМ она в большинстве случаев вызывает системное прерывание (T.159 trap), в результате которого управление передается операционной системе, которая может, например, запустить другую программу.

H.009 halting problem (от немецкого Entscheidungsproblem)
проблема остановки
Одна из проблем разрешимости, исследовавшаяся Тьюрингом. Пусть M — эта машина Тьюринга (T.192 Turing machine), на вход которой подается воздействие X. После запуска машины могут возникнуть две ситуации: машина остановится через конечное число шагов или машина будет работать бесконечно. Имеется ли возможность определить, какая из этих ситуаций реализуется на практике? В этом вопросе и содержится проблема остановки. На самом деле эффективная процедура определения возможности остановки заданной машины Тьюринга при заданном входном воздействии отсутствует. О проблеме остановки известно, что она неразрешима. Это пример одной из многих неразрешимых проблем математики и вычислительной техники. Исследование проблемы остановки позволяет сделать важные практические выводы: если бы она была разрешима, то можно было бы создать «испытатель программ», который после анализа любой программы, написанной (скажем) на языке Паскаль, печатал бы «да», если выполнение программы завершается за конечное число шагов, и «нет», если этого не происходит.

H.010 Hamiltonian cycle
гамильтонов цикл
Цикл (C.365 cycle) в графе (G.047 graph), при обходе которого каждая вершина графа будет пройдена один и только один раз.

H.011 Hamming bound = sphere-packing bound
граница Хемминга, граница сферической упаковки
Хеммингом доказано, что число N кодовых слов двоичного (B.059 binary code) линейного (L.054 linear code) кода удовлетворяет неравенству

$$N \leqslant 2^n \Big/ \sum_{r=0}^{e} \binom{n}{r},$$

где n — длина кода (С.153 code length), исправляющего e ошибок. См. С.157 coding bounds.

H.012 Hamming codes
коды Хемминга

Семейство двоичных (В.059 binary codes) линейных (L.054 linear codes) совершенных (Р.084 perfect codes) блочных (В.104 block codes) кодов с исправлением ошибок (Е.103 error-correcting codes), открытых Р. У. Хеммингом в 1950 г. Они позволяют исправить любую одиночную ошибку в блоке. Для (n, k)-блочного кода Хемминга

$$n = 2^m - 1, \ k = n - m,$$

где параметр m определяет код. При необходимости исправления кратных ошибок коды Хемминга обобщаются, что приводит к кодам Боуза—Чоудхури—Хокенгема (БЧХ) (В.125 Bose—Chaudhuri—Hocquenghem (BCH) codes).

H.013 Hamming distance = Hamming metric
расстояние Хемминга, хеммингово расстояние

Расстояние Хемминга d (**u**, **v**) между двумя словами **u** и **v** одинаковой длины равно числу несовпадающих разрядов этих слов. Оно используется в теории блочных кодов (В.104 block codes), предназначенных для обнаружения и исправления ошибок. Если длина слов **u** и **v** конечна, то расстояние Хемминга между этими словами также конечно, поскольку

$$d \ (\mathbf{u}, \ \mathbf{v}) \leqslant n.$$

Эту меру можно называть расстоянием, так как она неотрицательна, нуль-рефлексивна, симметрична и удовлетворяет неравенству треугольника

$$0 \leqslant d \ (\mathbf{u}, \ \mathbf{v});$$

$$d \ (\mathbf{u}, \ \mathbf{v}) = 0, \text{ если и только если } \mathbf{u} = \mathbf{v};$$

$$d \ (\mathbf{u}, \ \mathbf{v}) = d \ (\mathbf{v}, \ \mathbf{u});$$

$$d \ (\mathbf{u}, \ \mathbf{w}) \leqslant d \ (\mathbf{u}, \ \mathbf{v}) + d \ (\mathbf{v}, \ \mathbf{w}).$$

Расстояние Хемминга играет важную роль в теории кодов с обнаружением ошибок (Е.104 error-detecting codes) и кодов с исправлением ошибок (Е.103 error-correcting codes). Если *минимальное расстояние Хемминга*, между словами блочного кода равно d, то:

а) при четном d с помощью кода можно обнаруживать $d - 1$ и исправлять $d/2 - 1$ ошибочных символов;
б) при нечетном d с помощью кода можно обнаруживать $d - 1$ и исправлять $(d - 1)/2$ ошибочных символов. См. также Н.016 Hamming space; Р.084 perfect codes; С.160 coding theory; С.157 coding bounds; Н.011 Hamming bound.

H.014 Hamming metric = Hamming distance
метрика Хемминга

H.015 Hamming radius
радиус Хемминга

См. Н.016 Hamming space.

H.016 Hamming space
пространство Хемминга, хеммингово пространство

В математической теории кодирования пространством Хемминга называют множество слов одинаковой длины, удаленность которых друг от друга измеряется расстоянием Хемминга (Н.013 Hamming distance). Размерность этого пространства равна числу разрядов слова, а координата по каждому измерению — значению соответствующего разряда слова. *Сферой Хемминга* называется множество слов из пространства Хемминга, для которых расстояние Хемминга от некоторого заданного слова («центра») не превышает некоторой заданной величины (*радиуса Хемминга*).

H.017. Hamming sphere
сфера Хемминга

См. Z.016 Hamming space.

H.018 Hamming weight
вес Хемминга

В теории кодирования весом Хемминга называют число ненулевых разрядов слова. Это число равно расстоянию Хемминга (Н.013 Hamming distance) между заданным словом и нулевым словом (Z.006 zero word).

H.019 handle
основа

См. В.128 bottom-up parsing.

H.020 handshake
подтверждать (квитировать) установление связи

Выполнять операцию по синхронизации (обычно низкоуровневой) двух устройств, между которыми передается информация. Цель синхронизации путем квитирования состоит в передаче специального блока информации. Например, при двустороннем квитировании одно из взаимодействующих устройств (главное) выдает сигнал SYN запроса передачи. Другое (подчиненное) устройство обнаруживает этот сигнал и посылает ответ, SSYN. Теперь эти два устройства синхронизированы и могут обмениваться данными. Квитирование завершается, когда одно из устройств сбрасывает сигнал сихронизации, а другое устройство обнаруживает это изменение и сбрасывает свой сигнал синхронизации. Теперь можно осуществлять следующее квитирование. Усложнение этой процедуры связано с участием в ней более двух устройств. Трехстороннее квитирование осуществляется в шине (В.164 bus) IEEE 488 (IEC 625, HP-IB).

H.021 handshaking
квитирование установления связи
Действие или процесс, связанные с необходимостью подтверждения установления связи (Н.020 handshake).

H.022 hands off
автоматический режим
См. Н.023 hands on.

H.023 hands on
операторский режим
Режим работы вычислительной системы под управлением оператора, который в буквальном смысле держит руки на клавиатуре (hands on) и других переключателях, осуществляя управление протекающими в системе процессами. Зависимость от способности оператора управлять работой средней или большой ЭВМ была уменьшена за счет введения программ супервизоров и операционных систем. Режим работы, при котором не требуется вмешательства оператора, называется *автоматическим режимом.*

H.024 hang up
1. зависание 2. сигнал разъединения
1. Состояние, в котором оказывается программа при непредусмотренном останове, связанном, например, с попыткой получения информации от устройства, не подключенного к процессору.
2. В системах с разделением времени это сигнал, получаемый программой при разрыве соединения с удаленным терминалом (английское *hang up the telephone* означает «повесить трубку»).

H.025 hard copy
печатная копия, документальная копия
Отпечатанная или другим образом зафиксированная копия информации, полученной от вычислительной системы.

H.026 hard dick = metallic disk
жесткий диск
Магнитный носитель информации, выполненный в виде алюминиевой подложки, на которую электролитическим или каким-либо другим способом нанесен (обычно с двух сторон) магнитный материал. См. М.023 magnetic disk. Ср. Г.103 floppy disk.

H.027 hard error
постоянная ошибка
Ошибка, появляющаяся систематически. См. Е.112 error rate.

H.028 hard-sectored dick
диск с фиксированными секторами
См. S.037 sector.

H.029 hardware
аппаратные средства
Материальная часть вычислительной системы, включающая в себя электрические и электронные элементы (например, приборы и схемы), электромеханические элементы (например, дисководы) и механические элементы (например, стойки). Ср. S.208 software.

H.030 hardware character generation
аппаратное формирование знаков
Метод, согласно которому устройство отображения — дисплей или графопостроитель — по получении некоторых кодов формирует соответствующие знаки, форма и размер которых определяются собственными схемами устройства. ЭВМ, управляющая дисплеем, определяет только, какой знак должен быть отображен, но не задает каждый из составляющих знак элементов изображения (Р.118 pixel). Ср. В.092, bit mapping.

H.031 hardware circuitry
схемы аппаратных средств
См. L.116 logic circuit.

H.032 hardware description
описание аппаратных средств
Однозначный метод описания межэлементных соединений и работы электрической и электронной частей аппаратных средств ЭВМ. Известен ряд языков описания аппаратных средств ЭВМ на уровне межрегистровых пересылок, наиболее известными среди

них являются AHPL (a hardware programming language — язык программирования аппаратных средств) и CDL (computer description language — язык описания ЭВМ).

H.033 hardware reliability
надежность аппаратуры
Характеристика способности аппаратуры осуществлять свои функции в течение некоторого периода времени, обычно выражаемая через среднюю наработку на отказ.

H.034 hardware security
аппаратная защита
Использование аппаратных средств, например регистров границ (В.131 bounds registers) или замков и ключей (L.104 locks and keys) для защиты данных в ЭВМ.

H.035 hardwired
постоянно замонтированный, «зашитый»
Определение, относящееся к схемам, в которых выполнены постоянные межсоединения и реализуется определяемая ими функция. Схемы другого класса перестраиваются программным способом, что позволяет — хотя и более медленно — выполнять целый ряд функций.

H.036 Harvard Mark I
Имя, данное сотрудниками Гарвардского университета автоматической счетной машине с задаваемой последовательностью операций — электромеханической вычислительной машине, в основу которой были положены идеи ученого из того же университета Х. Х. Эйкена. Эта машина, которая выполняла последовательность отперфорированных на бумажной ленте команд, была задумана в 1938 г. Ее разработка и изготовление осуществлялись в лаборатории фирмы IBM в сотрудничестве с инженерами этой фирмы. Машина начала работать в 1944 г. и в том же году была преподнесена фирмой IBM в дар Гарвардскому университету. Машина Mark I использовалась военно-морским ведомством США для проведения баллистических расчетов и проектирования судов.

H.037 hash function
хэш-функция
См. H.039 hashing algorithm, H.038 hashing.

214

H.038 hashing
хэширование, рандомизация
Метод организации таблиц, обеспечивающий возможность быстрого поиска (S.032 searching) и табличного преобразования (Т.004 table look-up), особенно полезен в тех случаях, когда новые элементы добавляются в таблицу непредсказуемым образом, что, например, характерно для таблиц символов в компиляторах. Каждый заносимый в хэш-таблицу элемент имеет особый ключ, а само занесение осуществляется с помощью хэш-функции, отображающей ключи на множество целых чисел (значений хэш-функции), которые лежат внутри диапазона адресов таблицы. Указанная функция должна обеспечивать равномерное распределение ключей по адресам таблицы (см. H.039 hashing algorithm), однако поскольку такое отображение не является взаимно однозначным, двум различным ключам может соответствовать один и тот же адрес. В простейшем случае значение хэш-функции определяет основной адрес в таблице; если ячейка с этим адресом уже занята, то проверка следующих адресов производится до тех пор, пока не будет обнаружена свободная ячейка (при этом считается, что таблица имеет кольцевую структуру), и элемент вместе со своим ключом помещается в эту ячейку. Для поиска элемента в таблице используется аналогичный алгоритм. Сначала вычисляется значение хэш-функции, соответствующее ключу, и проверяется элемент таблицы, находящийся по указанному адресу. Если ключ элемента согласуется с требуемым ключом, то элемент считается обнаруженным, в противном случае следующие ячейки таблицы проверяются до обнаружения элемента с нужным ключом или пустой ячейки. Последняя ситуация свидетельствует об отсутствии ключа в таблице, поскольку процедура занесения нового элемента обязательно использовала бы эту пустую ячейку. Метод может применяться только в тех случаях, когда размер таблицы несколько больше числа размещаемых элементов. Если хэш-таблица заполнена не более чем на 60%, то для размещения в ней нового элемента необходимо в среднем проверить не более двух ячеек. Для решения проблемы конфликтов, возникающей в тех слу-

чаях, когда значение хэш-функции соответствует занятой ячейке, могут использоваться более сложные методы. При этом скорость табличного преобразования еще более возрастает. Табличное преобразование и размещение новых элементов могут выполняться друг за другом. Вместе с тем после удаления .элементов из таблицы освободившееся пространство, как правило, не может быть повторно использовано.

H.039 hashing algorithm
алгоритм хэширования
Алгоритм вычисления по заданному ключу k функции $f(k)$, которая, в свою очередь, соответствует начальной точке *хэш-поиска* по ключу k. Функция f называется *хэш-функцией*. В типичном случае .она определяется как остаток от деления на простое число:

$$f(k) \equiv k \pmod{p},$$

где k — считается целым числом. При другом определении хэш-функции используется константа A и в качестве $f(k)$ берутся старшие разряды меньшей значащей половины произведения $A \cdot k$. См. также H.038 hashing.

H.040 hash P complete
P-сложность хэширования
См. C.327 counting problem.

H.041 hash search
хэш-поиск
См. H.039 hashing algorithm.

H.042 hash table
хэш-таблица
См. H.038 hashing.

H.043 hash total
контрольная сумма
Число, формируемое путем суммирования (или какого-либо другого вида сложения) соответствующих полей всех записей файла. Это число не имеет какого-то особого смысла, а служит просто для проверки записей файла. Контрольная сумма меняется при коррекции информативных полей, поэтому для проверки файла следует вычислить ее заново. Всякое изменение значения .поля обнаруживается благодаря несовпадению запомненной и вновь вычисленной контрольных сумм. См. также C.301 control record.

H.044 hash value
значение хэш-функции
См. H.038 hashing.

H.045 hazard
риск
Возможный или действительно имеющий место результат неправильной работы логической .схемы (L.116 logic circuit) при изменении(ях) значений входных переменных. Возникновение рисков связано с неидеальной работой реальных ключевых элементов, например, с неодновременным срабатыванием или с различием времен включения и выключения. В Великобритании термин hazard иногда употребляют вместо термина race condition (R.001).

H.046 HCI — human-computer interface
пользовательский интерфейс, человеко-машинный интерфейс

H.047 HDLC — high-level data link control
протокол высокого уровня управления каналом передачи данных
Протокол управления каналом передачи данных (D.045 data link control protocol), разработанный МОС в ответ на созданный фирмой IBM протокол SDLC (S.029), который является частью протокола HDLC. Однако МККТТ принял в качестве второго (канального) уровня протокола X.25 (X.001) другую часть протокола HDLC (см. L.006 LAP)

H.048 head
1. головка 2. голова
1. Часть периферийного устройства, контактирующая с носителем информации или находящаяся очень близко от него и непосредственно обеспечивающая запись, считывание или стирание информации или образов. Наиболее часто этот термин употребляется применительно *магнитным головкам* накопителей на магнитных дисках (M.023 magnetic disk) или лентопротяжных механизмов (см. M.030 magnetic tape), а также к печатающим головкам устройств последовательной печати (S.106 serial printer). См. также R.047 read/write head.
2. Первый элемент списка (L.081 list). См. также L.082 list head.

H.049 head crash
авария головки
Случайное разрушительное соприкосновение головки считывания-записи (R.047 read/write head) с поверхностью жесткого диска при вращении последнего в дисководе (D.238 disk drive). В нормальном состоянии головка на-

ходится на небольшом расстоянии от поверхности диска. После ее аварии диск приходит в негодность, поскольку при контакте соответствующая дорожка и находящаяся на ней информация разрушается. Авария часто бывает связана с прохождением головки над находящимися на поверхности пылинками. Появившиеся при контакте частицы материала, из которого сделана поверхность диска, могут послужить причиной разрушения других дорожек. Вероятность аварии головки может быть снижена за счет поддержания чистоты диска и постоянства температуры и влажности. Кроме того, производится регулярное копирование дисков, так, чтобы при аварии можно было воспользоваться дубликатом.

H.050 headend
головной узел
См. B.142 broadband coaxial system.

H.051 header
заголовок
Некоторая закодированная информация, которая предшествует более общему набору данных и содержит некоторые сведения о нем, например, его длину. Заголовок в представлении структуры данных логически отличается от собственно информационных элементов и может выполнять ряд функций:
а) содержать общую информацию обо всей структуре, например, длину списка, граничные значения индексов массива;
б) описывать свободную структуру;
в) задавать внутриструктурные связи, например, указатели первого и последнего элементов списка;
г) давать общее описание других информационных структур, в которые может входить данная структура.

H.052 heap
динамически распределяемая область, «куча»
1. Область памяти, используемая для размещения структур данных в режиме случайного формирования этих структур. Ср. S.273 stack.
2. Полное двоичное дерево (См. B.077 binary tree; C.213 complete tree), в котором значение каждого узла не меньше значений узлов-потомков (если таковые имеются).

216

H.053 heapsort
древовидная сортировка
Алгоритм сортировки, разработанный Уильямсом и Флойдом в 1964 г. и основанный на методах древовидного выбора (см. T.168 tree selection sort). Наиболее эффективен при большом числе записей, но в среднем уступает методу быстрой сортировки (Q.022 quick sort). Однако при наихудшем возможном распределении ключей эффективность древовидной сортировки ухудшается в меньшей степени, чем эффективность быстрой сортировки. Некоторые идеи древовидной сортировки весьма полезны при решении задач с приоритетными очередями (P.227 priority queue).

H.054 height
1. высота узла в дереве 2. высота дерева
1. ~of a node in a tree. Протяженность самого длинного пути из данного узла в концевой узел (L.021 leaf node).
2. ~of a tree. Максимальная высота узла в дереве. Высота заданного дерева имеет то же численное значение, что и глубина (D.155 depth) этого дерева.

H.055 height-balanced
сбалансированный по высоте
См. B.015 balanced; A.197 AVL tree.
H.056 Hermite interpolation
эрмитова интерполяция
См. I.151 interpolation.

H.057 hertz
Герц, Гц
Производная единица измерения частоты в системе СИ. Периодическое явление происходит с частотой 1 Гц, если каждый его период в точности занимает 1 с.

H.058 heuristic
эвристический
Определение, характеризующее решение задачи с использованием процедуры самообучения. Структура неэвристической системы точно отражает достигнутый уровень алгоритмизации процесса решения некоторой задачи. Напротив, эвристическая система может быть ориентирована на сбор информации, необходимой для получения требуемого решения. Например, при отсутствии достаточно универсальных алгоритмов маршрутизации трафика в сетях связи можно воспользоваться одним из эвристи-

ческих методов, в соответствии с которым информация о действительных характеристиках сети влияет на последующий выбор маршрутов, что позволяет обеспечить приемлемое качество маршрутизации несмотря на колебания нагрузки или отказы элементов сети. Эвристические методы также используются в системах искусственного интеллекта (А.140 artificial intelligence), в которых происходит совершенствование определенных процедур на основе опыта решения проблем в некоторой области. В этих процедурах, которые часто оформляются в виде правил вывода (Р.249 production) экспертных систем (Е.151 expert systems) может учитываться информация о лучших вариантах применения тех или иных стратегий или методов решения проблем.

H.059 Hewlett Packard
Расположенная в Калифорнии фирма, специализирующаяся на выпуске электронных приборов, микрокалькуляторов и ЭВМ. Первой выпустила в продажу карманный калькулятор для научных расчетов.

H.060 hex — hexadecimal
шестнадцатеричный

H.061 hexadecimal notation
шестнадцатеричная запись
Представление чисел в позиционной системе счисления с основанием 16. Шестнадцать шестнадцатеричных цифр обычно обозначаются числами от 0 до 9 и буквами от А до F.

H.062 hex pad
шестнадцатеричная клавиатура
Малая клавиатура (К.010 keypad) с шестнадцатью клавишами, помеченными 0—9, А—F, т. е. соответствующими цифрам шестнадцатеричной записи (H.061 hexadecimal notation).

H.063 hidden-line algorithm
алгоритм удаления скрытых линий
Алгоритм, используемый при отображении трехмерных поверхностей для определения тех линий, которые невидимы.

H.064 hierarchical addressing
иерархическая адресация
См. А.054 addressing.

H.065 hierarchical cluster analysis
иерархический кластерный анализ
См. С.139 cluster analysis.

H.066 hierarchical communication system
иерархическая система связи
1. Физическая организация средств связи, в которой аппаратура более высокого уровня работает в большей географической зоне или выполняет более широкие функции, чем аппаратура следующего, более низкого уровня. Например, крупный банк может иметь в каждом своем отделении локальную сеть (L.095 local area network), соединяющую ряд терминалов. Несколько отделений подключаются к концентратору (С.249 concentrator) данных, соединенному с региональными концентраторами, которые, в свою очередь, подключены к главному информационно-вычислительному центру банка.
2. Логическая организация средств связи, при которой на низших уровнях обеспечивается работа физической сети, а на более высоких уровнях осуществляется связь между конкретными прикладными задачами. См. также Р. 302 protocol.

H.067 hierarchical database system
иерархическая СУБД
База данных (D.016 database system), в которой иерархия информационных объектов (D.041 data hierarchy) обеспечивается при помощи только СУБД. Наиболее известной иерархической СУБД является система IMS (I.048).

H.068 hierarchical memory structure
иерархическая структура памяти
См. М.105 memory hierarchy.

H.069 hierarchy
иерархия
Частично упорядоченное множество объектов; термин часто употребляется неверно. См. Р.055 partial ordering.

H.070 hierarchy of functions
иерархия функций
Последовательность функциональных множеств F_0, F_1, F_2, ..., обладающих свойством

$$F_0 \leqslant F_1 \leqslant F_2 \leqslant ...$$

(см. S.378 subset). Обычно в множество F_0 входят некоторые исходные функции; функциональные множества F_1, F_2, ..., как правило, определяются путем указания некоторого способа комбинирования исходных функций. Иерархии примитивных рекурсивных функций (Р.216 primitive recursive functions) можно определить, включив в F_i только те функции, которые можно вычислить при помощи программы, содержащей не более i вложенных друг в друга функций. Тогда

$$F_i \leqslant F_{i+1}$$

для всех целых $i > 0$. Объединение (U.017 union) всех этих множеств включает в себя все примитивные рекурсивные функции и только такие функции. Поэтому указанная иерархия часто называется *субрекурсивной иерархией*. Несколько иной способ задания этой иерархии приводит к *иерархии Гржегорчика*. Пытаясь разрешить проблемы, связанные с рекурсией (R.061 recursion), Б. Рассел создал теорию типов, согласно которой множество функций принудительно приобретает иерархическую структуру; функции некоторого уровня должны определяться только через функции более низких уровней. Изучение иерархий функции начато Д. Гильбертом примерно в 1926 г. в связи с его работами в области оснований математики. Впоследствии интерес к этой проблематике был связан с нуждами теории сложности (C.214 complexity) вычислений.

H.071 high-level design = architectural design
высокоуровневое проектирование, проектирование на уровне архитектуры
См. P.261 program decomposition; P.262 program design; S.449 system design.

H.072 high-level language
язык высокого уровня
Разновидность языков программирования, в которых средства управления (См. C.303 control structure) и работы со структурами данных (D.072 data structures) отражают потребности программиста, а не возможности, реально обеспечиваемые аппаратными средствами. Программы на языке высокого уровня транслируются в машинные программы (M.005 machine code) при помощи копиляторов (C.205 compiler).

H.073 high-level scheduler
главный планировщик
См. S.016 scheduler.

H.074 high-order language = high-level language
язык высокого уровня
Этот синоним используется только министерством обороны США.

H.075 high-pass filter
фильтр верхних частот
Устройство фильтрации (F.065 filtering), которое незначительно ослабляет те компоненты преобразования Фурье (F.130 Fourier transform) входного сигнала, частоты которых лежат выше некоторого критического значения, и более сильно подавляет все остальные компоненты.

H.076 highway = bus
шина
Синоним, имеющий распространение в Великобритании.

H.077 hi res — high resolution
высокая разрешающая способность
См. R.133 resolution.

H.078 histogram
гистограмма
Диаграмма, показывающая относительные частоты (R.105 relative frequency), с которыми значения измеряемой величины попадают в множество последовательных интервалов. Диаграмма состоит из прямоугольников, площадь, каждого из которых пропорциональна соответствующей относительной частоте, а ширина — размеру интервала группирования. Гистограмма может использоваться для изображения распределения частот (F.144 frequency distribution).

H.079 Hitachi
Крупная японская фирма, производящая разнообразные изделия, в том числе и ЭВМ, программно совместимые с машинами фирмы IBM, т. е. способные работать с одинаковым программным обеспечением.

H.080 hit rate
коэффициент эффективности
1. Доля обращений к некоторому уровню иерархии памяти (M.105 memory hierarchy), не требующих обращения к менее доступным уровням той же иерархии. Например, для кэш-памяти (C.002 cache memory) коэффициент эффективности равен доле обращений, не потребовавших работы с основной памятью, а для страничной памяти (см. P.017 paging) — это доля обращений, не потребовавших смены страницы.
2. Доля записей или блоков файла, которые обнаруживаются или корректируются в групповом режиме или за определенный промежуток времени.

H.081 HMOS
технология быстродействующих МОП-приборов

Название, присвоенное в форме Intel Corp. технологии изготовления быстродействующих МОП-приборов; обычно речь идет об *n*-канальных приборах, хотя возможно изготовление и КМОП-приборов. Особенности технологии заключаются в уменьшении длины канала между истоком и стоком, а также в использовании проектных (топологических) норм с характерными размерами, не превышающими двух микрон.

H.082 hold time
время удержания

Длительность интервала времени, в течение которого сигнал в шине (В.164 bus) должен оставаться неизменным, чтобы использующие его приборы обязательно отреагировали на его присутствие.

H.083 Holerith code
код Холлерита

Код, ставящий в соответствие буквенно-цифровым символам, комбинации отверстий в перфокарте. Предложен Холлеритом в 1888 г.; позволяет закодировать буквы латинского алфавита и цифры 0—9 в виде пробивок на 12-строчных перфокартах.

H.084 holographic memory
голографическое запоминающее устройство

Запоминающее устройство, в котором двоичная информация хранится на голограммах, получаемых (в виде интерференционных картин при помощи лазерных лучей) на материале для черно-белой или цветной фотографии. Считывание информации производится лучом маломощного лазера. Преимущество голограммы связано со способом распределения изображения по поверхности носителя, при котором загрязнение или механическое повреждение не приводит к полному искажению информации, но может уменьшить контрастность. Разработка голографического ЗУ большой емкости была осуществлена фирмами RCA и Plessey Co. Ltd. в 1972 г., однако это ЗУ не было доведено до стадии серийного изготовления. В 1977 г. фирма Holofile Industries анонсировала ЗУ, разработанное на основе исследований отделения оборонных и космических систем фирмы TRW. Это постоянное запоминающее устройство обеспечивает хранение 200 млн. бит информации на микрофише размером 4×6 дюймов (102×152 мм). Однако оно не получило повсеместного распространения.

H.085 homomorphic image of a formal language
гомоморфный образ формального языка

См. H.086 homomorphism.

H.086 homomorphism
гомоморфизм

Отображение, сохраняющее неизменными основные особенности таких алгебраических структур (A.080 algebraic structure), как алгебры (A.074 algebra), моноиды (M.187 monoid), группы (G.058 group), кольца (R.157 ring), поля (F.040 field), а также графы (G.047 graph). Пусть G и H — две алгебраические структуры, которые однотипны в том отношении, что в них определены бинарные (D.319 dyadic operation) операции ∘ и ⋅ соответственно. Можно считать, что G и H — это пара моноидов или групп. Тогда отображение

$$\varphi : G \to H$$

будет гомоморфизмом, если оно является функцией из G в H и для всех g_1 и g_2 из G:

$$\varphi (g_1 \circ g_2) = \varphi (g_1) \cdot \varphi (g_2).$$

Это определение можно перенести на более общие алгебраические структуры, такие как кольца, поля и графы. При наличии гомоморфизмов между двумя алгебраическими системами говорят, что эти системы гомоморфны. При этом они в некотором смысле сходны и обладают общими свойствами. Можно даже сказать, что одна алгебраическая система реализует другую систему или моделирует ее свойства. Поскольку гомоморфизм является функцией он может также быть инъекцией (I.092 injection), сюръекцией (S.403 surjection) или биекцией (B.056 bijection) и в качестве таковых называется, соответственно, мономорфизмом (M.188 monomorphism), эпиморфизмом (E.084 epimorphism) или изоморфизмом (I.204 isomorphism). (См. также E.066 endomorphism, A.190 automorphism). В теории формальных языков рассматриваются гомоморфизмы свободных моноидов (См. F.141 free semigroup, M.187 monoid). Пусть $\Sigma_{\overline{1}}$ и Σ_2 — некоторые алфавиты, а функция h отображает Σ_1 на Σ_2^*, т. е. эта функция ставит в соответствие каждому символу множества $\Sigma_{\overline{1}}$, некоторое Σ_2-слово (см. W.036 word). Функцию h можно продолжить на $\Sigma_{\overline{1}}^*$, тогда

$$h\,(a_{\overline{1}} \ldots a_n) = h\,(a_{\overline{1}}) \ldots h\,(a_n),$$

т. е. ее значение равно конкатенации (C.247 concatenation) строк $h\,(a_1)$, ..., $h\,(a_2)$. Таким образом функция h становится гомоморфизмом свободного моноида $\Sigma_{\overline{1}}^*$ на свободный моноид Σ_2^*. Если строка $h\,(a)$ всегда непуста, то функция h называется Λ-свободной. Дальнейшее обобщение функции h позволяет отображать языки: если L является Σ_1-языком, то его гомоморфный образ $h\,(L)$ определяется как

$$h\,(L) = \{h\,(\omega) \mid \omega \in \Sigma_{\overline{1}}^*\}.$$

Аналогично, обратный гомоморфный образ $h^{-1}\,(L)$ для Σ_2-языка L определяется как

$$h^{-1}\,(L) = \{\omega \mid h\,(\omega) \in L\}.$$

Эти отображения также являются гомоморфизмами — между моноидами языков над алфавитами $\Sigma_{\overline{1}}$ и Σ_2.

H.087 Honeywell Corporation

Компания, занимающаяся в основном разработкой и изготовлением средств автоматики и электронных систем. Ее дочерняя фирма — Honeywell Information Systems занята выпуском преимущественно универсальных ЭВМ, а также некоторых мини-ЭВМ для деловых и научных расчетов.

H.088 hop
транзитный участок, пролет
См. S.339 store-and-forward. См. также F.107 flow control.

H.089 horisontal check
горизонтальный контроль, контроль по словам
См. C.371 cyclic redundancy check.

H.090 horizontal microinstruction
горизонтальная микрокоманда
См. M.138 microprogramming.

H.091 horisontal recording
горизонтальная запись
См. M.025 magnetic encoding.

H.092 Horn clause
хорновская формула, хорновское выражение
Предложение исчисления высказываний, записываемое в виде

$$A_{\overline{1}} \text{ если } B_{\overline{1}} \text{ и } B_2 \text{ и } \ldots \text{ и } B_n.$$

Его следует отличать от предложений более общего вида

$$A_{\overline{1}} \text{ или } A_2 \text{ или } \ldots \text{ или } A_m,$$

если

$$B_{\overline{1}} \text{ и } B_2 \text{ и } \ldots \text{ и } B_n,$$

где $A_{\overline{1}}$, ..., A_m — альтернативные выводы, а B_1, ..., B_n — условия, которые должны выполняться одновременно. Хорновская формула является частным случаем этого обобщенного предложения, для нее характерно наличие только одного вывода. Хорновские формулы впервые исследовались логиком Хорном. Большая часть формальных конструкций языков программирования ЭВМ скорее напоминает хорновские формулы, чем предложения более общего вида. Язык логического программирования ПРОЛОГ (P.291 PROLOG) основан на использовании логических конструкций типа хорновских формул.

H.093 host computer = host
главная вычислительная машина, ГВМ
ЭВМ, используемая в сети (N.021 network) для выполнения не только тех функций, которые характерны для процессоров передачи данных с промежуточным хранением (S.339 store-and-forward) и связных коммутаторов, но и ряда дополнительных функций. В качестве ГВМ могут служить самые разнообразные машины — от маломощных мини-ЭВМ до больших универсальных ЭВМ, работающих в пакетном режиме или режиме разделения времени. Многие сети имеют иерархическую структуру, при этом подсеть связи (C.191 communication subnetwork) реализует службы коммутации пакетов (P.009 packet-switching), а в компетенцию ГВМ входит обеспечение режима разделения времени, дистанционный ввод заданий и т. д. ГВМ одного из уровней иерархии может служить для коммутации пакетов или сообщений на другом уровне. Иногда ГВМ разделяются на два класса: обслуживающие машины,

обеспечивающие некоторые ресурсы, и машины-потребители, использующие эти ресурсы.

H.094 host language
базовый язык
См. D.013 database language.

H.095 housekeeping
служебные операции
Действия, выполняемые программой или системой для поддержания внутренней упорядоченности, а не для ответа на некоторый внешний запрос. Например, служебными операциями для программы может быть управление памятью (M.106 memory management).

H.096 HPF — highest priority first
первоочередное выполнение задач с наивысшим приоритетом
Режим, в котором планировщик (S.016 scheduler) из нескольких готовых к выполнению задач выбирает для запуска задачу с наивысшим приоритетом.

H.097 HP — IB
интерфейсная шина фирмы Hewlett Packard
См. B.164 bus.

H.098 HSI — human-system interface
пользовательский интерфейс, человеко-машинный интерфейс

H.099 hub polling
опрос (терминалов) по типу «готовый передает первым»
См. P.148 polling.

H.100 Huffman coding
кодирование по алгоритму Хаффмена
Как правило, двоичное кодирование (B.064 binary encoding) элемента конечного множества

$$A = \{a_1, a_2, ..., a_n\},$$

для каждого элемента a_i которого предполагается известной вероятность p_i появления в сообщении. Для этого метода двоичного кодирования выполняется префиксное условие (P.201 prefix property), а кроме того, средняя длина получаемых сообщений оказывается минимальной. Таким образом, элемент a_i с высокой вероятностью появления в сообщении будет кодироваться короткой двоичной строкой, а элемент с малой вероятностью появления — более длинной строкой. См. также S.230 source coding.

H.101 human-computer interface
= human-system interface
пользовательский интерфейс, человеко-машинный интерфейс
Средства связи человека-пользователя и вычислительной системы, включающие в себя, в частности, устройства ввода-вывода и вспомогательное программное обеспечение. В последнее время появляются все более сложные устройства, облегчающие взаимодействие человека с машиной. Речь идет о графических устройствах, сенсорных устройствах (T.115 touch-sensitive device) и устройствах речевого ввода (V.058 voice-input device). Эти устройства объединяются таким образом, чтобы упростить эффективное и плодотворное взаимодействие человека и машины. На основе применяемых в системах искусственного интеллекта (A.140 artificial intelligence) методов представления знаний можно осуществить моделирование пользователя, так что при работе с системой пользователь сможет получать советы по ее применению. Интерфейс пользователя может в некоторой своей части основываться на алгоритмах работы экспертных систем (E.151 expert system), что дает в руки пользователю мощные средства вычислений, основанных на знаниях (См. K.027 knowledge-base).

H.102 hybrid computer
гибридная ЭВМ
Вычислительная система, содержащая как аналоговые, так и цифровые вычислительные устройства. Цифровые устройства обычно служат для управления и выполнения логических операций, а аналоговые устройства — для решения дифференциальных уравнений.

H.103 hybrid integrated circuit
гибридная интегральная схема (ГИС)
Законченная электронная схема, изготовляемая на изолирующей подложке с использованием различных технологических процессов. Подложка служит для размещения схемных элементов и содержит также дорожки межсоединений, выполненные по многослойной технологии (см. M.223 multilayer device). Выполнение схемных функций обеспечивается дискретными приборами — ими могут быть бескорпусные диоды, транзисторы, интег-

ральные схемы, толстопленочные резисторы и конденсаторы — которые размещаются на подложке и соединяются друг с другом при помощи заранее изготовленных проводящих дорожек.

I

I.001 IA5 — International Alphabet, Number 5
Международный алфавит номер 5
Принятый во всем мире алфавит, определенный МККТТ (С.046 CCITT). Содержит подмножество кода ISO-7 (I.202), а символы, предназначенные для «внутригосударственного использования» должны либо определяться дополнительно, либо не использоваться вообще.

I.002 IAL — international algorithmic language
Международный алгоритмический язык
Первоначальное название языка, известного впоследствии как АЛГОЛ 58 и вышедшего теперь из употребления. См. A.081 Algol, см. также J.017 JOVIAL.

I.003 IAS — intermediate access store
память с прямой адресацией

I.004 IAS (Institute for Advanced Study) computer
ЭВМ института перспективных исследований
Модель группы вычислительных машин, разработанная Дж. фон Нейманом. Первая из этих ЭВМ создавалась в Принстонском университете с 1946 по 1951 г. Для нее характерно построение основной памяти на базе электростатических запоминающих устройств (E.043 electrostatic storage device) — электронно-лучевых трубок, называемых трубками-Уильямса и обеспечивающих хранение 1024 бит информации. Остальными ЭВМ этой группы стали машины ORACLE, JOHNNIAC, ILLIAC I, MANIAC и IBM 701.

I.005 IBG — interblock gap
межблочный промежуток
См. B.103 block.

I.006 IBM — International Business Machines Corporation
Крупнейшая в мире фирма по производству ЭВМ; основана в 1911 г.

под именем Computing Tabulating Recording Company в результате слияния трех компаний, одной из которых была фирма Tabulating Machine Company, созданная в 1896 г. и принадлежавшая Г. Холлериту. Свое нынешнее название она получила в 1924 г. Фирма IBM выпускает самые разнообразные ЭВМ, от настольного персонального компьютера до большой ЭВМ 3090, емкость ЗУ которой может достигать 256М байт. В 1984 г. в полную собственность фирмы IBM перешла корпорация ROLM, выпускающая телекоммуникационное оборудование. Предприятия фирмы IBM, на которых работает более 390 тыс. человек, расположены более чем в 100 странах.

I.007 IBM system 360
ЭВМ IBM 360
Знаменитое семейство ЭВМ третьего поколения (T.072 third generation), выпускавшихся фирмой IBM и включающее в себя машины с примерно одинаковой архитектурой, но самыми разными рабочими и стоимостными характеристиками. Общность архитектуры позволяет пользователям переходить на более старшие модели семейства по мере возрастания потребностей в вычислительных ресурсах. Машины семейства IBM 360 программно-совместимы снизу вверх.

I.008 IBM system 370
ЭВМ IBM 370
Семейство ЭВМ четвертого поколения (F.131 fourth generation), выпускаемых фирмой IBM. Машины IBM 370 весьма напоминают машины IBM 360, но несколько отличаются от них по набору команд, и, что более существенно, по технологии изготовления (в семействе 370 более широко используется микропрограммирование).

I.009 IC — integrated circuit
ИС, интегральная схема

I.010 ICL — International Computers Ltd.
Чисто британская компания, одна из ведущих в Зап. Европе по производству вычислительных систем. Образована в 1968 г. при слиянии фирм ICT (International Computers and Tabulators) и EELM (English Electric Leo Marconi), каждая из которых возникла в результате более ранних слияний ряда британских фирм, в том числе Ferranti (F.030) и LEO (L.034). В

1984 г. ICL стала полной собственностью британской компании Standard Telephones and Cables (STC). Фирма производит все разновидности ЭВМ— от персональных компьютеров до суперЭВМ.

I.011 icon = ikon
пиктограмма
Особый символ, используемый в меню (M.112 menu), чтобы исключить зависимость от фраз естественного языка.

I.012 idempotent law
закон идемпотентности
Закон, которому удовлетворяет всякая бинарная операция (D.319 dyadic operation) ∘ такая, что для всякого x из области действия этой операции справедливо равенство

$$x \circ x = x.$$

Для операций объединения (U.017 union) и пересечения (I.162 intersection) множеств этот закон справедлив. В булевой алгебре (B.118 Boolean algebra) обе бинарные операции являются идемпотентными.

I.013 identification
идентификация
1. Операция определения тождественности пользователя или пользовательского процесса, необходимая для управления доступом (A.018 access control). После идентификации обычно производится проверка полномочий (A.173 authentication).
2. Процесс определения способа влияния управляемого параметра на систему.

I.014 identifier
идентификатор
Строка символов, используемая для идентификации [или именования (N.002 name)] некоторого элемента программы. Вид именуемого элемента зависит от языка программирования— это может быть переменная, структура данных, процедура, оператор, конструкция высокого уровня или сама программа.

I.015 identity burst
блок идентификации
См. T.016 tape format.

I.016 identity element
нейтральный элемент
В множестве (S.116 set), на котором определена бинарная операция (D.319 dyadic operation) ∘, это элемент e обладающий свойством

$$a \circ e = e \circ a = a$$

для любого $a \in S$. Можно показать единственность нейтрального элемента. В обычной арифметике числа 0 и 1 являются нейтральными элементами относительно операций сложения и умножения, соответственно. В булевой алгебре (B.118 Boolean algebra) 0 и 1 являются нейтральными элементами для операций ИЛИ и И, соответственно.

I.017 identity function
функция тождества
Функция (F.160 function)

$$I : S \rightarrow S$$

такая, что $I(s) = s$ для всех $s \in S$. Такая функция оставляет каждый элемент из своей области определения неизменным. Она нужна для таких целей, как определение операций обращения (I.168 inverse) функций.

I.018 identity matrix = unit matrix
единичная матрица
Диагональная матрица (D.173 diagonal matrix), обозначаемая символом I, с единичными диагональными элементами.

I.019 idle time
время ожидания, время простоя
См. A.195 available time.

I.020 IDP — integrated data processing
интегрированная обработка данных
См. D.062 data processing.

I.021 IEEE — Institute of Electrical and Electronics Engineers
Институт инженеров по электротехнике и радиоэлектронике (ИИЭР)
Организация, созданная в США в 1963 г. при слиянии Института радиоинженеров и Американского института инженеров по электротехнике.

I.022 IEEE 488
См. B.164 bus.

I.023 if and only if statement
утверждение «тогда и только тогда, когда ...»
Формально правильное выражение вида $A \equiv B$, где A и B также соответствующие формально правильные выражения. См. B.053 biconditional, P.299 propositional calculus.

I.024 IFE —intelligent front end
*интеллектуальная связная ЭВМ,
связная ЭВМ с развитой логикой*

I.025 iff — if and only if
тогда и только тогда

I.026 IFIP — International Federation for Information Processing
Международная федерация по обработке информации
Организация, созданная в 1959 г. и приобретшая официальный статус в 1960 г. как Международная федерация обществ по обработке информации. Ее секретариат находится в Женеве. Организация ставит целью «способствовать развитию информатики и вычислительной техники, развивать международное сотрудничество в области обработки информации, стимулировать исследования, разработки и применение средств обработки информации, способствовать распространению и обмену информацией в этой области, а также подготовке специалистов в области обработки информации».

I.027 if then else statement
оператор if then else
Наиболее универсальная условная конструкция в языке программирования, позволяющая осуществить выбор между двумя возможными продолжениями в зависимости от истинности или ложности заданного условия. В большинстве языков имеется также конструкция *if ... then*, обеспечивающая условное выполнение одного оператора или группы операторов. В простейших языках типа языка БЕЙСИК возможности этого оператора ограничены условной передачей управления, например,

$$\text{IF} \quad A = 0 \quad \text{THEN} \quad 330,$$

что напоминает команду условного перехода, имеющуюся в составе системы команд любого процессора. См. также C.254 conditional; P.299 propositional calculus.

I.028 ignore character = fill character
знак-заполнитель
Знак, используемый при передаче для заполнения соответствующей позиции, которая в противном случае считалась бы отсутствующей; значение, стоящее в такой позиции, в дальнейшем поэтому игнорируется.

I.029 IH — interrupt handler
блок обработки прерываний, обработчик прерываний

I.030 IKBS — intelligent knowledge-based system
интеллектуальная система, основанная на использовании знаний
Система с элементами искусственного интеллекта (A.140 artificial intelligence). См. также K.027 knowledge base.

I.031 ikon = icon
пиктограмма

I.032 I²L = IIL
интегральные инжекционные логические схемы, И²Л-схемы
Семейство логических схем (L.121 logic family), изготовляемых по полупроводниковой биполярной технологии. И²Л-схемы называют иногда *схемами с совмещенными транзисторами*, поскольку в них электроды нескольких биполярных транзисторов (B.084 bipolar transistor) изготовляются в единой области, которая является общей для всех транзисторов. Это позволяет повысить плотность упаковки (P.010 packing density) отдельных приборов на кристалле и снизить сложность его изготовления. Считается, что для И²Л-схем характерна низкая стоимость и экономичность КМОП-схем (C.142 CMOS), а также высокое быстродействие ТТЛ-схем (T.189 TTL), однако до сих пор эта технология во многом не отработана.

I.033 ill-conditioned
плохо обусловленный
См. C. 257 condition number

I.034 illegal character
запрещенный знак
Всякий знак, не входящий в набор символов (C.082 character set) данной ЭВМ или данного языка программирования.

I.035 illegal instruction
запрещенная команда
Команда с недопустимым кодом операции (O.043 operation code). Иногда при отладке ее вставляют в определенное место потока команд для того чтобы в этом месте произошел останов.

I.036 ILLIAC IV
Матричный процессор (A.138 array processor), разработанный Д. Слотником и представляющий собой матрицу размерности 16×16 процессорных элементов (ПЭ), каждый из которых соединен с четырьмя ближайшими ПЭ. Работа матрицы ПЭ координируется специальным процессором, который

управляет потоком команд для каждого ПЭ. Разработка ЭВМ ILLIAC IV финансировалась Управлением перспективных исследовательских работ (ARPA), а осуществлялась фирмой Burroughs Corporations. Машина была введена в действие в Исследовательском центре НАСА, г. Эймс, в начале 1970-х годов, а окончательно демонтирована — в 1981 г.

I.037 image
1, 3. образ 2. изображение
1. Хранимая в памяти копия данных, существующих в каком-либо другом месте.
2. = picture
См. P.108 picture processing.
3. См. F.160 function.

I.038 image processing = picture processing
обработка изображений

I.039 immediate access store—IAS
запоминающее устройство с непосредственной выборкой
Запоминающее устройство, в котором время доступа к любой ячейке не зависит от предыдущих обращений и обычно имеет тот же порядок, что и длительность машинного цикла. Такие устройства обычно служат только для реализации основной памяти.

I.040 immediate addressing
непосредственная адресация
Метод ссылки на данные (обычно — на небольшие константы и другие подобные объекты) путем помещения их в поле адреса команды. Строго говоря, это вовсе не метод формирования адреса, однако такой способ ссылки на данные оказывается компактным и требует меньшего времени для обращения к памяти.

I.041 IMP — interface message processor
сопрягающий процессор сообщений (СПС)
Разновидность коммутационной ЭВМ, на основе которой строится базовая сеть (B.002 backbone network) сети ARPANET (A.136). Первоначально в качестве СПС использовались мини-ЭВМ Honeywell, оснащенные специальным интерфейсом для сопряжения с арендуемыми линиями передачи данных со скоростью 56К бит/с. В настоящее время для этого применяются мини-ЭВМ BBNC/30, а также Honeywell 316 и Lockheed Sue (СПС с ши-

ной Pluribus). Основная задача СПС состоит в передаче пакетов между главными ЭВМ сети ARPANET со скоростью 56К бит/с по арендуемым линиям. Однако, после определенной доработки эти СПС были приспособлены для выполнения в сети ARPANET ряда других функций. Наиболее важным примером является работа СПС в качестве терминальных сопрягающих процессоров (ТСП). ТСП — это СПС, оснащенный дополнительными аппаратными и программными средствами для обеспечения доступа к сети асинхронных терминалов со скоростью до 1200 бит/с. Таким образом, ТСП не только производит коммутацию пакетов в качестве СПС, но так же работает как небольшая главная ЭВМ. Среди других специализированных вариантов СПС отметим спутниковые СПС, снабженные дополнительной буферной памятью для работы по спутниковым каналам с большими задержками; СПС с аппаратурой кодирования сообщений для систем скрытной связи; а также СПС, оснащенные программами управления широкополосными системами пакетной передачи речевой и видеоинформации.

I.042 impact printer
ударное печатающее устройство
Всякое устройство, в котором печать символов на бумаге производится за счет механического удара. В эту категорию попадают и печатающие машинки, однако вообще говоря речь может идти не только об устройствах, работающих при помощи клавиатуры. Символ может формироваться при ударе гравированной литеры по копировальной ленте, которая контактирует с бумагой. Другой способ состоит в образовании символа из совокупности точек, печатаемых путем ударов отдельными иглами. См. S.219 solid font printer; D.275 dot-matrix printer.

I.043 imperative language = procedural language
процедурные языки
Класс языков программирования. Программа, написанная на процедурном языке, явно указывает способ получения желаемого результата, не определяя при этом ожидаемых свойств результата — результат неявно задается только способом получения

его при помощи определенной процедуры (Ср. D.116 declarative languages). Процедура получения желаемого результата имеет вид последовательности операций, поэтому для процедурных языков характерно указание логики управления в программе и порядка выполнения операторов. В этих языках обычно присутствуют операторы присваивания (A.148 assignment statement), которые разрушают информацию (присваиваемое значение заменяет предыдущее значение переменной) и также зависят от порядка выполнения. Процедурные языки тесно связаны с фон-неймановской моделью вычислений и поэтому большинство популярных языков — КОБОЛ, ФОРТРАН, АЛГОЛ и Паскаль — являются процедурными.

I.044 implementation
реализация
Деятельность, связанная с воплощением заданного проекта системы в виде работоспособного изделия (называемого реализацией системы), или конкретный способ выполнения частью системы ее функций. Например, устройство управления может быть реализовано на базе произвольной логики или в виде микропрограммного блока, реализация умножителя возможна на базе последовательных сложений и сдвигов или на базе табличного преобразования. Ряд других примеров связан с рассмотрением семейства ЭВМ, в которых известные реализации могут различаться по типу схемных элементов или по наличию в арифметико-логическом устройстве аппаратного параллелизма (в противоположность логическому параллелизму). Применительно к программному обеспечению этот термин обычно означает, что основные проектные решения уже приняты, поэтому сама по себе реализация осуществляется относительно просто. Для многих систем ряд важных характеристик может до начала реализации не определяться, речь идет в частности, о языке программирования, на котором пишется система, о типе используемой ЭВМ, об архитектуре аппаратных средств, об используемой операционной системе. Реализация системы может производиться несколько раз с целью создания ряда версий — например, написанных на различных языках или

ориентированных на различные аппаратные средства.

I.045 implicant
импликанта
Мультипликативный одночлен (P.254 product term), который покрывает по крайней мере один из макситермов (S.292 Standard sum term) булевой функции (B.120 Boolean function), но не приводит к новым (ненужным) каноническим суммам мультипликативных одночленов. *Простая импликанта* — это импликанта, которая содержит минитерм (S.289 standard product term) функции, но не перестает быть импликантой после удаления любого аргумента.

I.046 implied addressing = inherent addressing
неявная адресация
Один из способов адресации (A.055 addressing scheme). Термин отражает тот факт, что во многих формах команд адрес одного или нескольких операндов связан с именем команды и задается при ее описании. Подразумеваемый адрес обычно является номером машинного регистра.

I.047 impulse noise
импульсный шум
Шум (N.038 noise) большой амплитуды, возникающий в случайные моменты времени. Оказывает сильное влияние на аналоговый канал, но присутствует (относительно) редко. Напротив, белый шум (W.023 write noise) воздействует (относительно) слабо, но постоянно. Влияние импульсного шума на аналоговый канал передачи двоичной информации обычно сводится к возникновению пакетов ошибок (B.162 burst errors).

I.048 IMS
товарный знак фирмы IBM
Распространенная СУБД (D.014 database management system) фирмы IBM. Первоначально была создана как иерархическая система (H.067 hierarchical database system), но в связи с практической необходимостью в нее был добавлен ряд средств работы с неиерархическими базами данных.

I.049 inactive
пассивный
Атрибут состояния или процесса.

I.050 incidence matrix
матрица инциденций
Представление графа (G.047 graph) *G*
с помощью матрицы (M.074 matrix),
в которой каждой вершине *v* графа
соответствует строка. Элементами этой
строки являются те вершины, которые соединяются ребром с вершиной *v*.

I.051 inclusive-OR gate = OR gate
вентиль ИЛИ

I.052 inclusive-OR operation = OR
operation
*операция «включающее ИЛИ», опе-
рация ИЛИ*
Этот синоним употребляется для того,
чтобы подчеркнуть отличие операции
«ИЛИ» от операции «исключающее
ИЛИ» (E.135 exclusive-OR operation).

I.053 incompleteness theorems
теоремы о неполноте
См. G.034 Gödel's incompleteness theorems.

I.054 incremental compiler
инкрементный компилятор
Компилятор, способный компилиро-
вать фрагменты программ, а также
дополнения к программам без повторной компиляции всей программы. Одно
время считалось целесообразным применение таких компиляторов в интерактивных системах программирования, однако в настоящее время подобные системы почти повсеместно
реализуются при помощи интерпретаторов.

I.055 incremental plotter
инкрементный графопостроитель
Устройство вычерчивания графиков и
других линейных изображений под
управлением цифровой информации.
Изображение формируется при поша-
говом продвижении пера или бумаги
или того и другого. Число приращений
в пересчете на один дюйм для барабанных графопостроителей обычно равно
200, а для планшетных графопостроителей может достигать 500.
См. также P.131 plotter.

I.056 indegree
полустепень захода
См. D.133 degree.

I.057 indeterminate system
недерминированная система
Логическая система с непредсказуе-
мыми логическими состояниями.

I.058 index
индекс
1. Совокупность указателей (P.141
pointer), при помощи которых можно
найти запись в файле данных (D.036
data file). Элемент одноуровневого
индекса или нижнего уровня многоуровневого индекса прямо указывает
на отдельную запись или группу записей. Элемент верхних уровней многоуровневого индекса указывает на
группу элементов более низкого уровня. Многоуровневая индексация
применяется в тех случаях, когда
время поиска при одноуровневой
индексации оказывается чрезмерно
большим. Эффективной разновидностью многоуровневого индекса является B+ дерево (см. B.148 B-tree).
См. также I.060 indexed file.
2. Значение, находящееся в индексном регистре (I.063 indexed register).
3. = subscript.
Целое число, задающее некоторый элемент массива (A.137 array). В некоторых языках высокого уровня массивы
могут индексироваться упорядоченны-
ми наборами дискретных величин,
не являющихся целыми числами.
В последнем случае значениями индекса могут быть названия дней недели
или химических элементов.

I.059 indexed addressing = indexing
индексная адресация
Метод формирования исполнительного
адреса (E.021 effective address), согласно которому производится модификация указанного в команде базового адреса при помощи содержимого
определенного индексного регистра
(I.063 index register). Модификация
обычно заключается в добавлении содержимого индексного регистра
к базовому адресу. Автоматическое
изменение содержимого индексного
регистра приводит к упорядоченному
изменению исполнительного адреса,
который формируется при последовательных исполнениях команды, содержащей ссылку к индексному ре-
гистру. Этот процесс прекращается
после того, как в индексном регистре
окажется значение, указанное в команде работы с индексным регистром.

I.060 indexed file
индексированный файл
Файл данных (D.036 data file), в котором обращение к записям (R.056
record) производится при помощи

индекса (I.058 index). Если одно и то же поле используется в индексе и для упорядочения записей файла, то индекс называется *основным* (а файл — *индексно-последовательным*). В противном случае индекс называется *вторичным* (см. I.171 inverted file).

I.061 indexed sequential file
индексно-последовательный файл
Файл, сочетающий свойства файлов с произвольной выборкой (R.014 random-access file) и последовательных файлов (S.093 sequential file). См. I.060 indexed file; I.199 ISAM.

I.062 indexing
индексация
См. I.059 indexed addressing.

I.063 index register
индексный регистр
Регистр, который может быть указан в командах с индексной адресацией (I.059 indexed addressing). Управление индексным регистром обычно производится при помощи одной или нескольких команд, позволяющих увеличить или уменьшить его содержимое на постоянную величину, проверить содержимое на равенство определенному значению (обычно нулевому) и передать управление указанной команде при достижении равенства.

I.064 indicator
индикатор
1. Один или несколько разрядов, которые можно проверить с целью определения состояния или условия. Примерами могут служить разряд переполнения (O.092 overflow), слово состояния устройства, любая часть слова состояния программы (P.284 program status word).
2. Прибор для наглядной индикации (иногда путем свечения) возникновения определенного состояния или условия, например, работы системы, перехода к неопределенной команде или останова.

I.065 indirect addressing = deffered addressing
косвенная адресация
Метод адресации, при котором по указанному в команде адресу [который сам по себе может быть исполнительным адресом (E.021 effective address)] выбирается адрес, обеспечивающий ссылку на нужную ячейку памяти. Таким образом, для получения информации необходимы два обращения к памяти. Косвенная адресация может использоваться для преодоления ограничений, связанных с недостаточной длиной поля адреса. Дело в том, что после первого обращения к памяти выбирается адрес длиной в целое машинное слово. Другое применение связано с реализацией указателей к таблицам. Поскольку выборку операнда нельзя осуществить за обычное время, отведенное в цикле выборки — исполнения, завершение этого цикла должно быть отложено до того момента, когда операнд станет окончательно доступен. Именно с этим обстоятельством связано второе название косвенной адресации — *deffered addressing* (буквально: «отсроченная адресация»).

I.066 induction
индукция
Процесс доказательства математических утверждений относительно элементов упорядоченного множества (возможно бесконечного). Принцип индукции известен в нескольких формулировках. Например, согласно *принципу конечной индукции* для доказательства истинности утверждения P (i) при всех целых $i \geqslant i_0$ необходимо доказать, что:
а) P (i_0) истинно;
б) для всех $k \geqslant i_0$ предположение об истинности P (k) (*допущение индукции*) влечет истинность P $(k+1)$. Утверждение (а) называется *базисом доказательства*, а утверждение (б) — *шагом индукции*. Возможны обобщения этого метода. В других вариантах индукции допускается предположение об истинности P (k), а также

$$P (k-1), P (k-2), ..., P (k-i)$$

для некоторого подходящего i. Рассматриваются также утверждения с несколькими переменными. См. также S.355 structural induction.

I.067 industry standard formatter interface
промышленный стандарт на интерфейс форматтера
См. M.032 magnetic tape subsystem.

I.068 inequality
неравенство
Бинарное отношение B.069 binary relation), которое соотносит значения двух, обычно числовых, величин. В более общем случае знаком неравенства могут соединяться элементы ча-

228

стично упорядоченного множества (см. P.055 partial ordering). На множестве целых чисел обычно определяются следующие неравенства:

$\lessdot$ — меньше;
$\leqslant$ — меньше или равно;
$\gtrdot$ — больше;
$\geqslant$ — больше или равно;
$\neq$ — не равно.

Аналогичные неравенства, 'как правило, определяются и над множеством действительных чисел; использование этих неравенств в языках программирования может вызывать ошибки из-за неизбежной неточности представления действительных чисел в ЭВМ (см. F.100 floating-point notation). Термин «неравенство» часто применяется при сравнении алгебраических выражений с помощью приведенных выше символов. Частным случаем является *неравенство треугольника*

$$|a + b| \leqslant |a| + |b|,$$

где символом $||$ обозначена абсолютная величина.

I.069 inference
(*логический*) *вывод*
Формальный метод доказательства, лежащий в основе логической дедукции. При помощи правил вывода логик или программа доказательства теорем (см. T.067 theorem proving) получает новые результаты на основе известных результатов, теорем или аксиом. См. также P.299 propositional calculus; P.193 predicate calculus.

I.070 inference engine
машина логического вывода
В контексте экспертных систем (E.151 expert system) это часть соответствующей программы, оперирующая с базой знаний (K.027 knowledge base) и формирующая выводы. Если база знаний рассматривается как программа, то машина логического вывода представляет собой интерпретатор. Его входной информацией являются выражения языка представления знаний. Результат работы подсистемы заключается в интерпретации входных выражений в соответствии с имеющимися данными. В основу работы интерпретатора могут быть положены правила некоторой формально-логической системы, например узкое исчисление предикатов (P.193 predicate calculus).

I.071 inference rules
правила вывода
См. P.259 program correctness proff;

P.299 propositional calculus.

I.072 infix notation
инфиксная нотация, инфиксная запись
Форма записи, в которой операторы указываются между соответствующими операндами, например

$$(a + b) * c.$$

Чтобы указать порядок вычислений, при инфиксной записи приходится использовать скобки, которые не нужны в префиксной и постфиксной формах записи, примерами которых могут служить, соответственно, польская запись (P.147 Polish notation) и обратная польская запись (R.149 reverse Polish notation).

I.073 information
информация
Применительно к терминам «обработка информации» (I.077 information processing), «информационная технология» (I.083 information technology) или «теория информации» (I.084 information theory) под информацией понимается совокупность символов. В свою очередь, символы можно определить как образы, несущие смысловую нагрузку, что является еще одним определением информации. Некоторое количество информации может рассматриваться с трех основных точек зрения:
а) с поведенческой точки зрения создание порции информации осуществляется по некоторой причине, а получение этой информации может привести к некоторому результату (наблюдаемому действию или мыслительной операции);
б) с математико-лингвистической точки зрения порция информации может быть описана путем соотнесения ее с другой информацией, указания ее смысла и структуры;
в) с физико-технической точки зрения рассматриваются физические аспекты проявления информации — ее материальный носитель, разрешающая способность и точность, с которыми она фиксируется, количество информации, которое производится, передается или принимается и т. д.
Информацию можно создавать, передавать, запоминать, искать, принимать, копировать (в той же или иной

форме), обрабатывать, разрушать. Информативные образцы могут создаваться в самых разнообразных формах: в форме световых, звуковых или радиоволн, электрического тока или напряжения, магнитных полей, знаков на бумажном носителе. В принципе информацию может переносить любая материальная структура или поток энергии. Масштабы использования информации являются одним из основных признаков, отличающих мыслящие особи от всех остальных существ, важность информации как экономической категории составляет одну из главнейших характеристик «постиндустриальной» эпохи, в которую, как часто говорят теперь, мы вступаем.

I.074 information destination
приемник информации
См. S.126 Shannon's model.

I.075 information hiding
сокрытие информации, утаивание информации
Принцип разработки целостной структуры программы (P.285 program structure), согласно которому всякий компонент программы реализует или «упрятывает» единственное проектное решение. Впервые развил Д. Парнасом, который предложил следующий подход к разработке программ: на первом этапе формируется список проектных решений, которые особенно трудно принять или которые скорее всего будут меняться, затем определяются отдельные компоненты или модули, каждый из которых реализует одно из указанных решений. Способ взаимодействия с каждым таким модулем должен в возможно меньшей степени раскрывать принципы его работы. Описанный подход приводит к выделению модулей, которые обладают легко воспринимаемой структурой и могут разрабатываться независимо. Более важно, что он также упрощает модификацию создаваемых программ, поскольку многие требуемые изменения сводятся к модификации алгоритма работы отдельного модуля.

I.076 information management system
информационно-управляющая система (ИУС)
Термин, не ставший общеупотребительным, его смысл лучше всего уясняется в сопоставлении с термином «система управления данными» (D.049 data management system). В связи с тем, что

последние системы работают с данными, для них довольно хорошо определяется синтаксис, семантика и допустимые операции. Информационно-управляющие системы должны работать с информацией других типов (например, с текстами), для которых несколько труднее определить однозначные синтаксис и семантику, поэтому эффективность применения таких систем в гораздо большей степени зависит от взаимодействия с пользователями.

I.077 information processing
обработка информации
Получение одних «информационных объектов» из других «информационных объектов» путем выполнения некоторых алгоритмов. Обработка является одной из основных операций, выполняемых над информацией (I.073 information) и главным средством увеличения объема и разнообразия информации. Термин имеет ряд значений, не связанных с вычислительной техникой. Он используется, например, в психологии и может применяться также в связи с конторскими операциями.

I.078 information retrieval
поиск информации
См. I.080 information storage and retrieval.

I.079 information source
источник информации
См. S.126 Shannon's model.

I.080 information storage and retrieval
хранение и поиск информации
Хранение информации — это ее запись, обычно во вспомогательное ЗУ на магнитной ленте или магнитном диске, для последующего использования. Хранение является одной из основных операций, осуществляемых над информацией (I.073 information), и главным средством обеспечения ее доступности в течение некоторого промежутка времени. Поиск информации— это извлечение хранимой информации и еще одна из основных операций, осуществляемых над информацией. В библиотечном деле термин «поиск информации» имеет родственное, но все-таки другое значение, а именно, он относится к методам отыскания (например, с помощью ключевых слов и индексов) текстов или ссылок на работы по некоторой теме. В этом случае

информация хранится на машиночитаемом носителе и считывается при помощи ЭВМ. Термин «хранение и поиск информации» относится не только к собственно операциям хранения информации и поиска информации, но также и к методам — а их довольно много — осуществления этих тесно связанных между собой операций. Информация запоминается только для того чтобы впоследствии ее можно было отыскать, а возможность поиска закладывается во время запоминания. Хранения и поиск информации как раздел информатики охватывает все методы маркирования запоминаемой информации для обеспечения последующего доступа к ней. Эти методы применяются для работы с файлами и базами данных, текстовыми файлами, графическими базами данных и т. д.

I.081 information structure = data structure
информационный объект, структура данных.

I.082 information system
информационная система
Автоматизированная система, определяющей особенностью которой является то, что она обеспечивает информацией пользователей из нескольких организаций. Именно этим она отличается, например, от управляющей системы реального времени, системы коммутации сообщений, среды программирования или персональной вычислительной системы. Рассматривая диапазон возможных значений слов «информация» (I.073 information) и «система» (S.444 system) можно предложить ряд более широких толкований термина «информационная система». Можно считать, например, что он относится ко всем автоматизированным системам или, в еще более широком смысле, ко многим системам, в состав которых не входят ЭВМ. Поэтому при рассмотрении только автоматизированных систем иногда употребляют термин *organizational information system* (информационная система организационного типа). Информационные системы предназначены для решения задач обработки данных (D.062 data processing), автоматизации конторских работ (O.014 office automation), а также задач, характерных для экспертных систем (E.151 expert system). Системы, основной

функцией которых является информационное обеспечение процесса управления, обычно называют управленческими информационными системами (M.045 management information systems). Ниже перечисляются наиболее важные особенности информационных систем, обусловливающие значительные трудности их разработки и построения:
а) среда, в которой работают эти системы, весьма сложна, не полностью определена и с трудом поддается моделированию;
б) системы имеют сложное сопряжение со средой, включающее множество входных и выходных цепей;
в) функциональные взаимосвязи входных и выходных сигналов сложны в структурном, а иногда и в алгоритмическом отношении;
г) они обычно включают в себя большие и сложные базы данных (или в перспективе — базы знаний);
д) организации-заказчики обычно крайне нуждаются в постоянной и продолжительной работоспособности этих систем, причем сроки первоначального ввода их в эксплуатацию и последующих модификаций устанавливаются крайне сжатыми.

I.083 information technology (IT)
информационная технология, технология обработки информации
Совокупность технологических элементов — например, устройств или методов — используемых людьми для обработки информации (I.073 information). Человечество занималось обработкой информации тысячи лет, первые информационные технологии основывались на использовании счетов и книгопечатания. Тридцать лет назад началось исключительно быстрое развитие этой технологии, что в первую очередь связано с появлением ЭВМ, несколько позже успехи интегральной микроэлектроники обусловили ее проникновение почти во все стороны повседневной жизни, а также привели к крайне многообразному взаимному оплодотворению и переплетению различных ее отраслей. Узкий смысл термина «информационная технология» определился, вероятно, в конце 1970-х годов, когда его стали употреблять в связи с использованием современной электронной техники для обработки информации. Информационная техно-

логия охватывает всю вычислительную технику и технику связи и отчасти — бытовую электронику, телевизионное и радиовещание. Она находит применение в промышленности, торговле, управлении, образовании, медицине и науке, служит подспорьем людям свободных профессий и домохозяйкам. Народы развитых стран осознают, что совершенствование информационной технологии представляет собой важную, дорогостоящую и трудную задачу. В настоящее время создание крупномасштабных информационно-технологических систем является экономически возможным и это обусловливает появление национальных исследовательских и образовательных программ, призванных стимулировать их разработку. Обычно считается, что основными задачами этих систем должны стать автоматизация проектирования и изготовления СБИС, а также обеспечение общей инфраструктуры для хранения и передачи дискретной информации (речевых сигналов и изображений, представленных в цифровом виде, а также обычных данных и текстов). Основные исследовательские проблемы связаны с развитием системотехники и программотехники, совершенствованием методов программирования (в особенности, применительно к системам, основанным на использовании знаний) и человеко-машинного интерфейса.

I.084 information theory
теория информации

Наука, предусматривающая исследование информации математическими методами. Информацию, содержащуюся в сообщении, можно нестрого трактовать в аспекте того, насколько она была ранее неизвестна и, следовательно, является новой или неожиданной. Математически скорость порождения информации источником определяется как энтропия (E.071 entropy) источника (в пересчете на одну секунду или на один символ). Хотя иногда предмет теории информации ограничивают изучением источников и каналов в терминах энтропии, его нередко дополняют теорией кодирования и тогда термины «теория информации» и «теория связи» (C.193 communication theory) оказываются синонимами.

I.085 INGRES

Товарный знак реляционной базы данных (R.100 relational database system), первоначально разработанной М. Стоунбрейкером из Беркли, шт. Калифорния, а ныне поставляемой на коммерческой основе.

I.086 inherent addressing = implied addressing
неявная адресация

I.087 inherently ambiguous language
существенно неоднозначный язык

Бесконтекстный язык, для которого не существует однозначной грамматики (см. A.091 ambiguous grammar). Примером может служить множество слов

$$\{a^i b^j c^k \mid i = j \text{ или } j = k\}.$$

I.088 inhibit
запрет

Предотвращение возможности осуществления события, например, использование логического вентиля для запрета другого сигнала. Ср. E.057 enable.

I.089 initial algebra
начальная алгебра

Алгебра (A.074 algebra) A из категории (C.040 category) C алгебр, обладающая тем свойством, что для всякой алгебры B в категории C существует единственный гомоморфизм (H.086 homomorphism) h такой, что

$$h : A \to B.$$

Все начальные алгебры изоморфны. Они играют важную роль в методах описания абстрактных типов данных (A.008 abstract data types), что обусловлено двумя причинами. Во-первых, каждый элемент типа данных получает некоторое синтаксическое представление при помощи формально правильного выражения. Во-вторых, элементы данных оказываются по возможности различными: два формально-правильных выражения e_1 и e_2 описывают один и тот же элемент данных тогда и только тогда, когда они эквивалентны для всех алгебр в категории C.

I.090 initialization
инициализация

Операция присваивания переменным исходных значений перед началом вычислений. Во многих языках программирования имеются средства определения начальных значений при первом описании переменной.

I.091 initial-value problem
задача с начальными значениями, задача Коши
См. O.070 ordinary differential equations; P.052 partial differential equations.

I.092 injection = one-to-one function
инъекция, вложение
Функция (F.160 function), обладающая тем свойством, что различные элементы области ее определения отображаются на различные элементы области значений. Формально функция

$$f : X \to Y$$

является инъекцией, если

$$f(x_1) = f(x_2) \text{ влечет } x_1 = x_2.$$

Инъекции обычно используются для отображения или вложения элементов некоторого меньшего множества — например, множества целых чисел — в большее множество — например, в множество действительных чисел.

I.093 ink jet printer
струйное печатающее устройство
Печатающее устройство, в котором требуемый образ формируется при попадании на бумагу распыляемого красителя. Этот метод в течение ряда лет использовался в полиграфической промышленности и в маркирующих установках. В конце 1960-х годов на его основе были созданы устройства для систем обработки данных. Однако широкое распространение струйных печатающих устройств связано с моделью 6640, выпущенной фирмой IBM в 1978 г. В импульсных струйных печатающих устройствах имеется по крайней мере один ряд сопел, установленных на головке, которая может перемещаться вдоль печатаемой строки. Из каждого сопла на бумагу выстреливается одна капелька красителя. Строчка символов отпечатывается в виде матрицы капелек красителя. При наличии одного ряда сопел скорость печати достигает 400 символов в секунду. Устройства с большим количеством сопел обладают большей разрешающей способностью или возможностями многоцветной печати. В одном из вариантов струйного печатающего устройства непрерывного действия имеется одно сопло, из которого испускается струйка красителя, разделяющаяся на поток одинаковых капелек, движущихся с постоянной скоростью. Непосредственно перед отделением от струйки капелька приобретает электрический заряд. Во время свободного падения на бумагу капельки проходят между электродами и отклоняются ими. Отклонение, как правило, служит для того чтобы задать положение точки относительно вертикальной оси печатаемого символа, при этом движение головки обеспечивает горизонтальное смещение. Достигаемая скорость печати составляет 100 символов в секунду.

I.094 in-line program
линейная программа
Программа, построенная последовательно, без циклов. В те времена, когда устройства управления (C.305 control unit) были относительно примитивны, такая программа требовала большого объема памяти, но выполнялась относительно быстро, что было связано с отсутствием устанавливаемых и проверяемых счетчиков. С тех пор как эти функции были реализованы в устройстве управления при помощи индексных регистров (I.063 index register) и соответствующих команд, указанная экономия времени потеряла значение. Процедура линеаризации тем не менее имеет смысл в упрощенных ЭВМ и особенно в маломощных мини-ЭВМ.

I.095 inner code
внутренний код
См. C.247 concatenated coding system.

I.096 inorder traversal = symmetric order traversal
симметричный обход

I.097 input
1. ввод 2. входная информация, входной сигнал 3. вводить, подавать на вход
1. Процесс ввода данных в процессор или периферийное устройство.
2. Введенная информация или сигнал, подаваемый на вход электрической (например, логической) схемы.
3. Ввод информации или подача сигнала.

I.098 input area
область ввода
Участок основной памяти, отведенный в данный момент для хранения вводимых данных. Процессор обычно выбирает данные из области ввода и перед обработкой пересылает их в рабочую область или в регистр. Результат обработки может быть записан в об-

ласть вывода (O.088 output area). Подпрограммы обычно организуются таким образом, что они заполняют область ввода данными, полученными,
например, от периферийного устройства или из линии связи и освобождают
область вывода путем пересылки данных во вспомогательное ЗУ.

I.099 input assertion
начальное утверждение
См. P.259' program correctness proof.

I.100 input device
устройство ввода
Всякое устройство, передающее данные, программы или сигналы в процессор. Такие устройства обеспечивают
интерфейс пользователя, их наиболее
типичным примером является клавиатура. В первых ЭВМ использовалась бумажная перфорированная лента
и перфокарты, однако теперь эти
носители вышли из употребления. Среди современных устройств следует отметить планшеты ввода данных (D.076
data tablet), терминалы сбора данных
(D.024 data collection), устройства распознавания речи, устройства считывания с карт (C.022 card reader) и документов (D.265 document reader).

I.101 input-limited process
процесс, ограниченный по входу
Процесс, скорость выполнения которого ограничена интенсивностью поступления или получения входной информации.

I.102 input/output — I/O
*ввод-вывод, устройство ввода-
вывода (ВВ)*
Часть вычислительной системы или
деятельность, ориентированная прежде
всего на обмен информацией с центральным процессором. Важная функция большинства устройств ВВ состоит
в прямом и обратном переводе сигналов
процессора в звуки, действия или
символы, понимаемые или производимые людьми. В некоторых случаях
речь может идти о преобразовании
двух разновидностей машиночитаемых
сигналов. Так, например, в устройстве
ввода с перфокарт или перфоленты
производится преобразование данных,
представленных при помощи комбинации отверстий, в некоторый информационный код, понятный процессору.
См. также I.175 I/O.

I.103 inquiry station
запросный терминал
Терминал, с которого производится
запрос информации из базы данных
(D.010 data base). Как правило в его
состав входят дисплей и клавиатура,
а иногда и ряд вспомогательных устройств — например, считыватель жетонов (B.012 badge reader). Пользователь
вводит запрос с клавиатуры либо
в виде вопроса, сформулированного
на однозначном языке, либо осуще-
ствив выбор из отображенного на
дисплее меню. На дисплее может
высвечиваться последовательность
возможных альтернатив, указание которых позволяет постепенно сузить
поле поиска. Запросный терминал может также обеспечивать обновление
информации в результате действий,
обусловленных запросом. Примером
запросного терминала может служить
терминал для заказа авиабилетов. См.
также I.155 interrogation.

I.104 inscribing
подготовка
Процедура кодирования документа путем печатания информации, читаемой
как человеком, так и машиной.

I.105 insertion
вставка
1. Одна из основных операций, выполняемых над множеством (S.116 set).
Запись

$$insert\ (el,\ S)$$

означает, что элемент el добавляется
в множество S. Если el уже принадлежит S, то операция не меняет состава множества. См. также O.045
operations on sets.
2. Одна из основных операций, выполняемых над списками (L.081 list).
Заключается во вставлении нового
элемента в список, не обязательно
в начало или конец.

I.106 instantaneously
немедленно декодируемый
См. P.199 prefix codes.

I.107 instantiation
реализация
Точно определенный вариант некоторого частично определенного объекта.

I.108 instruction = instruction word
команда
Описание операции, которую должна
выполнить ЭВМ. Содержит код выполняемой операции, указания по оп-

ределению операндов (или их адресов) и по размещению получаемого результата. Команды часто подразделяют на арифметические (A.127 arithmetic instructions), логические (L.124 logic instructions) и команды ввода-вывода (I.182 I/O instructions). Их длина может быть постоянной или переменной. Совокупность выполняемых некоторой ЭВМ операций называют системой команд (O.043 operation code). См. также I.111 instruction format.

I.109 instruction counter = current address register, program counter
счетчик команд, регистр (текущего) адреса
Регистр (R.086 register) счетчика, содержимое которого в последовательные моменты времени обычно соответствует возрастающим на единицу адресам памяти. Служит для выборки программы (т. е. последовательности команд) из последовательных ячеек памяти. Содержимое счетчика будет меняться при выполнении команд перехода.

I.110 instruction cycle = fetch-execute cycle
командный цикл
См. C.305 control unit.

I.111 instruction format
формат команды
Слово, содержащее команду, обычно состоит из кода операции (O.043 operation code) и некоторым образом определенного операнда (O.037 operand), который обычно задается своим местоположением или адресом (A.049 address). Некоторые коды операций подразумевают наличие нескольких операндов, местоположение этих операндов может определяться одним из многих методов адресации (A.055 addressing schemes). Как правило, число адресных ссылок используется как одна из характеристик рассматриваемой ЭВМ. Формат команды и архитектура ЭВМ могут быть рассчитаны как на постоянное, так и на переменное число операндов. В первом случае говорят об *одноадресных*, *двухадресных*, *трехадресных*, и (весьма редко) *четырехадресных* командах. Примером (условным) одноадресной команды может служить команда

add x,

по которой содержимое ячейки x складывается с содержимым аккумуля-

тора, а результат остается в аккумуляторе. Пример трехадресной команды:

add x, y, z

(содержимое ячейки x сложить с содержимым ячейки y, сумму поместить в ячейку z).
В некоторых случаях последний адрес является адресом следующей выполняемой команды. Возможность задания этого адреса была важна в тот период, когда широко использовались оперативные ЗУ на магнитных барабанах. Тогда двухадресная команда вида

add x, y

(сложить содержимое ячеек x и y, а результат поместить в ячейку y), могла принимать вид

add x, y, z

(сложить содержимое ячеек x и y, результат поместить в ячейку y, а следующую команду выбрать из ячейки z). Такая команда называется либо трехадресной, либо (2 + 1)-адресной. Аналогично, термин (1+1)-адресная команда означает одноадресную команду, в которой дополнительно указывается адрес следующей выполняемой команды. В двух последних случаях команды не располагаются в последовательных ячейках памяти, при этом осуществляется блокировка счетчика команд, если таковой имеется. В первых ЭВМ формат команд навязывался постоянным размером машинного слова. Команда состояла из двух полей: поля кода операции и поля адреса. По мере появления дополнительных средств модификации адреса оказалось необходимым добавить в код команды особые разряды, определяющие такие режимы, как, например, косвенная адресация (I.065 indirect addressing), использование индексных регистров (I.063 index register), использование базового регистра при относительной адресации (R.103 relative addressing) и т. д. Кроме того, другие разряды иногда использовались для ссылок на части слова данных, причем обычно ссылки производились на отдельные символы — а позднее, на отдельные байты — записанные в одном слове. После появления регистров общего назначения для работы с ними стали отводиться особые команды. Поскольку адреса регистров кодируются значительно меньшим числом разрядов, чем обычные регистры, были разработаны форматы команд с переменной длиной. На рисунке приведены три примера

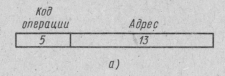

Код операции	Адрес
5	13

а)

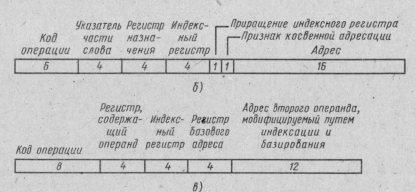

Код операции	Указатель части слова	Регистр назначения	Индексный регистр			Адрес
6	4	4	4	1	1	16

— Приращение индексного регистра
— Признак косвенной адресации

б)

Код операции	Регистр, содержащий операнд	Индексный регистр	Регистр базового адреса	Адрес второго операнда, модифицируемый путем индексации и базирования
8	4	4	4	12

в)

возможных и в какой-то мере типичных форматов команд:
а — простой одноадресной; *б* — сложной одноадресной; *в* — сложной двухадресной с использованием регистров и ЗУ.

I.112 instruction register
регистр команд
См. С.305 control unit.

I.113 instruction repertoire = instruction set
система команд, набор команд

I.114 instruction sequencing
порядок следования команд
Порядок, в котором выполняются команды, составляющие некоторую программу. Обычно команды выполняются последовательно, причем их адреса вырабатываются имеющимся в составе устройства управления (С.305 control unit) счетчиком команд. Эта последовательность прерывается при исполнении команд ветвления (В.136 branch instruction), в результате чего содержащийся в команде ветвления адрес заносится в счетчик команд и последовательный процесс продолжается применительно к новому адресу.

I.115 instruction set = instruction repertoire
система команд, набор команд
Совокупность команд (I.108 instruction), которые способна выполнять конкретная ЭВМ, представляет собой полный список кодов операций (О.043 operation code), для каждого из которых указывается совокупность разрешенных способов адресации (А.055 addressing scheme).

I.116 instruction stream
поток команд
Последовательность командных слов (I.117 instruction word), поступающих из памяти в устройство управления.

I.117 instruction word = instruction
командное слово, команда

I.118 integer multiplication and division
целочисленное умножение и деление
Умножение n-значного (n-разрядного) целого числа на m-значное целое число, в результате чего образуется $(m + n)$-значное произведение. Деление $(m + n)$-значного целого числа на n-значное целое число, в результате чего образуется $(m + 1)$-значное частное и n-значный остаток.

I.119 integer programming
целочисленное программирование
См. М.073 mathematical programming.

I.120 integral domain
область целостности
См. R.157 ring.

I.121 integral equation
интегральное уравнение
Всякое уравнение относительно неизвестной функции, содержащее интегралы от этой функции. Уравнение вида

$$f(x) = \int_a^x K(x, y) f(y) \, dy + g(x)$$

называется *уравнением Вольтерра* второго рода. Аналогичное уравнение с постоянными пределами

$$f(x) = \int_a^b K(x, y) f(y) \, dy + g(x)$$

называется *уравнением Фредгольма* второго рода. Если искомая функция появляется только под знаком интеграла, то имеем уравнения Вольтерра или Фредгольма первого рода, которые более трудны как для теоретического исследования, так и для численного решения. Уравнение Вольтерра можно рассматривать как частный случай уравнения Фредгольма, в котором

$$K(x, y) = 0 \text{ при } y > x.$$

Уравнения Фредгольма второго рода обычно появляются при рассмотрении граничных задач математической функции. Численные методы их решения основаны на аппроксимации интеграла при помощи одной из формул численного интегрирования (N.099 numerical integration), что приводит к системе линейных алгебраических уравнений (L.050 linear algebraic equations), из которых находятся приближенные значения функции $f(x)$ для совокупности точек, принадлежащих интервалу $a \leqslant x \leqslant b$.

I.122 integrated circuit → IC
интегральная схема (ИС)
Реализация электронной схемы, выполняющей некоторую функцию, в виде единого полупроводникового (обычно, кремниевого) кристалла (C.099 chip), в котором изготовлены все приборы, необходимые для осуществления этой функции. Эти приборы обычно состоят из полупроводниковых диодов и транзисторов. В *МОП-ИС* активными приборами являются полевые МОП-

транзисторы (M.193 MOSFET), которые работают при малых токах и на высоких частотах. На кремниевом кристалле можно разместить очень много полевых МОП-транзисторов, т. е. для МОП-ИС характерна высокая плотность упаковки. Кроме того, эти схемы потребляют весьма малую мощность. Развитие МОП-технологии позволило реализовать на одном кристалле самые сложные устройства. Компонентами биполярных ИС являются биполярные транзисторы (B.084 bipolar transistor) и другие полупроводниковые приборы, использующие свойства *p-n*-перехода. По сравнению с МОП-ИС эти ИС обладают большим быстродействием. К их недостаткам относится большая потребляемая мощность и малая плотность упаковки. Кроме того, технология их изготовления более сложна, чем МОП-технология. Совершенствование технологии изготовления ИС создало предпосылки для реализации на одном кристалле огромного числа компонентов. Соединяя их можно создавать самые разнообразные цифровые и аналоговые ИС. Сложность цифровых ИС обычно характеризуется количеством входящих в них транзисторов (T.142 transistor) или иногда — числом логических вентилей (L.123 logic gate). С этой точки зрения выделяют:

СБИС — сверхбольшие ИС;
БИС — большие ИС;
СИС — средние ИС;
МИС — малые ИС.
Для того чтобы упростить понимание принципов работы цифровых ИС, часто рассматривают не электронные, а логические аспекты их функционирования. См. также H.102 hybrid integrated circuit.

I.123 integrated data processing — IDP
интегрированная обработка данных
См. D.062 data processing.

I.124 integrated injection logic
интегральная инжекционная логика, И²Л
См. I.032 I² L.

I.125 integrated office system
интегрированная учрежденческая система
Программа для персональных ЭВМ и коммерческих мини-ЭВМ коллективного пользования, выполняющая ряд функций, для которых ранее создава-

лись специализированные программы — в частности, текстовые процессоры (W.039 word processor), программы работы с крупноформатными таблицами (S.262 spread sheet), системы управления базами данных (D.014 database management system) или программы построения графиков и диаграмм. Типичная интегрированная учрежденческая система может быть ориентирована на обработку крупноформатных таблиц и текстов, а также на графические применения. Результаты, полученные отдельными подпрограммами, как правило, могут быть объединены в окончательный документ, содержащий графический, табличный и текстовый материал.

I.126 integrated project support environment
интегрированная система проектирования
Вычислительная система, предназначенная для автоматизации всех задач, связанных с проектированием аппаратно-программных средств на всех этапах осуществления проекта. Такая система должна иметь более широкие возможности, чем система поддержки программирования (P.280 programming suport environment), обеспечивая разработку как аппаратных, так и программных средств. Однако это различие не всегда подчеркивается и два указанных термина иногда смешиваются.

I.127 integrated services digital network
цифровая сеть с предоставлением комплексных услуг
См. I.200 ISDN.

I.128 integration testing
тестирование системы в целом
См. T.059 testing.

I.129 integrity
целостность
Способность противостоять изменениям при системных ошибках. Пользователь, накапливающий информацию, вправе ожидать, что содержимое его файлов останется неизменным несмотря на отказы аппаратных или программных средств. Поскольку такие отказы обязательно происходят время от времени, предусмотрительный администратор системы при ее обслуживании делает защитные дампы (D.312 dump) таким образом, чтобы всегда имелась

правильная копия последней версии каждого файла системы. Для обеспечения этого администратор должен использовать системные служебные программы, уровень привилегированности которых настолько высок, что позволяет заблокировать обычные проверки, осуществляемые для обеспечения секретности (P.228 privacy) и защиты (S.038 security) файлов пользователя. Эти программы должны осуществлять чтение файлов пользователя для их копирования и иметь к ним доступ для записи, чтобы имелась возможность перезаписи последней версии файла, утраченного или искаженного в результате системной ошибки. Таким образом, обеспечения целостности файлов пользователя в системе автоматически создает предпосылки уязвимости (V.068 vulnerability) средств защиты и ослабления системных средств обеспечения секретности.

I.130 integro-differential equation
интегро-дифференциальное уравнение
Всякое уравнение относительно неизвестной функции, содержащее интегралы и производные от этой функции. Известны различные виды таких уравнений, но их классификация отсутствует. Задача с начальными условиями (см. O.070 ordinary differential equations)

$$f'(x) = F(x, f(x),$$

$$\int_a^x K(x, y) f(y) \, dy),$$

$$f(a) = f_0$$

и имеет сходство с интегральными уравнениями Вольтерра (см. I.121 integral equation). На практике также встречаются краевые задачи и уравнения, содержащие частные производные.

I.131 Intel
Американская фирма, специализирующаяся в области микроэлектроники. Известна тем, что одна из первых стала серийно выпускать ИС динамического ЗУПВ емкостью 1К бит. Является пионером выпуска микропроцессоров (M.137 microprocessor), в частности, моделей 4004 и 8008.

I.132 intelligent copier
интеллектуальное копировальное устройство

Устройство, обладающее возможностями учрежденческого копировально-множительного и построчно-печатающего устройств. Как правило, позволяет печатать выходные данные различными шрифтами и в различных форматах.

I.133 intelligent front end — IFE
интеллектуальная программа сопряжения (ИПС)

Программа, предназначенная для облегчения доступа к существующей системе программного обеспечения или вычислительной системе. Ее целесообразно использовать при наличии сложного и достаточно развитого программного обеспечения, для освоения которого требуется слишком много времени. Задача ИПС — упростить процесс освоения. В ИПС может входить база знаний, ориентированная на область применения программного обеспечения (например, на математику или на моделирование по методу конечных элементов), а также экспертная система, позволяющая эффективно использовать его для решения задач из этой области. ИПС можно создавать для самых разнообразных программных систем (ориентированных, например, па статистику, моделирование по методу конечных элементов или на экологию). Использование ИПС может оказаться важным фактором популяризации существующих систем программного обеспечения.

I.134 intelligent knowledge-based system
интеллектуальная система, основанная на использовании знаний

См. I.030 IKBS.

I.135 intelligent terminal
интеллектуальный терминал

Устройство, обеспечивающее некоторые возможности обработки, что позволяет осуществлять обмен информацией с более крупной вычислительной системой. Часто представляет собой сочетание дисплея и клавиатуры, по крайней мере, с одним встроенным микропроцессором, при помощи которого реализуется, например, редактирование текстов и режим подсказки оператору. В качестве других примеров интеллектуальных терминалов можно упомянуть такие современные устройства, как банковские терминалы, а также терминалы для розничной торговли и сбора информации в промышленности.

I.136 interactive
интерактивный, диалоговый

Атрибут, с помощью которого указывается, что для системы или режима работы характерен отклик на вводимые оператором команды. Для ввода команд могут использоваться такие устройства, как клавиатура или световое перо, причем реакция на команду появляется достаточно быстро, так что оператор может работать практически непрерывно. Описанный режим работы иногда называют диалоговым. В интерактивных системах коллективного пользования он реализуется на основе разделения времени. См. также М.215 multiaccess system.

I.137 interactive graphics
интерактивные графические средства

Системные средства, позволяющие формировать и корректировать графические образы по командам, вводимым оператором с терминала. Интерактивные графические системы не получили столь широкого распространения как интерактивные буквенно-цифровые системы, однако их значимость как фактора, облегчающего понимание информации, постоянно возрастает. В настоящее время становятся доступными ряд пакетов программ, ориентированных на разнообразное представление цифровых данных — в виде секторных диаграмм, гистограмм, а также графиков в декартовой и полярной системах координат. См. также С.235 computer graphics.

I.138 interblock gap — IBG
интервал между блоками

См. B.103 block.

I.139 interface
1. *граница* 2. *средства сопряжения* 3. *сопряжение* 4. *обеспечивать сопряжение* 5. *взаимодействовать*

1. Граница раздела двух систем, устройств или программ.
2. Элементы соединения и вспомогательные схемы управления, используемые для соединения устройств. См. также S.286 standard interface.
3. Характеристика взаимосвязи двух программных единиц. Например, если в процедуре отсутствуют ссылки на глобальные переменные, то сопряжение с ней определяется списком пара-

метров. Тщательное определение сопряжения позволяет использовать программную единицу, не зная ничего об алгоритмах ее работы, и принципиально необходимо в тех случаях, когда реализация проектируемой системы будет осуществляться несколькими программистами. Эта концепция является важной особенностью языка Ада (A.040 Ada), в котором для пакета (P.003 package) задаются две части — блок интерфейса и тело. В блоке интерфейса точно определяются те идентификаторы, которые доступны вне пакета. Этого достаточно для отдельной компиляции программных единиц, использующих пакет. Аналогичные средства имеются в языке Модула 2 (M.170 Modula 2) и версии языка Паскаль, разработанной в Калифорнийском университете, г. Сан-Диего (U.002 UCSD Pascal).

I.140 interior node = nonterminal node
внутренний узел

I.141 interior path length of a tree
длина внутреннего пути (в дереве)
Сумма длин всех путей из корня во внутренний (т. е. нетерминальный) узел.

I.142 interleaving
чередование
Метод организации режима мультипрограммирования (см. M.247 multiprogramming system) в относительно простых системах без использования программы супервизора. Заключается в разбиении программ, которые должны выполняться параллельно, на сегменты, соединяемые в единую программу. Функция каждого сегмента и порядок соединения сегментов определяются таким образом, чтобы максимально использовать процессорное время. Сегмент, инициирующий обмен с внешним устройством, т. е. относительно медленный процесс, соединяется с сегментом некоторой другой программы, для выполнения которого нужен процессор. При помощи интерфейса мультиплексного канала осуществляется чередование операций обмена с несколькими низкоскоростными внешними устройствами.

I.143 interlock
взаимная блокировка
Аппаратный или программный метод координации и (или) синхронизации нескольких процессов в ЭВМ. Напри-

мер, этот метод может использоваться в том случае, когда некоторый процесс не должен начинаться до тех пор, пока не завершится другой процесс. Согласно наиболее универсальному методу взаимного сопряжения для этой цели используются флаги (F.090 flag). Другая типовая ситуация заключается в одновременном поступлении нескольких запросов на некоторую операцию, например, на обращение к памяти. В этом случае при помощи аппаратно-реализованной процедуры взаимной блокировки одновременные запросы упорядочиваются, причем обычно для этого используется заранее определенное правило.

I.144 intermediate assertion
промежуточное утверждение
См. P.259 program correctness proof.

I.145 intermediate storage
промежуточное ЗУ
Всякая часть или разновидность ЗУ, используемая для хранения информации между двумя шагами обработки.

I.146 internal fragmentation
внутренняя фрагментация
Разновидность фрагментации (F.135 fragmentation), возникающая в тех случаях, когда размер выделяемого участка памяти берется кратным размеру некоторого элементарного участка. Запрос на участок произвольного размера удовлетворяется путем округления этого размера до ближайшего превосходящего его кратного. При этом небольшая часть памяти распределяется, но не используется. Внутренняя фрагментация сводится на нет при уменьшении размера элементарного участка, однако при этом становится более заметной внешняя фрагментация (E. 169 external fragmentation).

I.147 internal schema
внутренняя схема
См. D.031 data description language.

I.148 internal sorting
внутренняя сортировка
См. S.225 sorting.

I.149 internet protocol — IP
межсетевой протокол
1. Межсетевой протокол DARPA (D.005), на основе которого осуществляется объединение американских и европейских оборонных исследовательских центров, соединенных в несколько спутниковых сетей, сетей типа

ARPANET (A.136) и в множество локальных сетей (L.095 local area network). Полный адрес в объединенной сети представляет собой 32-разрядное поле, в котором выделены один, два или три байта для номера сети, а остальные разряды использованы для адресации внутри сети. Межсетевой протокол обеспечивает однородную сетевую службу передачи дейтаграмм (D.040 datagram) на базе неоднородной сети более низкого уровня.

2. Межсетевой протокол Xerox, обеспечивающий службу передачи дейтаграмм (D.040 datagram) на базе неоднородных сетей более низкого уровня. В нем используются 32-разрядные сетевые адреса и 48-разрядные полные адреса, не зависящие от сети. См. также I.150 internetworking.

I.150 internetworking
объединение сетей

Соединение нескольких вычислительных сетей (N.021 network) в единую сеть более высокого уровня. Для этого в основном используются два подхода: *пакетирование* и *трансляция*. Переходы между сетями получили название шлюзов (G.009 gateway), их функции зависят от способа объединения сетей. Согласно методу пакетирования создается протокол (иногда — несколько протоколов) нового уровня, обеспечивающий единую семантику для таких служб, как служба коммутации дейтаграмм (D.040 datagram), электронная почта (E.038 electronic mail) и т. д. При вводе сообщения в объединенную сеть оно охватывается (пакетируется) протоколом некоторой сети (т. е. к сообщению добавляются заголовки дейтаграмм локальной сети или сведения о виртуальных цепях). Оформленный таким образом пакет проходит через сеть и поступает в шлюз, в котором информация, относящаяся к старой сети, удаляется, а вместо нее добавляется новая совокупность сетевых заголовков, после чего пакет пересылается в другую сеть. В конце концов сообщение достигает узла-получателя, для которого оно предназначено.

Согласно методу трансляции пересылка сообщений в локальной сети осуществляется с использованием протоколов и соглашений, принятых в этой сети. Поступившее в шлюз сообщение преобразуется в другое сообщение, соответствующее требованиям следующей сети, для этого преобразования может потребоваться интерпретация сообщения на нескольких уровнях протокола. Метод пакетирования обеспечивает единую семантику по всем сетям, а метод трансляции приводит к неожиданным проблемам, связанным с тонкими различиями протоколов. С другой стороны, для реализации метода пакетирования вообще говоря необходимо создать новое программное обеспечение для всех главных ЭВМ сети, в то же время при использовании метода трансляции новое программное обеспечение создается только для шлюзов.

I.151 interpolation
интерполяция

Простой метод аппроксимации функции $f(x)$, согласно которому аппроксимирующая функция $p(x)$ должна удовлетворять условиям

$$p(x_i) = f(x_i),$$
$$i = 0, 1, 2, \ldots, n.$$

Здесь в ряде различных точек x_i значения $p(x_i)$ должны в точности совпадать со значениями $f(x_i)$ (ср. S.200 smoothing), а при $x \neq x_i$ значения f аппроксимируются значениями $p(x)$. На практике функция $p(x)$ часто бывает многочленом, в простейших случаях — линейным или квадратичным. Интерполяция широко используется во многих численных методах, например, при численном интегрировании (N.099 numerical integration). Кроме того, описанный подход может быть обобщен в части согласования производных $p'(x_i)$ и $f'(x)$, в этом случае говорят об *эрмитовой интерполяции*.

I.152 interpreter
интерпретатор

Языковый процессор, который построчно анализирует исходную программу и одновременно выполняет предписанные действия, а не формирует на машинном языке скомпилированную программу, которая выполняется впоследствии.

I.153 interpretative language
интерпретативный язык

Язык программирования, который разработан или приспособлен для режима интерпретации. В предельном случае это язык, который можно реализовать только при помощи интерпретаторов

(I.152 interpreter). Некоторые языки более просто интерпретируются, но также могут транслироваться. На малых ЭВМ язык БЭЙСИК часто интерпретируется, однако это вовсе не связано с какими-либо ограничениями языка. Таким образом выбор между интерпретацией и трансляцией обычно зависит от соображений удобства реализации, а не от самого языка.

I.154 interquartile range
интерквартильная широта, межквартильный размах
См. М.090 measures of variation.

I.155 interrogation
запрос
Посылка сигнала, инициирующего ответ. Система может запрашивать периферийные устройства с целью определения их готовности к обмену данными. Ответом обычно является передаваемый байт состояния. Упорядоченный запрос устройств обычно называют опросом (P.148 polling). Вместо термина interrogation terminal (запросный терминал) чаще используют термин inquiry station (I.103).

I.156 interrupt
прерывание
Сигнал, по которому процессор «узнает» о совершении асинхронного (А.156 asynchronous) события. При этом исполнение текущей последовательности команд приостанавливается (прерывается), а вместо нее начинает выполняться другая последовательность, соответствующая данному прерыванию. События, вызывающие прерывания, можно грубо классифицировать следующим образом:
а) события, происходящие в периферийных устройствах. Процессор, начавший обмен с таким устройством от имени одного процесса, может запустить некоторый другой процесс. По завершении обмена периферийное устройство вызовет прерывание. См. также Т.158 interrupt I/O;
б) предопределенные события в процессах. Процесс, нуждающийся в услугах операционной системы, может инициировать особое прерывание, известное как *«вызов супервизора»* (SVC — supervisor call), для уведомления супервизора (S.398 supervisor);
в) непредопределенные события в процессах. При попытке осуществления процессом неизвестного или запрещенного действия происходит прерывание, на которое реагирует супервизор;
г) действия оператора. Оператор, желающий начать взаимодействие с супервизором, может инициировать прерывание;
д) прерывания по таймеру. Во многих системах имеется таймер, который через постоянные промежутки времени вызывает прерывания, что гарантирует периодическую передачу управления супервизору. См. также I.157 interrupt handler.

I.157 interrupt handler — IH
обработчик прерываний
Программная секция, которой передается управление в случае прерывания процессора и которая определяет дальнейшие действия. Например, *обработчик прерываний первого уровня* (ОППУ) является частью операционной системы и обеспечивает начальный обмен информацией между программой или устройством и операционной системой. При возникновении прерывания производится запоминание состояния операционной системы, а управление передается соответствующему ОППУ: он выдает сообщение операционной системе и затем возвращает ей управление, далее система возвращается в запомненное состояние, что позволяет продолжить выполнение исходной задачи так, как будто ничего не случилось. Операционная система будет периодически проверять наличие новых сообщений и соответствующим образом реагировать на них.

I.158 interrupt I/O
прерывание по вводу-выводу
Способ управления операциями ввода-вывода, согласно которому периферийное устройство или терминал, которым необходимо выдать или принять элемент данных, посылают сигнал, вызывающий установку программного прерывания. В момент времени, соответствующий уровню приоритета прерывания по вводу-выводу в общей системе прерываний, процессор передает управление подпрограмме обслуживания прерываний. Функции этой подпрограммы зависят от реализованной в процессоре системы уровней и приоритетов прерываний. В одноуровневой одноприоритетной системе имеется только одно прерывание по вводу-выводу, а соответствующий сигнал формируется путем логического объ-

единения прерываний от всех подсоединенных устройств ввода-вывода. Подпрограмма обслуживания прерывания опрашивает эти устройства и определяет то, в котором установлен признак прерывания. В многоуровневой одноприоритетной системе имеется одна линия сигнала прерывания и ряд линий идентификации устройства. Когда внешнее устройство выдает сигнал в общую линию прерывания, оно также устанавливает свой уникальный код на линиях идентификации. Такая система более сложна в плане ее реализации, но обеспечивает ускоренный ответ. В одноуровневой многоприоритетной системе линии прерываний различных устройств подключены к единственному входу прерываний процессора через логическую схему, обеспечивающую маскирование прерываний низкоприоритетных устройств прерываниями' устройств с более высоким приоритетом. Процессор опрашивает устройства в порядке их приоритета и определяет то из них, которое инициировало прерывание. В многоуровневой многоприоритетной системе имеются средства маскирования прерываний в соответствии с приоритетом и немедленной идентификации по сигналам соответствующих линий.

I.159 interrupt mask
маска прерываний
Средство выборочного подавления прерываний в тех случаях, когда их обработку можно отложить на более позднее время. См. также M.064 masking.

I.160 interrupt priority
приоритет прерывания
Характеристика важности, присваиваемая программным прерываниям. Как правило, система может одновременно обслуживать только одно прерывание, однако в некоторых случаях скорость поступления прерываний превышает скорость обслуживания. В подобной ситуации при помощи системных средств управления можно установить такие маски прерываний (I.159 interrupt mask), которые будут подавлять некоторые прерывания при наличии более важных прерываний.

I.161 interrupt vector
вектор прерывания
См. V.023 vectored interrupts.

I.162 intersection
пересечение
1. intersection of sets. Пересечением двух множеств, скажем, S и T является множество, элементы которого одновременно принадлежат этим множествам. Обычно это записывается как

$$S \cap T,$$

где $\cap$ рассматривается как операция над множествами (O.045 operations on sets), а именно, как *операция пересечения*, которая коммутативна (C.196 commutative operation) и ассоциативна (A.153 associative operation). В символической форме

$$S \cap T = \{x \mid x \in S \text{ и } x \in T\}.$$

Если пересечение множеств S и T есть пустое множество, то эти множества называются *непересекающимися* (D.233 disjoint). Ввиду ассоциативности операции пересечения ее можно обобщить на случай нескольких множеств.
2. intersection of graphs. Пересечение двух графов G_1 и G_2 это граф, содержащий вершины и ребра, общие для графов G_1 и G_2.

I.163 intersegment linking
связывание сегментов
Установление связей между сегментами (S.051 segment) (большой) программы. При раздельной компиляции сегментов необходимо иметь' средства для передачи управления от одного сегмента другому. Обычно для этой цели используют особые помечаемые операторы, при помощи которых задается точка входа в сегмент и значения которых можно сделать доступными при редактировании связей в программе.

I.164 interval timer
датчик временных интервалов,
интервальный таймер
Цифровая схема, при помощи которой задается временной интервал между импульсом запуска и последующим изменением логических состояний (L.130 logic state), происходящим с заранее определенной задержкой.

I.165 intrinsic semiconductor
собственный полупроводник
См. S.071 semiconductor.

I.166 invariant
инвариант
Утверждение, которое остается истинным при некотором преобразовании или

отображения. В контексте доказательства правильности программ (P.259 program correctness proof) инвариантом является некоторое утверждение о свойствах фрагмента программы, которое остается истинным несмотря на выполнение части этого фрагмента. Например инвариант цикла — это утверждение, связанное с некоторой точкой программного цикла и являющееся истинным несмотря на прохождение этой точки при каждом выполнении цикла. Аналогично инвариант модуля связан с заданным модулем, причем считается, что при инициировании в этом модуле всякой операции утверждение остается истинным после ее завершения. Заметим, что инварианты нельзя точно определить как утверждения истинные во всех случаях, поскольку при выполнении некоторых операций инвариантное условие может нарушаться, а потом восстанавливаться. Однако инвариантное утверждение всегда истинно между операциями и поэтому определяет неизменные свойства фрагмента программы, на основе которых можно анализировать и понимать особенности этого фрагмента.

I.167 inventory
перечень
См. P.070 pattern.

I.168 inverse
обратный, обратная
1. = converse (of a binary relation). Для бинарного отношения (R.097 relation) R обратное отношение R^{-1} удовлетворяет условию:

$$\text{если } xRy,$$
$$\text{то } yR^{-1}x,$$

где x и y — произвольные элементы множества, на котором определено отношение R. Для отношения «больше чем», определенного для целых чисел, обратным будет отношение «меньше чем». Для функции

$$f : X \rightarrow Y$$

обратная функция f^{-1} (если она существует) определяется следующим образом:

$$f^{-1} : Y \rightarrow X$$

и $f(x) = y$ влечет $f^{-1}(y) = x$. Не для всякой функции f существует обратная функция, однако для всякой функции, у которой область определения совпадает с областью значений, можно ввести отношение

$$R = \{(x, y) \mid f(x) = y\},$$

и поэтому будет всегда существовать обратное отношение

$$R^{-1} = \{(y, x) \mid f(x) = y\}.$$

Если функция f^{-1} существует (т. е. отношение R^{-1} является функцией), то говорят, что функция f *обратима*, а функцию f^{-1} называют *обратной функцией*. Тогда при всех x

$$f^{-1}(f(x)) = x.$$

Например, если функция f ставит в соответствие всякой жене ее мужа, а функция g ставит в соответствие всякому мужу его жену, то эти функции будут обратными друг другу.
2. См. G.058 group.
3. ~ of a conditional. Для импликации (C.254 conditional) $P \rightarrow Q$ обратной будет импликация $Q \rightarrow P$.

I.169 inverse homomorphic image
обратный гомоморфный образ
См. H.086 homomorphism.

I.170 inverse matrix
обратная матрица
Если для заданной числовой $(n \times n)$-матрицы A существует матрица B, такая что

$$AB = BA = I,$$

где I — единичная матрица (I.018 identity matrix), то B является обратной матрицей для A, при этом матрица A называется *обратимой*. Если обратная матрица существует, то она единственна и обозначается как A^{-1}.

I.171 inverted file
инвертированный файл
Файл данных D.036 data file, в котором используется по крайней мере один вторичный индекс (см. I.060 indexed file). Если вторичные индексы существуют для всех возможных полей, то файл называют *полностью инвертированным*.

I.172 inverter = negator
инвертор
Электронный логический вентиль (L.123 logic gate), инвертирующий входной сигнал, т. е. преобразующий логическую 1 (истина) в логический ноль (ложь) и наоборот. Следовательно, инвертор реализует логическую опера-

Вход A	0	1
Выход B	1	0

цию НЕ (N.078 NOT operation). На рисунке показано условное обозначение и таблица истинности (T.188 truth table) для инвертора.

I.173 invertible matrix
обратимая матрица
См. I.170 inverse matrix.

I.174 involution operation
инволютивная операция
Всякая унарная операция (M.184 monadic operation) $\bar{f}$, удовлетворяющая условию

$$\bar{f}\,(\bar{f}\,(a)) = a$$

для всех a из области функции $\bar{f}$. Это условие называют инволютивным законом. Он справедлив для элементов булевой алгебры (B.118 Boolean algebra), если унарная операция заключается в вычислении дополнения. Согласно принципу двойственности (D.308 duality), примененному к булевым алгебрам, операция взятия дополнения множества и операция отрицания в ее различных формах также обладают свойством инволютивности.

I.175 I/O — input/output
ВВ, ввод-вывод

I.176 I/O buffering
буферизация ввода-вывода
Процесс временного хранения данных, которыми обмениваются процессор и внешнее устройство. Как правило используется для компенсации различия скоростей обработки данных в двух устройствах.

I.177 I/O bus
шина ввода-вывода
Шина (B.164 bus) или тракт передачи сигналов, к которым можно параллельно подключить несколько устройств ввода-вывода.

I.178 I/O channel
канал ввода-вывода
См. C.064 channel.

I.179 I/O control
контроллер ввода-вывода
Аппаратный блок, управляющий пересылкой данных между оперативной памятью и внешними устройствами,

или часть системного программного обеспечения, которая служит для управления этим блоком.

I.180 I/O device
устройство ввода-вывода
Всякий элемент системы, предназначенный для ввода или для вывода информации. Эти устройства входят в состав внешних устройств и служат для связи системы с внешней средой. См. также I.100 input device; O.090 **output device**

I.181 I/O file
файл ввода-вывода
Файл, в котором информация хранится сразу после ввода или непосредственно перед пересылкой на устройство ввода-вывода (I.180 I/O device).

I.182 I/O instruction
команда ввода-вывода
Команда (I.108 instruction), определяющая операции ввода-вывода.

I.183 I/O limited
ограниченный по вводу и по выводу
Характеристика процесса, который ограничен возможностями ввода (I.101 input-limited process) и вывода данных (O.091 output-limited process).

I.184 I/O mapping
распределение устройств ввода-вывода
Метод, применявшийся в первую очередь в микропроцессорной технике для сопряжения внешних устройств с процессором, архитектурой которого предусматриваются команды ввода-вывода. Согласно этому методу, для внешнего устройства выделяется адрес по крайней мере одного из имеющихся в процессоре портов ввода-вывода. Данные и информация о состоянии передаются затем с помощью команд ввода-вывода, реализованных в процессоре. Ср. M.108 memory mapping.

I.185 ionographic printer
ионографическое печатающее устройство
Разновидность электростатического печатающего устройства (E.042 electrostatic printer), в котором требуемое изображение, обладающее электростатическим зарядом, формируется при помощи управляемого пучка ионов.

I.186 IOP — I/O processor
процессор ввода-вывода

I.187 I/O port
порт ввода-вывода
См. P.164 port.

I.188 I/O processor — IOP
процессор ввода-вывода
Специализированная ЭВМ, осуществляющая автономную обработку данных, которыми обмениваются устройства ввода-вывода и центральная ЭВМ или центральное запоминающее устройство ЭВМ. Может иметь собственные средства программирования. Первоначально — при реализации в виде ЭВМ с «зашитой» программой (W.033 wired program computer) — назывался контроллером канала. См. также D.216 direct memory access.

I.189 I/O register
регистр ввода-вывода
Регистр (R.086 register) (иногда используется несколько таких регистров), применяемый в процессе обмена данными между устройствами ввода-вывода и главной ЭВМ. Часто в регистре ввода-вывода можно соединять маленькие порции данных — байты или символы — в блоки размером в машинное слово или выполнять обратную процедуру.

I.190 I/O supervisor
супервизор ввода-вывода
Термин, имеющий более узкое значение, чем «контроллер ввода-вывода» (I.179 I/O control) и практически всегда относящийся к некоторой части операционной системы.

I.191 I/O switching
переключение каналов ввода-вывода
Выбор одного из нескольких возможных аппаратных каналов доступа к некоторому внешнему устройству, обеспечивающий выигрыш в производительности системы или в ее надежности.

I.192 IP — internet protocol
межсетевой протокол

I.193 IPL
1. **initial program load**
начальная загрузка программы
Загрузка операционной системы в «пустую» машину.
2. *Язык IPL* (information processing language — язык обработки информации); появился на начальном этапе исследований в области искусственного интеллекта, когда была ясно осознана необходимость в специализированном языке для работы с динамическими структурами данных (D.323 dynamic data structure). С этой целью был разработан ряд языков (от IPL-I до IPL-V) обработки списков (L.085 list-

processing). Эти языки давно вышли из употребления.

I.194 IPSE — integrated project support environment
интегрированная система проектирования

I.195 irrecoverable error of magnetic tape
неисправимая ошибка (на магнитной ленте)
См. E.112 error rate.

I.196 irreducible polynomial
неприводимый многочлен
См. P.150 polynomial.

I.197 irreflexive relation
антирефлексивное отношение
Отношение (R.097 relation) R определенное на множестве S и обладающее тем свойством, что xRx несправедливо для любого x из S. Примерами могут служить отношения «является сыном» и «меньше чем», определенные, соответственно, на множестве людей и множестве целых чисел.

I.198 irreversible encryption
необратимое кодирование
Криптографический процесс, заключающийся в детерминированном преобразовании данных к такому виду, по которому исходные данные нельзя восстановить несмотря на точное знание метода кодирования. Такой подход может использоваться для защиты хранимых в памяти паролей (P.064 password). При этом предъявляемый системе пароль сначала кодируется, а затем сравнивается с хранимым закодированным образцом. Таким образом несанкционированный доступ к таблице паролей не позволяет получить доступ к самой системе.

I.199 ISAM — indexed sequential access method
индексно-последовательный метод доступа
Метод доступа (A.019 access method) к файлам данных (D.036 data file), позволяющий осуществлять как последовательный доступ (S.090 sequential access), так и индексный доступ (см. I.060 indexed file). В языке КОБОЛ (C.146 COBOL) имеются средства определения файлов с индексно-последовательным доступом. Этот метод реализуется также в пакете обслуживающих программ ISAM. См. также V.066 VSAM.

I.200 ISDN — integrated services digital network
цифровая сеть с предоставлением комплексных услуг

Перспективная международная полностью цифровая сеть связи, по которой будет передаваться речевая, видео- и факсимильная информация, осуществляться связь ЭВМ и которая будет обеспечивать ряд услуг, основанных на стандартных средствах и интерфейсах более низкого уровня. Предполагается, что эта сеть сможет передавать весь трафик почтового ведомства и телекоммуникационных компаний. По имеющимся предположениям эта сеть будет объединять цифровые сети связи с коммутацией цепей и передачей информации со скоростью 64К бит/с.

I.201 ISO — International Organization for Standartization
Международная организация по стандартизации (MOC)

Организация, занимающаяся выработкой международных стандартов на самые различные объекты от оборудования по обработке данных до типоразмеров крепежных винтов. Основана в 1946 г., включает в качестве членов более 70 национальных организаций по стандартизации. В результате работы в области обработки информации установлены стандарты на протокол канала передачи данных, кодирование, машино-читаемые носители информации и т. д., что совершенно необходимо для обеспечения электронного обмена данными между аппаратурой, выпускаемой разными фирмами и в разных странах.

I.202 ISO-7
код ISO-7

Стандартный международный символьный код (ISO 646-1973), в котором каждый символ кодируется семью битами. Некоторые позиции кода определяются национальными организациями, что позволяет включать специальные символы с диакритическими знаками, знаки денежных единиц и т. д. Распространенная в США версия этого кода ASCII (A.142) широко используется в вычислительной технике.

I.203 isolation
развязка

Любой метод, предназначенный для разделения частей системы или ее базы данных с целью повышения защищенности ЭВМ.

I.204 isomorphism
изоморфизм

Гомоморфизм (H.086 homomorphism), который если рассматривать его как функцию, является биекцией (B.056 bijection).
Если отображение

$$\varphi : G \to H$$

является изоморфизмом, то говорят, что алгебраические структуры G и H изоморфны и поэтому обладают одинаковыми алгебраическими свойствами. *Изоморфными* деревьями являются деревья (T.163 tree), которые изоморфны как ориентированные графы.

I.205 ISO/OSI reference model
эталонная модель взаимодействия открытых систем, эталонная модель ВОС

Обобщенная стандартная архитектура, предложенная Международной организацией по стандартизации для объединения систем и, в частности, обеспечивающая взаимодействие открытых систем. См. S.120 seven-layer reference model.

I.206 ISR — information storage and retrieval
хранение и поиск информации

I.207 IT — information technology
информационная технология

I.208 iteration
итерация

1. Повторение численного или нечисленного процесса, когда результаты одного или нескольких шагов являются входной информацией для следующего шага. Как правило, эта циклическая процедура заканчивается при достижении заданной границы или после того, как ее результаты перестанут меняться. Такой *итерационный процесс* является основой многих численных методов в самых разных областях вычислительной математики, например, в численной линейной алгебре (N.100 numerical linear algebra) и теории нелинейной оптимизации (O.056 optimization), а также при решении обычных дифференциальных уравнений (O.070 ordinary differential equations), дифференциальных уравнений в частных производных (P.052 partial diffrential equations) и интегральных уравнений (I.121 in-

tegral equations). Наиболее удобны для практического использования такие итерационные процессы, которые сходятся к правильному решению при плохих начальных оценках, требуют малого числа итераций и обеспечивают быструю сходимость к окрестности результата. Особенно важным итерационным методом является метод Ньютона (N.030 Newton's method). Итерационный процесс называется m-шаговым, если новое значение получается на основе m предыдущих значений, и называется m-шаговым последовательным, если новое значение зависит от последних значений, т. е.

$$x^{(k+1)} = G_k \left(x^{(k)}, \ldots, x^{(k-m+1)} \right).$$

Итерационный процесс стационарен, если функция G_k не зависит от k, т. е. новое значение вычисляется по старым значениям на основе неизменной формулы. Например, соотношение

$$x^{(k+1)} = \left(x^{(k)} + 1/x^{(k)} \right)/2$$

задает стационарный одношаговый итерационный процесс.
2. iteration of a formal language. Итерация формального языка. См. K.021 Kleene star.

I.209 iterative methods for linear systems
итерационные методы решения систем линейных уравнений
Для системы линейных уравнений вида $Ax = b$, где A — большая и возможно разреженная матрица (см. S.244 sparse matrix) или матрица, обладающая особой структурой, важный класс итерационных методов основан на «разложении» матрицы A в виде $A = M - N$. Это разложение должно приводить к системам $Mz = d$, которые решаются «достаточно просто», что справедливо, например, если матрицы M нижнетреугольные. Тогда итерации описываются соотношением

$$Mx_{k+1} = Nx_k + d, \quad k = 0, 1, 2, \ldots,$$

где x_0 — начальное приближение. Процесс будет сходиться при любом x_0, если все собственные значения (см. E.029 eigenvalue problems) матрицы $M^{-1}N$ по модулю меньше единицы. Задача состоит в том, чтобы осуществить на каждом шаге эффективное разложение и обеспечить быструю сходимость. Системы линейных уравнений, которые возникают применитель-

но к дифференциальным уравнениям в частных производных (P.052 partial differential equations), особенно удобно решать при помощи метода последовательной сверхрелаксации. Он описывается соотношением

$$(D + \omega L)\, x_{k+1} =$$
$$= \{(1 - \omega)\, D - \omega U\}\, x_k + \omega b,$$

где $A = D + L + U$; D содержит диагональные элементы матрицы A; матрицы L и U являются, соответственно, строго нижнетреугольной и верхнетреугольной. Скаляр ω является свободным параметром и выбирается так, чтобы обеспечить максимальную скорость сходимости. Для некоторых видов дифференциальных уравнений с частными производными можно рассчитать оптимальное значение ω. Недавно было показано, что последовательная сверхрелаксация дает хорошие результаты в сочетании с многосеточным методом (M.222 multigrid method).

J

J.001 Jackson method
метод Джексона
Патентованное название метода структурного программирования (S.360 structured programming), разработанного английским специалистом М. Джексоном для решения задач обработки данных (D.062 data processing). Джексон заметил, что входные и выходные данные программ можно определить в терминах особых информационных структур, которые обычно являются статическими и которые проще описать, чем сами программы. Далее он предложил систематический метод проектирования программ на основе схем информационных структур. В связи с этим подходом возникают две основные проблемы. Во-первых, может случиться, что из-за так называемой *структурной несогласованности* (structure clash) не удается объединить отдельные схемы информационных структур, для решения этой проблемы используется особый метод декомпозиции программ, называемый *инверсией* (inversion). Во-вторых, в своей простейшей форме указанный метод не позволяет обрабатывать ошибки, для

чего используется особый алгоритм, называемый алгоритмом *поиска с возвратом* (B.007 backtracking) и программируемый при помощи утверждений (A.145 assertion) и обозначений «установить»/«освободить»/«допустить». Метод Джексона используется в сочетании с языком КОБОЛ и PL/I. Разработаны трансляторы, преобразующие текстовые эквиваленты джексоновских схем информационных структур в программы, записанные на требуемом объектном языке. Утверждается, что по заданной спецификации данных всегда будет формироваться одна и та же программа.

J.002 JANET — Joint Academic Network
Название, которое по всей видимости впервые было дано сети, объединяющей ряд университетов Великобритании, и основанной на протоколе X.25 (X.001). Однако оно оказалось столь удачным, что в настоящее время известно несколько сетей JANET.

J.003 JCL — job-control language=command language
язык управления заданиями

J.004 JK flip-flop
JK-триггер
Тактируемый триггер, имеющий два входа, J (установка) и K (сброс) и два выхода Q и $\bar{Q}$. На рисунке показаны

J	K	Q	$\bar{Q}$
0	0	Q_n	$\bar{Q}_n$
0	1	0	1
1	0	1	0
1	1	$\bar{Q}_n$	Q_n

таблица истинности и схемное обозначение этого триггера, где CBC — синхронизирующий входной сигнал. Символом Q_n обозначено состояние выхода Q непосредственно перед активным изменением логического уровня на тактовом входе. В неоднозначной ситуации, когда сигналы на входах J и K соответствуют логической «1», триггер по активному фронту тактового сигнала «перебрасывается», т. е. переходит в противоположное логическое состояние. Триггеры JK-типа (совместно с триггерами D-типа) являются наиболее распространенными разновидностями триггеров и поставляются в виде стандартных ИС. См. также F.097 flip-flop.

J.005 job
задание
Совокупность программ и преобразуемых этими программами данных. Этот термин также означает выполнение совокупности программ. В простейшем случае задание может состоять в загрузке двоичнокодированной программы и выполнении этой программы с некоторыми исходными данными. Более сложные варианты заданий включают целую последовательность шагов, некоторые из которых могут зависеть от результатов выполнения предыдущих шагов. Исчерпывающее описание задания составляется на языке управления заданиями (J.006 job-control language).

J.006 job-control language — JCL = = command language
язык управления заданиями
Язык, на котором записывается последовательность команд, управляющих выполнением задания. В обычном языке программирования преобразуемые объекты и выполняемые над этими объектами операции соответствуют переменным исходной задачи. В языке управления заданиями преобразуемыми объектами являются, например, целые программы или входные и выходные информационные потоки этих программ. В большинстве таких языков' имеются средства управления последовательностью выполняемых действий, в том числе и некоторые виды условных операторов.

J.007 job file
файл заданий
Файл, содержащий в удобной промежуточной форме сведения о заданиях, стоящих в очереди на исполнение. Задания обычно кодируются при помощи операторов языка управления заданиями, которые могут подвергаться предварительному анализу с тем, чтобы перед их записью в файл заданий исключить явные синтаксические и другие распознаваемые ошибки.

J.008 job mix
смесь заданий
Совокупность заданий, действительно выполняемых в мультипрограммной системе в некоторый момент времени. См. S.016 scheduler.

J.009 job monitoring
диспетчеризация заданий
Управление выполнением заданий в системе. Термин имеет практически тот же смысл, что и планирование заданий (J.010 job scheduling).

J.010 job scheduling
планирование заданий
Выбор заданий для исполнения. См. S.016 scheduler.

J.011 job step
шаг задания
Однократное идентифицируемое исполнение программы с соответствующими данными в рамках некоторого задания. Типичный шаг задания состоит в загрузке программного модуля, выполнении его с использованием данных, содержащихся в некоторых файлах, и формировании выходных файлов, которые пригодны для передачи на следующий шаг задания. На каждом шаге задания может устанавливаться признак удачного или неудачного завершения этого шага.

J.012 job stream
поток заданий
Последовательность заданий, ожидающих выполнения.

J.013 join operator
оператор объединения
См. L.012 lattice, см. также R.101 relational model.

J.014 Josephson junction
переход Джозефсона, джозефсоновский переход
Переход между двумя металлами, для которого характерна возможность управления туннелированием электронов при криогенных температурах. Этот сверхпроводящий прибор, о котором впервые сообщил Б. Джозефсон в 1962 г., может работать как сверхбыстродействующий электронный ключ с очень малой рассеиваемой мощностью. См. J.015 Josephson technology.

J.015 Josephson (junction) technology
джозефсоновская технология
Технология создания вычислительных устройств, основанная на явлениях сверхпроводимости (S.395 superconductivity) и туннелирования электронов на границе раздела металлов. Эти эффекты проявляются при очень низких температурах (около 4 К), которые обеспечиваются при погружении всей системы в жидкий гелий. По джозефсоновской технологии можно изготовлять

логические схемы и энергонезависимые ЗУ, для которых характерны сверхвысокая скорость переключения и очень маленькая рассеиваемая мощность (см. J.014 Josephson junction). Такое сочетание свойств в принципе позволяет создавать сверхбыстродействующие ЭВМ с минимальными линейными размерами, не сталкиваясь при этом с характерными для кремниевых СБИС проблемами теплоотвода. Если задержки переключения измеряются пикосекундами, то линейные размеры системы необходимо соответственно уменьшить (за одну наносекунду сигнал распространяется на расстояние около 10 см).

J.016 journal tape
контрольная запись
Запись в контрольном журнале системы (A.170 audit trail); когда-то такие записи велись на обычной магнитной ленте и этот факт оставил свой след в английском термине.

J.017 JOVIAL — Jule's own version of international algorithmic language
ДЖОВИАЛ
Язык программирования, разработанный сотрудником фирмы System Development Corporation Дж. Шварцем для военных командно-управляющих систем. В его основу положен международный алгоритмический язык IAL, известный также под названием АЛГОЛ 58 (A.081 Algol 58) и соответствующим образом расширенный. ДЖОВИАЛ был реализован на целом ряде ЭВМ военного назначения и до сих пор используется в американских военных разработках.

J.018 joystick
рычажный указатель
Устройство формирования 'сигналов, вызывающих быстрое перемещение курсора или некоторого другого символа по экрану дисплея. Представляет собой рычажок высотой в несколько дюймов, который крепится вертикально на основании и может движениями пальцев смещаться в произвольном направлении. Наиболее распространенный способ работы с рычажным указателем состоит в его отклонении от вертикального положения, что вызывает движение курсора в соответствующем направлении, в некоторых конструкциях стимулом является нажатие пальцем в направлении нужного перемещения курсора.

J.019 jump instruction = branch instruction
команда ветвления, команда перехода

J.020 junction
переход
Область контакта между двумя полупроводниками (S.071 semiconductor) с различными электрическими свойствами или между полупроводником и металлом. Переходы играют ключевую роль в полупроводниковых приборах. Наиболее часто используется *p-n-переход* между полупроводниками (S.071 semiconductor) *n-* и *p-*типа. Такой переход обладает выпрямляющими свойствами, обусловленными потенциальным барьером, который образуется вдоль перехода благодаря диффузии электронов из материала *n-*типа в материал *p-*типа.

J.021 justify
выравнивать
Смещать группу разрядов, хранящихся в регистре, так чтобы самый младший или самый старший разряд оказался в соответствующем конце регистра. Аналогичный процесс, имеющий тоже название, осуществляется в системах набора и текстообработки для подравнивания по вертикали краев печатаемых страниц или колонок. В некоторых устройствах последовательной печати, используемых совместно с системами текстообработки имеются встроенные средства выравнивания. Выравнивание производится путем увеличения расстояния между словами и буквами, выполняемого до тех пор, пока печатаемая строка не заполнит все пространство между полями.

К

K.001 K = k
кило- (1К = 1024; к — 1000. См. К017)

K.002 KAPSE — kernel Ada programming support environment
ядро среды программирования на языке Ада
Система, обеспечивающая средства и возможности нижнего уровня среды поддержки программирования на языке Ада (см. A.119 APSE).

K.003 Karnaugh map = Veitch diagram
карта Карно, диаграмма Вейча
Форма графического представления булевых или логических выражений, при которой становится очевидным способ их упрощения или минимизации; ее можно рассматривать как наглядное представление таблицы истинности (T..188 truth table) или как обобщение диаграммы Венна (V.028 Venn diagram). Метод был предложен Э. В. Вейчем и слегка модифицирован М. Карно. Карты Карно для одной, двух, трех и четырех переменных показаны на рисунке. При $n = 2$, например, клетка 00

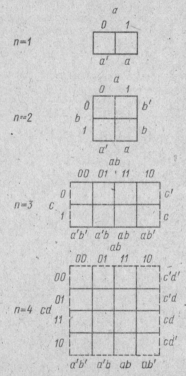

соответствует терму $a'b'$ (штрихом обозначено отрицание), клетка 11 —терму ab и т. д. Термы, отличающиеся только по одной переменной, можно объединять. Таким термам соответствуют соседние клетки карты Карно, поэтому их легко обнаружить. Например, в результате объединения термов abc и abc' получаем

$$abc \lor abc' = ab.$$

Каждому из этих термов соответствует по одной клетке карты Карно при $n = 3$, причем эти клетки расположены рядом, т. е. имеют общую сторону. Однако, тем же свойством должны обладать клетки $a'b'c$ и $ab'c$. Эту трудность можно преодолеть допустив, что стороны, обозначенные штриховыми линиями, следует отождествлять или объединять, т. е. карта Карно должна быть изображена на одной стороне бумажного кольца. При $n = 4$ ситуация еще более усложняется: отождествлять следует стороны, выделенные не только штриховыми линиями, но и точками. Можно считать, что такая карта нарисована на внешней поверхности тора. По всей видимости, карты Карно можно эффективно использовать, если число переменных не превышает шести. При $n > 6$ карта становится громоздкой и слишком сложной. В этом случае более удобны другие методы упрощения, например, алгоритм Квайна—Маккласки.

К.004 k-connectivity
k-связность
См. C.270 connectivity; C.268 connectedness.

К.005 kernel
ядро
В большой операционной системе, разбитой на несколько уровней, каждый из которых ориентирован на свои функции управления системными аппаратными средствами, ядро является самым нижним уровнем. Оно предназначено для выделения аппаратных ресурсов процессом самой операционной системы и программам, выполняемым под ее управлением. Для систем, которые должны обеспечивать высокую степень целостности (I.129 integrity) и защиты (S.038 security) необходимо проводить формальную верификацию ядра (См. S.044 security kernel). Применительно к системам, в которых сочетается обычное программирование и микропрограммирование, используют близкий по смыслу термин *nucleus*. Микропрограмма составляется таким образом, чтобы дополнить функции, реализуемые обычной программой, и обеспечить повышение быстродействия.

К.006 kernel field = base field
базовое поле
См. P.150 polynomial.

К.007 key
1—3, ключ 4, клавиша
1. Значение, используемое для идентификации элемента множества. Обычно элементами множества являются записи (кортежи из n элементов), в которых одно из полей содержит ключ. В некоторых случаях может быть несколько ключевых полей или же всякое поле может использоваться как ключевое.
2. Значение, используемое для подтверждения полномочий на доступ к некоторой информации. См. L.104 locks and keys.
3. Значение, на основе которого производится шифрование. См. C. 351 cryptography.
4. См. K.008 keyboard.

К.008 keyboard
клавиатура
Матрица клавиш, которыми могут быть маркированные кнопки или размеченные участки платы. При нажатии пальцем на клавишу может формироваться дискретный сигнал или инициироваться некоторое действие. В электромеханических системах при обнаружении факта срабатывания кнопки образуется закодированный электрический сигнал; в прошлом использовалась механическая связь, благодаря которой нажатие кнопки непосредственно вызывало пробивку отверстий на перфокарте или перфоленте или печать символа. Клавиатуры ЭВМ содержат стандартный набор клавиш печатающей машинки — клавиатуру QWERTY и некоторые дополнительные клавиши — например, *управляющую клавишу, функциональные клавиши, клавиши управления курсором и малую цифровую клавиатуру.* Управляющая клавиша работает так же, как клавиша смены регистра, но вдобавок позволяет передавать в ЭВМ несимвольную информацию; нажатие функциональной клавиши приводит к посылке в ЭВМ не одного символа, а целой совокупности символов, причем эти клавиши часто программируются пользователем для ввода наиболее употребительных последовательностей, клавиши управления курсором (C.359 cursor) используются для его перемещения в новое положение; малая цифровая клавиатура (K.010 keypad) дублирует имеющиеся на основной клавиатуре клавиши ввода цифр и убыстряет ввод числовых данных.

К.009 keyboard encoder
кодер клавиатуры
См. E.060 encoder.

К.010 keypad
малая клавиатура
Малогабаритная разновидность клавиатуры с ограниченными функциональными возможностями. Иногда выпускается в карманном исполнении. Имеет небольшое число (обычно от 12 до 16) маркированных кнопок или сенсорных клавиш, размещенных на плате. Используется в сочетании с аппаратурой сбора данных или как устройство ввода специальной информации — например персонального учетного номера.

К.011 keypunch
клавишный перфоратор
Карточный перфоратор (C.021 card punch), управляемый при помощи клавиатуры.

К.012 key sorting
сортировка по ключу
Разновидность сортировки по таблице адресов (A.061 address table sorting), при которой ключ сортировки размещается вместе с адресами.

К.013 key to disk
устройство записи с клавиатуры на диск
Система ввода, при помощи которой данные, введенные несколькими операторами с клавиатуры, накапливаются на магнитном диске. Нередко данные, содержащиеся в одном документе, вводятся повторно другим оператором и проверяются путем сравнения с первоначально введенными данными. Малые ЭВМ, при помощи которых данные, вводимые оператором, переписываются на диск в проверенный файл, способны также производить контроль достоверности данных (D.083 data validation) и формировать статистические сводки о производительности операторов.

К.014 key to tape
устройство записи с клавиатуры на ленту
Система ввода, при помощи которой данные, введенные рядом операторов с клавиатуры, записываются на магнитную ленту. Для проверки данных второй оператор вводит их снова в машину с того же самого документа, после чего они сравниваются с информацией, уже имеющейся на ленте.

К.015 keyword
ключевое слово
Символическое обозначение в языке программирования, имеющее особое значение для компилятора (C.205 compiler) или интерпретатора (I.152 interpreter). Например, в языке БЕЙСИК ключевыми словами являются LET, IF, THEN, PRINT. Эти слова помогают при анализе выражений языка, причем в простых языках каждое ключевое слово обусловливает активизацию в языковом процессоре определенной программы. См. также К.016 keyword parameter.

К.016 keyword parameter
ключевой параметр
Параметр подпрограммы, процедуры или макрокоманды, отождествляемый по имени, а не по его положению в списке параметров, например, SORT (INPUT = FILE A, OUTPUT = = SYSPRINT).

К.017 kilo-
кило, К
Приставка для образования кратных единиц, равных 1000 (10^3) или иногда, 2^{10} (т. е. 1024) исходных единиц. В вычислительной технике она используется, в частности, при указании объема ЗУ — например, 256 килослов, или 256К слов.

К.018 Kimball tag
ярлык Кимбола
См. P.340 punched tag.

К.019 Kleene closure-Kleene star
замыкание Клини, звезда Клини

К.020 Kleene plus
плюс Клини, усеченная итерация языка
См. К.021 Kleene star.

К.021 Kleene star = star closure; Kleene closure; iteration
звезда Клини; замыкание Клини; итерация языка
Операция над формальными языками (F.117 formal language), которая для некоторого языка L порождает язык L^*, определяемый как

$$\{\Lambda\} \cup L \cup LL \cup LLL \cup , ...,$$

где Λ — пустое слово. Поэтому слово (W.036 word) w принадлежит языку L^* тогда и только тогда, когда оно имеет вид

$$w_1 w_2 ... w_n,$$

где каждое слово w_i принадлежит L, т. е. w является конкатенацией (C.247 concatenation) слов из L. Усеченная *итерация* языка L порождает язык L^+, определяемый как

$$L \cup LL \cup LLL \cup , \ldots$$

Таким образом, в L^+ входят все ненулевые строки языка L^*.

K.022 Kleene's theorem on fixed points
теорема Клини (о неподвижных точках)

Теорема из теории частично упорядоченных множеств (P.054 partially ordered set), применяемая при исследовании денотационной семантики (D.151 denotational semantics) языков программирования. Предметом теоремы Клини являются уравнения вида

$$f(x) = x$$

для непрерывных функций (C.286 continuous function). При некоторых допущениях можно показать, что это уравнение имеет «наименьшее» или «наименьшее определенное» решение и что это решение можно получить «конструктивно» как предел последовательности все более точных приближений.

K.023 Kleene's theorem
теорема Клини о регулярных выражениях

Утверждение из теории формальных языков (F.118 formal language theory), сформулированное С. К. Клини и состоящее в том, что язык можно определить при помощи регулярного выражения тогда и только тогда, когда он распознается конечным автоматом (F.074 finite-state automaton). Регулярное выражение, эквивалентное конечному автомату, может быть найдено путем решения системы линейных уравнений (см. L.055 linear grammar; A.124 Arden's rule).

K.024 k lookahead
k-простор, просмотр на k шагов вперед

См. L.149 LR parsing; L.090 LL parsing.

K.025 knapsack problem
задача о ранце

Типичный пример задачи целочисленного программирования: имеется ранец объема V и неограниченное количество каждого из N различных предметов. Для каждого предмета i-го типа при $i = 1, \ldots, N$ известны его объем V_i и ценность m_i. В ранец можно положить целое число предметов разного типа, при этом цель состоит в том, чтобы суммарная стоимость всех находящихся в ранце предметов была максимальна, а их объем не превышал величины V.

K.026 knot
узел

См. S.256 spline.

K.027 knowledge base
база знаний

Совокупность знаний, относящихся к некоторой предметной области и формально представленных таким образом, чтобы на их основе можно было осуществлять рассуждения. Базы знаний чаще всего используются в контексте экспертных систем (E.151 expert system), где с их помощью представляются навыки и опыт экспертов, занятых практической деятельностью в соответствующей области (например, в медицине или в математике). Обычно база знаний представляет собой совокупность правил вывода (P.249 production) и является отражением эвристического подхода (H.058 heuristic), который разработан экспертом — практиком в ходе решения проблем. В рамках экспертных систем используются два важных класса баз знаний — статические и динамические базы. Статическая база знаний содержит сведения, отражающие специфику конкретной области и необходимые для решения соответствующих задач, и остается неизменной в ходе решения задачи. Динамическая база знаний используется для хранения информации, существенной для решения конкретной задачи (например, результаты лабораторных опытов) и меняющейся при переходе и решению другой задачи.

K.028 knowledge engineering
инженерия знаний

См. E.151 expert systems.

K.029 Kraft's inequality
неравенство Крафта

Пусть необходимо сформировать из q-го алфавита однозначно декодируемый код, причем длина i-го кодового слова должна равняться λ_i. Тогда неравенство Крафта

$$\sum_{i=1}^{n} q^{-\lambda_i} \leqslant 1$$

является необходимым и достаточным условием возможности построения такого кода, содержащего *n* кодовых слов. Если в коде отсутствуют свободные кодовые слова, то неравенство переходит в равенство. См. также Р.199 prefix codes.

L

L.001 label
метка

1. = tape label, volume label
метка ленты, метка тома
Запись в самом начале магнитной ленты, содержащая индентификатор и другую информацию, характеризующую конкретную ленту. Метки записываются программой обслуживания и во время работы проверяются операционной системой с тем, чтобы гарантировать установку нужной ленты. Метка ленты обеспечивает только идентификацию ленты и не зависит от файлов, хранящихся на ленте. Таким образом, метки следует отличать от заголовков файлов, которые предшествуют каждому записанному на ленте файлу. На магнитных дисках обычно записываются аналогичные метки, однако для этих меток отсутствует общеупотребительное название.

2. = statement label
метка оператора
Цифровой или буквенно-цифровой идентификатор, соответствующий команде или оператору программы и используемый в других частях программы для ссылки на этот оператор.

L.002 lambda calculus
лямбда-исчисление
Формализм для представления функций и способов их комбинирования. Вместе со своим эквивалентом — комбинаторной логикой, в которой не используются переменные, — предложено около 1930 г. логиками Черчем, Шейнфинкелем и Карри. Примеры выражений:
$\lambda x.x$ — тождественная функция со значением, просто равным ее аргументу;
$\lambda x.\ c$ — постоянная функция со значением, равным *c*, вне зависимости от аргумента;
$\lambda x.\ f\ (f\ (x))$ — композиция функции *f* с самой собой, т. е. функция со значением, равным $f\ (f\ (x))$ для аргумента *x*.
Широкие возможности рассмотренного способа обозначения во многом объясняются возможностью представления с

его помощью функций более высоких порядков. Например, запись

$$\lambda f.\lambda x.(f\ (x))$$

соответствует функции (высшего порядка), значение которой для аргумента *x* равно функции, получаемой путем композиции функции *f* с самой собой. Лямбда-исчисление дает не просто форму записи, но также правила эквивалентных преобразований лямбда-выражений. Наиболее важным является правило β-*редукции*, при помощи которого можно упрощать выражения вида

$$\lambda\ (x.e_1)\ (e_2).$$

Например, выражение

$$(\lambda x.\ f\ (x,\ x))\ (a)$$

β-*редуцируется в* $f\ (a,\ a)$.
В сочетании с некоторыми простейшими функциями лямбда-исчисление дает оригинальный способ определения множества всех эффективно вычислимых функций от неотрицательных целых чисел — следовательно, в этом смысле оно эквивалентно машине Тьюринга (Т.192 Turing machine) и аппарату теории рекурсивных функций (R.064 recursive functions). В последнее время лямбда-исчисление стало использоваться в вычислительной технике для несколько иных целей. Оно оказало сильное влияние на разработку целого класса языков программирования (в частности, языков ЛИСП, PAL, POP-2). Более того, математическая теория, разработанная в качестве первой теоретико-множественной модели лямбда-исчисления, послужила основой так называемой денотационной семантики (D.151 denotational semantics) языков программирования.

L.003 LAN — local area network
локальная сеть

L.004 language
язык
См. Р.278 programming language; F.117 formal language.

L.005 language construct
языковая конструкция
Одна или несколько синтаксических структур, используемых в языке для указания узкого класса операций. Это словосочетание часто употребляется как синоним термина control structure (С. 303).

L.006 LAP — link access protocol
протокол LAP

Протокол второго (канального) уровня, являющийся частью протокола HDLC (H.047). Используется в сетях, построенных в соответствии с протоколом X.25 (X.001) для установления каналов между терминальным оборудованием (D.302 DTE) и оборудованием передачи данных (D.092 DCE). Известен также протокол *LAPB*, разработанный позже протокола *LAP* и позволяющий сопрягать терминальное оборудование и оборудование передачи данных в «сбалансированном режиме».

L.007 large-scale intergration
  1. высокая степень интеграции
  2. БИС

См. L.151 LSI; I.122 integrated circuit.

L.008 laser printer
лазерное печатающее устройство

Электрофотографическое печатающее устройство (E.040 electrophotographic printer), в котором лазер используется как источник света

L.009 last in first out
последним пришел — первым обслужен

См. L.045 LIFO.

L.010 latch
(схема-)защелка

Электронное устройство, которое может временно хранить один бит информации. Ее можно рассматривать как обобщение обычного триггера (F.097 flipflop). Управление защелкой осуществляется при помощи тактового сигнала (C.124 clock), по заданному фронту которого она переводится в состояние, соответствующее текущему значению входного сигнала. Состояние схемы остается неизменным вплоть до следующего фронта тактового сигнала.

L.011 latency
время ожидания

Время, за которое начало заданного сектора данных, записанного на диске или барабане, достигает головки считывания-записи. Это время измеряется от того момента, когда головка устанавливается на дорожку, содержащую нужный сектор. Среднее время ожидания равно времени, за которое диск или барабан делает половину оборота. См. также S.050 seek time.

L.012 lattice
решетка

Алгебраическая структура (A.078 al-

gebraic structure) подобная булевой алгебре (B.118 Boolean algebra) с двумя бинарными операциями (D.319 dyadic operation), которые обе коммутативны (C.196 commutative operation) и ассоциативны (A.153 associative operation), а также удовлетворяют законам поглощения (A.007 absorption laws) и идемпотентности (I.012 idempotent law). Указанные бинарные операторы обозначаются символами $\wedge$ и $\vee$ и называются, соответственно *пересечением* и *объединением*. С другой, но вместе с тем эквивалентной, точки зрения решетку можно рассматривать как множество L, на котором определено отношение частичного упорядочения (P.055 partial ordering). Далее, каждая пара элементов имеет наибольшую нижнюю границу (L.144 lower bound) и наименьшую верхнюю границу (U.038 upper bound). Наименьшая верхняя граница элементов $\{x, y\}$ может обозначаться $x \vee y$ и известна как *объединение* x и y. Наибольшая нижняя граница может обозначаться $x \wedge y$ и называется *пересечением* x и y. Заметим, что эти операции удовлетворяют указанным в первом определении свойствам, поскольку частичное упорядочение можно задать следующим образом:

$$a \leqslant b, \text{ если и только если } a \vee b = a.$$

Решетки, трактуемые как булевы алгебры, играют весьма важную роль во многих теориях и математических задачах, на которых основывается вычислительная техника. Понятие «решетка» также широко используется в теории аппроксимации, на которой основаны концепции денотационной семантики (D.151 denotational semantics).

L.013 lazy evaluation
«ленивое» вычисление

Способ реализации алгоритмов, согласно которому оценка значения некоторого объекта производится только в тот момент и только в том объеме, которые действительно необходимы. Это позволяет создавать такие программы преобразования объектов наподобие длинных или бесконечных списков, которые в противном случае выполнялись бы слишком долго или вообще никогда не завершались. В качестве примера рассмотрим задачу сравнения двух деревьев (T.163 tree) t_1 и t_2 путем поэлементного последовательного сравнения списков концевых вершин (L.020 leaf) этих деревьев. Простейшее решение состоит в том, чтобы сначала сформировать два списка концевых вершин, а затем сравнить их элемент за элементом. Концепция «ленивых» вычислений позволяет совместить в программе формирование и сравнение этих списков. При этом программа может завершать работу при обнаружении различия списков и вместе с тем не требует их создания в полном объеме.

L.014 LBA — linear bounded automaton
автомат с линейно ограниченной памятью

L.015 LCD — liquid-crystal display
жидкокристаллический индикатор (ЖКИ)
Прибор, входящий в состав многих цифровых часов, калькуляторов, некоторых малых ЭВМ, измерительных устройств и т. п. Предназначен для отображения цифровых и буквенно-цифровых символов. В индикатор входит несколько групп сегментов, при помощи которых могут формироваться отдельные символы. Каждый сегмент состоит из нормально прозрачной анизотропной жидкости, заключенной между двумя прозрачными электродами. При возникновении между электродами электрического поля коэффициент отражения жидкости меняется и сегмент темнеет. Таким образом, можно формировать символы, избирательно затемняя отдельные сегменты. Обычно для отображения цифр и некоторых букв используются семисегментные группы. В противоположность светодиодным индикаторам (L.026 LED display) эти индикаторы не испускают собственных световых лучей и поэтому требуют внешней подсветки, вместе с тем по сравнению с другими индикаторами (D.246 display) для них характерна меньшая потребляемая мощность.

L.016 LCM — least common multiple
наименьшее общее кратное (НОК)

L.017 LDU decomposition
LDU-разложение
См. L.153 LU decomposition.

L.018 leader
заправочный конец ленты
Пустой участок ленты, расположенный перед записанной информацией и необходимый для заправки ленты в устройство считывания.

L.019 leadless
безвыводной кристалл
Функционально законченный полупроводниковый кристалл-«полуфабрикат», который не герметизирован и не имеет внешних выводов, подсоединенных к контактным площадкам. Некоторые фирмы производят безвыводные приборы, используемые, например, при изготовлении гибридных интегральных схем (H.102 hybrid integrated circuit).

L.020 leaf — leaf node
концевой узел, висячий узел, лист

L.021 leaf node = terminal node; tip node; external node
концевой узел, висячий узел
Всякий узел дерева, не имеющий потомков, т. е. узел нулевой степени (D.133 degree).

L.022 least common multiple — LCM
наименьшее общее кратное (НОК)
НОК двух целых чисел m и n равно наименьшему целому числу P, которое нацело делится на m и n. Например, НОК чисел 9 и 6 равно 18.

L.023 least significant character
знак (самого) младшего разряда
Если значимость символов в строке (S.350 string) определяется их местоположением, то знак младшего разряда помещается в том конце строки, который имеет наименьший вес. Обычно в такой строке значимость разрядов возрастает справа налево. В частности, *наименьший значащий разряд* или *наименьший значащий бит* вносит наименьший вклад в величину q-го или двоичного числа.

L.024 least squares approximation
аппроксимация по методу наименьших квадратов
См. A.118 approximation theory.

L.025 least squares, method of
метод наименьших квадратов
Метод оценки параметров (P.037 parameter) модели путем минимизации суммы квадратов разностей наблюдаемых и истинных значений. Пусть имеются выборка из n наблюдений

$$y_i, \; i = 1, \; ..., \; n,$$

множество теоретических значений μ_i, соответствующее множеству неизвестных параметров θ и множество соответствующих известных наблюдений x_i. Тогда необходимо минимизировать целевую функцию, представляющую собой сумму квадратов

$$\sum (y_i - \mu_i)^2$$

по отношению к параметрам θ. Значения θ, соответствующие минимуму этой функции называются *оценками по методу наименьших квадратов*. Метод взвешенных наименьших квадратов используется в тех случаях, когда каждому наблюдению соответствует вес w_i (см. M.089 measures of location), при этом минимизируется функция

$$\sum w_i (y_i - \mu_i)^2.$$

См. также L.048 likelihood; R.089 regression analysis.

L.026 LED display
светодиодный индикатор (СДИ)
Прибор, используемый в некоторых калькуляторах, цифровых часах и т. п. для отображений цифровых и буквенно-цифровых символов. Состоит из матрицы *светодиодов* — полупроводниковых диодов, излучающих свет при подаче прямого смещения (F.126 forward bias). Свет обычно бывает красным. Такие диоды имеют малые габариты, дешевы, долговечны, работают при малых токах и напряжениях. Однако потребляемая ими мощность существенно выше, чем у жидкокристаллических индикаторов (L.015 LCD). В светодиодных индикаторах отдельные светодиоды расположены таким образом, что путем их избирательного включения можно отображать на индикаторе простые символы. Для отображения цифр и некоторых букв достаточно семи диодов. См. также D.246 display.

L.027 Lee distance = Lee metric
расстояние Ли
Мера расстояния, используемая в теории блочных кодов (B.104 block codes), предназначенных для обнаружения или исправления ошибок. Аналогична расстоянию Хемминга (H.013 Hamming distance), но более точно соответствует линейным (L.053 linear channel) q-ным (Q.002 q-ary) каналам, которые приходится анализировать, например, в связи с использованием модема (M.166 modem) фазомодулированных сигналов. Если $q = 2$ или $q = 3$, то расстояния Ли и Хемминга идентичны.

L.028 left-linear grammar
леволинейная грамматика
См. L.054 linear grammar.

258

L.029 left shift
сдвиг влево
См. S.134 shift.

L.030 left subtree
левое поддерево
См. B.077 binary tree.

L.031 left-to-right precedence
левостороннее предшествование
Простой вид иерархии предшествования (P.188 precedence), используемый в языке АПЛ. Заключается в том, что операторы выполняются по мере их появления в выражении. В качестве правого операнда оператора берется все, что находится справа от него, т. е. выражение

$$a * b + c$$

вычисляется как

$$a * (b + c).$$

Отметим то парадоксальное обстоятельство, что левостороннее предшествование в действительности приводит к выполнению последовательности операторов справа налево.

L.032 length
1, 2. длина 3. размерность
1. length of a sequence. Длиной последовательности является мощность области определения этой последовательности. Так, длина последовательности

$$a_1, a_2, ..., a_n$$

равна n.
2. length of a string. Длиной строки является верхняя граница строки, т. е. число элементов строки.
3. length of a vector. Размерностью вектора является число его компонент.

L.033 length-increasing grammar
грамматика, увеличивающая длину
См. C.282 context-sensitive grammar.

L.034 LEO
Серия ЭВМ, а также фирма, игравшая важную роль в истории английской промышленности средств вычислительной техники. Фирма J. Lyons & Co. (крупная компания в сфере обслуживания) приступила в 1947 г. к реализации проекта вычислительной машины, предназначенной для автоматизации канцелярской деятельности в своих учреждениях. (Практически в то же самое время Эккерт и Мокли занялись в США аналогичной работой, приведшей к созданию ЭВМ UNIVAC I). Проектом руководили математик Т. Р. Томпсон и специалист по электро-

технике Дж. Пинкертон. Созданная ими машина LEO (Lyons Electronic Office — электронная контора фирмы Lyons) полностью вступила в строй в конце 1953 г. В 1954 г. была создана фирма LEO Computers Limited. Она функционировала до 1963 г., а затем слилась с отделением вычислительной техники фирмы English Electric. Фирмой LEO выпускалась машина LEO III, которая по тем временам была весьма совершенной машиной коммерческого назначения.

L.035 letter (in formal language theory)
элемент алфавита, символ (в теории формальных языков)
См. W.036 word.

L.036 letter distribution
распределение символов
См. P.042 Parikh's theorem.

L.037 letter-eguivalent languages
посимвольно эквивалентные языки
См. P.042 Parikh's theorem.

L.038 level of a node in a tree
уровень узла в дереве
Число, на единицу больше, чем глубина (D.155 depth) этого узла. Уровень корневого узла равен единице, уровень всякого другого узла на единицу превосходит уровень узла—предка. В некоторых работах термины *depth* и *level* употребляются в одинаковом смысле.

L.039 LEX
Генератор лексических анализаторов в системе UNIX (U.029). На основе синтаксических правил, описывающих лексемы (T.105 token) языка генератор LEX автоматически создает соответствующий лексический анализатор (L.040 lexical analyzer). Обычно используется в сочетании с генератором компиляторов YACC (Y.001).

L.040 lexical analyzer = scanner
лексический анализатор
Часть компилятора (С.205 compiler), задачей которой является разбиение входного текста на смысловые единицы, т. е. имена, константы, зарезервированные слова, операторы и т. д. Кроме того, лексический анализатор удаляет избыточные символы, в частности, проблемы и может осуществлять отображение множества символов, на себя, например, заменять символы верхнего регистра на эквивалентные символы нижнего регистра. Элементы, распознаваемые лексическим анализа-

тором, называют *лексемами* (T.105 token), они кодируются в некотором удобном виде и впоследствии обрабатываются компилятором.

L.041 lexicographic order
лексикографический порядок
Порядок слов в словаре, определяемый последовательностью букв алфавита. В более общем случае рассматривается множество S, строго упорядоченное (W.018 well-ordered set) отношением $<$. Пусть для $n > 0$ имеется множество T n-кортежей:

$$(x_1, x_2, ..., x_n)$$

с элементами $x_j \in S$. Тогда отношение упорядочения этих кортежей можно определить так, что

$$(x_1, ..., x_n) < (y_1, ..., y_n)$$

тогда и только тогда, когда $x_1 < y_1$ или существует некоторое k, $1 \leqslant k \leqslant n$, для которого

$$x_i = y_i \text{ при } 1 \leqslant i < k,$$

$$x_k < y_k.$$

Множество T лексикографически упорядочено, если кортежи расположены в соответствии с указанным отношением. Рассмотренное понятие можно обобщить для строк неодинаковой длины. При этом порядок строк будет совпадать с порядком слов в словаре.

L.042 lexicographic sort
лексикографическая сортировка
Всякий алгоритм сортировки, обеспечивающий размещение кортежей в лексикографическом порядке (L.041 lexicographic order).

L.043 library = library program
библиотека, библиотечные программы
См. P.266 program library.

L.044 life-cycle
жизненный цикл
См. S.212 software life-cycle.

L.045 LIFO — last in first out = lifo
последним пришел — первым обслужен
Список с дисциплиной «последним пришел — первым обслужен» эквивалентен стеку (S.273 stack). Применительно к аппаратно реализованному стеку иногда употребляют термин *lifo*.

L.046 light-emitting diode-LED
светодиод, светоизлучающий диод (СИД)
См. L.026 LED display.

9*

L.047 light pen
световое перо

Устройство ввода, по форме напоминающее авторучку и используемое совместно с экранным терминалом. Может использоваться для указания отдельных участков экрана, в результате чего производится выбор элемента из отображенного на экране списка, или для формирования изображений. В наконечнике светового пера имеется фотодатчик, который реагирует на пиковое значение освещенности, соответствующее прохождению сканирующего пятна ЭЛТ через точку фокуса фотодатчика. В системе отображения производится сопоставление импульса фотодатчика с синхросигналом развертки, что позволяет определить положение светового пера. При использовании светового пера для формирования изображений возникают трудности из-за параллакса, обусловленного толщиной экрана, и из-за слишком большой площади наконечника пера. Обе они устраняются за счет использования следящего перекрестия. В системе отображения из тонких линий формируется следящее перекрестие, которое размещается так, что его центр соответствует точке наибольшей чувствительности светового пера. При движении пера по экрану следящее перекрестие движется с ним, а координаты точки пересечения запоминаются в дисплейном файле. Для фиксации начальной и конечной точек черты используется специальный переключатель, располагаемый, как правило, на корпусе электронного пера.

L.048 likelihood
функция правдоподобия

Оценка вероятности (P.230 probability) соответствия некоторой выборки распределению вероятностей (P.232 probability distribution) с определенными параметрами (P.037 parameter), рассматриваемая как функция параметров, а не выборочных значений. Предложенный Р. А. Фишером метод *максимального правдоподобия* состоит в оценивании параметров (P.037 parameter) статистических моделей путем максимизации правдоподобия выборочных данных по отношению к этим параметрам. Значения, принимаемые параметрами в точке максимума, называются *оценками максимального*

правдоподобия. В вычислительном отношении этот метод эквивалентен методу наименьших квадратов (L.025 least squares, method of), если распределение выборочных значений относительно их математических ожиданий является нормальным (N.070 normal distribution).

L.049 Lindenmeyer system
система Линденмайера, L-система
См. L.152 L-system.

L.050 linear algebraic equations = = simultaneous equations
линейные алгебраические уравнения, система линейных алгебраических уравнений

Решение систем уравнений является типовой численной задачей линейной алгебры (см. N.100 numerical linear algebra), в которой требуется найти неизвестные x_1, x_2, ..., x_n, удовлетворяющие системе уравнений вида

$$Ax = b,$$

где A — квадратная $(n \times n)$-матрица. Решение, получаемое путем обращения этой матрицы и вычисления вектора $A^{-1}b$ менее точно и требует большого числа арифметических операций, чем решения, получаемые на основе методов исключения. Согласно *методу гауссова исключения* уравнения системы последовательно умножаются на некоторые коэффициенты и вычитаются из последующих уравнений, в результате чего из них исключаются неизвестные x_1, x_2, ..., x_{n-1}. Если принять определенные меры предосторожности и так переставлять строки матрицы, чтобы указанные коэффициенты не оказались слишком большими, то в результате будет получена система уравнений, которая соответствует исходной системе настолько, насколько позволяет машинная точность представления чисел. Погрешность решения, которую нетрудно оценить, определяется степенью обусловленности (C.257 condition number) задачи. Для решения систем с матрицами специальной формы разработано множество других методов. При решении дифференциальных уравнений в частных производных (P.052 partial differential equations) возникают системы очень большой размерности, причем большинство элементов матрицы оказываются нулевыми. В этом случае использование методов исключения приводит к увеличению числа ненулевых элементов, что в определенной степени затрудняет хранение матрицы. Поэтому для решения таких систем часто применяются итерационные методы (см. I.209 iterative methods for linear systems).

L.051 linear array = one-dimensional array, vector
  линейный массив
См. V.022 vector.

L.052 linear-bounded automaton — LBA
  автомат с линейно ограниченной памятью
Машина Тьюринга (T.192 Turing machine), для которой число считываемых с ленты ячеек ограничено линейной функцией от длины входной строки. Эквивалентной мощностью обладает более узкий класс машин Тьюринга, просматривающих только те ячейки, в которых содержится входная строка. К контекстным языкам (C.283 contextsensitive language) относятся только те языки, которые распознаются подобными машинами. Для произвольной стохастической машины Тьюринга всегда имеется эквивалентная детерминированная машина. Однако до сих пор неизвестно, относится ли она к автоматам с линейно-ограниченной памятью.

L.053 linear channel
  линейный канал
Канал связи, в котором информационный сигнал (S.150 signal) аддитивно смешивается с помехой (N.038 noise) и в результате образует выходной сигнал. В q-ном (Q.002 Q-ary) линейном канале с конечным числом q значений амплитуд сигналы складываются по модулю q; в двоичном случае $q = 2$ это приводит к тому же результату, что и выполнение операции исключающее ИЛИ (E.136 exclusive-OR operation) над этими сигналами.

L.054 linear codes
  линейные коды
В теории кодирования линейными кодами называются коды, кодирование и декодирование которых может быть сведено к линейным операциям. Обычно этот термин относится к определенным кодам с исправлением ошибок (E.103 error-correcting codes), для которых кодирование осуществляется с помощью *порождающей матрицы*, а декодирование — с помощью *матрицы*

проверки на четность. Поэтому линейные коды также называют *кодами с проверкой на четность*. Слова линейного кода образуют коммутативную группу (G.058 group), в которой роль единицы играет нулевое кодовое слово. Для линейных (n, k)-блочных кодов (B.104 block codes) порождающая матрица имеет размерность $k \times n$, а матрица проверки на четность — размерность $(n - k) \times n$, элементы обеих матриц принадлежат базовому полю [для бинарных кодов (B.059 binary codes) это поле имеет вид $\{0, 1\}$]. См. также C.312 convolutional code.

L.055 linear grammar
  линейная грамматика
Грамматика (G.044 grammar), в которой в правой части каждого правила вывода имеется по крайней мере один нетерминальный символ. Такая грамматика будет праволинейной, если нетерминальный символ может быть только самым правым символом, т. е. если всякое правило вывода может записываться в одной из следующих форм:

$$A \rightarrow w; \ A \rightarrow Bw,$$

где A и B — нетерминальные символы, а w — строка терминальных символов. *Леволинейная грамматика* задается аналогичными правилами

$$A \rightarrow w; \ A \rightarrow Bw.$$

Право- и леволинейные грамматики порождают только регулярные языки (R.093 regular language). Определение «линейная» используется здесь по аналогии с обычной алгеброй. Например, праволинейная грамматика вида

$$S \rightarrow aS \mid abT \mid abcT \mid abcd;$$
$$T \rightarrow S \mid cS \mid bcT \mid abc \mid abcd$$

соответствует следующей системе линейных уравнений:

$$X = \{a\} \, X \cup \{ab, abc\} \, Y \cup \{abcd\},$$
$$Y = \{\Lambda, c\} \, X \cup \{bc\} \, Y \cup \{abc, abcd\},$$

где X, Y — множества строк; Λ — пустая строка. Объединение (U.017 union) и конкатенация (C.247 concatenation) аналогичны здесь сложению и умножению. Наименьшее решение этих уравнений является языком, порождаемым грамматикой. См. A.124 Arden's rule.

L.056 linear independence
линейная независимость

Фундаментальное понятие математики. Пусть заданы m-мерные векторы

$$x_1, x_2, ..., x_n.$$

Эти векторы будут линейно независимыми, если из условия

$$\sum_{i=1}^{n} \alpha_i x_i = 0,$$

где α_i — скаляры, следует, что

$$\alpha_1 = \alpha_2 = ... = \alpha_n = 0.$$

В противном случае говорят, что векторы линейно зависимы, т. е. по крайней мере один из векторов может быть записан как линейная комбинация остальных векторов. Важность совокупности линейно независимых векторов состоит в том, что если таких векторов достаточно много, то произвольный вектор можно единственным образом выразить через них. Аналогичным образом можно говорить, что функции $f_1(x)$, $f_2(x)$, ..., $f_n(x)$, определенные на интервале $[a, b]$, линейно независимы, если для скаляров $\alpha_1, \alpha_2, ..., \alpha_n$ условие

$$\sum_{i=1}^{n} \alpha_i f_i(x) = 0$$

при всех $x \in [a, b]$ влечет

$$\alpha_1 = \alpha_2 = ... = \alpha_n = 0.$$

L.057 linear list
линейный список
См. L.081 list.

L.058 linear logic
линейная логическая схема
Система из комбинационных (С.176 combinational circuit) и, возможно, последовательностных (S.092 sequential circuit) схем, в которой комбинационная часть состоит только из вентилей «исключающее ИЛИ» (Е.135 exclusive-OR gate). Такие системы иногда называют *строго линейными логическими* схемами в противоположность *слабо линейным логическим схемам*, в состав которых могут входить инверторы (I.172 inverter). В недвоичных (q-ных) системах вместо вентилей «исключающее ИЛИ» используются сумматоры и вычитатели по модулю q.

L.059 linearly addressed memory = = two dimensional (2-D) memory
память с двумерной организацией
Устаревший тип памяти на магнитных сердечниках (С.317 core memory), в которой не используется координатная адресация. Все сердечники некоторого слова коммутируются одновременно при подаче тока в общую шину. При такой организации можно не использовать вторую шину, уменьшить размеры сердечников и увеличить ток коммутации, что обеспечивает повышенное быстродействие.

L.060 linearly dependent
линейно зависимый
См. L.056 linear independence.

L.061 linear multistep methods
линейные многошаговые методы
Важный класс методов численного решения обыкновенных дифференциальных уравнений (О.070 ordinary differential equations). Для задачи Коши

$$y = f(x, y), \ y(x_0) = y_0$$

k-шаговый метод в общем виде задается соотношением

$$\sum_{i=0}^{k} \alpha_i y_{n+i} = h \sum_{i=0}^{k} \beta_i f_{n+i}.$$

где $f_r = f(x_r, y_r)$; h — длина шага, $h = x_r - x_{r-1}$. Говорят, что при $\beta_k = 0$ формула является *явной*, а при $\beta_k \neq 0$ — *неявной*. Наиболее полезными и распространенными формулами этого типа являются *формулы Адамса* и *формулы дифференцирования назад*. Они лежат в основе лучших современных программ, в которых величина шага и число k шагов выбираются автоматически. Программы, основанные на формулах дифференцирования назад, используются для решения жестких дифференциальных уравнений (см. О.070 ordinary differential equations). Линейные многошаговые методы оказываются более эффективными, чем методы Рунге—Кутта (R.198 Runge—Kutta methods) если вычисление функции $f(x, y)$ достаточно трудоемко. Простота автоматического изменения числа шагов k обеспечивает создание программ, эффективных в широком диапазоне точностных требований.

L.062 linear programming
линейное программирование
Метод оптимизации (O.056 optimization), предложенный Дж. Б. Данцигом и широко используемый в экономических, военных и деловых системах принятия решений. Предназначен для поиска неотрицательных значений переменных x_1, x_2, ..., x_n, удовлетворяющих ограничениям

$$a_{i1}x_1 + a_{i2}x_2 + \cdots + a_{in}x_n = b_i,$$

$$i = 1, 2, ..., m$$

и минимизирующих линейную форму

$$c_1x_1 + c_2x_2 + \cdots + c_nx_n.$$

Задачи максимизации, задачи с ограничениями в виде неравенств, а также задачи безусловной оптимизации могут быть преобразованы к этому виду. Доказано, что оптимальное решение (если оно существует) должно быть *опорным допустимым решением*, т. е. оно должно удовлетворять ограничениям и по крайней мере m значений x_i должны быть положительными. Для численного решения этой задачи применяемый симплекс-метод, согласно которому в качестве начального приближения берется опорное допустимое решение, а затем ищется последовательность решений, соответствующих невозрастающим значениям линейной формы. Встречающиеся на практике задачи очень большой размерности часто приводят к разреженным матрицам (S.244 sparse matrix). Последние исследования показали возможность некоторого усовершенствования симплекс-метода.

L.063 linear recurrence
линейное рекуррентное соотношение
Соотношение, задающее следующий член последовательности в виде линейной комбинации предшествующих членов последовательности. Например,

$$a_{r+1} = 2a_r + 1;$$

$$b_{r+1} + 2b_r - b_{r-1} = 0.$$

См. также R.060 recurrence.

L.064 linear regression model
линейная регрессионная модель
См. R.089 regression analysis.

L.065 linear structure = totally ordered structure
линейная структура, полностью упорядоченная структура
Совокупность элементов, упорядоченных по одному признаку, так что каждый элемент за исключением, возможно, первого или последнего, имеет единственного предка и единственного потомка. Это наиболее популярная структура, которая известна под различными названиями, зависящими от способа представления в памяти и предполагаемого использования. Связные представления обычно называются списками (L.081 list), а последовательные представления — массивами (A.137 array).

L.066 line discipline = line protocol
протокол линии передачи данных

L.067 line feed (LF)
перевод строки
Команда форматирования для печатающего устройства, сигнализирующая о требовании печатать следующие данные строкой ниже, после предшествующей информации. В печатающих устройствах ударного типа эта команда вызывает подачу бумаги под прямым углом к линии печати на расстояние, равное предварительно размеченному специальными перфорационными отверстиями интервалу между строками. В печатающих устройствах безударного типа с постраничной печатью эта команда вызывает аналогичное действие в запомненном изображении, которое впоследствии переносится на бумагу, движущуюся непрерывно.

L.068 line finder
искатель строки
Машинная программа, которая находит строки яркостной таблицы, соответствующие участкам изображения с одинаковым уровнем яркости (G.052 gray level array). Искатель строки способен отыскивать границы областей изображения, имеющих одинаковый уровень яркости, границы полосок штрихового кода и т. п.

L.069 line printer
построчно печатающее устройство
Устройство ввода данных, которое одновременно печатает целую строку за один рабочий цикл. Число символов в строке обычно бывает от 80 до 160, а скорость печати может быть от 150 до 3000 строк в минуту. Перед началом печати строки последняя должна быть полностью сформирована в буферном запоминающем устройстве. Пока строка формируется, механизм протяжки продвигает бумагу так, чтобы место для печати следующей строки

оказалось напротив печатающего узла. Бумага для печати обычно поставляется в виде непрерывной ленты, содержащей до 200 бланков, разделенных просечками. Для обеспечения возможности регулирования положения бланков края ленты имеют перфорационные отверстия, которые входят в зацепление с грейферами механизма протяжки бумаги.

L.070 line protocol = line discipline
протокол линии передачи данных
Официально принятые точно установленные допустимые битовые последовательности, применение которых служит гарантией того, что между двумя концами линии связи информация будет проходить без искажений. Изобретен и находит широкое применение целый ряд стандартных протоколов, таких, как SDLC и BISYNC, первоначально разработанные фирмой IBM, а также HDLC и ADCCP, предложенные национальными организациями по стандартизации при поддержке ряда фирм-производителей соответствующего оборудования.

L.071 line switching
коммутация каналов
Наиболее распространенный способ концентрации сообщений (C.248 concentrator), используемый при соединении *n* передающих устройств с *m* принимающими, когда *n* может быть значительно больше *m*. Если средства передачи заняты, то входные устройства системы коммутации каналов осуществляют буферизацию данных.

L.072 link
1. указатель связи, ссылка 2. линия связи
1. Если в структуре данных поле некоторого элемента *A* содержит адрес другого элемента *B*, т. е. указывает местоположение его первого слова в памяти, то этим осуществляется связь *A* с *B*. Два компонента оказываются *связанными*, если один из них содержит ссылку на другой. Наиболее важный случай представляет связь левых указателей в коде вызова (C.006 call) при обращении к подпрограмме; в качестве ссылки здесь фигурирует значение счетчика команд (P.260 program counter) в точке вызова подпрограммы. См. также L.074 linked list.
2. Тракт передачи сообщений, который может представлять собой только

физическую среду (как в случае электрической цепи) либо физическую и логическую (например, канал связи).

L.073 link editor = linkage editor
редактор связей
Обслуживающая программа, объединяющая несколько самостоятельно скомпилированных модулей в один и устанавливающая внутренние связи между ними. Когда программа ассемблируется или компилируется, она преобразуется в промежуточную форму, к которой необходимо присоединить библиотечные средства, содержащие стандартные подпрограммы и процедуры, и добавить любые другие модули, написанные самим пользователем, возможно, на иных языках высокого уровня. Последним этапом работы редактора связей является преобразование ссылок (B.079 bind) внутри исходной программы в хранимые адреса соответствующих физических устройств. См. также L.077 link loader; L.093 loader.

L.074 linked list = chained list
связный список
Списковая структура (L.081 list), в рамках которой элементы не обязательно расположены в памяти последовательно. Доступ организуется обычно с помощью имеющегося в каждом элементе указателя (L.072 link), который содержит адрес следующего элемента в списке. Последний элемент списка имеет специальный *«пустой указатель»*, сигнализирующий о том, что дальнейших позиций в списке нет.

L.075 link encryption
канальное кодирование
Способ передачи зашифрованных сообщений, при котором каждое сообщение дешифрируется и перекодируется вновь после каждого этапа его пересылки. Как правило, канальное кодирование используется в сетях с пакетной коммутацией, где сообщение расшифровывается в каждом коммутационном узле для считывания информации о дальнейшем маршруте и последующей отправки сообщения по соответствующей скоммутированной исходящей линии. Ср. E.068 end-toend encryption.

L.076 link layer of network protocol function
канальный уровень сетевого протокола
См. S.120 seven-layer reference model.

L.077 link loader
загрузчик связей

Обслуживающая программа, которая объединяет все отдельно скомпилированные модули основной программы и представляет их в форме, удобной для исполнения. См. также L.073 link editor; L.093 loader.

L.078 link testing
тестирование связей

Проверка группы модулей с целью получения уверенности в том, что эти модули правильно работают вместе. Обычно эта проверка проводится после автономного тестирования отдельных модулей и перед комплексными испытаниями всей системы.

L.079 liquid-crystal display
жидкокристаллический индикатор

См. L.015 LCD.

L.080 LISP — list processing
ЛИСП

Язык программирования, предназначенный для задач обработки нецифровых данных. Основной структурой данных в этом языке является список, элементами которого служат атомы или перечни. Характерная особенность языка ЛИСП в том, что программы в нем тоже представлены в виде списков, т. е. и программы, и данные, которые они обрабатывают, имеют одинаковую структуру. Немодифицированный ЛИСП — это функциональный язык, не имеющий оператора присваивания. Исходный ЛИСП версии 1.5 имеет два самостоятельных диалекта (Франц-ЛИСП и МАК-ЛИСП), но недавно они были объединены в новую версию Общий-ЛИСП. Язык ЛИСП широко используется для программирования научно-исследовательских задач в области искусственного интеллекта (A.140 artificial intelligence).

L.081 list
список

Некоторая ограниченная последовательность пунктов $(x_1, x_2, ..., x_n)$, где $n \geqslant 0$. Если $n = 0$, список не имеет позиций и называется *неопределенным* (или *пустым*) списком (N.089 null list; E.051 empty list). При отсутствии каких-либо оговоренных условий, позиции списка могут иметь произвольную структуру. В частности, любая позиция может также представлять собой список, называемый в этом случае подсписком (S.366 sub-

list). Например, в списке *L* со структурой *(A, B, (C, D), E)* третья позиция представляет собой список *(C, D)*, который и будет подсписком *L*. Если список имеет один и более подсписков, его называют *списковой структурой* (L.087 list structure). Список без подсписков называют *последовательным* списком. Определенные позиции списка имеют специальное назначение. Например, первая позиция называется *заголовком* списка. Существуют два основных вида списков: распределенные и связные. Связные списки обладают большей гибкостью.

L.082 list head
заголовок списка

Специальные головные элементы многих списковых структур, добавляемые к списку, а возможно, и к подспискам с целью упрощения алгоритмов управления вычислительным процессом и просмотра позиций списка.

L.083 listing (program listing)
распечатка; листинг

L.084 list insertion sort
сортировка списка методом вставок

См. L.086 list sorting.

L.085 list processing
обработка списков

Метод программирования, относящийся к таким структурам данных, которые состоят из однородных позиций, связанных указателями (L.074 linked list). В обработке списков каждый элемент данных чаще всего содержит два указателя. Обработка списков отличается от сетевой схемы обработки тем, что в последнем случае элементы данных могут содержать произвольное число позиций.

L.086 list sorting
сортировка списков

Форма сортировки, при которой используется поле указателя, присутствующее в каждой записи. Связь при этом рассматривается как указатель следующей записи в сортируемом файле, который имеет вид прямого последовательного списка (L.081 list). Сортировка методом вставок с использованием поля указателей — это и есть способ сортировки списков.

L.087 list structure
списковая структура

См. L.081 list.

L.088 literal
литерал; литеральная константа
Слово или символ в программе, определяющие свое собственное значение, а не имя какого-то другого элемента. Примером может служить объект, значение которого определяется самим его видом. Числа — это всегда литералы. Если же в качестве литералов применяются другие символы, необходимо использовать какую-либо систему обозначений, чтобы отличить их от переменных.

L.089 liveness
жизнеспособность, живучесть
Способность системы к продолжительному выполнению своего полезного назначения. К случаям потери жизнеспособности относятся тупиковые ситуации (D.099 deadly embrace) и зависания (S.298 starvation) процесса. Ср. S.002 safety.

L.090 LL parsing
леворекурсивный синтаксический анализ
Наиболее продуктивный способ нисходящего синтаксического анализа (Т.108 top-down parsing), который выполняется без возврата к предыдущему состоянию. Сокращение LL образуется из слов Left-to-right (синтаксический анализ слева направо) и Leftmost (с преимуществом левого компонента). В общем случае все средства синтаксического анализа, построенные на этом принципе, используют предварительный просмотр вперед на «*k*» символов, где *k* является целым числом ⩾1. Но в большинстве случаев «*k*» принимается равным 1. Все средства синтаксического анализа оснащаются автоматами с магазинной памятью (P.345 pushdown automaton) или возможностью использования метод рекурсивного спуска (см. Т.108 top-down parsing). В первом случае используется стек для хранения той порции информации левосторонней цепочки вывода, которая не соответствует вводимой строке. Сначала в пустой стек поступает стартовый символ грамматического выражения. Если верхний элемент в таком стеке является терминальным, он сравнивается со следующим символом строки ввода. Такое сравнение осуществляется последовательно. При совпадении символ выталкивается из стека и маркер ввода продвигается вперед. В противном случае во входной строке

фиксируется ошибка. Если верхний символ в списке не является, скажем, терминальным символом *A*, он удаляется из стека и заменяется символами правой части продукционного правила, в левой части которого стоит символ *A*. Символы справа проталкиваются в стек в порядке справа—налево. Таким образом, если продукция имеет вид $A \rightarrow XYZ$, первым должен поступить в стек символ *Z*, затем *Y* и, наконец, *X*. Выбор символа выполняется на основе обращения синтаксической таблицы, содержащей позиции для каждого сочетания нетерминального символа, и предварительно просматриваемой комбинации из «*k*» символов. Синтаксический анализ завершается успешно, когда входная последовательность исчерпывается и стек оказывается пустым. Грамматическое выражение, которое анализируется с использованием описанной техники, называют *LL (k)-грамматикой*. Не все грамматические выражения можно отнести к этому типу. В частности, грамматическое выражение, в котором используется левая рекурсия, не может быть отнесено к типу *LL (k)* при любых значениях *k*.

L.091 load and go
загрузка с последующим выполнением
Устаревший режим работы ЭВМ, при котором непосредственно после загрузки и компиляции или ассемблирования программы сразу следует ее исполнение.

L.092 load and store
загрузка с запоминанием
Устаревший режим работы ЭВМ, при котором после загрузки и компиляции или ассемблирования программы осуществляется заполнение ее объектного кода.

L.093 loader
загрузчик, программа загрузки
Обслуживающая программа, которая помещает выполняемую программу в оперативную память и приводит ее в состояние готовности к исполнению на заключительном этапе процесса компиляции и ассемблирования. См. также L.073 link editor; L.077 link loader.

L.094 local
локальный
Термин, относящийся к объектам в каких-либо ограниченных частях про-

граммы — чаще в теле процедуры или функции. В противоположность этому нелокальные объекты имеют более широкую область действия, а глобальные объекты доступны в любой точке программы. Использование локальных объектов может помочь в разрешении конфликтов на уровне имен и позволяет более эффективно использовать память.

L.095 local area network (LAN)
локальная сеть

Сеть передачи данных, связывающая ряд станций в одной локальной зоне, ограниченной, например, одним заданием, радиусом в один километр или одним предприятием. Локальные сети обеспечивают высокие скорости (от 100К до 100М байт/с) передачи данных непосредственно в ЭВМ подключенные к сети. Машины-шлюзы (G.009 Gateway) применяются для соединения локальных сетей между собой или для подключения их к сетям большей протяженности. Так как в локальных сетях линии связи — короткие, среда контролируема, а элементы структуры однородны, частота ошибок в них низка и протоколы обмена упрощены. См. также W.025 wide area network.

L.096 local discretization error (local truncation error)
локальная ошибка дискретизации; локальная ошибка усечения

См. D.231 discretization error.

L.097 local-echo mode
режим локального отображения

См. E.005 echo.

L.098 local error
локальная ошибка

Мера точности, используемая на каждом шаге отыскания численного решения обыкновенного дифференциального уравнения (O.070 ordinary differential equation). Это понятие очень полезно для практической реализации численных методов. Если шаг решения описывается формулой общего вида

$$y_{n+1} = y_n + h\varphi(x_n, y_n, y_{n-1} \cdots$$
$$\cdots, y_{n-k}; h);$$
$$x_{n+1} = x_n + h,$$

то локальная ошибка определяется как

$$y_{n+1} - z(x_{n+1}),$$

где $z(x)$ — точное решение дифференциального уравнения в предыдущей точке расчета, т. е. $z(x_n) = y_n$. Оцен-

ку локальной ошибки обычно получают использованием двух различных формул на каждом этапе (P.196 predictor-corrector method). Эта оценка поддерживается ниже допуска, переопределяемого пользователем, если необходимо, путем отказа от результатов решения и повторения расчетов при уменьшенной величине шага *h*. Дальнейшая модификация меры точности дает возможность строить эффективные и надежные программы с переменной длиной шага вычислений. Локальная ошибка имеет тот же порядок (O.062 order) относительно шага *h*, что и локальная погрешность формулы (D.231 discretization error), которая характеризуется точным решением первоначальной задачи, а не текущим вычисленным значением.

L.099 local optimization (peephole optimization)
локальная оптимизация

См. O.056 optimization (in programming).

L.100 location = address
адрес ячейки памяти

L.101 location operator
оператор размещения

Оператор в языке программирования, который выдает адрес операнда.

L.102 lock (lock primitive)
блокировка; замок

Неделимая операция, которая позволяет только одному процессу иметь доступ к определенному ресурсу. В системе с одним процессором неделимость операции может быть гарантирована отключением прерываний на период ее выполнения, что дает уверенность в невозможности переключения процесса. В мультипроцессорной системе для этого должна предусматриваться соответствующая команда установки семафора (T.055 test and set), которая в рамках единственной непрерываемой последовательности позволяет проверять, является ли содержимое регистра нулем и, если да, то сделать его ненулевым. Такой же эффект может быть достигнут с помощью команды обмена. См. также U.030 unlock; S.070 semaphore.

L.103 lockout
блокировка; захват

Механизм организации контролируемого доступа к совместно используемому ресурсу. См. также L.102 lock; S.070 semaphore.

L.104 locks and keys
система замков и ключей
Система защиты памяти (M.109 memory protection), в которой сегментам памяти операционной системой присвоены идентификационные номера — «замки», а зарегистрированным пользователям — числовые коды — «ключи». Это действие осуществляется привилегированным процессом в некоторой адресуемой области памяти, недоступной пользователю. Примером может служить слово состояния программы (P.284 program status word).

L.105 logarithmic search algorithm = = binary search algorithm
алгоритм двоичного поиска

L.106 logic
1. логика 2. логика, логические схемы
1. Наука, изучающая способы обоснования суждений, доказательства, мышления и логического вывода. В математической логике используются для этого математические методы алгебры или теории алгоритмов. Двумя основными областями математической логики являются исчисление высказываний (P.299 propositional calculus) и исчисление предикатов (P.193 predicate calculus).
2. См. D.189 digital logic.

L.107 logical
логический
1. Предусматривающий использование логики.
2. Концептуальный или виртуальный, т. е. включающий в себя концептуальные, а не реальные физические объекты.

L.108 logical connective
логическая связка
См. C.268 connective.

L.109 logical data type
логический тип данных
1. Тип данных, представляемый значениями *истина* и *ложь*. См. L.113 logical value.
2. Редко используемый синоним термина «абстрактный тип данных» (A.008 abstract data type).

L.110 logical encoding
логическое кодирование
Представление символов алфавита последовательностями логических значений. Это кодирование эквивалентно двоичному кодированию.

L.111 logical operator, logical operation
логический оператор; логическая операция
См. L.126 logical operation.

L.112 logical shift
логический сдвиг
См. S.134 shift.

L.133 logical value (Boolean value)
логическое значение
Любое из двух истинностных значений — *истина* и *ложь*. Хотя единичный бит — это наиболее распространенная структура машинной памяти для логических данных, на практике часто применяются более крупные элементы, например, байты, так как они могут иметь индивидуальную адресацию.

L.114 logic analyzer
логический анализатор
Электронное устройство, которое проверяет логические состояния (L.130 logic state) узлов цифровых систем и хранит результаты для последующего отображения. Накопление данных в анализаторе осуществляется путем распознавания заданных состояний триггеров контролируемой системы. *Синхронные* анализаторы производят выборку данных с интервалами, определяемыми внешней системой. *Асинхронные* анализаторы производят выборку с интервалами, определяемыми самим анализатором. Для логического анализатора характерно то, что он работает параллельно с несколькими каналами — чаще с 8, 16 или 32 — и что записанные данные могут быть считаны из памяти по желанию в двоичной форме или после декодирования (D.121 decoding) каким-либо способом, чаще — с помощью обратного ассемблера (D.221 disassembler). Ср. S.332 storage oscillator.

L.115 logic card
плата с логическими схемами
Печатная плата стандартного размера, содержащая ряд цифровых логических элементов, составляющих схему, предназначенную для выполнения каких-либо конкретных функций. Плата обычно снабжается стандартным разъемом, через который подводится питание и осуществляется подключение «земли», а также подаются управляющие и

информационные сигналы стандартной шины (B.164 bus).

L.116 logic circuit
логическая схема
Электрическая схема, являющаяся частью логической системы и часто называемая *логическим устройством*. Логическая схема необходима для выработки определенных двоичных выходных сигналов в ответ на определенные двоичные входные сигналы. Она может быть реализована с помощью логических вентилей (L.123 logic gate), и в этом случае имеет место *аппаратная реализация*. Однако входы логических схем могут быть представлены и как адресные входы ПЗУ (R.175 ROM), а выходы — как выходные линии данных ПЗУ. Этот вариант называется *программно-аппаратной реализацией логических схем*. Электронная аппаратура, собранная из интегральных модулей на монтажной плате, требует электрических соединений двух типов. Соединения первого типа обеспечивают обмен логической информацией между вентилями. Соединения второго типа обеспечивают подвод питания к отдельным микросхемам. Процесс размещения питающих линий так, чтобы они не создавали наводок на линии логических сигналов, называют разводкой шин питания. Логические схемы можно математически проанализировать с помощью методов булевой алгебры (B.118 Boolean algebra). В этом случае двоичная единица ассоциируется с элементом тождественности (I.016 identity element), а логический нуль — с отсутствием сигнала, то есть с нулем. См. также C.174 combinational circuit; S.092 sequential circuit; D.189 digital logic; M.235 multiple-valued logic.

L.117 logic design = digital design
проектирование логических схем

L.118 logic device
логическое устройство; логическая схема
См. L.116 logic circuit.

L.119 logic diagram
логическая блок-схема
Схема, которая отображает в графической форме, как совокупность взаимосвязанных символических изображений логических элементов (L.131 logic symbols), структуру дискретной логической схемы или системы.

L.120 logic element
логический элемент
Небольшая часть цифровой логической схемы (L.116 logic circuit) как правило, логический вентиль (L.123 logic gate). Логические элементы могут быть представлены операторами (O.048 operator) в символической логике.

L.121 logic family
семейство логических элементов
Ряд электронных устройств, изготовленных по одной производственной технологии и выполняющих разные логические функции. В число таких устройств входят логические вентили (L.123 logic gate), триггеры (F.097 flip-flop) и счетчики (C.326 counter). Широко используются серии логических схем с эмиттерными связями (E.050 emitter-coupled logic), транзисторно-транзисторные логические схемы (T.143 transistor-transistor logic) и интегральные инжекционные логические схемы (I.124 integrated injection logic) на основе биполярных транзисторов (B.084 bipolar transistor), серии n-канальных МОП-приборов (N.035 n-channel metal-oxide semiconductor) и комплементарных МОП-структур (C.142 complementary metal-oxid semiconductor), которые, в свою очередь, основаны на канальных транзисторах с МОП-структурой (M.193 metal-oxide semiconductor field-effect transistor). Серии логических элементов различаются по скорости переключения (S.411 switching speed), задержке на распространение сигнала (P.296 propagation delay) и рассеянию мощности, хотя совершенствование технологии производства различных серий ведет к улучшению этих характеристик. Элемент из серии, у которого состояние на входе изменяется в пределах нескольких наносекунд (10^{-9} с), считается высокоскоростным логическим элементом. Эти элементы также характеризуются короткой задержкой на распространение сигнала — тоже на уровне нескольких наносекунд. Каждая серия характеризуется произведением времени задержки сигнала на мощность рассеяния (D.137 delay-power-product) величиной, которая обычно указывается в справочниках. См. также L.116 logic circuit.

L.122 logic function = Boolean function
логическая функция

L.123 logic gate
логический вентиль
Обычно, но не всегда, это электронное устройство, которое выполняет элементарную логическую функцию, например, вентили И (А.103 AND), ИЛИ (О.072 OR), НЕ—И (N.003 NAND), НЕ—ИЛИ (N.068 NOR) и инверторы (I.172 invertor). Обычно у них бывает от двух до восьми входов и один или два выхода. Чтобы представить два логических состояния (L.130 logic state) — «истина» и «ложь» — в электронных логических вентилях соответствующие им входные и выходные сигналы имеют один из двух установленных уровней напряжения. Высокий уровень обычно соответствует значению «истина» (логическая единица), а низкий — значению «ложь» (логический нуль). Логический вентиль любого типа представляется логическим символом (L.131 logic symbols), который выражает его логическую функцию, но не указывает на то, какая именно электронная схема в нем реализована. Использование этих символов в принципиальных схемах упрощает понимание сложных логических схем, поскольку для этого не нужны знания деталей электронной технологии. Успешно применяются логические вентили, основанные на струйных логических элементах (F.108 fluid logic), а недавно были продемонстрированы оптические логические вентили, переключаемые световым пучком. См. также L.116 logic circuit; D.189 digital logic; M.235 multiple-valued logic.

L.124 logic instruction
логическая команда
Команда, которая реализует один из классов логических операций (L.126 logic operation) с одним или двумя операндами. Эти операции могут распространяться только на одну переменную, как, например, в операции образования дополнения. См. также B.118 Boolean algebra.

L.125 logic level
логический уровень
1. В комбинационной схеме (С.176 combinational circuit) — максимальное количество логических вентилей между любым входом и любым выходом.

Логический уровень характеризуется временем задержки.
2. Любой из двух уровней напряжения в двоичном логическом вентиле (L.123 logic gate). См. также M.235 multiple-valued logic.

L.126 logic operation
логическая операция
Действие над логическими величинами (L.113 logical value) с получением логического результата. Операции могут быть одноместными (M.183 monadic) или двухместными (D.318 dyadic) и обозначаются символами, которые называются операторами. Вообще существует 16 логических операций с одним или двумя операндами — это И (А.104 AND operation), ИЛИ (О.073 OR operation), НЕ (N.078 NOT operation), НЕ—И (N.004 NAND operation), НЕ—ИЛИ (N.074 NOR operation), исключающее ИЛИ (E.126 exclusive-OR operation) и эквивалентность (E.088 equivalence). Логические операции с числом операндов больше двух всегда могут быть выражены через операторы с одним или двумя операндами. Любая операция с двумя операндами может быть представлена совокупностью других одноместных или двухместных операций. Для реализации логических операций над входными сигналами служат логические схемы. Входными сигналами могут быть слова (или байты), а логические операции могут распространяться на каждый бит в соответствии с законами булевой алгебры.

L.127 logic operator
логический оператор
См. L.126 logic operation.

L.128 logic probe
логический пробник
Вид электронного контрольного оборудования, который может индицировать логическое состояние — «истина» (логическая 1), «ложь» (логический 0) или «неопределенность» — цифровых сигналов, подаваемых на вход пробника. Пробник обычно применяется для проверки отдельных элементов в цифровых логических схемах.

L.129 logic programming language
логические языки программирования
Класс языков программирования и подкласс декларативных языков (D.116 declarative language), которые основаны на символической логике

S.417 symbolic logic). Наиболее желательным является программирование на «чистой» логике, но это пока еще не реально. Наиболее широко используемый логический язык программирования — это ПРОЛОГ (P.291 PROLOG), который основан на подмножестве хорновских выражений, но содержит некоторые «примесные» элементы для приближения его к естественному языку. Логические языки программирования важны вследствие их декларативного характера, широких потенциальных возможностей, гибкости и пригодности к реализации в рамках вычислительных архитектур с высокой степенью параллелизма.

L.130 logic state
логическое состояние
Логический смысл («истина» или «ложь») конкретного двоичного сигнала. Двоичный сигнал — это цифровой сигнал (D.190 digital signal), который принимает только два установленных значения. Физически логический смысл двоичного сигнала реализуется определенным уровнем напряжения, который, в свою очередь, зависит от технологии изготовления элемента. Например, в транзисторно-транзисторных логических схемах (T.189 TTL) состояние «истина» пред-

булевой алгебры вполне могут быть применимы для анализа цифровых схем, работающих с двоичными сигналами. Термин «позитивная логика» относится к схемам, где логической 1 соответствует более высокий уровень напряжения. В негативных логических схемах логическая 1 определяется более низким уровнем напряжения. См. также M.235 multiple-valued logic.

L.131 logic symbols
логические символы
Набор символов, которые обозначают функции определенных логических вентилей (L.123 logic gate) в логических принципиальных схемах (L.119 logic diagram). Наиболее распространены символы, соответствующие простейшим функциям в булевой алгебре и триггерам, представлены на рисунке, где *а—в* — функции, соответственно, И, ИЛИ, исключающее ИЛИ; *г* — индикатор отрицания; *д* — индикатор полярности; *е* — триггеры.

L.132 login (logon)
регистрация
Процесс входа пользователя в систему. В глагольной форме с раздельным написанием предлога этот термин означает «войти в систему», «предъявить пароль». Система, обслуживающая нескольких пользователей,

ставляется логической 1 и приблизительно соответствует напряжению +5 В на сигнальной шине; логический 0 представляется напряжением приблизительно равным 0 В. Уровни напряжений между 0 и +5 В считаются неопределенными. Так как возможны только два логических состояния — логическая 1 и логический 0 — методы

обычно требует от каждого пользователя пройти процедуру регистрации и выполнить некоторые формальности подтверждения права на доступ (A.173 authentication) (пароль и др.), после чего допускает пользователя к системным ресурсам. В процессе регистрации обычно открывается учетный файл сеанса.

L.133 LOGO
ЛОГО

Язык программирования, разработанный с целью обучения детей. ЛОГО — простой, но богатый возможностями язык: он предусматривает работу на уровне процедур (P.239 procedure) и помогает формировать у детей алгоритмическое мышление. Первоначальная версия языка ЛОГО содержала «черепашью графику» (T.196 turtle graphics). «Черепашка» — простой перьевой графостроитель — могла перемещаться по полу под управлением программы, давая возможность детям строить сложные рисунки. В современной реализации на микроЭВМ рисунки «черепашки» отображаются на экране.

L.134 logoff (logout)
выход из системы

Процедура, которой пользователь завершает сеанс. В глагольной форме с раздельным написанием предлога этот термин означает «выходить из системы», выходить из работы. Процедурой выхода пользователь обеспечивает уверенность в том, что все системные ресурсы, которые были использованы во время сеанса, отработаны и все временные файлы, созданные во время сеанса, стерты.

L.135 logon (log on)
1. вход в систему 2 логон

1. См. L.132 login.
2. Единица количества информации, равная произведению единицы измерения полосы частот (B.023 bandwidth) и единицы времени, используемая в физической теории связи Д. Габора в отличие от математической теории связи Шенона, в которой используются принципы энтропии (E.071 entropy).

L.136 logout (log out)
конец сеанса; выход из системы
См. L.134 logoff.

L.137 longitudinal redundancy check (LRC)
продольный контроль по избыточности
См. C.372 cyclic redundancy check.

L.138 lookahead (carry lookahead)
предварительный просмотр

L.139 lookahead unit
блок предварительного просмотра
Блок конвейера команд, в частности, в ЭВМ «Стретч» (S.348 Stretch).

L.140 look-up table
просмотровая таблица, справочная таблица
См. T.004 table took-up

L.141 loop
1. цикл 2. кольцо 3. петля

1. Последовательность команд, которая повторяется пока не будет выполнено предписанное условие, например, до согласования с элементом данных или до заполнения счетчика (D.268 do loop).
2. Конфигурация локальной сети (L.095 local area network), которая содержит узлы, соединенные сериально в кольцевую топологию (R.160 ring network).
3. (local loop) — местная линия связи. Соединение, в виде витой пары, между коммутатором каналов и терминалом пользователя.

L.142 loop invariant
неизменяемый цикл; инвариант
См. I.166 invariant

L.143 loosely coupled
слабосвязанный

L.144 lower bound
нижняя граница

Нижняя граница некоторого множества S, по которой определяется отношение частичного порядка (P.055 partial ordering) $<$. Элемент l, обладающий свойством $l < s$ для всех s множества S, считается также *максимальным нижним пределом*, если для любого другого значения нижней границы h действительно соотношение $h < l$. Так как в численных методах требуется производить отбрасывание неопределенных членов, чтобы свести неопределенный результат арифметических действий к определенному, вычисление максимальных нижних пределов действительных чисел (на самом деле — любого предела) может быть достигнуто только в пределах машинного допуска, обычно определяемого точностью машины — наименьшим числом эпсилон, таким, что

$$1,0 — \text{eps} < 1,0.$$

См. также A.137 array; U.038 upper bound.

L.145 low-level language
язык низкого уровня

Разновидность языка программирования, в котором управление и структуры данных непосредственно отражают архитектуру машины.

L.146 low-level scheduler (dispatcher)
планировщик нижнего уровня, диспетчер
См. S.016 scheduler

L.147 low-pass filter
фильтр нижних частот
Фильтрующее устройство (F.065 filtering), которое пропускает только те компоненты преобразования Фурье, частоты которых лежат ниже критической величины и проходят с небольшим затуханием. Все другие компоненты подавляются.

L.148 lpm — lines per minute
количество строк в минуту
Одна из характеристик производительности построчно-печатающего устройства.

L.149 LR parsing
синтаксический анализ LR-типа
Восходящий синтаксический анализ (B.128 bottom-up parsing). Сокращение LR образуется из слов left-to-right (вывод слева направо) и rightmost (с преимуществом правого компонента). Предложенная Д. Е. Кнутом техника анализа выражений бесконтекстной грамматики (C.281 context-free grammar), которая считается наиболее эффективным методом левостороннего анализа без возврата к предыдущему состоянию. Такой LR-анализатор состоит из магазина, справочной таблицы переходов и управляющей программы, одинаковой для всех грамматических выражений. Работая с магазином, управляющая программа использует информацию, содержащуюся в верхней ячейке магазина и в следующих за ней k символах входного потока, что определяется как *просмотр вперед на k символов* ($k \geqslant 0$, но в большинстве случаев на практике k принимается равным 1). Такой магазин образуется цепочкой

$$s_0 X_0 s_1 X_1 \ldots s_n X_n s_{n+1},$$

где каждый элемент X_i является символом входного грамматического выражения, а s_i называется *состоянием*. Таблица анализа индексируется парами (s, a), где s — состояние и a — упреждение. Каждый элемент таблицы имеет два параметра: 1) действие, которым может быть сдвиг, преобразование p (по некоторому правилу p) распознавание или фиксация ошибки; 2) состояние (называемое условием

перехода). Когда операцией является сдвиг, в магазин заносится очередной входной символ и условие перехода (именно в таком порядке). Когда действие состоит в преобразовании, $2l$ верхних элементов будут заменять правую часть p вперемежку с условиями перехода, а l при этом является длиной правой части.

Эти $2l$ элементов выталкиваются из магазина и замещаются левой частью p вместе с новым условием переходов. Такая операция соответствует добавлению нового узла в дерево синтаксического анализа (P.049 parse tree) входной цепочки. Операция распознавания встречается только тогда, когда начальный символ S является единственным символом в магазине, то есть такой магазин содержит элементы $s_0 S s_1$ для некоторых состояний s_0 и s_1, а просмотр вперед выявляет терминальный символ входной цепочки. Это означает, что анализ завершен успешно. Если же в справочной таблице найден ошибочный элемент, это указывает на ошибку во входной цепочке. Грамматика, которая допускает грамматический разбор синтаксическим анализатором, LR-типа с опережающим просмотром k символов, называется LR (k)-грамматикой. Эффективность метода обусловлена тем, что при $k = 1$ синтаксический анализ LR (1)-типа в действительности включает и другие типы грамматических выражений, подобные грамматике предшествования и LL (1)-грамматике (L.090 LL parsing). Эффективность этой техники анализа делает ее предпочтительной при работе с компиляторами компиляторов (C.206 compiler — compiler). Если какая-то грамматика не относится к классу LR (1), об этом будут свидетельствовать неоднозначно определяемые элементы таблиц переходов, называемые *конфликтами «сдвиг — преобразование»* или *конфликтами «преобразование — преобразование»*. Для одной и той же грамматики может быть построено множество различных таблиц анализа, различающихся числом определяемых состояний. Так называемая *каноническая LR-таблица* зачастую оказывается слишком громоздкой для практического применения, вследствие чего она, как правило, заменяется таблицами типа SLR (упрощенная LR-таблица) или LALR (LR-таблица с просмотром вперед). Однако LR (1)-грамматика может не быть грамматикой SLR (1) или LALR (1).

L.150 LSD, LSB — least significant digit, least significant bit
наименьшая значащая цифра; наименьший значащий бит

· L.151 LSI—lagre-scale integration
высокая степень интеграции
Характеристика технологии производства интегральных схем, позволяющей разместить на одном кристалле большое количество компонентов (до 10 тыс. транзисторов). См. также I.122 integrated circuit; V.053 VLSI.

L.152 L-system (Lindenmeyer system)
система Линденмейера
Способ генерации совокупностей символьных бесконечных цепочек. Системы Линденмейера подобны грамматикам (G.044 grammar) с одной лишь принципиальной разницей; если в грамматиках на каждом шаге вывода заменяется единственное вхождение нетерминала, то в L-системах все нетерминалы замещаются параллельно. Поэтому система Линденмейера известна так же как система с параллельной заменой. Системы Линденмейера первоначально были описаны в 1968 г. Линденмейером как способ формализации процессов развития биологических систем; в настоящее время L-системы образуют важный раздел теории формальных языков. Эта область исследований породила широкое разнообразие L-систем. Простейшие из них — это системы типа DOL, в которых все символы являются нетерминальными и каждому из них соответствует собственная продукция. Например, при наличии продукций А → AB и B → A можно, начав с А, вывести последовательность A AB ABA ABAAB ABAABABA, ..., которая называется последовательностью DOL-системы. Набор подцепочек этой последовательности называется языком, а так называемая функция роста задает длину i-й подцепочки последовательности; в примере такая последовательность представлена функцией Фибоначчи. Заметим, что указанные выше продукции образуют гомоморфизм (H.086 homomorphism) — в данном примере множества {A, B} на себя. Следовательно, DOL-система состоит из алфавита Σ, гомоморфизма h на Σ и начального Σ — слова w. Последовательность может быть записана в виде:

$$w\ h\ (w)\ h\ (h\ (w)),\ \ldots$$

Буква D в слове DOL обозначает детерминированность, т. е. то, что каждому символу соответствует только одна продукция. Система типа OL может иметь несколько продукций для каждого символа и потому представляет собой подстановку, а не гомоморфизм. Другие классы L-систем обозначаются аналогично путем добавления в их название различных букв: T обозначает множественные геоморфизмы (или множественные подстановки); E означает, что некоторые символы являются терминальными; P — говорит о том, что символ не может заменять пустую цепочку; целое значение «*n*» на месте буквы O в названии OL-системы означает зависимость от контекста, т. е. возможность замены каждого символа определяется n символами, расположенными в данной подцепочке непосредственно слева от него.

L.153 LU decomposition
LU-декомпозиция
Численный метод линейной алгебры для решения системы линейных уравнений типа $Ax = b$, где A представляет собой квадратную матрицу, а b — вектор-столбец. В этом методе нижняя и верхняя треугольные матрицы L и U определяются так, что удовлетворяют условию $LU = A$. Для определенности диагональные элементы матрицы L могут быть приняты равными единице. Элементы последовательных строк матриц U и L могут быть легко вычислены из характеристических уравнений. При таком определении L и U, когда $LUx = b$, уравнение $Ly = b$ находится методом прямой подстановки. Затем находится уравнение $Ux = y$ методом обратной подстановки, причем значение x является решением исходной задачи. Вариантом указанного метода является LDU-декомпозиция, при котором реализуется поиск нижней и верхней треугольных матриц с единичной диагональю и диагональной матрицей D так, чтобы $A = LDU$. Если матрица A оказывается симметрической (S.424 symmetric matrix) и положительно определенной, то возможно упрощение, связанное с отысканием нижней треугольной

274

матрицы L так, чтобы удовлетворялось условие $A = LL^T$. Этот метод известен как декомпозиция Холецкого. В общем случае диагональные элементы матрицы L не являются единичными.

M

M.001 M
Приставка «мега» в единицах измерения, равная 10^6 или 2^{20}.

M.002 MAC
система MAC
Проект Массачусетского технологического института по реализации первой системы мультидоступа (M.215 multiaccess system). Наименование системы представляет собой аббревиатуру слов machine-aided cognition (машинное познание), отражающих широкий диапазон целей проекта, и multiple-access computer (ЭВМ с мультидоступом), указывающих на основной инструмент реализации. Система эта ознаменовала не только новый подход к реализации операционных систем, но и создание принципов работы интерактивных новых компиляторов и множественных пользовательских терминалов. См. также M.219 MULTICS.

M.003 machine
машина
Обычно реально существующая или воображаемая ЭВМ (см. также V.047 virtual machine; A.011 abstract machine; T.192 Turing machine), которая может быть, а может и не быть последовательной или детерминированной. В теории формальных языков слово «машина» означает «последовательностная машина». См. также S.095 sequential machine.

M.004 machine address (absolute address; actual address)
машинный адрес (абсолютный адрес, действительный адрес)
Однозначно определяемый номер ячейки в пространстве адресов (A.060 address space), где должен быть найден или куда должен быть занесен операнд. В общем случае адрес определяет ячейку памяти, но в некоторых случаях он указывает на регистр машины или на устройство ввода—вывода. В двоичной машине число длиной n бит определяет одну из 2^n ячеек. Результат вычисления исполнительного адреса (E.021 effective address) обычно дает машинный адрес.

M.005 machine code
машинная программа; машинный код
Набор кодов операций (O.042 operation code), выполняемых определенной машиной, или коды, специфичные для конкретной машины.

M.006 machine equivalence
эквивалентность машинная
Свойство двух, как правило, абстрактных машин, которые способны моделировать одна другую. Машины M_1 или M_2 считают эквивалентными, если M_1 может моделировать поведение M_2, а M_2 — поведение M_1. См. M.011 machine simulation.

M.007 machine-independent
машинонезависимый
Термин, относящийся к программным средствам, которые не зависят от свойств какой-либо конкретной машины и могут быть использованы с любой машиной. Такие программные средства еще называют мобильным программным обеспечением.

M.008 machine intelligence
искусственный интеллект
См. A.140 artificial intelligence

M.009 machine language
машинный язык
Письменное отображение машинного кода. Этот термин является синонимом термина «машинный код».

M.010 machine-oriented language
машинно-ориентированный язык
См. M.182 MOHLL

M.011 machine simulation
машинное моделирование
Процесс, в котором одна машина M_1 может воспроизводить поведение второй машины M_2. Формально это может быть выражено следующим образом. Допустим, что существуют функции g и h, которые обеспечивают соответственно кодирование и декодирование

$$g: M_1 \to M_2, \quad h: M_2 \to M_1.$$

Функция g кодирует информацию для машины M_1 и порождает соответствующую информацию для машины M_2; h — обратная функция. Говорят, что машина M_2 моделирует машину M_1, если возможно определить такой алгоритм, который при заданной программе P_1 для M_1 порождает соответствующую программу P_2 для M_2, а воздействие P_1 на M_1 будет эквивалентным применению функции g, выполнению далее P_2 на M_2 и заключительному применению функции h. Машинное моделирование такого вида рассматривается обычно в связи с идеальными абстрактными машинами, например, машинами Тьюринга (Т.192 Turing machine), у которых нет никаких физических ограничений. См. также М.006 machine equivalence.

М.012 machine word
машинное слово
См. W.036 word.

М.013 Macintosh
Макинтош
См. А.110 apple.

М.014 MACLisp
МАКЛисп
Часто употребляемый диалект языка ЛИСП (L.080 LISP).

М.045 macro
макрокоманда
Команда в языке программирования (почти всегда в языке ассемблера, но не только в нем), которая заменяется соответствующей последовательностью команд перед ассемблированием или компиляцией. Макроассемблер позволяет пользователю, обусловливая форму макрокоманды, определять команды, их аргументы и замещаемый текст (часто называемый телом макрокоманды); кроме того, он дает возможность включать макрокоманды в различные места ассемблируемого кода. Встретив макрокоманду, ассемблер замещает ее соответствующей цепочкой команд, подставляя параметры, предусмотренные в отмеченных точках в теле макрокоманды. Таким образом, макрокоманда обеспечивает механизм вставки определенного текста в разные места программы [и, значит, аналогична открытой подпрограмме (S.373 subroutine), хотя термин этот уже устарел]. *Макропроцессор* обеспечивает те же возможности, хотя и вне связи с ассемблером. Он воспринимает макроопределения и затем считывает произвольный текст, в котором могут иметь место *макровызовы* — т. е. обращения к макрокоманде по имени. При этом входной текст передается без изменений на выход, пока не встретится имя макрокоманды; когда это происходит, отыскиваются нужные аргументы (параметры), и макровызов замещается телом макрокоманды в выходной цепочке с соответствующей подстановкой параметров.

М.016 macro-assembler
макроассемблер
См. М.015 macro.

М.017 macro-generator = macro-processor
макрогенератор; *макропроцессор*
См. М.015 macro.

М.018 macro-instruction
макрокоманда
См. М.015 macro.

М.019 macro-processor (macro-generator)
макропроцессор
См. М.015 macro.

М.020 magnetic bubble memory
память на цилиндрических магнитных доменах, память на ЦМД
Тип цифровой памяти, в которой данные представляются цилиндрическими магнитными доменами, способными перемещаться в стационарной плоской среде. Домены — это крошечные кольцевые зоны (постоянные магнитики), в которых среда намагничивается в обратном направлении по отношению к остальной среде. Память на ЦМД отличается от накопителей на магнитной ленте или на диске, в которых среда движется, а биты данных остаются неподвижными относительно запоминающей среды. Такая память тоже относится к классу памяти на магнитных доменах, но в то же время она единственная в этом классе. Наиболее распространена такая форма, когда среда представляет собой тонкий слой сложного граната, нанесенный методом эпитаксии на подложку из простого граната. На поверхность эпитаксиального слоя нанесен рисунок в виде металлической решетки. Предпочтительное направление намагничивания эпитаксиального слоя — перпендикулярно его плоскости в любом направлении. Когда смещающее магнитное поле приложено перпендикулярно слою, могут образовываться магнитные домены, намагниченные в обратном направлении по отношению к этому полю. Если в плоскости слоя действует дополнительное магнитное поле, домены будут двигаться через слой, а рисунок решетки будет влиять на направление их движения. В ра-

бочем режиме это магнитное поле непрерывно циркулирует с обычной скоростью 100 000 циклов в секунду, а решетка расположена так, что каждый домен продвигается на одну ячейку решетки за один цикл магнитного поля. Имеются средства для подачи доменов на вход решетки и для фиксации их поступления на выход. Таким образом, устройство действует как сдвиговый регистр. Обычно одно устройство на магнитных доменах может хранить информацию объемом один мегабит. В каждом устройстве, как правило, бывает только один вход и один выход, поэтому информация продвигается через него последовательно. Внутри самого устройства информационный канал разделяется на ряд параллельных контуров. Имеются средства распределения потока данных по контурам. Поэтому время доступа к группе данных будет составлять только какую-то часть всего времени, необходимого для доступа к массиву всего устройства. Обычная скорость передачи данных — 100К бит/с, а время доступа 30 мс. Для увеличения общей емкости памяти можно объединить несколько таких устройств. При необходимости повысить скорость передачи данных несколько таких устройств могут быть включены параллельно. По производительности и стоимости в расчете на бит информации запоминающие устройства на цилиндрических магнитных доменах стоят между запоминающими устройствами на полупроводниках и на магнитных дисках. Эти устройства энергонезависимые, если поле подмагничивания создается постоянным магнитом, что обычно и бывает. Они устойчивы к воздействию космических лучей и элементарных частиц и они гораздо более надежны, чем устройства на магнитных дисках, так как в них нет подвижных узлов. ЗУ на магнитных доменах нашли ограниченное применение и распространены только там, где их свойства представляют особый интерес: в терминалах на основе портативных ЭВМ, и в спутниковой аппаратуре. Многообещающие технологические возможности не были полностью реализованы, так как производственные затраты оказались выше ожидаемых. Разработчик устройств — фирма Bell Telephone Laboratories.

M.021 magnetic card
магнитная карта

Носитель данных, представляющий собой плату, которая с одной стороны частично или полностью покрыта ферромагнитным слоем. На него можно записывать, а затем считывать информацию (см. C.022 card reader). Один из примеров — это кредитная карточка, где запись ограничена единственной магнитной полосой, на которой может быть три дорожки. Магнитные карты других форматов использовались как сменные магнитные носители в устройствах обработки цифровой и текстовой информации. (Примером может служить магнитная карта фирмы IBM.) В конце 60-х годов был разработан ряд запоминающих устройств большой емкости, в которых автоматически осуществлялось заполнение больших магнитных карт и их поиск. Такие устройства были вытеснены автоматическими библиотеками на магнитных лентах (A.181 automated tape libraries) и накопителями на магнитных дисках (M.023 magnetic disk).

M.022 magnetic cell
магнитная ячейка

Элемент памяти, в котором для представления двоичных величин используются два различных состояния магнитного потока. Таким элементом может быть ферромагнитный сердечник, участок такого ферромагнитного материала с отверстиями или узел пересечения двух проводников с магнитным покрытием. Такой элемент может хранить один бит информации.

M.023 magnetic disk
магнитный диск

Вращаемый носитель информации в форме круглой пластины, одна или обе поверхности которой покрыты магнитным слоем. Информация записывается на кольцевых дорожках на этом слое. Подложка диска может быть жесткой, и тогда она изготавливается из алюминиевого сплава. Но она может быть и гибкой, когда изготавливается из полиэфира. Покрытием может быть смесь окислов железа в связующем веществе или тончайший металлический лист из кобальт-никелевого или кобальт-хромового сплава. Преимущества металлических покрытий — в их однородности, в том что они обладают более низким гистерезисом и в том, что плотность записи на них в десять раз превышает плотность записи при обычных покрытиях из окислов железа. Гибкие диски (F.103 floppy disk) с покрытием из окислов — это дешевый облегченный носитель, удобный для применения в условиях обычных служебных помещений. Информация записывается на магнитные диски и считывается с них с помощью дисковода (D.238 disc drive). Диаметры дисков, применяемых в периферийных устройствах, бывают от 3 до 36 дюймов (76—914 мм). См. также D.242 disk pack; D.237 disk cartridge; M.025 magnetic encoding; D.241 disk format; W.029 Winchester technology.

M.024 magnetic drum
магнитный барабан
Одна из первых разновидностей накопительных устройств вращательного типа, использовавшихся в некоторых старых ЭВМ, когда запоминающее устройство с произвольной выборкой было энергозависимым, громоздким и дорогим. Барабан являлся основной памятью некоторых машин, а для запоминающих устройств с произвольной выборкой использовались только регистры. Хотя запоминающие устройства с произвольной выборкой развивались очень быстро, они долго оставались довольно дорогими, и барабан еще применялся в качестве локального внешнего (вспомогательного) запоминающего устройства в некоторых машинах. Когда появились магнитные диски, они взяли на себя большую часть функций вспомогательного запоминающего устройства. Тогда барабаны все еще применялись в некоторых системах, которые требовали более высокой скорости выборки, чем могли обеспечить диски, но сейчас они полностью вытеснены отовсюду за исключением незначительного числа специальных областей. Магнитный барабан состоит из цилиндра, на поверхность которого нанесено магнитное покрытие: металл или окись железа. В устройствах с фиксированными головками барабан вращается около ряда неподвижных записывающих и считывающих головок, где на каждую дорожку записи имеется своя головка. В устройстве с перемещаемой головкой барабан вращается под одной головкой или небольшой их обоймой, которая

может перемещаться вдоль барабана, выбирая любую дорожку. Барабаны второй конструкции быстро заменили на дисковые накопители, а барабаны с фиксированными головками выдержали конкуренцию: поиск дорожки в данном случае требует только лишь электронного переключения головок, а не физического их перемещения, поэтому такие барабаны обладают более коротким временем выборки, чем дисковые накопители.

M.025 magnetic encoding
магнитное кодирование
Способ записи двоичной информации на магнитной среде. При продольной записи на магнитные диски, ленты и карты магнитные домены в среде выстраиваются в направлении приложенного магнитного поля своими северными и южными полюсами вдоль дорожки: каждый домен представляет собой мельчайшую связанную зону, в которой упорядочиваются магнитные моменты атомов носителя и которая ведет себя подобно магниту. Домены упорядочиваются один за другим вдоль дорожки, которая может быть выполнена в виде замкнутого кольца на диске или в виде непрерывной линии во всю длину на ленте или карте. Однозначного соответствия между двоичной информацией и ориентацией магнитных доменов может и не быть (см. D.241 disk format; T.016 tape format). В 1975 г. С. Ивасаки опубликовал свою работу по вертикальной записи. Соответственно его методу магнитные домены ориентируются перпендикулярно поверхности магнитного слоя и своим северным или южным полюсом направлены к поверхности носителя. Магнитный материал — это обычно нанесенная способом осаждения в вакууме металлическая пленка из сплава или композиции кобальта и хрома на слой пермаллоя. При этом достигается очень высокая линейная плотность записи — 200 000 бит на дюйм. При вертикальном способе плотность записи повышается по меньшей мере в 25, а возможно и в 100 раз, по сравнению с продольной записью.

M.026 magnetic head
магнитная головка
См. H.048 head.

M.027 magnetic-ink character recognition
распознавание магнитных знаков
См. М.127 MICR.

M.028 magnetic media
магнитная среда
Различные типы носителей, запись информации на которые осуществляется путем нанесения магнитного «узора» на намагничиваемую поверхность среды. Этот термин выделяет магнитную среду из ряда других, в которых используются иные способы записи, как в случае оптических дисков, перфокарт, перфолент и др. См. М.030 magnetic tape; M.031 magnetic tape cartridge; M.023 magnetic disk; D.237 disk cartridge; D.242 disk pack; F.103 floppy disk; M.024 magnetic drum.

M.029 magnetic stripe
магнитная полоска
См. М.021 magnetic card.

M.030 magnetic tape
магнитная лента
1. Среда для хранения информации, состоящая из магнитного покрытия, нанесенного на гибкую подложку в виде ленты. Покрытие обычно состоит из мельчайших частиц окисла железа, взвешенных в инертном связующем веществе, а подложка обычно изготавливается из полиэфира. Информация записывается магнитным способом (M.025 magnetic encoding) на кодовые дорожки покрытия в соответствии с установленным форматом ленты (T.046 tape format). Магнитная лента намотана на бобины или катушки, иногда она находится в кассете (C.031 cartridge) или компакт-кассете (C.035 cassette). Чтобы воспользоваться магнитной лентой, нужно установить бобину с файлом на периферийное устройство, называемое лентопротяжным механизмом. Это устройство называется также блоком магнитной ленты, накопителем на магнитной ленте, магнитофоном, блоком ленты. Лентопротяжный механизм сматывает ленту с бобины, протягивает ее под одной или несколькими головками и наматывает на приемную бобину. Приемная бобина может быть съемной или несъемной или может находиться в кассете. Сигнал для записи информации поступает на ленту в форме намагничивающих импульсов (см. также W057 write ring). Как правило, сначала лента проходит через головку стирания, чтобы стерлись сигналы, записанные на ленте ранее. Когда лента проходит под головкой считывания, намагниченные участки индуцируют электрический сигнал, который может быть обработан электронным способом для воспроизведения записанного сигнала. Иногда устанавливается только одна универсальная головка считывания — записи, выводы которой подключены так, что ее можно использовать либо для считывания, либо для записи информации. Чаще используются отдельно две головки или два зазора и две обмотки в одном корпусе головки, что дает возможность контроля чтением во время записи, т. е. осуществлять считывание и контроль информации сразу же, как только произведена запись. Наиболее распространены магнитные ленты шириной 1/2″ (12,7 мм) и длиной 2400 футов (732 м), намотанные на бобины диаметром 10 1/2″ (267 мм). Реже применяются такие же ленты длиной 1200 и 600 футов (366 и 183 м) на бобинах диаметром 8 1/2″ и 7″ (216 и 178 мм). Иногда применяется более тонкая подложка, и тогда удается намотать на стандартную бобину диаметром 10 1/2″ (267 мм) около 3600 футов (1100 м) ленты. Применяются ленты и другой ширины и длины, но в основном эти ленты бывают в кассетах. Наиболее важными в вычислительных системах являются следующие функции магнитной ленты:

а) обмен данными; существуют международные стандарты форматов записи данных на магнитную ленту (см. T.016 tape format). Лента является наиболее широко распространенной средой для обмена данными между независимыми вычислительными системами, включая системы с различными возможностями, а также между системами и такими автономными периферийными устройствами, как устройства печати;

б) копирование содержимого памяти на магнитном диске, особенно на дисках с неподвижными головками;

в) распространение программных средств;

г) ввод данных, когда информация записывается на ленту с клавишного устройства (в настоящее время лента редко применяется для этих целей);

д) последовательная обработка; ранее эта функция была очень важной, но в результате широкого применения накопителей на магнитных дисках ленты для выполнения такой роли морально устарели.

Магнитная лента стала применяться в ЭВМ в 50-х годах, когда она была уже широко распространена в звукозаписи и измерительной ·технике. Она в основном пришла на смену перфолентам и перфокартам, хотя и сейчас еще эти· носители кое-где применяются. Уже не раз предсказывалось ослабление роли магнитной ленты как машиночитаемого носителя, но по крайней мере в 80-х годах она сохранит свое значение, хотя бы в виде кассет; фирма IBM в 1984 г. объявила о выпуске принципиально новых высококачественных кассет.

2. Термин, иногда употребляемый программистами в значении «подсистема записи на магнитную ленту» (M.032 magnetic tape subsystem).

M.031 magnetic tape cartridge (tape cartridge)

кассета с магнитной лентой
Корпус, в который заключены одна или несколько бобин с магнитной лентой (M.030 magnetic tape). Корпус устроен так, что его можно установить на соответствующее лентопротяжное устройство для выборки, при этом оператору не нужно заправлять ленту. Существует много видов магнитноленточных· кассет. В некоторых кассетах находятся и бобина с файлом, и приемная бобина (см. M.030 magnetic tape), а в некоторых — только бобина с файлом. Этот термин применяется также для обозначения бобины с файлом без корпуса кожуха, но с какими-либо другими приспособлениями: например, со специальным заправочным концом, который предохраняет ленту и устраняет необходимость оператору дотрагиваться до ленты пальцами. Существуют следующие наиболее распространенные типы кассет:

а. Автоматически загружаемая кассета Easyload, разработанная фирмой IBM, фактически представляет собой кольцо, натянутое по ободу стандартной бобины диаметром 10 1/2″ (278 мм) с магнитной лентой шириной 1/2″ (12,7 мм). Кассета предназначена для упрощения автоматической установки (A.192 autothread) ленты на лентопротяжном устройстве. Бобину можно ·извлекать из кассеты для установки

на других лентопротяжных устройствах.

б. Кассета типа DC300, разработанная фирмой «ЗМ», представляет собой корпус из металла и пластика, в котором имеются две небольшие бобины с магнитной лентой шириной 1/4″ (6,35 мм), вращаемые гибким плоским пассиком, образующим часть кассеты. Такая кассета применяется с лентопротяжным устройством, у которого головки вдвигаются через окошко в кассете для контакта с лентой при протяжке ее с одной бобины на другую. В кассете этого типа может содержаться 300, 450 или 600 футов ленты (90, 135 или 180 м). Обычным режимом для такого накопителя является запись· данных на несколько дорожек последовательно. Имеется ряд различных форматов (T.046 tape format) записи· на эту ленту. Один из них сейчас определен стандартом ANSI. Кассеты этого типа и такие же кассеты типа DC100, но меньших габаритов, используются в основном в небольших учрежденческих ЭВМ.

в. Цифровая кассета — это стандартная кассета для звукозаписи, разработанная фирмой Philips («Филипс»), но изготовленная с большей точностью. В пластмассовом корпусе имеются две небольшие бобины с лентой шириной 0,15″ (3,8 мм) разной длины. Эта кассета применяется с лентопротяжным устройством, у· которого головки вдвигаются через окошко в кассете для контакта с лентой. Лента протягивается прямым воздействием на нее ведущего вала, к которому ее прижимает прижимной ролик. Обе эти детали относятся к механизму лентопротяжного устройства. Лентопротяжное устройство входит в механическое зацепление с сердечниками обеих бобин для управления намоткой и смоткой ленты. Кассетные ленты· используются сейчас в основном в вычислительных машинах любительского назначения, где можно использовать и стандартные кассеты для звукозаписи вместо их высококачественной модификации, специально предназначенной для цифровой информации.

г. Кассеты разных конструкций с широкой лентой небольшой длины на одной бобине, которые применяются в автоматических ленточных библиотеках.

д. Кассеты, содержащие несколько сотен метров ленты шириной 1/2″ (12,7 мм) на одной бобине, жестко установленной в кожухе с ракордом у внешнего конца ленты, за который можно механически вытянуть конец ленты для загрузки в ленточный канал кассетного накопителя. В начале 80-х годов был предложен ряд конструкций, но, вероятно, все они будут вытеснены кассетой, которую разработала фирма IBM в 1984 г. для своего кассетного накопителя 3480.

е. Кассеты, представляющие собой бобины диаметром 3″ или 4″ (75 или 100 мм) с лентой шириной 1/2″ (12,7 мм) без кожуха, но с жестким защитным хомутом немного шире ленты, который полностью предохраняет бобину от механических повреждений.

M.032 magnetic tape subsystem
подсистема магнитных лент

Подсистема, предназначенная для того чтобы обеспечить доступ к данным на магнитной ленте из центральной системы. Подсистема состоит из одного или нескольких лентопротяжных устройств (см. M.030 magnetic tape) и контроллера, который включает в себя и форматтер (F.121 formatter). Контроллер накопителя имеет сопряжение с главной вычислительной машиной. Некоторые производители устанавливают свои специализированные интерфейсы, но многие используют обычный интерфейс, который был разработан фирмой Pertec и неофициально был признан промышленным стандартом на интерфейс форматтеров.

M.033 magnetic tape unit (MTU) = = tape transport
блок магнитной ленты

См. M.030 magnetic tape.

M.034 magnetographic printer
магнитографическое печатающее устройство

Разновидность устройства печати, в котором требуемый образ заносится сначала на ленточный магнитный носитель или на магнитный барабан в форме участков плотно упакованных частичек магнитного материала. Далее этот образ проявляется путем нанесения щеточкой пигмента, обладающего ферромагнитными и термопластическими свойствами, а затем переносится на бумагу и закрепляется способом оттиска или подогрева.

M.035 magneto-optic disk storage
накопитель на магнитооптических дисках

Накопительное устройство, в котором используется магнитооптический эффект для хранения и поиска информации. Для размагничивания точки на магнитном слое в этом устройстве применяется лазерный луч, который разогревает точку до температуры выше точки Кюри. Сначала в магнитном слое индуцируется однонаправленное магнитное поле. Чтобы сделать запись на диске, лазерный луч и магнитное поле воздействуют на небольшую зону и генерируют микроскопические участки (домены) с противоположной полярностью по отношению к основному магнитному полю. Чтобы считать информацию, диск сканируется поляризованным лучом маломощного лазера. Плоскость поляризации луча, отраженного от намагниченной поверхности, поворачивается в зависимости от направления магнитного поля (эффект Керра). Такой поворот может быть зарегистрирован и, следовательно, может быть воспроизведен исходный двоичный сигнал. В этом устройстве достигается такая же плотность записи, как и в других оптических накопителях, и значительно большая, чем при магнитном способе записи. Но даже в 1985 г. все еще не было ясности, устойчива ли эта среда против физического разрушения, которое может ограничить допустимое количество циклов перезаписи.

M.036 mag tape — magnetic tape
магнитная лента

M.037 mailbox
почтовый ящик

Область памяти (чаще всего защищенная), предназначенная для хранения документов или данных, которые были переданы по системе электронной почты (E.038 electronic mail system). Обычно существует несколько почтовых ящиков для документов, и все они связаны с устройством печати. По принципу действия они похожи на сортировочные карманы больших конторских копировально-множительных аппаратов. Информация может быть переправлена адресату по линии связи на электронную почтовую станцию, где она может быть распечатана и автоматически помещена в почтовый ящик, обозначенный в адресе. Адресат получает доступ к данным через свой терминал, вводя свой идентификационный код.

M.038 mainframe
1. базовое вычислительное устройство 2. универсальная вычислительная машина

1. Обычно — центральный процессор, оснащенный первичным ЗУ вычислительной системы. Это понятие не охватывает устройств ввода-вывода, вспомогательных запоминающих устройств и др. Иногда этот термин служит синонимом термина «центральный процессор».
2. Любая большая вычислительная система.

M.039 main memory (main store; main storage)
оперативное запоминающее устройство (основная память)

Непосредственно связанное с процессом вычислительной системы запоминающее устройство, в котором хранятся программные команды и данные и в которое записываются результаты вычислений перед пересылкой их во вспомогательное запоминающее устройство (B.005 backing store) или на устройство вывода данных (O.087 output). В современных ЭВМ обычно применяются полупроводниковые запоминающие устройства (S.072 semiconductor memory). В более ранних ЭВМ используются запоминающие устройства на магнитных сердечниках (C.318 core store). Большинство операций, связанных с запоминанием данных, выполняется основной памятью, но вспомогательное запоминающее устройство обычно имеет много большую емкость. См. также М.105 memory hierarchy.

M.040 main program
основная программа

Раздел программного обеспечения, который вводится первым и который вызывает блоки программы и процедуры. Это наиболее удаленный от центра блок программы с блочной структурой.

M.041 main store, main storage =
= main memory

M.042 maintenance
1. техническое обслуживание 2. сопровождение

1. Проведение профилактических (P.208 preventive) или ремонтных (R.113 remedial) работ для исключения причин возникновения неисправностей в аппаратной части или устранения уже происшедших неисправностей.
2. См. P.271 program maintenance.

M.043 majority element (majority gate)
мажоритарный элемент (мажоритарный вентиль)

Логический элемент с нечетным числом входов, выход которого согласуется с большинством входов. См. также T.081 threshold element.

M.044 malfunction
сбой

Появление неисправности — обычно в работе оборудования.

M.045 management information system (MIS)
управленческая информационная система (УИС)

Информационная система (I.082 information system), основной функцией которой является обеспечение руководства информацией. Первая концепция УИС, широко распространенная в 60-х и в начале 70-х годов заключалась в том, что системотехники определяли информационные потребности отдельных менеджеров в какой-либо организации и проектировали системы для обеспечения этой информацией постоянно или по запросам. Новый класс УИС образуют системы поддержки принятия решений, которые дают менеджерам еще большую свободу в использовании информации, предоставляемой машиной. УИС этого класса представляют собой симбиоз учрежденческих информационных систем (в том числе персональных вычислительных средств менеджеров, на которых они работают сами, без традиционных стандартных баз данных) и средств обработки информации. Системы поддержки принятия решений (СППР) предназначены для того чтобы менеджеры могли создавать и использовать собственные базы, равно как и работать с внутрифирменными базами данных, формируя собственные информационные запросы без помощи специалистов по разработке систем.

M.046 Manchester code
манчестерский код

Код, используемый при фазовом кодировании. См. T.106 tape format.

M.047 Manchester Mark I
Манчестерская вычислительная машина «Марк I»

Первая в мире ЭВМ с хранимой программой, введенная в действие в июне 1948 г. Она была построена Т. Килбурном и Ф. Вильямсом в Манчестерском университете в Великобритании. Работы по ее созданию начались в 1946 г. В апреле 1949 г. на машине были решены первые реальные задачи, и в нее было внесено несколько усовершенствований. Вскоре после этого начала работать автоматическая счетная машина ЭДЗАК с электронным запоминающим устройством на линиях задержки (E.018 EDSAC). В 1951 г. фирма Ferranti поставила на рынок первую в мире коммерческую ЭВМ, которая называлась «Ферранти Марк I». В ней уже было применено электростатическое запоминающее устройство (на трубках Вильямса). См. E.043 electrostatic storage device.

M.048 man-machine interface (MMI)
человеко-машинный интерфейс

Средства связи между человеком-пользователем и вычислительной системой. Чаще такими средствами бывают устройства ввода-вывода с программной поддержкой. Сейчас для обеспечения человеко-машинного взаимодействия все больше применяются устройства повышенной сложности: графические, сенсорные (T.115 touch-sensitive device) и управляемые голосом (V.058 voice input device). Они должны быть выполнены так, чтобы обеспечивать высокоэффективное и удобное взаимодействие человека и машины. Для моделирования условий работы пользователя вычислительной системы могут применяться методы искусственного интеллекта (A.140 artificial intelligence), связанного с представлением знаний, и на этой основе могут даваться персональные рекомендации по взаимодействию с системой. Для того чтобы расширить возможности пользователя при работе с базой знаний, может быть использована экспертная система и в ходе проектирования пользовательского интерфейса. В США в качестве синонимов термина man-machine interface применяются термины computer interface, human-system interface.

M.049 Mann Whitney U-test
критерий Манна Уитни
См. N.058 nonparametric techniques.

M.050 mantissa (fractional part)
мантисса
См. F.109 floating point notation.

M.051 manual control
ручное управление
Управление вычислительной системой или подсистемой, осуществляемое человеком-оператором, который может вмешаться в работу в любой момент или в моменты, предусмотренные выполняемой программой.

M.052 map
1. отображать; устанавливать соответствие 2. схема распределения 3. карта, таблица
1. См. F.160 function.
2. См. M.107 memory map.
3. См. K.003 Karnaugh map.

M.053 map method
метод карт
Процедура минимизации булевых функций с использованием карт Карно (K.003 Karnaugh map).

M.054 mapping
1. отображение 2. схема распределения, распределение
1. См. F.160 function.
2. См. M.108 memory mapping; I.184 I/O mapping; B.092 bit mapping.

M.055 MAPSE — minimal Ada programming support environment
минимальная программная поддержка для реализации языка Ада — название системы программирования

M.056 marginal check (marginal test)
граничная проверка
См. P.008 preventive maintenance.

M.057 mark
1. посылка 2. метка 3. маркер, маркерный импульс
1. Одно из двоичных состояний при последовательной передаче сигналов на терминал и удаленный принтер по линиям связи. Другое состояние называется интервалом. Посылка часто соответствует отрицательному сигналу, а интервал — положительному.
2. Пометка в виде линии на картах или специальных форматированных бланках, которые применяются там, где есть оборудование для считывания меток (M.062 mark sensing; M.061 mark reading).
3. См. T.020 tape mark.

M.058 marker
маркер
Метка на магнитной ленте. См. B.126
BOT mark; E.083 EOT marker.

M.059 Markov chain
цепь Маркова, марковская цепь
Последовательность дискретных значений случайных переменных, в которой каждый член последовательности с определенной степенью вероятности зависит только от предшествующих. В случае эргодической марковской цепи ее элементы в любой момент обладают одними и теми же статистическими свойствами.

M.060 Markov source
марковский источник
Цепь Маркова (M.059 Markov chain), в которой случайные переменные рассматриваются как внутренние состояния, отображаемые в символы некоторого внешнего алфавита. Такое отображение не обязательно должно быть биективным (B.056 bijection). Марковский источник является эргодическим тогда и только тогда, когда соответствующая ему цепь обладает свойствами эргодичности. См. также D.227 discrete source.

M.061 mark reading (mark scanning)
считывание метки; поиск метки
См. O.016 OMR

M.062 mark sensing
распознавание метки; считывание метки
Способ ввода данных, при котором воспринимается электропроводящая метка, сделанная мягким графитовым карандашом на форматированном бланке или карте. Этот способ уже вытеснен более удобным способом оптического считывания (O.016 OMR), в котором метки воспринимаются фотоэлектрическим устройством.

M.063 mark-space ratio
отношение длительности разноименных импульсов; коэффициент заполнения
См. P.333 pulse train.

M.064 masking
маскирование
1. Логическая операция над байтом, словом или полем данных, выполняемая в целью модификации или выделения их части. Битовая комбинация той же длины, что и выделяемая комбинация, генерируется и хранится в регистре как маска. В соответствующей операции, например, вычитания, логического умножения или логического сложения, маска может быть использована для подавления определенных разрядов данных, установки их в нулевое состояние и др. Маскирование применяется, в частности, для выявления признаков высокого приоритета в байтах состояния или в операциях обработки прерываний. 2. Применение оптического экрана (маски) для получения рисунка разводки в интегральной схеме. Постоянные запоминающие устройства (R.175 ROM) и программируемые логические матрицы (P.122 PLA) изготавливаются с учетом специфики их применения именно таким способом, если только их программирование не осуществляется самим пользователем. См. P.268 programmable device.

M.065 mask-programmable device
устройство с масочным программированием
См. P.268 programmable device; R.175 ROM.

M.066 mass storage
массовое запоминающее устройство
Вспомогательное ЗУ, работающее под управлением ЦП и способное хранить большие массивы информации, значительно превышающие емкости обычных вспомогательных запоминающих устройств. Емкость массовых ЗУ увеличивается с развитием технологии: в начале 60-х гг. она измерялась мегабайтами, а в середине 80-х годов уже несколькими сотнями гигабайт.

M.067 master file
главный файл; эталонный файл
Файл данных (D.036 data file), который часто подвергается обновлению (F.062 file updating) и обработке по запросам (Q.016 query processing). Этим главным файл отличается, например, от файла транзакций (T.128 transaction file), файла ввода—вывода (I.181 I/O file), рабочего файла (W.043 work file), файла ссылок (R.079 reference file) или архивного файла (A.123 archived file).

M.068 master record
основная запись
Запись в главном файле (M.067 master file).

M.069 master-slave flip-flop
MS-триггер

Тип тактируемого триггера, содержащего главный и подчиненный элементы, которые синхронизируются по фронтам тактового сигнала. Данные просто пересылаются от главного элемента к подчиненному, а затем, по истечении переходного процесса, на выход. Это исключает возможность получения неоднозначных выходных сигналов, которые могут появляться в триггерах с одним элементом из-за задержек распространения (P.296 propagation delay) в отдельных логических вентилях, управляющих работой триггеров.

M.070 master-slave system
несимметричная система; система «ведущий-ведомый»

Система с несколькими процессорами, один из которых является главным (ведущим), а все остальные — подчиненными (ведомыми). Главный процессор предназначен для выполнения тех действий, которые не могут выполнять подчиненные и которые обычно связаны с распределением ресурсов и инициированием информационного обмена с периферийными устройствами. Этот принцип в значительной степени облегчает решение проблемы синхронизации, поскольку лишь один главный процессор оказывается активным в тех ситуациях, когда при ином подходе в программах появляются критические секции (C.342 critical region). Недостаток введения искусственной асимметрии процессоров состоит в том, что возникают задержки в выполнении процессов, которые могли бы продолжаться, но приостанавливаются по причине отсутствия у свободных процессоров необходимых привилегий.

M.071 master tape
эталонная лента; основная лента

Том на магнитной ленте, который используется при обработке данных без внесения какого-либо изменения в его содержание. Он обычно бывает снабжен кольцом защиты от записи (W.057 write ring) или каким-либо другим механическим устройством, с помощью которого оператор может предохранить ленту от стирания или перезаписи, даже если такая команда поступит от главной ЭВМ. Термин «основная лента» использовался также и применительно к бумажной ленте.

M.072 mathematical logic
математическая логика

См. L.106.

M.073 mathematical programming
математическое программирование

Широкий раздел прикладной математики, охватывающий теорию, прикладные вопросы и вычислительные методы для задач оптимизации (O.056 optimization). В общем виде такие задачи формулируются как задачи максимизации функции f, называемой целевой функцией, на ограниченном множестве S:

$$\max f(x), \; x \in S \subseteq R^n,$$

где R^n — пространство действительных n-компонентных векторов $x = (x_1, x_2, \ldots, x_n)^T$; f — действительная функция, определенная на S. Если S состоит только из векторных величин, элементы которых представляют собой целые числа, то получается задача целочисленного программирования. Когда же f является линейной функцией, а S определяется линейными уравнениями и ограничениями (L.062 linear programming), возникает задача линейного программирования. Нелинейные целевые функции с ограничениями или без ограничений, описываемые системами нелинейных уравнений (N.054 nonlinear equations), усложняют задачи оптимизации. Задачи математического программирования возникают в технике и экономике, в естественных и общественных науках.

M.074 matrix
матрица

Двухмерный массив (A.137 array). В вычислительных методах под матрицами обычно понимаются частные случаи n-мерных массивов, выраженные в виде матриц с двумя индексами. Система обозначений для матриц определяется конкретным языком программирования. Два измерения матриц называются строками и столбцами. Матрицу, у которой m строк и n столбцов, называют $(m \times n)$-матрицей. В математике (и в этом словаре тоже) принято обозначать заглавной буквой всю матрицу и одноименной строчной буквой с двумя подстрочными индексами — элемент матрицы. Например, i, j-й элемент в матрице A обозначается a_{ij}, где i — номер строки, j — номер столбца. Неполная двухмерная матрица, в которой по второму измерению имеется только одна индексированная величина, представляет собой особый вид матрицы, называемой вектором—строкой (при отсутствии столбцов) или вектором—столбцом (при отсутствии строк). Наличие и строк, и столбцов указывает на то, что в матрице существенны оба измерения.

M.075 matrix inversion
обращение матриц
Численный метод получения обратной матрицы (I.170 inverse matrix) по отношению к исходной.

M.076 matrix multiplication
перемножение матриц
Перемножение двух матриц A и B выполняется по следующему правилу:

$$c_{ij} = \sum_{k=1}^{n} a_{ik} b_{kj}.$$

M.077 matrix norm
норма матрицы
См. A.118 approximation theory.

M.078 matrix printer
матричное печатающее устройство
Печатающее устройство, в котором символы для печати формируются в виде матрицы точек. Точки могут переноситься на бумагу кончиками стержней, ударяющими по красящей ленте, путем разбрызгивания микрокапель чернил через микроскопические отверстия или какими-либо другими безударными способами, в которых точки образуются изменением цвета носителя информации при нагревании (термографическое печатающее устройство), протравливанием или прожиганием (электрографическое печатающее устройство) или нанесением чернил на рельеф, сформированный электрическим разрядом или магнитным полем (электростатическое или магнитографическое печатающие устройства). Важным преимуществом матричных печатающих устройств по сравнению с печатающими устройствами шрифтового типа (S.219 solid-font printer) является способность формировать очень большое количество знаков различного очертания, а также иероглифы и арабскую вязь. Кроме того, можно воспроизводить диаграммы и рисунки. Когда этот термин используется применительно к конкретному типу устройства печати, как правило, имеют в виду печатающее

устройство ударного действия (I.042 impact printer) или точечно-матричное печатающее устройство (D.275 dot matrix printer).

M.079 matrix-updating methods
методы матричных преобразований
См. O.056 optimization.

M.080 maximum-length sequence
последовательность максимальной длины
См. M.206 m-sequence.

M.081 maximum-likelihood decoding
декодирование по максимальной вероятности
Принцип декодирования кода с исправлением ошибок (E.103 error-correcting code), при котором выбирается кодовое слово, имеющее наибольшую вероятность появления среди всех возможных.
Ср. M. 154 minimum-error decoding

M.082 maximum likelihood, method of
метод максимального правдоподобия
См. L.038 likelihood.

M.083 maxterm (standard sum term)
элементарная дизъюнктивная форма, макситерм
Сумма (результат операции ИЛИ) n булевых переменных, недополняемых, но неповторяемых, в булевой функции n переменных. У n переменных возможны 2^n различных элементарных дизъюнктивных форм. Дополнение любого макситерма является минитермом (M.155 minterm). См. также S.287 standard product of sums.

M.084 MDR — memory data register
регистр данных запоминающего устройства

M.085 Mealy machine
автомат Мили
См. S.095 sequential machine.

M.086 mean
среднее
См. M.089 measures of location.

M.087 mean deviation
среднее отклонение
См. M.090 measures of variation.

M.088 means/ends analysis
анализ средств и результатов
Методика, применяемая в системах искусственного интеллекта (A.140 artificial intelligence) для формирования планов достижения целей. Любой

план состоит из последовательности действий. Последовательность образована способом сравнения целей, достигаемых в результате каждого действия (средства), с целями, которые должны быть достигнуты (результаты).

M.089 measures of location
характеристики положения

Величины, которые представляют собой усредненные стандартные значения случайной переменной (R.021 random variable) (ср. характеристики рассеяния). Они присущи вероятностным распределениям, либо сопровождают вычисление статистических характеристик (S.317 statistics) выборок. Существуют три принципиально важные характеристики: «среднее», «медиана» и «мода». Средним выборки из n наблюдений, обозначаемым $\bar{x}$, является величина

$$\sum_i x_i/n.$$

Среднее значение μ распределения вероятностей задается суммой

$$\sum xp(x)$$

при дискретном распределении

$$\int xf(x)\,dx$$
.

при непрерывном распределении. Это значение называется также математическим ожиданием x, которое записывается как $E(x)$. Среднее взвешенное используется тогда, когда элементы выборки определяются с различной степенью надежности. Для каждого наблюдения x_i будет соответствовать «вес» w_i и тогда $\bar{x}$ представляется в виде

$$\sum (w_i x_i)/\sum w_i.$$

Если каждое наблюдение является средним из w наблюдений, формулы для взвешенного и невзвешенного среднего соответствуют друг другу. Медианой является значение x, превышаемое ровно половиной всех выборочных или теоретических значений распределения. Медианой для распределения является то значение, для которого кумулятивная функция распределения $F(x)$ равна 0,5 (см. P.232 probability distributions). Модой называется наиболее часто встречающееся значение. Для распределений, в которых плотность вероятности $f(x)$ имеет один и большее число локальных максимумов, каждый такой локальный максимум называется модой. Приведенные характеристики могут быть проиллюстрированы на примере из восьми значений x:

$$1, 1, 1, 2, 3, 3, 5, 7.$$

Средним здесь будет число 2,875, медианой — 2,5, а модой 1.

M.090 measures of variation
характеристики рассеяния

Величины, которые характеризуют степень изменчивости случайной переменной (R.021 random variation) (ср. характеристики положения). Рассеяние иногда описывается таким параметром, как разброс значений или дисперсия, чтобы отделить это свойство от систематических характеристик трендов или устойчивых различий. Характеристики рассеяния определяют свойства либо самого распределения вероятностей, либо статистическую выборку из него. Разность между наибольшими и наименьшими выборочными значениями называется размахом выборки. Однако более полезным считается параметр под названием межквартильный размах. Если выборка упорядочена по возрастанию значений случайной величины, то могут быть определены два значения x, первое из которых превышается 75% выборочных значений, а второе — 25%. Это квартили, а разность из соответствующих им крайних значений называется межквартильным размахом. Аналогичное определение применимо и к распределению вероятностей. Дисперсия — это математическое ожидание (или среднее) квадрата отклонения случайной величины (R.021 random variation) от ее среднего значения. В статистическом анализе дисперсия имеет очень важное значение. Дисперсия непрерывного распределения со средним значением определяется выражением

$$\int (x-\mu)^2 f(x)\,dx$$

и обозначается как σ^2. Дисперсия дискретного распределения задается формулой

$$\sum (x-\mu)^2 \cdot p(x)$$

287

и тоже имеет обозначение σ^2. Дисперсия выборки из n наблюдений со средним значением $\bar{x}$ определяется формулой

$$\sum (x_i - \bar{x})/(n - 1)$$

и обозначается как s^2. Величина $(n - 1)$ служит для устранения смещения оценок. Стандартное (среднеквадратическое) отклонение представляет собой квадратный корень из дисперсии и обозначается как σ (для дискретного распределения) или s (в случае выборки). Стандартное отклонение измеряется в тех же единицах, что и среднее: для нормального распределения — около 5% значений лежит за пределами границ двух стандартных отклонений по каждую сторону от среднего значения. Стандартное отклонение для распределения оцениваемой случайной величины называется стандартной ошибкой, а средняя величина абсолютных значений отклонений случайной переменной от выборочного среднего — средним отклонением.

M.091 mechanical verifier
автоматический верификатор

Система автоматического обеспечения доказательства правильности программы (P.259 program correctness proof). Обычно такая система состоит из двух частей: генератора условий верификаций и блока доказательства теорем. Первый порождает теоремы, подлежащие доказательству, которое имеет целью показать, что входные (P.191 precondition) и выходные (P.175 postcondition) условия совместимы с семантикой утверждений, к которым они относятся. Блок доказательства теорем предназначен для доказательства порождаемых условий верификации. Различные автоматические верификаторы сильно отличаются по их характеристикам. В сравнительно простых системах может требоваться, чтобы утверждения, дающие всю релевантную информацию, помещались между парами следующих друг за другом операторов (простых или сложных) и представляли пользователю любые нетривиальные условия верификации для неавтоматического доказательства. Иногда такую систему называют блоком контроля утьерждений. Более сложный автоматический верификатор требует, чтобы перед ве-

рификацией вводились только основные утверждения (возможно, лишь одно входное и одно выходное); при этом он способен при необходимости генерировать собственные промежуточные утверждения. Более того, блок доказательства теорем способен выполнять доказательства сложных условий верификации, предъявляя пользователю от случая к случаю лишь необходимость леммы для подтверждения их правильности.

M.092 median
медиана
См. M.089 measures of location

M.093 medium
носитель
Среда для записи данных (см. G.053 data medium). Во множественном числе этот термин имеет форму media, но она часто употребляется и в единственном числе.

M.094 meet operator
операция логического умножения
См. L.012 lattice.

M.095 mega-
мега
Приставка, обозначающая один миллион (10^6) или близкую к нему величину 2^{20}, т. е. 1048576. В вычислительной технике M употребляется как единица измерения емкости памяти, например, 400 мегабайт или 400M.

M.096 member (element)
член
Элемент множества (S.116 set), т. е. объект x, который принадлежит множеству S: $x \in S$. Одно из основных действий над множествами — это запрос о наличии или отсутствии в нем конкретного элемента. См. также O.045 operations on sets.

M.097 memory
память
Устройство или среда, которая может сохранять информацию для последующего ее извлечения. Этот термин синонимичен терминам storage и store, но чаще употребляется, когда речь идет об оперативной памяти, непосредственно адресуемой в рабочих командах. См. M.039 main memory; C.002 cache memory; S.072 semiconductor memory; M.105 memory hierarchy; M.106 memory management.

M.098 memory compaction (block compaction)
уплотнение памяти
Один из способов перемещения блоков информации в оперативной памяти с целью расширения свободных областей. См. также S.328 storage allocation.

M.099 memory cycle
цикл памяти; цикл обращения к памяти
1. Полная последовательность операций обращения к ЗУ, которая подлежит выполнению для того, чтобы от состояния покоя перейти к состоянию считывания или записи информации и снова вернуть ЗУ в состояние покоя.
2. Минимальный отрезок времени между двумя последовательными обращениями к памяти (для считывания или записи). См. также C.366 cycle.

M.100 memory data register (MDR)
информационный регистр памяти
Регистр (R.086 register), используемый для хранения текущей информации (программы или данных), которая находится в процессе обработки с целью пересылки ее из памяти в центральный процессор или наоборот.

M.101 memory dump
дамп памяти распечатка памяти
Представление в какой-либо момент некоторой части содержимого оперативной памяти вычислительной системы в удобочитаемой форме. Возможные самые различные формы представления относятся к низкому уровню типа цифрового формата или формата ассемблера. Распечатка содержимого памяти обычно предпринимается с целью контроля выполненных вычислений. См. P.178 postmortem.

M.102 memory element
элемент запоминающего устройства; элемент памяти
Устройство, которое хранит элементарный объем информации: если оно имеет q стабильных состояний, его называют q-ичным (см. Q.001 q-ary), а при $q = 2$ его называют двоичным. Обычно оно реализуется электрическим способом, иногда с использованием магнитных, оптических или акустических свойств запоминающей среды. На практике большинство элементов памяти — двоичные. В быстродействующих вычислительных машинах наиболее распространенным элементом запоминающих устройств яв-

ляется триггер (F.097 flip-flop). Элементы памяти специально предназначаются для запоминающих устройств ЭВМ, а вообще они применяются в схемах последовательного действия (S.092 sequential). Элементом памяти считается любой самый маленький функциональный узел системы, обладающий двумя и более устойчивыми состояниями. Например, двоичный сдвиговый регистр (S.140 shift register) включает в себя четыре триггера и имеет 16 состояний, но каждый из его четырех элементов памяти может находиться только в двух положениях. Подобный тройной сдвиговый регистр имел бы 81 состояние, но состоял бы из четырех элементов памяти, каждый из которых был бы способен находиться в трех состояниях.

M.103 memory fill
заполнение памяти
Способ отладки программ, при котором в каждую ячейку памяти заносится ранее выбранный символ, а отлаживаемая программа перезаписывает его в ту же ячейку.

M.104 memory guard
защита памяти
Вид аппаратной блокировки (I.143 interlock), применяемой в некоторых системах для управления обращением к памяти при обмене между внешними устройствами. Во время инициирования обмена по каналу связи поступает информация, указывающая на то, что для передачи выделен соответствующий буфер обмена. Эта информация сбрасывается средствами канала по завершении обмена. Любая попытка доступа к буферной области со стороны какого-то процесса в обход канала будет приводить к прекращению этого процесса, пока не закончится уже идущий обмен.

M.105 memory hierarchy
иерархия памяти
Вследствие большого разнообразия запоминающих устройств, они сильно отличаются по времени выборки их отдельных ячеек, объему информации, которая может храниться в данном устройстве, удельной стоимости хранения одинакового объема информации. Для рационального использования устройств, достижения их максимальной эффективности и экономичности запоминающие устройства рас-

Устройство	Конструктивное исполнение	Время выборки	Цена, долл. США	Объем памяти, байт	Стоимость в расчете на 1 бит, центы
Регистр процессора	Б — логические схемы с эмитерными связями	0,2 нс	100	32 бит	300
	М — ТТЛ схемы	2 нс	2	32 бит	6
	П — МОП-структуры	5 нс	0,05	16 бит	0,3
Кэш	Б — биполярное ЗУПВ	20 нс	5000	64К	2
	М — то же	100 нс	500	8К	1
	П — не используется	—	—	—	—
Оперативная память	Б — ЗУПВ на МОП-структурах	500 нс	512 000	64М	100
	М — то же	500 нс	64 000	16М	50
	П — то же	500 нс	500	256М	$20 \cdot 10^{-3}$
Устройство перекачки	Б — диск с неподвижными головками	10 мс	50 000	16М	$40 \cdot 10^{-3}$
	Б — массовое ЗУПВ	100 мс	500 000	16М	$40 \cdot 10^{-3}$
	М или Б — винчестерский диск	25 мс	8 000	250М	$0,4 \cdot 10^{-4}$
	П — то же	40 мс	4 000	20М	$2,5 \cdot 10^{-3}$
Диск	Б — винчестер	25 мс	20 000	1,2Г	$0,2 \cdot 10^{-3}$
	М — »	25 мс	12 000	600М	$0,25 \cdot 10^{-3}$
	П — гибкий диск, используется для перекачки в маломощных персональных компьютерах	100 мс	200	1М	$2,5 \cdot 10^{-3}$
Магнитная лента	Б или М — съемная, 6250 бит на дюйм	100 мс	1000	100М	$1 \cdot 10^{-3}$
	Б или М — стационарная, 6250 бит на дюйм	1000 мс	10	100М	$1 \cdot 10^{-9}$
	П — съемная кассета	100 мс	100	1М	$1 \cdot 10^{-3}$
	П — стационарная кассета	1000 с	1	1М	$10 \cdot 10^{-9}$

пределяются по нескольким иерархическим уровням.

1. Одиночное слово размещается в регистре самого процессора. Обычно каждое слово содержит 4 байта, а процессор может иметь, например, 8 регистров. Часто такую структуру даже не считают памятью.

2. Группы слов размещаются в кэше. Обычно каждый элемент кэша содержит 8 слов длиной по 32 байта, а полный кэш содержит 1000 элементов, то есть 32К информации.

3. Отдельные слова связного контекста хранятся в оперативной памяти. Группы таких слов пересылаются между кэшем и оперативной памятью в соответствии с алгоритмом, реализованным в конкретном устройстве. В небольших системах объем оперативной памяти может достигать 1М, в больших системах — 64М.

4. Блоки слов размещаются в постоянной оперативно-доступной вспомогательной памяти. Имеются два подуровня, отличающиеся по функциональному назначению:

а) страницы памяти (обычно объемом 4К) содержатся в устройстве страничного обмена, и пересылаются между зоной во вспомогательной памяти и страничным блоком основной памяти в соответствии с алгоритмом, реализованным в операционной системе;

б) сформированные файлы хранятся на диске файлового запоминающего устройства, а их пересылка между оперативной памятью и дисковым накопителем осуществляется программным устройством, которое вступает в работу при обращениях супервизора к операционной системе.

5. Сформулированные файлы копируются на схемные диски или на магнитные ленты. Создание вспомогательных копий и восстановление скопированного файла может осуществляться автоматически, по какому-либо условному действию пользователя или могут быть использованы комбинированные режимы.

В табл. М.105 указаны время выборки и удельная стоимость для устройств каждого уровня по состоянию на первое полугодие 1985 г. Для упрощения выделены три категории систем: Б — большие системы; М, — системы с мини-ЭВМ; П — системы с персональными компьютерами. Такое разделение довольно условно и от него могут быть значительные отклонения, но оно дает довольно четкое представление о действительном положении. Наиболее существенные отклонения относятся преимущественно к системам с персональными ЭВМ, которые фактически перекрывают почти весь диапазон от больших систем до систем с мини-ЭВМ.

M.106 memory management
управление памятью

Управление всей иерархической системой ЗУ (M.105 memory hierarchy) в целом или распределением информации на определенных уровнях иерархии. В первом случае информация, имеющаяся в системе, постоянно циркулирует между теми или иными запоминающими устройствами с целью обеспечения максимальной эффективности обращений к ЗУ каждого типа. Это движение может управляться: а) действиями пользователя — например, путем копирования нижнего файла с диска в оперативную память для его редактирования; б) программными средствами — например, может выполняться пересылка страницы между устройством страничного объема и памятью, если произошло прерывание из-за отсутствия требуемой страницы; в) аппаратными средствами — например, может выполняться перемещение совокупности слов из памяти в кэш, если потребовалось какое-либо конкретное слово, принадлежащее этому набору. На каждом уровне иерархии операционная система определяет, какую часть памяти данного уровня следует выделить для каждого процесса. Разумеется, это может делаться только под управлением системных программных средств и, как правило, лишь применительно к распределению памяти между процессами или в рамках распределения пространства свопинга. Перемещение между диском и магнитной лентой часто рассматривается отдельно как процедура архивизации. См. также S.335 storage protection.

M.107 memory map
карта распределения памяти

Схематическое представление порядка используемых областей памяти. Часто является сопутствующим результатом периода компиляции программы. Схема распределения памяти может быть полезна при диагностике ошибок в компилируемой программе.

M.108 memory mapping
распределение памяти

Способ управления периферийными устройствами, реализованный во многих микропроцессорных системах и в ряде систем на основе маломощных мини-ЭВМ. При этом управляющие регистры рассматриваются как периферийные устройства как слова памяти, которые могут считываться с использованием обычных операций запоминания и выборки.

M.109 memory protection
защита памяти

Один из многих способов управления доступом или использования памяти. Это управление может предотвратить некорректное вмешательство пользователя, обеспечить защиту системы или выполнять сразу обе эти функции. Механизм контроля за доступом к какой-либо области памяти с учетом разработанных обращений известен как защита памяти. В системах с виртуальной памятью имеется возможность выделять определенные области, предназначенные для обусловленных режимов обращения. Например, область, предназначенная только для хранения совместно используемых подпрограмм, может быть отмечена как доступная «только для исполнения» и будет только считываться во время фазы выборки при исполнении команды. Разрешенный режим обращения может быть различным для разных процессов. При разметке областей оперативной памяти могут использоваться граничные регистры (B.131 bounds registers); конкретные зафиксированные участки памяти могут контролироваться с помощью блокировочных замков (см. L.104 locks and keys); доступ к отдельным словам может контролироваться посредством тегов (см. T.006 tag). Нарушение системы защиты обычно ведет к принципиальному прекращению процесса средствами системы прерываний.

M.110 memory reference instruction
команда обращения к памяти

Команда, содержащая один или несколько адресов, которые указывают на местоположение операндов в памяти, в отличие от адресации регистров центрального процессора или каких-то иных мест хранения нужных операндов.

M.111 memory-to-memory instruction
команда типа «память-память»

Команда, по которой информация передается из памяти и снова возвращается в нее. Во время пересылки информация может быть модифицирована (например, какое-то значение может получить приращение). Новая информация может быть возвращена в прежнюю область памяти, но может пересылаться и в другую. Этот термин может также относиться и к команде, по которой происходит пересылка информации между уровнями иерархии памяти (M.105 memory hierarchy). Пересылка может выполняться пословно или поблочно.

M.112 menu
меню

Выведенный на экран дисплея список, по которому может быть сделан конкретный выбор. Перечень возможных вариантов может содержать однозначные кодовые метки против каждого из них. Выбор в этом случае делается путем нажатия клавиши, указываемой в метке. Такой принцип обеспечивает простой способ координации действий пользователя в сложных ситуациях,

создавая условия для принятия им последовательности более простых решений. Чаще всего для этой цели применяются дисплеи с экраном и клавиатурой, но существуют и другие устройства: дисплеи с сенсорным экраном или световым пером и матрицы светодиодных элементов.

M.113 menu-driven program
программа, управляемая с помощью меню

Программа, которая получает данные от пользователя, руководствующегося списком предполагаемых системой вариантов выбора из меню (M.112 menu) и сообщающего о своем выборе. Это делается посредством ввода одного-единственного символа или минимальной комбинации символов, соответствующих выбранной позиции (подобно ответу на вопрос, допускающий разные варианты ответов). Типичное меню выглядит следующим образом:
а) печать текста;
б) редактирование текста;
в) сохранение текста в памяти;
г) завершение работы.
Если пользователь хочет печатать текст, то он должен сообщить об этом системе, нажать клавишу а. Таким образом, программы, управляемые с помощью меню, относятся к категории диалоговых, или интерактивных (I.136 interactive). Системы с программами, управляемыми с помощью меню, встречаются очень часто в самых различных устройствах: от стиральных машин до банковских автоматов. Например, в банковском автомате для выбора вида операции нажимается всего одна клавиша (в зависимости от того, нужно ли оформить приход или получить информацию о балансе счетов), а затем на клавиатуре набирается нужная сумма и эти данные вводятся нажатием одной клавиши. Системы, управляемые с помощью меню, имеют два преимущества: во-первых, они в меньшей степени подвержены влиянию ошибок пользователя, так как от него требуется только нажатие единственной клавиши; во-вторых, способ ввода данных совершенно однозначен, так как допускается лишь небольшое количество используемых символов. Все это способствует тому, что системы оказываются более удобными в обращении, или, как говорят, становятся более друже-

ственными по отношению к пользователю.

M.114 mergeable heap
сортируемая «куча»
Любая структура данных в виде упорядоченного набора, допускающего вставку и исключение элементов наряду с операциями объединения и нахождения минимального элемента множества. См. также О.097 operations on sets.

M.115 merged transistor logic (MTL) = = integratied injection logic
логика на совмещенных транзисторах
См. 1.032 I²L.

M.116 merge exchange sort = Batcher's parallel method
обменная сортировка слиянием

M.117 message
сообщение
1. Порция информации, передаваемой в системе с коммутацией сообщений (M.119 message switching). Сообщение может быть произвольной длины (от нескольких битов до целого файла), но никакая часть сообщения не может быть передана конечному адресату, пока оно не будет принято целиком в узле сети, смежном с пунктом назначения.
2. Неправильно употребляемый синоним термина packet (пакет). Разница между пакетом и сообщением весьма существенна и принципиальна, поскольку в одном случае может передаваться частично, а в другом — нет. Система с коммутацией пакетов (P.009 packet switching) допускает такую передачу, а система с коммутацией не допускает.
3. См. S.126 Shannon's model.
4. Специальным образом форматированный документ, передаваемый в системе электронной почты (E.038 electronic mail).
5. Передавать сообщение.

M.118 message queueing
организация очередей сообщений
Процесс хранения сообщения в сетевом узле коммутации сообщений (M.119 message switching) в период занятости имеющихся ресурсов на передаче другого сообщения следующему узлу по маршруту к пульту назначения.

M.119 message switching
коммутация сообщений
Метод переключения каналов передачи данных, который не требует физических каналов между отправителем и получателем до того как установится связь. Система коммутации сообщений пропускает сообщения (M.117 message) через ретрансляторы, называемые коммутаторами сети с промежуточным хранением (S.339 store-and forward). Каждый коммутатор принимает сообщение, проверяет его на наличие ошибок и повторно передает сообщение на следующий по маршруту коммутатор. Применение буферов большой емкости и задержек при коммутации сообщений позволяет использовать в большинстве вычислительных сетей коммутатцию пакетов (P.003 packet switching) или коммутацию цепей (C.115 cricuit switching) для входящих компонентов и использовать на более высоких уровнях средства коммутации сообщений: электронную почту (E.038 electronic mail) и протокол передачи файлов (F.061 file transfer).

M.120 meta-assembler
метаассемблер
Программа, которая на основе использования синтаксического и семантического описаний языка ассемблера генерирует программу-ассемблер (A.143 assembler) для этого языка.

M.121 metacompiler
метакомпилятор
Устаревший синоним термина «компилятор компиляторов» (см. C.206 compiler-compiler).

M.122 metalanguage
метаязык
Язык, используемый для описания языка программирования.

M.123 metallic disk = hard disk
металлический диск; жесткий диск

M.124 methodology
методология
Круг установленных методов выполнения каких-либо сложных действий. Чаще это слово используется в составе других терминов, например, «методология программирования», «методология системного проектирования» и др.

M.125 MFM — modified frequency modulation
модифицированная частотная модуляция
См. D.241 disk format.

M.126 M²FM — modified modified frequency modulation
двойная модифицированная частотная модуляция
См. D.241 disk format.

M.127 MICR — magnetic ink character recognition
распознавание магнитных знаков
Процесс, при котором данные, нанесенные чернилами, содержащими ферромагнитные частицы, считываются магнитными головками. Очертания символов такие же, как и у обычных шрифтов, но каждый из них генерирует свой характерный сигнал при сканировании считывающей магнитной головкой. Самое широкое распространение этот процесс нашел в кодировании цифровой информации на банковских чеках. Существуют два стандартных комплекта шрифта: E13B и CMC7. Шрифт E13B имеет очень угловатые очертания и некоторые элементы вертикальных линий могут быть утолщены, чтобы достичь более четкой разницы с закругленными элементами. Этот шрифт широко распространен в США и Великобритании. В шрифте CMC7 очертания символов разделены на семь вертикальных линий с шестью промежутками, различными по ширине. Все цифры и четыре специальных символа кодируются как комбинация двух широких и четырех узких промежутков.

M.128 micro-
микро-
1. Префикс, обозначающий одну миллионную часть (10^{-6}) основной единицы измерения; например, микросекунда.
2. Сокр. микроЭВМ (M.131 microcomputer).

M.129 microcircuit
микросхема
Интегральная схема (I.122 integrated circuit) (обычно одна), выполняющая какую-либо сложную функцию. Примером может служить микропроцессор (M.137 microprocessor), состоящий из арифметико-логического устройства, цепей управления, регистров, счетчика команд и памяти — все это

содержится в одной интегральной схеме.

M.130 microcode
микропрограмма
Последовательность микрокоманд (M.136 microinstruction), т. е. программа для блока (C.306 control unit) с микропрограммным управлением (M.138 microprogramming).

M.131 microcomputer
микроЭВМ
1. Кристалл большой интегральной схемы (БИС), содержащей все логические элементы, необходимые для получения полноценной вычислительной системы, но отличающейся от микропроцессора (M.137 microprocessor), которому необходимы еще и дополнительные кристаллы.
2. Вычислительная система, в которой (M.137 microprocessor) в качестве управляющего и арифметического устройства используется микропроцессор. В более совершенных микроЭВМ могут применяться несколько микропроцессоров. Производительность системы определяется не только характеристиками применяемого микропроцессора, но и емкостью имеющейся оперативной памяти, типами периферийных устройств, качеством конструктивных решений, расширяемостью и др. До недавнего времени микроЭВМ имели довольно ограниченные возможности и годились лишь для игр и любительских целей. Сейчас они превратились в инструментальное средство для решения сложных задач. Микропроцессоры стали более мощными, а периферийные устройства более эффективными, поэтому микроЭВМ все больше вытесняют миниЭВМ и разница между ними постепенно уменьшается, а может и вовсе исчезнуть.

M.132 microcontroller
микроконтроллер
1. Микропроцессорная БИС, специально предназначенная для использования в управляющих устройствах, системах передачи данных и системах управления технологическими процессами. Обычная микросхема такого контроллера имеет сравнительно небольшую разрядность слова и богатый набор команд манипулирования отдельными битами, но не способна реализовывать некоторые арифметические и строковые опе-

рации, характерные для универсальных микропроцессоров.

2. Микропроцессорное устройство или система, предназначенные для использования в системах управления и основанные на микропроцессоре.

M.133 Microdata
  «Микродейта»
Фирма — изготовитель мини-ЭВМ в США. Ее ЭВМ знамениты тем, что они были первыми машинами с микропрограммированием и потенциальной возможностью модификации самим пользователем.

M.134 microfiche, microfilm
  микрофиша, микрофильм
См. С.171 COM.

M.135 microfloppy
  гибкий микродиск
См. F.103 floppy disk.

M.136 microinstruction
  микрокоманда
Одна команда в микропрограмме, которая определяет какой-либо из элементарных управляющих действий, необходимых для выполнения команды (1.108 instruction). См. M.138 microprogramming.

M.137 microprocessor
  микропроцессор
Полупроводниковый кристалл или комплект кристаллов, на которых реализуется центральный процессор ЭВМ (С.055 central processor). Обязательными компонентами микропроцессора являются арифметико-логическое устройство (A.126 arithmetic and logic unit) и блок управления (C.306 control unit). Они характеризуются скоростью, длиной слова (внутренней и внешней), архитектурой (A.122 architecture), набором команд (I.115 instruction set), который может быть фиксированным или с возможностью микропрограммирования. Эффективность микропроцессора определяется сочетанием этих характеристик, а не только временем цикла. Большинство микропроцессоров имеет фиксированную систему команд. Микропрограммируемые процессоры оснащаются управляющим запоминающим устройством, в котором хранится микропрограмма или встроенные программы, определяющие набор реализуемых команд. Такие процессоры могут быть однокристальными или разрядно-модульными (B.096 bit-slice elements). Архитектура процессора определяет необходимые регистры, стеки, систему адресации и средства ввода-вывода, а также типы обрабатываемых процессором данных. Типы данных представляют собой базовые информационные объекты, манипулирование которыми обеспечивается системой команд: обычно это бит, полубайт (четыре бита), байт (восемь бит), слово (16 бит) или двойное слово (32 бит). Слово определяется, как правило, числом двоичных разрядов, поступающих по шине данных процессора, но почти всегда его длина составляет 16 бит. Команды обычно предусматривают арифметические действия, логические операции, передачу управления и перемещение данных (между стеками, регистрами, памятью и портами ввода-вывода). Некоторые микропроцессоры могут быть дополнены сопроцессорами (С.134 coprocessor) в целях расширения диапазона типовых данных и набора выполняемых команд: например, для работы с числами с плавающей запятой и восполнения над ними ряда арифметических операций. Первый микропроцессор Intel 4004 на четырех кристаллах, появился в 1971 г., когда много спорили о его применимости и покупательском спросе на него. Он был построен по идее Т. Хоффа (фирма Intel) для калькулятора, который мог реализовывать простейший набор команд аппаратным способом, но имелась возможность хранить сложные последовательности команд в постоянном запоминающем устройстве (ПЗУ). Результатом предложений Т. Хоффа был проект устройства на четырех кристаллах: центрального процессора, ПЗУ (R.175 ROM), памяти с произвольной выборкой (R.011 RAM) и сдвигового регистра (S.140 shift-register). Проект был реализован в 1970 г. под руководством Ф. Фаггина, позже основавшего фирму Zilog. Intel 4004 имел четырехбитовую шину данных, адресуемую память емкостью 4,5К бит и выполнял 45 команд. Его восьмиразрядный аналог — Intel 8008 — был создан в 1974 г., а в 1976 г. появился усовершенствованный вариант Zilog Z-80. К тому времени в продаже появилось более 50 типов микропроцессоров. Среди современных (по состоянию на 1985 г.) микропроцессоров можно назвать: Zilog Z8000, Motorola 68000,

Intel 8086, National 16000, а также более старые модели: Texas Instruments 9900 и LSI-11 фирмы Digital Equipment. Все эти микросхемы рассчитаны на 16-разрядную шину данных. Но сейчас применяются более производительные микропроцессоры с 32-разрядной шиной. Примерами таких микропроцессоров являются APX-432 фирмы Intel, Bellmac-32 фирмы Bell Laboratories, VAX 78032 и VAX 78132 (процессор с ПЛМ эксплуатационным программированием) фирмы Digital Equipment.

M.138 microprogramming
микропрограммирование
Способ реализации функций устройства управления (С.306 control unit) посредством описания шагов, реализуемых в рамках этих функций как последовательности операций, которые являются значительно более простыми и элементарными в сравнении с командами (I.108 Instruction). При таком методе проектирования блока управления дополнительная память, называемая микропрограммной, хранит некоторую последовательность микрокоманд. Количество микрокоманд определяется требованиями обеспечения выхода на обычные машинные команды. В связи с этим микропрограммная память должна быть сверхбыстродействующей и иметь более короткое время цикла (С.369 cycle time) по сравнению с быстродействующей памятью. Микропрограммирование характеризуется микрокомандами горизонтального и вертикального типа. В горизонтальных микрокомандах большинству позиций битов соответствует однозначный набор определенных команд управления. Горизонтальные микрокоманды обеспечивают в явном виде управление функциями в конкретных узлах центрального процессора. Например, специальный разряд в микрокоманде должен реализовывать вызов определенного регистра, который очищается в нужный момент. Вертикальные микрокоманды обычно содержат поля с кодами более высокого уровня, которые описывают элементарные операции, выполняемые определенными элементами блока управления и арифметико-логического устройства, а также исходные и конечные адресные точки, между которыми осуществляется информационный обмен. В такой микрокоманде в результате декодирования поля, состоящего,

например, из трех разрядов, может быть определен один из восьми регистров, содержащих адрес операции, которая должна выполняться арифметико-логическим устройством. Другие поля будут определять собственно операцию и остальные адреса исходной управляющей информации. Горизонтальные микрокоманды в общем случае содержат большее число разрядов, т. е. оказываются более длинными, чем вертикальные, за что и получили свое название. Вертикальные микрокоманды, хотя и содержат меньшее число разрядов, требуют большего времени на их декодирование. Программирование микропрограммных блоков управления выполняются на двух уровнях. Первый уровень состоит из адресов горизонтальных микрокоманд. Второй уровень представляет собой полный перечень или требуемую часть всех горизонтальных микрокоманд. Это обеспечивает большую оперативность работы с памятью горизонтальных микрокоманд ценой введения двух обращений к памяти при исполнении конкретной микрокоманды. При такой форме программирования первый тип памяти называется микропрограммной памятью, а второй — нанопрограммной. Почти все блоки управления в настоящее время относятся к микропрограммируемым. Это позволяет достигать более высокого уровня организации и гибкости при проектировании управляющих устройств и создает возможность модификации управляющих функций посредством простого изменения содержимого памяти. Большинство типов микропрограммной памяти изготавливается как ПЗУ. Этот тип памяти обладает обычно более высоким быстродействием и потенциально менее подвержен сбоям по ошибкам. Другой тип памяти, часто называемый управляющей памятью, изготавливается как ЗУ с произвольной выборкой (R.011 RAM), которое обеспечивает большую простоту изменения функций блока управления. В некоторых случаях пользователь имеет возможность «конструировать» собственные специальные команды. Некоторые микропрограммные блоки управления обладают смешанной памятью обоих типов. В таком сочетании ЗУ позволяет хранить специальные служебные микропрограммы, которые загружаются в оперативную память при проведении технического обслуживания или диагностики. Микропрограммные устройства управления теперь отсутствуют только в некоторых сверхбольших ЭВМ, для которых считается, что аппаратные средства управления могут обеспечить большее быстродействие по сравнению с выполнением цепочки микрокоманд.

M.139 microprogram sequencer
микропрограммный задатчик последовательности
Часть микропрограммного блока управления, эквивалентная счетчику команд (P.260 program counter), но на микропрограммном уровне. См. M.138 microprogramming.

M.140 microprogram store (control memory)
управляющая память микропрограмм
Память, в которой хранится микропрограмма. Она может быть фиксированной (ПЗУ) или гибкой (перезаписываемой). См. M.138 microprogramming.

M.141 microsequence
микропоследовательность
Последовательность микрокоманд (M.136 microinstruction), т. е. некоторая микропрограмма или ее часть. См. M.138 microprogramming.

M.142 middleware
программы, записанные в ПЗУ
Какие-либо средства, занимающие промежуточное положение между аппаратным и программным обеспечением. В частности, так называют микропрограмму в абсолютных адресах в микропрограммируемых системах.

M.143 milli-
милли-
Префикс, обозначающий одну тысячную часть соответствующей единицы измерения (10^{-3}), например миллисекунду.

M.144 MIMD processor — multiple instruction, multiple data processor
процессор, работающий с множеством потоков команд и множеством потоков данных.
См. C.250 concurrency.

M.145 min — minimum
минимум
1. Унарная операция (M.184 monadic operation) в языке L, определяемая таким образом, что min (L) является набором слов в L, которые не имеют префиксов, характерных для L.
2. Одно из основных действий, выполняемых над множеством, элементы которого связаны отношением некоторого порядка (T.114 total ordering). Когда операция над таким множеством представлена в виде min (S), она выдает наименьший элемент множества S соответственно смыслу условия $\leqslant$.

M.146 minicomputer (mini)
мини-ЭВМ, минимашина
Сначала так назывались машины, конструктивно выполненные в одной стойке, т. е. занимавшие объем порядка десятых долей кубометра. По сравнению с большими вычислительными машинами мини-ЭВМ были и остаются более дешевыми, но менее производительными, имеют память меньшей емкости и, как правило, с меньшей длиной слова. Термин «мини-ЭВМ» не имеет точного определения. Он очень близок по содержанию к термину «микроЭВМ» (M.131 microcomputer) и четкой границы между двумя классами этих устройств нет.

M.147 minifloppy (minidiskette)
гибкий минидиск
См. F.103 floppy disk.

M.148 minimal machine
«минимальная машина»
Любому конечному автомату (F.074 finite-state automation) или последовательной ЭВМ (S.095 sequential machine) может быть поставлена в соответствие единственная (вплоть до изоморфизма) минимальная машина, способная распознавать такой же язык (в случае конечного автомата), или имеющая ту же выходную реакцию (в случае последовательной машины). Это действительно как для бесконечных, так и для конечных множеств состояний. Существуют две возможности, когда состояние q может оказаться «избыточным» — это либо «недостижимость», при которой на входе отсутствует слово, приводящее к начальному состоянию q, либо эквивалентность другому состоянию q', при котором последовательный режим работы такой машины остается одина-

ковым, независимо от того, в каком состоянии она находится: q или q'. В минимальной машине все недоступные состояния опущены, а все эквивалентные состояния объединены. Существует простой алгоритм, который позволяет минимизировать вариант любой машины. См. также М.262 Myhill equivalence, N.017 Nerode equivalence.

М.149 minimax
минимакс

Базисный алгоритм искусственного интеллекта (А.140 artificial intelligence), в частности, применяемый при создании программ для игровых задач, например для игры в шахматы. Создается дерево (Т.163 tree) возможных шагов, чередующихся с возможными ответными шагами противника с учетом некоторой перспективы. Осуществляется оценка ситуаций на листьях такого дерева, затем происходит возврат снова к дереву с выбором пути, приводящего к минимальной результативности оценки для противника и максимальной для самой программы.

М.150 minimax procedure
минимаксная процедура

Процедура, обычно используемая в теории аппроксимации с целью нахождения аппроксимирующей функции (часто полиноминальной), которая обладает наименьшей максимальной ошибкой, накопленной в данном интервале.

М.151 minimization
минимизация

1. Процесс манипуляции с логическим выражением, с помощью которого последнее трансформируется в более простое по форме, но эквивалентное выражение с такой же таблицей истинности. На практике минимизации является общим средством понижения числа логических вентилей (L.123 logic gate), логических входов или логических уровней в комбинационной схеме (C.174 combinational circuit), которая реализует данное логическое выражение. Методы минимизации включают в себя использование карт Карно (К.003 Karnaugh map) и алгебраических преобразований, часто выполняемых с помощью ЭВМ.
2. См. O.056 optimization.
3. Процесс, при котором может быть получена новая функция на основе прежней с использованием оператора

минимизации μ, определяемого следующим образом: пусть g является функцией $n + 1$ переменных, принимающих неотрицательные целые значения и имеющих эти целые значения в качестве своих порядков, тогда

$$\mu_y (g (x_1, x_2, ..., x_n, y) = 0$$

образует наименьшее неотрицательное целое значение y, для которого действительно

$$g (x_1, x_2, ..., x_n, y) = 0$$

при всех фиксированных значениях x_1, x_2, ..., x_n. Конечно, подобное значение y может и не существовать. Если y все же существует, то частичная функция f от n переменных может быть определена из выражения g с помощью оператора μ:

$$f (x_1, ..., x_n) =$$
$$= \mu_y (g (x_1, ..., x_n, y) = 0)$$

в противном случае $f (x_1, ..., x)$ неопределима. Для иллюстрации использования способа минимизации примем f в следующем виде:

$$f (x) = \mu_y (|2y - x| = 0).$$

Тогда $f (x) = x/2$ при всех четных значениях x.

М.152 minimum-access code
программирование с минимизацией задержек на обращение

Вид программирования для первых ЭВМ с накопителями на магнитном барабане. Оно известно еще как оптимальное программирование. В программах для машин с магнитным барабаном каждая команда содержит адрес следящей за ней команды, причем команды размещаются по адресам так, что они оказываются под считывающими головками в нужные моменты. Поскольку время выполнения команд неодинаково, необходимо учитывать, на сколько повернется барабан за время выполнения команды и тем самым определять оптимальное местоположение очередной команды. Поскольку этот адрес мог быть уже занят, достижение оптимального или близкого к оптимальному распределения команд на барабане было весьма затруднено. Наиболее широко распространенными машинами этого типа были IBM 650. Успех этих машин в основном определялся ассемблером SOAP, который обеспечивал близкое к оптимальному размещение программы без особых усилий со стороны программиста.

M.153 minimum-cost spanning tree
  остовное дерево минимальной стоимости
См. S.243 spanning tree.

M.154 minimum-error decoding
  декодирование по критерию минимизации ошибок
Способ декодирования кода с исправлением ошибок (E.103 error-correcting code), при которой на приемном конусе выбирается кодовое слово (C.155 codeword), вероятность передачи которого при данном принятом слове максимальна. Эта стратегия отличается от стратегии декодирования по критерию максимального правдоподобия (M.081 maximum-likelihood decoding), однако обе стратегии становятся идентичными, если все кодовые слова равновероятны.

M.155 minterm (standard product term)
  минитерм
Логическое произведение n булевых переменных с отрицанием или без отрицания, но не повторяющихся. При наличии n переменных возможно 2^n минитермов. Дополнением любого минитерма является макситерм (M.083 maxterm). См. также S.291 standard sum of products.

M.156 mips — million instructions per second
  миллион команд в секунду

M.157 MIS — management information system
  управленческая информационная система

M.158 MISD processor — multiple instruction, single data processor
  процессор с одним потоком данных и множеством потоков команд, MISD-процессор
См. C.251 concurrency.

M.159 mixed-base system
  система счисления со смешанным основанием
См. № 094 number system.

M.160 mixed logic
  смешанная логика
Цифровая система (D.185 digital design), построенная как на положительной (P.173 positive logic), так и на отрицательной (N.014 negative logic) логике.

M.161 mixed-radix system
  система счисления со смешанным основанием
См. N.094 number system.

M.162 MMI — man-machine interface
  человеко-машинный интерфейс

M.163 mnemonic code
  мнемокод
Упрощенная форма языка ассемблера (A.144 assembly language), название которой говорит об использовании мнемонических аббревиатур для обозначения кодов операций, например, мнемоника LDA соответствует операции «load accumulator» (загрузить аккумулятор).

M.164 MOB — movable object block
  перемещаемый фрагмент объекта
См. S.263 sprite.

M.165 mode
  1. режим; 2. мода
1. Термин, использующийся в различных контекстах, относящихся к вычислительным системам. Например, диалоговый режим — это интерактивное использование ЭВМ; режим интерпретации — это способ реализации возможностей языка; существуют также различные режимы адресации, указываемые в дескрипторах команд.
2. См. M.089 measures of location.

M.166 modem — modulator and demodulator
  модем, модулятор-демодулятор
Устройство, способное осуществлять модуляцию (M.174 modulation) и демодуляцию (D.145 demodulation) информационных сигналов, т. е. преобразовывать поток битов в аналоговые сигналы, пригодные для передачи по некоторому аналоговому каналу связи, и принимаемые аналоговые сигналы обратно в цифровую форму. Модемы используются для подключения цифровых устройств к линиям передачи аналоговых сигналов. Большинство модемов разрабатывается применительно к специфическим национальным и международным стандартам таким образом, чтобы оборудование систем связи одного производителя могло взаимодействовать с оборудованием другого производителя.

M.167 modifier bits
модифицирующие разряды

Обычно небольшая группа битов (разрядных позиций) в командном слове, используемая для задания некоторой дополнительной характеристики способа, в соответствии с которым должны использоваться или интерпретироваться коды операций и адреса операндов. См. I.111 instruction format.

M.168 mod-n counter (modulo-n counter)
счетчик по модулю n

См. C.327 counter.

M.169 Modula
Модула

Язык программирования, созданный на основе языка Паскаль (P.058 Pascal) как демонстрационное средство для показа возможности написания операционных систем целиком на языке высокого уровня. Возможности этого языка сейчас перекрываются языком программирования Модула-2.

M.170 Modula-2
Модула-2

Язык высокого уровня, созданный Виртом (разработчиком языка Паскаль) в качестве языка программирования для персональной ЭВМ Lilith. Модула-2 — это, по существу, производный язык Паскаля. Его название подчеркивает тот факт, что создаваемая на основе этого языка программа формируется из модулей — наборов процедур и данных, которые существуют независимо от других модулей и имеют управляемый интерфейс с другими модулями (ср. с концепцией пакета в языке Ада). Модула-2 обеспечивает, кроме того, средства описания параллельных вычислений и их взаимодействий, а также механизмы синхронизации. В настоящее время этот язык используется в большинстве известных микроЭВМ.

M.171 modular arithmetic (residue arithmetic)
арифметика в остаточных классах

Арифметические действия, основанные на использовании отношения конгруэнтности (C.264 congruence relation), которое определено на множестве целых чисел и служит для преодоления трудностей выполнения арифметических операций над очень большими числами. Пусть $m_1, m_2, ..., m_k$ — целые числа, среди которых не существует двух, имеющих общий множи-

тель больше единицы. Тогда при заданном большом положительном числе n можно оперировать не самим числом n, а его остатками или вычетами

$$r_1, r_2, ..., r_k,$$

такими, что

$$n \equiv r_1 \pmod{m_1},$$
$$n \equiv r_2 \pmod{m_2}; ...$$
$$n \equiv r_k \pmod{m_k}.$$

При условии, что n меньше

$$m_1 \times m_2 \times ... \times m_k,$$

n можно описать вектором

$$(r_1, r_2, ..., r_k),$$

который может рассматриваться как внутреннее представление n. При этом сложение, вычитание и умножение двух больших чисел может быть представлено как сложение, вычитание и умножение соответствующих пар остатков, например,

$$(r_1, ..., r_k) + (s_1, ..., s_k) = (r_1 + s_1, ..., r_k + s_k).$$

Однако определение знака получаемого числа или сравнение значений по абсолютной величине оказывается более сложной задачей.

M.172 modular counter
модульный счетчик

См. C.034 cascadable counter.

M.173 modular programming
модульное программирование

Способ программирования, при котором вся программа разбивается на группу компонентов, называемых модулями, каждый со своими контролируемыми размерами, четким назначением и хорошо определенным интерфейсом с внешней средой. Поскольку единственная альтернатива — это создание монолитной программы, что крайне неудобно, вопрос заключается не в том, должны ли программы разбиваться на модули, а в том, каким должен быть критерий разбиения. Эту проблему решил Д. Парнас, который предложил, чтобы одним из основных критериев считался принцип утаивания информации (I.075 information hiding). До этого разбиение на модули обычно осуществлялось на основе какой-нибудь целевой функции или на основе выделения однотипных этапов обработки, выполняемой программой, что давало совсем незначительный выигрыш. Еще раньше основное внимание сосредоточивалось на декомпозиции, основанной на использовании абстрактных типов данных. Этот способ разбиения на модули может удачно сочетаться с принципом утаивания информации.

M.174 modulation
модуляция

Процесс изменения одного сигнала, называемого несущей, в соответствии с формой некоторого другого сигнала. Несущая — это обычно аналоговый сигнал, выбираемый так, чтобы он наилучшим образом согласовывался с характеристиками конкретной системы передачи. Сигналы и способы модуляции могут сочетаться друг с другом с целью получения комбинированных сигналов, переносимых по нескольким независимым информационным каналам (см. M.239 multiplexing). К основным типам модуляции относятся:

а. Амплитудная модуляция (АМ), при которой сигнал несущей изменяется по мощности или амплитуде. Эта форма модуляции в системах передачи данных в чистом виде используется сравнительно редко.

б. Частотная модуляция (ЧМ), при которой изменяется частота несущей. Такой способ часто применяется в модемах (M.166 modem).
См. также F.149 frequency shift keying.

в. Фазовая модуляция (ФМ), при которой изменяется фаза волны несущей. Этот способ модуляции часто используется в сочетании с амплитудой модуляцией в высокоскоростных модемах. См. также P.111 phase shift keying.

г. Импульсно-кодовая модуляция (ИКМ), при которой аналоговый сигнал кодируется сериями импульсов в дискретном потоке данных. Такая техника модуляции используется в устройствах кодирования — декодирования (C.151 codec).

д. Спектральная модуляция (СМ), при которой волна несущей модулируется по частоте (ЧМ) аналоговым или цифровым сигналом в сочетании с третьим, кодовым, сигналом. Такой способ применяется в военной технике в радиосетях с пакетной коммутацией. (P.007 packet radio).

Термин shift keying (манипулирование), как и термин frequency shift keying (частотное манипулирование), обозначает особый способ модуляции в случаях, когда модулирующий сигнал является более предпочтительным цифровым, а не аналоговым.

M.175 modulator
модулятор

Устройство, которое преобразует цифровой сигнал в аналоговый: в модуляторе цифровой сигнал используется как эталон, определяющий параметры, которые должен иметь аналоговый сигнал. Демодулятор (D.145 demodulator) выполняет обратное преобразование для восстановления исходного цифрового сигнала. См. также M.174 modulation; M.166 modem.

M.176 module
модуль

См. M.173 modular programming; M.178 module specification.

M.177 module invariant
инвариант модуля

См. I.166 invariant.

M.178 module specification
спецификация модуля

Точное определение результатов, достижение которых требуется от программного модуля. Спецификация модуля может использоваться в двух аспектах: разработчиком, находящим в ней описание требований к модулю, и пользователем, получающим точные сведения о том, какие функции выполняет модуль. Хорошо составленная спецификация никогда не навязывает конкретный способ достижения требуемых результатов работы программного модуля. Известны различные методы составления спецификаций модулей. Функциональная спецификация определяет операции, выполняемые модулем, и дает индивидуальную характеристику каждой операции обычно в форме описания ввода-вывода, которое показывает выполняемое конкретной операцией отображение ряда значений на входе в некоторый ряд значений на выходе. В типичном варианте, когда какой-либо модуль работает с локальными данными, при определении каждой отдельной операции необходимо бывает привязываться к этим локальным значениям данных. В результате происходит ус-

301

ложнение спецификации и нарушается принцип, согласно которому спецификация должна диктовать, что обязан делать какой-либо модуль, но не то, каким образом это осуществляется. В рамках автоматных модулей, предложенных Парнасом, модуль рассматривается как конечный автомат и разделяются операции, которые могут анализировать текущее состояние машины, и операции, которым разрешено изменять это состояние. В спецификации указывается влияние выполнения каждой операции, изменяющей состояние на результат операции, предназначенной для анализа определенного состояния. Поэтому указанный способ исключает необходимость обращения к локальным данным модуля. Гуттагом и Хорнингом этот способ распространен и на так называемую алгебраическую спецификацию. По их методике, ориентированной на модули, работающие с абстрактными типами данных (A.008 abstract data type), спецификация задается двумя частями: синтаксической спецификацией и набором уравнений. Синтаксическая спецификация определяет названия, области применения и диапазон операций, выполняемых модулем. Каждое уравнение определяет «чистый» результат некоторой последовательности операций или одиночной операции. Полный набор уравнений должен быть достаточным для определения результатов всех операций при всех возможных условиях. Поскольку существует необходимость в точности специфицирования программных модулей, лучше это делать с использованием некоторого формализованного языка спецификаций. Разработано много таких языков, в сильной мере ориентированных на исчисление предикатов первого порядка (P.193 predicate calculus). Примером может служить язык SPECIAL для системы HDM, построенной на принципах конечного автомата, а также язык для системы AFFIRM, в котором используется техника алгебраических описаний.

M.179 module testing (unit testing)
тестирование модулей
См. T.059 testing

M.180 modulo-n check = check-sum
контроль по модулю n

M.181 modulo operation
операция по модулю
Арифметическая операция, в которой результатом является остаток от деления одного целого числа на другое. Например, по модулю j или $i \bmod j$ — это остаток от деления целого числа i на целое число j. Операция не имеет точного определения, если целые числа отрицательные. См. также M.171 modular arithmetic.

M.182 MOHLL — machine-oriented high-level language
машинно-ориентированный язык программирования высокого уровня
Язык программирования со структурами управляющей логики типичного языка высокого уровня (if-then, while-do и др.), типы и структуры данных которого накладываются на архитектуру машины. Например, такой язык допускает использование разнообразных информационных объектов типа «бит», «байт», «слово» и др. Подобные языки называются еще машинноориентированными языками: они представляют собой альтернативу языку ассемблера для системного программирования на уровне интерфейс — аппаратные средства. Наиболее известными примерами являются языки Babbage (B.001 Babbage) и PL/360, Ср. P.146 POL.

M.183 monadic
унарный
Имеющий один операнд

M.184 monadic operation (unary operation)
унарная операция, одноместная операция
Операция с одним операндом, определенная на множестве S. Функция (F.160 function), отображающая область S на самое себя, например, тождество (I.017 identity function) — это операция с одним операндом. Другими примерами являются операции отрицания (N.012 negation) в арифметике или логике и образование дополнений (C.207 complement) в теории множеств или в булевой алгебре (B.118 Boolean algebra). Как и основные функции, унарные операции часто представляются с использованием специальных обозначений, например $\neg A$ или A' или $\bar{A}$. Когда множество S конечно, для определения значений результата операций может быть ис-

пользована таблица истинности (T.188 truth table).

M.185 monic polynominal
нормированный многочлен
См. P.150 polynominal.

M.186 monitor
монитор
1. Устройство, применяемое для контроля процесса и управления системой. Видеотерминал и клавиатура могут использоваться и как пульт управления, и как монитор. Видеотерминалы с экраном, но без клавиатуры могут использоваться как дистанционные мониторы, позволяющие наблюдать состояние системы на расстоянии.
2. Супервизор или даже вся операционная система.
3. Программное средство, разработанное Хоаром и дающее возможность управляемого совместного использования ресурсов среди асинхронных процессов, включая возможность управляемого обмена параметрами между процессами.

M.187 monoid
моноид
Полугруппа (S.073 semigroup), которая включает в себя единичный элемент (I.016 identity element), *e*. Если *S* является полугруппой, на которой определена бинарная (D.349 dyadic operation) операция ∘, то

$$x \circ e = e \circ x = x$$

для всех *x* в *S*. Моноиды играют важную роль в различных областях вычислительной техники и особенно — в изучении формальных языков (F.117 formal language) и синтаксическом анализе (P.050 parsing).

M.188 monomorphism
мономорфизм
Гомоморфизм (H.026 homomorphism), являющийся инъекцией (I.092 injection) при рассмотрении его как функции.

M.189 monostable (one-shot)
моностабильный, с одним устойчивым состоянием
Так говорят о цифровой схеме, которая имеет только одно устойчивое состояние выходного сигнала. Схема эта сконструирована таким образом, что может запускаться внешним сигналом с целью получения одиночного импульса на выходе. Продолжительность

импульса определяется выбором параметров внешних компонентоь (как правило — конденсаторов). Повторный запуск схемы тоже осуществляется под контролем извне.

M.190 Monte Carlo method
метод Монте-Карло
Метод решения математических и физических задач с использованием вероятностных механизмов (S.325 stochastic process). В рамках этого метода строится вероятностная модель, соответствующая математической или физической задаче, и на ней реализуется случайная выборка. Чем больше выборок, тем точнее получаемый результат. Метод Монте-Карло часто используется для вычисления двойных или тройных интегралов.

M.191 Moore machine
автомат Мира
См. S.095 sequentral machine.

M.192 morphism
морфизм
См. C.040 category.

M.193 MOSFET (MOS transistor) metal oxide semiconductor field-effect transistor
полевой транзистор со структурой металл — оксид — полупроводник; МОП-транзистор
Тип полевого транзистора (F.041 field-effect transistor), в котором имеется слой оксида (обычно двуокись кремния), отделяющий затвор от стока проводящего канала в полупроводнике. В *n*-канальных МОП-транзисторах канал образуется между истоком *n*-типа и стоком и пропускает поток носителей отрицательного заряда (т. е. электронов). В *n*-канальных МОП-транзисторах канал образуется между истоком *p*-типа и стоком и пропускает поток носителей положительного заряда (т. е. дырок). Условные обозначения показаны на рисунке. МОП-транзисторы не требуют никакого другого электрического поля на затворе, кроме импульса для запирания и отпирания его входного конденсатора. Они могут работать с высокими скоростями переключения и более низкими токами по сравнению с биполярными транзисторами (B.084 bipolar transistor). Но интегральные схемы (I.122 integrated circuit), изготовляемые по МОП-технологии, работают медленнее, чем их биполярные аналоги

Сток
Подложка
Сток
Подложка
Затвор   Исток   Затвор   Исток
p-МОП   n-МОП

из-за более крупных размеров их технологических элементов.

M.194 MOS integrated circuit
интегральная МОП-схема
См. I.122 Integrated circuit.

M.195 MOS transistor = MOSFET
МОП-транзистор

M.196 most significant character
старший значащий разряд
Символ, находящийся в самом старшем разряде числа, слова, сигнала и др. Примерами могут служить самая старшая значащая цифра и самый старший двоичный разряд, которые представляют собой максимальную составляющую двоичного или какого-либо другого числа.

M.197 mother = parent
родительский
В форме mother термин употребляется редко.

M.198 mother board
объединительная плата
Печатная плата (P.218 printed circuit), несущая на себе функциональные элементы вычислительной системы: центральный процессор, память, схемы управления клавиатурой и др. Функции платы могут быть расширены дополнительными модулями, называемыми дочерними платами и имеющими специальное назначение, например, расширение оперативной памяти или управление накопителем на диске. Эти платы подключаются к объединительной плате через разъемы стандартной шины. См. также B.006 backplane.

M.199 Motorola
«Моторола»
Американская фирма, производящая средства связи в основном для автомобилей и других автономных транспортных средств, а также обычную радиоаппаратуру. В конце 50-х годов фирма начала выпуск полупроводниковых приборов, и в настоящее время является ведущей фирмой США по производству сверхбольших интегральных схем. Интегральная схема Motorola 6800 была выпущена вслед

за Intel 8080. Широко распространены интегральные схемы серии Motorola 68000 для высокопроизводительных 16-разрядных процессоров.

M.200 mouse
«мышь»
Приспособление для указания нужных точек, перемещаемое вручную по плоской поверхности: координаты местоположения «мыши» передаются в ЭВМ и вызывают соответствующие перемещения курсора по экрану дисплея. «У мыши» имеется одна или несколько клавиш для подачи сигнала в ЭВМ о том, что курсор достиг нужного положения. Обычно используются кабельные соединения с ЭВМ. В случае «бесхвостой мыши» используется связь в диапазоне теплового излучения.

M.201 movement file = transaction file
файл транзакций; файл оперативной информации

M.202 moving-average method
метод скользящего среднего
См. T.095 time series.

M.203 MPU — microprocessor unit
микропроцессорный блок
Первичный арифметический и управляющий узел микропроцессорной системы. См. M.137 microprocessor.

M.204 MSD, MSB — most significant digit, most significant bit
цифра старшего разряда; самый старший двоичный разряд

M.205 MS-DOS
операционная система
Операционная система, разработанная фирмой Microsoft для ЭВМ на основе микропроцессоров серии Intel 8086. Эта система располагает набором программных средств для обеспечения прогона программ в монопольном режиме. Основные возможности системы определяются набором средств для управления файлами и устройствами ввода-вывода.

M.206 m-sequence
m-последовательность
Периодическая последовательность символов, генерируемая линейным регистром сдвига с обратной связью (F.028 feedback shift register), коэффициенты обратной связи которого образуют простой многочлен. q-разрядный регистр (где q — простое число), порождающий многочлен которого имеет степень n, способен обеспечивать

период q^n — 1, при условии ненулевого исходного состояния; его содержимое будет последовательно принимать ненулевые значения, соответствующие q-нарным комбинациям n разрядов. Почленные суммы по модулю q двух m-последовательностей образуют новую m-последовательность; m-последовательности (заданного порождающего многочлена) вместе с нулевой последовательностью образуют группу (G.058 group). Данный термин является сокращением термина «последовательность максимальной длины». Она называется так потому, что порождающий регистр сдвига имеет всего только q^n состояний и, следовательно (при произвольной логике в цепи обратной связи), не может формировать последовательность с периодом, превосходящим q^n. Но в линейной логике нулевое состояние должно соответствовать петли в графе (см. G.037 Good — de Bruijn diagram), поэтому период линейной обратной связи не может превышать q^n — 1. Этот период, который может быть достигнут тогда и только тогда когда многочлен является простым, представляет собой тот максимум, который может быть обеспечен. m-последовательности имеют множество полезных свойств. Они используются в качестве псевдослучайных последовательностей (P.312 pseudorandom) в кодах с исправлением ошибок (E.103 error-correcting code) (в их нормальном, сокращенном или расширенном виде), а также при определении времени реакции линейных каналов (см. C.312 convolution). См. также C.169 simplex codes.

M.207 MSI — medium-scale integration
интеграция среднего уровня
интеграция на уровне 100—1000 транзисторов в одном кристалле. См. I.122 integrated circuit.

M.208 MTBF — mean time between failures
среднее время безотказной работы
Показатель надежности работы системы.

M.209 MTBI — mean time between incidents
средняя наработка на сбой
Показатель надежности, аналогичный среднему времени безотказной работы (M.208 MTBF) с той лишь разницей, что он учитывает лишь такие отказы, которые могут быть устранены без вмешательства специалиста.

M.210 MTL — merged transistor logic
логические схемы с совмещенными транзисторами
См. I.0321²L.

M.211 MTS — Michigan terminal system
Мичиганская терминальная система
Операционная система, разработанная в Мичиганском университете в конце 60-х годов и в основном предназначенная для интерактивного режима работы одновременно большого числа пользователей, каждый из которых выполняет трудоемкую задачу.

M.212 MTTR — mean time to repair
среднее время ремонта
См. R.118 repair time.

M.213 MTU — magnetic tape unit
блок магнитной ленты

M.214 mu-law (μ-law) encoding
кодирование путем модуляции
См. P.327 pulse code modulation.

M.215 multiaccess system
система с коллективным доступом
Система, позволяющая нескольким пользователям одновременно работать на ЭВМ. Каждый пользователь располагает терминалом (обычно состоящим из клавиатуры и дисплея), включенным в основную систему через мультиплексор или связной процессор. По мере того, как пользователи вводят свои команды, система работает в мультипрограммном режиме и каждая команда пользователей обрабатывается в порядке поступления. См. также T.096 time sharing.

M.216 multiaddress — multiple-address
многоадресный

M.217 Multibus
МУЛЬТИБАС
Гибкая шинная структура, разработанная фирмой Intel и используемая в настоящее время во многих коммерческих микропроцессорных системах. Она способна работать как с восьми-, так и с 16-разрядными процессорами и 20-разрядными адресами при адресном пространстве объемом до одного мегабайта. Шина обеспечивает системную архитектуру с одним или несколькими ведущими узлами и с квитированием установления связи (H.021 handshaking) между устройствами, работающими с разной скоростью. Ре-

сурсы шины могут одновременно использовать до 16 абонентов. Платы шины МУЛЬТИБАС имеют длину 305 мм и ширину 172 мм (12×6,75 дюймов). Электрическое подсоединение осуществляется через два торцевых гребенчатых разъема: один с 43/86, а другой с 30/60 контактами.

M.218 multicasting
групповая широковещательная передача
См. B.144 broadcasting.

M.219 MULTICS — MULTiplexed Information and Computing Service
МУЛЬТИКС
Операционная система режима мультидоступа (M.125 multiaccess), разработанная в рамках проекта системы машинного обучения (M.002 MAC), который имел целью предоставление информационных и вычислительных услуг в мультиплексном режиме. В системе «МУЛЬТИКС» широко используется принцип организации «колец» аппаратной защиты от несанкционированного доступа к памяти, что обеспечивает возможность управления виртуальной памятью очень большого объема. Пользователь, работающий с файлом, вводит его в память целиком. Система «МУЛЬТИКС» была реализована на специальной технике, разработанной фирмой General Electric, а полностью проект MAC был реализован в вычислительных системах фирмы Honeywell Computer Systems.

M.220 multidimensional array
многомерный массив.
Массив (A.138 array), имеющий несколько параметров размерности.

M.221 multidrop line
многоабонентская линия
Однопроводная линия связи, соединяющая множество станций, в качестве которых выступают терминалы или ЭВМ. Обычно одна из таких станций осуществляет опрос других (P.148 polling) с целью координации доступа к линии и предотвращения конфликтных ситуаций (одновременной передачи сообщений сразу несколькими станциями). При этом используются такие управляющие протоколы, как протокол двоичной синхронной передачи данных (B.088 BISYNC) или протокол синхронного управления передачей данных (S.029 SDLC). См. также M.242 multipoint connection; P.143 point-to-point line.

M.222 multigrid methods
многосеточные методы
Широкий класс численных методов решения некоторых типов дифференциальных уравнений в частных производных (P.052 partial differential equations). Самый простой метод заключается в сведении системы дифференциальных уравнений к системе линейных алгебраических уравнений (L.050 linear algebraic equation) в результате конечно-разностной аппроксимации, содержащей иногда тысячи неизвестных. Эти системы решаются итеративно путем последовательного понижения порядка на основе использования более грубых сеток (см. F.068 finite diferece method). Важную роль здесь играет метод последовательной верхней релаксации. См. I.209 iterative methods for linear systems.

M.223 multilayer device
многослойный полупроводниковый прибор
Электронное устройство, изготовленное по технологии, которая обеспечивает нанесение нескольких слоев проводящего рисунка на диэлектрическую подложку. Все проводящие слои разделены между собой слоями диэлектрического материала. Между различными проводящими слоями устанавливаются связи через отверстия в диэлектрике. Например, эта технология применяется для производства компактных многослойных печатных микроплат для гибридных интегральных схем, а также же для изготовления многослойных микросхем с КМОП-структурой.

M.224 multilevel memory
многоуровневая память
Запоминающая система, состоящая по меньшей мере из двух запоминающих подсистем с различной емкостью и с различным временем доступа. См. M.105 memory hierarchy.

M.225 multilevel security
многоуровневая защита
Режим защиты при обработке данных (S.048 security processing mode), когда пользователи с различным статусом в части обеспечения секретности имеют ограниченные возможности обращения к базе данных, содержащей информацию с разными грифами. Выходные результаты тоже снабжаются соответствующими метками секретности (S.045 security label).

M.226 multilinked
многосвязный
Имеющий связи (L.072 link) с другими структурами данных. Например, разреженная матрица (S.244 sparse matrix) часто строится так, что каждый ее элемент принадлежит двум разным линейным спискам, соответствующим строкам и столбцам таблицы. Многосвязную структуру часто называют кратной цепью.

M.227 multimedia mail
почтовые средства с многообразными носителями информации, многоформатная электронная почта
См. Е.038 electronic mail.

M.228 multimode counter
многорежимный счетчик
См. С.327 counter.

M.229 multipart stationery
бумага для печатающих устройств, разделенная на листы
См. S.312 stationery.

M.230 multiple-address machine
многоадресная вычислительная машина
ЭВМ, формат команд (I.111 instruction format) которой (или некоторое количество команд) имеет более одного адреса операнда.

M.231 multiple assignment
множественное присвиивание
Вид операции присваивания (A.148 assignment statement), при которой одинаковая величина присваивается. одной или нескольким переменным. Например, в АЛГОЛЕ операция
$$a := b := c := 0$$
устанавливает значения переменных a, b и c равными 0.

M.232 multiple chain
кратная цепь
См. М.226 multilinked.

M.233 multiple precision
многократная точность
См. D.281 double precision.

M.234 multiple regression model
модель множественной регрессии

M.235 multiple-valued logic
многозначная логика (недвоичная логика)
Дискретная логика, используемая в логических схемах (L.116 logic circuit), рассчитанных на работу с сигналами более, чем двух уровней

(напряжения, тока и т. п.). Например, q-значные логические схемы работают с сигналом q уровней, и каждый запоминающий элемент (M.102 memory element) — например, триггер — может находиться в q состояниях. Разделение логических схем на комбинационные (С.174 combinational circuit) и последовательностные (S.092 sequential circuit) возможно в многозначной логике так же, как и в двоичной. Наибольший интерес представляют схемы трехзначной логики, когда $q = 3$; реже используются схемы четырехзначной логики ($q = 4$). Такие схемы дают возможность сократить количество логических вентилей, запоминающих элементов и, что особенно важно, межкомпонентных соединений. Трехзначная логика довольно просто реализуется в КМОП-технологии (С.142 CMOS) и, вероятно, найдет широкое применение при разработке сверхбольших интегральных схем (V.053 VLSI circuit). Богатые логические возможности трехзначной логики доказываются тем фактом, что в случае двухвходовых двоичных вентилей существуют лишь 16 комбинаций входов и выходов, в то время как у двухвходового троичного вентиля таких комбинаций 19.683.

M.236 multiplexed bus
мультиплексная шина
Тип шинной структуры, в которой число сигнальных линий шины меньше разрядности передаваемых по шине между элементами системы данных, адресов или управляющей информации. Например, мультиплексная адресная шина может иметь восемь сигнальных линий для передачи 16-разрядного адреса. Инфомация в данном случае передается последовательно, то есть с уплотнением во времени, и при этом вводятся дополнительные линии для управляющих сигналов, которые обеспечивают упорядочение передачи.

M.237 multiplexer
1 мультиплексор 2. коммутатор
1. Устройство, которое объединяет информацию, поступающую по нескольким каналам ввода, и выдает ее по одному выходному каналу (M.239 multiplexing).
2. Комбинационная схема (С.174 combinational circuit), которая коммутирует один из m входов с n выходами

при условии, что $m \leqslant 2^n$. См. также D.068 dete selector/multiplexer.

M.238 multiplexer channel
мультиплексный канал
См. C.064 channel.

M.239 multiplexing
мультиплексирование; уплотнение
Процесс совмещения нескольких сообщений, передаваемых одновременно в одной физической или логической среде. Существуют два основных типа мультиплексирования: временное мультиплексирование (T.087 time division multiplexing) и частотное мультиплексирование (F.146 frequency division multiplexing). При временном мультиплексировании устройству отводятся интервалы времени, в которые оно может использовать передающую среду. При частотном мультиплексировании передающая среда делится на каналы с определенной полосой пропускаемых частот (B.023 bandwidth), и пользователь получает право на такой канал. Частотное и временное мультиплексирование могут применяться одновременно для выделения устройствам определенных интервалов времени в логических каналах.

M.240 multiplier
умножитель
Специальный блок арифметико-логического устройства (A.126 arithmetic and logic unit), который применяется для выполнения действия умножения. Этот блок не всегда имеется в АЛУ. Умножение может быть выполнено как последовательность операций сложения и сдвига под контролем управляющего устройства (C.305 control unit).

M.241 multiply connected
многосвязный
Свойство узла сети связи, который имеет линии цепи или каналы, соединяющие его с близлежащими узлами (одним или несколькими). Если происходит какое-либо нарушение одного соединения, узел остается работоспособным благодаря возможности связи по другим каналам.

M.242 multipoint connection
многоточечное соединение
Параллельное соединение нескольких терминалов. Иногда этот термин употребляют как синоним термину multidrop connection, хотя между ними есть разница. Определение multidrop

относится к сети, в которой все соединения организуются одним коммутационным узлом, а определение multipoint означает, что соединение осуществляется путем аналогичных параллельных ответвлений, в которых некоторые или все терминалы обслуживаются разными агентствами коммерческой сети связи, соединенными общей магистралью *.

M.243 multipoint line
многоточечная линия, моноканал
Линия передач данных, которая соединяет более двух точек (станций, узлов и т. п.). Каждая станция имеет свой собственный адрес. Для определения станции, имеющей право на передачу данных по каналу, и станций (одной или нескольких) должны работать в режиме приема, используется протокол управления каналом связи. См. D.045 data link control protocol.

M.244 multiprecision (multiple precision)
многократная точность
См. D.281 double precision.

M.245 multiprocessing system (multiprocessor; multiunit processor)
мультипроцессорная система, мультипроцессор
Система, в которой одновременно могут быть активными сразу несколько процессоров. Пока процессоры выполняют обработку данных, они работают асинхронно. Но в моменты обращений к дефицитным системным ресурсам или к критической секции машинной программы возникает необходимость в синхронизации процессоров. Мультипроцессорная система всегда бывает мультипрограммной.

M.246 multiprocessor = multiprocessing system
мультипроцессорная система

M.247 multiprogramming system
система, работающая в многопрограммном режиме, мультипрограммная система
Система, в которой одновременно могут быть задействованы несколько не-

---

* Именно этим объясняется принятое в словаре различие русских эквивалентов соответствующих терминов. Multidrop line мы переводим как «многоабонентская линия», а multipoint line — как «многоточечная линия». — *Прим. ред. пер.*

зависимых программ. Каждая активная программа реализует некоторый процесс, и поэтому в системе может существовать сразу несколько процессов, однако на каком-либо процессоре в каждый промежуток времени может выполняться только какой-то один процесс. Вполне возможна организация мультипрограммного режима и в системе с одним процессором. Мультипроцессорная система (М.245 multiprocessing system), построенная на нескольких процессорах, также может работать в мультипрограммном режиме.

M.248 multiset
мультимножество
См. B.013 bag.

M.249 multitape Turing machine
машина Тьюринга с несколькими магнитными лентами
Машина Тьюринга (T.192 Turing machine), имеющая конечное число магнитных лент. На каждую ленту приходится отдельная считывающая головка, которая может перемещаться независимо. Эти машины имеют такую же вычислительную мощность, как и машины Тьюринга с одной магнитной лентой. Обозначим машину Тьюринга с несколькими лентами символом T. Если никакое входное слово длины n не заставляет машину T просматривать более $L(n)$ ячеек на любой ленте, то говорят, что T — это $L(n)$-ограниченная машина Тьюринга. Если же ни при каком входном слове длины n машины Тьюринга не делает более $T(n)$ шагов до останова, то говорят, что T — это $T(n)$-ограниченная машина Тьюринга.

M.250 multitasking
многозадачный режим
Одновременное выполнение нескольких задач, то есть нескольких видов работ или нескольких процессов (P.031 parallel processing).

M.251 multithreading
многопоточная обработка
Режим, при котором машинная программа, реализуемая несколькими процессами или процессорами, иногда разнотипными, и в отдельных случаях активизируется несколько процессов или процессоров одновременно.
См. также S.179 single threading; T.075 threading.

M.252 multiunit processor = multiprocessing systen
мультипроцессорная вычислительная система

M.253 multiuser system
многопользовательская система
Система, обслуживающая одновременно нескольких пользователей, то есть мультипрограммная (М.247 multiprogramming) или мультипроцессорная (М.245 multiprocessing system) система.

M.254 multivalued logic
многозначная логика
См. 235 multiple-valued logic.

M.255 multivariate analysis
многомерный анализ
Анализ множественных результатов измерений свойств случайной выборки, в рамках которого используется множество методов решения целого спектра задач. Кластерный анализ (C.139 cluster analysis) применяется для отыскания однородных группировок внутри выборки на основе измерений значений переменных. Дискриминантный анализ применяется с целью получения на основе произведенных замеров выводов, должно ли отдельное значение быть отнесено к конкретному классу. Причинно-следственный анализ компонентов и факторный анализ помогают уменьшить (например, до двух или трех) число учитываемых переменных, которые в наибольшей степени влияют на изменчивость выборочных значений. Многомерный анализ распределения вероятностей (P.232 probability distributions) определяет вероятности для множеств случайных переменных.

M.256 multivibrator
мультивибратор
Электронный генератор колебаний, имеющий двухкаскадный усилитель с резисторно-емкостной связью, срабатывающий таким образом, что сигналы на его выходе всегда комплементарные и соответствуют двум взаимоисключающим состояниям — полностью запертому и полностью открытому. Схема может быть настроена на непрерывное генерирование прямоугольных сигналов (астабильный режим), импульсов (моностабильный режим) или на изменение состояния под управлением внешнего переключающего устройства (бистабильный режим). См. также F.097 flip-flop.

M.257 multiway search tree
дерево многоканального поиска

Обобщение понятия «дерево двоичного поиска» (B.071 binary search tree) со степени 2 на степень n. Каждый узел упорядоченного дерева имеет $m \leqslant n$ дочерних узлов и содержит $m - 1$ упорядоченных значений ключей, называемых подключами. При некотором заданном ключе поиска, если его значение меньше первого подключа, поиск по ключу проводится в первом поддереве (если оно существует). Если значение поискового ключа лежит между значениями i-го и $(i + 1)$-го подключей, то при

$$i = 1, 2, \ldots, m - 2$$

осуществляется поиск в $(i + 1)$-м поддереве (если оно существует). Если же значение ключа больше значения последнего подключа, то просматривается m-ое поддерево (если оно существует). См. также B.148 B-tree.

M.258 mu operator
оператор минимизации, оператор μ

См. M.151 minimization

M.259 mutual exclusion
взаимное исключение

Отношение между процессами, характеризуемое тем, что определенная часть каждого из них называется критической секцией (см. C.344 critical section), не должна выполняться, пока выполняется критическая секция другого процесса. Таким образом происходит исключение одного процесса другим. В определенных разделах операционной системы (например, связанных с распределением неделимых ресурсов) очень важно установить правило, по которому в любой момент времени только один процесс может реализовывать соответствующую программу. Достаточно надежно такая ситуация может обеспечиваться семафором (S.070 semaphore): при входе в критическую область процесса устанавливается семафор, предотвращающий доступ к выполняемой программе любому другому процессу, пока семафор не будет сброшен в ноль в результате выполнения последней операции процесса, который первым достиг критической области.

M.260 MUX — multiplexer
мультиплексор

M.261 MVS — multiprogramming with a variable number of processes
Торговая марка операционной системы, обеспечивающей мультипрограммирование с произвольным числом процессов

Эта операционная система реализуется в универсальных процессорах больших машин фирмы IBM или в совместимых с ними процессорах.

M.262 Myhill equivalence
эквивалентность по Майхиллу

Отношение эквивалентности (E.091 equivalence), используемое в теории формальных языков (F.118 formal language theory). Пусть L — некоторый язык с алфавитом Σ (см. W.036 word); для него эквивалентностью по Майхиллу будет отношение $=_{\text{м}}$, определенное над множеством слов в алфавите Σ^* и записываемое как

$$u =_{\text{м}} u',$$

если для всех w_1, w_2 в Σ^*

$$w_1 u w_2 \in L \text{ iff } w_1 u' w_2 \in L.$$

В более общем случае можно аналогичным образом считать, что если f представляет собой функцию от Σ^* для любого множества слов, то эквивалентность по Майхиллу выражается следующим образом:

$$u =_{\text{м}} u',$$

если

$$f(w_1 u w_2) = f(w_1 u' w_2)$$

для всех w_1, w_2 в Σ^*

(см. также N.017 Nerode equivalence). Важно отметить, что L является регулярным языком (R.093 regular language) тогда и только тогда, когда эквивалентность по Майхиллу $=_{\text{м}}$ обладает свойством конечности, т. е. существует конечное множество классов эквивалентности (E.089 equivalence classes). Безусловно, язык L является регулярным тогда и только тогда, когда он представляет собой объединение классов эквивалентности на конечном их множестве. Кроме того, эквивалентность $=_{\text{м}}$ является конгруэнцией (C.264 congruence) над Σ^*, т. е.

$$u =_{\text{м}} u' \text{ и } v =_{\text{м}} v'$$

влечет за собой

$$uv =_{\text{м}} u'v'.$$

Поэтому из классов эквивалентности можно создавать однородные связки (C.247 concatenation) и образовывать полугруппы (S.073 semigroup). Практически такая полугруппа будет минимальной машиной M.148 minimal machine) для L (или f).

N

N.001 NAK — negative acknowledgement
отрицательное квитирование
См. A.029 acknowledgement.

N.002 name
имя; наименование
Обозначение объекта в программе или системе. (Этот английский термин имеет и глагольную форму «именовать», присваивать имя). Виды объектов, которым присваивается имя, зависят от контекста. Ими могут быть переменные, информационные объекты, функции, типы и процедуры (в языках программирования), узлы, станции и процессы (в сети передачи данных) и др. Имя обозначает объект независимо от его физического местоположения или адреса. Имена используются с целью их долговременного закрепления (например, за описываемым модулем машинной программы) или для удобства (человеку проще узнавать имена, чем адреса). Все имена преобразуются в адреса с помощью процесса, называемого поиском по имени. Во многих языках и системах имя, будучи простым идентификатором, обычно представляет собой цепочку букв или текстовую строку. В более развитых языках имя может быть составлено из нескольких элементов в соответствии с грамматическими правилами языка.

N.003 NAND gate
вентиль Не—И
Электронная логическая схема (L.123 logic gate), у которой выходной сигнал имеет уровень логического 0 («ложь») только тогда, когда на всех ее входах (двух или более) действуют сигналы логической 1 («истина»); во всех других случаях на его выходе появляется логическая 1. Таким образом реализуется логическая операция НЕ—И (N.004 NAND operation) и соответственно ее таблица истин-

Входы	A1	0	0	1	1
	A2	0	1	0	1
Выход	B	1	0	0	0

ности (T.188 truth table). На рисунке показано принятое символическое обозначение вентиля НЕ—И с двумя входами и его истинностная таблица; маленький кружочек означает, что вентиль НЕ—И эквивалентен вентилю И (A.103 AND gate) с инвертированным выходом.

N.004 NAND operation
операция НЕ И
Логическая связка (C.269 connective), объединяющая два высказывания, два истинностных значения или две логические формулы P и Q таким образом, что результат будет значение «истина» (И) только тогда, когда P или Q или обе эти величины принимают значения (Л) «ложь» (см. таблицу истинности). Операция НЕ И может быть обозначена штрихом Шеффера (|) или символом Δ. Запись со штрихом $P \mid Q$ означает отрицание результата операции $P \wedge Q$ (A.104 AND operation); отсюда и происходит название НЕ И. Операция НЕ И имеет важное значение в проектировании ЭВМ, поскольку любое булево выражение может быть представлено с использованием только операции НЕ И. Практические схемы можно построить с использованием только вентилей НЕ—И. Таблица истинности для операции НЕ И имеет вид

P	Л	Л	И	И
Q	Л	И	Л	И
$P \mid Q$	И	И	И	Л

N.005 nano-
нано-
Префикс, означающий одну миллиардную часть основной единицы измерения (10^{-9}), например; наносекунду; этот префикс обозначается буквой н.

N.006 nanoprogram store
память нанспрограмм
См. M.138 microprogramming.

N.007 narrowband
узкополосный
См. B.023 bandwidth.

N.008 natural binary-coded decimal (NBCD)
двоично-десятичное число
См. B.060 binary-coded decimal.

N.009 NBCD natural binary-coded decimal
двоично-десятичное число
См. B.060 binary-coded decimal.

N.010 NCP network control protocol
протокол управления сетью
Протокол транспортного уровня, разработанный для сети Арпанет (A.136 ARPANET) и обеспечивающий безошибочные упорядоченные симплексные соединения (S.167 simplex) узлов с помощью подсетей, которые считаются абсолютно надежными (это интерфейсные коммуникационные процессоры (I.041 IMP) сети ARPANET, обеспечивающие доступ узлов к центральной ЭВМ). Дуплексная связь (D.315 duplex) обеспечивается путем установления парных соединений узлов в рамках протокола NCP.
Установление и разрыв соединений при использовании протокола NCP осуществляется путем простого обмена абонентов двумя сообщениями. Упорядочение данных (S.088 sequencing) и подтверждение установления связи (A.029 acknowledgement) реализуются соответствующей подсетью. Управление потоком передаваемых данных обеспечивается за счет использования стратегии посылки сообщения и приема ответа, содержащего две количественные величины: число сообщений и общее число битов в них. Протоколом управления сетью предусматривается также сигнал прерывания соединения и операция разъединения. Кроме того, NCP обеспечивает системные функции эхо-подтверждения и выдачу сообщений об ошибках применительно к ошибочным или непредусмотренным управляющим сообщениям или параметрам головных сообщений (заголовков).
Протокол NCP оказывается непригодным в случае ненадежных подсетей и не предусматривает никаких дополнительных параметров связи типа, скажем, уровней секретности информации военного характера. В рамках проекта, предпринятого Управлением перспективных исследований и разработок Министерства обороны США и ориентированного на создание средств объединения сетей, разработан

новый протокол управления передачей (T.030 TCP), который должен заменить протокол NCP.

N.011 NDRO — nondestructive readout
считывание без разрушения информации
См. N.047 nondestructive readout.

N.012 negation
отрицание
1. В машинной арифметике — операция изменения знака ненулевой арифметической величины; отрицание нуля дает ноль. Отрицание в этом случае обычно обозначается знаком минус.
2. В логике — применение операции НЕ (N.078 NOT operation) к высказыванию, истинностному значению или формуле.

N.013 negative acknowledgement (NAK)
отрицательное квитирование
См. A.029 acknowledgement и B.011 backward error correction.

N.014 negative logic
отрицательная логика
1. Логическая система, в которой обычно принятым уровням сигналов присваиваются обратные значения, то есть высокий потенциал соответствует логическому 0, а низкий потенциал соответствует логической 1.
2. Логическая система, в которой все булевы переменные и булевы функции проявляют себя как дополнения. Ср. P.173 positive logic. См. также C.208 complementary logic.

N.015 negator = inverter
инвертор; инвертирующий элемент

N.016 negentropy
негэнтропия
См. E.071 entropy

N.017 Nerode equivalence
эквивалентность по Нероуду
Отношение эквивалентности (E.091 equivalence relation) $=_N$, используемое в теории формальных языков. Оно определяется аналогично эквивалентности по Майхиллу (M.262 Myhill equivalence), но имеет более слабые свойства языка. Пусть L — некоторый язык с алфавитом Σ; для него

$$u =_N u',$$

если для всех w и Σ^*

$$uw \in L$$

тогда и только тогда, когда

$$u'w \in L;$$

для функции f,

$$u =_N u',$$

если для всех w из Σ^*,

$$f(uw) = f(u'w).$$

Хотя эквивалентность по Нероуду определяется грубее, чем эквивалентность по Майхиллу, она обладает свойством конечности только при условии конечности эквивалентности по Майхиллу. В отличие от эквивалентности по Майхиллу эквивалентность по Нероуду дает только правую конгруэнтность: $u =_N u'$ и $uv =_N u'v$, то есть ·не порождает полугруппу (S.073 semigroup). Количество классов эквивалентности является числом состояний минимальной машины (M.148 minimal machine) для языка L.

N.018 nested blocks, nested scopes
вложенные блоки, вложенные области

См. B.112 block-struktured languages.

N.019 nesting
вложенность

Свойство языка, конструкции которого могут быть вложены сами в себя, как, например, вложенные циклы:

```
while b1 do
begin
        while b2 do
        begin
        ...
        end;
end;
```

Вложенные блоки в языках, подобных Алголу, дают оригинальный, хотя и не очень практичный, способ контроля за большим числом идентификаторов (I.014 identifier), поскольку они являются локальными по отношению к тому внутреннему уровню вложений, на котором описаны. См. также B.112 block-structured languages

N.020 nesting store
запоминающее устройство магазинного типа

Стек, реализованный аппаратным способом.

N.021 network
1. сеть 2. схема

1. В системах связи — собирательный термин, относящийся к системе, образуемым терминалами, узлами и коммуникационной средой, которой могут быть линии связи или магистрали, спутники, УКВ, средне- и длинноволновые средства радиосвязи и др. В общем виде сеть представляется множеством ресурсов, используемых для установления связи и коммутации линий между ее терминалами (L.095 local area network; W.025 wide·area network; N.022 network architecture; P.009 packet switching; M.119 message switching).
В математике — связный ориентированный граф (C.267 connected graph), не содержащий циклов. Сети соединений между такими объектами, как телефоны, логические схемы или ЭВМ, можно рассматривать как связные, но не обязательно ориентированные графы.
2. В схемотехнике — соединение различных электрических элементов. Пассивная схема не содержит таких активных элементов, как транзисторы (усиливающих или переключающих). Линейная схема является пассивной и не содержит таких нелинейных элементов, как диоды.

N.022 network architecture
архитектура сети

Реализованная структура сети связи с учетом дисциплины соединений и их топологии. В рамках архитектуры сети рассматриваются в явном виде вопросы кодирования информации, ее передачи, контроля ошибок (E.102 error control) и управления потоками сообщений (F.107 flow control), адресации (A.054 addressing) абонентов сети, анализа работы сети в аварийных ситуациях и при ухудшении характеристик (например, при потере связи или при сбоях коммутационных узлов) и др. Примерами стандартной сетевой архитектуры служат предложенная международной организацией по стандартизации архитектура сетей OSI, определяющая структуру взаимодействия открытых систем (O.036 open systems interconnection), и архитектура сети (SNA), разработанная фирмой IBM. Существенную роль в архитектуре сети играет топология соединений. Существуют три типовые формы топологии: звезда, кольцо и магистраль. Звездообразная сеть состоит из одного узла-концентратора и нескольких соединенных с ним· терминальных узлов. Терминальные узлы непосредственно не связаны между собой. Если один из терминалов в свою очередь является концентратором другой звездообразной сети, то общая сеть приобретает древовидную топологию. В кольцевой сети все узлы соединены в кольцо и включения выполняются в одном направлении по кольцу. В некоторых кольцеобразных сетях организованы два кольца для выполнения включений в противоположных направлениях. Для установления очередности выхода узлов в кольцевую сеть используются методы временного мультиплексирования, передачи маркера и расширения кольца. Сеть магистральной архитектуры — не циклическая. Все узлы в ней включены последовательно и связаны между собой в двух направлениях, поэтому в такой сети необходимы средства управления доступом узлов к магистрали. Примером такой сети является сеть «Эзернет» (E.117 Ethernet). Эксплуатируются и гибридные сети смешанной звездообразной и кольцевой топологии. Определенное значение для выбора архитектуры сети имеет требуемая дисциплина обслуживания абонентов, которая находит воплощение в существующих некоторых новых сетевых архитектурах. См. R.160 ring network; T.106 token ring; C.355 CSMA/CD.

N.023 network database system
сетевая СУБД
Система управления базами данных (D.016 database system), в которой поддерживается сетевая организация: любая запись, называемая записью старшего уровня, может содержать данные, которые относятся к набору других записей, называемых записями подчиненного уровня. Возможно обращение ко всем записям в наборе, начиная с записи старшего уровня. Обращение к набору записей реализуется по указателям. Особым и мало распространенным видом сетевой СУБД является иерархическая база данных (H.067 hierarchical database system). Примерами сетевых СУБД могут служить DBMS. DMS-1100, IDMS, IDS, TOTAL. См. также C.149 CODASYL.

N.024 network delay
сетевая задержка
В сети с коммутацией пакетов данных (P.009 packet switching) задержкой

называют время передачи по сети, измеренное от момента ввода последнего бита пакета данных в узле-источнике до момента получения первого бита данных того же пакета в узле-приемнике. Хотя сетевая задержка является важной характеристикой относительной производительности при оценке сетей с коммутацией пакетов, необходимо учитывать, что определенная таким образом задержка не включает в себя задержки, связанные с необходимой буферизацией информации в узлах ввода—вывода. Между тем при относительно медленном вводе и выводе больших пакетов задержка из-за буферизации часто намного превышает задержку в самой сети.

N.025 network front end
сетевой процессор
Дополнительный процессор или система, подключенные к некоторой ЭВМ и предназначенные для обеспечения связи этой ЭВМ с сетью. Задачи сетевого процессора: повышение производительности сети за счет выполнения им тех задач, которыми невыгодно загружать центральную ЭВМ, и преобразование стандартных интерфейсов и протоколов, используемых во внешней сети, в форматы, более удобные для выполнения операций в локальных системах (и наоборот). Сетевой связной процессор может применяться для организации использования в мультиплексном режиме единственного интерфейса сети несколькими ЭВМ. В этом случае сетевой связной процессор можно рассматривать как вычислительную машину-шлюз (G.009 gateway) или мост (B.140 bridge).

N.026 network interconnection
объединение сетей
См. I.150 interconnecting.

N.027 network layer
сетевой уровень
См. S.120 seven-layer reference model.

N.028 network topology
топология сети
См. N.022 network architecture.

N.029 network virtual terminal (NVT)
виртуальный терминал сети
См. T.040 TELNET. См. также V.049 virtual terminal.

N.030 Newton's method
метод Ньютона
Итерационный метод решения одного или большего числа нелинейных уравнений (N.054 nonlinear equations). Для отдельного уравнения

$$f(x) = 0$$

такой итерацией является

$$x_{n+1} = x_n - f(x_n)/f'(x_n),$$
$$n = 0, 1, 2, \ldots,$$

где x_0 — приближенное значение результата. Для системы уравнений

$$f(x) = 0;$$
$$f = (f_1, f_2, \ldots, f_n)^T;$$
$$x = (x_1, x_2, \ldots, x_n)^T$$

такая итерация принимает математическую форму:

$$x_{n+1} = x_n - J(x_n)^{-1} f(x_n),$$
$$n = 0, 1, 2, \ldots,$$

где $J(x)$ является матрицей $n \times n$, у которой i-, j-й элемент имеет форму

$$\partial f_i(x)/\partial x_j.$$

Практически каждая итерация заключается в решении системы нелинейных уравнений. Итерация в соответствующих условиях сходится квадратично (в результате чего квадратично увеличиваются ошибки). Недостатком этого метода является то, что постоянный пересчет J может быть слишком продолжительным во времени, поэтому он чаще применяется в модифицированном виде с приближенным вычислением производных. Поскольку в методе Ньютона предусматривается линеаризация функции $f(x)$, представляется возможным его обобщение на другие классы нелинейных задач (например, на краевые задачи). См. O.070 ordinary differential equation.

N.031 nibble
полубайт
Редко встречающийся термин, обозначающий четыре бита.

N.032 NIFTP — network independent file transfer protocol
независимый от сети протокол передачи файлов
Протокол объединения сетей (I.150 internetworking), разработанный в Великобритании для обеспечения передачи файлов в случае прохождения их маршрута через несколько сетей. См. F.061 file transfer.

N.033 nine's complement
поразрядное дополнение до девяти
См. R.006 radix-minus-one complement.

N.034 ((n, k) code
n, k-код; код с исправлением ошибок; блочный код
См. B.104 block code.

N.035 NMOS
n-канальный МОП-прибор
Один из типов транзисторов со структурой металл—окисел—полупроводник (M.193 MOSFET)

N.036 no-address instruction
безадресная команда
Команда, в которой не требуется указывать адрес операнда, например, «образовать дополнение содержимого регистра». См. I.046 implied addressing

N.037 node
узел
1. Подструктура иерархической структуры данных, которая не может быть разложена далее на компоненты, например, вершина в графе (G.047 graph) или в дереве (T.163 tree).
2. ЭВМ, устанавливаемая в узлах сети связи для диспетчерского управления или коммутации линий связи. При этом такой узел может быть автономным по отношению к главной вычислительной машине (H.093 host computer). Узлы эти могут также называться станциями, а во многих сетях с протоколом X.25 узлы коммутации называют коммутаторами каналов.

N.038 noise
помехи, шум
Любой сигнал, который возникает в электронной или коммуникационной системе, и не является передаваемым полезным сигналом. Шумы могут появляться, например, от внешних неблагоприятных воздействий и рассматривать систему, поскольку они могут формировать ложные сигналы, т. е. ошибки. Помехоустойчивость представляет собой величину интенсивности внешнего воздействия, при которой цифровая схема может работать безошибочно. Логические величины на выходе схемы представляются двумя различными уровнями электрического потенциала. Любая помеха, наведенная в логической схеме внешним воздействием прибавляется (или вычита-

ется) из передаваемого цифрового логического сигнала. Запасом по помехоустойчивости является максимальное шумовое напряжение, которое может быть добавлено или вычтено из логического сигнала, и которое не повлияет на пороговое напряжение, необходимое для достижения устойчивого логического состояния. См. также I.047 impulse noise; W.023 white noise; G.013 Gaussian noise.

N.039 noise immunity
помехоустойчивость
См. N.038 noise.

N.040 noiseless coding
помехоустойчивое кодирование
В теории связи — использование кода, повышающего эффективность системы связи (C.192 communication system), в которой помехи (N.038 noise) отсутствуют вообще или незначительны. Помехоустойчивое кодирование в общем виде идентично кодированию источника (S.229 source coding). Следует отметить, что процесс кодирования сам по себе свободен от помех, поскольку не применяются кодирующие и декодирующие устройства, поэтому термин «помехоустойчивое кодирование» не имеет физического смысла в отношении самого кодирования.

N.041 noise margin
запас помехоустойчивости
См. N0.38 noise

N.042 noise sequence
шумовая последовательность; случайная последовательность
См. P.311 pseudonoise sequence.

N.043 noise source
источник помех
См. S.126 Shannon's model.

N.044 noisy mode
шумовой метод
Режим работы, который иногда применяется при нормализации чисел с плавающей запятой. Если мантисса сдвигается в процессе нормализации на *m* битов влево, то в шумовом методе цифры, генерируемые для заполнения *m* правых битов, не обязательно будут нулями.

N.045 NOMAD
НОМАД
Коммерческая СУБД (D.014 database management), которая одновременно обеспечивает иерархическую и реляционную структуру базы данных.

N.046 nonbinary logic = multiple-valued logic
недвоичная логика, многозначная логика

N.047 nondestructive read-out (NDRO)
считывание без разрушения информации
Процесс считывания информации из запоминающего устройства таким образом, что содержимое памяти не изменяется. Считывание информации из большинства устройств на интегральных схемах происходит без разрушения. В некоторых типах запоминающих устройств ЭВМ, особенно в устройствах на магнитных сердечниках, возможно только считывание с разрушением информации, то есть при считывании информации из ячейки памяти, содержимое этой ячейки разрушается. Для сохранения информации непосредственно за считыванием необходима перезапись содержимого ячейки. Эти операции обычно происходят без участия программиста.

N.048 nondeterminism
недетерминизм
Режим вычислений, при котором в определенных точках процесса осуществляется выбор варианта его продолжения. Расчет может задаваться произвольным выбором из нескольких вариантов или разделением процесса на отдельные этапы в целях одновременной реализации всех альтернатив. Конкретная форма недетерминизма зависит от принятой формальной схемы вычислений. Например, в недетерминированной машине Тьюринга (T.192 Turing machine) имеется выбор очередных шагов поведения в соответствии с заданным внутренним состоянием и считанным с ленты символом. После выбора альтернативы в определенной точке далее последуют другие точки выбора. Таким образом, существует некоторое дерево возможных различных путей вычислений с нетерминальными узлами (N.064 nonterminal node), представляющими точки выбора. Если, например, алгоритм реализует некоторый вид поиска, то цель поиска будет достигнута, если по крайней мере одна последовательность точек выбора (путь по дереву) приведет к успешному его исходу. Множеством алгоритмов традиционно реализуется именно такой подход: недетерминизм, кроме того, возникает

вполне естественно при распараллеливании вычислений (C.215 concurrency). Понятие недетерминизма играет важную роль в определении вычислительной сложности алгоритмов (C.214 complexity): считается, что недетерминированная машина Тьюринга способна завершить за «приемлемое время» такие расчеты, которые не могут быть реализованы столь же быстро никакой детерминированной машиной. Тьюринга.

N.049 nonequivalence gate = exclusive OR gate
схема функции разноимённости;
схема «исключающее ИЛИ»

N.050 nonequivalence operation
операция отрицания эквивалентности; операция «исключающее ИЛИ»

N.051 nonerasable programmable device
нестираемое программируемое устройство
См. P.268 programmable device.

N.052 nonhierarchial cluster analysis
неиерархический кластерный анализ
См. C.139 cluster analysis.

N.053 nonimpact printer
безударное печатающее устройство
Печатающее устройство, в котором изображение формируется без механического удара. Примерами таких устройств являются: струйное (I.093 ink jet printer), термографическое (T.069 thermal printer) и электрографическое (E.033 electrographic printer) печатающие устройства.

N.054 nonlinear equations
система нелинейных уравнений
Задача, требующая вычисления значений неизвестных $x_1, x_2, ..., x_n$, для которых:

$$f_i (x_1, x_2, ..., x_n) = 0,$$
$$i = 1, 2, ..., n,$$

где $f_1, f_2, ..., f_n$ — алгебраические функции переменных, т. е. они не содержат производных или интегралов. И в теоретическом, и в практическом отношении это очень трудная задача. Такие системы уравнений возможны во многих областях, например, в численных методах решения нелинейных обыкновенных дифференциальных уравнений (O.070 ordinary differential) и дифференциальных уравнений

в частных производных (P.052 partial differential equations). Если $n = 1$, то одно уравнение может быть решено множеством эффективных методов, в том числе итерационным (I.208 iteration); в случае алгебраических уравнений (P.152 polinomial equations) решения могут лежать в комплексной плоскости. Для решения систем уравнений широко применяется метод Ньютона и его варианты (N.030 Newton's method). В особо сложных случаях, например, при плохих начальных приближениях могут применяться методы, основанные на концепции продолжения решения (C.286 continuation).

N.055 nonlinear regression model
нелинейная регрессионная модель
См. R.089 regression model.

N.056 nonlocal entity
нелокализованный объект
См. L.094 local.

N.057 nonmemory reference instruction
команда, не требующая обращения к памяти
Команда, которая может быть выполнена без получения операнда из памяти или без возвращения в память результата. Примерами являются команды с непосредственными адресами и команды ветвления.

N.058 nonparametric techniques
непараметрические методы
Статистические методы (S.314 statistical methods), которые реализуются без каких-либо предположений об истинном виде частотного распределения значений генеральной совокупности, из которой осуществлена выборка данных. Эти методы в основном применяются для проверки статистических гипотез с использованием того или иного упорядочения информации в пределах каждой выборки. Например, критерий Манна—Уитни может использоваться для проверки, принадлежат ли обе выборки одной генеральной совокупности, а коэффициент ранговой корреляции может применяться для получения ответа на вопрос, являются ли две переменные независимыми. Непараметрические методы могут быть противопоставлены параметрическим, в рамках которых требуются специальные модели для оценивания параметров распределений.

N.059 nonpreemptive allocation
распределение ресурсов без преры-
вания обслуживания
Способ распределения системных ресурсов, при котором никакой ресурс,
выделенный ранее, не «отнимается»
у процесса. См. [Р.197 preemptive
allocation.

**N.060 nonprocedural language = dec-
larative language**
непроцедурный язык

N.061 nonreturn to zero
без возвращения к нулю
См. N.080 NRZ; T.016 tape format.

N.062 nonsingular matrix
невырожденная матрица, необо-
бенная матрица
Квадратная матрица чисел A с опре-
делителем (D.166 determinant), отличным от нуля. Матрица A невырождена
тогда и только тогда, когда она имеет
обратную (I.170 inverse matrix)

**N.063 nonterminal (nonterminal sym-
bol)**
нетерминальный символ, нетерми-
нал
См. G.044 grammar.

**N.064 nonterminal node (interior
node)**
нетерминальный узел древовидной
схемы
Узел, который не является терминальным (т. е. не представляет собой
листа дерева) и потому имеет один
или более дочерних узлов.

N.065 nonvolatile memory
энергонезависимое запоминающее
устройство
Тип памяти, содержимое которой сохраняется при отключении электропи-
тания. Примерами служат постоянное
запоминающее устройство (R.175
ROM), программируемое постоянное
запоминающее устройство (P.292
PROM) и запоминающее устройство
на магнитных сердечниках (C.310 core
store). Ср. V.060 volatile memory.

N.066 non von Neumann architecture
не-фон-неймановская архитектура
Архитектура, в которой модель вычислений радикально отличается от
классической фон-неймановской модели (V.064 von Neumann machine).
Не-фон-неймановская машина может
не предусматривать последовательной
передачи управления (т. е. может работать без какого-либо «счетчика
команд», указывающего текущую точ-

ку, которая достигнута при выполнении программы); в ней, кроме того,
может не быть реализована концепция переменной (т. е. она может обходиться без «поименованных» ячеек
памяти для хранения какой-либо переменной, к которой можно обращаться
или которую можно изменять). Примерами не-фон-неймановской вычислительной архитектуры являются пото-
ковая вычислительная машина (D.038
dataflow machine) и редукционная
вычислительная машина (R.070 reduction machine). Для этих двух примеров характерна высокая степень
параллелизма и нереализация концепции переменной, а наличие постоянных связей между именами и конкретными константами. Заметим, что
определение «не-фон-неймановская» относится к машине, принципиально
отличающейся от фон-неймановской
модели, и обычно не используется применительно к многопроцессорной или
многомашинной архитектурам, в рамках которых просто обеспечивается
эффективное использование совокупности взаимодействующих фон-неймановских машин.

**N.067 no-op instruction (pass instru-
ction; do-nothing instruction)**
холостая команда
Команда, которая не вызывает нака-
кого действия в ЭВМ, но занимает
время и место в запоминающем устройстве. Такие команды имеют широкое применение. Например, они
применяются для подстройки временных характеристик программы, для
заполнения программной памяти в системах, где границы программы не
всегда совпадают с границами области
данных, и для замены уже ненужных
рабочих команд с тем, чтобы не пере-
считывать заново адреса других команд

N.068 NOR gate
схема ИЛИ—НЕ
Электронная логическая схема (L.123
logic gate), на выходе у которой появляется логическая 1 (значение «истина») только тогда, когда на все ее
входы (два или более) 0 — поданы
сигналы логического 0 (значение
«ложь»), а в любых других случаях
на выходе схемы действует уровень
логического 0. Эта схема реализует
логическую операцию ИЛИ—НЕ
(N.074 NOR operation) и имеет одинаковую с ней таблицу истинности.

Входы	A1	0	0	1	1
	A2	0	1	0	1
Выход	B	1	0	0	0

На рисунке показано, как на принципиальных схемах обозначается вентиль с двумя входами и его таблица истинности. Маленький кружочек указывает на то, что это вентиль включающее ИЛИ (O.072 OR gate) с инвертированным выходом. См. также E.134 exclusive-NOR gate.

N.069 norm
норма
См. A.118 approximation theory.

N.070 normal distribution (Gaussian distribution)
нормальное распределение (гауссово распределение)
Важный тип распределения вероятностей (P.232 probability distribution) непрерывных служебных величин. Плотность вероятностей в данном случае определяется как

$$(2\pi\sigma^2)^{-1/2} \exp\left[-1/2 \, (x - \mu)^2/\sigma^2\right].$$

Распределение симметрично относительно математического ожидания μ, а его дисперсия определяется величиной σ^2. Диапазон значений x бесконечен и простирается от $-\infty$ до $+\infty$. Многие выборочные распределения приближаются по своему виду к нормальному при объеме выборки, стремящемся к бесконечности.

N.071 normal form
нормальная форма; канонический вид
Термин, относящийся к зависимостям в реляционной базе данных (R.100 relational database). Об отношении говорят, что оно имеет нормальную форму или нормализовано, если оно удовлетворяет определенным ограничивающим условиям. В рамках описания реляционной модели, данного Коддом, выделялось три нормальные формы, но затем были определены еще две. Ограничивающее условие, обычное для всех нормальных форм, состоит в том, что отношения не должны носить характер вложений, т. е. никакое отношение не может быть определено как член другого отношения. Целью введения любой нормальной

формы является предотвращение разного рода нарушений нормального функционирования (аномалий обновления) в результате корректировок.

N.072 normalization
нормализация
См. F.100 floating-point notation, a также N.071 normal form; O.080 orthonormal functions; O.076 orthogonal functions.

N.073 normal subgroup
нормальная подгруппа
См. C.323 coset.

N.074 NOR operation
операции НЕ ИЛИ
Логическая связка (C.269 connective), объединяющая два высказывания, две истинностные величины или две формулы P и Q таким образом, что результат является истиной (И) только тогда, когда и P и Q одновременно ложны (Л) (см. таблицу). Операция НЕ ИЛИ двойственна (D.308 duality) по отношению к операции НЕ И (N.004 NAND operation). Эта операция может быть обозначена стрелкой Пирса ↓ или значком ∇. Запись $P \downarrow Q$ обозначает просто отрицание результата операции $P \lor Q$ (O.073 OR operation), что и отражено в названии операции НЕ ИЛИ. Наибольший интерес операция НЕ ИЛИ представляет для разработчиков ЭВМ, так как любое булево выражение может быть записано с использованием одной только операции НЕ ИЛИ. Практически любые схемы могут быть построены на одних только вентилях ИЛИ—НЕ (N.068 NOR gate).

P	Л	Л	И	И
Q	Л	И	Л	И
$P \downarrow Q$	И	Л	Л	Л

N.075 notch filter
режекторный фильтр
См. B.022 band-stop filter.

N.076 nof-equivalence gate = exclusive-OR gate
схема функции разноименности (исключающее ИЛИ)

N.077 NOT gate = inverter
инвертор

N.078 NOT operation
операция НЕТ
Логическая связка (C.269 connective) только с одним операндом. Будучи

выполненной над высказыванием, значением или формулой P, эта операция дает значение «ложь», если P принимает значение «истина» и наоборот, т. е. результат P отрицается. Эта операция обозначается различными способами: not P, $\neg P$, $\sim P$, P', $\overline{P}$.

N.079 NP, NP-complete, NP-hard
недетерминированный полиномиальный; НП-полный; НП-трудный
См. P.138 = NP question.

N.080 NRZ — nonreturn to zero
без возвращения к нулю
Способ кодирования двоичных сигналов, позволяющий достигать максимально возможных скоростей передачи данных в определенной полосе частот. Термин порожден самим принципом работы сигнальной шины, в которой значение сигнала не возвращается к нулю, а проходит всю последовательность состояний до следующего бита 1. Этот способ впервые был использован при такой передаче сигналов, когда началу каждого знака предшествовала стартовая посылка 1, вследствие чего всегда существовал предсказуемый и приемлемый короткий интервал, в течение которого передатчик и приемник должны были поддерживать синхронизм независимо. Было разработано много вариантов этого базового принципа кодирования, ориентированных на преодоление трудностей синхронизации, которые возникают при высоких скоростях передачи и длинных цепочках двоичных сигналов. Одним из таких вариантов является способ кодирования без возвращения к нулю с инверсией (не следует путать этот способ с записью меток без возвращения к нулю — в английском языке оба термина имеют очень похожее написание). Способ кодирования без возвращения к нулю с инверсией используется при магнитной записи, когда сигнал 1 всегда определяется изменением потока намагниченности независимо от направления. Сигналы нуля не дают таких изменений, вследствие чего длинная последовательность нулей способна нарушить условия поддержания синхронизма. По этой причине такой способ кодирования не может использоваться для осуществления записи на магнитный диск последовательности одиночных битов; но зато он может применяться в системах с много-

дорожечной записью, например, при записи на магнитную ленту, когда обеспечивается возможность контроля по четности при условии, что происходит хотя бы одно изменение магнитного потока на каждый знак и что рассогласование сигналов разных дорожек мало по сравнению с шагом изменения магнитного потока. См. также D.241 disk format; T.016 tape format.

N.081 NRZI
1. Неточная аббревиатура для NRZ1 — nonreturn to zero one (or mark) *запись меток без возвращения к нулю.* См. также T.016 tape format.
2. Сокр. от nonreturn to zero inverted *кодирование без возвращения к нулю с инверсией.* См. N.080 NRZ.

N.082 N SPACE, N TIME
недетерминированный в пространстве, недетерминированный во времени
См. C.215 complexity classes.

N.083 n-tuple
кортеж из n элементов
См. O.064 ordered pair; C.029 Cartesian product.

N.084 n-type semiconductor
полупроводник с электронной проводимостью, полупроводник n-типа
См. S.071 semiconductor.

N.085 nucleus
ядро
См. K.005 kernel.

N.086 null character
символ пробела
Специальный символ в наборе знаков, который ничего не обозначает и обычно представляется в виде нуля (например, в стандартном американском коде для обмена информацией и в расширенном двоично-десятичном коде).

N.087 nullity of a graph
циклический ранг графа
См. C.267 connected graph.

N.088 null link
нулевая связь, фиктивная связь
См. L.076 linked list.

N.089 null list (empty list)
пустой список
См. L.081 list.

N.090 null matrix (zero matrix)
нулевая матрица
Квадратная матрица, все элементы которой — нули

N.091 null set = empty set
пустое множество

N.092 null string = empty string
пустая строка

N.093 number cruncher = supercomputer
сверхбыстродействующая   ЭВМ; суперЭВМ

N.094 number system
система счисления
Первые системы счисления не были позиционными, однако в настоящее время все наиболее распространенные системы счисления относятся к разряду позиционных. Конкретное значение числа в такой системе определяется не только самими его цифрами, но и местоположениями каждой из цифр. Если позиционная система имеет фиксированное основание R, то тогда каждая цифра a_i в любом числе

$$a_n a_{n-1} \dots a_0$$

является целым значением в интервале от 0 до $(R-1)$, а само число представляется как

$$a_n R^n - a_{n-1} R^{n-1} + \dots + a_1 R^1 + a_0 R^0.$$

Поскольку это число является полиномом от R, его иногда называют полиномиальным числом. Десятичная и двоичная системы имеют соответственно фиксированные основания 10 и 2. Дробные величины могут быть представлены в системах с фиксированными основаниями таким же образом. Так, число

$$a_1 a_2 \dots a_n$$

представляется в виде

$$a_1 R^{-1} + a_2 R^{-2} + \dots + a_n R^{-n}.$$

В системе со смешанным основанием цифра a_i в любом числе находится в интервале от 0 до R_i, где R_i не одинаково для каждого i. Число в этом случае записывается следующим образом:

$$(\dots ((a_n R_{n-1}) + a_{n-1}) R_{n-2} + \dots$$
$$\dots + a_1) R_0 + a_0.$$

Например, запись такой величины, как 122 дня 17 ч 35 мин 22 с будет выглядеть следующим образом:

$$(((((1 \times 10) + 2) 10 + 2) 24 +$$
$$+ 17) 60 + 35) 60 + 22 \text{ c.}$$

N.095 numerical analysis
численный анализ
Область математики, относящаяся к численным методам решения задач, поставленных и изучаемых другими областями математики. В настоящее время численный анализ играет важную роль в технике и в количественных методах фундаментальных и прикладных наук. В рамках численного анализа получают свое развитие подходящие численные методы (N.102 numerical methods) решения задач одновременно с анализом ошибок (E.099 error analysis). В практическом плане численный анализ предполагает создание эффективных и надежных стандартных программ для решения широкого круга задач.

N.096 numerical code
числовой код
Код, алфавит которого содержит только цифры или наборы цифр, например, двоичный код.

N.097 numerical control
числовое программное управление, ЧПУ
Область техники, связанная с применением цифровых вычислительных устройств для управления производственными процессами. Концепция числового программного управления реализована применительно к различным типам механического оборудования: прокатным станам, токарным станкам, сварочным агрегатам и многим специализированным станкам. Управление станками осуществляется в соответствии с числовым описанием таких параметров, как координаты положения, например режущего инструмента. Такие описания (спецификации) рассчитываются на ЭВМ и записываются на информационные носители типа перфоленты. В вычислительной технике применяется стандартное оборудование с числовым программным управлением для сверления отверстий в печатных платах и для установки деталей в эти платы при монтаже. См. также С.228 computer-aided manufacturing.

N.098 numerical differentiation
численное дифференцирование

Задача определения приближенного значения производной от функции с использованием значений этой функции. Один очевидный подход состоит в том, чтобы использовать производную от интерполяционного многочлена. Такие способы приближенного выполнения производной предусматривают применение разностей значений функций, что может приводить к потере точности из-за взаимного уничтожения (C.012 cancellation) значений, которые относятся к точкам, слишком близко расположенным друг от друга.

N.099 numerical integration (quadrature)
численное интегрирование, интегрирование в квадратурах

Задача приближенного вычисления определенных интегралов с использованием численных значений подынтегрального выражения. Вся область интегрирования делится в этом случае на подынтервалы и для каждого такого интервала строится квадратурная формула, обычно получаемая путем интегрирования интерполяционного многочлена (I.151 interpolation). Примером служит формула трапеции

$$\int_{x_i}^{x_{i+1}} f(x)\,dx \approx {}^1\!/_2 h\,(f(x_i) + f(x_{i+1})),$$

$$h = x_{i+1} - x_i.$$

Глобальная точность квадратурной формулы может быть проверена более мелким разбиением области интегрирования и сравнением получаемых результатов. В программах адаптивных квадратур используется более тонкое разбиение тех участков области интегрирования, на которых функция $f(x)$ изменяется более интенсивно. Некоторые правила квадратуры в качестве побочных результатов дают значение погрешности.

N.100 numerical linear algebra
численные методы линейной алгебры

Область алгебры, которая связана с двумя важными проблемами. Первая проблема — это решение линейных алгебраических уравнений (L.050 linear algebraic equations)

$$Ax = b,$$

где A — квадратная матрица; b — вектор-столбец. Большинство расчетов в научных задачах содержат линейные системы или могут быть сведены к решению систем линейных уравнений. Сходной проблемой является решение переопределенных систем, где A имеет больше строк, чем столбцов. В данном случае существуют теоретические обоснования такого способа вычисления x, при котором минимизируется норма

$$\| Ax - b \|_2$$

(см. A.118 approximation theory). Вторая проблема — это определение собственных значений λ_k и собственных векторов x_k:

$$Ax_k = \lambda_k x_k$$

(см. E.029 eigenvalue problems). Применяемые здесь методы были разработаны в 60-х годах. На точность получаемых результатов влияют малейшие различия процедур решения, поэтому очень важно выбирать для решения конкретных задач самые лучшие из имеющихся машинных программ.

N.101 numerical methods
численные методы

Методы, предназначенные для получения конструктивных решений в численном виде, обычно с использованием ЭВМ. Численный метод — это полный и непротиворечивый набор процедур решения задачи в сочетании со способами оценки погрешностей вычислений (E.099 error analysis). Исследование и реализация численных методов — это один из разделов численного анализа (N.096 numerical analysis).

N.102 numerical stability
устойчивость численного решения
См. S.271 stability.

N.103 Nyquist interval
интервал Найквиста
Временной интервал между двумя последовательными замерами непрерывного сигнала с ограниченным спектром, осуществляемыми с частотой Найквиста. (N.106 Nyquist criterion).

N.104 Nyquist rate
частота Найквиста
См. N.106 Nyquist criterion.

N.105 Nyquist sampling
выборка Найквиста
Процесс дискретизации (S.004 sampling) непрерывного канала с ограни-

ченной полосой, с частотой, равной или выше частоты Найквиста. (N.106 Nyquist criterion).

N.106 Nyquist criterion
критерий Найквиста

Оператор, который при замерах сигналов в непрерывном ограниченном по полосе частот канале характеризует процесс приема информации с потерями или без потерь в зависимости от частоты дискретизации v, которая может быть меньше, больше или равна удвоенной ширине полосы канала W. Если $v = 2W$, то говорят, что дискретизация происходит с частотой Найквиста. Если $v < 2W$, то выборка значений осуществляется с донайквистовой частотой. При этом часть информации может быть потеряна, что вполне допустимо в определенных случаях. Если $v > 2W$, то имеет место супернайквистова выборка. Она не может привести к какому-либо увеличению количества получаемой информации по сравнению с выборкой на частоте Найквиста. Супернайквистова выборка (при незначительном превышении частоты Найквиста), применяется больше других, так как позволяет увеличить запас надежности, когда точно не известно текущее значение ширины полосы. Однако выборки, сделанные с супернайквистовой частотой, не будут независимыми. См. также D.223 discrete and continuous systems.

O

O.001 object architecture (object-oriented architecture)
объектная архитектура

Архитектура, в которой процессы, файлы, операции ввода-вывода и др. представляются как объекты. Объектами являются структуры данных (D.072 data structure) в памяти, которыми могут манипулировать любые части целостной системы, включая и аппаратные, и программные средства. Концентрация объектов обеспечивает высокий уровень системного описания, который предусматривает высокоуровневый пользовательский интерфейс. Объекты имеют дескрипторы, к которым возможно обращение как к именам, указателям и меткам. Эти дескрипторы дают также информацию о типе объекта и описание характеристик, присущих конкретному объекту. Системы с объектной архитектурой могут рассматриваться как расширение или универсализация архитектуры с мандатной адресацией (C.013 capability architecture). Они предоставляют такие же возможности защиты данных и обеспечения безопасности ЭВМ. Примерами систем с объектной архитектурой являются System 38 фирмы IBM, экспериментальная система C. mmp/Hydra университета Карнеги-Меллона и iAPX 432 фирмы Intel.

O.002 object code
объектная программа

Программа на выходе компилятора (C.205 compiler).

O.003 object language
выходной язык, объектный язык

Язык, на котором выдается программа компилятора (C.205 compiler) или ассемблера (A.143 assembler).

O.004 object-oriented architecture = = object architecture
объектно-ориентированная архитектура

O.005 object-oriented language
объектно-ориентированный язык

Язык высокого уровня для объектно-ориентированных систем программирования. В такой системе понятия процедуры и данных, которые используются в обычных системах программирования, заменены понятиями «объект» и «сообщение»; объект — это пакет информации вместе с описанием порядка манипулирования, а сообщение — это спецификация условий одной из операций обработки объекта. В отличие от процедуры, которая описывает, как должна выполняться обработка, сообщение только определяет, что желает выполнять отправитель, а получатель точно определяет, что должно произойти. Наиболее развитым объектно-ориентированным языком является Smalltalk.

O.006 object program
объектная программа

Программа на выходе компилятора (C.205 compiler). Объектная программа — это по существу перевод исходной программы (S.236 source program)

11*

на объектный язык (O.003 object language).

O.007 OCR — optical character recognition
оптическое распознавание знаков

Процесс, в коде которого машина отыскивает, распознает и кодирует напечатанную буквенно-цифровую информацию. Первые устройства, появившиеся на мировом рынке приблизительно в 1955 г., были способны распознавать только ограниченный набор символов, которые должны были печататься стилизованным шрифтом, оптимально приспособленным для машинного распознавания, но в то же время понятным для людей. В середине 70-х годов для оптического распознавания были распространены шрифты типов OCR A и OCR B, которые по внешнему виду были близки к обычным газетным шрифтам. В 1982 г. существовало не менее шести типов машин, которые могли воспринимать и кодировать машинописные или полиграфические страницы, отпечатанные одним из семи наиболее распространенных шрифтов. В некоторых системах печатная информация, предназначенная для устройств распознавания магнитных знаков (M.127 MICR), считается средствами оптического распознавания, как это делается в банковских автоматах, считывающих информацию с расчетных чеков.

O.008 octal notation
восьмеричная система счисления

Представление чисел в позиционной системе счисления с основанием 8. Для обозначения в восьмеричной системе используются цифры от 0 до 7. Любое восьмеричное число может быть легко преобразовано в двоичный эквивалент и любое двоичное число может быть преобразовано в его более короткий восьмеричный эквивалент.

O.009 octet
октет

Группа данных из восьми битов без пропусков; фактически это восьмибитовый байт. Термин «октет» используется вместо термина «байт», чтобы избежать ошибок в случаях, когда речь идет об аппаратных средствах ранних выпусков — о машинах с длиной слова 7, 9 или 12 бит.

O.010 ODA — office document architecture
структура учрежденческого документа

Название протокола воспроизведения описания структуры страницы документа, которая может содержать информацию в нескольких формах: отпечатанный текст, контурные рисунки, линейные чертежи, точечные изображения и рукописные тексты.

O.011 odd-even check = parity check
контроль по четности

O.012 odd parity
нечетность

Свойство, которое существует только тогда, когда группа двоичных величин содержит нечетное число единиц (P.043 parity)

O.013 OEM — original equipment manufacturer
изготовитель оборудования

Обычно это фирма, приобретающая крупные партии комплектующих узлов с целью сборки из них комплектных систем. В некоторых случаях этот термин используется применительно к поставщику крупных партий оборудования, возможно, выступающему в качестве контрагента изготовителя оборудования.

O.014 office automation
автоматизация учрежденческой деятельности

Применение ЭВМ для выполнения конторских операций. В таких автоматизированных системах могут использоваться электронные системы ведения картотек (E.036 electronic filing), системы обработки текстовой информации (W.038 word processing), системы машинной графики (C.235 computer graphics), системы электронной почты (E.038 electronic mail) и телеконференцсвязи (T.034 teleconferencing)

O.015 off-line
автономный

Это определение относится к независимо работающим периферийным устройствам или файлам, которые не подключены к системе или не используются в ней. Автономное устройство может быть физически подсоединено, но оставаться незадействованным, если системой не получена команда использовать это устройство.

O.016 OMR — optical mark reading
оптическое считывание меток

Способ ввода данных, при котором метки, сделанные на предварительно подготавливаемых документах, считываются фотоэлектрическими средствами. Метки интерпретируются либо как символы, либо как количественные величины в зависимости от их местоположения на форматном бланке. Это обеспечивает эффективный ввод данных в таких случаях, когда работа ведется в пределах ограниченного количества вопросов и небольшого количества ответов. При этом способе не требуется никаких дополнительных действий по подготовке данных или дополнительных устройств, так как нужное считывающее устройство может быть включено непосредственно в систему. Документ с метками, предназначенный для автоматического считывания, обычно печатается на 80-колонных перфокартах для удобства автоматической обработки. Некоторые считыватели перфокарт предназначены для восприятия как перфорационных отверстий, так и меток. Точность нанесения карандашных или чернильных меток не может сравниваться с точностью перфорации, поэтому для меток обычно используют 40 колонок, т. е. каждая метка может занимать две колонки. Для обработки крупноформатных документов имеются специальные считывающие устройства. Документы, предназначенные для оптического считывания, печатаются на бумаге, и информация для пользователя о том, где должны ставиться метки и что они должны означать, записывается на бланке таким цветом, какой не воспринимается фотоэлектрическими датчиками. Машиночитаемые настроечные метки наносятся типографским способом по краю документа.

O.017 one-address instruction
одноадресная команда

См. I.111 instruction format.

O.018 one-level store
одноуровневая память

Новый термин, используемый сейчас применительно к виртуальной памяти (V.048 virtual memory). Термин этот порожден тем фактом, что несмотря на наличие ЗУ на различных уровнях иерархии памяти (M.105 memory hierarchy) пользователь видит ее работу как бы на одном уровне доступа.

O.019 one-pass program
однопроходная программа

Программа, которая требует только одного последовательного просмотра введенных данных.

O.020 one-plus-one address instruction
двухадресная команда типа $1 + 1$

См. I.111 instruction format.

O.021 one's complement
дополнение до единицы

См. R.006 radix-minus-one complement.

O.022 one-shot
однотактный; моностабильный

O.023 one-to-one function ⇐ injection
функция инжекции

O.024 one-to-one onto function
взаимно-однозначное соответствие

O.025 one-way filter
однонаправленный фильтр

Тип контроллера выборки, который ограничивает поток информации в распределенной системе, имеющей блоки данных с различными уровнями защиты. Фильтр разрешает блоку с более высоким уровнем защиты считывать информацию из блока с более низким уровнем защиты и запрещает обратное действие.

O.026 one-way linked list
однонаправленный связный список

O.027 on-line
неавтономный; оперативный

1. Включенный в систему и используемый системой. См. также O.015 off-line.

2. В теории автоматов — характеристика автомата, который, считав первые k входных символов, сразу выдает первые k символов выходной последовательности. Концепция оперативного режима аналогична свойству обобщенной последовательной машины сохранять подслова при отображении (G.064 gsm-mapping).

O.028 O notation, o notation
O-нотация

См. O.062 order.

O.029 on-the-fly error recovery
оперативное устранение ошибок

См. E.109 error management; E.112 error rate.

O.030 onto function = surjection
сюръективное отображение; сюръекция; отображение ка...

0.031 op-amp — operational amplifier
операционный усилитель

0.032 op code — operation code
код операции

0.033 open-collector device
элемент с открытым коллектором
Конкретная реализация электронного логического устройства, в которой выходной сигнал формируется на разомкнутом коллекторном выводе выходного транзистора (см. рисунок). Вы-

ходной сигнал будет иметь активный низкий уровень, поэтому для формирования состояния высокого уровня требуется нагрузочный резистор (Р.325 pull-up resistor). Такие элементы применяются для управления высоковольтными нагрузочными цепями или для реализации шин с монтажной логикой (W.032 wired logic).

0.034 open shop
вычислительный центр с самообслуживанием
Способ эксплуатации вычислительных мощностей, при котором проектирование, разработка, написание и испытание программ выполняется самим поставщиком задачи, а не специалистами вычислительного центра. Работа с самообслуживанием — это управление вычислительной системой автором или пользователем программы, а не оператором ЭВМ. Ср. С.134 closed shop.

0.035 open subroutine
открытая подпрограмма
Устаревшее название подпрограммы (S.373 subroutine) без ветвлений, которая обычно порождается микрокомандой (M.015 macro).

0.036 open system interconnection (OSI)
взаимодействие открытых систем, ВОС
Концепция, согласно которой связное оборудование вычислительной системы с различными протоколами может объединяться в систему с помощью

сети передачи данных. Основные способы такого взаимодействия аналогичны применяемым ведущими фирмами—поставщиками средств вычислительной техники (в первую очередь фирмой IBM) и международной организацией по стандартизации. Понятие «взаимодействие открытых систем» имеет прямое отношение к деятельности Международной организации по стандартизации и ее семиуровневой эталонной модели таких систем (S.120 seven-layer reference model)

0.037 operand
операнд
1. Количественная величина, над которой производится математическая или логическая операция.
2. Те части машинной команды, которые определяют объекты, над которыми производятся операции. Например, в команде

ADD A, B

символы А и В являются операндами и могут быть регистрами (R.086 register) центрального процессора, фактическими значениями, адресами требуемых значений или даже адресами их адресов.

0.038 operating system (OS)
операционная система (OC)
Комплект программных изделий, которые совместно управляют ресурсами системы и процессами, использующими эти ресурсы при вычислениях.

0.039 operation
операция
Функция (F.160 function), определенная на некотором подмножестве Sm множества S, специфичного для данной функции. Такая функция обычно рассматривается как m-арная или m-ичная операция над множеством S, где m — некоторое положительное целое число. Наиболее распространены бинарные (D.319 dyadic operations) или двоичные операции, которые отображают декартово произведение $S \times S$ на множество S, и унарные операции (M.184 monadic operations), которые отображают S в S. См. С.029 Cartesian product. См. также L.126 logic operation; A.128 arithmetic operation; 0.045 operations on sets.

O.040 operational amplifier (op-amp)
операционный усилитель, ОУ
Усилитель с очень высоким коэффициентом усиления по напряжению, имеющий дифференциальный вход, т. е напряжение на его выходе пропорционально и· во много раз выше падения напряжения между двумя входами усилителя. Обычно операционные усилители имеют между выходом и входом резисторные или емкостные схемы обратной связи. Эти схемы заставляют операционные усилители работать как усилители напряжения с высокой стабильностью коэффициента усиления, определяемого величиной резисторов, и делают их способными выполнять такие математические операции, как интегрирование или такие функции согласования по уровням сигнала, как фильтрация.

O.041 operational research
исследование операций
См. O.046 operations research.

O.042 operational semantics
операционная семантика
Трактовка семантики (S.069 semantics) языков программирования, в рамках которой используется концепция «абстрактной машины», характеризуемой своим состоянием и несколькими элементарными командами, которые она способна выполнять. Абстрактная машина определяется путем указания, каким образом компоненты состояния изменяются под воздействием каждой из команд. При этом не предполагается, что абстрактная машина должна быть моделью· реальной машины. Просто имеется в виду некоторый упрощённый ее вариант с тем, чтобы язык мог быть определен однозначно и не было никаких неоднозначностей в интерпретации примитивных команд и кодов операций (O.043 operation code). Семантическое описание языка программирования определяет правила перевода его выражений на язык кодов операций. В отличие от денотационной семантики (D.151 denotational semantics), в операционной семантике нет гарантий того, что смысл всей программы будет определяться смыслом ее частей. Примером такой семантики является способ описания возможностей языка ПЛ/1 с использованием определений Вены.

O.043 operation code (op code; order code)
код операции; код команды
1. Часть командного слова (I.117 instruction word), определяющая, какая операция должна быть выполнена по данной команде. См. также I.111 instruction format.
2. Набор частей командных слов, реализованный из какой-либо конкретной ЭВМ и определяющий множество операций, которые способна выполнять эта машина.

O.044 operation register
регистр операции
Часть регистра команд в устройстве управления (C.306 control-unit), которая содержит код операции (O.043 operation code).

O.045 operations on sets
операции на множествах
Простейшие операции, которые могут быть выполнены на множествах: объединение (U.017 union), пересечение (I.162 intersection), образование дополнения (C.207 complement) и разность множеств (S.118 set difference). Используя эти операции, можно создавать новые множества из существующих. Иногда за операции принимают некоторые другие действия, которые должны выполняться на множествах, хотя распространять на них термин «операция» было бы не совсем правильно. К таким действиям, например, относятся поиск элемента (F.066 find), вставка (I.105 insert), удаление (D.138 delete), расщепление (S.256 split) и поиск минимума (M.145 min).

O.048 operations research (operational research; OR)
исследование операций
Изучение некоторых операций или совокупностей операций, выполняемых человеком, с применением количественных методов. Обычно это изучение сопровождается машинным моделированием. Модель может быть выбрана на основе некоторой гипотезы и подогнана к экспериментальным данным или, наоборот, экспериментальные данные могут быть проанализированы с целью вывода модели. А когда получена модель, с ее помощью могут быть изучены последствия тех или иных изменений применительно к исследуемым операциям и предсказаны их результаты в количественной форме.

O.047 operation table = Cayley table
таблица операций

O.048 operator
1. оператор 2. операция
1. Лицо, ответственное за текущий контроль состояния аппаратных средств вычислительной системы.
2. Действие, которое может быть выполнено над одним или несколькими операндами для получения результата. Обычно это действие обозначается символом операции, которая должна быть выполнена, а переменная (V.011 variable) задает конкретные значения данных для этой операции. См. также A.129 arithmetic operator; L.126 logic operation; R.102 relational operator; P.188 precedence.

O.049 optical character recognition
оптическое распознавание знаков
См. O.007 OCR.

O.050 optical data card
оптические информационные карты
Тип оптического ЗУ, в котором запоминающая среда напоминает кредитную карточку и используется аналогично магнитной карте, но имеет в сравнении с ней гораздо большую емкость памяти (от 1 до 10 мегабайт). Эта запоминающая среда была разработана корпорацией Drexler, но необходимые считывающие и записывающие устройства еще не начали выпускаться серийно (по крайней мере их не было в 1985 г.).

O.051 optical disk
оптический диск
Тип оптического ЗУ с запоминающей средой в виде диска, который вращается, обеспечивая условия доступа по окружности, а световой луч сканирует поверхность диска по радиусу, давая вторую координату доступа. Как правило, диск съемный. Замена диска осуществляется легко, так как между ним и деталями оптической системы имеется зазор 1 мм. Оптическая система массивнее и дороже аналогичной системы с магнитным диском. Кроме того, до 1985 года выпускались только устройства, способные работать лишь с одной стороной диска. Если у диска используются обе поверхности для записи, его необходимо вынимать из дисковода и переворачивать для обеспечения доступа ко второй его рабочей поверхности. Пакеты дисков в таких устройствах не используются. Для

оптических дисковых ЗУ были разработаны три типа дисков: стираемые, для однократной записи и только для считывания. Стандартные форматы еще только разрабатываются, но, вероятнее всего, многие устройства будут рассчитаны на работу с дисками каких-нибудь двух или всех трех типов. Диаметр дисков уменьшается от 350 до 300 и от 130 до 120 мм, причем наиболее распространены последние. Диски диаметром 120 мм, предназначенные только для считывания, известные под шифром CD-ROM и имеющие своим прототипом компактный звуковой диск, объявлены к выпуску фирмами Philips и Sony. Первые накопители на оптических дисках (с коэффициентом ошибок считывания после коррекции — менее одного бита на 10^{12} бит) появились на рынке вычислительной техники в конце 1984 г. Все эти устройства были рассчитаны на диски диаметром 350—200 мм для одноразовой записи. Появление устройств с дисками меньшего диаметра, предназначенными только для считывания информации, ожидалось в 1985 г., а со стираемыми дисками — в 1986 г. В 1983 г. на рынках появились устройства с оптическими дисками, предназначенными для хранения изображений рукописных текстов, где допускается более высокий коэффициент ошибок (одна на 10^5 бит) и нет необходимости в коррекции. Особенно широко эти устройства распространены в Японии, где иероглифическое письмо делает их незаменимыми для хранения изображений рукописей, трудных для кодирования.

O.052 optical font
шрифт для оптического распознавания
Печатный шрифт или набор знаков, специально предназначенный для безошибочного восприятия машинами и людьми. Наиболее широко распространены шрифты для оптического считывания типов OCR A и OCR B, которые утверждены в качестве международных стандартов. Сейчас используются читающие устройства, которые способны воспринимать разнообразные шрифты, но отпечатанные с высокой четкостью. Если используются специализированные шрифты для оптического распознавания, можно применять более дешевые считывающие

устройства при меньшем количестве ошибок считывания. См. также О.007 OCR.

О.053 optical mark reading
оптическое считывание меток
См. О.016 OMR.

О.054 optical storage
оптическое вапоминающее устройство
Устройство, в котором запоминание и поиск данных или изображений реализуется оптическими средствами. Было опробовано множество способов, включая и голографию, но получившая распространение техника основана на использовании полупроводниковых лазеров и оптических систем, которые генерируют очень маленькую световую точку диаметром до одного микрона, фокусируемую на тонком слое среды для выборки бита информации. В режиме записи данных или изображений энергия луча (обычно 10 мВт) используется для нагрева освещенной зоны носителя информации, при котором обратимо или необратимо изменяются оптические характеристики носителя. При магнитооптической записи (М.035 magneto-optic recording) еще действует и магнитное поле для контроля состояния, в котором остается носитель после охлаждения. В режиме считывания энергия луча снижается до величины, которая не может вызывать изменения состояния носителя. Отраженный в некоторых конструкциях пропущенный носителем световой поток улавливается, и определяется его интенсивность или поляризация для разрешения вопроса, что хранится в данной ячейке: 1 или 0. Оптические запоминающие устройства обладают более высокой плотностью записи, чем магнитные устройства, и не требуют плотного контакта между носителем и считывающей головкой как в магнитном устройстве. Носитель в оптическом устройстве имеет неровную поверхность. Чувствительный слой находится под прозрачным защитным покрытием. Световой луч не фокусируется на наружной поверхности, поэтому пыль и царапины на поверхности не имеют никакого значения. Таким образом, появилось дешевое запоминающее устройство с легко сменяемыми томами. Но в то же время оптические компоненты сравнительно дороги и громоздки. Плотность внутренних дефектов в оптическом носителе выше, чем в магнитном, поэтому в большинстве случаев требуется тщательно продуманная техника коррекции ошибок. Можно легко выделить три класса носителей информации для оптических ЗУ: стираемые носители, данные на которых могут быть стерты и снова записаны, как на магнитном носителе; носители для однократной записи, однажды записанную информацию на которых нельзя стереть; и носитель только для считывания, информация на который наносится в процессе изготовления диска и не может быть заменена. Некоторые технологии позволяют совместить признаки двух классов в одном типе носителя. Носители для однократной записи открывают возможность длительного хранения записей (производители этих носителей уже гарантируют сохранность записи не менее десяти лет) и, видимо, заменят магнитные ленты, применяемые для организации архивов. Носители, предназначенные только для считывания, обладают потенциальными возможностями дешевых средств распространения больших объемов редко изменяемых данных: прикладных программ, каталогов и справочников. Стираемые оптические носители конкурируют с магнитными и о преимуществах тех или других можно спорить. Основными конструктивными элементами оптических ЗУ являются оптические диски (О.051 optical disk), оптические информационные карты (О.050 optical data card) и оптические ленты. Дисководы для оптических дисков в достаточных количествах появились на рынках вычислительной техники в 1985 г.

О.055 optimal binary search tree
оптимальное двоичное дерево поиска
Двоичное дерево поиска (В.071 binary search tree), построенное в расчете на обеспечение максимальной производительности при заданном распределении вероятностей (Р.232 probability distribution) местоположения требуемых данных.

О.056 optimization
оптимивация
Процесс нахождения наилучшего решения задачи, когда наилучшее решение определяется по некоторому заранее установленному критерию.

Этот термин имеет различный смысл в разных контекстах.

1. В математике термин «оптимизация» обычно используется в теории и практике максимизации или минимизации функции (называемой. целевой функцией) нескольких переменных, которые могут подчиняться множеству ограничений. Частный случай линейных целевых функций относится к области линейного программирования (L.062 linear programming). Нелинейные целевые функции с ограничениями или без ограничений рассматриваются в достаточно хорошо развитой области нелинейного программирования. Задача безусловной оптимизации (обычно заключающаяся в минимизации) имеет вид:

минимизировать $f(x)$,

где $f(x)$ — данная целевая функция n вещественных переменных,

$$x = (x, x_2, ..., x_n)^T.$$

Необходимое условие существования минимума определяется системой нелинейных уравнений (N.054 nonlinear equations)

$$\partial f / \partial x_i = 0, \ i = 1, 2, ..., n.$$

Для решения этой системы уравнений можно воспользоваться методом Ньютона (N.030 Newton's method), но на практике этот метод был значительно усовершенствован с целью повышения эффективности вычислений. Широкий класс методов, в которых используются сложные схемы аппроксимации матриц, метода Ньютона, составляют методы обновления матриц. Для задач оптимизации при наличии ограничения вектор x должен также удовлетворять системе уравнений (возможно, нелинейной) или неравенств. Некоторые идеи и методы, относящиеся к задачам безусловной оптимизации, могут быть подходящим образом модифицированы применительно к задачам с ограничениями. Задачи оптимизации широко распространены в теории управления, в химической технологии и многих других областях.

2. В программировании термин «оптимизация» обычно используется применительно к части этапа генерации программы компилятором (C.205 compiler) и обозначает порождение выходной программы, которая в определенном смысле оптимальна, т. е.

наилучшим способом использует ресурсы, которыми располагает целевая ЭВМ, или по крайней мере расходует их рационально. Например, программа может делаться компактной в смысле минимального требуемого объема памяти, или быстродействующей в смысле минимального времени исполнения.

Оптимизация, выполняемая компилятором, обычно бывает направлена на генерацию быстродействующих программ и может принимать три формы. Глобальная оптимизация используется для переупорядочивания установленной последовательности выполнения команд программы с тем, чтобы исключить избыточные вычисления (путем вынесения инвариантных операций из тела цикла, объединения циклов и др.). Регистровая оптимизация связана с привязкой машинных регистров к переменным и промежуточным численным результатам таким образом, чтобы минимизировать число случаев «холостого» резервирования регистров с целью их загрузки в дальнейшем. Локальная оптимизация обеспечивает адаптацию программы к конкретным особенностям архитектуры машины и устранение избыточных локальных операций типа загрузки в регистр величины, которая уже хранится в нем.

O.057 optimum programming = minimum-access code
оптимальное программирование

O.058 optional product
факультативное произведение
См. C.271 concensus.

O.059 optoelectronics
оптоэлектроника
Бурно развивающаяся технология генерирования, обработки и детектирования оптических сигналов, которые представляют электрические величины. Одна из главных областей применения указанной технологии — это связь, где электрические сигналы могут передаваться по волоконно-оптическим кабелям (F.036 fiber optics transmission system) и где две не связанные между собой электрические цепи могут обмениваться сигналами по оптической линии связи, оставаясь электрически изолированными одна от другой. Такие оптические линии называют оптоизоляторами. Эта технология используется также для реализа-

ции логических функций в лазерах и жидких кристаллах (L.015 LCD). Преимущество — в высокой скорости срабатывания. Оптические сигналы могут генерироваться на основе электрических сигналов с помощью светодиодов (L.026 LED). Детектирование оптических сигналов в основном осуществляется с помощью фототранзисторов, т. е. биполярных транзисторов (B.084 bipolar transistor), проводимость которых зависит от характеристики светового пучка. См. также O.054 optical storage.

O.060 optoisolator
оптоизолятор
См. O.059 optoelectronics.

O.061 Oracle
«Оракул»
Одна из двух систем вещательной видеографии (T.037 teletext), действующих в Великобритании.

O.062 order
1. порядок 2. команда
1. Средство индикации изменения величины функции по мере стремления ее аргумента к некоторым пределам — обычно к нулю или бесконечности. Более точно: когда существует некоторая константа K, для которой при всех значениях $x \geqslant x_1$ удовлетворяется условие

$$|f(x)| \leqslant K\varphi(x),$$

говорят, что функция $f(x)$ является порядком $\varphi(x)$ по мере стремления x к бесконечности. Запись принимает следующий вид:

$$f(x) = \mathrm{O}(\varphi(x)).$$

Например:

$$100x^2 + 100x + 2 = \mathrm{O}(x^2)$$

при $x \to \infty$.
Если

$$\lim f(x)/g(x) = 0,$$

то порядок записи следующий:

$$f(x) = \mathrm{O}(g(x)).$$

Например,

$$x = \mathrm{O}(x^2) \text{ при } x \to \infty.$$

Обе эти записи являются выражениями максимальной величины и не включают тех значений функции f, которые имеют меньшие значения. Например, выражение

$$x = \mathrm{O}(x^2)$$

является полностью действительным, но тождественно

$$x = \mathrm{O}(x).$$

Если

$$\lim_{x \to a} f(x)/g(x) = \mathrm{const}, \quad k \neq 0,$$

то запись имеет вид

$$f(x) \approx kg(x) \text{ при } x \to a.$$

Например,

$$10x^2 + x + 1 \approx 10x^2 \text{ при } x \to \infty.$$

Термин «порядок» и его символ «O» используются при численном анализе, в частности в методах дискретизации (D.230 discretization methods). В обыкновенных дифференциальных уравнениях (O.070 ordinary differential equations) при размере шага интегрирования h принято говорить, что метод (или формула) имеет порядок p (положительное целое число), если общая ошибка дискретизации (D.231 discretization error) составляет $\mathrm{O}(h^p)$. Это означает, что по мере того, как уменьшается размер шага h, ошибка сводится к нулю, по крайней мере так быстро, как определяется величиной h^p. Подобные условия применимы и к обыкновенным дифференциальным уравнениям в частных производных (P.052 partial differential equations). Формулы расчетов с высокой точностью (с порядком до 12 или 13) иногда используются в методах решения обыкновенных уравнений. По причинам, связанным со стоимостью расчетов и устойчивостью результатов, стремятся использовать формулы с малым значением порядка, применяемым для дифференциальных уравнений в частных производных.
Порядок матрицы. См. S.267 square matrix.
Порядок конечной группы. См. G.058 group.
2. = operation code.

O.063 order code = operation code
код команды

O.064 ordered pair
упорядоченная пара
Пара объектов, находящихся в определенном отношении порядка, обычно представленная в виде

$$(x, y) \text{ или } \langle x, y \rangle$$

для объектов x и y. Две упорядоченные пары называют равными тогда и только тогда, когда их первые и вторые элементы попарно равны между собой. К типичным ситуациям, в которых используются упорядоченные пары, относится анализ точек в декартовых координатах или анализ комплексных чисел. Эта идея может быть распространена и на упорядоченные триплеты

$$(x_1, x_2, x_3)$$

и даже на кортежи из n значений

$$(x_1, x_2, ..., x_n).$$

0.065 ordered tree
упорядоченное дерево
См. Т.163 tree.

0.066 ordering relation
отношение порядка
Отношение, обладающее свойствами рефлексивности (R.081 reflexive), антисимметричности (A.108 antisymmetric) и транзитивности (T.145 transitive). Отношение «меньше или равно» на множестве целых чисел является отношением порядка. См. также P.055 partial ordering. Ср. E.091 equivalence relation.

0.067 order of precedence
порядок предшествования
См. P.188 precedence.

0.068 order register = instruction register
регистр команд
См. C.305 control unit.

0.069 order statistics
статистика рангов
Область статистики, в которой используются не численные значения наблюдаемых величин, а их отношения порядка с другими наблюдениями. Статистическая характеристика с рангом r из совокупности n наблюдений — это просто наименование значения случайной величины, имеющее порядковый номер r в ряду выборочных значений. Примерами статистических критериев упорядочения являются критерий для разности медиан, критерий знаков, критерий Кочрена, критерий Вальда—Вольфовитца, Манна—Уитни, Вилкоксона и др.

0.070 ordinary differential equations
обыкновенные дифференциальные уравнения
Дифференциальные уравнения (D.177 differential equations), в которых фигурирует одна независимая переменная, изменяющаяся в пространстве или во времени. За исключением простых случаев, решение не может быть найдено аналитическими средствами и применяются приближенные методы. Для уравнений, содержащих первую производную, в общем случае разработаны численные методы; эти уравнения имеют следующий вид:

$$y' = f(x, y), \quad a \leqslant x \leqslant b,$$

где y и f являются s-компонентными векторами с компонентными функциями

$$y_i(x);$$
$$f_i(x, y_1(x), y_2(x), ..., y_s(x)).$$

Уравнения, содержащие производные более высоких порядков, могут быть записаны подобным образом в такой же форме введением промежуточных функций для этих производных.
В общем случае для нахождения частного решения должны быть заданы s условий. Если эти условия определены в виде $y(a) = y_0$, то возникает задача с начальными условиями. Такие задачи могут решаться непосредственно с использованием одношаговых методов, например, методов Рунге—Кутта (R.198 Runge—Kutta methods) или многошаговых линейных методов (L.061 linear multistep methods), в которых отыскиваются приближенные решения на множестве точек в интервале $[a, b]$. Эта задача превращается в краевую, если s условий заданы в терминах компонентных функций в точках a и b. В общем случае такие задачи требуют привлечения итерационных методов, например, метода пристрелки (S.141 shooting methods). Однако, если функция f является линейной относительно y, то удобнее могут оказаться конечно-разностные методы (F.068 finite-difference methods). Для обоих типов задач разработаны превосходные программные средства.
Во многих случаях практического применения особый интерес представляет решение жестких систем дифференциальных уравнений. Жесткая дифференциальная система имеет такие составляющие решения, которые очень быстро затухают на интервале, достаточно коротком в сравнении с областью интегрирования, вследствие чего получаемое решение устойчиво почти

во всей области. Чтобы увеличить размер шага на интервалах медленного изменения функций, необходимо использовать специальные методы, например, формулу трапеций:

$$x_{n+1} = x_n + h;$$
$$y_{n+1} = y_n + \frac{1}{2} h \left(f(x_{n+1}, y_{n+1}) + f(x_n, y_n) \right).$$

На каждом шаге эта система уравнений должна быть разрешена относительно y_{n+1}, при этом довольно часто используется модифицированный метод Ньютона (N.030 Newton's method). Более грубые и простые методы приводят к катастрофическому возрастанию ошибки, если размер шага h не будет достаточно малым. К задачам такого типа до сих пор проявляется большой интерес со стороны исследователей.

O.071 organizational information system
организационная информационная система
См. I.082 information system.

O.072 OR gate
схема ИЛИ, элемент ИЛИ
Электронный логический вентиль (L.123 logic gate), на выходе которого логический 0 (значение «ложь») появляется только тогда, когда на все его выходы (два и более) поданы сигналы логического 0; во всех других случаях на выходе появляется логическая 1 (значение «истина»). Этот вентиль реализует логическую операцию ИЛИ (O.073 OR operation) и имеет аналогичную с ней таблицу истинности (T.188 truth table). На рисунке показано общепринятое обо-

Входы	A1	0	0	1	1
	A2	0	1	0	1
Выход	B	0	1	1	1

значение вентиля ИЛИ и таблица истинности для вентиля с двумя входами. Правильнее этот вентиль называть «включающее ИЛИ», поскольку при наличии на обоих его входах значения «истина» (И) на выходе тоже появляется значение «истина». См. также E.135 exclusive-OR gate.

O.073 OR operation (inclusive-OR operation; either-or operation)
операция ИЛИ, операция включающее ИЛИ
Логическая связка (C.269 connective), объединяющая два высказывания, два истинностных значения или две логические формулы P и Q таким образом, что результатом будет значение «истина» (И), если P и Q или и P, и Q принимают значение «истина» (см. таблицу истинности). Состояние, когда и P, и Q одновременно истинны и результат тоже истинен, отличает операцию ИЛИ от операции исключающее ИЛИ. Операция ИЛИ обычно обозначается символом $\vee$, а иногда просто знаком $+$. Это одна из бинарных операций в булевой алгебре (B.118 Boolean algebra). Она является и коммутативной (C.196 commutative operation), и ассоциативной (A.153 associative operation). Одним из способов реализации операции ИЛИ (например, в языке ЛИСП) является проверка P, а затем оценка Q только в том случае, если P ложно (Л). Такая операция уже не обладает свойством коммутативности, и для нее в некоторых языках применяется специальное обозначение.
Когда операция ИЛИ реализуется как одна из основных команд машинного языка (M.005 machine code), она обычно выполняется над парами байтов или парами слов. В таких случаях операция ИЛИ, описанная выше, выполняется над парами соответствующих битов.

P	Л	Л	И	И
Q	Л	И	Л	И
P ∨ Q	Л	И	И	И

O.074 orthogonal analysis
ортогональный анализ
См. O.080 orthonormal basis.

O.075 orthogonal basis
ортогональный базис
См. O.080 orthonormal basis.

O.076 orthogonal functions
ортогональные функции
Пусть

$$f_1(x), f_2(x), ..., f_n(x)$$

есть множество функций, определенных в интервале (a, b); пусть также $w(x)$ — заданная положительная (весовая) функция на (a, b). Такие функции $f_i(x)$ при $i = 1, 2, \ldots, n$ носят название ортогальных по отношению к интервалу (a, b) и весовой функции $w(x)$, если удовлетворяется условие

$$\int_a^b w(x) f_i(x) f_j(x)\, \mathrm{d}x = 0$$

при $i \neq j$ и $i, j = 1, 2, \ldots, n$.
Если для $i = j$

$$\int_b^a w(x) f_i^2(x)\, \mathrm{d}x = 1$$

при $i = 1, 2, \ldots, n$,
то такие функции называются ортонормальными. Подобное свойство определяется тогда, когда интервал (a, b) заменяется набором точек

$$x_1, x_2, \ldots, x_N,$$

а интеграл заменяется суммой

$$\sum_{k=1}^N w(x_h) f_i(x_h) f_j(x_h) = 0$$

при $i \neq j$.
Ортогональные функции играют важную роль в приближенных вычислениях функции и обработке экспериментальных данных.

0.077 orthogonal list
прямоугольная таблица
Двумерный список, элементы которого симметрично связаны слева и справа с горизонтальными соседними элементами и сверху и снизу — с вертикально расположенными соседями. Такой принцип может быть обобщен на случай таблиц большей размерности и дает эффективный способ представления разреженных матриц (S.244 sparse matrix).

0.078 orthogonal memory
ортогональная память
См. А.152 associative memory.

0.079 orthonormal analysis
ортонормированный анализ
См. С.080

0.080 orthonormal basis
ортонормированный базис
Множество ортонормированных функций, используемых при вычислении

334

членов, входящих в выражение некоторого преобразования типа преобразований Фурье (F.130 Fourier transform) и Уолша (W.006 Walsh analysis); ортонормированный базис преобразования Фурье образуют мнимые показательные функции, а преобразование Уолша — функции Уолша (W.005 Walsh functions). Для эффективного вычисления преобразования базисные функции должны быть ортогональными, но не обязательно нормированными (ортонормированными). Такой ненормализованный базис носит название ортогонального базиса. Вычисление элементов преобразования соответственно называется ортонормальным или ортогональным анализом. Этот анализ возможен только в случае, когда множество функций достаточно для формирования базиса. Это множество носит название полного множества функций.

0.081 orthonormal functions
ортонормированные функции
См. 0.076 orthogonal functions.

0.082 OS — operating system
операционная система ОС
Это сокращение использовалось как название специальной операционной системы OS/360, разработанной фирмой IBM, но сейчас используется применительно к любой операционной системе.

0.083 oscilloscope
осциллограф
Электронный испытательный прибор, который способен регистрировать электрические сигналы самой разнообразной формы. Выполняет он это, «вычерчивая» изменение амплитуды сигнала во времени на экране, который обычно представляет собой электроннолучевую трубку (С.041 cathode-ray tube). Электронный луч отклоняется в горизонтальном направлении, поэтому он равномерно сканирует экран в течение заданного периода времени. Вертикальное перемещение луча вызывается входным сигналом и затем накладыватся на исходное изображение. Горизонтальное и вертикальное перемещения луча синхронизируются триггерными схемами. См. также S.332 storage oscilloscope.

0.084 OSI — open system interconnection
взаимодействие открытых систем

O.085 outdegree
полустепень исхода
См. D.133 degree.

O.086 outer code
внешний код
См. C.246 concatenated coding system.

O.087 output
1. выходные данные 2. выходной сигнал 3. вывод данных 4. выводить данные
1. Результат обработки данных, представляемый для внешнего использования. Выведенные на ЭВМ данные могут иметь форму, удобную для человека, скажем, могут быть напечатаны или отображены на экране дисплея, или могут быть подготовлены для ввода в другую систему и в другой процесс. Например, они могут быть выведены в закодированном виде на магнитную ленту, магнитный диск, перфокарты или перфоленту.
2. Сигнал, который получен от электрической схемы, например, логической схемы.
3. Воспроизведение результатов или сигнала.
4. Воспроизводить результаты или сигнал.

O.088 output area
область вывода
Участок основной памяти, который предназначен для хранения данных перед пересылкой их на устройство вывода. См. также I.098 input area.

O.089 output assertion
выходное утверждение
См. P.259 program correctness proof.

O.900 output device
устройство вывода; выходное устройство
Любое устройство, которое преобразует электрические сигналы, представляющие информацию внутри ЭВМ, в какую-либо форму, в которой они могут существовать и пересылаться вне ЭВМ. Печатающие устройства и дисплеи являются наиболее распространенными типами устройств вывода для связи с оператором, но в последнее время начинают появляться устройства с речевым выводом информации. Перфокарточные, перфоленточные и магнитоленточные устройства обычно применяются для организации промежуточного и архивного хранения информации, но иногда они используются в качестве устройств вывода.

O.V91 output-limited process
ограниченный по выводу процесс
Процесс, скорость выполнения которого лимитируется скоростью вывода данных.

O.092 overflow
переполнение
Ситуация, возникающая тогда, когда результат арифметической операции переполняет разрядную сетку ячейки, предназначенной для приема этого результата или когда получаемый результат превышает некоторое заданное число.

O.093 overlap
совмещение перекрытие
Форма параллелизма, в которой взаимно независимые события реализуются одновременно с целью повышения производительности ЭВМ. Например, во время выполнения первой команды может осуществляться выборка второй команды. Когда происходит совмещение отдельных этапов арифметических операций (т. е. при временном их перекрытии), процесс обычно называют конвейерной обработкой (P.115 pipelining)

O.094 overlay
оверлейный сегмент, оверлей
Часть машинной программы, которая загружается в память в входе выполнения программы на место какой-то прежней информации. Загрузка оверлейного сегмента происходит под жестким контролем программиста, и ее не следует путать с замещением страниц (P.017 paging). В общем случае несколько оверлеев загружаются в одну и ту же область памяти, «накладываясь» на уже хранящуюся в ней часть машинной программы памяти. Оверлеи можно считать средством принудительного управления распределением памяти.

O.095 overwrite
перезапись
Разрушение информации в ячейке памяти записью в нее новой информации. В глогольной форме этот термин означает «перезаписывать», «осуществлять перезапись».

P

P.001 P
P-класс формальных языков
См. P.138 P-NP question.

P.002 pack
1. упаковывать 2. пакет дисков
1. Организовывать компактное хранение с целью сокращения объема памяти для размещения одного и того же объема данных. Существует несколько путей достижения компактности, например, хранение нескольких байтов в одном слове или замена повторяющегося символа или слова триплетом, включающим: специальный код, определяющий начало триплета; один из элементов заменяемого символа или слова; число повторений символа или слова.
2. Сокр. disk pack (пакет дисков).

P.003 package
пакет; модуль
1. См. A.112 application package.
2. В языке программирования Ада один из основных модулей конструируемых программ. В рамках модуля выделяются в отдельные элементы одинаковые объекты (типы данных, переменные, процедуры и др.) и управление доступом к ним осуществляется из других частей программы. Используя возможность объявления приватных типов, с помощью пакета можно реализовывать абстрактный тип данных (A.008 abstract data type)

P.004 packed decimal
упакованное десятичное число
Экономичный способ хранения десятичных цифр, представленных двоично-десятичным кодом, в котором используются только четыре бита на цифру. Поэтому две десятичные цифры могут храниться в одном байте (B.170 byte). Такой способ очень мало отличается по компактности от хранения чисел в двоичном виде, но не требует специального преобразования десятичной системы в двоичную. См. также C.074 character encoding.

P.005 packet
пакет
Группа битов фиксированной максимальной величины в жестко определенном формате, которая коммутируется и передается как единое целое по сети с пакетной коммутацией (P.009 packet switching). Любое сообщение,

336

которое превышает максимальный допустимый размер, разбивается на части и передается в виде нескольких пакетов.

P.006 packet assembler/disassembler
устройство сборки — разборки пакетов
См. P.011 PAD.

P.007 packet radio
пакетная радиосвязь
Способ передачи данных, при котором для транспортировки пакетов данных используются радиосигналы несущих (P.005 packet). При этом способе нет уверенности в том, что в какой-то момент работает только один передатчик, поэтому необходимо иметь какое-либо соглашение относительно действий, предпринимаемых при «столкновениях» пакетов. Логически пакетная радиосвязь эквивалентна магистральным сетям, которые используются в архитектурах некоторых локальных сетей. См. C.355 CSMA/CD.

P.008 packet switched data service
служба коммутации пакетов данных
Служба передачи данных, организуемая для населения почтовыми, телеграфными и телекоммуникационными агентствами (EP.321 PTT) и коммерческими сетями связи (C.185 common carrier). См. P.324 public packet network.

P.009 packet switching
коммутация пакетов
Метод динамического распределения коммуникационных ресурсов между многочисленными взаимодействующими объектами. Сообщения, пересылаемые между объектами, разбиваются на сегменты установленного максимального размера. Сегменты, или пакеты, пересылаются через коммутируемую сеть передачи данных с промежуточным хранением (S.339 store and forward) конечному адресату информации (или устанавливается, что такая пересылка невозможна). При необходимости в пунктах приема пакеты снова компонуются в целостные сообщения. Применимость пакетной коммутации в том виде, в котором она возможна в электронной связи, для передачи данных впервые была доказана внедрением сети Арпанет в 1969 году (A.136 ARPANET). Сеть с коммутацией пакетов может предоставлять сервис с несколькими различ-

ными уровнями обслуживания в зависимости от степени сложности технологии обеспечения связи и требований абонентов сети. Простейшие сети с коммутацией пакетов обеспечивают только действительный режим обслуживания (D.040 datagram), который приводит к беспорядочной и ненадежной доставке пакетов. Другие сети могут обеспечивать надежные виртуальные соединения (V.046 virtual connection) только при индивидуальном управлении потоками. Решение об использовании дейтаграмм, виртуальных соединений или других режимов работы может быть принято независимо от организации работы самой сети с коммутацией пакетов и интерфейса, который предоставляется абонентом сети.

P.010 packing density
   1. плотность компонентов 2. плотность размещения
1. Количество электронных устройств на единицу площади интегральной схемы (I.122 integrated circuit).
2. Количество информации на единицу емкости запоминающей среды.

P.011 PAD — packet assembler/disassembler
   устройство сборки — разборки пакетов
Трансляционная ЭВМ, которая обеспечивает асинхронным терминалам с посимвольным вводом данных доступ к синхронной сети с коммутацией пакетов (P.009 packet switching hetwork)

P.012 padding
   знак-заполнитель
Символ, используемый для увеличения длины строки или записи до некоторой обусловленной величины. См. также

P.013 page
   страница
Установленная порция информации для обмена данными между памятью и устройством перекачки в системе со страничным обменом (P.017 paging). Количество слов или байтов в странице обычно жестко регламентировано для конкретной системы и почти всегда кратно двум. Термин «страничный блок» является синонимом термина «страница», но чаще используется, когда речь идет о копии страницы, которая имеется в устройстве перекачки.

P.014 pade frame
   страничный блок
См. P.013 page

P.015 pade printer
   постранично печатающее устройство
Тип печатающего устройства, которое печатает одновременно целую страницу выходных данных. Обычно это печатающее устройство безударного действия (N.053 nonimpact printer), в котором процесс печати требует непрерывной подачи бумаги. Информация для одной страницы обычно накапливается в буфере печатающего устройства перед тем, как произойдет процесс ее распечатывания на бумаге. Ср. L.069 line printer; S.106 serial printer.

P.016 pade table
   таблица страниц
Таблица в ЭВМ, которая содержит схему соответствия между логическими адресами страниц и их физическими адресами. Во многих системах эта таблица хранится в быстродействующей области памяти. См. P.017 paging

P.017 paging
   страничная организация памяти
Способ управления виртуальной памятью (V.048 virtual memory). Логический адрес подразделяется в данном случае на два поля: младшие разряды указывают на слово или байт внутри страницы (P.013 page), а старшие разряды — на самое страницу. Часто выбираемые страницы хранятся в оперативной памяти, а редко выбираемые могут быть выведены в устройство страничного обмена (S.405 swapping). Блок управления ассоциативной памятью определяет физическое местоположение в памяти тех страниц, которые имеются в наличии. Для страниц, которых в памяти нет, в ассоциативном ЗУ имеется указатель их местонахождения во вспомогательном запоминающем устройстве. Когда происходит обращение к какой-либо странице, отсутствующей в ОЗУ, генерируется сигнал прерывания, и операционная система перекачивает соответствующую страницу из внешнего устройства в оперативную память.

P.018 paging drum
   барабан со страничной организацией
Устройство страничного обмена (S.405 swapping), используемое для хране-

ния образов страниц (P.013 page), которые больше не нужны в оперативной памяти, в виртуальной управляющей системе со страничной (P.017 paging) организацией. Обычно барабаны со страничной организацией имеют относительно небольшую емкость, малую задержку и очень высокую скорость передачи.

P.019 paper slew (в Великобритании: paper throw)
прогон бумаги
Быстрое непрерывное продвижение бумаги в построчно-печатающем устройстве без печати. В высокоскоростных построчно-печатающих устройствах скорость прогона может достигать 190 см/с.

P.020 paper tape
бумажная лента
Среда для хранения данных, которая имеет форму ленты из бумаги с унифицированной шириной и толщиной и специальными физическими свойствами. Уже найдены и другие материалы, более долговечные и прочные, например, ламинированная бумага и полиэстер. Поэтому такой носитель правильнее было бы называть не бумажной, а просто перфорированной лентой, но этот термин относится к ленте с уже записанными данными.
Информация на бумажной ленте записывается путем пробивки перфорационных отверстий. Обычно символы данных наносятся на ленту в форме комбинации кодовых отверстий, расположенных поперек ленты с определенным стандартным шагом. На ленте шириной в один дюйм можно записывать символы длиной до восьми бит. Продольный ряд отверстий и позиций для возможных отверстий, равноудаленных от базовой кромки ленты, называется дорожкой. На ленте шириной в один дюйм может быть восемь дорожек, на более узких лентах может быть пять или семь дорожек. В дополнение к восьми дорожкам имеется еще дорожка отверстий меньшего диаметра. Раньше эти отверстия были направляющими, поскольку они совмещались с лентопротяжными звездчатками перфоратора и считывающего устройства. Позже появились высокоскоростные считывающие устройства с фрикционным приводом, а отверстия для звездчатки стали необходимым элементом для синхрониза-

ции. У большинства лент осевые линии ведущих отверстий совпадают с осевыми линиями перфорации символов (ленты с синхронизацией по центру), но у некоторых лент ведущие отверстия сдвинуты вровень с краями информационных отверстий (ленты с синхронизацией по переднему краю). Сейчас и кодовые отверстия, и ведущие отверстия воспринимаются оптическим способом, поэтому оптические характеристики материала ленты являются частью ее спецификации. Как правило, лента бывает в рулоне, намотанном на сердечник стандартного диаметра. Еще до применения в устройствах ввода-вывода данных перфоленты использовались для передачи данных по линиям связи (в телексе). Сначала 5-битовые знаки международного телеграфного алфавита записывались на пяти дорожках ленты шириной 11/16 дюйма. Но использование этого принципа в устройствах ввода-вывода данных и разработка 6, 7 и 8-битовых кодов, обусловили увеличение ширины ленты до одного дюйма. Перфоленты сейчас почти вытеснены другими носителями для хранения, обмена, загрузки и обработки данных. Но до сих пор они широко используются для числового программного управления промышленным оборудованием, а также в некоторых печатающих устройствах ЭВМ для программного управления подачей бумаги с помощью закольцованной перфоленты. См. V.036 vertical format unit.

P.021 paper tape I/O
перфоленточный ввод-вывод
Средство ввода и вывода результатов из системы обработки данных с использованием в качестве носителя информации перфоленты. Хотя до появления ЭВМ для обработки информации широко применялись перфокарты, во многих первых ЭВМ использовались перфоленточные устройства ввода-вывода. Перфораторы и устройства для считывания данных с перфолент уже использовались в телексах и были дешевле перфокарточных устройств. Первые считыватели перфоленты работали со скоростью около 10 символов в секунду при дискретной подаче ленты на один символ. Они воспринимали отверстия в результате давления бумаги на ряд чувствительных штырьков электрических контак-

торов. В машинах следующего поколения лента протягивалась непрерывно. Отверстия воспринимались через звездообразные колеса, которые вращались только тогда, когда их выступы зацеплялись перфорационными отверстиями. В 1975 г. фотоэлектрические датчики позволили повысить скорость считывания до 1500 символов в секунду. Имелись и более быстрые устройства считывания, но они были неспособны останавливаться за время, определяемое шагом* перфоленты. Практически существовали устройства, в которых лента подавалась со скоростью 300 символов в секунду, но обычно при больших объемах выводимых данных использовались перфораторы, работавшие со скоростью 110 символов в секунду. Бумажные перфоленты широко использовались для ввода программ, набора текстов и управления станками. В этих функциях они нередко используются до сих пор.

P.022 paper throw
прогон бумаги
См. P.019 paper slew.

P.023 PAR — positive acknowledgement and retransmission
подтверждение приема с повторной передачей
См. B.011 backward error correction.

P.024 parallel access
параллельный доступ
Доступ к информации в ЗУ, при котором ряд битов передается одновременно, а не последовательно. Например, доступ к полупроводниковой памяти почти всегда осуществляется путем параллельной пересылки сразу нескольких байтов. Доступ к информации, хранящейся в ЗУ на магнитных дисках, наоборот, всегда осуществляется последовательно.

P.025 parallel adder
параллельный сумматор
Двоичный сумматор, который способен формировать выходные сигналы суммы и переноса, работая со словами первого и второго слагаемых длиной более одного бита и манипулируя сразу всеми их разрядами, т. е. параллельно. Сумматоры параллельного действия требуют короткого времени переходного процесса, чтобы сигналы переноса могли вовремя проходить по соответствующим этапам процесса сло-

жения. См. также A.048 adder; S.099 serial adder.

P.026 parallel algorithm
параллельный алгоритм
Алгоритм, предназначенный для «эффективной» реализации на параллельных машинах (P.028 parallel computer), например, Cray-1, CDC Cyber 208 (ЭВМ с конвейерной обработкой) или ICL DAP (распределенный матричный процессор). Параллельный алгоритм может содержать большее число арифметических операций, чем последовательный. Однако структура его такова, что многие арифметические операции делаются независимыми и могут выполняться параллельно, т. е. одновременно.

P.027 parallel arithmetic
параллельная арифметика
Операции, предусматривающие одновременное манипулирование несколькими битами информации или несколькими разрядами числа.

P.028 parallel computer
параллельная машина
ЭВМ, способная выполнять параллельную обработку данных. См. P.032 parallel processing.

P.029 parallel in parallel out (PIPO)
с параллельным вводом и параллельным выводом
Термин, характеризующий сдвиговый регистр (S.140 shift register), который можно загружать параллельно и параллельно разгружать. При этом, разумеется, не исключается возможность последовательного ввода и вывода.

P.030 parallel input/output (PI0)
параллельный ввод-вывод
Способ передачи данных между устройствами (обычно между ЭВМ и периферией), при которых все биты, соответствующие символу или байту, передаются на интерфейсный блок одновременно по отдельным линиям. Как правило, существуют еще и дополнительные параллельные линии для передачи управляющих сигналов. Способ параллельного ввода-вывода используется часто, так как он совместим с форматом данных, используемым в самом процессоре и обеспечивает возможность повышения скорости передачи данных. Когда бывает необходимо установить связь на большом расстоянии, стоимость проводных линий и интерфейсных схем ста-

новится значительной, и в таком случае предпочтительнее пользоваться последовательным вводом-выводом (S.102 serial input/output)

P.031 parallel in serial out (PISO)
с параллельным вводом и последовательным выводом

Термин, используемый для описания класса цифровых устройств, которые могут принимать параллельно *n*-битовые слова данных и преобразовывать их в *n*-битовые последовательности. Устройства часто состоят из *n*-разрядных сдвиговых регистров (S.140 shift register) с параллельной загрузкой информационных слов. Затем эти данные выводятся из регистра последовательно в тактируемом режиме (см. рисунок). Ср. S.101 serial in parallel out.

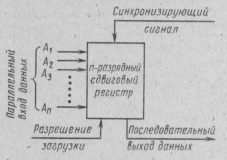

P.032 parallel processing
параллельная обработка

Термин, применяемый в целом ряде сходных ситуаций слишком вольно. Суть параллельной обработки заключается в том, что в любой момент в активном состоянии находится сразу несколько процессов. Однако параллельной нередко называют и такую обработку, при которой в принципе может выполняться большое количество процессов одновременно, но в каждый конкретный момент времени активен только один из них. Это следует считать ошибкой, поскольку термин «параллельная обработка» должен использоваться только применительно к ситуации, когда какая-то группа процессов реализуется многими процессорами и в конкретный момент задействованы несколько из них. К сожалению, на практике этот термин редко используется с учетом указанной тонкости. См. также С.252 concurrent programming.

P.033 parallel rewriting system
система параллельной перезаписи
См. L.152 L-system.

P.034 parallel running = parallel processing
параллельный прогон

P.035 parallel shooting method
метод параллельной стрельбы
См. S.141 shooting method.

P.036 parallel transfer
параллельная передача

Пересылка одновременно нескольких единиц информации. Например, если две ЭВМ, соединенные восемью проводами, готовы к обмену порцией информации в восемь бит, то передающая ЭВМ выдаст все 8 бит одновременно — по одному в каждую линию. Принимающая ЭВМ должна будет принять все 8 бит из линий и восстановить единицу информации длиной 8 бит на приемном конце, чем и завершится параллельная передача восьмибитовой порции данных. Ср. S.109 serial transfer.

P.037 parameter
параметр

1. Информация, предоставляемая подпрограмме, процедуре или функции. Описание процедуры предполагает использование формальных параметров для указания элементов данных, которые должны пересылаться в подпрограмму, реализующую данную процедуру при вызове, а вызов процедуры должен содержать соответствующие фактические параметры. См. также P.038 parameter passing.

2. Количественная величина в функции или математической модели, выбираемая или оцениваемая в конкретных обстоятельствах. Параметры следует четко отличать от констант, которые фиксированы для всех случаев использования функции или модели, и от переменных, которые представляют собой фактические значения измеряемых величин, присутствующих в функции или модели.

Многие свойства функций математических моделей можно вывести из структурных характеристик без обращения к конкретным значениям. К таким свойствам относятся непрерывность, дифференцируемость и линейная независимость. Функция или модель с конкретным целевым назначением могут быть сформулированы на основе выбора походящей их структуры (многочлен, дифференциальное уравнение определенной формы), в которой конкретные величины еще не определены. Эти величины будут параметрами функции или модели. Для поиска наиболее подходящих значений параметров или диапазонов их изменения с учетом полученных результатов наблюдений могут использоваться самые различные методы. Для таких простых моделей, как стандартные распределения вероятностей (P.232 probability distributions) параметры могут быть оценены по статистическим (S.317 statistics) данным выборок, например, по среднему и дисперсии. Главные принципы оценки параметров моделей, критерием которой является хорошая согласованность между моделью и данными наблюдений, воплощены в процедуры, для реализации которых могут требоваться итеративные вычисления оценок. Характерными примерами являются метод наименьших квадратов (L.025 least squares) и его обобщение и метод максимального правдоподобия (L.048 likelihood).

Нередко возникает задача оценивания распределения вероятностей (P.232 probability distribution) значений параметра; в такой ситуации обычно требуется найти его стандартное отклонение или стандартную ошибку (M.090 measures of variation), корреляцию (C.322 correlation) с оценками других параметров и доверительные границы (C.259 confidence interval).

P.038 parameter passing
передача параметра
Механизм ввода параметров в процедуру (подпрограмму) или функцию. К наиболее распространенным методам относятся передача фактического значения параметра и передача адреса ячейки памяти, где хранится фактический параметр. В последнем случае процедура может изменять значение параметра. В случае же пересылки фактического значения гарантируется невозможность его изменения процедурой. Были изобретены и другие, более сложные, методы передачи параметров; среди них следует особо отметить используемый в Алголе 60 вызов по имени.

P.039 parametric techniques
параметрические методы
См. N.058 nonparametric techniques.

P.040 parent (father)
родительский узел
Узел A является родительским для узла B в дереве (T.163 tree), если B — корень одного из поддеревьев дерева с корнем A.

P.041 parenthesis-free notation
бесскобочная запись
См. P.147 Polist notation; R.140 reverse Polish notation.

P.042 Parikh's theorem
теорема Парика
Теорема в теории формальных языков, которая касается свойств бесконтекстных языков при игнорировании порядка символов (C.282 context-free languages). Пусть алфавит Σ представляется множеством вида $\{a_1, ..., a_n\}$. Распределение $\varphi(w)$ символов алфавита Σ в слове w представляет собой кортеж из n элементов

$$\langle N_1, ..., N_n \rangle,$$

где N_i обозначает число вхождений a_i в слово w. Тогда выражением Парика $\varphi(L)$ для языка L с алфавитом Σ является:

$$\{\varphi(w) \mid w \in L\},$$

т. е. множество из всех возможных распределений символов в словах языка L. Языки L_1 и L_2 эквивалентны, если выполняется условие

$$\varphi(L_1) = \varphi(L_2).$$

Распределения символов могут складываться подобно покомпонентному смещению векторов. Это приводит к тому, что множество S распределений символов оказывается линейным, если для некоторых распределений d и $d_1, ..., d_k$ существует набор S общих сумм, образованных из d и произведений $d_i s$. S будет полулинейным множеством, если оно является конечным объединением линейных множеств. Тогда теорема Парика гласит, что, если L — бесконтекстный язык, то выражение $\varphi(L)$ является полулинейным. Можно доказать также, что выражение $\varphi(L)$ полулинейно в том и только в том случае, если язык L является посимвольно эквивалентным регулярному языку. Следовательно, любой бесконтекстный язык эквивалентен регулярному языку, хотя отметим, что не все регулярные языки являются бесконтекстными.

P.043 parity
контрольное число

Функция, которая вычисляется с целью обеспечения контроля группы двоичных величин (например, слов, байтов или символов) путем получения сумм битов в этой группе по модулю 2. Получаемая сумма представляет собой избыточную величину и называется контрольным разрядом. Разряд этот равен нулю, если число единиц в группе четное и, равен единице, если число единиц в группе было нечетным. Такой подсчет четности приводит к расширению группы двоичных величин (исходная группа плюс контрольный разряд) для получения четного числа единиц. Это свойство называется четностью. В некоторых случаях, исходя из особенностей аппаратного обеспечения, желательно иметь нечетное число единиц в расширенной группе, и контрольный разряд выбирается так, чтобы общее число единиц было нечетным. Это свойство группы двоичных величин называется нечетностью. См. также P.045 parity check.

P.044 parity bit
контрольный двоичный разряд
См. P.043 parity.

P.045 parity check (odd-even check)
контроль по четности

Вычисление или проверочный подсчет контрольного разряда в целях верификации; для выяснения, соблюдается ли предписанное условие четности. См. P.043 parity; см. также C.094 checksum.

P.046 parity-check code, parity-check matrix
код с контролем по четности (матрица проверки на четность)
См. L.054 linear code.

P.047 parser (syntax analyzer)
синтаксический анализатор
См. P.050 parsing.

P.048 parser generator
генератор грамматического разбора
Программа, которая воспринимает синтаксическое описание языка программирования и генерирует синтаксический анализатор (P.047 parser) для этого языка. См. также C.206 compiler-compiler.

P.049 parse tree (syntax tree)
дерево синтаксического анализа
Дерево, определяющее синтаксическую структуру предложения в бесконтекст-

ном языке (C.282 context-free languages) Внутренние узлы помечаются нетерминальными символами бесконтекстной грамматики (G.044 grammar). Потомки узла, помеченные, скажем, символом *A*, прочитываются слева направо в правой части некоторой продукции с левой частью *A*. Узлы-листья в дереве синтаксического анализа могут быть терминальными или нетерминальными символами. Если все листья являются терминалами, то они, будучи прочитанными слева направо, образуют предложение языка. Пример дерева синтаксического анализа показан на рисунке. В данном случае считается,

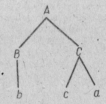

что рассматриваемая грамматика имеет продукции

$$A \rightarrow BC, \ B \rightarrow b, \ C \rightarrow cc.$$

Отметим попутно, что верхушку дерева принято считать его корнем, а основание листьями. Ранний этап компиллирования программы обычно состоит в порождении дерева синтаксического анализа, в котором программные конструкции выражены в терминах синтаксиса (S.437 syntax) языка программирования.

P.050 parsing (syntax analysis)
синтаксический анализ
Процесс принятия решения о том, является ли цепочка введенных символов предложением данного языка, и, если является, то еще это и процесс определения синтаксической структуры введенной строки, определяемый грамматикой языка (G.044 grammar) — обычно бесконтекстной (C.281 contextfree grammar). Все это выполняется программой, называемой синтаксическим анализатором, или программой грамматического разбора. Например, синтаксический анализатор арифметических выражений сообщает о наличии ошибок в строке

$$1 - + 2,$$

поскольку присутствие рядом минуса и плюса недопустимо. В то же время строка

$$1 - 2 - 3$$

является правомерным арифметическим выражением со структурой, определяемой утверждением, что его подвыражениями являются

$$1, 2, 3 \text{ и } 1 - 2$$

(заметим, что 2 — 3 не является подвыражением). Входными данными синтаксического анализатора является цепочка символов, передаваемая лексическим анализатором (L.040 lexical analyzer). Данные на выходе могут иметь вид дерева синтаксического анализа (P.049 parse tree) или вид деривационной последовательности (D.159 derivation sequence). См. также B.128 bottom-up parsing; T.108 top-down parsing; P.189 precedence parsing.

P.051 partial correctness
частичная правильность
См. P.259 program correctness proof

P.052 partial differential equations
дифференциальные уравнения в частных производных
Дифференциальные уравнения, которые содержат две или более независимые переменные. На практике этими переменными чаще всего бывают пространственные и временные характеристики. Поскольку независимых переменных несколько, все производные будут частными производными. Такие уравнения широко распространены в научных расчетах и моделировании физических явлений. Часто это бывают системы уравнений. К простейшим примерам с пространственными и временными переменными следует отнести уравнение теплопроводности (или диффузии):

$$\partial u / \partial t = a \partial^2 u / \partial x^2$$

или уравнение колебаний

$$\partial^2 u / \partial t^2 = \beta \partial^2 u / \partial x^2,$$

где α и β — физические константы. Стационарные процессы, характеризуемые двумя пространственными переменными, типизируются, например, уравнением Лапласа

$$\partial^2 u / \partial x^2 + \partial^2 u / \partial y^2 = 0.$$

Для этих уравнений должны быть определены необходимые начальные и краевые условия. В большинстве случаев для решения дифференциальных уравнений в частных производных на практике бывают необходимы численные методы, из которых наиболее широко и успешно используются метод конечных разностей (F.068 finite-difference method) и метод конечных элементов (F.069 finite-element method)

P.053 partial function

частичная функция
Грубо — это функция, которая определена только на подмножестве S:

$$f : S \to T$$

(S.378 subset), т. е. не для всех значений аргументов. Более строго частичная функция определяется следующим образом. Пусть R — подмножество, на котором определена частичная функция. Тогда существует такая функция (F.160 function), что

$$f : R \to T.$$

Однако может оказаться более удобным иметь дело с подмножеством S, а не R. Введем в рассмотрение множество U, такое, что

$$U = S - R$$

не пусто, и функция f не имеет численных значений (вернее — имеет неопределенные значения) в точках множества U; f в этом случае называется неопределенной на U и определенной для всех элементов подмножества R из S, то есть в S, но не на множестве U. Частичные функции появляются при вычислениях вполне естественно, когда функции задаются рекурсивно, это может иногда приводить к зацикливанию по определенным параметрам. Глобальные определения функций могут вызывать также переполнение или приводить к исключительным ситуациям. Во избежание таких неудобств лучше иметь дело с частичными функциями. Ср. T.112 total function.

P.054 partially ordered set
частично упорядоченно множество
См. P.005 partial ordering.

P.055 partial ordering (partial order)
частичное упорядочение; частичный порядок
Отношение между элементами некоторого множества, удовлетворяющее некоторым свойствам, рассматриваемым ниже. В основном это общепринятое обобщение обычных операторов

сравнения $>$ и $<$, определяемых над множеством целых или действительных чисел. Указанное обобщение распространяется и на неотъемлемые свойства операций над множествами, такие как выделение подмножества, упорядочение элементов по алфавиту и др. В денотационной семантике (D.151 denotational semantics) отношение частного порядка используется для выражения некоторого приближенного отношения между частично определенными объектами вычислений. Возможны два различных, но эквивалентных определения частичного порядка. Первое, обозначаемое символом $\ll$, обобщает обычную операцию $\leqslant$, в которой $\ll$ должно быть транзитивным (T. transitive relation), антисимметричным (A.108 antisummetric relation) и рефлексивным отношением, определенным на множестве S. Второе определение, обозначаемое символом $\langle$, является обобщением $<$ обычной операции $\langle$, в которой $\langle$ представляет обязательно транзитивное, асимметричное (A.155 asymmetric) и антирефлексивное (I.127 irreflexive) отношение, определенное на множестве S. Множество с определенным на нем отношением частичного порядка называется частично упорядоченным множеством. Иногда для его обозначения используется сокращенное наименование poset.

P.056 partial recursive function
частично рекурсивная функция
Функция (F.160 function), которая может быть получена из некоторых исходных функций путем ряда преобразований: композиции (C.128 composition), рекурсии (R.061 recursion) и минимизации (M.151 minimization). Вообще, если функция не может быть определена для некоторых значений ее параметров, она считается частично определенной (P.053 partial function). Среди часто используемых исходных функций можно назвать нулевую функцию (Z.002 zero function), функцию упорядочения (S.385 successor function) и функцию проецирования (P.290 projection functions). См. также P.216 primitive recursive function.

P.057 partition
1. сегмент 2. разбиение; декомпозиция
1. Термин, используемый в некоторых операционных системах применительно к статической области памяти, предназначенной для использования заданиями, и соответственно — к самим заданиям, выполняемым в этой области. 2. partition of a set — декомпозиция множества. См. C.331 covering.

P.058 Pascal
Паскаль
Очень распространенный язык программирования. Паскаль был разработан в качестве инструмента для систематизированного обучения программированию. Для этого в Паскале предусмотрены управляющие структуры (C.304 control structure) структурного программирования (S.360 structured programming) — последовательность, выбор и повторение — и структуры данных (D.072 data structure) — массивы, записи, файлы, наборы и классы, определяемые пользователем. Это простой язык с минимальными возможностями, но все, чем он располагает настолько соответствует исполняемым задачам, что на практике этот язык оказывается более продуктивным, чем его более развитые «конкуренты». Паскаль был относительно легко реализован на многих типах машин, так как компилятор Паскаля был написан на Паскале. Используемый сначала как инструмент обучения, Паскаль затем стал стандартным языком для обучения основам вычислительной техники. Позже он распространился в область микро-ЭВМ и особенно — в область универсальных коммутационных устройств (U.002 UCSD Pascal). В дополнение к стандартному Паскалю (ISO-PASCAL) рядом фирм при разработке систем используются его модернизированные версии.

P.059 Pascal-Plus
Паскаль-Плюс
Версия Паскаля (P.058 Pascal), предоставляющая возможности для параллельного программирования (C.252 concurrent programming)

P.060 pass
просмотр; проход
Однократный просмотр большой совокупности данных; например, считывание компилятором текста программы, или считывание выборочной информации программной обработки статистических данных.

P.061 passband
полоса пропускания
Диапазон частот с нижним и верхним

пределами. Все частоты между этими пределами (но, может быть, и какие-то другие) пропускаются фильтром или каналом с небольшим затуханием. См. также B.023 bandwidth; B.019 band pass filter; F.065 filtering

P.062 pass instruction = no-op instruction
холостая команда

P.063 passive star
пассивная звезда
Топология сети, в которой внешние узлы соединены с единственным центральным узлом. Центральный узел не обрабатывает сообщения, а просто коммутирует линии передачи между внешними узлами. Из-за пассивного образа действий вероятность выхода из строя центрального узла мала. Поэтому мало вероятно, чтобы вся сеть была выведена из строя в процессе нормальной работы. См. также A.035 active star; S.296 star network; N.022 network architecture.

P.064 password
пароль
Признак, подтверждающий право доступа (A.173 authentication); каждому пользователю присваивается конкретное символическое имя, копия которого хранится в системе, например, в контроллере доступа (A.018 access controller). В начале сеанса при входе в систему (L.132 login) пароль, введенный пользователем, приступающим к работе, должен совпасть с хранящимся в системе, после чего пользователь допускается к работе с системой. Пароль может быть предложен системой или выбран самим пользователем. См. также I.198 irreversible encryption.

P.065 patch
1. вставка в программу, заплата
2. перемычка
1. Изменение в программе (обычно с целью исправления ошибок), которое важно внести наиболее удобным и быстрым способом, обращая меньше внимания на защиту данных ради временного восстановления работоспособности программы с целью последующего ее исправления. Даже когда программа написана на каком-либо языке высокого уровня, вставка в нее может быть выполнена с использованием машинных кодов на уровне сгенерированной компилятором программы. Часто на этапе тестирования незначительные ошибки исправляются с помощью за-

плат, чтобы без долгих задержек продолжить тестирование, не компилируя программу каждый раз повторно. Впоследствии все необходимые изменения вносятся в исходный текст программы, которая затем компилируется повторно только один раз.
2. См. P.066 patchboard.

P.066 patchboard (plugboard)
коммутационная панель
Штекерная панель, на которой соединения могут устанавливаться вручную коммутационными шнурами, то есть проводами со штекерами на концах. Любое гнездо штекерной панели может быть соединено с другим гнездом. Коммутационные шнуры используются для установки временных соединений между устройствами, для программирования аналоговых вычислительных машин (A.096 analog computer) и для подсоединения различных периферийных устройств к вычислительным системам.

P.067 patchcord
коммутационный шнур
См. P.066 patchboard.

P.068 patent
патент
Правительственная привилегия изобретателю, гарантирующая ему исключительное право использовать или продавать изобретение в течение определенного времени. Патентная защита не распространяется на программы для вычислительных машин в Европе, но в США они могут быть запатентованы, если удовлетворяют условию новизны и другим требованиям патентного ведомства США. Патентоспособные аппаратные средства подлежат патентованию в Европе и это приводит к серьезным нарушениям закона. Дело в том, что одно и то же изобретение может быть реализовано и программно, и аппаратно, но в первом случае законодательная защита исключается по статье в Европейской патентной конвенции. Вопрос о том, нарушает ли условия патента программа, выполняющая ту же задачу, что и часть запатентованного аппаратного средства, еще не решен в Европе, как не решен и вопрос о том, чем является программируемое постоянное запоминающее устройство (ППЗУ): частью программных средств или частью аппаратных средств. Что же касается защиты фотошаблонов кристаллов в США, то сей-

час они являются объектами специального законодательства по авторским правам. См. также Т.121 trade secrets.

P.069 path
маршрут

Путь между двумя вершинами графа (G.047 graph), проходящий вдоль ребер, а в случае ориентированного графа — по направлению вдоль дуг. Пользуясь формальным языком, можно сказать, что между вершинами V_0 и V_k существует маршрут, если каждая пара вершин графа

$$(V_i, \ V_{i+1}), \ i = 0, 1, \ldots, k-1$$

образует ребро, а в случае ориентированного графа это ребро имеет соответствующую ориентацию. На практике существование маршрутов между вершинами указывает на физические связи между ними, а, возможно, и на логические связи или зависимости. См. также С.366 cycle.

P.070 pattern
конфигурация

Класс эквивалентности (E.089 equivalence class), ассоциируемый с конкретным видом отношений (R.097 relation) над функциями. Пусть

$$F = \{f \mid D \to A\}$$

есть множество функций, отображающих элементы некоторой области D в некоторое множество A, которое может рассматриваться как алфавит. С каждой функцией f в F связывается вес $w(f)$, определяемый как формальное произведение всех конфигураций $f(x)$, охватываемых f. В результате $w(f)$ описывает число вхождений различных конфигураций в A. Тогда отношение эквивалентности между двумя функциями F может быть определено так, что эквивалентные функции будут иметь эквивалентные веса, но не будет верно обратное утверждение. Конфигурациями F являются классы эквивалентности, индуцируемые этим отношением эквивалентности.

Вес всей конфигурации в точности соответствует весу любого элемента. Вес класса эквивалентности $[f]$, содержащего f — это как раз $w(f)$. Формальная сумма весов $w(f)$ по всем классам эквивалентности F дает так называемую «опись конфигураций». т. е. ряд, перечисляющий конфигурации множества F. Важная теорема Пойа указывает на тесную связь между

«описью конфигураций» и полиномом циклового индекса (C.367 cycle index polynomial). Эти идеи часто используются в комбинаторике (C.177 combinatorics) и в теории переключательных схем (S.412 switching theory). Например «опись конфигураций» может обнаруживать варианты существенно отличающихся друг от друга принципиальных схем или логических цепей, необходимых для реализации различных возможных логических функций.

P.071 pattern inventory
ряд, перечисляющий конфигурации, опись конфигураций

См. P.070 pattern.

P.072 pattern recognition
распознавание образов

Процесс обнаружения определенной конфигурации в сигнале (S.150 signal) или приписывания ей вероятности появления. Например, распознавание зрительных образов включает в себя идентификацию двумерных конфигураций в яркостной матрице (G.052 graylevel array). Описание конкретного образа, выделяющее его среди множества других, выполняется аналитически, а чаще — с помощью эталонов, или шаблонов, которые являются образцами для сравнения. Распознавание образов используется в технике цифровой обработки сигналов (D.191 digital signal processing), обработке изображений (P.108 picture processing) и в системах искусственного интеллекта (A.140 artificial intelligence).

P.073 PC — 1. personal computer 2. printed circuit
1. персональная ЭВМ 2. печатная схема

P.074 PCB — printed circuit board
печатная плата

См. P.218 printed circuit.

P.075 PCM — pulse code modulation
кодово-импульсная модуляция

P.076 p-code
p-код

Промежуточный язык, разработанный как выходной язык для Паскаля UCSD (U.002 UCSD-Pascal) и ряда других языков в p-технологии программирования (P.139 p-system software).

P.077 PDA — pushdown automaton
автомат с магазинной памятью, магазинный автомат

P.078 PDL — program design language
язык проектирования программ

P.079 PDP series
серия PDP
Семейство ЭВМ, выпускаемых фирмой DEC (D.104 DEC).

P.080 PE — phase encoding
фазовое кодирование
См. I.016 tape format

P.081 peek
«прочесть информацию по машинному адресу»
Команда, реализующая проверку содержимого конкретной ячейки памяти и описываемая средствами языка высокого уровня обычно с помощью одноименной функции, аргументом которой является определенный в запросе адрес. Ср. P.145 poke.

P.082 peephole optimization
локальная оптимизация
См. O.056 optimization.

P.083 penetration
проникновение; преодоление защиты
Способ оценки степени защищенности системы (S.042 security evaluation).

P.084 perfect codes
совершенные коды
Коды с исправлением ошибок, в которых шары Хемминга с центром в кодовых словах заполняют все пространство Хемминга, не пересекаясь. Все эти шары имеют радиус e (т. е. код способен исправлять e ошибок), а их центры (кодовые слова) отделены один от другого расстоянием $(2e + 1)$; при этом шары не соприкасаются между собой (т. е. не имеют общих слов), их поверхности находятся на минимальном расстоянии друг от друга, и этот промежуток не содержит других точек. Совершенные коды полностью удовлетворяют условиям границы Хемминга (см. H.011 Hamming bound; H.012 Hamming coles; H.016 Hamming space). К двоичным линейным совершенным кодам относятся только циклические коды (R.121 repetition codes), коды Хемминга и код Голея (G.035 Golay code).

P.085 performance analysis and evaluation
анализ и оценка производительности
Регистрация и анализ информации о динамическом поведении системы. Преследуемыми при этом целями обычно являются гарантии того, что степень использования ресурсов (как правило, процессорного или общего времени) находится в желаемых пределах, или стремление уменьшить объем этих ресурсов, используемый для выполнения системных функций. Существует много способов получения характеристик производительности (иногда — в расчете на единицу затрат), но объективную характеристику невозможно получить из описания системы, поскольку она обязательно зависит от условий конкретного применения системы. В результате основным методом оценки производительности является прогон контрольных программ (B.048 benchmark) для сравнения различных систем или их конфигураций (C.259 configurations). Для определения влияния конфигурации систем на их производительность используются также методы математического моделирования (S.172 simulation) и анализа. См. также P.086 performance monitoring.

P.086 performance monitoring
контроль за функционированием
Контроль за ходом событий в различных узлах вычислительной системы в целях выявления «узких мест» и задержек, выполняемый непосредственным наблюдением или программными средствами. Результаты используются для реконфигурации системы (R.054 reconfiguration) с целью повышения ее производительности.

P.087 peripheral
периферийное устройство; внешнее устройство
Любое устройство, соединенное с ЭВМ, в том числе устройство ввода-вывода и вспомогательное ЗУ.

P.088 peripheral interface adapter (PIA)
адаптер связи с периферийными устройствами, периферийный интерфейсный адаптер
Набор электронных цепей, которым должны снабжаться процессор или периферийные устройства с целью обеспечения совместимости их интерфейсов. Интерфейс, предлагаемый самим поставщиком периферийного оборудования, может не подходить по целому ряду причин для прямого включения его в данную систему: производитель системы может, например, разработать уникальный интерфейс, чтобы не допустить подключения неразрешенных периферийных устройств; он может создать встроенный интерфейс, опти-

мизированный по стоимости и по длине кабеля (как, например, при параллельном вводе-выводе), который будет поэтому несовместим с интерфейсом периферийного устройства, рассчитанным на длинные линии связи или на сетевые соединения. Многие поставщики периферийного оборудования резервируют пространство и мощности в своем оборудовании для возможности последующей установки интерфейсных адаптеров, которые могут быть приобретены отдельно или могут быть разработаны и изготовлены поставщиком либо пользователем системы. В микропроцессорах связь с периферийными устройствами часто осуществляется через·интерфейсный адаптер, установленный в одном корпусе с микропроцессором. Адаптер может обеспечивать управление двунаправленным потоком данных, обработку прерываний и т. п. Функции его могут быть изменены путем подачи соответствующих сигналов на управляющие входы.

P.089 peripheral processor
периферийный процессор
Термин, используемый в системах фирмы CDC применительно к спецпроцессорам для управления периферийными устройствами. Часто эти процессоры имеют иные названия, например, в системах фирмы IBM их называют каналами (C.064 channel) и они имеют более ограниченный набор команд, чем в периферийных процессорах фирмы CDC. Во всех случаях периферийный процессор отличается от обычного тем, что структура его команд специально сделана нестандартной, исходя из требований передачи данных между оперативной памятью и периферийным устройством или устройствами, управляемыми этим периферийным процессором.

P.090 Perkin — Elmer Data Systems
«Перкин—Элмер дэйта системз»
Компания США, которая сначала работала только в области оптики, а затем в связи с присоединением фирмы Interdata распространила свои интересы на ЭВМ. В настоящее время компания производит мини-ЭВМ различных классов, включая машины очень высокой производительности. Еще она значится как изготовитель экранных терминалов.

348

P.091 permanent error
систематическая ошибка
Применительно к магнитной ленте, см. E.112 error rate.

P.092 permutation
перестановка
Операция над множеством S (S.166 set), обеспечивающая его взаимно-однозначное отображение на самое себя (B.056 bijection): Когда S конечно перестановка может трактоваться как перегруппировка элементов множества S. Число перестановок множества из n элементов равно n! Перестановка элементов в множестве {1, 2, 3} может быть записана в виде

$$\begin{pmatrix} 1 & 2 & 3 \\ 2 & 1 & 3 \end{pmatrix};$$

это означает, что 1 отображается в 2, 2 — в 1, а 3 — в 3. В другом виде приведенное выше выражение может быть записано с использованием циклической записи (C.366 cycle) типа (1 2); такая запись показывает, что элемент 3 остается без изменений, а 1 отображается в 2, и 2 — в 1. Для наборов элементов, в которых могут содержаться повторяющиеся вхождения, перестановка может быть описана как перегруппировка элементов, в которой каждый элемент появляется с той же частотой, что и до перегруппировки.

P.093 permutation group
группа перестановок
Подгруппа (S.366 subgroup) ·группы, которая сформирована из множества S_n всех подстановок n (P.092 permutation) отдельных элементов и на которых определена бинарная операция композиции (C.218 composition) функций. Полная группа S_n обычно называется симметричной группой на n! элементах. Каждая конечная группа изоморфна некоторой·группе· перестановок.

P.094 permutation matrix
матрица перестановок
Квадратная·матрица, в которой каждый столбец содержит в точности·один ненулевой элемент, равный единице. Если P — матрица перестановок $n \times n$ и x является вектором n элементов, вектор Px будет перестановкой (P.092 permutation) элементов x.

P.095 personal computer
персональная ЭВМ, персональный компьютер
МикроЭВМ универсального назначения, рассчитанная на одного поль-

зователя, и управляемая одним человеком. В класс персональных ЭВМ входят все машины от дешевых домашних и игровых с небольшой оперативной памятью, с памятью программы на кассетной ленте и обычным телевизором в качестве дисплея, до сверхсложных машин с мощным процессором, с внешним ЗУ большой емкости на дисках, с цветными графическими устройствами высокого разрешения и многими другими дополнительными устройствами. В науке, технике и экономике персональные ЭВМ стали реальной альтернативой терминалов, подключаемых к системам с разделением времени, особенно благодаря узлам связи, позволяющим вести передачу данных между персональными ЭВМ и другими машинами. Развитие персональных ЭВМ является следствием стремления к тому, чтобы отношение вычислительной мощности к стоимости достигло величины, когда нет необходимости ставить экономическую эффективность в зависимости от непрерывности работы ЭВМ.

P.096 Petri net
сеть Петри

Графическая модель системы с высокой степенью распараллеливания вычислений, используемая для анализа определенных ее свойств (см. рисунок).

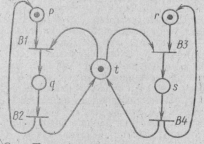

Сеть Петри состоит из множества узлов (мест), множества символов, переходов и множества ориентированных ребер (дуг). Каждый переход связывается с соответствующим множеством входных мест и соответствующим множеством выходных мест. Каждый переход соединяется с каждым из входных мест дугой, идущей из узла-места к переходу, и с каждым выходным местом — дугой, направленной от перехода к узлу-месту.
Состояния параллельной системы представляется наличием определенных ме-

ток у узлов, а конкретное состояние отображается конкретной конфигурацией меток. Такое распределение меток между местами называется разметкой. В примере сети, показанном на рисунке, используются общепринятые графические обозначения. Узлы представлены в виде кружков, обозначенных *p ... t*, переходы представлены линиями *B1 ... B4*, а исходная разметка показана черными точками. Символы переходов показывают возможные изменения состояния параллельной системы. Переход может срабатывать (отображая смену состояния) только тогда, когда каждое из его входных мест имеет по меньшей мере одну метку (фишку). Когда переход срабатывает, происходит изъятие метки из каждого его входного места и пересылка по одной метке в каждое из его выходных мест. Таким образом, комбинация входных и выходных мест некоторого перехода отображает как условия, при которых может произойти изменение состояния, так и влияние этого изменения.

Срабатывание перехода — это неделимое событие, и потому одновременное срабатывание двух или более переходов невозможно. Когда состояние таково, что два и более переходов претендуют на срабатывание, каждый из них должен рассматриваться отдельно. Начиная с исходной разметки, которая соответствует исходному состоянию системы, и выполняя очевидную процедуру генерирования другой разметки, достижимой из исходной, можно исследовать возможные состояния системы и пути их достижения. Например, могут быть легко обнаружены тупиковые состояния и непродуктивные зацикливания и вообще всегда возможно установить, соответствует ли поведение системы ожидаемому. Хотя процедура генерации достижимой разметки довольно тривиальна, попытки исчерпывающего анализа поведения системы таким способом оказываются тщетными часто из-за уже одного только числа разметок, которое может быть бесконечным. Таким образом, главная задача, состоящая в определении достижимости данной разметки из заданного исходного состояния, оказывается неразрешимой.
На рисунке в исходной маркировке могут сработать переходы *B1* и *B3*. Предположим, что срабатывает *B1*. Тогда

изымаются метки из мест *p* и *t* и пересылается единственная метка в место *q*. Теперь способен сработать только *B2* (*B3* этого сделать уже не может потому, что место *t* больше не имеет меток). Когда *B2* срабатывает, метка изымается из места *q* и новые метки помещаются в *p* и *t*, в результате чего восстанавливается исходная разметка. Если бы теперь сработал переход *B3*, то единственная метка оказалась бы помещенной в *s*, срабатывал бы *B4* и снова восстанавливалась исходная разметка. (Эту сеть можно рассматривать как модель системы, в которой два процесса совместно используют общий разделяемый ресурс. Состояние готовности ресурса к использованию представляется наличием метки в *t*. Релевантные состояния одного процесса, владеющего либо не владеющего ресурсом, представляются метками в *p* и *q*, соответственно. Аналогично метки в *r* и *s* представляют релевантные состояния другого процесса.) Сеть Петри была изобретена в ФРГ в начале 60-х годов А. А. Петри.

P.097 phase
фаза
Применительно к периодически изменяющейся величине — это ступень или состояние в развитии процесса изменения. Фаза может выражаться величиной угла, т. е. частью цикла завершившегося периодического изменения, отсчитываемой от некоторой фиксированной точки. Две синусоидально изменяющиеся количественные характеристики с одинаковой частотой могут совпадать по фазе (т. е. достигать соответствующих фаз одновременно) или не совпадать по фазе. В последнем случае разность фаз — сдвиг по фазе — обычно измеряется в угловых единицах.

P.098 phase change
изменение фазы
Технология оптической записи, при которой этот процесс выполняется путем участка запоминающей среды, предназначенного для представления единичного бита, из одного физического состояния в другое, например, из кристаллического в аморфное, не путем изменения внешнего строения или состояния намагниченности. Эту технологию можно использовать для организации как обратимого, так и необратимого процесса (в ряде случаев —

при той же запоминающей среде) за счет соответствующей регулировки энергии лазерного луча.

P.099 phase encoding (PE)
фазовое кодирование
См. Т.016 tape format.

P.100 phase modulation (PM)
фазовая модуляция
См. М. 174 modulation.

P.101 phase shift keying (PSK)
фазовая манипуляция, ФМн
Способ передачи цифровых данных с помощью несущего аналогового сигнала путем представления цифровой информации изменением его фазы (см. рисунок). Это, по существу, разновидность

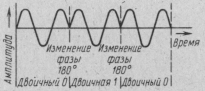

модуляции (М.174 modulation). Известны два способа обнаружения фазокодированной информации в сигнале. При кодировании фиксированным сдвигом значение присваивается каждому положению фазы, а в демодуляторе (D.145 demodulator) для детектирования фазовых изменений используется источник сигналов с частотой, соответствующей поступающему сигналу. При кодировании дифференциальным сдвигом значение присваивается каждому изменению фазы, т. е. изменение фазы на 180° может представлять значение 1, а отсутствие изменения фазы значения 0 (см. рисунок). Никакого сравнения с другим периодическим сигналом в демодуляторе при этом не требуется. Количество информации, ассоциируемой с фазой или изменением фазы зависит от числа возможных дискретных значений фазы несущей. Если несущая допускает два состояния фазы, то каждая фаза или изменение фазы представляет один бит. Если используются четыре состояния фазы, то каждая фаза или ее изменение представляет какую-либо двухбитовую комбинацию. Чем больше число дискретных состояний фазы, тем труднее генерировать, передавать и детектировать аналоговый сигнал и тем выше стоимость процесса. Поэтому в модемах (М.168 modem), которые требуют восьми или более дискретных сигналов, обычно сочетаются изменения фазы и изменение амплитуды с целью генерации более четко различимых сигналов. См. также D.184 digital data transmission.

P.102 phototransistor
фототранзистор
См. O.059 optoelectronics.

P.103 physical
физический
Реально существующий или содержащий реально существующие объекты— в отличие от логического или концептуального.

P.104 physical layer
физический уровень
Физический уровень протокола сети. См. S.120 seven-layer reference model.

P.105 PIA — peripheral interface adapter
адаптер связи с периферийными устройствами, периферийный интерфейсный адаптер

P.106 pico-
пико-
Префикс, обозначающий одну миллионную одной миллионной части основной единицы измерения (10^{-12}), как, например, в слове «пикосекунда».

P.107 picture
1. шаблон 2. изображение
1. Основное средство определения типа данных (D.082 data type) в Коболе (C.147 COBOL). Синтаксис простейшего элемента данных определяется посредством символьной строки. Простейшими примерами являются шаблон «A (20)», определяющий строку из 20 буквенных символов, или «9 (4)» определяющий строку из четырех цифр. В случае, когда элемент (особенно цифровой) должен быть напечатан или выведен на экран дисплея, оператор PICTURE предоставляет большие возможности: например, можно указывать положение десятичной точки (явной или неявной); наличие и местоположение знака числа (+ или —) либо символа денежных единиц; заполнять цифровые строки нулями или пробелами (вначале, середине или конце); проставлять запятые в длинных числах. Оператор «MOVE», применяемый для присваивания одной переменной значения другой, автоматически выполняет преобразование одного формата

в другой в соответствии с шаблоном результата преобразования.
2. См. P.108 picture processing.

P.108 picture processing (image processing)
обработка изображений
Анализ обычно путем цифровой обработки сигналов (D.191 digital signal processing) — информации, содержащейся в графическом представлении или изображении. Исходным изображением может быть рисунок, фотография, объект и др. — все, что переводится в цифровую форму таким образом, чтобы оно могло восприниматься как двумерный массив данных, т. е. как двумерный пространственный сигнал (S.150 signal), амплитуда которого соответствует яркости в определенной пространственной точке (S.240 space domian). Иногда амплитуда еще несет информацию о цвете (оттенок и насыщенность). Процесс пространственной дискретизации некоторой сцены обычно выполняется телевизионной камерой или, например, сканирующим электронным микроскопом. Каждый элемент двумерного массива называется пикселом (элементом изображения). «Зернистость» пространственной дискретизации определяется разрешением, которое выражается в пикселах. Например, высоким разрешением считают разложение на 1024×768 пикселей. Амплитуда сигнала обычно кодируется комбинацией от трех до восьми битов для черно-белого (G.053 gray scale) (монохромного) изображения или до 16 битов в случае цветного изображения. Обычно набор операций обработки изображений включает в себя устранение искажений контрастности, расширение указанного диапазона яркостей, выделение контуров объектов, коррекцию недодержек или передержек при экспонировании отдельных частей изображения, распознавание и, возможно, вычислительную обработку предварительно заданных объектов и сравнение одного изображения с другим. Последние две операции являются примерами операций распознавания образов (P.072 pattern recognition). Некоторые более сложные операции основываются на использовании концепций искусственного интеллекта (A.140 artificial intelligence). Развитию обработки изображений положила начало необходимость применения этих

процессов на спутниках и в изучении космического пространства без участия человека, в глубоководных исследованиях, физико-медицинских процессах и в промышленных роботах.

P.109 Pierce arrow
стрелка Пирса
См. N.079 NOR operation.

P.110 piggyback acknowledgement
подтверждение, вложенное в блок данных обратного направления
См. A.029 acknowledgement.

P.111 PILOT — programmed inquiry, learning, or teaching
язык программирования вопросных и обучающих систем
Специализированный язык программирования для разработки программного обеспечения автоматизированных обучающих систем (C.231 computer-assisted learning)

P.112 pin header
шрифтовая головка
Устройство, аналогичное по форме корпусу с двухрядным расположением выводов (D.206 DIP), но не содержащее микросхемы. Каждый вывод проходит вертикально через корпус вверх, что дает возможность соединять выводы в любом сочетании припаиванием небольших отрезков провода. Это устройство более универсально, но менее эстетично, чем переключатель с двухрядным расположением выводов (D.200 DIL switch)

P.113 PIO — parallel input/output
параллельный ввод-вывод

P.114 pipeline processing
конвейерная обработка
Вид обработки, при которой интервал времени, требуемый для прохождения процесса через какой-либо функциональный узел (например, арифметико-логическое устройство с плавающей запятой) вычислительной системы, продолжительнее, чем интервалы, в которые данные могут быть введены в этот функциональный узел, т. е. функциональный узел выполняет этот процесс в несколько этапов. Когда первый этап завершается, результаты передаются на второй этап, на котором используются другие аппаратные средства. Устройство, используемое на первом этапе, оказывается свободным для начала обработки новых данных. Такая технология обеспечивает быструю обработку последовательных процессов, но осуществляется это с использованием сложного управляющего устройства, которое должно вести учет операций, выполняемых одновременно. Эта технология обычно используется в суперЭВМ, от которых требуется максимальная производительность, и в векторных и матричных процессорах, которые выдают длинные упорядоченные последовательности данных, используемые для ввода в конвейерный процессор.

P.115 pipelining
конвейерный режим
Конвейерная обработка данных (P.114 pipelining processing или использование конвейерной обработки в процессах.

P.116 PIPO — parallel in parallel rut
параллельный ввод — параллельный вывод
См. также S.140 shift register.

P.117 PISO — parallel in serial out
параллельный ввод—последовательный вывод
См. также S.140 shift register.

P.118 pixel
пиксел, элемент изображения
Производный термин от английских слов «пикчер элемент» (элемент изображения), обозначающий один элемент из большого массива (A.137 array) графической информации. Пиксел несет в себе сведения о яркости и (по возможности) о цвете небольшого участка изображения. См. также P.108 picture processing.

P.119 pixelization (space quantization)
разбиение на пикселы, пространственная дискретизация изображения
См. Q.008 quantization; см. также P.108 picture processing, D.223 distere and continuous systems.

P.120 PL/I
язык программирования ПЛ/1
См. P.129 PL/1.

P.121 PL/360
язык программирования PL/360
Первый машинно-ориентированный язык высокого уровня (M.182 MOHLL), разработанный Виртом как средство реализации языка Алгол-W на ЭВМ System/360 фирмы IBM.

P.122 PLA — programmed logic array
программируемая логическая матрица, ПЛМ

Устройство с односторонним доступом, которое представляет собой универсализированную комбинационную схему (C.174 combinational circuit), но может включать в себя и схему последовательного действия (S.092 sequential circuit). Посредством коммутации принятых связей в полупроводниковом устройстве ПЛМ обычно выдает «программируемую» функцию суммы произведений (S.390 sum of products), которая служит данными для выходного или внутреннего регистра. Когда часть входных логических переменных формируется внутренним регистром, ПЛМ является схемой последовательного действия; в других случаях она представляет собой комбинационную схему. Термы-произведения логической функции, формируемые ПЛМ, можно рассматривать как некоторые значения, над которыми должны при их появлении. выполняться те или иные операции. Поэтому ПЛМ является своего рода постоянным ассоциативным ЗУ (A.152 associative memory) или специализированным устройством для табличного поиска (T.004 table look-up), которое настроено на ситуацию, когда таблица истинности содержит большое число нулей. Поскольку ПЛМ приобретает свое конкретное назначение (специализацию) только в результате коммутации внутренних соединений, она представляет собой универсальный компоновочный узел, который настраивается на конкретные функциональные возможности только на одном или двух этапах производственного процесса. ПЛМ могут программироваться в ходе их изготовления, но есть и такие, которые могут быть запрограммированы пользователем. Тогда их называют ПЛМ с эксплуатационным программированием. См. также P.268 programmable device.

P.123 plain text
незашифрованный текст
См. C. 252 cryptography.

P.124 planar graph
планарный граф
Граф (G.047 graph), который может быть изображен на бумаге точками, обозначающими вершины, и соединительными линиями, обозначающими

ребра таким образом, что ребра будут пересекаться только в вершинах.

P.125 plasma display
плазменное табло, плазменный индикатор
Тип индикатора (D.246 display), используемый в вычислительных системах; красное или оранжевое свечение образуется в нем электрическим разрядом в газе. Матрицу газоразрядных элементов изготавливают, вкладывая лист перфорированного материала (один из них прозрачный), на которых имеются электроды и соединительные проводники. Наиболее часто плазменный индикатор компонуется из рядов сгруппированных ячеек (размером 5×7 или 7×9 ячеек), удобных для индикации символов. Но еще изготавливают и матрицы с равномерным распределением элементов по всему полю индикации, которые применяются как экраны, способные отображать графическую информацию. При необходимости отображения небольших объемов информации (до 240 символов) такие табло могут конкурировать с дисплеями на электронно-лучевых трубках, однако крупногабаритные плазменные табло обходятся дороже.

P.126 platter
жесткий диск
Металлическая подложка жесткого магнитного диска.

P.127 PL/C; PL/CT
языки программирования PL/C, PL/CT
См. P.129 PL/I.

P.128 plex
сеть; сплетение
Структура с многочисленными связями (M.226 multilinked), состоящая из набора ячеек различных размеров, связанных между собой стрелками и соединенных по заданному условию в ориентированный граф (G.047 graph), который может содержать циклы. См. также L.085 list processing.

P.129 PL/I
язык программирования PL/I
Язык программирования, разработанный группой SHARE пользователей фирмы IBM и принятый фирмой как основная версия. PL/I был разработан для того чтобы заменить все ранее использовавшиеся языки программирования. Он впитал в себя лучшие характеристики Кобола, Фортрана и Ал-

гола 60. В результате был получен громоздкий и сложный язык. Он не был принят никакими другими изготовителями средств вычислительной техники кроме фирмы IBM и нашел очень ограниченное применение даже в самой фирме. PL/I используется как учебный язык программирования в ряде университетов, в .том числе в Корнельском университете, где разработаны еще и собственные версии PL/C и PL/CT. PL/I был также взят за основу при разработке языка PL/M (P.130 PL/M) для микроЭВМ.

P.130 PL/M
язык   программирования   PL/M
Язык системного программирования для микроЭВМ семейства «Интел». Он основан на языке PL/I (P.129 PL/I) и имеет с ним много общего.

P.131 plotter
графопостроитель, плоттер
Устройство вывода, представляющее выводимые из ЭВМ данные в форме рисунка или графика на бумаге или подобном ей носителе информации. Существует множество графопостроителей, отвечающих различным требованиям по размерам, точности, скорости, количеству воспроизводимых цветов и другим показателям. Одной из простейших конструкций является графопостроитель планшетного типа. Одно или несколько перьев установлены в нем на каретке, которую можно передвигать к расчетным точкам на штанге; пересекающей носитель изображения по ширине, то есть по оси x. Штанга установлена так, что она может передвигаться с высокой точностью по направляющим, проложенным вдоль кромок носителя изображения, то есть по оси y. Таким образом, перо может передвигаться к любой точке, лежащей в пределах установленных диапазонов изменения координат x и y. Перо может касаться поверхности носителя информации во время движения и вычерчивать линию или может двигаться над поверхностью в поднятом состоянии. Когда вычерчивается диагональная линия, ЭВМ должна выдать только координаты начальной и конечной точек. Хотя и выпускаются крупногабаритные графопостроители планшетного типа, все же для построения больших изображений или последовательностей изображений предпочтительнее пользоваться графопостроителями барабан-

ного типа. Графопостроитель барабанного типа имеет такое же, как и у графопостроителя планшетного типа, устройство подачи пера по ширине носителя информации, но штанга. зафиксирована параллельно оси барабана. Носитель наворачивается на часть поверхности барабана. Концы носителя иногда заправляются в шпули с двух сторон барабана. Носитель имеет краевую перфорацию. Перфорационные отверстия входят в зацепление со звездчатками на барабане, и таким образом осуществляется подача носителя вращением барабана, которое соответствует перемещению по продольной координате.

P.132 plugboard- = patchboard
коммутационная панель

P.133 plug-compatible (plug-to-plug compatible)
совместимый по разъемам
См. C.203 compatibility.

P.134 PL/Z
язык программирования
Общее название семейства языков системного программирования, разработанных фирмой Zilog для микроЭВМ Z 8000. PL/Z-SYS является вариантом Паскаля (P.058 Pascal), а PL/Z-ASM — это язык ассемблера.

P.135 PMO S
p-канальный МОП-прибор
Тип канального транзистора с МОП-структурой (M.193 MOSFET)

P.136 pneumatic logic
пневматическая логика
Струйные логические схемы (F.108 fluid logic), рабочей средой в которых является газ.

P.137 p-n junction
p-n-переход
См. J.020 junction.

P.138 P = NP question
задача тождества $P = NP$
Одна из главных нерешенных в настоящее время задач теории вычислительных систем. Суть ее состоит в следующем.
P — это класс формальных языков, которые считаются распознаваемыми за полиномиальное время (P.157 polynomial time). Точнее, язык L входит в P, если существует программа M для машины Тьюринга и некоторый полином $p(n)$, при котором эта программа M распознает язык L, и для всех неот-

рицательных значений целых n соблюдается условие

$$T_M(n) \leqslant p(n),$$

где T_M является временной оценкой сложности программы M (см. C.217 complexity measure). Общепринятым является то, что если какой-либо язык не входит в P, то не существует алгоритма, который распознает его с постоянной гарантированной скоростью. NP является классом языков, распознаваемых за полиномиальное время недетерминированной машиной Тьюринга (T.192 Turing machine). Ясно, что

$$P \subseteq NP,$$

но вопрос тождественности все еще не решен, несмотря на интенсивные исследования. Говорят, что язык является NP-трудным, если любой язык в NP может быть за полиномиальное время сведен к нему, даже если сам он и не входит в класс NP. Подмножеством NP является набор языков NPC, о которых говорят, что они являются NP-полными. Некоторый язык L_1 включается в NPC, если каждый язык L_2 в NP может быть за полиномиальное время сведен к L_1, то есть, когда существует некоторая функция f, для которой справедливо:
а) $x \in L_1$, тогда и только тогда, когда $f(x) \in L_2$;
б) $f(x)$ вычислима за период времени, ограниченного полиномом длины x. Можно доказать, что если NP-полный язык входит также и в P, то $P = NP$. Широкий круг известных сейчас разнообразных задач, возникающих в вычислительной технике, математике и в исследовании операций, относится к классу NP-полных задач. В качестве примера рассмотрим задачу определения, может ли булево выражение в нормальной конъюнктивной форме (C.265 cojunction) разрешается определением его истинности. Эта проблема оказалась первой из задач, отнесенных к классу NP-полных, и известна как проблема выполнимости (или КНФ-выполнимости). Несмотря на значительные усилия, ни для одной из таких NP-полных задач не была доказана их разрешимость за полиномиальное время. Широко распространено мнение, что разрешимых за полиномиальное время NP-полных задач вообще не существует.

P.139 PN sequence
PN-последовательность
Псевдошумовая последовательность
P.140 pocket sorting = radix sorting
поразрядная сортировка
P.141 pointer (link)
указатель
Если в структуре данных поле некоторого элемента A содержит адрес другого элемента B, т. е. указывает местоположение первого слова в памяти, то в этом поле содержится указатель на B. В такой ситуации говорят, что поле A указывает на B.
P.142 point-of-sale system
система кассовых терминалов; система торговых автоматов
Система, в которой устройствами ввода данных в цифровую вычислительную машину служат кассовые терминалы. Кассовый терминал — это специализированный аппарат, система регистрации кредитных карточек или автомат по продаже билетов, пересылающий всю собираемую о сделке информацию в центральную ЭВМ. Некоторые кассовые системы выполняют проверку кредитоспособности клиентов. Управление запасами, учет наличности и кредитные операции осуществляются в тот же момент, когда данные из торговых точек поступают в ЭВМ. Система кассовых терминалов способна также обнаруживать малейшие хищения наличных денег и товаров.

P.143 point-to-point line
двухточечная линия связи
Специализированная линия связи, которая соединяет только два узла в сети (Ср. M.221 multidrop line)

P.144 Poisson distribution
распределение Пуассона, пуассоновское распределение
Базовое дискретное распределение вероятностей числа случайных событий. Если каждое событие происходит с одной и той же вероятностью и частота событий равна λ, вероятность того, что произойдет ровно k событий, равна $e^{-\lambda}\lambda^k/k!$ Распределение Пуассона является дискретным при величинах $k = 0, 1, 2, \ldots$ и может быть получено как предельный случай биномиального распределения (B.080 binomial distribution), когда n стремится к бесконечности, а np имеет определенное фиксированное значение. Математиче-

ское ожидание и дисперсия распределения Пуассона равны λ.

P.145 poke
«записать информацию по машинному адресу»

Команда, реализующая изменение содержимого конкретной ячейки памяти и описываемая средствами языка высокого уровня обычно с помощью одноименной процедуры, двумя аргументами которой являются определенный в запросе адрес и помещаемая по нему величина. Ср. Р.081 реек.

P.146 POL — problem-oriented language
проблемно-ориентированный язык

Язык программирования, в котором структуры управляющей логики и особенно структуры данных отражают в некоторой мере характеристики задач определенного класса, например, обработку коммерческой информации или научные расчеты. В противоположность этому конструкции машинно-ориентированного языка отражают внутреннюю структуру той ЭВМ, на которой он реализован.

P.147 Polish notation (prefix notation)
польская запись (префиксная запись)

Вид записи, предложенный польским математиком Яном Лукасевичем, в которой каждый оператор предшествует операнду, например, $a + b$ имеет вид $+ab$. Если все операторы содержат ровно два операнда или если каждый оператор включает в себя определенное число операндов, скобок не требуется, так как порядок вычислений всегда определен единственным образом. Такую запись можно определить как бесскобочную. См. также R.149 reverse Polish notation.

P.148 polling
опрос

Процесс, в котором одна (первичная) станция многоточечной линии (М.221 multidrop line) обращается к другой станции (вторичной), предоставляя вторичной станции доступ к каналу связи. Вторичная станция может пересылать информацию о состоянии и данные первичной (ведущей) станции. Первичная станция возобновляет управление линией связи и может посылать собственные данные или запрашивать другую станцию. Опрос является одной из форм временного мультиплексирования (Т.087 time division multiplexing). Конкретная стратегия опроса зависит

от ситуации, в которой он применяется. При круговом опросе первичная станция обращается ко всем вторичным станциям по очереди. Некоторые станции могут опрашиваться чаще других, если требуемое время реакции или нагрузка по потоку сообщений для них выше. Опрос по типу «готовый передает первым» используется с целью снижения задержек, связанных с подтверждением приема в полудуплексной (Н.005 half duplex) многоточечной линии. В этом случае первичная станция опрашивает станцию на другом конце линии, которая передает все имеющиеся у нее данные, затем опрашивает следующую ближайшую по порядку станцию. Этот процесс повторяется, пока цикл управления снова не достигнет первой станции. Поскольку данные передаются только в одном направлении — от периферийного узла к первичной станции, — задержки, связанные с подтверждением приема, бывают только тогда, когда первичная станция должна вести передачу данных. Опрос не используется в ситуации, когда время задержки ответа довольно большое, как это бывает в спутниковых системах передачи данных.

P.149 polyadic operation
операция с множеством операндов

Операция (O.039 operation), которая на различных этапах вычислений может выполняться с разным числом операндов.

P.150 polynomial
полином, многочлен

Формально заданный степенной ряд, то есть сумма множества степенных выражений независимых переменных, известных как «переменные» (часто записываемые в виде x, s или t), например,

$$3x^4 + 7x^2 + 2x + 5$$

или в общем виде

$$p(x) = \sum_{i=0}^{\infty} a_i x_i.$$

Коэффициенты (a_i) являются элементами некоторой алгебраической системы S, в которой определены соответствующие операции сложения и умножения. В этом случае выражение описывается как полином над S. Например, если все коэффициенты являются целыми числами, то говорят, что имеет место полином над целыми числами. Если $a_r \neq 0$, но $a_i = 0$ для всех $i > r$, то r называется «степенью» полинома, что обычно записывается в виде выражения

$$r = \deg(p).$$

Если $a_r = 1$, полином является «нормированным», то есть старший элемент такого полинома равен $+1$. Арифметические операции над полиномами в первичном виде состоят из сложения, вычитания, умножения многочленов. В ряде случаев используются операции деления, разложения на множители и определения наибольшего общего делителя, которые также считаются важными операциями. Операции сложения и вычитания выполняются путем сложения и вычитания коэффициентов при одинаковых степенях x. Умножение осуществляется по следующему правилу:

$$(a_r x^r + \ldots + a_1 x + a_0) \times$$
$$\times (b_s x^s + \ldots + b_1 x + b_0) =$$
$$= (c_{r+s} x^{r+s} + \ldots + c_1 x + c_0),$$

где

$$c_k = a_0 b_k + a_1 b_{k-1} + \ldots$$
$$\ldots + a_{k-1} b_1 + a_k b_0;$$
$$a_i, \, b_j = 0 \text{ для } i > r, \, j > s.$$

В теории кодирования широко используются полиномы над кольцевыми структурами целых чисел по модулю q для некоторого целого числа $q > 1$. Такие полиномы сами формируют коммутативные кольца с единицей. Говоря конкретно, в теории кодирования используются полиномы над полем целых значений по модулю p для некоторого подходящего простого числа p (в случае двоичных систем $p = 2$). Такие полиномы могут складываться и делиться, а в общем случае они могут разлагаться на множители. Полиномы над полем, которые могут разлагаться на множители, называются приводимыми, все остальные — неприводимыми. Полином над полем при делении на другой полином дает в результате единственное частное и остаток. Каждый такой полином может быть разложен на множители единственным образом, причем образуемые множители являются неприводимыми. Система полиномов (над полем) по модулю, определяемо-

му задающим нормированным неприводимым полиномом (над тем же полем), сама образует поле, называемое полем расширения первоначального «базового» поля коэффициентов (которые являлись целыми значениями по модулю p). Поле расширения такого вида составляет фундаментальное понятие во многих задачах теории кодирования. Расширенное поле полиномов по модулю G над целыми числами по модулю p содержит p^g элементов (g является степенью G). Здесь G называется порождающим полиномом расширенного поля. Полином, который является элементом такого поля, называется простым только в том случае, если он точно не делится на полином $x^c - 1$ над полем целых значений по модулю p для любого значения c, меньшего чем $p^g - 1$.

P.151 polynomial codes
полиномиальные коды

Семейство линейных кодов с исправлением или обнаружением ошибок, алгоритмы кодирования и декодирования которых могут быть выражены соответствующим образом в терминах полиномов над базовым полем (а следовательно, могут быть легко реализованы в понятиях регистров сдвига с комбинационной линейной логикой).

P.152 polynominal equation
полиномиальное уравнение

Уравнение вида

$$p_n(x) = a_n x^n + a_{n-1} x^{n-1} + \ldots$$
$$\ldots + a_0 = 0.$$

Такие уравнения имеют n решений, называемых корнями, которые в общем случае — комплексные. Если заданные коэффициенты a_i являются действительными числами, то комплексные корни появляются в виде сопряженных пар. Вполне обычна такая ситуация, когда корни оказываются чрезвычайно чувствительными к незначительным изменениям коэффициентов, т. е. имеют большое число обусловленности (C.257 conditional number). Число n называется степенью многочлена. Отдельный корень α может быть найден итерационным методом типа метода Ньютона. Многочлен вида

$$p_{n-1}(x) = p_n(x) / (x - \alpha)$$

будет иметь такие же корни, как и многочлен p_n, исключая уже найденный

357

корень α. Это свойство может быть использовано для отыскания других корней. Процесс вычисления p_{n-1} известен как понижение порядка многочлена и используется после определения каждого корня. Эффективность понижения порядка зависит от точности определения корней. Если используется приближенное значение корня, многочлен пониженной степени будет иметь неточные коэффициенты и, возможно, слишком неточные корни. Чтобы понизить риск вырождения последовательно используемых многочленов до минимума, важно определять каждый корень с возможно большей точностью, и там, где это осуществимо, определять корни в порядке увеличения их значений.

P.153 polynomial interpolation
алгебраическое интерполирование; интерполирование многочленами
См. I.151 interpolation.

P.154 polynomially bounded algorithm
полиномиально ограниченный алгоритм
См. C.217 complexity measure.

P.155 polynomial number
алгебраическое число
Число в системе счисления с фиксированным основанием
См. N.094 number system.

P.156 polynomial space
полиномиальное пространство
Характеристика сложности (C.214 complexity) алгоритма. Если пространственная сложность (см. C.217 complexity measure) является полиномиально ограниченной, то говорят, что алгоритм реализуем в полиномиальном пространстве. Найдено множество задач, для которых не существует алгоритмов, реализуемых за полиномиальное время (P.157 polynomial time), хотя они могут быть легко реализованы в пространстве, ограниченном полиномом длины входной последовательности. Формально класс *PSPACE* определяется как класс формальных языков, которые распознаются в полиномиальном пространстве. Аналогично определяя *P* и *NP* как классы языков, распознаваемых за полиномиальное время недетерминированной машиной Тьюринга (см. P.138 P = NP question), можно показать, что *P* является подмножеством *PSPACE* и что *NP* в свою очередь также является под-

множеством *PSPACE*. Неизвестно, однако, справедливо ли выражение

$$NP = PSPACE,$$

хотя предполагается, что левая и правая части отличаются, то есть в *PSPACE* существуют языки, которые не входят в *NP*. Многие задачи, связанные с распознаванием игровых ситуаций, в которых участник определенной игры (например в «ГО») форсированно выигрывает, начиная с заданной позиции, относятся к классу *PSPACE*-полных задач. Подобным образом применительно к *NP*-сложным языкам (см. P.138 P=NP question) это означает, что выражения такого языка могут распознаваться за полиномиальное время только при условии, что

$$PSPACE = P.$$

Подобные задачи могут считаться даже более трудными, чем *NP*-полные.

P.157 polynomial time
полиномиальное время
Характеристика сложности алгоритма. Если число элементарных операций, необходимых для реализации конкретного алгоритма обработки данных с длиной последовательности n растет с увеличением значений n менее быстро, чем полином от n, то говорят, что алгоритм реализуем за полиномиальное время. См. также C.217 complexity measure, P.138 P=NP question.

P.158 pooling block
накопительный блок, пул
Область памяти, используемая для запоминания множества коротких записей, подлежащих передаче на устройство или из устройства, для которого время доступа велико по сравнению с действительным временем передачи данных. См. также B.154 buffer.

P.159 pop
выталкивание данных из стека
См. S.273 stack.

P.160 POP-2
язык программирования POP-2
Язык программирования, разработанный в Эдинбургском университете (Великобритания) с ориентацией на исследования в области искусственного интеллекта (A.140 artificial intelligence). POP-2 представляет возможности для манипулирования связанными структурами данных — так же как язык Лисп, но имеет более простую структуру процедур, поэтому он стал

более доступным для программистов, работавших ранее с Алголом.

P.161 POP-11
язык программирования POP-11
Язык программирования, используемый в задачах, связанных с проблемами искусственного интеллекта и представляющий собой симбиоз языков Лисп (L.080 LISP) и POP-2 (P.160 POP-2).

P.162 P operation (down operation)
операция занятия семафора; семафорная операция
См. S.070 semaphore.

P.163 population
генеральная совокупность
См. S.004 sampling.

P.164 port
1. порт. 2. переносить
1. I/O port — порт ввода-вывода. Аппаратура сопряжения, содержащая цепи управления и позволяющая подключать устройство ввода-вывода к внутренней шине микропроцессора. Обычно один и тот же порт может переключаться на ввод или вывод, что, как правило, осуществляется интерфейсным адаптером периферийных устройств (P.088 peripheral interface adapter). Этот адаптер с одной стороны имеет разъемы, совместимые с портом ввода-вывода, а с другой стороны — один или более интерфейсов, подходящих для различных периферийных устройств. Порт также позволяет применять соединительные кабели увеличенной длины. В вольном употреблении обозначает внутреннее подсоединение к сети связи либо через электрическую схему, либо через интерфейс терминала (D.302 DTE interface).
2. Переносить мобильную программу с одной машины на другую.

P.165 portable
мобильный
1. Синоним термина «машинонезависимый».
2. Определение, характеризующее программные средства, которые всегда могут быть переведены на другие машины, хотя они и не всегда в полной мере машинонезависимы (M.007 machine independent).

P.166 POS — point of sale
электронный кассовый аппарат; торговый автомат
См. P.142 point-of-sale-system.

P.167 poset
частично упорядоченное множество
См. P.055 partial ordering.

P.168 POS expression — product of sums expression
выражение в виде произведения сумм

P.169 positional system
позиционная система счисления
См. N.094 number system.

P.170 position-independent code
1. программа в относительных адресах 2. непозиционный код
1. Программа, которая может быть размещена в любой области памяти, так как все ссылки на ячейки памяти сделаны относительно счетчика команд (P.250 program counter). Программа в относительных адресах может пересылаться в другую область памяти в любой момент, в отличие от перемещаемой программы (R.112 relocatable code), которая хотя и может быть загружена в любую область памяти, но после загрузки должна оставаться на том же месте.
2. Код, в котором местоположение разряда числа не определяет его вес (например, римские цифры).

P.171 position tree
дерево положений
Пусть

$$\alpha = a_1 a_2 \ldots a_n$$

обозначает строку или слово (W.036 word) из множества всех слов в алфавите Σ. Пусть символ # является элементом алфавита Σ. Тогда деревом положений $T(\alpha)$ для α # является дерево, границы которого помечены элементами из

$$\Sigma \cup \{\#\},$$

и которое строится в соответствии со следующими правилами:

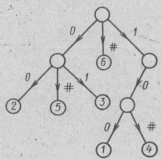

а) $T(\alpha)$ имеет $(n+1)$ листьев, помеченных

$$1, 2, \ldots n+1$$

(см. рисунок, где показано дерево положений для 10010 #);
б) последовательность меток на дугах маршрута, начиная от корня к листьям, с индексом i, является подстрокой-идентификатором (S.381 substring identifier) для положения i в дереве α #.

P.172 positive acknowledgement
положительное квитирование; подтверждение приема
См. А.02° acknowledgement; см. также B.011 backward error correction.

P.173 positive logic
позитивная логика
Логическая система, в которой все булевы переменные и булевы функции ведут себя в соответствии с их описанием. Ср. N.014 negative logic.

P.174 Postal, Telegraph, and Telephone adminisrtation
почтовая телеграфная и телефонная администрация
См. Р.321 PTT.

P.175 postcondition
постусловие
Применительно к оператору S в некоторой программе — утверждение (A.145 assertion), характеризующие состояние программы непосредственно после выполнения S. Постусловие выражается свойствами определенных переменных программы и отношениями между ними. Там, где текст программы комментируется утверждениями, постусловие проставляется непосредственно после оператора, к которому оно относится. См. также Р.191 precondition; Р.259 program correctness proof.

P.176 postedit
постредактирование, заключительное редактирование
См. Р.180 postprocessor.

P.177 postfix notation
постфиксная нотация, бесскобочная запись

P.178 postmortem
аварийный; «посмертный»
Определение, характеризующее анализ причин возникновения нежелательных ситуаций в работе системы, основанный на информации, записанной в момент обнаружения нежелательной ситуации. Например, аварийное окончание (A.003 abnormal termination) программы может свопровождаться записью состояния программы в этот момент; указанная запись впоследствии может быть использована для «посмертного» анализа причин аварийного завершения программы.

P.179 postorder traversal (endorder traversal)
обход в глубину
Обход узлов двоичного дерева, построенный с использованием следующего рекурсивного алгоритма: просмотр в обратном порядке вершин левого поддерева с определенным корнем (если оно существует); просмотр в обратном порядке вершин правого поддерева с определенным корнем (если оно существует); вход в корень дерева. Ср. Р.202 preorder traversal; S.425 symmetric order traversal.

P.180 postprocessor
постпроцессор
Программа, которая выполняет некоторые операции над выходными данными другой программы. Как правило, это форматирование выходных данных для какого-либо устройства или отбрасывание ненужных элементов. Эту операцию часто называют постредактированием.

P.181 Post-production system
система продукций Поста; порождаемость по Посту
Подход к эффективной вычислимости на цепочках символов, сформулированный Постом. Порождаемость Поста — это правило модификации цепочки. Множество цепочек называется порождаемым по Посту, если существует конечное множество аксиом (цепочек) и конечное множество продукций Поста Σ такое, что каждая цепочка множества может быть получена из аксиом путем некоторого конечного вывода, причем каждый шаг вывода есть результат применения некоторой продукции из Σ. Оказывается, что класс порождаемых по Посту множеств в точности совпадает с классом рекурсивно перечислимых множеств (на некотором фиксированном алфавите).

P.182 Post's (correspondence) problem
задача (соответствия) Поста
Широко известная алгоритмическая неразрешимая задача. Дан конечный набор «домино» такого вида, как показано на рис. 1, где u и v — цепочки.

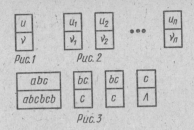

Рис.1   Рис.2

Рис.3

Спрашивается, можно ли составить последовательность как на рис. 2, чтобы при чтении всех u по порядку получался тот же результат, что и при чтении всех v. Пример такой последовательности показан на рис. 3, где Λ означает пустую цепочку. Хотя существует только конечное множество разновидностей «домино», каждая из них имеется в бесконечном количестве экземпляров; таким образом, одна и та же фишка «домино» может присутствовать в цепочке несколько раз. «Домино» нельзя переворачивать. В зависимости от исходного набора «домино» иногда можно сразу дать отрицательный ответ на поставленный вопрос. Однако не существует алгоритма, позволяющего сделать это в общем виде.

P.183 power-fail recovery
восстановление при исчезновении питающего напряжения
Метод борьбы с последствиями отключения напряжения в питающей сети. Система оборудуется устройством контроля линии энергоснабжения, которое обнаруживает любое длительное отклонение напряжения в питающей сети за допустимые пределы и осуществляет прерывание по неисправности в системе питания, когда происходят такие отклонения. Программа обслуживания этого прерывания запоминает дискрипторы всех процессов (P.243 process descriptors) в энергонезависимой памяти (N.065 nonvolatile memory) и затем останавливает работу. Когда напряжение в питающей сети восстанавливается, система снова запускается и может восстановить все процессы по их дескрипторам, которые были сохранены.

P.184 power-limited channel
канал с ограничением по мощности
Физический канал передачи данных, пропускная способность которого ограничена по мощности некоторой вели-

чиной. См. S.153 signal-to-noise ratio; C.067 channel coding theorem.

P.185 power routing
разводка питающих цепей, разводка питания
См. L.116 logic circuit.

P.186 power set
показательное множество
Совокупность всех подмножеств (S.378 subset) множества S (S.116 set), обычно обозначаемая как 2^S. Она может быть выражена как

$$\{A \mid A \subseteq S\}.$$

Число элементов в совокупности подмножеств множества S равно 2^N, где N — число элементов в множестве S.

P.187 pragma
указание
1. Предложение в языке программирования, которое предназначено для передачи информации некоторой конкретной реализации языка и может игнорироваться в других реализациях этого языка.
2. Предложение в языке программирования, несущее информацию, которая может помочь компилятору в трансляции программ, но которая может игнорироваться и не влиять на нормальную работу программы.

P.188 precedence
предшествование, приоритет, старшинство
Правило, определяющее порядок, в котором выполняются операции, если скобками не указан другой порядок. Например, в большинстве языков выражение

$$a * b + c$$

будет воспринято так, что сначала выполняется умножение. Скобки использовались бы для установления другого порядка:

$$a * (b + c).$$

В языке не определяется порядок операций, особенно в тех случаях, когда могут быть введены новые операторы. Простой порядок используется в Паскале (P.058 Pascal): унарное отрицание, операторы умножения, операторы сложения, операторы отношения. Другие языки могут иметь дополнительные операторы, например, возведение в степень, и такие операторы, как логические, для которых правило предшествования определяется отдельно. Операторы с одинаковым приоритетом обычно выполняются последовательно слева направо, но в некоторых языках порядок таких операций не определен.

P.189 precedence parsing
анализ предшествований
Способ восходящего синтаксического анализа (B.125 bottom-up parsing), при котором используются отношения предшествования применительно к символам грамматического выражения в целях принятия решения, когда именно строка символов может образовать простую фразу. Существуют два широко применяемых способа грамматического анализа предшествований: операторное предшествование и простое предшествование. При простом предшествовании на терминальных и нетерминальных символах грамматики определяются три отношения: $\langle \cdot$, $\cdot\rangle$ и $\doteq$ Если

$$X \langle \cdot Y, \ X \doteq Y \ \text{или} \ X \cdot \rangle Y,$$

то соответственно говорят, что X имеет меньший приоритет, имеет такой же приоритет, как Y или имеет больший приоритет, чем Y. Заметим, что эти отношения несимметричны. Вводя отношения предшествования между символами в сентенциальной форме, а затем трактуя символы ($\cdot$ и $\cdot\rangle$ как парные скобки, можно определить простую фразу как самую левую, цепочку, ограниченную справа и слева соответственно символами ($\cdot$ и $\cdot\rangle$. Операторное предшествование отличается от простого предшествования тем, что в последнем указанные три отношения определяются только на терминальных символах грамматики. Кроме того, такое грамматическое выражение должно удовлетворять условию, при котором нетерминалы в правой части продукции всегда должны быть отделены по крайней мере одним терминальным символом. В качестве основы для разработки методов анализа операторного предшествования первоначально использовались арифметические операции, поскольку традиционно умножение предшествует сложению. Простое предшествование является обобщением операторного. Оба метода ограничены в применении грамматиками, для которых между любой упорядоченной парой символов существует не более одного отношения предшествования. Добавим, что правая часть продукций должна быть при этом уникальной.

P.190 precision
точность представления
Количество цифр в представлении числа. Например, если p двоичных разрядов составляют мантиссу в числах с плавающей запятой, используемых в какой-либо конкретной ЭВМ, то в этой ЭВМ точность представления чисел с плавающей запятой будет определяться разрядами. Вообще, точность представления чисел с плавающей запятой пропорциональна их величинам (т. е. относительна), а точность представления чисел с фиксированной запятой не зависит от величины (т. е. абсолютна). Важно не путать термин «точность» представления (precision) с термином «точность числа» (accuracy). Например, число

$$3.1428571$$

имеет точность представления до восьмого десятичного знака, независимо от того, что под этим числом подразумевается. Если это число представляет 22/7, то его точность тоже будет выражаться восемью десятичными знаками, но если оно представляет иррациональную величину π, то точность будет в данном случае определяться только тремя десятичными знаками.

P.191 precondition
предусловие
Применительно к оператору S в некоторой программе — утверждение (A.145 assertion), характеризующее состояние программы непосредственно перед выполнением S. Предусловие выражается свойствами определенных переменных программы и отношениями между ними. Там, где текст программы комментируется утверждениями, предусловие стоит непосредственно перед оператором, к которому оно относится. Для согласованного комментария условие оператора S должно быть согласовано с постусловием (P.175 postcondition) любого оператора, выполнение которого может непосредственно предшествовать выполнению оператора S. См. также P.259 program correctness proof; W.011 weakest precondition.

P.192 predicate
предикат
Функция (F.160 function), принимающая значения в некоторой области истинностных значений. Если область изменения переменных насчитывает n значений, где

$$n = 0, 1, 2, \ldots$$

функция называется n-местным предикатом. В частном случае, когда $n = 0$, предикат становится утверждением. Предикаты являются фундаментальными стандартными элементами исчисления предикатов (P.193 predicate calculus).

P.193 predicate calculus
исчисление предикатов
Система логического вывода, которая является обобщением квантифицированного или расширенного исчисления высказываний (P.299 propositional calculus) и получена путем введения обобщенных функций (F.160 function) и предикатов (P.192 precidate). В нотации как исчисления высказываний, так и исчисления предикатов используются символы, которые применяются и для представления констант, и для представления переменных (последние могут охватываться кванторами $\forall$ или $\exists$). Символы могут быть также использованы для задания констант и переменных предикатов.
Введение переменных для функций и предикатов дает то, что обычно называют исчислением предикатов второго порядка. Важным и более простым частным случаем является исчисление предикатов первого порядка, в котором не используются ни переменные функции, ни предикатные переменные. Большинство исчислений предикатов может быть проиллюстрировано введением понятия «терм»; тогда каждая константа или переменная (где это возможно, т. е. в исчислении предикатов второго порядка) является термом. Если t_1, t_2, ..., t_n — термы, то термом будет и

$$f(t_1, t_2, \ldots, t_n),$$

где f — константа или иногда переменная. Кроме того, если A — некоторая правильно построенная «формула», то конструкция

«если A то t_1, иначе t_2»

тоже является термом. Понятие атомарной формулы может быть здесь переопределено так, чтобы оно, подобно элементарным группам в исчислении высказываний, включало в себя: а) каждую $p(t_1, t_2, \ldots, t_n)$, где p — представляет предикатную константу или иногда предикатную переменную; б) элементарные группы в форме $(t_1 = t_2)$.
(Здесь подразумевается, что исчисление предикатов допускает существование оператора равенства и оператора условия «если-то-иначе»).
С этими дополнительными возможностями правильно построенные формулы, определенные с использованием записи в нормальной форме Бакуса—Наура (P.299 propositional logic) становятся еще более сложными.

P.194 predicate transformer
преобразователь предикатов
Функция, которая отображает предикаты в предикаты. В частности, преобразователь предиката для некоторого оператора S является функцией, которая отображает некоторый предикат R в самое слабое входное условие (W.011 weakest precondition) оператора S с учетом R. Этот термин был введен Дейкстрой в 1975 г. в связи с исчислением способов порождения программ; преобразователь предиката служит для того чтобы разработка программы сопровождалась одновременной разработкой доказательства правильности программы (P.259 program correctness proof).

P.195 predictive PCM
кодово-импульсная модуляция с предсказанием
См. P.327 pulse code modulation.

P.196 predictor-corrector methods
методы предсказаний и поправок, методы с предикатором и корректором
Широко распространенное применение линейных многошаговых процедур (L.061 linear multistep methods) для решения обыкновенных дифференциальных уравнений (O.070 ordinary differential equations). На каждом шаге используются две формулы, одна из которых неявная (L.061 linear multistep methods). Примером такой пары формул является метод Эйлера (D.230 descretization) и правило трапеций (O.070 ordinary differential equations). Метод предсказаний и поправок, осно-

ванный на этих формулах, имеет вид:

$$y_{n+1}^p = y_n + nf(x_n, y_n) \text{ (предикатор)};$$

$$y_{n+1} = y_n + 1/2h \left(f(x_n, y_n) + \right.$$
$$\left. + f(x_n, y_{n+1}^p) \right) \text{ (корректор)}$$

Метод позволяет эффективно использовать неявную формулу с большей точностью без разрешения уравнения относительно y_{n+1} и позволяет получить оценку для возможной ошибки в точке (L.098 local error), а именно:

$$y_{n+1}^p - y_{n+1}.$$

Такие оценки используются для контроля точности и устойчивости (S.270 stability).

P.197 preemptive allocation
приоритетное распределение
Дисциплина обслуживания, при которой ресурс переключается с обслуживания одного процесса на обслуживание другого. Когда процесс требует использования некоторого ресурса, администратор соответствующего ресурса на некоторой стадии назначает этот ресурс на данный процесс. Ресурс (например, процессор) используется какое-то время и другой процессор в этот период не может использовать тот же ресурс. Если же второй процесс оказывается вдруг готовым к выполнению, планировщик работы процессора может прервать его и передать второму процессу с более высоким приоритетом. Более важный вид приоритетного распределения ресурсов необходим тогда, когда неделимый ресурс (например, лентопротяжное устройство) был предоставлен процессу, но еще не задействован этим процессом. Если второй процесс требует лентопротяжное устройство, то первому процессу может быть отказано в его использовании и преимущество в использовании этого устройства будет представлено второму процессу.

P.198 prefix
префикс
Применительно к цепочке α — какая-либо строка β, где α — конкатенация (C.247 concatenation) βγ для некоторой цепочки γ. Так, в теории кодирования слово будет называться префиксом другого слова, если первое слово совпадает с первыми символами второго слова. См. также P.199 prefix codes.

364

P.199 prefix codes
префиксные коды
Коды, в которых никакое кодовое слово не является префиксом (P.198 prefix) любого другого кодового слова. Эта идея обычно реализуется в кодах переменной длины (V.012 variable-length codes). Префиксный код имеет такое свойство, что как только получены все символы кодового слова, оно распознается как таковое. Поэтому префиксные коды называют моментально декодируемыми. Они являются однозначно декодируемыми (U.019 uniquely decodable).

P.200 prefix notation = Polish notation
префиксная запись, префиксная нотация

P.201 prefix property
префиксное свойство
Свойство, заключающееся в том, что никакое кодовое слово не является префиксом (P.198 prefix) любого другого кодового слова (P.199 prefix codes).

P.202 preorder traversal
обход в ширину
Обход узлов двоичного дерева, построенный с использованием следующего рекурсивного алгоритма: вход в корень этого дерева; просмотр прямого порядка левого поддерева корня (если оно существует); просмотр в прямом порядке правого поддерева корня (если оно существует). Ср. P.179 postorder traversal; S.425 symmetric order traversal.

P.203 preprocessor
препроцессор
Программа, которая выполняет модифицирование данных с целью подготовки их для ввода в другую программу, особенно в программу-компилятор (C.205 compiler). Модифицирование может заключаться в простом переформатировании или может включать макрорасширение (M.015 macro expansion).

P.204 presentation layer
уровень представления, представительный уровень
Уровень сетевого протокола. См. S.120 seven-layer reference model.

P.205 Prestel
«Престел»
Интерактивная видеографическая (V.042 videotex) система Великобритании.

P.206 prestore
предварительно запоминать
Заранее запоминать данные, необходимые для программы, или хранить такие данные в постоянном запоминающем устройстве.

P.207 pretty printer
программа структурированной распечатки
Программа, которая принимает текстовый файл и готовит листинг или копию этого файла в формате, удовлетворяющем некоторому набору условий, предъявляемых к внешнему виду текста. Программы структурированной распечатки в основном используются для форматирования исходного текста программ на языке высокого уровня. Выполняя синтаксический анализ, программа структурированной распечатки может порождать такую схему размещения текста с использованием отступов, которая обеспечивает удобное визуальное восприятие структуры распечатываемой программы.

P.208 preventive maintenance
профилактика, профилактическое обслуживание
Обслуживание, выполняемое регулярно и предназначенное для предотвращения аварии или обнаружения ее ранних проявлений. Примером первого вида работ является смазка и чистка устройств, связанных с подвижными магнитными носителями информации. Примером второго вида работ является профилактический контроль электрических параметров, отклонение которых может инициировать аварии в проверяемых электрических цепях. Ср. R.113 remedial maintenance.

P.209 primary index
основной индекс
См. I.060 indexed file.

P.210 primary memory = main memory
первичная память, основная память
Оперативная память, особенно та ее часть, которая используется в качестве среды для хранения команд и данных, необходимых для текущего процесса в процессоре.

P.211 prime implicant
простая импликанта
См. I.045 implicant.

P.212 primitive
базисный элемент, примитив
Элемент, который нельзя разложить на более простые формы. Этот термин, например, применяется в связи с запрашиваемыми процессом действиями через вызовы супервизора, особенно в случае использования операций P (ожидание) и V (сигнал). См. S.070 semaphore.

P.213 primitive data type
базисный тип данных
Тип данных (D.082 data type) (например, целые числа, вещественные, логические и символьные), которые может использовать пользователь какого-либо конкретного типа вычислительного оборудования. Как правило, программными средствами из базисных элементов могут строиться более сложные структуры данных.

P.214 primitive element
примитивный элемент
Элемент α конечного поля F (F.070 finitefield), различные степени которого $\alpha^0 (=1), \alpha, \alpha^2, \alpha^3 \ldots$ в конечном счете будет включать все элементы F, не равные нулю. Каждое конечное поле содержит такой элемент.

P.215 primitive polynomial
примитивный многочлен
См. P.150 polynomial.

P.216 primitive recursive function
примитивно рекурсивная функция
Функция (F.160 function), которая может быть получена из определенных исходных функций конечным числом применений операций композиций (C.218 composition) и рекурсии (R.061 recursion). Исходные функции — это обычно нуль-функция (Z.002 zero funtion), функция последования (S.385 succesor function) и функция проецирования (P.290 projection funtion) или обобщенное тождество; все функции определены неотрицательными целыми числами. Арифметические функции сложения и умножения являются примерами примитивно рекурсивных функций. На практике многие функции, которые могут быть вычислены с помощью ЭВМ, относятся к примитивно рекурсивным. Термин «примитивно рекурсивный» может также распространяться, во-первых, на множества, характеристическая функция (C.076 characteristic function) которых является примитивно рекурсивной, и, во-вторых, на множества функций,

которые оперируют цепочками символов или списками. В последнем случае определение аналогично описанному выше: функция последования добавляет элемент к строке или списку. См. также R.064 recursive function.

P.217 principal component analysis
анализ главных компонент
См. M.255 multivariate analysis.

P.218 printed circuit
печатная схема
Практическая реализация принципиальной электронной схемы, когда соединения между выводами отдельных элементов представляют собой медные проводники, наложенные на плоскую подложку, изготовленную из изоляционного материала, например, стекловолокна. Рисунок электросоединений обычно печатается и протравливается на плате, а затем элементы припаиваются к медным контактным площадкам вручную или способом погружения в припой. Подложка с нанесенной на нее схемой соединений называется печатной платой. В типовых модульных конструкциях печатные схемы через разъемы подсоединяются к монтажу на объединительной плате. Небольшие модульные элементы, подсоединенные к печатной схеме (но не к объединительной плате), называются дочерними платами. Обычно изготавливаются двухсторонние печатные платы. Они представляют собой лист изоляционного материала со схемами соединений на двух сторонах и с соединениями между этими двумя схемами (M.223 multilayer device).

P.219 printer
печатающее устройство
Устройство вывода данных, которое преобразует закодированную информацию, выходящую из процессора, в удобную для чтения форму на бумаге. Существует много типов устройств, отличающихся по способу, скорости и качеству печати: печатающие устройства последовательного действия (S.106 serial printer), построчно печатающие устройства (L.069 line printer), постранично-печатающие устройства (P.015 page printer). Все эти устройства могут быть шрифтовыми (S.219 solid-font printer) или матричными (M.078 matrix printer). Технология печати может использовать, а может и не использовать механический удар для переноса красящего вещества.

См. I.042 impact printer; N.053 nonimpact printer.

P.220 printer format
формат печати
Формат (F.120 format) отпечатанных выходных данных, определяющий место для строк данных и величину пробелов, а также зоны страницы, где будет печататься текст. В некоторых построчно-печатающих устройствах (L.069 line printer) и устройствах последовательного действия (S.106 serial printer) расстояния между символами и строками может быть выбрано с помощью переключателей или не может быть изменено вообще. Параметр формата, который часто отличается в разных заданиях, — это строки, на которых печать не требуется. Этот параметр управляется блоком форматирования по вертикали (V.036 vertical format unit). Лишь немногие последние конструкции печатающих устройств последовательного действия и постранично-печатающих устройств (P.015 page printer) позволяют централизованной системе управлять всеми параметрами формата, используя управляющие коды.

P.221 printout
распечатка
Результат работы печатающего устройства. Обычно он имеет вид стопки бумаги, сложенной гармошкой, которую затем можно разрывать или складывать по формату.

P.222 print quality
качество печати
Характеристика отпечатанных символов в распечатке (P.221 printout), которые характеризуют возможность ее применения. К этим характеристикам относятся степень соответствия формы символов установленным параметрам, унификация ширины элементов, символов, равномерность оттисков, контрастность по сравнению с бумагой, количество чернильных подтеков, точность размещения символов на бумаге по сравнению с отведенными для них местами, количество посторонних чернил или тонера в электрофотографическом печатающем устройстве (E.040 electrophotographic printer). Качество печати зависит от типа печатающего устройства (P.219 printer), его срока эксплуатации, его технического состояния, условий, типа и продолжительности использования красящей

ленты (R.152 ribbon) в устройствах ударного типа и характеристик бумаги (S.312 stationery). Основным требованием к качеству печати является то, чтобы все символы в тексте были легко читаемы. При самых высоких требованиях к качеству печати на странице все символы должны быть четко и полностью отпечатаны с равномерной плотностью краски, с высоким контрастом, без видимых дефектов. Качество печати, отвечающее всем этим требованиям, еще называют качеством канцелярского исполнения документов и оно должно соответствовать качеству машинописи. Вообще, медленно работающие печатающие устройства ударного типа выдают более качественную печать (D.004 daisywheel printer). Некоторые распечатки предназначены для считывания оптическими устройствами распознавания символов (O.007 OCR). Такие распечатки должны соответствовать стандартам, определяющим форму шрифта (например, шрифт типа В) и стандартам, определяющим качество печати. Все это — международные стандарты.

P.223 print server
станция печати
См. S.110 server.

P.224 prioritize
назначать приоритеты
Устанавливать порядок действий в соответствии со срочностью или важностью работы. В мультипрограммном режиме программам назначаются приоритеты так, что срочные работы не задерживаются вспомогательными задачами. Программные прерывания должны отрабатываться аналогично мультипрограммному режиму. См. также I.160 interrupt priority.

P.225 priority
приоритет
Относительная важность или срочность. Приоритет — это обладание преимуществом, то есть требование повышенного внимания, которое может быть определено количественной величиной, учитываемой при определении порядка удовлетворения нескольких требований на доступ к одному ресурсу. В такой ситуации, когда несколько идентичных процессов стоят в очереди на выполнение, право очередного запуска получит процесс с более высоким приоритетом, отсюда и

термин «приоритетная обработка». Приоритетное прерывание в системе будет сопровождаться стандартными прерываниями, которые могут ожидать ответа. В технике передачи данных предусматривается резервирование поля для размещения кода, который указывает на степень срочности соответствующего сообщения. См. также I.160 interrupt priority.

P.226 priority encoder
приоритетный шифратор
См. E.060 encoder.

P.227 priority queue
очередь по приоритету
Линейный список (L.081 list), в котором каждая вставка определяет номер приоритета, а также элемент, который должен быть вставлен. Каждое перемещение или выборка начинается с самого младшего элемента с самым высоким приоритетом.

P.228 privacy
личная тайна; конфиденциальность
Грубо говоря, это право на то, чтобы тебя оставили в покое. Закон о личной тайне крайне неконкретен и юридическая практика основывается на принципе прецедентов и в США, и в Великобритании. Этот закон дополнен практикой торговых секретов (T.121 trade secrets) и распространен на принципы секретности, связанные с вычислительной техникой и защитой данных (D.065 data protection legislation).
Что касается защиты от несанкционированного чтения информации в памяти ЭВМ, т. е. конфиденциальных данных, то здесь существуют два принципа.
1. Защита данных о конкретных лицах или собственности фирмы. Там, где данные могут касаться определенного лица или в некоторых случаях — определенной организации, может существовать юридическое право ограничить доступ к этим данным и во многих случаях это право может включать права, гарантирующие точность и полноту этих данных. Эта форма секретности существует только для данных, касающихся установления личности, и охраняет права лица, которого касаются эти данные (D.065 data protection legislation).
2. Защита данных, принадлежащих конкретным лицам или фирмам. Там, где предполагается, что данные являются собственностью кого-либо (или

некоторой группы лиц), может существовать право на ограничение доступа к этим данным. Эта форма секретности существует для данных, принадлежащих кому-либо и предназначена для защиты прав владельца этих данных. См. Т.121 trade secrets, а также I.120 integrity; S.038 security.

P.229 privileged instructions
привилегированные команды
Команды, которые могут быть выданы только тогда, когда вычислительная система находится в одном из высокоприоритетных или в самом приоритетном состоянии (E.139 execution states).

P.230 probability
вероятность
Число между 0 и 1, ассоциируемое с событием (R.105 relative frequency), которое является одним из множества возможных; событие, которое' обязательно происходит, имеет вероятность 1. Вероятность события имеет ограниченную величину, определяемую относительной частотой события при неограниченном увеличении числа наблюдений. Кроме того, это число характеризует степень уверенности в том, что событие произойдет. Понятие вероятности применимо в широком диапазоне событий в разных контекстах. Первоначально она представляла интерес в изучении азартных игр, где знание величин вероятности позволяло делать выгодные ставки. Позже она была изучена страховыми компаниями, заинтересованными в прогнозировании вероятности исков в будущем на основе предшествовавших наблюдений относительных частот. В настоящее время теория вероятностей является основой статистического анализа (см. S.314 statistical methods). Исчисление вероятностей — это набор правил определения вероятностей для сочетания событий с использованием методов символической логики и теории множеств. См. также P.232 probability distributions.

P.231 probability calculus
исчисление вероятностей
См. P.230 probability.

P.232 probability distribution
распределение вероятностей
Теоретическая формула для' вероятности (P.230 probability) того, что наблюдаемая величина примет какое-то конкретное значение или попадет в определенный диапазон значений.
Дискретное распределение вероятностей относится к наблюдениям, которые принимают только определенные отдельные значения (как, например, целые числа 0, 1, 2 ... или шесть поименованных граней игральной кости). Вероятности $p(r)$ присваиваются отдельным событиям так, чтобы их сумма была равна единице. В классе дискретных распределений важную роль играют биномиальное распределение (Б.080 binomial distribution) и распределение Пуассона (P.144 Poisson distribution).
Непрерывное распределение вероятностей характеризует наблюдения типа физических измерений, где не может быть двух точно совпадающих наблюдаемых значений. Так как вероятность наблюдения конкретной величины всегда близка к нулю, для исчисления вероятностей используется математическая формула — куммулятивная функция распределения, $F(x)$. Она определяется как вероятность того, что наблюдаемое значение не превысит величину x. Функция $F(x)$ монотонно возрастает с увеличением x от 0 до 1 и вероятность наблюдения значения, попадающего в интервал между x_1 и x_2, равна

$$F(x_2) - F(x_1).$$

Для бесконечно малого приращения h предел отношения

$$\frac{F(x+h) - F(x)}{h}$$

дает функцию частоты $f(x)$, а поскольку h мало, вероятность наблюдения значения между x и $(x+h)$ будет равна $hf(x)$. Наиболее важным примером непрерывного распределения является нормальное (или гауссово) распределение (N.070 normal distribution). Распределение вероятностей определяется параметрами (P.037 parameter), от величины которых зависят конкретные численные значения вероятностей.

P.233 problem definition
постановка задачи
Точная формулировка подлежащей решению задачи, с особым вниманием к обеспечению полного и однозначного ее определения, а не поверхностного представления. Ср. P.234 problem description.

P.234 problem description
описание задачи
Осмысленный анализ некоторой задачи, подлежащий решению, сопровождаемый при необходимости информацией об ограничениях, которым должно удовлетворять решение, о возможных подходах к решению и др. Ср. P.233 problem definition.

P.235 problem-orieted language
проблемно-ориентированный язык
См. P.146 POL.

P.236 problem-solving environment
проблемная среда
Термин, употребляемый в США вместо термина «среда программирования» (P.280 programming support environment).

P.237 procedural abstraction
процедурная абстракция, абстрактная процедура
Принцип, заключающийся в том, что любая операция, которая достигает четко определяемого результата, может рассматриваться пользователями как целостный объект, несмотря на то, что в действительности эта процедура реализуется некоторой последовательностью операций нижнего уровня (см. также A.010 abstraction). Процедурная абстракция широко используется почти с момента появления вычислительной техники и практически все языки программирования поддерживают, обеспечивают ее реализацию (например, в виде процедуры SUBROUTINE в Фортране, procedure — в Алголе, Паскале, Аде и др.).

P.238 procedural language = imperative language
процедурный язык

P.239 procedure
процедура
Часть программы, которая выполняет некоторую четко определенную операцию над данными, определяемыми параметрами (P.037 parameter). Эта часть может быть вызвана (C.006 call) из любой точки программы, и при каждом вызове могут пересылаться различные параметры. Термин «процедура», вообще говоря, используется в контексте языков высокого уровня. В языке ассемблера обычно употребляется слово «подпрограмма» (S.373 subroutine).

P.240 procedure-oriented language
процедурно-ориентированный язык.
Язык программирования, в котором имеется возможность описания программы как совокупности процедур (P.239 procedure). Эти процедуры могут вызывать одна другую и каждая из них может быть вызвана основной программой, которую тоже можно рассматривать как процедуру.

P.241 process (task)
процесс
Некоторая последовательность действий, составляющая задачу. Процесс определяется соответствующей программой, т. е. упорядоченным набором машинных команд, реализующих действия, которые должны предприниматься процессом: содержимым рабочей области памяти (W.046 workspace), т. е. набором данных, которые этот процесс может считывать, записывать и использовать; дескриптором процесса (P.243 process descriptor), который описывает текущее состояние любого выделенного ему ресурса.

P.242 process control
управление (технологическим) процессом
Использование специализированной ЭВМ (называемой контроллером процесса) для управления определенным промышленным или производственным процессом. В качестве исходных данных используется информация, получаемая от датчиков. В результате вычислительной обработки этих данных формируются управляющие сигналы, которые воздействуют на процесс. Различаются два вида управления технологическим процессом: непрерывное и дискретное. Непрерывное управление осуществляется применительно к производственным процессам, связанным с непрерывным выпуском какого-либо продукта, скажем, химического вещества. Такое управление может быть, например, реализовано в системе автоматического контроля процесса каталитического крекинга при перегонке нефти. Хотя химические вещества могут изготавливаться партиями, все же это будет непрерывный процесс, так как его управляющие переменные изменяются непрерывно. Дискретное управление ассоциируется с производством отдельных дискретных изделий, как, например, при сварке двух деталей в единый узел. Дискретное

369

управление технологическими процессами приближается по своей сути к тому, что входит сейчас в проблемную область прикладной робототехники. См. также N.097 numerical control; C.228 computer-aided manufacturing.

P.243 process descriptor
описатель процесса; дескриптор процесса
Совокупность сведений, определяющих состояние ресурсов, предоставленных процессу. Когда в системе реализуется несколько процессов, любой из которых может быть активен в определенный промежуток времени, для каждого процесса имеется дескриптор, описывающий его состояние. В пределах дескриптора индикатор готовности показывает, может ли данный процесс выполняться или он должен ожидать завершения какого-либо другого действия перед обработкой в процессоре. Для процессов, не готовых к выполнению, дескриптор указывает причины, по которым тот или иной из них приостановлен, и должны содержать указатели соответствующих очередей и семафоры. Дескриптор процесса включает в себя также копию содержимого регистров процессора, которые должны восстанавливаться с повторным запуском процесса. Когда процесс выполняется, дескриптор процесса, называемый ресурсным, должен содержать информацию о ресурсах, предоставленных процессу и о разрешенных операциях использования этих ресурсов.

P.244 processor
процессор
Вычислительное устройство, под которым чаще всего подразумевается центральный процессор (C.055 central processor). См. также M.137 microprocessor; I.188 I/O processor; C.189 communication processor.

P.245 processor allocation
распределение процессорных ресурсов
Определение объемов ресурсов процессора, необходимых каждому процессу. Как правило, этот объем исчисляется временем или числом команд, подлежащих выполнению.

P.246 processor status word (PSW)
слово состояния процессора
Слово, которое полностью описывает состояние процессора в каждый момент. Оно указывает, какие классы операций разрешаются и какие запрещаются, а также состояния всех прерываний, связываемых с данным процессором. Это слово содержит адрес команды, выполняемой в текущий момент, а в ряде случаев еще и адрес слова, в котором хранится очередная подлежащая выполнению команда. См. также P.284 program status word.

P.247 processor time (CPU time)
процессорное время
Время, в течение которого процесс обслуживается процессором. См. также S.445 system accounting.

P.248 product group = direct product
прямое произведение

P.249 production
продукция, продукционное правило
См. S.075 semi-Thue system: G.044 grammar.

P.250 production-rule system
система продукционных правил; система продукций
Согласованная система правил, в каждом из которых определяется условие его применимости и действие, которое должно быть предпринято, когда правило применимо. Работа такой системы может рассматриваться как выполнение следующей последовательности операций: отыскиваются все правила, условия которых соблюдены, выбирается одно из этих правил и реализуется предписываемое им действие. Такие системы активно используются в вычислительной психологии (C.224 computational psychology) и при создании экспертных систем (E.151 expert system). Системы продукционных правил являются разновидностью машины логического вывода (I.070 inference engine).

P.251 production run
рабочий прогон
Выполнение программы в нормальном режиме с целью получения полезных результатов вычислений. Ср. D.299 dry run.

P.252 productive time
время полезной работы; производительное время
См. A.195 available time.

P.253 product of sums expression (POS expression)
выражение в виде произведения сумм
Булева функция (B.120 Boolean function), выражаемая через произведение

370

ее дизъюнктивных членов, то есть с помощью операции И над результатами операции ИЛИ, содержащей переменные без отрицания или с отрицанием. Например:

$$f = (x \lor y) \land (\bar{x} \lor \bar{z}).$$

Функция еще реализуема как операция ИЛИ НЕ над группой термов ИЛИ НЕ. См. также S.290 standard product of sums; S.390 sum of products expression.

P.254 product term
произведение, конъюнктивный член
Логическое произведение булевых переменных, взятых с отрицанием или без отрицания, реализуемое с помощью операции И. См. также S.390 sum of products expression.

P.255 profiling
профилирование
Построение гистограммы или подобного ей описания, отражающего некоторые свойства системы. Например, рабочий профиль программы может показывать относительные затраты времени на выполнение каждой отдельной процедуры во время прогона программы, а операторный профиль может характеризовать распределение операторов входного языка по частоте их использования в программе.

P.256 program
программа
Набор операторов, который может быть представлен как единое целое в некоторой вычислительной системе и который используется для управления поведением этой системы. Процедурная программа дает точное определение процедуры, которой должна следовать вычислительная система для получения требуемых результатов; в противоположность этому непроцедурная программа задает лишь ограничения, которым должны удовлетворять получаемые результаты, но не определяет процедуру, с помощью которой эти результаты должны быть получены; требуемая процедура должна определяться самой вычислительной системой.

P.257 program compatibility
программная совместимость
Свойство системы, позволяющее эффективно использовать программы в общей системной среде. К факторам, влияющим на программную совместимость, относятся особенности аппаратных средств и операционной системы, а также структура данных, считываемых и записываемых программами.

P.258 program control
программное управление
Управление работой ЭВМ или некоторого объекта с помощью извлекаемой из ЗУ последовательности команд, которая называется программой.

P.259 program correctness proof
доказательство правильности программы
Формальное математическое подтверждение того, что семантика (S.069 semantics) программы соответствует предъявляемым требованиям, изложенным в спецификации этой программы (P.283 program specification). Существуют два предварительных условия для построения такого доказательства: необходимо иметь формальное описание программы и формальное определение семантики использованного языка программирования. Такое определение может принимать форму системы аксиом, охватывающих семантические правила для любого простого оператора в языке, и набора правил вывода, показывающих, как семантика составных операторов, к числу которых относится и целостная программа, может быть логически выведена на основе знания семантики отдельных операторов языка (простых или составных). Для типичных последовательных программ, написанных на некотором императивном (I.043 imperative language) (процедурном) языке, описание программы может очень удобно представляться в форме двух утверждений (A.145 assertion): входного и выходного. Эти утверждения выражают свойства определенных переменных программы и отношения между ними. Таким образом, доказательство состоит в формальной демонстрации того, что семантика программы совместима с входным и выходным утверждениями. Это доказательство, естественно, основано на формальном представлении семантики языка программирования. Интерпретированные пооперационно утверждения характеризуют состояние программы. Доказательство строится на следующей схеме: если выполнение программы начинается в состоянии, когда входное утверждение истинно, то работа программы в итоге должна завершаться состоянием, при

котором выходное утверждение тоже истинно.

Этот тип доказательства известен как доказательство общей правильности. Традиционно, однако, такое доказательство часто выполняется в два этапа. Вначале доказывается правильность частей программы (частичная правильность); считается, что, если программа завершается нормально, то это происходит в состоянии, для которого выходное утверждение истинно. На втором этапе доказывается правильность завершения программы; в результате этого доказательства показывается, что программа завершила работу нормально, а не преждевременно. Наиболее распространенный метод доказательства частичной правильности начинается с присоединения входного и выходного утверждений к тексту программы соответственно в самом начале и в самом конце. Дополнительные утверждения, называемые вспомогательными, присоединяются к тексту программы спереди и сзади каждого оператора (простого или составного). Утверждения, присоединенные непосредственно перед оператором и после него, называются соответственно предусловием (P.191 precondition) и постусловием (P.175 postcondition) этого оператора. Доказательство правильности частей состоит из формального доказательства, что семантика каждого оператора в программе, простого или составного, совместима с предусловием и постусловием этого оператора. Это доказательство может начинаться на уровне простого оператора и затем продвигаться через различные уровни составного оператора пока, наконец, не будет доказано, что семантика завершенной программы совместима с ее предусловием и постусловием, то есть с входным и выходным утверждениями. Совместимость семантики отдельного оператора с его предусловием и постусловием доказывается путем применения к предусловию и постусловию аксиом или правил вывода, справедливых для самого оператора. Это приводит к теореме, называемой верифицирующим условием; она уже должна доказываться с использованием обычных математических операций, цель которых состоит в подтверждении требуемой семантической совместимости.

Следует обратить внимание на то, что доказательство общей правильности программы проводится не путем анализа результатов ее прогона, а на основе анализа программы, как статического математического объекта, на который распространяются аксиомы и правила логического вывода. Основной проблемой доказательства правильности программы является формирование вспомогательных утверждений. Для этого требуется тщательный учет структуры программы и семантики языка программирования. Часто ключом к решению этой проблемы является нахождение вспомогательных утверждений для включения в различные циклы программы, т. е. поиск так называемых инвариантов цикла (I.166 invariant). Построения вспомогательных утверждений для некоторой произвольной программы зачастую оказываются очень сложной и конструктивной задачей, поэтому определенные преимущества достигаются тогда, когда процедуры доказательства и правильности программы разрабатываются в процессе ее проектирования. Чтобы доказать факт завершения работы программы, необходимо доказать, во-первых, что программа не остановлена преждевременно, и, во-вторых, что программа не зациклилась. Подтверждение первого факта может оказаться очень сложным, например, может возникнуть потребность в доказательстве того, что не будет производить арифметического переполнения. Подтверждение того, что программа в конце концов выйдет из некоторого цикла, может быть основано на концепции вполне упорядоченного множества (W.018 well-ordered set). Допустим, например, что применительно к некоторому циклу выражение E может быть найдено так, что если оно отрицательно, цикл немедленно завершится. Далее допустим, что может быть доказан факт уменьшения E с каждой итерацией цикла. Из этого следует, что цикл должен завершиться. Доказательство правильности программы не дает полного решения проблемы надежности программного обеспечения практически используемых систем. Размытость границ и сложность процедур доказательства создают много трудностей, которые лишь частично устраняются системами автоматической верификации (M.091 mechanical veri-

fier). Дополнительные сложности возникают из-за ограничений, накладываемых машинной арифметикой, неопределенностью результатов и параллелизмом операций. Очень трудным делом может оказаться и разработка спецификации, согласно которой в дальнейшем будет проводиться верификация программы, дело в том, что невозможно показать правильность самой спецификации в смысле верного отображения замыслов разработчиков. Исследования, связанные с поиском способов доказательства правильности программ, внесли существенный вклад в программотехнику, где благодаря таким исследованиям удалось достичь лучшего понимания структуры алгоритмических языков, принципов и методов программирования. Кроме того, масштабы практического применения формальных методов доказательства правильности программ постоянно расширяются и приобретают все большее значение.

P.260 program counter (instruction counter; current address register)
счетчик команд
Регистр (R.086 register) процессора, который в номинальном режиме последовательно увеличивает хранимый в нем адрес ячейки памяти на единицу и используется для организации выборки программы (т. е. цепочки команд) из последовательно расположенных ячеек запоминающего устройства. Изменение содержимого этого счетчика с отклонением от указанного правила происходит по командам ветвления.

P.261 program decomposition
декомпозиция программы
Разбиение готовой программы на множество составных частей, обычно называемых модулями. Декомпозиция осуществляется в соответствии с рядом проектных принципов и критериев, которые должны находить отражение в выделяемых модулях. Так как в результате декомпозиции грубо определяется структура будущей программы, процесс разбиения целостной программы на модули называют еще высокоуровневым архитектурным ее проектированием. См. M.173 modular programming; P.262 program design.

P.262 program design
проектирование программы
Весь комплекс работ от выработки требований к создаваемой программе до формирования ее описания. В большинстве моделей программных средств, основывающихся на концепции жизненного цикла (S.212 software life cycle), проектирование считается одной из его фаз. Исходными данными для этой фазы являются требования, изложенные в спецификации. В этой фазе должны приниматься проектные решения, касающиеся способов удовлетворения требований спецификации и на выходе должно появляться описание программы в таком виде, который создает необходимые условия для последующей ее реализации. Часто фаза разработки делится на два этапа: архитектурное проектирование и рабочее проектирование. Первый из этих этапов завершается получением описания программы в самом общем виде: обычно оно содержит сведения об основных компонентах программы и их взаимосвязях: об основных алгоритмах, которые реализованы в этих компонентах, и об основных структурах данных. На этапе рабочего проектирования общее архитектурное описание программы детализируется до такого уровня, который делает возможными работы по ее реализации. См. также P.263 program design language.

P.263 program design language (PDL)
язык проектирования программ
Язык, используемый при разработке программ (P.262 program design) и имеющий много общего с обычным языком программирования высокого уровня, но больше ориентированный на структуру и содержание, а не на удобство использования программ, написанных на этом языке. Такие языки часто используются в структурном программировании. Языки, не рассчитанные на создание исполняемых программ, называются псевдоязыками (P.310 pseudolanguage). Обычно формальный синтаксис языка проектирования программ покрывает задачи определения данных и общей структуры программы. В последнем случае используемые средства должны включать в себя основные управляющие структуры — следования, выбора и итерации — и конструкции для определения и вызова подпрограмм. Все эти средства служат для определения общего «скелета» программы, а отдельные операции в рамках такой об-

щей схемы должны определяться с использованием какого-то псевдоязыка — естественного английского или более формального языка с более богатой семантикой. Соответственно, средства языка проектирования программ в части определения данных должны быть по возможности шире, чем в стандартных языках программирования: здесь необходим более широкий диапазон определяемых типов данных и более мощные средства структурирования данных. Разработано много разнообразных языков проектирования программ. На практике необходимо выбирать такой из них, который лучше других подходит к используемому языку программирования.

P.264 program development system
система поддержки программных разработок

Вычислительная система, обеспечивающая необходимую поддержку проектировщика в фазе разработки программ при создании систем программного обеспечения. Такая система в стандартном ее варианте представляет простую базу данных (или по крайней мере базовую файловую систему) в качестве информационного архива и инструментальные программные средства (S.218 software tool) для редактирования исходных текстов программ, компилирования, компоновки, загрузки и отладки. Обычно еще используется какой-либо тип интерпретатора командного языка, который может быть разработан специально для системы поддержки программных разработок или заимствован из используемой операционной системы. Ср. S.210 software engineering environment.

P.265 program file
файл программ, программный файл

Файл (F.045 file), содержащий одну или несколько программ или их фрагментов на входном языке транслятора (S.229 source code) или на машинном языке (O.002 object code).

P.266 program library
библиотека программ

Совокупность отдельных программ и программных пакетов, которые предназначены для всеобщего использования в какой-либо определенной среде. Компоненты этой библиотеки не обязательно должны быть связанными. Типичная библиотека может содержать

трансляторы, обслуживающие программы, пакеты программ для математических расчетов и др. Обычно бывает необходимо просто обратиться к библиотеке программ, чтобы она была автоматически включена в состав программ пользователя.

P.267 program listing (source listing; listing)
распечатка программы, листинг программы

Результат работы компилятора (C.205 compiler) или ассемблера (A.143 assembler), содержащий исходную программу, аккуратно размещенную на листе бумаги, сопровождающую ее диагностическую информацию и сообщения об ошибках. В случае ассемблера распечатка может также содержать высокую программу в удобном для чтения виде.

P.268 programmable devices
программируемые устройства

1. Устройства, работающие под управлением программы, которая хранится в ЗУ (S.340 stored program) и реализуется в цикле выборки — исполнения команд (F.033 fetch-execute cycle). См. C.225 computer; C.055 central processor.
2. Интегральные схемы, функции которых определяются пользователем либо при перепрограммировании (в случае стираемых программируемых устройств), либо один раз за весь срок службы устройства (в случае нестираемых программируемых устройств). В стираемых устройствах для этого обычно используется принцип сохранения статических электрических зарядов, а в нестираемых — либо способ пережигания плавких перемычек (F.167 fusible links), либо «запаивание» конкретных функций на стадии их программирования с помощью маски в процессе изготовления. Устройства со статическими зарядами или пережигаемыми перемычками называются устройствами с эксплуатационным программированием, так как они могут быть запрограммированы самим пользователем, т. е. в конкретных условиях эксплуатации, по заказу; устройства, относящиеся к первому типу, называются масочно-программируемыми, и их программирование возможно только при изготовлении. Вся эта терминология относится к области программируемой логики (P.273 pro-

grammed logic). О постоянном запоминающем устройстве тоже часто говорят как о программируемом (P.292 PROM) или непрограммируемом (R.175 ROM).

P.269 programmable logic array
программируемая логическая матрица, ПЛМ
См. P.122 PLA.

P.270 programmable POM
программируемое постоянное запоминающее устройство, ППЗУ
См. P.292 PROM.

P.271 program maintenance
сопровождение программ
Все технические операции, относящиеся к данной программе, необходимые для ее использования в рабочем режиме. Эти действия не ограничиваются исправлением ошибок, но также включают в себя модификацию программы для удовлетворения изменяющихся эксплуатационных требований, внесение исправлений в рабочую документацию, усовершенствование программы и др. Вследствие очень широких масштабов подобных операций в рамках некоторых моделей жизненного цикла программных средств (S.212 software life-cycle) сопровождение рассматривается как итеративный процесс, который осуществляется не столько после, сколько до выпуска программного изделия для широкого использования. Применительно ко многим программам работы по сопровождению поглощают более половины затрат, приходящихся на весь жизненный цикл в стоимостном выражении.

P.272 programmed I/O
программно-управляемый ввод-вывод
Способ управления работой устройств ввода-вывода, при котором процессор запрограммирован так, что запрашивает периферийное устройство или ряд устройств об их готовности к передаче данных. Когда запрашиваемых периферийных устройств много, такой процесс называется опросом (P.148 poling). Ср. I.158 interrupt I/O.

P.273 programmed logic
программируемая логика
Как правило, это программируемые устройства (P.268 programmable devices), более сложные (в логическом плане), чем постоянные запоминающие устройства. К программируемой ло-

гике относятся программируемые логические матрицы (P.122 PLA), программируемые вентильные матрицы, программируемая матричная логика, универсальные логические матрицы (U.004 ULA).

P.274 programmed logic array
программируемая логическая матрица
См. P.122 PLA.

P.275 programmer
программист
1. Специалист, занимающийся написанием программ для ЭВМ. См. A.114 applications programmer; S.458 system programmer.
2. См. P.293 PROM programmer.

P.276 programmer unit = PROM programmer
программирующее устройство; программатор ПЗУ
Оборудование для программирования устройств с эксплуатационным программированием (P.268 programmable devices).

P.277 programming
программирование
В широком смысле — все технические операции, необходимые для создания программы (P.256 program), включая анализ требований и все стадии разработки и реализации. В более узком амысле — это кодирование и тестирование программы в рамках некоторого конкретного проекта. Такое узкое понимание чаще используется в контекстах, связанных с созданием коммерческих программных изделий, где функции часто бывают разделены между системными аналитиками, которые занимаются анализом требований и разработкой проекта, и программистами, которые занимаются реализацией проекта и тестированием программ.

P.278 programming language
язык программирования
Система обозначений, служащая для точного описания программ или алгоритмов для ЭВМ. Языки программирования являются искусственными языками, в которых синтаксис (S.427 sytax) и семантика (S.069 semantics) строго определены. Поэтому при применении их по назначению они не допускают свободного толкования выражения, характерного для естественного языка.

P.279 programming standards
стандарты программирования

Система правил или соглашений, которые ограничивают форму представления программ, создаваемых в конкретной организации. Эти правила могут распространяться как на проектные процедуры верхнего уровня и на способы декомпозиции программ, так и на стандарты кодирования, которые регулируют использование отдельных логических структур, предоставляемых языком программирования.

P.280 programming support environment (software engineering environment)
средства поддержки программирования

Вычислительная система, которая обеспечивает возможность разработки, корректировки и модернизации программ, а также координацию и управление этими действиями. Типичная система содержит центральную базу данных и набор инструментальных программных средств (S.218 software tool). Центральная база данных действует как информационный архив для всех данных, относящихся к проекту на всех этапах его существования. Программные средства предоставляют поддержку для различных действий (как технических, так и организационных), которые должны быть выполнены в рамках проекта. Среда программирования отличается от проекта к проекту иной базой данных и иными возможностями инструментальных программных средств. В частности, в некоторых системах реализуется (и даже навязывается) какая-то одна конкретная методология проектирования программного обеспечения (S.209 software engineering); в других системах, наоборот, предоставляется только общая поддержка и допускается возможность использования различных методологий. Однако любая такая система имеет отношение ко всему жизненному циклу программных изделий (S.212 software life-cycle) (а не только к фазе разработки программы) и обеспечивает возможность управления проектом (а не только техническими операциями). Эти два свойства обычно и отличают системы поддержки программирования от систем поддержки программных разработок (P.264 program development system).

376

P.281 programming theory
теория программирования

Родовой термин, объединяющий ряд взаимосвязанных и быстро развивающихся направлений исследований, в которых широко применяются формальные математические методы с целью изучения принципов программирования. Основные области, охватываемые теорией программирования, связаны с семантикой языков программирования (S.069 semantics), доказательством правильности программ (P.259 program correctness proof), преобразованиями программ (P.287 program transformation), созданием программных спецификаций (P.283 program specification) и методологий программирования.

P.282 program proving
доказательство правильности программ

См. P.259 program correctness proof.

P.283 program specification
программная спецификация

Точное описание того результата, который необходимо достичь с помощью программы. Это описание должно точно устанавливать, что должна делать программа, не указывая, как она должна это делать. Применительно к программе, которая должна заканчивать свою работу каким-то результатом, программная спецификация может иметь форму спецификации ввода-вывода, которая описывает желаемое отображение множества входных величин в множество выходных величин. Для циклических программ, в которых нельзя указать точку завершения, невозможно дать и простую спецификацию ввода-вывода. В этом случае внимание обычно сосредоточивается на отдельных функциях, реализуемых программой в ходе циклических операций. И для завершающихся программ, и для циклических программ существует большое число различных систем обозначений, используемых в программных спецификациях — от естественного языка с «вставными» уравнениями и таблицами до формализованных описаний, основанных на исчислении предикатов первого порядка (P.193 predicate calculus). См также S.217 software specification; M.178 module specification.

P.284 program status word (PSW)
слово состояния программы
Совокупность данных, которые позволяют прерванному процессу восстанавливаться после окончания прерывания. Эти данные заносятся в регистр состояния программы; обычно они содержат информацию счетчика команд и биты, указывающие на состояние арифметико-логического устройства (например, переполнение и перенос), а также сведения о привилегированном состоянии супервизора. См. также P.246 processor status word.

P.285 program structure
структура программы
Общая схема программы, в которой особое внимание уделяется отдельным программным компонентам и взаимосвязям между ними. О программах часто говорят как о хорошо структурированных или как о плохо структурированных. В хорошо структурированных программах разбиение их на компоненты осуществляется согласно такому общеизвестному принципу, как утаивание информации, а сопряжения между компонентами явны и просты. В плохо структурированных программах, наоборот, деление на компоненты осуществляется произвольно (или, вообще, не осуществляется), а сопряжения — неявные и сложные. Говоря точнее, в хорошо структурированной программе используются подходящие структуры данных и программные блоки с одной точкой входа и одной точкой выхода (S.360 structured programming). Плохо структурированная программа работает с неструктурированными данными и алгоритмами при беспорядочных передачах управления.

P.286 program testing
тестирование программы
Проверка программы, осуществляемая в ходе рабочего прогона с целью убедиться, работает ли программа так, как требуется. Программа выполняется с испытательными данными, а затем анализируется поведение программы в ответ на эти испытательные данные. Ср. P.259 program correctness proof.

P.287 program transformation
преобразование программ
Получение на основе применения систематических методов одних программ из других, так что получаемая в результате преобразования программа обладает некоторым полезным свойством и эквивалентна исходной программе (или, если не эквивалентна, то имеет смысловое значение, которое довольно просто соотносится с оригиналом). Часто целью такого преобразования является получение более эффективной программы. Широко распространено мнение, что в основном сложность программирования заключается в необходимости подготовки именно эффективных программ. Поэтому желательно начинать с простой (но неэффективной) программы, а затем преобразовывать ее в эффективную (но сложную). Такие преобразования могут выполняться вручную, вычислительной машиной или полуавтоматически. Еще одной целью преобразования может быть выражение определенных языковых конструкций (L.005 language constructs) через другие (область трансформационной семантики). Кроме того, разработка алгоритмов на основе использования преобразований может служить целям проверки их правильности, выяснения их структуры и создания систем классификации возможных алгоритмов.

P.288 program unit (subprogram)
блок программы (подпрограмма)
Составная часть большой программы. В некоторых случаях эта часть может быть независимой.

P.289 program verification
верификация программы
Любой метод, который убеждает в том, что программа будет выполнять именно то, что от нее ожидается. См. также P.259 program correctness proof.

P.290 projection function
функция проецирования
Функция U_i^n, которая выделяет координату i из упорядоченной n-пары (O.064 ordered pair). Более формально, это — функция

$$U_i^n (x_1, \ x_2, \ \ldots, \ x_n) = x_i.$$

См. также P.216 primitive recursion function.

P.291 PROLOG
Пролог
Логический язык программирования (L.129 logic programming language), широко используемый в системах искусственного интеллекта. Основным элементом программ на Прологе является атом, который выражает про-

стые отношения между отдельными объектами, которые называются (в простейшем смысле) либо константами, либо переменными. Обратите внимание на то, что термин «атом» в этом случае обозначает совсем не то, что в других языках программирования. Примеры атомов в «Прологе»: «Мэри — сестра Джейн» (здесь «Мэри» и «Джейн» — константы); «Адам — предок x» (в данном случае «Адам» — константа, а x — переменная). Пролог-программа состоит из совокупности предложений, называемых хорновскими выражениями (H.092 Horn clause), в которых каждое предложение является либо простым утверждением, либо импликацией. Утверждение состоит из одного атома, а импликация имеет вид

«A если B1 и B2, и ... и Bn»,

где заключение A и условия B1 ... B — это все атомы. Пример импликации:

«x является дедушкой y,
если x является отцом z,

а z является одним из родителей y». Программа на Прологе инициируется с помощью запроса в виде совокупности атомарных условий:

«A1 и A2 и ... и An».

Тогда в результате выполнения программы определяется множество значений переменных запроса так, что истинность запроса следует из утверждений и импликаций программы (в предположении, что такое множество переменных существует). Пролог принят в качестве основного языка в японских ЭВМ пятого поколения. (F.044 generation computer)

P.292 PROM — programmable read-only memory
программируемое постоянное запоминающее устройство (ППЗУ)
Тип полупроводникового постоянного запоминающего устройства (R.175 ROM), содержимое которого формируется в отдельном процессе уже после того как устройство изготовлено. Этот процесс программирования ПЗУ осуществляется с помощью устройства, называемого программатором ППЗУ (P.293 PROM programmer). В общем случае процесс программирования основан на разрушении пережигаемых плавких перемычек (F.167 fusible links) в ППЗУ. Этот процесс необратим в том смысле, что содержимое памяти не может быть изменено. Некоторые разновидности программируемых ПЗУ, например, стираемые программируемые постоянные запоминающие устройства (E.086 EPROM) допускают многократное перепрограммирование).

P.293 PROM programmer (programmer unit)
программатор ПЗУ
Устройство, обеспечивающее необходимые условия для программирования ППЗУ (P.293 PROM) и дающее возможность пользователю делать это самостоятельно. Процесс программирования часто требует физического разрушения пережигаемых связей в ППЗУ импульсами сравнительно высокого уровня напряжения, поэтому существует целый ряд жаргонных названий этого процесса: zapping, blowing, blasting, burning, которые буквально означают «поражение», «поджигание», «взрывание», «пережигание» соответственно. Такие устройства могут использоваться для программирования нескольких типов ППЗУ и стираемых программируемых постоянных запоминающих устройств (E.086 EPROM).

P.294 prompt
подсказка, приглашение
Краткое сообщение пользователю, исходящее от выполняемого процесса и указывающее на то, что процесс ожидает от пользователя предоставления новых данных. Часто подсказка содержит некоторую символьную информацию, указывающую тип ожидаемых данных.

P.295 PROM zapping
программирование ППЗУ
Процесс программирования ППЗУ (P.292 PROM) с использованием программатора (P.293 PROM programmer)

P.296 propagation delay
задержка на распространение
Время, необходимое для того чтобы изменение сигнала на входе логического вентиля (L.123 logic gate) или логической схемы (L.116 logic circuit) вызвало изменение на их выходе. Обычно это очень короткий промежуток времени. Он различен для разных вентилей и схем и вызван неизбежными задержками на переключение транзисторов.

P.297 proper ancestor
прямой предок
См. A.102 ancestor.

P.298 proper subset, subgroup, subgraph
собственное подмножество, подгруппа, подграф
См. соответственно S.378 subset; S.366 subgroup; S.365 subgraph.

P.299 propositional calculus
исчисление высказываний
Система символической логики (S.417 simbolic logic), предметом которой является логика высказываний. Существует много альтернативных, но эквивалентных определений, одно из которых наиболее приемлемо для специалистов в области ЭВМ и приводится ниже. Единственными терминами исчисления высказываний являются два символа T и F в сочетании с логическими утверждениями, которые записываются малыми буквами. Эти символы считаются основными и неделимыми, и их называют атомарными формулами. Исчисление высказываний основывается на исследовании формул исчисления, которые для краткости записываются символами *wff* от английских слов wellformed formula. Общие *wff* типа

$$(\sim A), (A \vee B), (A \wedge B);$$
$$(A \supset B), (A \equiv B);$$
$$(\text{IF } A \text{ THEN } B \text{ ELSE } C)$$

образуются из соответствующих *wff* A, B, C, использующих логические связки (C.269 connective). Они называются соответственно «отрицанием», «дизъюнкцией», «конъюнкцией», «импликацией», «эквивалентностью» и «условием». Если выражение $\langle atf \rangle$ обозначает некоторый класс атомарных формул, то класс формул исчисления высказываний может быть описан нотацией Бэкуса—Наура (B.115 BNF notation):

$$\langle wff \rangle := \langle atf \rangle \mid (\sim \langle wff \rangle) \mid (\langle wff \rangle \vee$$
$$\vee \langle wff \rangle)) \mid (\langle wff \rangle \wedge$$
$$\wedge \langle wff \rangle) \mid (\langle wff \rangle \supset \langle wff \rangle) \mid$$
$$(\langle wff \rangle \equiv \langle wff \rangle) \mid$$
$$(\text{IF } \langle wff \rangle \text{ THEN } \langle wff \rangle$$
$$\text{ELSE } \langle wff \rangle)$$

Доказательства и теоремы в рамках исчисления высказываний должны выполняться в строгом формальном виде: основные аксиомы предусматривают использование определенных правил вывода. В частности, эти правила должны обеспечивать некоторый формальный способ трактовки различных типов связок. Правила вывода предусматривают использование такой формулы как α/β. Это правило следует понимать следующим образом: если предположить, что α истинно, то отсюда вытекает, что β — также истинно. Такую запись используют специалисты по вычислительным системам, а логисты чаще пользуются записью $\alpha \vdash \beta$. При записи правил принято использовать обозначения типа

$$\Gamma, A \Rightarrow B,$$

где Γ — совокупность множеств *wff*, истинность которых установлена; A и B представляют собой некоторые другие формы *wff*, значения которых выявляются этим правилом; $\Rightarrow$ означает импликацию (чтобы не путать с символом $\supset$). Например, правила для соответствующих процедур введения и оценки связки конъюнкции показаны в следующей записи:

$$\frac{\Gamma \Rightarrow A \text{ и } \Gamma \Rightarrow B}{\Gamma \Rightarrow A \wedge B};$$
$$\frac{\Gamma \Rightarrow A \wedge B}{\Gamma \Rightarrow A};$$
$$\frac{\Gamma \Rightarrow A \wedge B}{\Gamma \Rightarrow B}.$$

Расширенные или квантифицированные исчисления высказываний образуются введением кванторов всеобщности и квантора существования $\forall$ и $\exists$. К приведенному выше определению формул исчисления высказываний добавляются правила, которые устанавливают, что если A является действительной формой *wff*, а v является переменной, значением которой может быть T или F, то оба выражения $(\forall v) A$ и $(\exists v) A$ являются действительными формами *wff*. Для кванторов существуют дополнительные правила вывода.

P.300 protected location
защищенная ячейка
Ячейка памяти, обращение к которой может быть разрешено только зарегистрированным пользователям процесса. См. также M.109 memory protection.

P.301 protection domain
защищенная область
Система приоритетов доступа к защищенным ресурсам. Когда существует

379

одновременно множество процессов и каждый процесс имеет отличный от других приоритет доступа к некоторым защищенным ресурсам по тому или иному ключу, то удобно бывает сгруппировать такие ключи, чтобы имелась возможность предоставления процессу доступа ко всем требующимся ему ресурсам. Управление доступом может тогда осуществляться независимо от конкретных процессов. Областью защиты является либо набор ключей, либо (что вполне эквивалентно) набор ресурсов, к которым предоставляется доступ по этим ключам.

P.302 protocol
протокол
Соглашение, касающееся управления процедурами информационного обмена между взаимодействующими объектами. Говоря точнее, протокол представляет собой такое соглашение, действующее между объектами, в рамках которого не предусматривается средств прямого обмена информацией, но имеется возможность пересылки данных через соответствующий локальный интерфейс так называемым протоколам нижнего уровня, пока не будет достигнут самый нижний уровень — физический. Информация передается в отдаленный пункт с использованием протокола самого низкого уровня, и далее продвигается вверх через систему интерфейсов, пока не достигнет соответствующего уровня в пункте назначения. Вообще, протокол должен предусматривать управление форматом сообщений, формированием контрольной информации, потоком команд, а также действиями, которые должны быть предприняты в случае обнаружения ошибок. Набор протоколов, управляющих обменом информацией между (физически отдаленными) связанными объектами на данном уровне, и набор интерфейсов, управляющих обменом между (физически близкими) уровнями протокола, составляют систему, называемую иерархией протоколов или пакетом протоколов. См. также S.120 seven-layer model.

P.303 protocol hierarchy
иерархия протоколов
См. P.302 protocol.

P.304 protocol stack
пакет протоколов
См. P.302 protocol.

380

P.305 protocol translation
преобразование протоколов
См. I.150 internetworking.

P.306 prototype
макет; прототип
См. S.213 software prototyping.

P.307 PSE — programming support environment; problem-solving environment
1. средства поддержки программирования
2. проблемная среда
Второму термину в США отдается предпочтение перед первым.

P.308 pseudocode
1. псевдокод 2. псевдоязык

P.309 pseudoinstruction (pseudooperation; directive)
псевдокоманда (псевдооперация; директива)
Элемент в языке ассемблера, подобный команде, но обеспечивающий не формирование конкретной команды, а управление информацией для ассемблера; примерами могут служить следующие псевдокоманды:
    сформировать абсолютный код/сформировать программу в относительных адресах;
    начать новый сегмент;
    выделить место для констант или переменных.

P.310 pseudolanguage
псевдоязык
Система обозначений, сходная с языком программирования, используемым при разработке программы. Псевдоязык является эффективным заменителем блок-схемы (F.106 flowchart): в отличие от языка программирования для псевдоязыка не нужен компилятор, чтобы преобразовать блок-схему в рабочую программу. Псевдоязык обычно включает в себя элементы языка программирования для управления потоком команд, но сочетает их с описательным комментарием тех вычислений, которые должны быть выполнены, например:
    «до обнаружения метки конца файла последовательно просматривать символы».

P.311 pseudonoise sequence (PN sequence)
псевдошумовая последовательность
Последовательность символов с псевдослучайными (P.312 pseudorandom) свойствами, предназначенная для мо-

делирования помех (N.038 noise). Наиболее часто применяются так называемые *m*-последовательности (M.206 m-sequences).

P.312 pseudorandon
псевдослучайный
Кажущийся случайным. Таким может быть детерминированный процесс (D.167 deterministic), который в принципе не может быть случайным, но вместе с тем способен демонстрировать ряд проявлений случайности в любой необходимой степени (в зависимости от принятой структуры), а потому может служить заменителем случайного процесса и называться псевдослучайным.

P.313 pseudorandon numbers
псевдослучайные числа
См. R.019 random numbers.

P.314 PSK — phase shift keying
фазовая манипуляция

P.315 PSL/PSA — problem statement language/problem statement analyzer
система язык постановки задач/анализатор постановок задач
Автоматизированная система, которая может использоваться для разработки и анализа спецификаций требований (E.158 expression of requirements), а также служить инструментальным средством проектирования систем. Спецификация требований (техническое задание) хранится в базе данных ЭВМ, применительно к которой язык постановки задач является входным языком запросов, а анализатор постановок задач играет роль управляющей системы и генератора отчетов.

Основная модель базы данных образуется объектами, которые могут обладать определенными свойствами и могут быть связаны между собой определенными отношениями. Возможные типы объектов и отношений определяются средствами языка PSL. Существует более 20 типов объектов и более 50 видов отношений. Объекты и отношения связаны с различными аспектами создания системы, применительно к которым формируются требования: по потокам входных и выходных данных, по структуре системы, структурам данных, способам получения данных, границам и объему системы, динамике поведения, системным свойствам и по управлению проектом. Анализатор постановок задач дает возможность анализировать информацию из базы данных и формировать различного рода отчеты, например, касающиеся изменений базы данных, содержимого базы данных, неиспользуемых объектов или разрывов в информационном потоке. Система PSL/PSA была разработана Дэниелом Тейсроэвом в рамках проекта ISDOS в университете штата Мичиган. Система реализована на многих ЭВМ и активно используется во многих организациях. (ISDOS — система проектирования и оптимизации информационных систем).

P.316 P SPACE, P SPACE-complete
класс полиномиально-пространственных задач, класс пространственно-сложных задач. См. P.156 polynomial space.

P.317 PSS — packet switch stream
сеть передачи данных с коммутацией пакетов
Национальная сеть пакетной коммутации в Великобритании (P.324 public packet network), принадлежащая фирме British Telecom. Она предлагает услуги по передаче данных с пакетной коммутацией на всей территории страны. Сеть работает с 1981 г. В ней используется интерфейсный протокол X.25, который обеспечивает дуплексный режим связи в диапазоне скоростей вплоть до 48 000 бит/с. Сеть может также обеспечивать взаимодействие между терминальным оборудованием, работающим с различными скоростями. Возможно подключение к другим сетям общественного пользования с пакетной коммутацией.

P.318 PSW 1. processor status word 2. program status word
1. слово состояния процессора
2. слово состояния программы
См. P.246 processor status word; P.284 program status word.

P.319 p-system
p-система
Система программного обеспечения для микроЭВМ, разработанная на основе языка UCSD-Паскаль (U.002 UCSD Pascal). В системе представляется свобода выбора подходящего языка в едином стиле — благодаря наличию общего промежуточного языка, называемого p-кодом.

P.320 PTIME
полиномиальное время
См. P.157 polynomial time.

P.321 PTT — Postal, Telegraph and Telephone Administration
объединенная почтовая, телеграфная и телекоммуникационная администрация
Национальные правительственные организации, которые обеспечивают коммуникационное обслуживание во многих странах. Эта администрация обычно обладает государственной монополией на средства связи, и даже там, где они не обладают государственной монополией, почтовые, телеграфные и телекоммуникационные администрации (или аналогичные национальные организации, например, Федеральная комиссия связи в США) регулируют вопросы, связанные с коммуникационным обслуживанием. Традиционно почтовые телеграфные и телекоммуникационные администрации разных стран располагают скромными возможностями по передаче данных; эти возможности ограничиваются низкоскоростными линиями связи (до 300 бит/с), предназначенными для телексов торговых фирм, среднескоростными линиями связи для передачи речевых сообщений (в диапазоне скоростей 300 ... 9600 бит/с) с протоколами V.24 или RS232C и модемами (см. соответственно V.001; R.193) и в некоторых странах практикуется широкополосная передача. Значительно реже почтовые, телеграфные и телекоммуникационные агентства ведут обслуживание национальных и международных каналов передачи по сетям с пакетной коммутацией на основе протоколов X.25 (см. X.001), или каких-либо более прогрессивных средств информационного обслуживания со скоростями до 2,048М бит/с. Почтовые, телеграфные и телекоммуникационные администрации участвуют в разработке и внедрении международных стандартов через такие организации, как Международный консультативный комитет по телеграфии и телефонии (МККТТ) и Международная организация по стандартизации. См. также C.185 common carrier.

P.322 p-type semiconductor
полупроводник дырочного типа
См. S.071 semiconductor.

P.323 public key system
система с открытым ключом
Криптографическая система (C.352 cryptography), в которой процессы шифрования и дешифрования используют различные ключи, что позволяет сделать ключ для шифрования открытым. В типовой системе каждый пользователь имеет уникальный секретный ключ, для которого существует соответствующий открытый общий ключ шифрования, известный любому потенциальному источнику сообщений. Отправитель шифрует сообщение, используя открытый ключ, но дешифровать его способен только адресат этого сообщения.

P.324 public packet network (public data network)
сеть пакетной передачи данных общественного пользования
Сеть, обеспечивающая передачу данных с пакетной коммутацией для широкого круга абонентов. В большинстве стран сети общественного пользования предоставляются абонентам такими национальными организациями, как почтовые, телеграфные и телекоммуникационные агентства (P.321 PTT). В США сети общественного пользования в виде коммерческих сетей связи управляются Федеральной комиссией. Большинство сетей общественного пользования основаны на интерфейсном протоколе X.25 (см. X.001) и соответствуют стандартам Международного консультативного комитета по телеграфии и телефонии (МККТТ). Примерами сетей общественного пользования являются «Теленет» (T.035 Telenet), «Таймнет» (T.207 Tymnet), «Транспэк» (T.153 Transpac) и «Дэйтапэк» (D.058 Datapac).

P.325 pull-up resistor
нагрузочный регистр
Резистор, включаемый между питающей шиной и логической шиной и необходимый для того, чтобы напряжение на логической шине было близко к напряжению источника питания. В этом случае к логической шине могут легко подключаться логические устройства с открытым коллектором (O.033 opencollector logic) и каждое такое устройство будет обеспечивать соединение с «землей».

P.326 pulse
импульс
Временное изменение напряжения, силы тока или других физических параметров, которые в нормальных условиях сохраняют постоянное значение. Это временное изменение означает пере-

ход амплитуды к новой величине в соответствии с какой-то геометрической формой описываемой кривой за определенный промежуток времени. Часто переход осуществляется к такой же по величине амплитуде, но с обратным знаком. Для импульсов прямоугольной формы теоретически переходы должны быть ступенчатыми, то есть должны происходить мгновенно. Но практически для этого процесса требуется некоторое время. Для перехода от низкого уровня к высокому уровню напряжения, тока и т. п. требуемый интервал удобно измерять временем нарастания $t_н$, определяемым как время, необходимое для увеличения амплитуды импульса с 10 до 90% максимальной величины (см. рисунок). Время спада является аналогичной характеристикой для процесса перехода от высокого уровня к низкому. Оно определяется как время, необходимое для уменьшения амплитуды импульса с 90 до 10% максимальной величины. Промежуток времени между началом нарастания и началом спада импульса прямоугольной формы называется длительностью импульса. Высотой импульса является его амплитуда, изменяющаяся обычно от максимальной до минимальной величины без учета каких-либо кратковременных пиков или низкоамплитудных пульсаций, накладывающихся на основной импульс. См. также (R.159 ringing).

P.327 pulse code modulation (PCM)
кодово-импульсная модуляция, КИМ
Используемый в кодексе (C.152 codecs) метод преобразования аналогового сигнала в поток цифровых двоичных сигналов. Амплитуда аналогового сигнала преобразуется в дискретную форму (8000 дискретизаций в секунду для каналов телефонной связи на частоте 4000 Гц). Для представления преобразованной величины выбирается соответствующий цифровой код. Цифровой код передается в пункт приема, где он используется для формирования аналогового выходного сигнала. В целях

сокращения объемов данных, которые передаются между отправителем и получателем сообщений, используется техника кодирования, основанная на известных характеристиках аналогового сигнала. Например, в результате кодирования по закону μ аналоговый сигнал преобразуется в цифровой код, определяемый логарифмом величины сигнала, а не его линейным преобразованием.

При дифференциальной кодово-импульсной модуляции по каналу пересылается разность между текущим значением сигнала и предшествующим. Дифференциальная кодово-импульсная модуляция основана на том факте, что разность требует меньшего количества бит, чем полная величина амплитуды.

Дельта-модуляция представляет собой вариант дифференциальной кодово-импульсной модуляции, при которой для кодирования каждого дискретного значения сигнала используется единственный бит, отражающий изменение сигнала на единичную величину в сторону увеличения или уменьшения. Постоянный сигнал представляется сериями плюсовых или минусовых переходов.

В случае кодово-импульсной модуляции с предсказанием на основе нескольких предшествующих значений прогнозируется следующий дискретный сигнал и по каналу передается только разница между действительной и предсказанной величинами. См. также M.174 modulation.

P.328 pulse generator
генератор импульсов
Схема или прибор, которые обычно генерируют последовательность импульсов (P.326 pulse) одинаковой амплитуды, с одинаковым периодом и с постоянной скоростью повторения или частотой, хотя все эти условия — не обязательные.

P.329 pulse height
высота импульса
См .P.326 pulse.

P.330 pulse repetition rate (pulse repetition frequency)
скорость повторения импульсов (частота импульсов)
Применительно к серии импульсов (P.333 pulse train) среднее число импульсов в секунду, выражаемое в герцах.

383

P.331 pulseshaping
формирование импульсов
Изменение формы импульса (P.326 pulse). Обычно на вход схемы формирователя импульсов поступают искаженные импульсы, которые затем преобразуются в импульсы правильной формы. Иногда формирователи содержат моностабильную схему (M.189 monostable), предназначенную для регулирования длительности импульса.

P.332 pulse stretcher
расширитель импульсов
Электронное устройство, часто входящее в состав логической схемы для увеличения длительности очень коротких входных импульсов. Оно формирует импульсы необходимой длительности, то есть минимальной необходимой продолжительности для устойчивого срабатывания схемы. Чаще для этих целей применяется моностабильный одновибратор.

P.333 pulse train
последовательность импульсов
Повторяющиеся серии импульсов (P.326 pulse), разделенные во времени фиксированными и чаще всего постоянными по длительности интервалами. Обычно длительность и амплитуда импульсов — величины постоянные. Такой вид колебаний может характеризоваться коэффициентом заполнения, т. е. отношением длительности импульса t_1 к продолжительности интервала t_2, а также скоростью $1/(t_1 + t_2)$ повторения импульсов (P.330 pulse repetition rate).

P.334 pulse-triggered flip-flop
триггер с импульсным запуском
См. F.097 flip-flop.

P.335 pulse width
длительность импульса
См. P.326 pulse.

P.336 pumping lemmas
леммы накачки
Две теоремы в теории формальных языков, которые выражают необходимые условия, предъявляемые к регулярным (R.093 regular language) и бесконтекстным (C.282 context-free language) языкам. Если язык L является регулярным, то существует некоторое целое n — такое, что для любого слова z

в L, $|z| \geqslant n$, существуют u, v, w причем

$z = uvw$, v — непустое, $|vw| \leqslant n$,

поэтому $uv^k w \in L$ для всех $k \geqslant 0$. Если язык L является бесконтекстным, существуют целые p и q такие, что для любого z в языке L при $|z| > p$ существуют u, v, w, x, y,

причем $z = uvwxy$, v и x — непустые и $|vwx| \leqslant q$, поэтому удовлетворяется условие

$$uv^k wx^k y \in L \text{ для всех } k \geqslant 0.$$

P.337 punch card = punched card
перфокарта
Термин «punch card» иногда используется применительно к еще не отперфорированной карте.

P.338 punched card (punch card)
перфокарта
Прямоугольная бумажная карта толщиной 0,18 мм (0,007 дюйма), на которую нанесены или могут быть нанесены закодированные данные в виде перфорационных отверстий, воспринимаемых устройством ввода данных с перфокарт (P.339 punched card reader). Перфокарты широко использовались для ввода, вывода и хранения информации в первых вычислительных машинах, но и сейчас еще находят применение для ввода данных. Карты имеют унифицированные размеры: их поле поделено на ряд колонок, параллельных короткой кромке карты, и ряд строк (обычно 12), параллельных длинной кромке. 80-колонная карта имеет размеры 187,3×82,5 мм и применяется наиболее часто. Каждая колонка разделена на 12 позиций, в которых могут пробиваться отверстия. Определенная комбинация отверстий в колонке представляет собой какой-либо символ. Были разработаны и другие карты с меньшим, например 21, или большим, например 160, количеством колонок. К последним разработкам относится широко применявшаяся 96-колонная перфокарта, предложенная фирмой IBM. Еще до изобретения ЭВМ было много различных машин, предназначавшихся для обработки данных: сортировки, подборки, составления списков и таблиц — все они выполнялись с использованием массивов данных на перфокартах. Прочные карты с пробитыми в них отвер-

стиями были, применены Жаккардом в 1800 г. для управления ткацким станком. Чарльз Бэббидж подметил возможность использования перфокарт в своей аналитической машине, задуманной им в 1830-е годы. В 1880-е годы Герман Холлерит — специалист по статистике в Бюро переписи населения США — разработал машину, которая электрическим способом регистрировала перфорационные отверстия в картах и могла сортировать и накапливать данные. Машина была применена при переписи населения 1890 г. В 1896 г. Холлерит основал собственную фирму, от которой и берет свое начало фирма IBM.

P.339 punched card reader
устройство ввода с перфокарт, считыватель перфокарт

Устройство, которое считывает данные с карты, закодированные определенной комбинацией отверстий, и преобразует их в последовательности двоичных кодов. Считыватель может быть построен так, что стопку перфокарт можно поместить в подающий карман, и машина будет направлять их в транспортировочный узел последовательно одну за другой. Карта пропускается с постоянной скоростью между источником света и 12 фотоэлементами. Фотоэлементы регистрируют световые лучи, проходящие через отверстия. После этого карта сбрасывается в приемник. В устройстве может быть дополнительный приемник для нечитаемых перфокарт. Электронная часть устройства ввода преобразует сигналы 12 фотоэлементов в 6- или 8-битовые двоичные коды и передает их в схему интерфейса или помещает в собственный буфер для последующей передачи. Если перфокарты считываются 12 фотоэлементами поколонно, такое устройство называется считывателем последовательного типа и работает со скоростью от 150 до 2000 карт в минуту. Если карта продвигается транспортером так, что считывание ее осуществляется построчно, такое устройство называют считывателем параллельного типа.

Применяемые в некоторых случаях для сбора данных устройства ввода статического типа, требуют ручной подачи перфокарт. Перфокарта в этом случае захватывается и удерживается, пока идет считывание. Считывание может быть электрическим или механи-

ческим. Система механического считывания выполнена в виде матрицы с пуансонами, работающими в паре с микровыключателями. Матрица прижимается к карте и там, где пуансоны входят в отверстия перфокарты, микровыключатель остается включенным. Там же, где карта не пробита, она отжимает подпружиненный пуансон и он размыкает микровыключатель.

P.340 punched tag
перфорированная этикетка

Небольшая карточка, которая закодирована определенной комбинацией отверстий и прикреплена к изделию, продаваемому в магазине или выпущенному на заводе. Когда изделие продается или передается в другой цех, этикетку или ее часть отрывают и вводят в устройство для считывания кода. Собранные таким способом данные используются для управления складскими запасами и производством. Наиболее успешно система с перфорированными этикетками применяется в автоматизированной системе Kimball tag, предназначенной для сети розничной торговли.

P.341 punched tape
перфорированная лента

См. P.020 paper tape.

P.342 punch tape
перфолента

См. P.020 paper tape.

P.343 pure BCD (natural BCD)
«чистый» двоично-десятичный код

См. B.060 binary-coded decimal.

P.344 push
помещать в стек

См. S.273 stack.

P.345 pushdown automaton (PDA)
автомат с магазинной памятью, магазинный автомат

Конечный автомат (F.074 finite-state automaton), дополненный магазином символов, которые отличаются от символов входной цепочки. Как и конечный автомат, автомат с магазинной памятью считывает цепочку символов слева направо и воспринимает или отвергает символ в зависимости от достигнутого конечного состояния. После считывания символа магазинный автомат выполняет следующие действия: изменяет текущее состояние, берет «верхний» символ из магазина и помещает в него нули или следующие символы. Точный выбор действий зависит от только что введенного символа, текущего состояния и состояния «верхней» ячейки магазина. Так как магазин может заполняться неограниченно долго, автомат с магазинной памятью может иметь неопределенно много вариантов конфигурации, чем отличается от конечного автомата. Недетерминированный автомат с магазинной памятью — это автомат, способный выбирать действия, исходя из условий. Языки, распознаваемые недетерминированными автоматами, — это обязательно бесконтекстные языки (C.281 context-free language). Но не каждый бесконтекстный язык распознается детерминированным магазинным автоматом.

P.346 pushdown stack, pushdown list
стек магазинного типа, магазинный список
P.347 pushup stack, pushup list
очередь; обратный магазинный список
См. S.272 stack.

Q
————

Q.001 q-ary (q-valued)
q-нарный; q-значный; q-ичный
Так говорят о величине, имеющей q значений, где q — положительное целое число не меньше 2. В логических схемах (L.116 logic circuit) при наличии q-значных величин приходится иметь дело с многозначной логикой (M.235 multiple-valued logic), которую называют двузначной при $q = 2$. В теории кодирования некоторые коды ограничены двоичным представлением, другие же представляются q простыми числами. Но в теории переключательных схем и кодирования почти исключительный интерес представляют двоичные коды. См. также P.150 polynomial.

Q-002 q-ary logic
q-ичная логика; многозначная логика
Цифровые логические элементы (D.189 digital logic) с q различными состояниями. Иногда этот термин используют для обозначения вообще цифровых логических схем, но чаще под ним подразумевают схемы с числом состояний больше двух, и тогда этот термин синонимичен термину «многозначная логика» (M.235 multiple-valued logic).

Q.003 QL — query language
язык запросов

Q.004 quadrature = numerical integration
квадратура

Q.005 quality assurance
гарантия качества
См. S.215 software quality assurance
Q.006 quality control
контроль качества
Использование методов выборки, проверки и испытания на всех уровнях разработки системы с целью выпуска бездефектного оборудования и программного обеспечения.

Q.007 quantifier
квантор
Один из двух символов $\forall$ и $\exists$, используемых в расширенном исчислении высказываний (P.229 propositional calculus) и в исчислении предикатов (P.193 predicate calculus). $\forall$ — квантор всеобщности и означает «для всех...»; $\exists$ — квантор существования и означает «существует...». Непосредственно за квантором следуют одна или более переменных, которые называются связанными переменными. За ними может идти предикат, содержащий переменные, которые называются свободными. Квантифицированный предикат определяет истинностное значение предиката относительно свободных переменных (если таковые имеются), т. е. исключает связанные переменные. В любом случае действие квантора распространяется на возможные значения связанных переменных в пределах области их определения внутри предикатов. Квантор всеобщности означает, что предикат принимает значение «истина» для всех указанных величин. Квантор существования говорит о том, что предикат принимает значение «истина» по меньшей мере для одной из переменных.

Q.008 quantization
квантование
Процесс формирования дискретного представления количественной характеристики, которая обычно имеет непрерывный вид (см. D.223 discrete and continuous systems). Например, квантованием во времени называется измерение в дискретные промежутки времени амплитуды непрерывного сигнала (S.140 signal). Примером квантования в пространстве может служить

измерение яркости пиксела (P.118 pixel) — элемента изображения, постоянно существующего в пространстве. Термин «квантование» в случае отсутствия уточнения его типа (во времени или в пространстве) обычно относится к квантованию по амплитуде. Сказанное выше можно было бы распространить и на термин «дискретизация» (D.195 digitization), который почти синонимичен термину «квантование».

Q.009 quantization noise
шум квантования
Действующий непрерывный шум, наложение которого на непрерывный сигнал приводит к тому же результату, что и квантование непрерывного сигнала по амплитуде (см. D.223 discrete and continuous systems). Эффект квантования во времени тоже может быть описан как наложение шума, но такое описание будет очень сложным. См. также N.106 Nyquist's criterion.

Q.010 quantizer
квантователь,   квантизатор
Электронное устройство, которое способно преобразовывать аналоговый сигнал (A.097 analog signal) в сигнал, равный по величине аналоговому в дискретные промежутки времени. Это действие аналогично наблюдению, то есть выборке (S.004 sampling) аналогового сигнала, аппроксимации его наиболее близким значением и запоминанию этого значения до следующего наблюдения. Таким образом, выходной сигнал квантования представляет собой ряд ступенек между установленными уровнями. См. также D.195 digitizer.

Q.011 quantum
квант
Промежуток времени, отведенный для отдельного процесса в системе управления с квантованием времени (T.097 time-slicing). См. также S.017 scheduling algorithm.

Q.012 quasi-
квази-
Приставка, иногда используемая в терминологии вычислительной техники в сложных словах вместо приставки псевдо-, как, например, в терминах quasi-random number (псевдослучайные числа) или quasi-instruction (псевдокоманда).

Q.013 quaternary logic
четырехзначная логика
См. M.235 multiple-valued logic.

Q.014 Qube
Интерактивная видеографическая (V.042 videotex) система США.

Q.015 query language (QL)
язык запросов
Язык обработки данных для интерактивного режима работы конечных пользователей. См. также Q.016 query processing.

Q.016 query processing
обработка запросов
1. Поиск набора величин в файле (F.045 file) или базе данных (D.010 database) в соответствии с заданной совокупностью критериев поиска без изменения содержимого файла или базы данных. Критерии поиска в базе данных могут быть выражены языком запросов. См. D.050 database manipulation language. 2. В некоторых контекстах языка запросов — процесс преобразования критериев поиска в набор элементарных команд, адресуемых операционной системе.

Q.017 queue (FIFO list; pushup stack, pushup list)
очередь; магазинный список, магазин
Последовательный список (L.081 list), в котором все дополнения вносятся в один конец, а доступ для выборки осуществляется к другому концу списка. Как и стек (S.272 stack) магазинного типа, очередь может быть реализована в устройстве как специальная форма безадресной памяти и чаще используется для создания высокоскоростного буфера данных между входным или выходным потоком, формируемым в реальном времени и инерционным запоминающим устройством.

Q.018 queue management
управление очередью
Способ установления дисциплины очереди, определяющий правила присоединения клиентов к ней в ожидании обслуживания и выбора клиентов, уже стоящих в очереди на обслуживание. Оба действия контролируются управляющей программой, которая называется администратором очередей.

Q.019 queuing theory
теория массового обслуживания
Научная дисциплина, занимающаяся изучением систем, в которых клиенты, обращающиеся за услугами в случай-

13*

ные моменты и требующие различного времени обслуживания, могут ожидать своей очереди. В таких системах можно предсказывать вероятностные распределения (P.232 probability distributions) длины очереди, и времени ожидания и обслуживания, если известны число пунктов обслуживания, распределение моментов поступления обращений и распределение времени обслуживания. Принципы теории массового обслуживания важны в системах, подверженных риску перегруженности, где потери из-за перегрузки могут быть скомпенсированы лучшей организацией обслуживания.

Q.020 quibinary code = biquinary code
двоично-пятеричный код

Q.021 quickersort
убыстренная сортировка
Предложенный в 1965 г. Р. С. Сковеном алгоритм, в котором используется способ сортировки, аналогичный методу К. Хоара (Q.022 quicksort). Он многократно разбивает массив, подлежащий сортировке, на части таким образом, что все элементы одной части, меньше всех элементов другой части, а третья часть с единственным элементом находится между первыми двумя.

Q.022 quicksort
быстрая сортировка
Разновидность обменной сортировки, предложенная Хоаром. В соответствии с алгоритмом быстрой сортировки вначале определяются первый и последний элементы массива. Далее производится сравнение значений ключа сортировки записей с обеими границами при попеременном движении снизу вверх и сверху вниз до тех пор пока оказывается необходимой перестановка элементов. После этого та же самая процедура применяется к двум полученным частям и так до образования частей, содержащих всего по одному элементу. См. также H.053 heapsort.

Q.023 quiesce
«замораживать»
Переводить в пассивное состояние или состояние покоя.

Q.024 q-valued
q-значный
См. Q.001 q-ary.

388

R

R.001 race condition (race)
ситуация гонок
Состояние в последовательностных схемах, при котором одновременно изменяются две или более переменных. На практике, т. е. в реальных схемах, возможна неправильная работа схемы (см. также H.045 hazard).

R.002 racking
шаговая прокрутка
См. S.028 scroll.

R.003 radix (base)
основание системы счисления
Число различных цифр в системе счисления (N.094 number system) с фиксированным основанием. Эти цифры представляют группу целых чисел, первое из которых равно нулю, а последнее на единицу меньше основания системы счисления. Основание системы счисления можно указывать с помощью подстрочного индекса, например, 24_8 или $H.101_2$ (см. также B.076 binary system; H.061 hexadecimal notation; O.008 octal notation).

R.004 radix complement (true complement)
точное дополнение
Для целого числа, записанного в системе счисления (N.094 number system) с фиксированным основанием, это число, образованное добавлением единицы к поразрядному дополнению (R.006 radix-minus-one complement) данного целого числа. Например, в десятичной системе счисления *точным десятичным дополнением* числа 0372 является число 9628 (т. е. 9627 + 1); в двоичной системе *точным двоичным дополнением* числа 1100 является число 0100 (т. е. 0011 + 1) (см. также C.210 complement number system).

R.005 radix exchange
поразрядный обмен
Вид сортировки, выполняемой путем обмена записей, которую можно использовать в вычислительных машинах с двоичным представлением чисел. Здесь вместо сравнения двух ключей сортировки производится сравнение отдельных битов, начиная с самого старшего разряда. По результатам этого сравнения файл разделяется на два подфайла: один с ключами сортировки, в которых первый бит равен 0, а другой — с 1 в первом бите. Про-

цесс сортировки продолжается на первом подфайле, причем сравнение идет по второму биту. Аналогично сортировка продолжается и на втором подфайле, и так далее, пока файл не отсортируется по всему ключу.

R.006 radix-minus-one complement (diminished radix complement)
поразрядное дополнение

Для целого числа в системе счисления (N.094 number system) с фиксированным основанием это число, получаемое в результате замены каждой цифры *d* данного числа ее дополнением, т. е. числом ($R - 1 - d$), где R обозначает основание данной системы счисления. Например, в десятичной системе *поразрядным дополнением до девяти* числа 0372 является число 9627; в двоичной системе *поразрядным дополнением до единицы* числа 1100 является число 0011 (см. также C.210 complement number system; R.004 radix complement).

R.007 radix notation
запись числа в позиционной системе счисления; позиционное представление числа

См. R.008 radix point.

R.008 radix point
точка в позиционной системе счисления

Символ, обычно точка, используемый для разделения целой и дробной частей при *позиционном представлении числа*, т. е. при записи, используемой в позиционной системе счисления (N.094 number system).

R.009 radix sorting (digital sorting; pocket sorting)
поразрядная сортировка

Алгоритм сортировки, при котором файл сначала сортируется по цифре в младшем разряде ключа сортировки, затем по следующей значащей цифре и т. д. Завершается сортировка проходом по цифре в старшем разряде ключа сортировки. Данный алгоритм лучше всего реализуется с использованием связных списков (L.074 linked lists) (см. также D.257 divide and conquer sorting).

R.010 ragged array
массив со строками неравной длины, невыровненный массив

Двумерный массив, в котором число элементов в каждой строке (или столбце) различно; такие массивы описывают как матрицы с *невыровненными строками* (или *невыровненными столбцами*). Для представления невыровненного массива обычно используют вектор доступа (A.021 access vector) или вектор указателей, в котором каждый указатель относится к одной строке (или столбцу) матрицы.

R.011 RAM — random-access memory
запоминающее устройство с произвольной выборкой (ЗУПВ), оперативное запоминающее устройство (ОЗУ)

Полупроводниковое устройство памяти с оперативной записью и считыванием (R.048 read-write memory), в котором основной элемент состоит из ячейки способной запоминать один бит информации. Запоминающие устройства большой емкости создаются в виде двумерных матриц таких элементов. Отдельная ячейка однозначно определяется адресами строки и столбца, которые получаются в результате декодирования указанного пользователем адресного слова. Типичная организация ЗУПВ показана на рисунке. Каждая ячейка в ЗУПВ является, таким образом, независимой от других ячеек матрицы; порядок выборки информации из ячеек произвольный, причем время выборки для любой ячейки одинаково, что и обусловило термин «произвольная выборка» (R.012 random access). Поскольку ЗУПВ являются устройствами памяти с оперативной записью и считыванием, данные можно как считывать из ячеек матрицы, так и записывать в них. ЗУПВ — это обычно энергозависимое запоминающее устройство (V.060 volatile memory), используется оно для временного хранения данных или программ. ЗУПВ подразделяют на *статические* и *динамические*. Статические изготовляются на биполярных или МОП-структурах (см. B.084 bipolar transistor; M.193 MOSFET; каждую ячейку образует элемент типа электронной защелки (L.010 latch), содержимое которого остается неизменным до тех пор, пока не будет сделана новая запись в эту ячейку. В ячейках динамических ЗУПВ, которые состоят из МОП-устройств, для временного запоминания используется заряд конденсатора (см. B.150 bucket); из-за наличия токов утечки содержимое ячейки необходимо регулярно, обычно через каждую миллисекунду, обновлять (P.082 refresh).

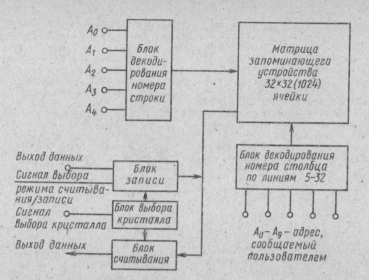

Как статические, так и динамические ЗУПВ удобно изготовлять в виде интегральных схем. По сравнению со статическими, динамические ЗУПВ имеют более высокую плотность размещения ячеек, обычно до 256К ячеек на одном кристалле (по данным на 1985 г.) (К — единица емкости памяти, равная 1024 элементам — *прим. пер*), меньшую потребляемую мощность, но большее время выборки информации. Ср. R.175 ROM.

R.012 random acces
произвольная выборка; произвольный доступ

1. Тип доступа к памяти, при котором ячейки запоминающего устройства являются адресуемыми (A.050 addressable location), и, следовательно, обращение к ним может производиться в произвольном порядке. Данный термин применяют для двух типов памяти. К первому относится оперативное запоминающее устройство с произвольной выборкой. До конца 60-х годов элементной базой таких запоминающих устройств служили ферритовые сердечники. Сейчас этот тип устройств заменен на полупроводниковые запоминающие устройства, либо ЗУПВ (R.011 RAM), либо ПЗУ (R.175 ROM). Доступ к любому слову или байту в оперативном запоминающем устройстве осуществляется за постоянное время, т. е. время доступа к любому элементу информации не зависит от

адреса этого элемента и адресов других элементов, к которым были произведены предыдущие обращения. Время доступа для этих устройств имеет величину ≈0,1 ... 1 мкс. Термин «запоминающее устройство с произвольной выборкой» используют также при описании запоминающих устройств на магнитных дисках или барабанах, для которых время доступа складывается из двух составляющих: времени поиска, необходимого для перемещения головки на соответствующую дорожку, и времени ожидания, необходимого для подвода участка с искомой информацией на этой дорожке под головки считывания-записи. Время поиска обычно находится в пределах 10 ... 30 мкс. Время ожидания обычно полагают равным половине времени полного оборота диска или барабана, т. е. 8 мкс.

2. Метод доступа к файлу (F.045 file) (в частности, к файлу данных) или к базе данных (D.010 database). Говорят, что к файлу или базе данных организован произвольный доступ, если последовательность обращенных к ним запросов не совпадает с последовательностью, в которой могут быть расположены их записи.

R.013 random-acces device
устройство с произвольной выборкой
Периферийное устройство, такое как магнитный диск, с которого данные могут считываться в порядке, отличаю-

390

щемся от порядка, в котором' они записаны (см. R.012 random access).

R.014 random-access file
файл с произвольным доступом
Файл, организация которого обеспечивает возможность произвольного доступа (R.012 random access). Двумя наиболее общими методами организации файлов с произвольным доступом являются рандомизация (H.038 hashing) и индексно-последовательная организация (см. I.061 indexed sequential file).

R.015 random-access memory
запоминающее устройство с произвольной выборкой
См. также R.011 RAM; R.012 random access.

R.016. random-access stored-program machine
вычислительная машина с хранением программ в памяти с произвольной выборкой
Универсальная вычислительная машина, в которой программа и данные постоянно хранятся в ОЗУ (обычно в одном и том же).

R.017 random algorithms
алгоритмы случайного поиска
Быстрые алгоритмы, которые обеспечивают получение точного решения в большинстве, но не во всех случаях. Необходимость их использования вызвана трудностью (а может быть, и невозможностью) отыскания для некоторых задач алгоритмов с полиномиальным временем решения (см. P.157 polynomial time; P.138 P = NP question). Примером такой задачи является попытка проверки, является ли данное число простым или нет. Для данного целого числа *n* существует тест, в котором используется число-«отгадка» *i*, взятое из диапазона от 1 до *n* наугад; для выполнения этого теста требуется время, измеряемое величиной $O(\log_2 n)$. Если тест проходит успешно, то ясно, что число *n* имеет множители; с другой стороны, если *n* имеет множители, то данный тест будет проходить успешно по крайней мере для половины всех целых чисел от 1 до *n*. Таким образом, если тест не проходит *k* раз, то с вероятностью $1 - 2^{-k}$ можно утверждать, что число простое. Сейчас известны некоторые другие примеры, когда задачи успешно решаются с применением аналогичного подхода. Однако во всех таких случаях либо уже известно, что задача решается каким-нибудь способом за полиномиальное время (хотя алгоритмы случайного поиска являются на порядок более быстрыми), либо, как в случае проверки на простое число, задача решается в предположении. об отсутствии такого способа

R.018 random logic
произвольная логика; нерегулярная логика
Термин, используемый обычно для описания относительно нестандартной цифровой логической схемы. Например, устройство управления может содержать произвольную логику, а АЛУ, имеющее обычную структуру, не может.

R.019 random numbers
случайные числа
Числа, которые получены с использованием техники случайной выборки (R.020 random sampling) из множества допустимых значений. Истинно случайные числа получить трудно, а использующие их программы трудны в отладке. Нередко для генерации случайных чисел необходимы специальные дополнительные устройства. Попытки получения случайных чисел на основе арифметических свойств дают в результате псевдослучайные числа, так как в принципе сгенерированные таким способом числа зависят от предыдущего использования ЭВМ. Однако часто псевдослучайные числа вполне удовлетворяют целям, для которых они предназначены. За последние годы предложено много методов их генерации; одним из самых первых был метод середины квадрата, предложенный фон Нейманом; предшествующее случайное число возводится в квадрат, и в качестве следующего случайного числа в последовательности берутся цифры из середины числа, полученного в результате возведения предшествующего в квадрат. Более удачные методы основаны на методе линейного соответствия, при котором последовательность чисел генерируется с помощью формулы

$$X_{n+1} = aX_n + c \pmod{m}$$

(здесь *c* (mod *m*) — остаток от деления *c* на *m* — *прим. пер.*) для конкретных выбранных значений *a*, *c* и *m*. Псевдослучайные числа нашли применение в большом числе прикладных задач; в методе Монте-Карло (М.190 Monte-Carlo method) для численного интегрирования, в статистическом анализе для исследования генеральных совокупностей по большим выборкам, а также для моделирования природных явлений наподобие ядерного распада.

R.020 random sampling
случайная выборка
См. S.004 sampling.

R.021 random variable
случайная переменная
Величина, которая может принимать одно из значений из заранее известного множества с относительной частотой (R.105 relative frequency), определенной ее распределением вероятностей (P.232 probability distribution).

R.022 range
1. область 2. диапазон; размах
1. ∼of a binary relation R. Область отношения (R.097 relation) R. Областью называют подмножество прямого произведения $S_1 \times S_2$, а именно, подмножество (S.378 subset) множества S_2, состоящее из всех элементов, с которыми связаны какие-либо элементы множества S_1. Если R — это отношение «является женой», указывающее на отношение множества мужчин ко множеству женщин, от областью R является множество замужних женщин. Поскольку функция (F.160 function) является особым видом отношения, область

$$f : X \to Y$$

может быть записана как

$$\{y \mid y \in Y \text{ и } y = f(x)$$

для некоторых x из $X\}$.
2. См. М.090 measures of variation.

R.023 rank
ранг
1. Число линейно независимых строк или столбцов числовой матрицы.
2. ∼of a graph. Ранг графа. См. C.226 connected graph.

R.024 rank correlation
ранговая корреляция
См. C.321 correlation.

R.025 rank correlation coefficient
коэффициент ранговой корреляции
См. N.058 nonparametric techniques.

R.026 RAPPORT
Товарный знак реляционной СУБД (R.100 relational database).

392

R.027 raster-mode graphic display (raster graphics)
графическое изображение с растровой разверткой, растровая графика
Метод представления графиков или рисунков, при котором нужная форма строится с помощью последовательности параллельных перемещений пера графопостроителя или сканирующего пятна устройства визуального отображения, аналогично телевизионному изображению, т. е. без вычерчивания каждой линии непрерывным движением пера или сканирующего пятна. Ср. V.024 vector mode graphic display.

R.028 raster scan
растровое сканирование
Способ исследования или воспроизводства изображения, при котором электронный пучок прочерчивает последовательность тесно расположенных параллельных линий. Этот шаблон линий называется *растром сканирования* или просто *растром*. Самым известным примером растрового сканирования является воспроизведение изображения на экране телевизора.

R.029 rate of a code
скорость передачи кода
1. Для произвольного блочного кода (B.104 block code) или сверточного кода (C.312 convolutional code) с параметрами (n, k) эта величина определяется как $R = k/n$. Она является мерой эффективности кода в том смысле, что чем больше избыточность (R.072 redundancy) кода, тем меньше скорость его передачи. Вместе с тем высокая избыточность может обеспечить в такой же степени бо́льшую эффективность обнаружения или исправления ошибок. Таким образом, скорость передачи кода отражает только один аспект его общей эффективности.

R.030 rational language
= regular language

R.031 raw data
необработанные данные
Данные в том виде, в котором они попадают в вычислительную систему из внешнего мира: данные, не проверенные на правильность, не упорядоченные в какой-либо последовательности, не обработанные каким-либо способом.

R.032 raw error rate of magnetic tape
коэффициент грубых ошибок для магнитной ленты
См. E.112 error rate.

R.033 Ravleign — Ritz method
метод Рэлея—Ритца
См. F.069 finite-element method.

R.034 RCP
Сокр. Rescau á Commutation par Paquets (система коммутации пакетов). Экспериментальная сеть, запущенная в 1974 г. в эксплуатацию французской компанией PTT и служившая испытательным стендом для общественной системы с коммутацией пакетов Transpak (T.153 Transpak). В RCP впервые использовались виртуальные соединения с индивидуально управляемым потоком через интерфейс между магистральной сетью и главными вычислительными машинами сетей. Это предотвращало включение в любое соединение не соответствующих ему участка сети или ресурсов связи с главной вычислительной машиной, что являлось важным вкладом в разработку интерфейсного протокола X.25 (X.001 X.25). Ср. С.364 CYCLADES.

R.035 reachability
достижимость
Понятие в теории графов, характеризующее наличие пути (P.069 path) между двумя вершинами в ориентированном графе (G.047 graph). Вершина *V* считается *достижимой* из вершины *U* при условии существования пути от *U* до *V*. От одной вершины к другой может быть несколько различных путей; кратчайший из них называется геодезической линией. Множество точек, достижимых из данной вершины *V*, называется *множеством достижимости* вершины *V*. Ориентированный граф является *односвязным*, если в любой паре вершин по крайней мере одна из них является достижимой из другой.

R.036 reachability matrix
= adjacency matrix

R.037 read
считывать
Воспринимать или восстанавливать (либо интерпретировать) данные, находящиеся в запоминающем устройстве или на входном носителе. В форме существительного означает «считывание» например, в словосочетании read head (головка считывания).

R.038 read and restore cycle
= regenerative read

R.039 reader
устройство считывания, считывающее устройство, считыватель
Устройство для фиксирования или перемещения информационного носителя и восприятия закодированных на нем данных. См. P.339 punched card reader; C.022 card reader; D.265 document reader.

R.040 read error
ошибка считывания
См. E.112 error rate. См. также E.109 error management.

R.041 read head
головка считывания
См. H.048 head; M.030 maganetic tape.

R.042 read instruction
команда считывания, команда чтения
Действие в программе, вызывающее восстановление данных из определенного места памяти и записать их в регистр или буфер.

R.043 read-only memory
постоянное запоминающее устройство (ПЗУ)
См. R.175 ROM.

R.044 read out
выводить информацию из внутренней памяти
Копировать слова или поля из указанного места внутренней памяти вычислительной машины на внешнее запоминающее устройство или устройство отображения. Для обозначения как действия копирования, так и самой копии используется термин *read-out* (в последнем случае он трактуется как «результат вывода информации из внутренней памяти» — *прим. пер.*).

R.045 read time
время считывания
Период между получением первого и последнего битов порции данных, участвующей в выполнении одной команды считывания. Он не включает в себя скрытый период, время выполнения восстановительного действия, которое может быть связано с разрушительным характером операции считывания, или же время ожидания.

R.046 read-while-write check
контроль считывания при записи
См. M.030 magnetic tape.

R.047 read/write head
головка чтения-записи, универсальная головка
Составная часть дисковода (D.239 disk

393

drive), которая заносит и восстанавливает данные с магнитных дисков. Универсальные головки используются также в магнитных барабанах (M.024 magnetic drum), а иногда и в накопителях на магнитных лентах (M.030 magnetic tape). В дисководах агрегат головки состоит из собственно головки, иногда называемой *ползунком*, и несущего рычага, известного также под названием *рычага подведения*. Существуют два вида головок: для гибких дисков, где ползунок головки соприкасается с физическим носителем информации, и для жестких дисков, где головка всегда находится над поверхностью носителя и с ним не соприкасается. Высота зависания головки над носителем в дисководах последнего типа зависит от геометрической формы ползунка, усилия для подведения его к диску и скорости вращения диска. В первых дисководах (например, типа *IBM* 3330-11) требовалось большое усилие подведения ползунка (обычно в 3,5 Н) и перед остановкой вращения головки приподнимались над поверхностью диска. В винчестерском дисководе типа 3340, впервые выпущенном фирмой *IBM* в 1973 г., использовалась принципиально новая конструкция, известная теперь как *винчестерская головка*. Такая головка чтения-записи сконструирована в виде трех параллельных пластин: между двумя наружными поддерживающими пластинами располагается узкий внутренний «корпус» головки, т. е. ползунок; до начала работы дисковода и после его останова головки покоятся на поверхности диска, которая покрыта смазкой; усилие подведения ползунка уменьшено до 0,1 Н; зазор между головкой и диском уменьшен с 31 до 10 микродюймов ($\approx 0{,}25$ мкм). С появлением дисковода типа *IBM* 3370 в 1979 г. конструкция головки вновь была изменена. Размер ползунка был уменьшен, он стал изготовляться с применением тонкопленочной технологии; значительно упростилась и конструкция рычага подведения головки. В результате была получена гораздо более устойчивая головка, которая может подводиться к носителю во время его вращения (хотя в дисководе типа 3370 это не реализовано). Винчестерские головки подводить каким способом нельзя. Описанная выше головка, даже если она не была изготовлена с применением технологии тонких пленок,

называется «головкой типа Уитни». В случае же использования тонкопленочной технологии головку иногда называют *головкой с микроструктурой*.

R.048 read/write memory
память с оперативной записью/считыванием, оперативная память
Тип памяти, дающей при нормальной работе пользователю возможность получать доступ (считывать) или изменять (записывать) содержимое отдельных ячеек запоминающего устройства. Выбор конкретной операции обычно определяется сигналом считывания/записи, подаваемым на вход устройства. Запоминающие устройства с произвольной выборкой (R.011 RAM) обычно представляют собой именно такую память. Ср. R.175 ROM.

R.049 ready signal
сигнал готовности
Сигнал, поступающий от устройства и указывающий, что оно способно принимать новые команды или данные. Ср. B.168 busy signal.

R.050 real-time clock
часы истинного времени
Часы, которые работают независимо от того, идет или не идет процесс, в ходе которого к ним делается обращение. Такие часы могут быть двух видов: либо это периферийное устройство, данные с которого считываются процессом по инициативе самого процесса, либо это источник прерываний, выполняемых через точно определенные интервалы времени. Часы истинного времени измеряют полное время (E.032 elapsed time). См. R.108 relative-time clock.

R.051 real-time language
язык реального времени
Язык программирования, предназначенный для систем программирования, в которых критическим временем является время реакции вычислительной машины на сигналы, требующие от нее ответных действий. Например, если вычислительная машина управляет работой подъемника, то она должна обладать способностью быстро реагировать на перемещения клети подъемника. Языками реального времени являются языки Ада (A.040 Ada), Модула (M.170 Modula), КОРАЛ-66 (см. C.316 CORAL) и RTL-2.

R.052 real-time system
система реального времени (СРВ)
Любая система, в которой существенную роль играет время генерации выходного сигнала. Это обычно связано с тем, что входной сигнал соответствует каким-то изменениям в физическом процессе, и выходной сигнал должен быть связан с этими же изменениями. Временная задержка от получения входного сигнала до выдачи выходного должна быть небольшой, чтобы обеспечить приемлемое время реакции. Время реакции является системной характеристикой: при управлении ракетой требуется реакция в течение нескольких миллисекунд, тогда как для диспетчерского управления движением пароходов требуется время реакции, измеряемое днями. Системы обычно считаются системами реального времени, если время реакции имеет порядок миллисекунд; диалоговыми считаются системы с временем реакции порядка нескольких секунд; а в системах пакетной обработки время реакции измеряется часами или днями. Примерами систем реального времени являются системы управления физическими процессами с применением вычислительных машин, системы торговых автоматов, автоматизированные системы контроля и автоматизированные испытательные комплексы.

R.053 recognize (accept)
распознавать; воспринимать
См. A.189 automation.

R.054 reconfiguration
реконфигурация
Процесс переопределения и, в некоторых случаях, перекоммутации узлов в вычислительной системе со многими устройствами. Эта процедура может быть выполнена автоматически, вручную или смешанным способом. Целью ее может быть поддержание работоспособности системы или обеспечение ее дальнейшего функционирования после отказа одного из устройств. Если реконфигурация производится автоматически, то обеспечение нормальной работы системы путем ее реконфигурации представляет собой ситуацию с амортизацией отказов (F.006 fail-sof situation). См. также C.259 configuration.

R.055 reconstitute
реконструировать, перестраивать
Термин, обычно используемый для обозначения процесса восстановления системы в рабочее состояние после ошибки. Этот процесс, как правило, включает в себя возврат системы в предшествующее состояние, зафиксированное резервной копией, и запуск соответствующих программ восстановления.

R.056 record
запись
1. Совокупность данных, обрабатываемых совместно при пересылках на периферийные устройства и с периферийных устройств. Файлы, хранимые во внешнем ЗУ, часто представляют собой последовательность записей. Совокупность данных, передаваемых единым блоком, называется *физической записью*. В отличие от этого, совокупность данных, связанных по смыслу, называется *логической записью*. Число логических записей в одной физической записи называется *коэффициентом блокирования*. Периферийное устройство, которое работает с блоками данных фиксированного размера (например, считыватель перфокарт, карточный перфоратор или устройство построчной печати), называют *устройством обработки единичных записей*.
2. Структура данных, обычно содержащая определенное число поименованных компонент, которые не обязательно должны быть одного и того же типа. Некоторые такие компоненты, называемые *переменными полями*, могут присутствовать в записи в различных сочетаниях; конкретный вариант для данной записи будет определяться по значению так называемого дискриминанта или призначного поля (T.006 tag). Понятие записи широко известно как один из наиболее общих способов агрегирования данных [другим известным способом является агрегирование данных в массив (A.137 array)], и во многих языках программирования для описания и использования информационных объектов предусматривается их организация в форме записей. В таких языках допускается выполнение действий как над всей записью, так и над отдельными ее компонентами.
3. Синоним английского термина *write*, используемый, в частности, для обозначения процесса записи значений данных, которые могут быть изменены или стерты.

R.057 recoverable error of magnetic tape

исправимая ошибка на магнитной ленте
См. E.112 error rate.

R.058 recovery

восстановление
Процесс возврата к нормальной работе после сбоя или отказа. См. F.008 failure recovery; P.183 power-fail recovery; D.015 database recovery.

R.059 recovery log

журнал восстановления
Файл, обеспечивающий возможность восстановления базы данных (D.015 database recovery) или текущего состояния файла. Журнал содержит информацию обо всех изменениях в базе данных или файле с того момента, когда было установлено, что они достоверны и была сделана последняя резервная копия (см. B.008 backup). Форма записи изменений в журнал восстановления может существенно изменяться в зависимости от используемого алгоритма восстановления. В общем случае журнал восстановления может быть использован одним из двух способов: а) воспроизведением всех изменений, сделанных с момента получения последней резервной копии (если база данных или файл разрушены); б) уничтожением всех неправильных изменений (если источник ошибок — в самих этих изменениях).

R.060 recurrence

рекуррентное соотношение
Выражение, описывающее некоторую величину $f(n)$ (где f — это некоторая функция (F.160 function), а n — целое положительное число) через значения $f(m)$, где m — это целое неотрицательное число, меньшее n; при этом подразумевается, что начальные значения, например, $f(0)$ или $f(1)$, заданы. Данное понятие может быть расширено и распространено на функции нескольких переменных. Следовательно, рекуррентное соотношение может определять, например, функцию $f(m, n)$ через $f(m', n')$, где (m', n') в определенном смысле меньше, чем (m, n); опять же подразумевается задание начальных значений. С помощью рекуррентного соотношения могут быть определены числа ряда Фибоначчи. В общем случае рекуррентное соотношение может рассматриваться как равенство, описывающее значения функции в несколь-

ких связанных определенным отношением предшествования точках. Оно имеет вид

$$g(n, f(n), f(n-1), ...,$$
$$f(n-k)) = 0,$$
$$n = k, k+1, ..., N.$$

Считая известными начальные значения $f(0), f(1), ..., f(k-1)$, можно вычислить значения функции в остальных точках. Соотношения такого типа возникают обычно в процессе дискретизации (D.230 discretization) непрерывных задач, и в несколько видоизмененной форме, известной как разностное уравнение (D.117 difference equation), часто встречаются в комбинаторике (C.177 combinatorics).

R.061 recursion

рекурсия
Процесс определения либо выражения функции, процедуры, языковой конструкции, решения задачи через них самих, приводящий к появлению рекурсивной функции (R.064 recursive function), рекурсивной подпрограммы (R.069 recursive subroutine) и т. д. В теории рекурсивных функций используется более формальное и строгое определение этого термина; все переменные принимают значения из множества целых положительных чисел, и этим же множеством ограничивается область значений различных рекурсивных функций. Таким образом, рекурсия — это процесс определения функции $(n+1)$ переменных в следующем виде:

$$f(x_1, x_2, ..., x_n, 0) =$$
$$= g(x_1, x_2, ..., x_n);$$
$$f(x_1, x_2, ..., x_n, y+1) =$$
$$= h(x_1, x_2, ..., x_n, y,$$
$$f(x_1, ..., x_n, y)),$$

где g и h — две различные функции, соответственно, n и $(n+2)$ переменных. См. также P.216 primitive recursive function.

R.062 recursion theorem

теорема о рекурсии
Вариант теоремы о неподвижной точке (F.087 fixed-point theorem) из теории рекурсивных функций.

R.063 recursive descent parsing
синтаксический анализ рекурсивной конструкции
См. Т.108 top-down parsing; L.090 LL parsing.

R.064 recursive function
рекурсивная функция
1. Функция (F.160 function), которая определяется через саму себя, например, функция Акермана (A.028 Ackermann's function).
2. = general recursive function; total recursive function. Частично, рекурсивная функция (P.056 partial recursive function), являющаяся также тотальной (всюду определенной) функцией (Т.112 total function). Рекурсивные функции используются в вычислительной математике для изучения эффективно вычислимых функций (E.023 effective computability) и вычислимых функций (C. 223 computable function). См. также R.061 recursion.

R.065 recursive list (self-referent list)
рекурсивный список
Список (L.081 list), который содержит сам себя в качестве элемента подсписка или является элементом подсписка одного из своих подсписков.

R.066 recursively enumerable set
рекурсивно перечислимое множество
Говорят, что подмножество A множества B является рекурсивно перечислимым по отношению к B, если существует эффективная процедура, которая выдаст для данного элемента b из B положительный ответ тогда и только тогда, когда b является элементом A. Если b не является элементом A, то в общем случае процедура никогда не закончится. Это более слабое понятие, чем рекурсивное множество (R.068 recursive set). Множество может быть рекурсивно перечислимым, не будучи рекурсивным. Так множество программ на языке Ада (A.040 Ada), выполнение которых заканчивается для данного входа, является рекурсивно перечислимым (по отношению к классу всех программ на языке Ада), но не является рекурсивным.

R.067 recursive relation
рекурсивное отношение
Отношение (R.097 relation), характеристическая функция (C.076 characteristic function) которого является рекурсивной.

R.068 recursive set
рекурсивное множество
Множество (S.116 set), принадлежность к которому определяется общей рекурсивной функцией (R.064 recursive function). В принципе, оно является подмножеством более обширного множества, на котором определена характеристическая функция (C.076 characteristic function), являющаяся в общем рекурсивной. Например, множество программ на определенном языке является рекурсивным в более обширном множестве всех строк, которые могут быть записаны на основе базового алфавита, содержащего символы, определенные для этого языка. Таким образом, используя, тотальную рекурсивную функцию, можно определить, является ли данный набор символов программой на этом языке. Это свойство должно выполняться для любого языка, поскольку одной из задач компилятора является определение того, представляет ли такого рода набор символов синтаксически правильную программу. См. также R.066 recursively enumerable set.

R.069 recursive subroutine
рекурсивная подпрограмма
Подпрограмма, которая вызывает сама себя. Такое обращение может выполняться как переход в условном операторе, иначе оно породит бесконечную последовательность вызовов. Примером является рекурсивная подпрограмма для расчета факториала числа n, которая вызывает себя для расчета факториала числа (n — 1), если n не равно 1; в этом последнем случае выдается значение 1.

R.070 reducible polynomial
приводимый полином
См. P.150 polynomial.

R.071 reduction machine
редукционная машина
Вычислительная машина, которая вычисляет арифметические выражения путем последовательного сокращения всех составляющих их подвыражений до тех пор, пока не останутся просто значения данных. Вычисления осуществляются способом подстановки. Для каждого выражения, которое не является просто значением данного, специальное множество правил определяет, какая именно подстановка должна быть произведена при появлении этого выражения. Вычислитель-

ная машина выполняет расчет путем выбора для каждого подвыражения в вычисляемом выражении соответствующего ему правила и выполнения подстановок, определяемых этим правилом. Процесс подстановки продолжается до тех пор, пока не останутся просто значения данных, представляющие собой значения исходного выражения. Все подвыражения могут анализироваться по правилам и сокращаться одновременно; таким образом, появляется возможность обеспечения высокой степени параллелизма расчетов. Основной целью создания редукционных машин является именно использование такого параллелизма. Редукционные машины являются примером (одним из основных) не-фон-неймановской архитектуры (N.066 non von Neumann architecture) и представляют значительный интерес для изучения. Для редукционных машин совершенно не подходят традиционные процедурные языки (I.048 imperative language) программирования, поскольку здесь должны использоваться декларативные языки (D.116 declarative languages).

R.072 redundancy
избыточность
Введение в систему дополнительных компонентов сверх минимально необходимого их числа с целью повышения надежности (R.111 reliability) и робастности (R.169 robustness) системы. Например, при *тройной модульной избыточности* параллельно разворачиваются три составляющие, причем все выполняют одну и ту же функцию. Их выводы сравниваются, и если одна составляющая дает результат, отличный от двух других, то этот элемент считается неисправным и игнорируется. Избыточность — это не только двух- или трехкратное резервирование технических средств на случай отказа, но и включение лишних символов в сообщения, посылаемые через системы связи, с целью подавления шумов. См. E.103 error-correcting code; E.104 error-detecting code.

R.073 redundancy check
контроль по избыточности
Контроль, выполняемый с помощью резервированных технических средств или избыточной информации и обеспечивающий выдачу сведений о наличии определенных ошибок. См. R.072 re-

dundancy. C.371 cyclic redundancy check.

R.074 Reed—Muller codes (RM codes)
коды Рида-Мюллера
Семейство двоичных (B.059 binary code) циклических с параметрами $(2^m, k)$ (C.370 cyclic $(2^m, k)$ code) блочных кодов (B.104 block code) с исправлением ошибок (E.103 error-correcting code).

R.075 Reed—Solomon codes (RS codes)
коды Рида—Соломона
Важное семейство линейных (L.054 linear codes) блочных кодов (B.104 block code) с исправлением ошибок (E.103 error correcting code), особенно удобных для исправления пакетов ошибок (B.162 burst error). Они могут рассматриваться как обобщение кодов Боуза—Чоудхури—Хокенгема [B.125 Bose—Chaudhury — Hocquenghem (BCH) code] и как особый случай кодов Гоппы (G.039 Goppa code). Коды Рида—Соломона могут быть отнесены к циклическим (C.370 cyclic code).

R.076 reel
бобина
См. M.030 magnetic tape; P.020 paper tape.

R.077 re-entrant program
повторно входимая программа, реентерабельная программа
Программа, команды которой не модифицируются в процессе выполнения, чем обеспечивается возможность ее повторного использования без перезагрузки. Повторно входимые программы состоят из логически разделенных программных и информационных сегментов; один и тот же программный сегмент может использоваться на двух последовательных стадиях выполнения такой программы.

R.078 reference
= link

R.079 reference file
справочный файл
Файл, который содержит справочную информацию и поэтому редко меняется.

R.080 reflexive closure
рефлексивное замыкание
См. T.144 transitive closure.

R.081 reflexive ralation
рефлексивное отношение
Отношение (R.097 relation), определенное на множестве S и обладающее

свойством xRx для всех элементов x множества S. Определенное на множестве людей отношение «имеет тот же возраст» является рефлексивным. Ср. I.197 irreflexive relation.

R.082 refresh (regenerate)
обновлять; восстанавливать; регенерировать
1. Восполнять заряд в запоминающих конденсаторах динамического ЗУ (D.324 dynamic memory) и других аналогичных устройствах. В некоторых устройствах предусмотрены внутренние схемы, которые автоматически восстанавливают содержимое динамических ячеек при каждом их считывании. В форме существительного этот термин означает «обновление», «восстановление», «регенерация».
2. Периодически повторять кадр цифровой информации на электронно-лучевой трубке или мониторе, чтобы изображение не мигало. Обновляемое изображение необходимо также при имитации его движения; с его помощью можно реализовать возможности просмотра трехмерных пространственных компьютерных моделей сложных объектов.

R.083 regenerate
= refresh

R.084 regenerative memory
регенеративная память
Редко .используемый в современных вычислительных системах тип запоминающего устройства, в котором необходимо постоянно перезаписывать содержимое памяти, чтобы оно не пропадало. В таких устройствах информация часто запоминается в виде последовательности импульсов, циркулирующих в контуре с датчиками считывания и преобразователем записи. Для обеспечения непрерывности запоминания выход датчика считывания соединяется с преобразователем записи, и, таким образом, ослабление сигнала, имеющее место при прохождении его через контур, в начале каждого такого прохождения компенсируется. Некоторые из полупроводниковых ЗУ являются регенеративными, и поэтому для предотвращения потери данных им нужен цикл обновления (R.082 refresh).

R.085 regenerative read (read and restore cycle)
регенеративное считывание; считывание с восстановлением
Тип операции считывания, при котором данные, извлеченные из ячейки памяти, записываются в эту ячейку обратно. В некоторых типах памяти, например, на магнитных сердечниках, процесс считывания состояния элемента запоминающего устройства является разрушающим, т. е. вызывает изменение этого состояния; таким образом, чтобы сохранить данные, запомненные в такой ячейке памяти, необходимо использовать регенеративное считывание.

R.086 register
регистр
Совокупность (обычно) бистабильных (см. B.087 bistable) устройств, используемых для хранения информации в вычислительной системе и обеспечения быстрого доступа к ней. В регистре, состоящем из n бистабильных устройств, можно запомнить слово из n битов информации. Совокупность битов, запомненная в регистре, может быть интерпретирована по-разному; например, эта совокупность может представлять команду, двоичное число, буквенно-цифровой знак и т. д. Часто регистр имеет тот же размер, что и машинное слово; однако при необходимости он может иметь длину в байтах или знаках, отличающуюся от длины слова. Некоторые регистры могут служить счетчиками (C.326 counter) и, кроме того, могут использоваться как сдвиговые регистры (S.140·shift register).

R.087 register optimization
оптимизация регистров
См. O.056 optimization.

R.088 register transfer language
язык межрегистровых пересылок
Любой из языков высокого уровня, которые используются для описания или проектирования системы, состоящей из некоторого числа регистров (R.086 register), имеющих внутренние соединения между собой. См. D.186 digital design language.

R.089 regression analysis
регрессионный анализ
В статистике: совокупность приемов для установления связей между независимой переменной, y, и одной или несколькими переменными, x_1, x_2, ...;

обычно для этого используется метод наименьших квадратов (L.025 least squares, method of). Моделью линейной регрессии является модель, в которой теоретическое среднее значение μ наблюдаемой величины y является линейной комбинацией независимых переменных

$$\mu = \beta_0 + \beta_1 x_1 + \ldots + \beta_k x_k$$

для случая, когда в модель включаются k переменных x. Множители β_0, β_1, ..., β_k представляют собой параметры модели, значения которых должны быть установлены; они называются коэффициентами регрессии, а величина β_0 является свободным или постоянным членом. Модель, более чем с одной переменной x, называется моделью множественной регрессии. В моделях нелинейной регрессии μ выражается как функция общего вида от независимых переменных (показательные и дробно-рациональные) функции, параметры которых необходимо установить. Для отбора переменных, значимость которых в уравнении регрессии существенна, а также для поиска той их комбинации, которая наилучшим образом будет соответствовать данным, рекомендуются различные процедуры, уменьшающие число переменных. Для определения существенных переменных в регрессионной модели используется дисперсионный анализ (A.099 analysis of variance)..

R.090 regular event = regular language
R.091 regular expression
регулярное выражение
Выражение, построенное из конструкций конечных формальных языков (F.117 formal language), т. е. конечных множеств символьных строк с использованием операций объединения (U.017 union), конкатенации (C.246 concatenation) и итерации языка (K.021 Kleene star). Например, каждое из двух нижеприведенных выражений обозначает множество всех строк, содержащих чередующиеся буквы a и b:

$$\{a, \Lambda\} \{ba\}^* \{\Lambda, b\};$$
$$\{ba\}^* \cup \{a\} \{ba\}^* \cup \{ba\}^* \{b\} \cup$$
$$\cup \{a\} \{ba\}^* \{b\},$$

где Λ — пустая строка. Язык является регулярным (R.093 regular language)

тогда и только тогда, когда он может быть представлен регулярным выражением. Таким образом, класс регулярных языков — это наименьший класс, который содержит все конечные языки и полностью описывается операциями объединения, конкатенации и итерации языка, т. е. так называемыми регулярными операциями. В итеративных структурированных программах этим операциям соответствуют «следование», «выбор» и «итерация».

R.092 regular grammar
регулярная грамматика
Грамматика (G.044 grammar), в которой каждая конструкция имеет одну из двух форм: $A \to b$ или $A \to bC$, где b — терминальный символ, A, C — нетерминалы. Так же как праволинейная и леволинейная грамматики (см. L.055 linear grammar), регулярные грамматики порождают строго регулярные языки (R.093 regular language).

R.093 regular language (regular set; rational language)
регулярный язык
Язык, распознаваемый конечным автоматом (F.074 finite-state automaton). Среди обычно изучаемых классов языков класс регулярных языков является самым узким и математически наиболее простым. Важность его подтверждается наличием нескольких альтернативных определений; некоторые из них можно найти в статьях G.044 grammar; L.055 linear grammar; R.091 regular expression; M.262 Myhill equivalence; T.165 tree grammar.

R.094 regular operations
регулярные операции
См. R.091 regular expression.

R.095 regular representation
регулярное представление
Представление группы (G.058 group) как специфического множества преобразований.

R.096 regular set
регулярное множество
Синоним термина «регулярный язык», используемый постольку, поскольку в теории формальных языков языком является просто множество символьных строк.

P.097 relation (defind on sets S_1, S_2, ...,
S_n)
отношение (определенное на множествах S_1, S_2, ..., S_n)
Подмножество (S.378 subset) R декартова произведения (C.029 Cartesian
product)

$$S_1 \times S_2 \times \ldots \times S_n$$

n множеств S_1, ..., S_n. Оно называется n-ным отношением. Если отношение R определяется на одном множестве S, то R является подмножеством декартова произведения

$$S \times S \times S \times \ldots \times S \; (n \text{ раз}).$$

Наиболее общий случай — это, когда
$n = 2$, т. е. R является подмножеством
произведения $S_1 \times S_2$. В этом случае R называется бинарным отноше-
нием S_1 к S_2 или между S_1 и S_2. S_1 является областью отношения R, а
S_2 — сообластью отношения R. Для
отражения того, что упорядоченная
пара (O.064 ordered pair) (s_1, s_2) принадлежит подмножеству R, принята
запись

$$s_1 R s_2 \text{ или } s_1 \rho s_2,$$

и поэтому можно говорить об отношении R или ρ и называть элементы s_1
и s_2 связанными. Примером бинарного
отношения является обычное отношение «меньше, чем», определенное на
множестве целых чисел, где подмножество R состоит из упорядоченных
пар, таких как (4, 5); более естественной, однако, выглядит запись $4 < 5$.
Другими примерами являются: отношение «равно», определенное для выражения, скажем, «квадратный корень
из ...» на множестве неотрицательных
вещественных чисел; отношение «определено в терминах ...», заданных на
множестве подпрограмм конкретной
программы; отношение «стоит в очереди впереди ...», определенное на
множестве заданий, ожидающих выполнения в данный момент времени.
Особым видом отношения является
функция (F.160 function). Для удоб-
ного графического представления отношения часто используются графы
(G.047 graph). Отношения играют важную роль в теоретических аспектах
многих областей вычислительной математики и техники, включая математические основы дисциплины в целом, базы данных, технику компилирования и операционные системы. См.

также E.091 equivalence relation; P.055
partial ordering.

R.098 relational algebra
реляционная алгебра
См. R.101 relational model.

R.099 relational calculus
реляционное исчисление
См. R.101 relational model.

R.100 relational database system
*система управления реляционной
базой данных, реляционная СУБД*
СУБД, в которой средства управления
базой данных (D.016 database) поддерживают реляционную модель данных.
Примерами реляционных СУБД являются D.089 dBASE II; I.085
INGRES; QBE; R.026 RAPPORT;
S.266 SQL/DS.

R.101 relational model
реляционная модель
Модель, которая позволяет определять: а) структуры данных; б) операции по запоминанию и поиску данных;
в) ограничения, связанные с обеспечением целостности данных. Модель основана на математическом понятии
отношения (R.097 relation), однако
это понятие расширено за счет зна-
чительного добавления специальной
терминологии и развития теории. Модель была впервые предложена
Е. Ф. Коддом в 1970 г. и имеет огром-
ное значение. Используется модель
исключительно в контексте систем
управления базами данных (D.014
database management system). Часто
выражается через элементы множества
нормальных форм (N.071 normal form),
хотя это и не является обязательным.
Общая структура данных (отношение)
может быть представлена в виде таблицы, в которой каждая строка значений (кортеж) соответствует логической записи, а заголовки столбцов
являются названиями полей (элементов) в записях. Согласно условиям
нормализации, в каждом кортеже содержатся данные, отражающие либо
свойства «реального мира», либо связи
между двумя или несколькими объектами. На множестве отношений как
таковом связи между отношениями
явно не выражены; явно выражены
они могут быть, например, в диаграмме связи между объектами. Операции
запоминания и поиска делятся на
две группы: операции (O.039 operation) на множествах (объединение, пересечение, разность, произведение) и

реляционные операции (выбрать, спроецировать, соединить, разделить). Любой язык манипулирования данными (D.050 data manipulation language), обеспечивающий все эти операции, является реляционно полным. В зависимости от способа формирования выражений языка, его называют либо реляционной алгеброй, либо реляционным исчислением. Наименее разработанной частью теории является область, затрагивающая группы целостности [которые могут быть названы классами инвариантов (I.166 invariants)]. Для увеличения эффективности работы во многих системах управления реляционными базами данных приняты ограничения, соответствующие строгой реляционной модели.

R.102 relational operator
оператор отношения
1. Оператор, представляющий операцию сравнения двух операндов, результатом которой является то или иное истинностное значение. Общеизвестные операторы сравнения показаны в таблице вместе с соответствующими им операторами отношения, используемыми обычно в вычислениях; оператор «не равно» имеет много различных обозначений.
2. См. R.101 relational model.

Сравнение	Оператор
Меньше	$<$
Меньше или равно	$<=$
Равно	$=$
Больше или равно	$>=$
Больше	$>$
Не равно	$<>$ ¬ $= ! = \#$

R.103 relative addressing
относительная адресация
Обычно один из двух способов расширения определенного в короткой форме адреса. Первым способом является самоопределяющаяся относительная адресация, при которой указанный адрес складывается с адресом самой команды (обычно это текущее содержание счетчика команд), в которой содержится самоопределяющееся относительное обращение; при этом получается прямой адрес. Вторым способом является базовая адресация, при которой для образования прямого

адреса указанный адрес добавляется к содержимому базового регистра, где хранится базовый адрес. См. также A.055 addressing schemes.

R.104 relative complement
= set difference

R.105 relative frequency
относительная частота
Число повторений данного события E, поделенное на общее число наблюдаемых событий. *Событием* является конкретный исход наблюдений какого-либо класса, такой как, например, результат бросания игральных костей, измерение роста человека или факт выздоровления пациента после конкретной болезни. Относительную частоту следует отличать от вероятности (P.230 probability). Например, вероятность того, что нормальная монета при бросании приземляется гербом вверх, равна 0,5, тогда как относительная частота этого события при конкретном выполнении таких бросаний может составить 47/100 или 0,47. Множество относительных частот для всех возможных исходов называется распределением частот (F.144 frequency distribution). Оно может быть изображено графически в виде гистограммы (H.078 histogram).

R.106 relatively prime
взаимно-простые числа
См. G.054 greatest common divisor.

R.107 relative product
= composition

R.108 relative-time clock
часы относительного времени
Автономно работающие часы, которые через одинаковые интервалы, нередко связанные с частотой питающей сети, вызывают прерывания. Эти прерывания позволяют супервизору отслеживать текущее истинное время, а также гарантируют, что, если даже некоторый процесс не осуществит явного обращения к супервизору, то он все равно будет инициирован.

R.109 relay
ретрансляционный узел; ретранслятор
В сетях: устройство, обеспечивающее прохождение информации между двумя или более сетями, каждая из которых может выполнять идентичные сетевые функции, но с использованием собственного протокола (P.302 protocol). В общем случае ретранслятор отли-

чается от шлюза (G.009 gateway) или моста (B.140 bridge) тем, что обеспечивает обслуживание по типу передачи данных с промежуточным хранением (S.339 store and forward), а не в реальном времени. Например, для передачи сообщений между сетями с разными протоколами в системе электронной почты можно использовать ретрансляционный узел системы электронной почты. Некоторые специалисты используют термин «ретранслятор» как синоним терминов «мост» или «шлюз». Эти три термина по-разному толкуются различными группами профессионалов, а внутри каждой такой группы по-разному интерпретировались в разные периоды времени.

R.110 release
выпуск
Передача разработанной системы для более широкого использования, например, ввод в эксплуатацию. См. также S.212 software life-cycle.

R.111 reliability
надежность
1. Способность вычислительной системы выполнять требуемые функции в течение заданного промежутка времени. Часто оценивается долей времени исправного состояния (U.039 uptime), но более полезной оценкой надежности является среднее время безотказной работы (M.208 MTBF, mean time between failures). См также H.033 hardware reliability; R.118 repair time. 2. ~of software. Надежность программного обеспечения. См. S.216 software reliability.

R.112 relocatable program (relocatable code)
перемещаемая программа
Программа или часть программы, которые могут быть загружены в любую область памяти. Обычно такая программа разделяется на управляющие секции, и все требуемые адреса памяти выражаются относительно начала соответствующей управляющей секции. Компилятор или ассемблер создает далее таблицу всех таких обращений к памяти, а программа-загрузчик (L.093 loader) преобразует их в абсолютные адреса в процессе загрузки. См. также P.170 position-independent code.

R.113 remedial maintenance (corrective maintenance)
ремонтное обслуживание, ремонт
Обслуживание, выполняемое после обнаружения неполадок в технических средствах или программном обеспечении для устранения этих неполадок. Ср. P.208 preventive maintenance.

R.114 remote
дистанционный; удаленный
Определение, характеризующее процесс или систему, в которых задействована линия связи (например, дистанционный ввод заданий, дистанционные средства доступа к данным).

R.115 remote job entry (RJE)
дистанционный ввод заданий
Система процедур, посредством которых осуществляется пересылка задания с устройства ввода по линиям связи и получение по линиям связи результатов на печатающее или какое-либо другое выходное устройство. Строго говоря, понятие «дистанционный ввод заданий» охватывает только процесс ввода, однако обычно данный термин распространяется и на процесс вывода. В первых вычислительных системах все устройства ввода-вывода располагались в том же или, в крайнем случае, в соседнем с самой вычислительной машиной помещении. В начале 60-х годов введение телекоммуникаций для передачи информации на большие расстояния позволило устанавливать считыватели карт и устройства построчной печати на достаточно большом расстоянии от вычислительного центра. Именно это и привело к возникновению понятия «дистанционный ввод заданий».

R.116 remote message processing
дистанционная обработка сообщений
Почти устаревший термин, обозначающий обработку в диалоговом режиме сообщений, поступающих с терминалов по каналам передачи данных.

R.117 remote sensing
дистанционное считывание
Техника, в рамках которой для создания входных сигналов, поступающих в цифровую вычислительную систему, используются датчики, расположенные на некотором расстоянии от вычислительной машины. Такие входные сигналы передаются в вычислительную машину либо по проводам, либо по радиоканалу. Примером дистанцион-

ного считывания является использование цифровых термометров и измерителей влажности воздуха в больших зданиях: датчики передают результаты считывания параметров температуры и влажности в центральную вычислительную машину, которая оптимизирует использование энергии, регулируя тепловой режим и работу кондиционеров.

R.118 repair time
время ремонта
Время (иногда среднее), необходимое для диагностирования и устранения неполадок либо в технических средствах, либо в программном обеспечении вычислительной системы. В сочетании со средним временем ремонта и средним временем безотказной работы характеризует системную надежность (R.111 reliability) или период работоспособного состояния системы (U.039 uptime).

R.119 repeat-until loop
цикл повторения до выполнения условия, цикл с условием завершения
См. D.283 do-while loop.

R.120 repertoire
набор
Краткое название системы команд. См. I.115 instruction set.

R.121 repetition codes
коды с повторением
Обычное семейство циклических (C.371 cyclic code) совершенных (P.084 perfect code) блочных (B.104 block code) кодов с исправлением ошибок (E.103 error-correcting code), в которых ключевые слова формируются просто *r*-кратным повторением слов сообщения. Если данные коды рассматривать как коды с параметрами (*n*, *k*) (см. B.104 block code), то для любого *k* у них $n = rk$.

R.122 report generator
генератор отчетов
См. G.022 generator; R.190 RPG.

R.123 requirement analysis
анализ требований
Анализ, выполняемый на этапе разработки • технического задания (E.159 expression of requirements).

R.124 requirement description
описание требований, техническое задание
См. E.159 expression of requirements.

404

R.125 rerun
повторный прогон
Повторение выполнения программы обычно из-за сбоя в машине. (Данный термин в глагольной форме означает «прогонять повторно»). В некоторых языках программирования программист имеет возможность определять точки рестарта: в таких точках выполняется регистрация состояния памяти с тем, чтобы в случае необходимости повторного прогона программы не нужно было осуществлять ее перезапуск с самого начала, т. е. с момента ее первоначальной загрузки в свободную память.

R.126 rescue dump
защитная разгрузка памяти; защитный дамп; дамп контрольной точки
Копия рабочего пространства, связанного с проведением процесса, сделанная с учетом использования ее для перезапуска процесса после сбоя в системе. См. D.312 dump.

R.127 reserved word
зарезервированное слово; служебное слово
Слово, которое в контексте, где оно встречается, имеет особое специальное значение и по этой причине не может быть использовано с другими целями. Например, во многих языках программирования слова «IF», «THEN», «ELSE» используются для записи командных предложений (между «THEN» и «ELSE» и после «ELSE»), выполнение которых осуществляется под управлением условий, определяемых булевым выражением между «IF» и «THEN». Таким образом, использование слов IF, THEN, ELSE в этих языках в качестве идентификаторов (I.014 identifier) не разрешается, поскольку они являются зарезервированными словами.

R.128 reset (clear)
сброс; возврат в исходное состояние
Установка в регистре или счетчике нулей во всех разрядах.

R.129 resident
резидентный
Постоянно присутствующий в оперативной памяти.

R.130 residue arithmetic
= modular arithmetic

R.131 residue check
= checksum

R.132 resistor-transistor logic
*резисторно-транзисторные логи-
ческие схемы,* РТЛ-схемы
См. R.196 RTL.

R.133 resolution
*1. разрешающая способность, раз-
решение 2. резолюция*
1. Количество графической информации, которое может быть показано
при визуальном отображении. Разрешающая способность устройства отображения обычно указывается числом
визуально различимых строк. Разрешающая способность компьютерно-гра-
фических систем также определяется
числом отображаемых строк, или же,
по-другому, числом точек или элементов изображения, которые можно
отобразить по вертикали и по горизонтали. Системы машинной графики
теперь обладают разрешающей способностью более, чем в 7000 строк.
Эта величина обычно считается *высокой разрешающей способностью.* Однако многие производители микроЭВМ
используют термин «высокая разрешающая способность» для обозначения наивысшей разрешающей способности их конкретных систем. Она
обычно составляет порядка 200 точек
по вертикали на 400 точек по горизонтали.
2. Правило вывода умозаключений в
исчислении предикатов (P.193 predicate calculus), используемое для вывода новой логической формулы из
двух посылок. Широко используется
при автоматическом выводе математических теорем, поскольку является
эффективной альтернативой традиционным правилам умозаключений.

R.134 resource
ресурс
Любой из компонентов вычислительной
системы и предоставляемые ею возможности. Все вычислительные системы должны включать в себя один или
несколько процессоров, одновременно
выполняющих действия с хранимой
информацией, некоторый тип ЗУ, в котором хранятся как команды для процессора, так и ожидающие обработки
данные, и устройства ввода/вывода,
которые могут считывать информацию
из «внешнего мира» или выдавать результаты во «внешний мир».

R.135 resource allocation
*распределение ресурсов; предостав-
ление ресурса*
Действие, связанное либо с прикрепле-
нием ресурса к процессу, либо с подсчетом общего объема ресурса конкретного вида, который уже распределен. Конкретное значение этого термина практически однозначно определяется контекстом, в котором он
употребляется. При использовании
термина во втором смысле выделяемый
объем ресурса может измеряться либо
периодом времени (в случае полного
выделения ресурса, например, процессора), либо число предоставляемых
единиц ресурса, как в случае памяти,
состоящей из большого числа по-существу одинаковых блоков (единиц),
из которых не все выделены данному
процессу.

R.136 resource descriptor
дескриптор ресурса
См. P.243 process descriptor.

R.137 response function
функция отклика
См. S.095 sequential machine.

R.138 response time
время реакции; время ответа
Обычно это время от момента выполнения пользователем вычислительной
системы действия по вводу информации
до момента получения от системы от-
ветного сигнала в какой-либо форме.

R.139 restart
рестарт, повторный запуск
Повторение пуска после временной
остановки. Этот термин применим в
частности, и к ситуации, когда слу-
чайный сбой в работе технических
средств вызывает прекращение работы
операционной системы (и всех процессов, реализуемых под ее управлением). В таких случаях часто оказываются неверными результаты только
тех процессов, которые фактически
выполнялись во время сбоя. Такие
процессы должны быть преждевременно прекращены (A.004 abort), а все
остальные процессы могут быть запу-
щены повторно, так как выделенные
им ресурсы остаются неизменными и
соответствующие им дескрипторы процесса (P.243 process descriptor) по-
прежнему точно отражают состояние
этих процессов на момент системного
сбоя.

R.140 restore
восстановление

Возврат к исходному значению. Например, перед рестартом (см. R.139 restart) некоторого процесса содержимое рабочих регистров процессора необходимо восстановить в то состояние, в котором они находились в предыдущем периоде выполнения процесса.

R.141 restricted [reduced] instruction set computer (RISC)
вычислительная машина с сокращенным набором команд, RISC-машина

Вычислительная машина с упрощенной системой команд (I.115 instruction set), которая обеспечивает увеличение скорости декодирования команд, и следовательно, существенное увеличение быстродействия.

R.142 restriction
ограничение, сужение

Отношение (R.097 relation) *R* или функция (F.160 function) *f*, полученные путем ограничения области действия *R* или области определения *f*. Если, скажем, на множестве всех мужчин конкретной страны определено отношение «является сыном», то сужением этого представления будет, например, то же самое отношение, определенное на множестве мужчин какого-то конкретного города этой страны.

R.143 return channel
обратный канал

Иногда при организации каналов дуплексной (D.315 duplex) передачи основной канал работает только в одном направлении [т. е. как симплексный (S.168 simplex)], но есть еще один канал намного меньшей мощности (и намного меньшей стоимости), работающий в противоположном направлении; этот последний канал и является обратным каналом. Он используется главным образом для контроля основного канала и обеспечения пересылки сигналов на передающее устройство при обнаружении ошибок приемным устройством основного канала. См. также B.011 backward error correction.

R.144 return instruction
команда возврата

Команда, используемая для выполнения возврата в основную программу из подпрограммы (S.373 subroutine) или из прерывания (I.156 interrupt). Команда возврата должна восстанав-

ливать в счетчике команд (P.260 program counter) правильное значение; в случае возврата из прерывания также должны восстанавливаться определенные биты состояния. Ср. C.008 call instruction.

R.145 reusable resource
многократно используемый ресурс

Ресурс (например, центральный процессор или лентопротяжное устройство), который после использования не утрачивает свою полезность. Магнитная лента или диск часто могут использоваться неограниченно долгое время; поэтому их следует относить к многократно используемым ресурсам. Ср. C.277 consumable resource.

R.146 reversal function
функция обращения

Функция (F.160 function) r: $L \to L$, где L — цепочка символов некоторого алфавита (A.085 alphabet). Функция эта определяется таким образом, что она обращает порядок следования элементов в свой аргумент (т. е. ставит в соответствие порядку следования элементов цепочки саму эту цепочку — *прим. пер.*). Если через знак & обозначить операцию конкатенации (C.246 concatenation) символьных цепочек, то $r(s) = s$, когда s — это пустая цепочка или цепочка из одного знака и выполняется условие

$$r(s\&t) = r(t)\&r(s).$$

Данное понятие может быть расширено с тем, чтобы включить в него обращение элементов списка (L.081 list), элементов некоторой последовательности (S.084 sequence) или элементов произвольного одномерного массива (A.137 array). Обращение является инволютивной операцией (I.174 involutional operation).

R.147 resource authentication
подтверждение права доступа к ресурсу

См. A.173 authentication.

R.148 reverse bias
обратное смещение

Поданное на диод, транзистор и т. д. постоянное напряжение, предотвращающее или сильно уменьшающее прохождение через них тока. Например, если катод в диоде будет иметь больший положительный заряд, чем анод, то через диод будет проходить весьма незначительный ток; говорят, что в этом случае диод обратно смещен. Ср. F.126 forward bias.

R.149 reverse Polish notation (RPN; postfix notation; suffix notation)
обратная польская запись
Форма представления, изобретенная польским математиком Яном Лукасевичем, в которой каждый оператор записывается вслед за относящимися к нему операндами. Таким образом, например, $a + b$ представляется как $ab +$, $a + b * c$ записывается как $abc * +$. Если каждому оператору соответствует определенное число операндов, например, точно два, то скобки при такой записи не нужны, поскольку порядок вычислений всегда определяется однозначно; поэтому данная запись может быть названа бесскобочной. Важность обратной польской записи определяется тем, что выражения в такой форме легко вычисляются с использованием стека (S.274 stack). Таким образом, перевод выражения в обратную польскую запись и последующее вычисление с использованием стековой памяти определяют простой, но весьма эффективный путь организации обработки арифметических выражений в языке программирования. См. также P.147 Polish notation.

R.150 reverse video
негативное видеоизображение
См. V.021 VDU.

R.151 rewriting system
перезаписывающая система
См. L.152 L-system.

R.152 ribbon
красящая лента
Средство, с помощью которого печатающее устройство ударного действия (I.042 impact printer) печатает знаки на верхнем экземпляре бумаги для печатающего устройства (S.312 stationary), перенося краску с ленты на бумагу. Характеристики ленты зависят в основном от печатающего устройства, в котором она используется. Однако и для одного типа печатающих устройств могут существовать две или три разновидности красящих лент, в зависимости, например, от того, что важнее: максимальное использование ленты (и, соответственно, минимальная ее стоимость) даже при ухудшении качества печати (P.222 print quality), или сохранение высокого качества печати. Материалом для изготовления лент обычно является нейлоновая ткань из различных типов нитей и имеющая разную толщину, или полиэстерная пленка. Ткань пропитывается краской, пленка покрывается красящей смазкой. Раньше использовались шелковые и хлопчатобумажные ленты. Обычно толщина нейлоновой ленты составляет 0,005 дюйма ($\approx 0,13$ мм). Более тонкая ткань обеспечивает более высокое качество печати, но лента из нее обычно имеет меньший срок службы. Нейлоновые ленты можно использовать непрерывно до тех пор, пока из-за высыхания краски качество печати не снизится ниже приемлемого уровня. В печатающем устройстве непрерывное повторение цикла использования ленты осуществляется за счет изменения направления ее движения в конце каждого цикла. При использовании пленочных лент расход краски при каждом ударе молоточка увеличивается по сравнению с тканевыми лентами, что приводит к более короткому сроку службы ленты. Однако эти ленты в начале работы обеспечивают лучшее качество печати, чем тканевые. Состав краски для конкретной ленты зависит от того, требуется ли при ее использовании максимальная четкость печати в ущерб сроку службы ленты, или наоборот. Можно использовать и цветные ленты. Выбор степени пропитывания ленты должен осуществляться весьма тщательно. Размеры лент зависят от типа печатающего устройства. Широкие («полотнищевые») ленты могут иметь ширину до 17 дюймов (≈ 431 мм); они перемещаются в печатающем устройстве в вертикальном направлении. Узкие ленты, шириной 0,5 ... 2 дюйма ($\approx 13 ... 51$ мм) перемещаются в зоне печати в поперечном по отношению к движению бумаги направлении. Узкие тканевые ленты могут либо быть намотаны на открытые катушки, либо находиться в специально сконструированных кассетах, облегчающих работу с лентой. Современные небольшие посимвольно печатающие устройства сконструированы в расчете на кассетные ленты, и поэтому все узкие пленочные ленты делаются в кассетах. Тканевая лента в кассетах часто плотно сворачивается в спиралевидные рулоны, а не в мотки, как на катушке. Для термографических печатающих устройств (T.069 thermal transfer prin-

ter) также требуется лента; в этом случае нужна узкая пленочная лента в кассете, покрытая слоем термопластичной краски или краски на основе смазывающего состава.

R.153 Richardson extrapolation (deffered approach to the limit)
экстраполяция Ричардсона
См. E.176 extrapolation.

R.154 right-linear grammar
праволинейная грамматика
См. L.055 linear grammar.

R.155 right shift
сдвиг вправо
См. S.134 shift.

R.156 right subtree
правое дерево
См. B.077 binary tree.

R.157 ring
кольцо
Алгебраическая структура (A.078 algebraic structure) R, на которой определены две двоичные операции, обычно обозначаемые как $+$ (сложение) и $\cdot$ или объединение (умножение). По отношению к сложению R является абелевой группой (A.001 abelian group), $\langle R, + \rangle$, т. е. операция $+$ является коммутативной (см. C.196 commutative operation) и ассоциативной (см. A.153 associative operation). По отношению к умножению R является полугруппой $\langle R, \cdot \rangle$, т. е. операция является ассоциативной. Кроме того, умножение по отношению к сложению является дистрибутивным (см. D.256 distributive laws). Некоторые виды колец представляют особый интерес: а) если умножение является коммутативным, то кольцо называется *коммутативным кольцом;* б) если $\langle R, \cdot \rangle$ является моноидом (M.187 monoid), то кольцо называется *кольцом с единицей;* в) коммутативное кольцо с единицей, не содержащее таких ненулевых элементов x и y, что $x \cdot y = 0$, называется *областью целостности;* г) коммутативное кольцо, в котором содержится более одного элемента, и для каждого ненулевого элемента существует противоположный ему в смысле умножения, называется *полем.* (F.040 field). Разные варианты тождественности и противоположности элементов, если они существуют, могут пониматься по-разному в смысле аддитивно тождественных элементов (или нулей), мультипликативно тождественных элементов (или единиц), аддитивно противоположных элементов и мультипликативно противоположных элементов. Понятие кольца дает возможность определить алгебраическую структуру, в рамках которой можно объединить такие различные элементы, как целые числа, многочлены с целыми коэффициентами и матрицы; на всех этих элементах обычно определяют двоичные операции.
2. = circular list. Более широко, однако, термин «кольцо» применяется для обозначения любой структуры списка, при которой все подсписки, так же как и сам список, циклически связаны.

R.158 ring counter
кольцевой счетчик
См. S.134 shift counter.

R.159 ringing
«звон»
Затухающие колебания, часто возникающие во многих электрических схемах при быстром изменении сигнала. Часто причиной их возникновения являются паразитная емкость и индуктивность устройств и соединительных проводов схемы.

R.160 ring network
кольцевая сеть
Сеть, построенная в форме замкнутого контура (L.141 loop) однонаправленных каналов связи между станциями. В основном в таких сетях используются средства последовательной побитовой передачи, такие как витая пара или коаксиальный кабель. Чтобы указать каждой станции время считывания и записи битов, можно использовать общий главный генератор синхронизирующих импульсов, или же синхронизирующая информация может быть закодирована непосредственно в данных при условии выполнения определенных ограничений для предотвращения переполнения в кольце. Каждая станция принимает сообщения по входному каналу. В начале сообщения содержится адресная и управляющая информация. На основании этой информации и в соответствии с используемой в кольце процедурой управления станция должна принять два решения: делать или не делать копию сообщения в своей локальной памяти; передавать ли сообщение через свой выходной канал или же убирать сообщение из кольца. Если станция опре-

деляет, что по ее входному каналу не было передано никакого сообщения, то она имеет возможность переслать собственное сообщение по своему выходному каналу. В кольцевых сетях используются несколько различных структур управления: а) *гирляндная цепь* — управляющая информация от станции к станции передается по специально предназначенным для этой цели проводам; б) *управляющий маркер* — управляющая информация обозначается специальным битовым шаблоном (маркером); при получении этого управляющего маркера станция может переслать сообщение в кольцо и заново выдать маркер; в) *сегменты сообщения* — по кольцу непрерывно передается последовательность «сегментов»; обнаружив неиспользуемый сегмент, станция может пометить его маркером «занят» и заполнить его сообщением; г) *вставка регистров* — станция загружает сообщение в сдвиговый регистр, а затем, когда кольцо свободно, или же в конце какого-нибудь сообщения, регистр «вставляется» в кольцо; при этом содержимое регистра перемещается в кольцо. Когда сообщение возвращается в регистр, содержимое регистра может быть удалено из кольца.

R.161 ripple-carry adder (ripple adder)
сумматор со сквозным переносом
См. A.048 adder.

R.162 ripple counter
счетчик со сквозным переносом
Счетчик (C.326 counter) с n разрядами, образованный из последовательно соединенных триггеров (F.097 flip-flop). Синхронизирующим входным сигналом (СВС) для каждого отдельного триггера, за исключением первого, является выходной сигнал предыдущего триггера (см. рисунок). Таким

cadable counter; S.432 synchronous counter.

R.163 RISC — restricted [reduced] instruction set computer (R.141)
ЭВМ с сокращенным набором команд

R.164 rise time of a pulse
время нарастания импульса
См. P.326 pulse.

R.165 risk assessment
оценка риска
Количественная или качественная оценка повреждения, которое может произойти, если вычислительная система не защищена от определенных угроз (T.076 threat). Количественная оценка риска может рассчитываться на основе тех финансовых потерь, которые могут иметь место, если каждая конкретная угроза будет приводить в действие любой из возможных механизмов уязвимости системы (V.068 vulnerability).

R.166 RJE — remote job entry (R.115)
дистанционный ввод заданий

R.167 RM code — Reed—Muller code (R.074)
код Рида—Мюллера

R.168 robotics
робототехника
Дисциплина, лежащая на стыке искусственного интеллекта (A.140 artifical intelligence) и механики. Она занимается созданием роботов: программируемых устройств, состоящих из механического манипулятора (манипуляторов) и органа (органов) чувств, которые связаны с вычислительной машиной. Большинство используемых в настоящее время в промышленности роботов имеют весьма ограниченные возможности восприятия сигналов окружающего мира (если имеют их вообще) и действуют в соответствии с заранее закрепленной, хотя

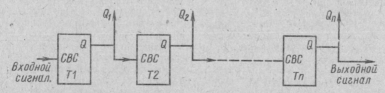

образом, при задержке на распространение (P.296 propagation delay) сигнала, связанной с каждой стадией счета, импульс счета переносится по всей длине счетчика. См. также C.034 cas-

и программируемой последовательностью команд. Основной целью робототехнических исследований в области искусственного интеллекта является обеспечение робота искусственным глазом, роль которого обычно выполняет телевизионная камера, и использование зрительного восприятия робота для гибкого обучения механической руки. См. также P.242 process control.

R.169 robustness
робастность
Мера способности вычислительной системы восстанавливаться при возникновении ошибочных ситуаций как внешнего, так и внутреннего происхождения. Например, в робастной системе допускаются ошибки во входных данных или неисправности каких-либо составных частей самой этой системы. Хотя между надежностью и робастностью может существовать определенная связь, это две различные характеристики системы: система, которая никогда не будет восстанавливаться при возникновении ошибочных ситуаций, может быть надежной, не будучи робастной; система с высокой степенью робастности, которая восстанавливается и продолжает работу во множестве ошибочных ситуаций, может быть все-таки отнесена к ненадежным, поскольку она не способна заблаговременно, до повреждения выполнить необходимые служебные процедуры.

R.170 rogue value (terminator)
нестандартное значение; признак конца
Значение, добавляемое в конец таблицы, которое может быть распознано программой просмотра таблиц (T.002 table) как сигнал окончания просмотра.

R.171 rollback
возврат
Перезапуск обработки с контрольной точки (C.093 checkpoint).

R.172 roll-call polling
круговой опрос абонентов
См. P.148 polling.

R.173 roll-in roll-out
подкачка в оперативную память; откачка из оперативной памяти
Метод управления оперативной памятью в системе, где одновременно идут несколько активных процессов. Когда процесс становится активным, связанные с ним рабочая область памяти и программа переносятся в основную оперативную память. Как только процесс по какой-либо причине приостанавливается (обычно это происходит при вводе данных пользователем), содержимое всей рабочей памяти процесса и связанная с этим процессом программа копируются на внешнее запоминающее устройство, а в оперативной памяти остается маленький буфер для приема входного сообщения от пользователя. Когда пользователь завершает ввод и процесс может продолжаться, рабочая область и программа снова возвращаются в основную оперативную память. Процесс «откачивается» на внешнее запоминающее устройство тогда, когда он требует вывода результатов пользователю или находится в состоянии ожидания дальнейшего ввода данных пользователем. См. также S.405 swapping.

R.174 roll stationery
рулонная бумага для печатающего устройства
См. S.312 stationery.

R.175 ROM — read only memory
постоянное запоминающее устройство (ПЗУ)
Энергонезависимое запоминающее устройство (N.065 nonvolatile memory) на полупроводниках, используемое для хранения данных, которые никогда не потребуют изменения: содержимое памяти по специальному шаблону или маске «зашивается» в устройство при его изготовлении для постоянного хранения. По этой причине такое устройство иногда называют *масочным ПЗУ*, чтобы отличить его от программируемого ПЗУ, или иначе программируемого постоянного запоминающего устройства (P.292 PROM). Хотя из областей и ячеек памяти ПЗУ можно только считывать данные, выборка информации из ячеек может осуществляться в любом порядке за одно и то же время. Следовательно, к любой ячейке ПЗУ существует произвольный доступ (R.012 random access). Ср. R.011 RAM; R.048 read-write memory.

R.176 ROM cartridge (ROM pack)
кассетное ПЗУ
Модуль, содержащий программное обеспечение, постоянно хранимое как в обычном ПЗУ (R.175 ROM). Этот модуль легко вставляется в микро-ЭВМ и в дальнейшем легко извлекается из нее без какой-либо перекоммутации интегральных схем.

R.177 ROM optical disk (ROM OD)
оптический диск ПЗУ

Оптический диск (О.051 optical disk), содержащий информацию, которая занесена на него во время изготовления и не может быть больше изменена. Один из видов оптических дисков ПЗУ основан на стандартах, определенных для промышленно производимых компактных акустических дисков (кратко называемых CD); этот вид оптических дисков называют компакт-диском ПЗУ, или CD ROM.

R.178 romware
программное обеспечение постоянного хранения

Программное обеспечение (машинные команды), хранящееся более или менее постоянно в ПЗУ (R.175 ROM), ППЗУ (P.292 PROM), стираемом ППЗУ (E.086 EPROM) и т. д.

R.179 root
корень

Единственный узел древовидной структуры данных, не имеющий порождающих его узлов. См. Т.163 tree.

R.180 rooted tree
дерево с корнем

См. Т.163 tree.

R.181 rotation position sensor
датчик позиции вращения

Средство, предусмотренное в некоторых дисководах, которое позволяет центральному процессору узнать, что нужный сектор диска почти подошел под головку считывания дисковода.

R.182 roundoff error
ошибка округления

Ошибка, причиной которой является усечение чисел при проведении вычислений, вызванное обычно тем, что в регистрах вычислительной машины могут размещаться числа ограниченной длины, например, состоящие из t двоичных цифр. Арифметические операции над такими числами часто дают число, представляемое более, чем t цифрами, которое для дальнейших вычислений должно быть сокращено до t цифр. Для этого может быть либо взято t-цифровое приближение данного числа (округление), либо отброшены цифры после t-й (отрубление или отсечение). Повторяющиеся таким образом уменьшения результатов до t цифр могут при определенных типах вычислений привести к систематически возникающей ошибке.

R.183 round robin
карусельный метод, «карусель»

Метод распределения времени центрального процессора при работе в среде многих пользователей. За каждым пользователем закрепляется небольшое количество, или квант, процессорного времени. Когда пользователь исчерпывает свой квант времени, управление переходит к следующему пользователю. В программе—планировщике ресурсов такой системы могут организовываться различные варианты очередей с обратной связью (F.027 feedback queue), которые служат удобным средством усовершенствования обычного планировщика, работающего по принципу циклического опроса.

R.184 route
маршрут

Путь, используемый для перемещения информации из одного места в другое. В сети с коммутацией пакетов маршрутом является список узлов сети, по которым данный конкретный пакет (или группа пакетов) должен проследовать или проследовал.

R.185 routine=subroutine
программа

Данный термин обычно используется в сочетаниях с другими словами, например в таком сочетании, как «программа ввода».

R.186 routing
1. маршрутизация 2. трассировка

Процедура, используемая для определения маршрута (R.184 route) пакета в сети с коммутацией пакетов. Маршрутизация может быть *постоянной* (вычисляемой однажды в начале работы системы или в начале сеанса) или *динамической* (перевычисляемой периодически или при смене пакетов). Маршрутизация может быть *централизованной* или *распределенной* (вычисляемой в различных узлах независимо друг от друга).

2. Прокладка соединений, например, на печатной плате.

R.187 row-major order
построчный порядок

Один из способов установления соответствия между элементами двумерного массива и вектора. Если двумерный массив A, имеющий m строк и n столбцов, отображается на вектор b с mn элементами в построчном порядке, то $a_{ij} = b_k$, где $k = n(i - j) + j$. См. также С.168 column-major order.

R.188 row-ragged
не выровненный по строкам
См. R.010 ragged array.

R.189 row vector
вектор-строка
См. M.074 matrix.

R.190 RPG — report program generator
генератор программы печати ре-
вультатов анализа данных (РПГ)
Язык программирования, используемый при обработке коммерческих данных для выборки информации из файл-
лов. Вход в РПГ состоит из описания
структуры файла, спецификации нужной информации и расположения ее
на странице. На основе этой информации РПГ строит программу для считывания файла, извлечения из него
нужной информации и переформати-
рования ее нужным образом. Наиболее
известным примером этого языка является RPGII.

R.191 RPN — reverse Polish notation
(R.149)

R.192 RSA encryption
шифрование по методу РСА
Метод шифрования (E.063 encryption),
предложенный Ривестом, Шамиром и
Адлеманом, при котором ключ, используемый для шифрования, не совпадает с ключом, нужным для дешифрования; по этой причине данный метод
иногда называют *шифрованием по от-*
крытому ключу. Сообщение зашифро-
вывается путем преобразования его
в целое число, скажем, M, возведения
этого числа в степень e (общеизвест-
ную) и образования остатка от деления его на делитель n (общеизвест-
ный), в результате чего образуется
шифрованное сообщение S. Дешифро-
вание производится посредством аналогичного возведения S в степень d
(засекреченную) и повторного формирования остатка от деления на n;
результатом будет получение числа M.
Метод основан на выборе n как произведения двух строго засекреченных
простых чисел p и q. Значения e и d
выбираются таким образом, что

$$e * d \equiv 1 \bmod - ((p - 1) *$$
$$* (q - 1)).$$

Секретность обеспечивается в значительной степени за счет трудности
отыскания простых множителей числа n.

R.193 RS232C interface
интерфейс R 232C
Широко используемый стандартный
интерфейс, который охватывает работу
электрических схем и соединений между устройствами передачи данных,
такими как модем (M.166 modem),
терминал, а также вычислительная
машина и ее терминал. Стандартный
интерфейсный RS232C был разработан
Ассоциацией электронной промышленности (EIA); по-существу, он эквивалентен интерфейсу V.24 (V.001 V.24)
Международного консультативного комитета по телеграфии и телефонии.
В 1975 г. ассоциация EIA для увеличения возможностей систем ввела две
новые спецификации; это интерфейс
RS423, который полностью совпадает
с RS232C, и интерфейс RS422; оба этих
интерфейса допускают передачу на
высоких скоростях.

R.194 RS code — Reed — Solomon code
код Рида—Соломона

R.195 RS flip-flop (SR flip-flop)
триггер с раздельными входами
См. F.097 flip-flop.

R.196 RTL — resistor-transistor logic
ревисторно-транзисторные логи-
ческие схемы, РТЛ-схемы
Одно из первых семейств логических
схем (см. L.106 logic), изготовляемых
обычно в виде интегральных схем,
основные компоненты которых — это
интегральные резисторы и биполярные
транзисторы (B.084 bipolar transistor).
На рисунке показана условная, эквивалентная позитивной схеме ИЛИ-НЕ
(N.068 NOR gate), построенной на ре-
зисторно-транзисторной логике. На
выходе схемы появляется высокий
уровень напряжения (логическая 1)
только в том случае, когда на всех

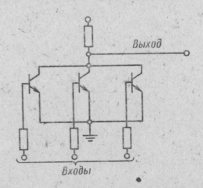

Выход

Входы

входах действует низкий его уровень (логический 0). Если на каком-нибудь входе уровень сигнала высокий, соответствующий ему транзистор переходит в режим насыщения и выходной уровень становится низким (см. B.084 bipolar transistor). Несмотря на малое расстояние в резисторно-транзисторных логических схемах, они в настоящее время используются мало, поскольку имеют относительно малую скорость переключения и низкий коэффициент разветвления по выходу (F.013 fan-out).

R.197 rule of inference
правило вывода
См. P.299 propositional calculus; I.069 inference.

R.198 Runge—Kutta methods
методы Рунге—Кутта
Широко используемая группа методов численного решения обыкновенных дифференциальных уравнений (O.070 ordinary differential equations). Для задачи с начальными значениями

$$y' = f(x, y), \quad y(x_0) = y_0.$$

m-ступенчатый метод в общей форме заключается в вычислении

$$k_i = f\left(x_n + c_i h, \; y_n + h \sum_{j=1}^{m} a_{ij}k_j\right),$$

$$i = 1, 2, \ldots, m;$$

$$y_{n+1} = y_n + h \sum_{j=1}^{m} b_i k_i,$$

$$x_{n+1} = x_n + h.$$

Получение подходящих параметров a_{ij}, b_i и c_i требует чрезвычайно длинных алгебраических манипуляций, за исключением случая малых значений m. Несколько первых вариантов методов были разработаны Рунге, а систематическая разработка была начата Кутта примерно в 1990 г. За последнее время сделаны значительные шаги в развитии общей теории, получении и внедрении эффективных методов, включающих оценку ошибки и управление процессом счета. За исключением случая жестких уравнений (см. O.070 ordinary differential equations), для решения используются явные методы с

$$a_{ij} = 0, \; j \geqslant i.$$

Они относительно просты для программирования и эффективны по сравнению с другими методами, если вычисление функции $f(x, y)$ не является трудоемким.

R.199 running (active)
выполняемый, активный
Выполняемый в данное время, обычно в центральном процессоре. Признак того, что процесс является активным, содержится в дескрипторе процесса (P.243 process descriptor). Ясно, что при откладывании процесса по какой-либо причине, бит «активности» в дескрипторе процесса будет сброшен в нуль.

R.200 runtime (execution time)
время выполнения
Время, когда программа непосредственно исполняется, в отличие от времени, когда она передается для обработки, загружается, компилируется или ассемблируется.

R.201 run-time system
исполнительная система
Совокупность процедур, поддерживающих использование языка высокого уровня для выполнения таких функций, как выделение или распределение памяти, ввод-вывод и т. д.

R.202 Russell's paradox
парадокс Рассела
Противоречие, впервые сформулированное Бертраном Расселом и излагаемое в терминах теории множеств (S.116 set). Пусть T — это множество всех множеств, которые не являются своими собственными членами:

$$T = \{S \mid S \notin S\}.$$

Тогда можно показать, что T является членом T в том и только том случае, когда T не является членом T. Данный парадокс получается в результате работы с определенными видами рекурсивных функций. Он появляется, например, в следующей ситуации: парикмахер в некотором городе бреет каждого, кто не бреет его самого; кто же бреет самого парикмахера?

S

S.001 SADT — structured analysis and design technique
техника структурного анализа и проектирования
1. Метод моделирования сложных за-

дач и систем, разработанный Дугласом Россом в середине 70-х годов. Хотя SADT является универсальным инструментом моделирования, он особенно эффективен при определении требований, предъявляемых к задачам в любых системах, и для этих целей широко используется в области проектирования программного обеспечения. SADT может рассматриваться как совокупность трех основных частей: совокупности методов, которые могут помочь аналитику в понимании сложной системы; графического языка, который облегчает запись и интерпретацию того, что понял аналитик, и административных директив, которые способствуют правильному проведению анализа и выявлению проблем на ранних его стадиях. Методы основываются на нескольких концепциях. Рассмотрение проблемы по уровням сверху вниз позволяет распределять информацию по уровням с постепенным увеличением степени ее детализации. Построение моделей способствует одновременно как пониманию проблемы, так и передаче результатов представления проблемы другим лицам. Принятие во внимание множества дополнительных точек зрения позволяет рассмотреть все аспекты системы при одновременной концентрации внимания в каждый момент времени на одной хорошо определенной теме. Расширению понимания проблемы и логичности общей концепции способствует изучение как «случайных», так и «существенных» характеристик предмета исследования. Качество разрабатываемой модели обеспечивается проведением обзорных и итерационных процедур. Графический язык SADT состоит, в основном, из прямоугольников и стрелок, используемых для построения диаграмм SADT. Язык используется только для структурного расчленения сущности предмета исследования, причем для описания содержимого прямоугольных блоков и разметки стрелок можно использовать любой другой язык (например, естественный). С помощью простой диаграммы SADT можно смоделировать данные или процессы. В диаграмме, которая моделирует процессы и называется *диаграммой действий*, отдельные процессы обозначаются прямоугольниками, а стрелки используются для обозначения потоков данных, передаваемых от процесса к процессу, ограничений, накладываемых на ход выполнения процесса, и механизма выполнения процесса. Входящие и выходящие из прямоугольника стрелки служат для определения контекста процесса; суть этого процесса может быть разложена на уровня в последующих диаграммах действий, последовательно детализирующих процесс до нужного уровня. Аналогично, соответствующее разложение данных изображается на диаграммах данных и рассмотрение идет от наиболее обобщенных данных через последующие уровни разложения и определения. Административные предписания в рамках SADT обеспечивают, кроме всего прочего, непредвзятый обзор диаграмм по мере их создания и управление формированием появляющейся модели.

S.002 safety
безопасность

Свойство системы, заключающееся в том, что она никогда ничего не сделает плохо. Определение того, что подразумевается под словом «плохо», зависит от назначения системы: например, требования безопасности для системы управления летательным аппаратом будут, очевидно, более жесткими, чем, скажем, требования к системе управления бабкой токарного станка. Ср. L.089 liveness.

S.003 sampled-data system
система дискретных данных
См. D.223 discrete and continuous systems.

S.004 sampling
1. дискретизация; взятие отсчетов
2. выборка

1. =time quantization. Процесс, с помощью которого величина аналогового или непрерывного сигнала «замеряется» через установленные дискретные интервалы времени. Получающаяся в результате *дискретизированная величина* обычно считается постоянной до следующего момента дискретизации и может быть преобразована для дальнейшей обработки в ЭВМ в цифровую форму с помощью аналого-цифрового преобразователя. *Частота* дискретизации данного конкретного аналогового сигнала должна иметь определенное минимальное значение в зависимости от ширины полосы частот самого

аналогового сигнала; это застраховывает от потери информации в аналоговом сигнале. Частота дискретизации может, в свою очередь, воздействовать на стабильность аналоговой системы, если этой системой будет управлять вычислительная машина. См. также N.106 Nyquist's criterion.

2. Выбор элементов для изучения таким образом, чтобы измерения, проведенные на элементах выборки, дали информацию об аналогичных элементах, не вошедших в выборку. Этими элементами могут быть люди, машины, периоды времени, поля пшеницы, азартные игры или любые другие объекты изучения. *Размером выборки* является число включенных в нее элементов. Если дисперсия измеряемой величины (см. M.090 measures of variation) примерно известна, то дисперсия ее среднего значения по выборке равна дисперсии по всей генеральной совокупности, поделенной на размер выборки. Эта формула может быть использована для определения соответствующего размера выборки. *Генеральной совокупностью* является все множество элементов, о которых мы хотим получить информацию. Она должна быть определена перед произведением выборки, иначе результаты могут оказаться неверно определенными. Выборка является основой гипотез о распределениях вероятностей (P.232 probability distribution) значений в генеральной совокупности. К числу проблем определения выборки относится исключение смещения (B.051 bias) в ней и отбор достаточного количества элементов для обеспечения адекватности. При *случайной выборке* вероятность включения в нее каждого элемента одинакова. Элементы могут отбираться с помощью таблиц случайных чисел, или же с помощью механических манипуляций, например, с картами или монетами. При *систематической выборке* элементы отбираются некоторым упорядоченным способом. Эта выборка правильна в том случае, когда порядок попадания элементов в выборку не имеет отношения к изучаемому вопросу, но может явиться непредусмотренным источником возникновения смещения.

S.005 sanitization
  очистка
Стирание в системе (главным образом в запоминающей среде) материальной субстанции, воспринимаемой в виде информации, например, путем перезаписи или размагничивания.

S.006 satellite computer
  вспомогательная вычислительная машина
Вычислительная машина, являющаяся частью вычислительной системы, но в общем случае обладающая существенно меньшими возможностями, чем главная универсальная вычислительная машина. Она находится на некотором удалении от главной системы и выполняет вспомогательные функции, такие, как дистанционный ввод данных или печать. В настоящее время часто считается почти синонимом термина «терминал» (T.045 terminal).

S.007 satisfiability
  выполнимость
Свойство любого логического выражения или правильно записанной формулы, заключающееся в том, что входящим в них переменным можно присвоить такие значения, при которых выражение или формула являются истинными. См. также P.299 propositional calculus; P.193 predicate calculus; P.138 P = NP question.

S.008 satisfiability problem
  проблема выполнимости
См. P.138 P = NP question.

S.009 saturation of a transistor
  насыщение транзистора
См. B.084 bipolar transistor.

S.010 sawtooth waveform
  пилообразный сигнал
Периодически повторяющийся сигнал, величина которого ограничена некоторыми максимальным и минимальным значениями. Сигнал попеременно линейно возрастает и уменьшается в диапазоне между этими значениями. При этом наклон одного края намного круче, чем другого, и поэтому сигнал выглядит как повторяющаяся последовательность наклонных плоскостей с прямыми краями. Ср. T.172 triangular waveform.

S.011 S-100 bus
  шина S-100
Широко распространенная в микроЭВМ шина (B.164 bus), в которой каждая плата с логическими схемами (L.115 logic card) имеет краевой соединитель в нижней части со 100 контакта-

ми (по 50 контактов с каждой стороны). Эта шина была получена из объединительной платы (B.006 back-plane), использованной в ЭВМ на основе оригинального микропроцессора Altair 8080, но возможности ее были расширены с целью приспособления ее к процессорам с 16-разрядным словом, разнотипным процессорам памяти с 24-битовой адресацией и прямому доступу к памяти (D.216 direct access memory). Шина S-100 является необычной в том смысле, что в ней используется распределенная регулировка питания, т. е. на шину подается неотрегулированное напряжение (+8, +16 и —16 В), а каждая плата с логическими схемами сама для себя должна регулировать напряжение. С шиной S-100 сопрягается большое число микропроцессоров разных типов.

S.012 scaling
масштабирование

Представление используемых в вычислениях величин таким образом, чтобы и они сами, и результат проводимых с ними вычислений находились в диапазоне чисел, которые могут обрабатываться в рамках данного процесса или на данном оборудовании. Для исправления результата перед его выводом он умножается на масштабный множитель, а если это невозможно, то масштабный множитель выводится вместе с результатом как описатель.

S.013 scanner
= lexical analyzer

S.014 scatter read
считывание вразброс

Процесс, при котором данные одной записи могут собираться из нескольких несвязных областей памяти или, в случае процесса записи вразброс, записываться в несмежные участки.

S.015 scheduled maintenance
плановое обслуживание

Периодическое профилактическое обслуживание (P.208 preventive maintenance).

S.016 scheduler
планировщик, программа-планировщик

Программа, отвечающая за управление использованием совместного ресурса. Доступ к ресурсу совместного использования предоставляется с учетом следующих двух требований. Не-

обходимо убедиться, что любой процесс, получающий ресурс в свое распоряжение, сам не будет поврежден и не вызовет повреждений других процессов. Это можно считать установлением правильности планирования. Совершенно автономной является другая проблема, связанная с необходимостью выбора между несколькими процессами при наличии возможности допуска любого из них к ресурсу. Этот выбор в общем случае имеет отношение к эффективности использования системных ресурсов и определяется алгоритмом планирования (S.017 scheduling algorithm). Если команда программы-планировщика дается без каких-либо уточняющих описаний, то она относится к управлению использованием процессоров. Планирование заданий обычно выполняется за два этапа. *Планировщик верхнего уровня* собирает вместе группу заданий, которые должны выполняться одновременно, руководствуясь при этом критерием, позволяющим в каком-то смысле оптимально использовать систему. Планирование этих заданий на уровне очень небольших квантов времени использования ресурса является прерогативой *планировщика нижнего уровня* (или *диспетчера*), который, таким образом, распределяет процессоры по процессам.

S.017 scheduling algorithm
алгоритм планирования

Метод, используемый для определения того из нескольких процессов, в одинаковой степени пригодных для распределения им ресурса, которому действительно будет предоставлено право использования ресурса. Алгоритм может принимать во внимание приоритет пользователя, связанного с процессом, требование обеспечения высокой степени использования ресурсов системы, предельные сроки выполнения задания. Например, в приоритетной системе с квантованием времени (T.097 time-slicing) из процессов, ожидающих выполнения, составлены несколько очередей, причем процессы в очередях с более высоким приоритетом претендуют на меньший квант (Q.001 quantum) времени. Как только процессор становится доступным для планирования, запускается готовый к прогону процесс из очереди с наивысшим приоритетом, больше других находящийся в этой очереди. Если этот процесс до конца исчерпывает свой квант времени, не прерываясь при выполнении, то он будет перепланирован в очередь более низкого приоритета с большим по величине квантом времени. Если же перед тем, как квант времени для процесса истечет, процесс прервется, то этот процесс будет возвращен в ту же самую очередь или даже, возможно, в очередь с более высоким приоритетом и более коротким квантом времени. Прерывание процесса по причине какого-либо внешнего события приводит к перепланированию процесса с высоким приоритетом (и коротким квантом) с последующим возвращением прерванного процесса в очередь, из которой он был запущен. Общим итогом такого алгоритма является то, что процессы с низким приоритетом, претендующие на длинные кванты времени, вероятнее всего будут прерываться по окончании обработки входных/выходных сообщений, относящихся к процессам с более высоким приоритетом, которые таким образом подготавливаются для дальнейшей обработки.

S.018 schema
схема
См. D.031 data description language.

S.019 Schmitt trigger
триггер Шмитта
Схема на дискретных компонентах или интегральная схема, выход которой имеет два устойчивых состояния, т. е. схема, в которой поддерживаются два устойчивых значения выходного напряжения. Выходное напряжение в схеме изменяется при прохождении величины входного напряжения через два четко определенных для триггера значения. Превышение входным напряжением одного уровня вызывает переключение выхода в одно состояние. Падение входного напряжения ниже другого уровня вызывает переключение выхода в другое состояние. При прохождении логических сигналов через систему они искажаются; импульсы переключения приобретают форму экспоненциального сигнала (E.156 exponential waveform), могут появиться затухающие колебания (R.159 ringing), может добавиться шум (N.038 noise). Благодаря прохождению такого сигнала через триггер Шмитта, поднимающийся и опускающейся участки

кривой сигнала преобразуются в быстрый переход между напряжениями, соответствующими логическим состояниям 0 и 1.

S.020 Schonhage algorithm
алгорит Шонгейджа
Алгоритм очень быстрого перемножения больших чисел, основанный на идеях арифметики остаточных классов (M.171 modular arithmetics). См. C.098 Chinese remainder theorem.

S.021 Schonhage—Strassen algorithm
алгоритм Шонгейджа—Страссена
Развитие алгоритма Страссена, опубликованного в 1970 г., который исключает использование сложных чисел в явном виде. По этому алгоритму два *n*-битовых числа умножаются с помощью поэтапного вычисления

$$O (n \log n \log \log n).$$

S.022 Schottky TTL
транзисторно-транзисторные логические схемы с диодами Шоттки (ТТЛШ)
Семейство сравнительно быстрых биполярных логических схем (см. L.106 logic), обычно изготовляемых в виде интегральных схем, внутреннее построение которых аналогично обычным транзисторно-транзисторным логическим схемам (T.189 TTL), за исключением того, что в первых используются *транзисторы Шоттки*. Эти транзисторы можно представить себе в виде обычных биполярных транзисторов (B.084 bipolar transistor), в которых база и коллектор соединены через *диод Шоттки*. Диод Шоттки — это полупроводниково-металлический диод, имеющий низкое, обычно в 300 мВ, напряжение включения (падение напряжения прямого смещения) по сравнению с напряжением в 600 мВ для всех других полупроводниковых диодов. Этот диод также обладает относительно высокой скоростью переключения. Низкое напряжение включения диода в транзисторно-транзисторных логических схемах с диодами Шоттки ограничивает напряжение перехода база — коллектор величиной примерно в 400 мВ, что предотвращает насыщение транзистора. Это обеспечивает в результате более быстрое переключение в транзисторах, сконструированных подобным образом.

S.023 scissoring (windowing)
отсечение

Обработка большого объема запомненных данных таким образом, что в данный момент времени отображается только часть этого объема. *Рамку* или *окно*, ограничивающие видимую часть данных за счет этого процесса, можно перемещать, что позволяет просматривать весь заполненный объем данных. На некоторых графических терминалах «рамочное отсечение» выполняется за счет аппаратных средств, однако такой способ отсечения эффективен только тогда, когда в отображаемом файле содержится весь объем данных.

S.024 scope
область действия

Краткое название вложенной области действия. См. B.112 block-structured languages; D.115 declaration.

S.025 scratchpad
сверхоперативная память

Тип полупроводниковой памяти, обычно с небольшой емкостью, но очень быстрым доступом. Она используется для временного запоминания промежуточных результатов или другой информации, которая может понадобиться в ходе вычислений.

S.026 screen
1. экран 2. выводить на экран

1. Краткое название экрана визуального отображения, т. е. поверхности электронно-лучевой трубки, на которой может отображаться информация. Данное слово имеет более узкий смысл, чем слово «дисплей» (D.246 display); слово «дисплей» может также относиться и к устройствам, в которых используется техника вывода на табло, такое, как, например, плазменное, электролюминесцентное или на жидких кристаллах.

2. Выбирать и отображать информацию на экране при вводе соответствующей команды или запроса.

S.027 screen editor
экранный редактор

См. T.062 text editor.

S.028 scroll
переместить; прокрутить

Переместить информацию, отображенную на экране или табло, в вертикальном или горизонтальном направлении: при исчезновении информации с одного края на другом краю появляется или новая информация, или же свободное место для ввода новых данных. Под перемещением понимают обычно плавное передвижение. В некоторых устройствах отображения (дисплеях) передвижение производится как дискретный сдвиг на одну строку; такое передвижение обычно называется *подъемом (сдвигом)* строк на устройстве отображения. Перемещение технически осуществляется более сложно, однако оно облегчает чтение движущейся информации.

S.029 SDLC
Сокр. synchronous data link control (синхронное управление передачей данных). Протокол управления каналом передачи данных (D.045 data link control protocol), разработанный и применяемый фирмой IBM, который основан на использовании концепции кадров (F.136 frame). Протокол обеспечивает только выполнение функций по обслуживанию связи на различных уровнях; при этом он не зависит от характеристик структур данных, обрабатываемых на связываемых устройствах. Формат кадра включает в себя 8-битовый признаный указатель, 8-битовый адрес, 8-битовое управляющее поле, информационное поле переменной длины, 16-битовую проверочную последовательность блока и второй 8-битовый признаный указатель. Информационное поле содержит данные «пользователя» и может иметь любую длину, хотя при конкретных реализациях протокола часто выдвигается требование кратности длины этого поля 8 битам. Признаный указатель состоит из битового набора 01111110. Для обеспечения инвариантности данных по отношению к различным схемам кодирования используется вставка битов (B.098 bit stuffing). Каждый раз, когда в выходящем сообщении встречаются пять подряд идущих битов с 1, отправитель сообщений вставляет нулевой бит. Когда получатель сообщения встречает пять последовательно идущих единичных битов в потоке входящих сообщений, он проверяет следующие один или два бита. Если первый из этих двух битов (т. е. 6-й бит) содержит 0, он удаляется и данные считаются данными пользователя. Если 6-й бит содержит 1, а 7-й бит равен 0, то получатель сообщения фиксирует признаный указатель и, соответственно, границу блока. Если и 6-й, и 7-й бит содержат 1, то

это воспринимается как нарушение протокола и блок выбрасывается. При свободном состоянии на линии посылаются последовательно 15 единичных битов. Адресное поле допускает указание адресов 254 станций. Адрес 0 зарезервирован для тестирования, а адрес 1 означает, что блок направляется на все станции линии. Оконечные точки канала связи (станции) подразделяются на первичные и вторичные. Первичная станция активизирует канал связи, распределяет канал связи между несколькими станциями, выполняет восстановление при ошибке, отвечает за дезактивизацию канала связи. Вторичные станции могут получать сообщения, направленные по нескольким адресам, но имеют уникальные адреса посылки. Управляющее поле используется первичной станцией для передачи управляющей информации и подтверждений приема, а также для вызова станций — получателей. Вторичные станции используют управляющую информацию для тех же целей, что и первичные, а также для указания передачи «конечного блока», т. е. для возврата управления первичной станции. Кроме того, существует специальный режим, при котором станции могут быть сконфигурированы в одну петлю с передачей данных в одном направлении. В случае возникновения ошибок связи при повторной передаче выдаются повторные подтверждения (A.029 acknowlegement). Подтверждения кодируются по модулю 8. Знаки квитирования (ACK) могут передаваться с попутным сообщением; в одном кадре могут быть переданы квитанции сразу для нескольких уже пересланных в противоположном направлении блоков (общим числом до семи блоков); подтверждение может пересылаться вместе с данными пользователя, передаваемыми в этом же блоке в нужном направлении.

S.030 SEAC
Сок. Standards Eastern Automatic Computer (Образцовая восточная автоматическая вычислительная машина). Первая электронная цифровая вычислительная машина с запоминанием программ, запущенная в США в 1950 г. (ср. M.047 Manchester Mark I; E.018 EDSAC; E.019 EDVAC). Она являлась одной из двух первых машин разного типа, разработанных в Национальном Бюро Стандартов США; машина SEAC была установлена в Вашингтоне, а другая машина, названная SWAC [сокр. Standards Western Automatic Computer (образцовая западная автоматическая вычислительная машина)] — в Лос-Анджелесе. Как и в вычислительных машинах EDSAC и EDVAC, в машине SEAC использована память на ртутных линиях задержки (D.136 delay line).

S.031 search and insertion algorithm
алгоритм поиска и вставки
См. S.032 searching.

S.032 searching
поиск
Процесс отыскания информации в таблице (T.002 table) или в файле (F.045 file) путем просмотра специального поля в каждой записи, называемого *ключом*. Целью поиска является отыскание записи (если она есть) с данным значением ключа. Существует множество различных алгоритмов поиска, принципиально зависящих от способа организации структуры таблицы или файла. Если запись нужно вставить в файл, и при этом важно обеспечить уникальность ключей в файле, необходим предварительный поиск: вставку записи можно осуществлять, как только с помощью поиска будет установлено, что записи с таким значением ключа отсутствуют. Такого рода алгоритм известен как *алгоритм поиска и вставки*. См. также T.004 table lookup; S.096 sequential search algorithm; B.070 binary search algorithm; B.138 breadth-first search; D.157 depth-first search; T.174 trie search.

S.033 search tree
дерево поиска
См. B.071 binary search tree; M.257 multiway search tree.

S.034 secondary index
вторичный индекс
См. I.060 indexed file.
S.035 secondary memory
= backing store
S.036 second generation of computers
второе поколение ЭВМ
Вычислительные машины, сконструированные примерно после 1955 г. Характеризуются использованием в них как электронных ламп, так и дискретной транзисторной логики. Их оперативная память была построена на магнитных сердечниках. В это время стал

расширяться диапазон применяемого оборудования ввода/вывода, появились высокопроизводительные устройства для работы с магнитными лентами и первые виды оперативно-доступной памяти (магнитные барабаны и первые магнитные диски). В модели таких устройств оперативно-доступной памяти использовались магнитные барабаны (в машинах UNIVAC LARC и 1105) и первые магнитные диски (в машинах IBM 1401—1410). В вычислительных машинах второго поколения были предприняты первые попытки автоматического программирования (A.187 automatic programming), которые привели к созданию языков программирования BO, Commercial Translator, FACT, Фортран и Mathmatic; это, в свою очередь, повлияло на развитие языков третьего поколения (T.072 third generation) — Кобола и более поздних версий Фортрана. См. также A.161 Atlas.

S.037 sector
сектор

Участок дорожки магнитного диска, представляющий собой наименьший размер порции данных, которая может быть изменена в результате перезаписи. У каждого сектора есть свой уникальный адрес, который состоит из адреса расположения дорожки и номера сектора. Для обеспечения возможности считывания адреса или данных декодирующая электронная схема дисковода должна быть синхронизирована с потоком данных. Для этого записывается специальный шаблон, называемый заголовком. Вслед за заголовком идут либо адресная метка (A.057 address mark), либо маркер данных, по принадлежности. Диск может быть либо гибко разбит на секторы, либо жестко разбит на секторы. При гибком разбиении размер и расположение сектора определяется с помощью управляющей электронной схемы и программного обеспечения; при одном обороте диска дисковод один раз генерирует индексный сигнал; при получении этого сигнала от дискового устройства производится запись на все секторы дорожки за одну непрерывную операцию. При жестком разбиении диска начало каждого сектора связывается с сигналом сектора, генерируемым дисководом и прямо связанным с положением диска. При жестком разбиении на секторы достигается более высокая

плотность расположения секторов, поскольку нет необходимости в обеспечении больших межсекторных промежутков для адаптации к изменениям скорости вращения диска.

S.038 security
защита; обеспечение безопасности

Предотвращение или исключение: а) доступа к информации тем, кто не имеет соответствующего разрешения или б) непредумышленного, но недозволенного разрушения или изменения этой информации. Секретность защищает как от непредумышленных, так и от умышленных попыток получения доступа к поддающейся разрушению информации, причем по-разному в зависимости от обстоятельств. Понятия безопасности, целостности и защиты взаимосвязаны. См. I.129 integrity.

S.039 security accreditation
гарантия защиты

Формальное разрешение на возможность использования для работы данной конкретной вычислительной машины на месте ее установки только после обеспечения защиты от несанкционированного доступа.

S.040 security certification
аттестация защиты

Подтверждение уполномоченным компетентным лицом, что оценка защиты (S.043 security evaluation) была сделана квалифицированно и в соответствии с необходимыми правилами.

S.041 security classification
гриф секретности; категория защиты

Классификация доступности информации, например, «секретная информация» или «медицинская информация только для врачей».

S.042 security clearance
категория допуска; уровень защиты

Категоризация информации, связанная с субъектом, например, с пользователем, и проводимая для выполнения категории защиты (S.041 security classification) той информации, к которой этому пользователю предоставлено право доступа.

S.043 security evaluation
оценка защиты

Проверка системы с целью определения ступени ее соответствия установленным модели механизма защиты (S.046), стандарту обеспечения защиты

(S.049) и техническим условиям. Оценка может произведена путем: а) наблюдения за поведением системы при выполнении ее функций; б) попыток внедриться в систему с использованием методов «злоумышленника»; в) анализа подробностей построения системы, особенно программного обеспечения, часто производимого с использованием верификации и аттестации (V.030 verification and validation).

S.044 security kernel
ядро безопасности
Аттестованный (T.187 trusted) процесс, который увязывает всю информацию внутри системы в соответствии с определенной моделью механизма защиты (S.046 security model). См. также K.005 kernel.

S.045 security label
метка грифа
Указатель (S.041 security classification), непосредственно связанный с той информацией, к которой он относится, например, как часть протокола передачи информации.

S.046 security model
модель механизма защиты
Формальное определение обеспечиваемых системой внутренних характеристик безопасности. Это определение обычно включает в себя подробную спецификацию разрешенных и запрещенных связей между субъектами и объектами согласно соответствующим категориям допуска (S.042 security clearence) и грифом секретности (S.041 security classification). Кроме того, в модели защиты могут определяться события, которые должны фиксироваться в контрольном журнале (A.170 audit trail).

S.047 security policy
стратегия защиты
Формальное определение критериев, особенно оперативных, которыми следует руководствоваться при обеспечении защиты системы от известных угроз (T.076 theat). Стратегия может описывать режим обеспечения безопасности (S.048 security processing mode) вместе с моделью защиты (S.046 security model) и их связи с системами управления физическими блоками информации и персональными средствами защиты информации. Например, стратегия защиты обычно описывает способ задания и обновления паролей (S.064 password).

S.048 security processing mode
режим обеспечения безопасности
Описание всех категорий допусков (S.042 security clearance) всех пользователей в привязке ко всем категориям защиты информации, которая должна храниться и обрабатываться в системе. См. S.453 system high; D.127 dedicated; M.255 multilevel security.

S.049 security standard
стандарт обеспечения защиты
1. Описание последовательности оценок, которые необходимо выполнить, чтобы считать данную характеристику безопасности подтвержденной (T.187 trusted) с точки зрения аттестации секретности (S.040 security certification). 2. Множество характеристик безопасности, которые должна обеспечить система, чтобы ее можно было использовать в данном конкретном режиме обеспечения безопасности (S.048 security processing mode) или же в соответствии с общей стратегией защиты (S.047 security policy).

S.050 seek time
время поиска
Время, необходимое для установки головки считывания на нужную дорожку на диске или барабане для хранения информации. Обычно время поиска лежит в пределах 10 ... 30 мс. См. также L.011 latency.

S.051 segment
сегмент
1. Первоначально под сегментом понимали четко определенное множество данных или программ, которое можно было перемещать между внешней памятью и оперативной памятью под управлением пользователя. Позже этот термин стал применяться для обозначения множества данных, по-прежнему четко представляемого пользователем, управление которым как частью системы с виртуальной памятью (V.048 virtual memory) осуществляет операционная система. Сегмент отличается от страницы тем, что его размер не зафиксирован, и пользователь в определенной мере может непосредственно влиять на выбор этого размера.
2. Часть программы. Данный термин обычно используется в смысле обозначения области памяти, как, например, в словосочетаниях «сегмент программы», «сегмент данных».

S.052 SEL
Сокр. Systems Engineering Lab. (Лаборатория проектирования систем). Фирма в США, производящая мини-ЭВМ. Вычислительные машины фирмы SEL выделяются весьма высоким быстродействием.

S.053 select
выбирать
1. Возбуждать или открывать канал прохождения данных.
2. Выбирать в определенной точке программы один из нескольких возможных путей передачи управления. Такое обычно осуществляется *оператором выбора равных случаев*, хотя при наличии только двух альтернативных путей может быть использован оператор IF THEN ENSE (I.027 if then else statement).

S.054 selector
1. переключатель 2. искатель 3. сокр. селекторный канал
1. Устройство, которое может переключать канал прохождения сигнала или начинать какое-либо другое действие при получении заранее определенного сигнала. Сигнал, приводящий в действие это устройство, может приходить либо непосредственно по тому каналу, который должен быть переключен, либо по отдельному каналу. При программировании на табуляторах или аналогичных устройствах вычислительной техники в качестве переключателей широко использовались многоконтактные реле в сочетании с коммутационными досками.
2. Устройство для работы с перфокартами, которое может извлекать карты из колоды при обнаружении совпадения между кодом, заданным на его наборных переключателях или на коммутационной доске, и кодом, соответствующим сочетанию пробивок в указанном поле перфокарты.
3. См. C.064 channel.

S.055 selector channel
селекторный канал
См. C.064 channel.

S.056 seft-adapting process (seft-learning profess
самоприспосабливающийся процесс
Приспосабливающийся процесс (A.043 adaptive process), который может «обучаться» на представительной выборке данных с целью обеспечения наилучшей модели поведения при обработке

данных такого типа и который может также «распознавать» аналогичные данные. См. также A.140 artifical intelligence.

S.057 self-checking code
= error-correcting code
= error-detecting code

S.058 self-compiling compiler
самокомпилирующийся компилятор
Компилятор, который написан на том же языке, с которым он работает. Язык с таким компилятором сравнительно легко передается на другую вычислительную машину, так как компилятор сам может быть откомпилирован на той машине, на которой он уже внедрен.

S.059 self-defining
самоопределяющийся
Термин, используемый применительно к языку программирования, если подразумевается, что компилятор для этого языка может быть написан на самом этом языке. См. S.058 self-compiling compiler.

S.060 self-documenting program
самодокументирующаяся программа
Программа, функция и работа которой могут быть выяснены непосредственно при чтении ее текста без дополнительной документации. Написанию такого текста способствует структурное построение программ, использование языка высокого уровня, тщательный выбор идентификаторов и разумное использование комментариев.

S.061 self-dual
самодвойственный
См. D.308 duality.

S.062 self-extending
саморасширяющийся
Термин, характеризующий язык программирования и обозначающий возможность придания ему новых свойств путем написания программ на самом этом языке.

S.063 self-learning process
= self-adapting process.

S.064 self-organizing system
самоорганизующаяся система
Вычислительная система, способная расширять имеющуюся информацию и совершенствовать свою структуру на основе предъявляемых ей совокупностей реальных данных. См А.140 artifical intelligence.

S.065 self-referent list
=recursive list.

S.066 self-relative addressing
самоопределяющаяся относительная адресация
См. R.103 relative addressing.

S.067 semantic error
семантическая ошибка
Ошибка программирования, которая возникает из-за непонимания значения или действия той или иной конструкции языка программирования. См. также S.442 syntax error; E.106 error diagnostics.

S.068 semantic network
семантическая сеть
Средство для представления знаний в виде помеченного ориентированного графа (G.047 graph). Каждая вершина этого графа представляет понятие, или концепт, а каждая метка представляет связь между концептами. При выполнении процедур, связанных с доступом к концептам, а также изменением самих концептов и связей между ними, производится движение по этому графу и его обработка.

S.069 semantics
семантика
Часть определения языка, касающаяся указания смысла и действия текста, составленного в соответствии с синтаксическими (S.437 syntax) правилами этого языка. См. также D.151 denotational semantics; O.042 operational semantics; A.198 axiomatic semantics.

S.070 semaphore
семафор
Тип данных (D.082 data type) специального назначения, введенный Эдсжером Дейкстрой (в 1965 г.). Над семафором можно производить только две операции, не считая создания, присвоения начального значения и аннулирования; операцию *ожидания* (*P-операция* или *операция занятия*) и операцию *сигнализации* (*V-операция* или *операция освобождения*). Буквы *P* и *V* исходят от голландских слов, использованных в оригинальном описании. Семафор принимает целое значение, которое не может стать отрицательным. Операция сигнализации увеличивает значение семафора на единицу, что в общем означает, освобождение ресурса. Операция ожидания уменьшает значение семафора на единицу, когда это можно сделать, не получая при этом отрица-

тельного значения, и в общем это означает, что сейчас свободный ресурс начнет использоваться. Поэтому семафор является средством управления доступом к критическому ресурсу (C.342 critical resource) со стороны совместно идущих последовательных процессов.

S.071 semiconductor
полупроводник
Вещество, такое как кремний или германий, электрическая проводимость которого увеличивается с ростом температуры и является промежуточной между проводимостями металлов и изоляторов. В чистых полупроводниках этот эффект возникает благодаря образованию (при нагревании) равного числа отрицательно заряженных носителей (электронов) и положительно заряженных носителей (дырок). Такие вещества называются *чистыми полупроводниками* или *полупроводниками i-типа*. Введение частиц примеси определенных типов в чистый полупроводник может значительно увеличить его проводимость: *донорные примеси*, которые относятся у пятой группе периодической таблицы, существенно увеличивают число электронов проводимости и образуют *полупроводник n-типа*; *акцепторные примеси*, которые относятся к третьей группе, значительно увеличивают число дырок и образуют *полупроводник p-типа*. Такие материалы называются *примесными полупроводниками*. Проводимость примесного полупроводника зависит от типа и количества (уровня добавки) примеси. При соединении полупроводников с различной проводимостью (*n*-типа, *p*-типа, *n*- и *p*-типа с высоким уровнем добавки, *i*-типа) образуется множество переходов (J.020 junction), которые являются основой полупроводниковых устройств, используемых в качестве электронных компонент схем. Термин «полупроводник» часто применяется по отношению к самим таким устройствам.

S.072 semiconductor memory (solid-state memory)
полупроводниковая память
Любой из различных типов дешевых устройств памяти, обычно изготовляемых в виде интегральных схем (I.122 integrated circuit), которые используются для хранения двоичных данных в цифровых электронных схемах. Эти

устройств состоят из матриц схем защелок (L.010 latch), сконструированных из полупроводниковых устройств, таких как биполярные транзисторы (B.084 bipolar transistor) или полевые транзисторы с МОП-структурой (M.193 MOSFET). Емкость (C.015 capacity) памяти на одном кристалле каждые несколько лет увеличивается в четыре раза: сейчас продаются кристаллы динамических ЗУПВ (R.011 RAM) емкостью 256К (килобит).

S.073 semigroup
полугруппа

Весьма простая алгебраическая структура (A.078 algebraic structure), состоящая из множества (S.116 set) S, на котором определена ассоциативная операция (A.153 associative operation), обозначаемая ∘ (ср. G.058 group). Подразумевается, что оператор ∘ берет операнды из данного множества и дает результат, также входящий в S. Если множество S конечно, подгруппа может быть описана таблицей Кэли (C.043 Cayley table) для операции ∘; в противном случае она может быть описана правилами выполнения операции ∘. Примерами групп являются: знаковые строки с операцией конкатенации (C.246 concatenation) (соединения вместе); множество матриц размером $n \times n$ с операцией умножения матриц; целые числа с операцией выбора максимума (или минимума) из двух элементов. Множества целых чисел с операцией вычитания не является полугруппой. Полугруппы играют важную роль в теории последовательностных машин (S.095 sequential machine) и формальных языков (F.117 formal language). Если M — это последовательностная машина, то любая входная последовательность порождает функцию над множеством состояний M. Множество всех таких функций образует полугруппу машины с операцией композиции (C.218 composition) функций (см. M.262 Myhill equivalence; N.017 Nerode equivalence). Полугруппы используются также при рассмотрении определенных аспектов арифметики вычислительных машин. См. также F.141 free semigroup; T.139 transformation semigroup; M.187 monoid.

S.074 semiring
полукольцо

Множество (S.116 set) S (содержащее нуль и единицу), на котором определе-

ны две бинарные операции (D.319 dyadic operation), которые обозначаются как + и · и удовлетворяют следующим свойствам: множество S, содержащее нуль, на котором определена операция+, является моноидом (M.187 monoid); множество S, содержащее единицу, на котором определена операция ·, является моноидом; операция + является коммутативной (C.196 commutative operation); операция · является дистрибутивной (см. D.256 distributive laws) относительно операции +. Говорят, что полугруппа является *унитарной*, если для операции · существует единица. Полугруппа является *коммутативной*, если операция · коммутативна. Множество многочленов от x с целыми неотрицательными коэффициентами составляет, например, полукольцо (которое не является кольцом), с двумя операциями: сложением и умножением. Другое применение полугруппы нашли в нечеткой логике (F.168 fuzzy theory). См. также R.157 ring; C.133 closed semiring.

S.075 semi-Thue system
полусистема Туэ

Важное понятие в теории формальных языков, которое лежит в основе понятия грамматики (G.044 grammar). Оно было определено и исследовано Акселем Туэ начиная примерно с 1904 г. Полусистема Туэ на алфавите Σ — это конечное множество упорядоченных Σ-слов:

$$\{\langle l_1, r_1 \rangle, ..., \langle l_n\ r_n \rangle\}.$$

Каждая пара $\langle l_i, r_i \rangle$ — это правило, называемое продукцией, с левой частью l_i и правой частью r_i; оно обычно записывается в виде

$$l_i \rightarrow r_i.$$

Пусть u и v — Σ-слова, а $l \rightarrow r$ — продукция, тогда говорят, что слово ulv непосредственно производит слово urv; это записывается как

$$ulv \rightarrow urv.$$

Таким образом, w непосредственно производит w', если w' является результатом применения продукции к некоторой подстроке w. Если

$$w_1 \Rightarrow w_2 \Rightarrow ... \Rightarrow w_{n-1} \Rightarrow w_n,$$

то говорят, что w_1 производит w_n; это записывается в виде

$$w_1 \overset{*}{\Rightarrow} w_n.$$

Таким образом, w порождает w', если w' получается из w с помощью последовательности непосредственных производных. Пусть, например, Σ — это $\{a, b\}$ и пусть продукциями являются

$$\{ab \to ba\}, \{ba \to ab\},$$

тогда $aabba$ приводит к $baaab$ с помощью последовательности подстановок

$$aabba \Rightarrow ababa \Rightarrow baaba \Rightarrow baaab.$$

Ясно, что w производит любую перестановку w. Во втором примере с продукциями

$$\{ab \to ba, \ ba \to \Lambda\}$$

w производит Λ (пустое слово) тогда и только тогда, когда в w содержится одно и то же число букв a и b. Вопрос о том, является ли w' производным от w, алгоритмически неразрешим.

S.076 sender-receiver terminal
приемопередающий терминал
Термин, применяемый для характеристики телетайпных терминалов и определяющий, является ли телетайп только принимающим (RO) терминалом, терминалом с клавиатурой, который может осуществлять и прием, и передачу (KSR) или же терминалом, который также оборудован устройством считывания и перфорации перфоленты для автоматических приема и передачи (ASR).

S.077 sense
считывать; воспринимать; определять
Определять условие или содержание сигнала или ячейки памяти. При использовании по отношению к ячейке памяти данное слов016 имеет то же значение, что и слово R.037 read.

S.078 sense switch
программно-опрашиваемый переключатель
Переключатель, который может быть установлен вручную, а опрошен командой. Такое устройство и связанные с ним команды (команда) редко встречаются в современных вычислительных машинах.

S.079 sensitivity analysis
анализ чувствительности
Исследование влияния на поведение системы изменения значения некоторого (явного или неявного) параметра или переменной или же сочетания нескольких таких изменений. Например, простой анализ позволяет определить,

каким образом пропускная способность системы изменяется при изменении числа и размеров буферов памяти, закрепленных за этой системой.

S.080 sentence symbol (start symbol)
начальный символ
См. G.044 grammar.

S.081 sentential form
1. пропозициональная форма 2. сентенциальная форма
См. G.044 grammar.

S.082 sentinel
сигнальная метка
Элемент данных (D.086 datum), который указывает на некоторое важное состояние, обычно в смысле ввода или вывода. Например, сигнальная метка конца данных означает, что данные считаны.

S.083 separator
разделитель
Символ, который в языке программирования разделяет предложения, например, точка с запятой в алголоподобных языках.

S.084 sequence
1. последовательность 2. упорядоченный список значений
1. Функция (F.160 function), областью определения которой является множество целых положительных чисел (или иногда множество неотрицательных целых чисел). Множество значений может быть, таким образом, выписано в виде $s_1, s_2, \ldots$ где s_i — значение функции для аргумента i. *Конечной последовательностью* (или *списком*) является функция, областью определения которой является множество

$$\{1, 2, \ldots, n\} \quad \text{для } n \geqslant 1$$

и множество значений которой, следовательно, может быть записано в виде

$$s_1, s_2, \ldots, s_n.$$

2. Список последовательных значений; в этом его смысле синоним термина S.350 string.

S.085 sequence control register
регистр последовательного управления
Часть блока управления (C.305 control unit), которая отвечает за вызов и выполнение процессов в правильной последовательности и в нужное время.

S.086 sequence generator
генератор последовательностей
Цифровая логическая схема, назначе-

нием которой является создание предписанной' последовательности выходных сигналов. На каждом выходе выдается один из некоторого числа символов или значений, полученных на уровне двоичной или q-ной (Q.001 q-agy) логики (L.125 logic). Последовательность может быть неопределенной длины или иметь заранее определенную фиксированную длину. Особым типом генератора последовательностей является двоичный счетчик (C.329 counter). Генераторы последовательностей полезны в различных приложениях в области кодирования и управления.

S.087 sequencer
устройство, задающее последовательность, программный автомат
Логическая схема, которая создает выходные сигналы, предназначенные для обеспечения координации работы других логических схем. Точное время и последовательность выдачи этих управляющих выходных сигналов зависят от схемы программного автомата и могут также зависеть от множества входных управляющих сигналов, подаваемых внешними устройствами.

S.088 sequencing
1. упорядочение 2. последовательное прохождение
1. Процедура, посредством которой упорядоченные блоки данных (октеты или сообщения) нумеруются, передаются через сеть связи (которая может изменить их порядок) и заново собираются в первоначальном порядке в месте, куда они направляются.
2. Прохождение по программе в обычном порядке, как правило, определенном последовательно расположенными ячейками памяти.

S.089 sequency
секвента
Число возрастающих участков перехода через нулевой уровень (и потому равное половине общего числа участков перехода через нуль) на кривой амплитуды сигнала (S.150 signal), взятое на единичном временном отрезке, или же, в случае пространственного сигнала (изображения), на единичном отрезке расстояния. Данный термин применяется, главным образом, для сигналов, которые могут принимать только одно положительное и одно отрицательное значения, в частности, для простого случая значений сигнала, равных $+1$ и -1. Хотя кривая изменения сигнала обычно дискретна, график изменения во времени (или в пространстве) может рассматриваться и как дискретный, и как непрерывный, в зависимости от области применения и используемых математических методов. Данный термин первоначально использовался применительно к функциям Уолша (W.005 Walsh function). Для функций Уолша или аналогичных периодических функций, у которых в одном периоде есть несколько участков перехода через нуль, расположенных на неравных интервалах, число переходов через нуль за один период называется *нормализованной секвентой*. Многие понятия, такие как ширина полосы пропускания (B.023 bandwidth), и процессы типа фильтрации (F.065 filtering), которые первоначально были определены с использованием термина «частота» (F.143 frequency), могут быть также хорошо определены с помощью термина «секвента». Формулировка в терминах «секвенты» часто более быстро и более просто может быть адаптирована к процессам обработки на дискретных устройствах, таких как вычислительные машины. См. также D.223 discrete and continuous system.

S.090 sequential access
последовательный доступ
Метод доступа к файлу (F.045 file) (особенно к информационному) или к базе данных (D.010 database); говорят, что файл или база данных имеют последовательный доступ, если последовательность обращенных к ним входных сообщений соответствует последовательности, в которой организованы их записи (R.056 record).

S.091 sequential algorithm
последовательный алгоритм
В общем случае любой алгоритм, выполняемый последовательно, а в частном — алгоритм для декодирования сверточного кода (C.312 convolutional code).

S.092 sequential circuit (sequential machine)
последовательностная схема; последовательностная машина
Логическая схема (L.116 logic circuit), значения выходов которой в какой-то момент времени являются функцией от значений на входах в этот же момент времени и в некоторое конечное число предыдущих моментов времени. На

практике любая физически выполнимая последовательностная схема будет иметь некоторое конечное время перехода (задержку) между изменениями на входах и изменениями на выходах (одним или несколькими входными сигналами могут быть синхронизирующие сигналы); термин «последовательностная» используется с тем, чтобы не только отличить данный тип схем от комбинационных (С.174 combinational circuit), но и в явном виде охватить элементы памяти (М.102 memory element), такие как триггеры. Для облегчения анализа и синтеза последовательностных схем используются диаграммы состояния (S.301 state diagrams).

S.093 sequential file
последовательный файл
Файл, организация которого обеспечивает последовательный доступ к нему (S.090 sequential access).

S.094 sequential function
последовательностная функция
Пусть есть алфавиты I и O. Функция f, отображающая I^* в O^* (см. W.036 word) является последовательностной, если она является функцией отклика последовательностной машины (S.095 sequential machine). Часто, хотя не всегда, подразумевается, что машина имеет ограниченное число состояний. Следовательно, в этом смысле последовательностная функция является для функций тем же, чем и регулярный язык (R.093 regular language) для языков, поскольку регулярными языками считаются языки, распознаваемые конечными автоматами.

S.095 sequential machine
последовательностная машина; последовательностное устройство
1. Конечный автомат (F.074 finite-state automaton), имеющий выход (в ряде контекстов сюда включаются и машины с бесконечным множеством состояний). Таким образом, существует функция, отображающая декартово произведение (С.029 Cartesian product) $I \times Q$ на произведение $Q \times O$, где Q — это множество состояний, а I, O — конечные множества соответственно входных и выходных символов. Предположим, например, что

$$a, q_0 \to q_1, x;$$
$$b, q_1 \to q_1, y;$$
$$c, q_1 \to q_2, z.$$

Тогда, если машина находится в состоянии q_0 и считывает символ a, то она переходит в состояние q_1 и дает на выходе x, и т. д. Подразумевая, что начальным состоянием было q_0, можно видеть, что входная строка *abbbc* отображается в выходную строку *xyyyz*. Это отображение множества входных строк на множество выходных строк, т. е. I^* на Q^*, называется *функцией отклика* машины. Функция f охватывает как *функцию перехода состояний* f_Q, отображающую $I \times Q$ на Q, так и *функцию выхода* f_O, отображающую $I \times Q$ на O. Описанный выше механизм иногда еще называется автоматом Мили, который следует отличать от автомата Мура более ограниченного действия. В машине Мура выходной символ на каждой стадии зависит только от текущего состояния, а не от считанного входного символа. Поэтому приведенный выше пример не является примером автомата Мура, поскольку

$$f_O (b, q_1) = y,$$
тогда как
$$f_O (c, q_1) = z.$$

Любой автомат Мура путем добавления ряда состояний может быть преобразован в эквивалентный автомат Мили. Обобщенная последовательностная машина — это расширение понятия последовательностной машины: на каждой стадии здесь выводится строка символов, а не один символ. Таким образом, здесь определяется функция, отображающая $I \times Q$ на $Q \times O^*$. См. также G.064 gsm mapping.
2. = S.092 sequential circuit.

S.096 sequential search algorithm
алгоритм последовательного поиска
Наиболее простой алгоритм поиска, при котором поиск ведется от начала файла последовательно до тех пор, пока не будет обнаружено требуемое совпадение ключей поиска.

S.097 sequential transducer
последовательностный преобразователь
Недетерминированный вариант обобщенной последовательностной машины (S.095 sequential circuit).

S.008 serial access
последовательный доступ; последовательная выборка
Метод доступа к данным, при котором блоки считываются из места хранения в том порядке, в котором они физиче-

ски записаны, до тех пор, пока не будет найден нужный элемент.

S.099 serial adder
последовательный сумматор

Двоичный сумматор, который способен формировать выходные сигналы суммы и переноса для первого и второго слагаемых длиной более одного бита. Отдельные биты первого и второго слагаемых, начиная с самого младшего

Термин, используемый для описания класса цифровых устройств, которые могут принимать последовательные потоки, состоящие из поочередно передаваемых *n*-битовых данных, и преобразовывать их в параллельно передаваемые *n*-битовые слова. Эти устройства часто состоят из *n*-разрядного сдвигового регистра, в который из входного потока под управлением внешнего синхронизирующего устройства после-

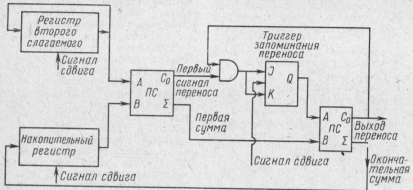

значащего разряда, подаются последовательно вместе с сигналами переноса в сумматор, который затем формирует выходные сигналы суммы и переноса. Сигнал переноса должен быть запомнен таким образом, чтобы он мог быть использован при выполнении сложения следующей пары входных битов. По окончании стадии сложения общий результат суммирования сохраняется, например, в сдвиговом регистре (S.140 shift register). На рисунке показана типичная схема сумматора, в котором первое и второе слагаемые первоначально загружаются в регистр второго слагаемого и в накопительный регистр, сохраняющий результат. По сравнению с параллельным сумматором (P.025 parallel adder) последовательный сумматор в общем работает медленнее, однако позволяет сохранять промежуточные результаты счета.

S.100 serial arithmetics
последовательная арифметика

Способ вычислений, при котором в каждый момент времени обрабатывается только один двоичный разряд или одна цифра числа.

S.101 serial in parallel out (SIPO)
последовательный ввод и параллельный вывод

довательно загружаются *n* битов данных (см. рисунок). Из сдвигового регистра (S.140 shtft register) *n*-битовые слова данных могут быть после этого считаны в параллельной форме. Ср. P.031 parallelin serial out.

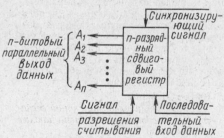

S.102 serial input/output (SIO)
последовательный ввод-вывод

Метод установления связи для передачи данных (обычно между вычислительной машиной и периферийными устройствами), при котором отдельные биты данных передаются последовательно. В качестве передающего и приемного устройства, необходимого для реализации такой схемы обмена данными, могут быть использованы устройства на интегральных схемах, называемые универсальными асинхронными приемопередатчиками (U.001 UART). См. P.030 parallel input/output.

S.103 serial in serial out (SISO)
последовательный ввод и последовательный вывод
Термин, используемый для описания сдвигового регистра (S.140 shift register), который, по определению, не может загружаться в режиме параллельной передачи сигналов и из которого не может быть произведено параллельное считывание: вводить и выводить данные из такого устройства можно только в последовательном режиме.

S.104 serial interface
последовательный интерфейс
Сопряжение, через которое информация передается по одному биту. Скорость передачи может быть высокой, например, 10М бит/с, как в сети Ethernet, или медленной, до 100 бит/с, как в интерфейсе RS 232C. Данный термин иногда применяется и по отношению к таким интерфейсам, как RS 232C и RS422, при которых данные пересылаются последовательно по одному каналу, но одновременно по параллельным каналам передаются некоторые управляющие сигналы.

S.105 serial-parallel
последовательно-параллельный
Определение, характеризующее сочетание последовательной и параллельной обработки; например, при обработке строки десятичных цифр 4 бит, входящие в один блок (блок представляет одну десятичную цифру — *прим. пер.*), обрабатываются параллельно, а сами эти 4-битовые блоки обрабатываются последовательно.

S.106 serial printer
устройство последовательной печати, последовательное печатающее устройство
Печатающее устройство, на котором знаки печатаются последовательно в том порядке, в котором они располагаются в строке текста. Последовательность может быть выбрана в направлении слева направо, или же направление печатания может меняться на каждой очередной строке, чтобы избежать непроизводительного движения при возврате каретки. Во всех устройствах последовательной печати есть приспособление, заставляющее печатающую головку двигаться параллельно бумаге вдоль печатаемой строки. Печать может производиться либо с помощью ударного воздействия на красящую ленту, находящуюся над бумагой, как в случае матричного печатающего устройства (D.275 dot matrix printer) или лепесткового печатающего устройства (D.004 daisywheel printer), либо с использованием какого-то вида техники безударной печати, такой как в струйном печатающем устройстве (I.093 ink jet printer) или в термографическом печатающем устройстве (T.069 thermal printer). В некоторых конструкциях за счет приспособления, заставляющего печатающую головку на высокой скорости проходить пустые участки строки, производительность при печати не до конца заполненных строк увеличивается. Оптимизируется также направление, в котором должна печататься строка. Скорость работы устройства последовательной печати меньше эквивалентной скорости в знаках в секунду работы построчно-печатающего устройства (L.069 line printer), выдающего сразу целую строку. Однако то, что устройство последовательной печати быстрее печатает короткие строки, увеличивает его эффективность в тех случаях, когда надо печатать именно короткие строки, например, адреса или итоги в форматированных бланках. Устройство последовательной печати, работающее со скоростью 200 знаков в секунду, способно печатать некоторые типы счетов потребителей со скоростью, эквивалентной скорости 300 строк в минуту.

S.107 serial process
последовательный процесс
Процесс, этапы которого выполняются строго последовательно: в каждый конкретный момент времени выполняется только один этап, и каждый последующий этап начинает выполняться только после завершения предыдущего.

S.108 serial programming
последовательное программирование
См. S.179 single threading.

S.109 serial transfer
последовательная передача
Передача информации последовательными блоками. Например, если нужно передать 8-битовый блок информации между двумя вычислительными машинами по однопроводной линии, то машина-источник будет последовательно

передавать по единственному проводу каждый из восьми битов, в то время как машина-приемник будет заново собирать эти последовательно идущие биты в первоначальный 8-битовый блок. Таким образом будет происходить последовательная передача 8-битового блока. Ср. P.036 parallel transfer.

S.110 servor
обслуживающее устройство; служебный процессор
Узел сети, обычно локальной (L.095 local area network), в котором обеспечивается обслуживание сетевых терминалов путем управления распределением дорогостоящего ресурса совместного пользования. Например, служебный файловый процессор может управлять дисковым накопителем и обеспечивать хранение и архивное обслуживание для вычислительных машин в сетях, которые могут не иметь своих собственных дисков; служебное печатающее устройство может обеспечивать быстрое получение высококачественной печатной копии так, что отпадает необходимость в снабжении каждого терминала или вычислительной машины в сети своим собственным печатающим устройством; служебное устройство связи может обеспечивать соединение с другими средствами связи, включая другие локальные сети или сети общественного пользования, т. е. выполнять роль шлюза (G.009 gateway).

S.111 service bit
служебный бит; служебный разряд
Бит в пакете (P.005 packet) протокола X.25 (X.001 X.25), указывающий, несет ли пакет информацию или управляющие сигналы.

S.112 service engineering
техническое обслуживание
Любое техобслуживание, как профилактическое (P.208 preventive maintenance), так и ремонтное (R.113 remedial maintenance).

S.113 service routines
служебные программы
Устаревшее название исполнительной системы.

S.114 servosurface
рабочая поверхность
См. D.242 disk pack; D.237 disk cartridge; A.037 actuator.

430

S.115 session layer of network protocol function
сеансовый уровень функций сетевого протокола

См. S.120 seven-layer reference model.

S.116 set
1. множество 2. устанавливать
1. Совокупность различных объектов любого вида. Объекты множества называются *членами* или *элементами*. Элемент может встречаться в составе множества не более одного раза, причем порядок расположения элементов несуществен. Если x является элементом множества S, то это обычно записывается в виде

$$x \in S.$$

Если x не является членом множества S, то это может быть записано как

$$x \notin S,$$

что равносильно записи

$$\text{NOT } (x \in S),$$

т. е. символы $\in$ и $\notin$ могут быть квалифицированы как операторы. Если любой элемент множества S является также элементом множества T, и наоборот, то говорят, что эти два множества *тождественны* или *равны*.
Конечное множество имеет определенное конечное число членов; для его обозначения можно использовать запись вида

$$\{\text{Ada, Algol, Cobol, PL/I}\}.$$

В этой записи члены множества разделяются запятыми; в данном примере этими членами являются названия различных языков программирования. Если число элементов не конечно, то говорят, что множество *бесконечное;* в этом случае перечисление элементов в явном виде невозможно. Бесконечные и конечные множества могут быть описаны с помощью предикатов (P.192 predicate) или утверждений типа $p(x)$, которые делаются относительно x и могут быть истинными или ложными, что записывается в виде

$$\{x \mid p(x)\}.$$

Эта запись читается как «множество всех элементов x, для которых $p(x)$ истинно», а все такие элементы характеризуются общим свойством p. Примеры подобного описания множеств (в предположении, что R — это множество всех действительных чисел):

$$\{(x, y) \mid x \in R, \ y \in R \text{ и } x + y = 9\}$$

$$\{n \mid n \text{ — простое число}\}$$

$$\{l \mid l \text{ — название языка}\}$$

Считается, что существует некоторый алгоритм, позволяющий определять истинность или ложность $p(x)$ для каждого конкретного случая. Понятие множества в математике является фундаментальным. Оно является основой всех понятий, в рамках которых используются функции (F.160 function), отношения (R.097 relation) и любые виды алгебраических структур (A.078 algebraic structure). Способы определения множеств различными авторами могут значительно различаться. Специалисты по математической логике очень тщательно разграничивают классы и множества, чтобы с гарантией избежать проявления на множествах таких парадоксов, как парадокс Рассела (R.202 Russel's paradox). Однако, во многих случаях вполне адекватным является данное здесь неформальное определение множества. См. также O.045 operation on sets.
2. Задавать требуемое состояние ключа, сигнала или ячейки памяти.

S.117 set algebra
алгебра множеств
Алгебра (A.074 algebra), которая состоит из множества (S.116 set) подмножеств (S.378 subset) некоторого универсального множества U (U.027 universal set) вместе с относящимися к ним операциями объединения (U.017 union), пересечения (I.162 intersection) и дополнения (C.207 complement). Множество подмножеств, связанное с алгеброй множеств, иногда описывается как множество мощности U (P.186 power).

S.118 set difference
разность множеств
Двухместная (D.319 dyadic) операция над двумя множествами, скажем, S и T, дающая в результате множество S—T, состоящее из элементов, входящих в S, но не входящих в T. Формально

$$S - T = \{s \mid s \in S \text{ и } S \notin T\}.$$

Разность множеств является обобщением понятия дополнения множества (C.207 complement), поэтому иногда называется *относительным дополне-*нием T по отношению к S. *Симметричной разностью* между двумя множествами S и T является объединение (U.017 union) множеств S—T и T—S.

S.119 set-up time
время установки; время подготовки к работе
Период времени, в течение которого на вход цифрового устройства должны поступать необходимые двоичные данные перед тем, как устройство будет их воспринимать или анализировать. Термин широко используется применительно к запоминающим устройствам.

S.120 seven-layer reference model
семиуровневая эталонная модель
Модель протоколов передачи данных, предложенная Международной организацией по стандартизации (ИСО) с целью разрешения проблемы взаимодействия открытых систем (O.036 open system interconnection) с различными видами вычислительного оборудования и различающимися стандартами протоколов. Первоначально усилия ИСО были сконцентрированы на структуре (модели) протоколов связи цифровых устройств, а не на самих протоколах. Основной идеей, на реализацию которой нацеливались эти усилия, было решение о разбиении функций протокола на семь различных категорий, или уровней, каждый из которых связан с одним более высоким и с одним более низким уровнем (за исключением самого верхнего и самого нижнего). Это должно было обеспечить сравнительно простую реализацию сетей, которые предназначались для несекретных линий связи. Названия уровней и сжатое описание их основных функций приведены в таблице. Семиуровневая модель пока еще не реализована в виде законченного множества протоколов для всех уровней и в действительности на каждом уровне потребуется реализовать целый набор протоколов. Идея семиуровневого открытого соединения состоит не в попытке создания универсального множества протоколов связи, а в обеспечении «модели», в рамках которой могут быть использованы уже имеющиеся различные протоколы в их теперешнем виде. Ясно, что наряду с ощутимой выгодой подобной концепции семиуровневой модели возникают масса трудных вопросов, связанных со взаимосвязями протоколов, относящихся к разным уровнос-

Уровень	Название уровня	Функциональное описание
1	Физический уровень	Обеспечивает необходимые механические, электрические, функциональные и процедурные характеристики для установления, поддержания и размыкания физического соединения
2	Канальный уровень	Обеспечивает функциональные и процедурные средства для установления, поддержания и освобождения линий передачи данных между абонентами сети (например, терминалами и узлами сети)
3	Сетевой уровень	Обеспечивает функциональные и процедурные средства для обмена служебной информацией между двумя объектами транспортного уровня сети (т. е. устройствами, которые поддерживают протоколы на транспортном уровне посредством сетевого соединения). Гарантирует независимость поведения объектов транспортного уровня от схемы маршрутизации и коммутации
4	Транспортный уровень	Обеспечивает оптимизацию коммутационного обслуживания (поддерживаемого реализацией более низких уровней связи) путем обеспечения прозрачных передач данных между абонентами в рамках сеанса
5	Сеансовый уровень	Обеспечивает на логическом уровне обслуживание двух «связанных» на уровне представления данных объектов сети и управляет введением диалога между ними путем синхронизации сообщений
6	Уровень представления данных	Обеспечивает совокупность служебных операций, которые можно выбрать на прикладном уровне для интерпретации передаваемых и получаемых данных. Эти служебные операции включают в себя управление информационным обменом, отображение данных и управление структурированными данными. Служебные операции этого уровня представляют собой основу всей семиуровневой модели и позволяют связывать воедино терминалы и средства вычислительной техники самых различных типов
7	Прикладной уровень	Обеспечивает непосредственную поддержку прикладных процессов и программ конечного пользователя и управление взаимодействием этих программ с различными объектами сети передачи данных

ням; число проблем будет увеличиваться по мере роста числа протоколов на каждом уровне. Однако даже с учетом этих трудностей достигнут реальный прогресс в деле стандартизации протоколов на нижних трех уровнях благодаря усилиям Международной организации по стандартизации (ИСО) и Международного Консультативного комитета по телеграфии и телефонии, что обеспечило разработку стандартов коммутации пакетов (P.009 packet switching) в информационных сетях общественного пользования. За последнее время достигнут значительный прогресс в реализации некоторых типов протоколов и для верхних четырех уровней, в особенности применительно к передаче файлов (F.045 file). Кроме того, ряд организаций уже предлагает стандарты для уровня представления данных (уровень 6) применительно к видеотексу (V.042 videotex).

S.121 seven-segment display
 семисегментный индикатор
См. L.015 LCD, L.026 LED display.

S.122 S-gate
 = ternary threshold gate

S.123 Shannon—Fano coding (Fano coding)
кодирование по Шеннону—Фано
См. S.230 source coding.

S.124 Shannon—Hartley law
закон Шеннона—Хартли
См. C.067 channel coding theorem.

S.125 Shannon's diagram of a communication system (C.192)
диаграмма Шеннона для системы связи
Диаграмма, показывающая модель Шеннона (S.126 Shannon's model) для такой системы и отображающая источник информации, устройство кодирования, канал передачи, источник шума, устройство декодирования и пункт приема информации.

S.126 Shannon's model of a communication (C.192)
модель Шеннона для системы связи
Общепринятая модель, предложенная Клодом Элвудом Шенноном в 1948 г., в которой имеется *источник информации*, посылающий сообщение приемнику информации с использованием средства связи или механизма связи, называемого *каналом*. Согласно Шеннону, «основной проблемой связи является точное или приблизительное воспроизведение в одной точке сообщения, переданного из другой точки». В общем случае канал искажает сообщение и добавляет к нему помехи (N.038 noise). Для устранения искажений и уменьшения воздействия помех до приемлемого уровня между источником информации и каналом помещается кодер (E.060 encoder), а между каналом и пунктом приема информации помещается декодер (D.117 decoder). Источник посылает *передаваемое сообщение*, которое кодируется в *передаваемый сигнал;* этот сигнал посылается по каналу. В результате в месте приема появляется *принимаемый сигнал*, который декодируется и дает *принимаемое сообщение;* это сообщение прибывает в пункт приема информации. Считается, что в канале действует источник помех, который в дополнение к нередаваемому сигналу вводит свою «информацию». Назначением кодирующего и декодирующего устройств является формирование принимаемого сообщения, достаточно точно совпадающего с передаваемым сообщением, несмотря на влияние «информации», поступающей от источника помех. См. также S.231 source

coding theorem; C.067 channel coding theorem.

S.127 Shannon's theorems
теоремы Шеннона
См. S.231 source coding theorem; C.067 channel coding theorem.

S.128 Shannon's text
текст Шеннона
Короткий стандартизированный текст, часто используемый для определения или сравнения характеристик работы устройств качественной печати документов. Предполагается, что этот текст обладает характеристиками «среднего английского текста»; текст взят из работы Клода Шеннона по математической теории связи. Текст состоит из 128 знаков, включая пробелы, и выглядит следующим образом: «The head and in frontal attack on an English writer that the character of this point is therefore another method for letters».

S.129 shared logic system
система с совместно используемой логикой
Термин, используемый иногда для описания системы, в которой несколько терминалов одновременно совместно используют один и тот же центральный процессор.

S.130 shared memory
совместно используемая память
Область памяти, используемая совместно двумя разными процессами (P.241 process); служит средством организации взаимосвязи процессов и обеспечивает работу их с общими подпрограммами, что способствует уменьшению требуемого объема памяти.

S.131 Sheffer stroke
штрих Шеффера
См. N.004 NAND operation.

S.132 Shell's method (diminishing increment sort)
метод Шелла
Алгоритм сортировки, предложенный Дональдом Шеллом в 1959 году. Он представляет собой вариант сортировки с простыми вставками (S.341 straight insertion sort), при котором допускается перемещение записи не на одну позицию за один раз, а на большее число позиций. Это достигается за счет сортировки каждой группы записей $G_j^{(i)}$ длиной в h_i записей отдельно внутри файла (группы $G_j^{(i)}$ являются непересекающимися (D.233 disjoint) и в со-

вокупности содержат всю информацию файла). Этот процесс сортировки по группам повторяется с одновременным уменьшением значений h_i, и, следовательно, увеличением числа групп $G_j^{(i)}$, заканчиваясь при $h_i = 1$.

S.133 shellsort
сортировка методом Шелла
См S.132 Shall's method.

S.134 shift
1. смена регистра 2, регистр
3. сдвиг; смещение
1. Изменение интерпретации знаков. Этот термин всем хорошо знаком по обычной пишущей машинке, где он используется для обозначения перехода от строчных букв к заглавным.
2. Любой полный набор знаков, которые можно печатать или вводить с помощью клавиатуры, не прибегая к смене регистра (см. определение 1).
3. Перемещение фрагмента битовой строки. Сдвиг влево на $m\,(<n)$ двоичных разрядов перемещает фрагмент битовой последовательности

$$b_1 b_2 \ldots b_n$$

влево, давая в результате строку

$$b_{m+1} b_m \ldots b_n ? \ldots ?$$

Аналогично, сдвиг вправо на m двоичных разрядов преобразует последовательность

$$b_1 b_2 \ldots b_n$$

в последовательность

$$? \ldots ? b_1 b_2 \ldots b_{n-m}.$$

Заполнение вновь введенных битов (в примерах они показаны вопросительными знаками) и использование битов, выходящих за пределы строки зависят от конкретного типа сдвига: *арифметического, логического* или *циклического*. При арифметическом сдвиге битовая строка считается представлением двоичного целого числа; если все теряемые m ведущих двоичных разрядов содержат нули, сдвиг влево на m двоичных разрядов равносилен умножению на 2^m. При логических сдвигах все вводимые двоичные разряды являются нулевыми. При циклических сдвигах биты, выходящие за пределы строки с одного конца, вводятся с другого конца регистра.

S.135 shift character
знак смены регистра
Любой знак в потоке символов, используемый для указания на смену регистра (S.134 shift). Ср. E.115 escape character.

S.136 shift counter
счетчик со сдвигом
Синхронный счетчик (S.432 synchronous counter), состоящий из тактируемых триггеров (F.097 flip-flop), образующих сдвиговый регистр (S.140 shift register). Данные в этом регистре распространяются слева направо (или справа налево) от триггера к триггеру при посылке тактовых импульсов или импульсов счета. Счет осуществляется посредством установки содержимого сдвигового регистра в состояние логического 0 (или логической 1) и занесением логической 1 (или логического 0) в крайний левый (крайний правый) триггер при каждом импульсе счета. Для сдвига этой 1 (или 0) в крайний правый (крайний левый) триггер в m-разрядном счетчике, состоящем из m триггеров, требуется m тактовых импульсов. Таким образом, положение 1 (или 0) в регистре соответствует сосчитанному числу импульсов, поступивших на вход регистра. Счетчик может быть приспособлен для непрерывного счета путем соединения выхода крайнего правого (крайнего левого) триггера со входом крайнего левого (крайнего правого) триггера. В этом случае счетчик называется кольцевым.

S.137 shift instruction
команда сдвига
Команда, указывающая, что содержимое сдвигаемого регистра (иногда сцепленных регистров) должно быть сдвинуто либо влево, либо вправо на указанное число разрядов регистра. Сдвиги (S.134 shift) могут быть циклическими или открытыми с двух сторон. В последнем случае обычно указывается, что происходит с битами, «выталкиваемыми» за пределы регистра (часто они просто отбрасываются), и какие биты должны заноситься в регистр (чаще всего нулевые).

S.138 shift keying
сдвиговая телеграфная манипуляция
См. M.174 modulation; F.149 frequency shift keying; P.101 phase shift keying.

S.139 shift-reduce parsing
= bottom-up parsing

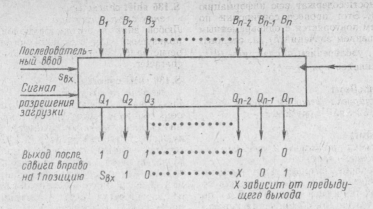

B_1 B_2 B_3 $\cdots$ B_{n-2} B_{n-1} B_n

*Последователь-
ный ввод*

Сигнал $S_{вх}$
разрешения
загрузки

Q_1 Q_2 Q_3 $\cdots$ Q_{n-2} Q_{n-1} Q_n

Выход после   1   0   1 $\cdots$ 0   1   0
сдвига вправо
на 1 позицию $S_{вх}$ 1   0 $\cdots$ X   0   1

*X зависит от предыду-
щего выхода*

S.140 shift register
сдвиговый регистр
Регистр (F.086 register), обладающий способностью передавать информацию влево или вправо. Этот n-разрядный сдвиговый регистр представляет собой n-каскадное синхронизированное устройство, выходы которого образуют n-битовое слово параллельно передаваемых данных (см. рисунок). За один такт слово на выходе регистра перемещается на одну позицию (двоичный разряд) справа налево (или слева направо). При этом на «конце» регистра крайний левый (или крайний правый) бит теряется, в то время как в позицию крайнего правого (или крайнего левого) бита загружается значение, поступающее со входа последовательного ввода. Устройство может также принимать n-битовые слова параллельно передаваемых данных, которые, пройдя через регистр преобразуются в последовательную форму. См. также S.101 serial in parallel out; P.031 parallel in serial out; P.029 parallel in parallel out; S.103 serial in serial out. Сдвиговые регистры с параллельными выходами и комбинационные логические схемы, на входы которых подаются сигналы с выходов этих регистров (см. C.174 combinational circuit), играют важную роль в цифровой обработке сигналов (D.190 digital signal processing), а также и при кодировании и декодировании кодов с исправлением ошибок (E.103 error-correcting codes) и кодов с обнаружением ошибок (E.104 error-detecting codes). Такие регистры могут быть реализованы как на уровне аппаратных средств, так и программно, и могут быть как двоичными, так и

q-ными (Q.001 q-агу). (Реализация сдвиговых регистров аппаратными средствами удобна только в случае двоичной и иногда троичной логики). См. F.028 feedback register; F.029 feed-forward (shift) register G.037 Good — de Bruijan diagram.

S.141 shooting method
метод пристрелки
Итеративный метод решения краевых задач для обыкновенных дифференциальных уравнений (O.070 ordinary differential equations). Рассмотрим уравнение

$$y'' = f(x, y, y'),\ y(a) = \alpha,\ y(b) = \beta$$

Пусть $y(x; t)$ — решение данного дифференциального уравнения, полученное при начальных условиях:

$$y(a) = a,\ y'(a) = t.$$

Данное решение является решением рассматриваемого уравнения, если $F(t) = 0$, где

$$F(t) = y(b; t) - \beta.$$

Уравнение $F(t) = 0$ решается итеративно, обычно с использованием какого-либо варианта метода Ньютона (N.030 Newton's method). Поэтому на каждой итерации требуется производить численное интегрирование в задаче с начальными условиями. Рассматриваемый метод применим для всех типов краевых задач независимо от формы выражения граничных условий. Кроме проблемы получения хороших приближенных начальных значений, могут возникнуть трудности, связанные с устойчивым распространением погрешности (E.111 error propagation) при

435

интегрировании в рамках решения задачи с начальными условиями. Весьма полезным улучшением является попытка отыскания недостающих условий на обоих концах области интегрирования путем сравнения двух решений, последовательно найденных с помощью данного метода во внутренней точке. В трудных случаях для уменьшения распространения погрешности можно получать начальные приближения и сравнивать решения в нескольких внутренних точках; эта процедура известна как метод параллельной пристрелки.

S.142 shortest-path algorithm
алгоритм поиска кратчайшего маршрута
Алгоритм, который в основном предназначен для определения пути минимальной длины (P.069 path) между двумя указанными вершинами связного (C.266 connected graph) взвешенного (W.014 weighted graph) графа. Хороший алгоритм для решения данной задачи был предложен Э. В. Дейкстрой в 1959 г.

S.143 sibling (brother; sister)
узел-брат, родственный узел
Каждая из двух вершин дерева (T.163 tree), имеющих общую родительскую вершину.

S.144 side effect
побочный эффект
Производимое программным модулем (P.288 program unit) действие, которое не вытекает с очевидностью из его параметров (P.037 parameter), например, изменение не локальной для этого модуля переменной или выполнение ввода-вывода.

S.145 sifting technique
= straight insertion sort

S.146 sigma language (Σ-language)
сигма язык, Σ-язык
См. F.117 formal language.

S.147 sigma-tree (sigma term; Σ-tree; Σ-term)
сигма-дерево; сигма-терм; Σ-дерево; Σ-терм
См. T.166 tree language.

S.148 sigma word (Σ-word)
сигма-слово; Σ-слово
См. W.036 word.

S.149 sign
знак
Средство, используемое для различения положительных и отрицательных чисел. Существует несколько способов

представления знака числа в вычислительных машинах; в каждом способе под знак используется один двоичный разряд, называемый *знаковым разрядом*. Наиболее очевидный способ представления положительных и отрицательных целых чисел в памяти вычислительной машины — это представление их в виде величины *со знаком*. При этом способе крайний левый бит в слове используется для обозначения знака (0 обозначает знак $+$, 1 обозначает знак $-$), а остальные биты слова используются для представления значения целого числа. Однако чаще в вычислительных машинах используется способ представления целого числа его двоичным дополнением. См. R.004 radix complement; C.210 complement number system.

S.150 signal
сигнал
Форма представления данных, при которой данные рассматриваются в виде последовательности значений скалярной величины — амплитуды, записанной (т. е. измеренной, напечатанной или нарисованной) во времени. Чаще всего, однако не всегда, амплитудой является электрический потенциал. См. также D.223 discrete and continuous systems; S.240 space domain.

S.151 signal conditioning
преобразование сигнала; формирование сигнала
Фильтрация (F.965 filtering) непрерывного сигнала.

S.152 signal operation
сигнальная операция
См. S.070 semaphore.

S.153 signal processing
обработка сигналов
Обработка сигналов (S.150 signal) с помощью устройств с жесткой или программируемой логикой, где под сигналами понимаются непрерывные и дискретные сигналы, формируемые соответственно аналоговыми и цифровыми устройствами (см. D.223 discrete and continuous systems). Примерами обработки сигналов являются фильтрация (F.065 filtering) и обработка изображений (P.108 picture processing). См. также D.190 digital signal processing.

S.154 signal-to-noiseratio
отношение сигнал/шум
Отношение мощности сигнала (S.150

436

signal) к мощности помехи (N.038 noise) в физическом канале передачи; часто измеряется в децибелах (дБ). Определение это лучше всего подходит к статистически правильному шуму, такому как белый (W.023 white noise) гауссов (G.013 Gaussian noise) шум. См. также C.067 channel coding theorem.

S.155 signature analysis
сигнатурный анализ
Метод определения местоположения и характера неполадки в цифровой системе затем ввода тестовых последовательностей сигналов и проверки получающихся в результате выходных последовательностей сигналов (сигнатур). Теоретическое обоснование этого метода дано в теории последовательностных схем (S.092 sequential circuit).

S.156 sing bit
знаковый двоичный разряд; знаковый бит
См. S.157 sign digit.

S.157 sign digit (signed field)
знаковый разряд; цифра знака
Одна цифра, используемая для указания алгебраического знака числа. При работе в двоичной системе знаковый разряд называется *знаковым битом*. См. также S.149 sign; F.100 floating-point notation.

S.158 signed field
= sign digit

S.159 signed-magnitude representation
представление в виде величины со знаком
См. S.149 sign.

S.160 significance test
проверка по критерию значимости
Статистическая процедура, посредством которой числовая характеристика, определенная по данным выборки, сравнивается с теоретическими значениями стандартных распределений вероятностей (P.232 probability distribution). Формально это означает сравнение *нулевой гипотезы* H_0 [например, заключающейся в отсутствии разницы между средними значениями двух генеральных совокупностей (P.163 population)], и альтернативной гипотезы H_1 (что на самом деле такая разность есть). Если предполагается, что справедлива гипотеза H_0, то вычисляется или табулируется распределение вероятностей, соответствующее некоторому статистическому критерию. Если этот критерий дает превышение *критического значе-*

ния соответствующего уровню доверительной вероятности в α процентов, то нулевая гипотеза с уровнем значимости в α процентов отвергается. Наиболее общеиспользуемыми являются уровни значимости в 5, 1 и 0,1%. Для определения альтернативной гипотезы, подлежащей проверке, требуется особая тщательность. Критерии, предлагающие исследование обеих ветвей кривой распределения вероятностей известны как двусторонние, в отличие от односторонних критериев, которые требуют исследования только одной ветви. См. также A.099 analysis of variance; G.038 goodness-of-fit tests; S.364 Student's distribution; C.103 chi-squared distribution.

S.161 sign off
= log off

S.162 sign on
= log on

S.163 silicon chip
кремниевый кристалл
См. C.099 chip.

S.164 silicon-on-sapphire (SOS) circuitry
кремниевая схема на сапфировой подложке, кремний — сапфировая схема
Технология создания структуры металл—оксид—полупроводник (МОП-структуры), при которой на сапфировой основе выращивается кремниевый слой толщиной в один кристалл. После этого на кремниевом слое могут изготовляться отдельные устройства, реализующие функцию конкретной интегральной схемы. Поскольку основа является изолирующим материалом, удается снизить паразитные емкости между топологическими элементами схемы и подложкой, что обеспечивает увеличение скоростей переключения и плотности размещения приборов. Однако производство специального материала подложки оказывается более дорогим, чем производство самого кремниевого кристалла.

S.165 SIMD processor-single instruction (stream), multiple data (stream) processor
процессор с одним потоком команд и множеством потоков данных
См. C.250 concurrency.

S.166 similar trees
подобные деревья; деревья-двойники
Деревья, имеющие одну и ту же

структуру или форму. Более строго, два дерева являются подобными либо если оба они имеют точно по одному узлу, либо, если это не так, то соответствующие поддеревья двух корней равны по числу узлов и попарно подобны. В случае упорядоченного дерева попарным соответствием является соответствие, рассматриваемое в рамках упорядочения поддеревьев в двух рассматриваемых деревьях.

S.167 simple parity check (simple parity code)
простая проверка четности
См. C.371 cyclic redundancy check.

S.168 simplex
1. симплексное соединение 2. симплекс
1. Физическое или логическое соединение двух конечных точек, между которыми данные могут перемещаться в результате только в одном направлении и невозможно движение потока данных в противоположном направлении. См. также D.315 duplex; H.105 half duplex.
2. Конечный граф, имеющий k вершин, или геометрическая фигура, в которых каждая вершина соединена с каждой другой вершиной (например, треугольник или тетраэдр).

S.169 simplex codes
симплексные коды
Семейство линейных (L.054 linear codes) блочных (B.104 block code) кодов с исправлением ошибок (E.103 error-correcting code) или обнаружением ошибок (E.104 error-detecting code), легко реализуемых в виде полиноминальных кодов (P.151 polynomial codes) посредством сдвиговых регистров (S.140 shift register). Если их рассматривать как коды с параметрами (n, k) (см. B.104 block code), то они имеют длину ключевого слова, равную

$$n = q^k - 1.$$

Двоичные симплексные коды имеют минимальное расстояние Хемминга (H.013 Hamming distance), равное $2^k - 1$. Они могут считаться кодами Рида—Мюллера (R.074 Reed—Muller codes), укороченными на одну цифру, и идентичны m-последовательностям (M.206 m-sequence) длины $2^k - 1$ в совокупности с нулевым словом (Z.006 zero word). Название их связано с тем, что их ключевые слова образуют симплекс

(S.168 simplex) в пространстве Хемминга (H.016 Hamming space).

S.170 simplex method
симплексный метод; симплекс-метод
См. L.062 linear programming.

S.171 SIMULA
СИМУЛА
Основанный на Алголе-60 язык программирования с дополнениями, которые делают более удобным написание программ имитационного моделирования (S.172 simulation). Основным нововведением в языке СИМУЛА было понятие *класса*, которое явилось предшественником абстрактного типа данных (A.008 abstract data type).

S.172 simulation
моделирование
Имитация поведения некоторых существующих или предполагаемых систем или некоторых аспектов этого поведения. Примерами областей применения моделирования является проектирование сетей связи, при котором оно используется для исследования общего поведения сети, структуры потоков, емкости каналов и т. д.; прогнозирование погоды, при котором моделирование может быть использовано для предсказания вероятных изменений погоды. В более общем виде моделирование широко применяется как вспомогательное средство при проектировании и малых, и больших систем, а также используется при обучении персонала, например, авиапилотов или офицеров. Моделирование — это одна из главных областей применения цифровых вычислительных машин и основная область применения аналоговых вычислительных машин. В аспекте физической реализации различают моделирование дискретных событий и аналоговое моделирование. В случае *дискретного моделирования* необходимо иметь возможность охвата всех существенных изменений состояния системы, которые рассматриваются как различающиеся отдельные события, происходящие в определенные моменты времени; имитация желаемого поведения системы достигается моделированием последовательности таких событий, рассмотрением каждого из них в отдельности. В противоположность этому при *аналоговом моделировании* рассматриваются постепенно происходящие в течение некоторого периода времени изменения и отслеживается процесс этих

постепенных изменений. Ясно, что выбор одного из двух этих вариантов в каждом конкретном случае осуществляется с учетом природы моделируемой системы и целей моделирования. Хотя разница между имитацией и эмуляцией не всегда бывает ясна, обычно эмуляция является «реалистичной» в том смысле, что может использоваться как прямая замена всей моделируемой системы или ее части. Имитация же может обеспечить не более, чем абстрактную модель некоторых аспектов поведения системы.

S.173 simulation language
язык моделирования
Язык программирования, специально предназначенный для разработки программ моделирования. Такие языки обычно подразделяются на языки имитации дискретных событий и языки непрерывного моделирования. См. S.172 simulation.

S.174 simulator
модель; имитатор; моделирующее устройство
Любая система моделирования (S.172 simulation). Обычно это система, которая в течение определенного периода обеспечивает требуемую имитацию, в отличие, скажем, от случая, когда речь идет о выполнении моделирующей программы в ходе обычной работы универсальной вычислительной машины. В моделирующих устройствах часто используются либо специально созданные аппаратные средства, либо компоненты аппаратных средств, взятые из системы, поведение которой моделируется.

S.175 simultaneous equations
система уравнений
Набор уравнений, которые в совокупности определяют некоторое неизвестное множество значений или функций. Термин обычно используется применительно к линейным алгебраическим уравнениям (L.050 linear algebraic equations).

S.176 single-address instruction
одноадресная команда
Команда, которая реализует обращение только к одной ячейке с операндом См. также I.111 instruction format; A 055 adressing schemes.

S.177 single-assignment languages
языки с однократным присваиванием
Группа языков программирования. Эти языки выглядят как традиционные процедурные языки (I.043 imperative languages), поскольку включают в себя оператор присваивания (A.148 assignment operation) и типичные конструкции, используемые для передачи управления, такие, как операторы условного перехода и операторы цикла. Однако в них есть ограничение, состоящее в том, что никакой переменной не может быть присвоено значение более одного раза (для операторов присваивания в рамках цикла необходимо указывать специальные условия). Это ограничение существенно меняет природу оператора присваивания, который теперь может рассматриваться как оператор, постоянно связывающий имя переменной с некоторым значением ее, в отличие от операции, которая динамически меняет значение переменной. Такая статическая природа позволяет ослабить обычные ограничения на порядок выполнения в процедурных языках, и операторы присваивания могут быть выполнены сразу же, как только может быть вычислена правая часть выражения. Благодаря этому свойству языки с однократным присваиванием тесно связаны с вычислительной обработкой потоков данных (см. D.038 dataflow machine).

S.178 single-step operation
пошаговая работа
Выполнение программы либо с остановкой после каждой команды, либо по одному шагу (такту) в рамках команды. Данный метод используется при отладке программ и наладке технических средств.

S.179 single threading
последовательная обработка вызовов
Свойство программы, которая активизирует несколько процессов, однако таким образом, что в каждый момент времени активным оказывается только один из них. В итоге получается то, что называют *последовательным программированием*. Например, программа, которая инициирует обмен данными с периферийным устройством, может быть написана таким образом, что во время пересылки данных процессор не будет задействован, и наоборот. См.

также M.251 multithreading; T.057 threading.

S.180 singly linked list (one-way linked list)
однонаправленный список
Связный список (L.074 linked list), в котором каждый элемент содержит только одну ссылку на следующий элемент. По этим ссылкам, начиная с первого элемента списка, можно обойти всю его структуру.

S.181 singular matrix
вырожденная матрица; особенная матрица
Квадратная матрица A с числовыми элементами, определитель (D.166 determinant) которой равен нулю. Матрица A является вырожденной тогда и только тогда, когда она не обладает свойством обратимости (I.170 inverse matrix).

S.182 sinking technique
= straigh insertion sort

S.183 SIO — serial input/output
последовательный ввод-вывод

S.184 SIPO — serial in parallel out
последовательный ввод и параллельный вывод
См. S.140 shift register.

S.185 SISD processor — single instruction (stream), single data (steam) processor
процессор с одним потоком команд и одним потоком данных
См. C.250 concurrency.

S.186 SISO — serial in serial out
последовательный ввод и последовательный вывод
См. S.140 shift register.

S.187 sister = sibling
узел-брат, родственный узел
Редко используемый синоним термина sibling.

S.188 sizing
определение размера
Оценка вероятного объема программы или системы программного обеспечения. Впоследствии эта оценка может быть использована для определения, например, объема памяти, требуемого для выполнения этой программы в вычислительной системе.

S.189 sketchpad
См. C.235 computer graphics.

S.190 skew
расфазировка
В последовательных схемах (S.092 sequential circuit) — это приход сигнала в две или более точек схемы с существенной разницей по времени, если он должен был придти в эти места примерно в одно и то же время. Расфазировка имеет место тогда, когда разница во времени прихода сигнала настолько велика, что может вызвать сбой в схеме или создать угрозу такого сбоя; эта разница (измеряемая в нсек) называется величиной расфазировки. В общем случае можно рассматривать *расфазировку синхронизации*, которая представляет собой *сдвиг по фазе синхронизирующих сигналов* (C.124 clock); в случае сигналов этого вида перекос может иметь наиболее серьезные последствия Расфазировка может быть вызвана неисправностями отдельных частей схемы, но чаще всего она бывает обусловлена плохой конструкцией логики схемы. См. R.001 race condition.

S.191 skewed tree (unbalanced tree)
дерево со скосом, несбалансированное дерево
Любое дерево, которое не является сбалансированным (B.015 balanced tree).

S.192 skew-symmetric matrix
кососимметрическая матрица
Квадратная матрица A, для которой справедливо

$$a_{ij} = -a_{ji}$$

при любых a_{ij} из A.

S.193 slave machine (direct-coupled machine)
подчиненная вычислительная машина
Мощный процессор, используемый для обработки крупных заданий в системе с главной и подчиненными вычислительными машинами (M.070 master-slave system).

S.194 slice of an array of dimension n
1. *вырезка массива размерности* n
2. *подмассив массива размерности* n
1. Массив меньшей размерности, полученный из данного массива размерности n путем фиксации одного или нескольких индексов. Например, если A — это двумерный массив размером 3×4, то вырезка A [2] обозначает одномерный вектор-строку, состоящий из второй строки массива A, а A [,3] обозначает вектор-столбец, образованный третьим столбцом.
2. = trim. Массив, полученный из большего массива размерности n путем

ограничения размеров индексов. Например, если A — это двумерный массив размером 3×4, то подмассивом A является двумерный массив размером $2+4$, включающий только первые две строки массива A.

S.195 slice architecture
секционированная архитектура
См. B.096 bit-slice architecture.

S.196 slot reader
щелевое считывающее устройство
См. C.022 card reader

S.197 SMALLTALK
Объектно-ориентированный язык (O.005 object-oriented language), разработанный корпорацией Xerox («Ксерокс»).

S.198 smart card
интеллектуальная карточка
Жаргонное название идентификационной карточки со встроенным микропроцессором.

S.199 smart terminal
разумный терминал
Жаргонное название терминала с развитой логикой.

S.200 smoothing
сглаживание
Способ аппроксимации (представления) таблицы значений $f(x_0), f(x_1) \ldots, f(x_m)$ в различных точках $x_1, x_2, \ldots, x_m$ функцией, например, такой:

$$\sum_{i=1}^{n} c_i \varphi_i(x),$$

где $\varphi_i(x)$, $i = 1, 2, \ldots, n$ — это некоторые выбранные функции, а коэффициенты c_i, $i = 1, 2, \ldots, n$ должны быть определены. Обычно $m > n$. Целью сглаживания является выбор подходящей функции, которая уменьшила бы влияние случайных ошибок в данных и в то же время давала бы гладкую кривую (т. е. кривую без резких изменений и колебаний), соединяющую точки, соответствующие табличным данным. Обычно этот процесс называется сглаживанием. Часто для выполнения сглаживания используются многочлены малых степеней (с подходящими функциями φ_i), а коэффициенты c_i чаще всего определяются по методу наименьших квадратов (см. A.118 approximation theory). Ср. I.151 interpolation.

S.201 SNA
Сокр. system network architecture (сетевая архитектура системы). Сетевая архитектура (N.022 network architecture), разработанная фирмой IBM с целью организации сети больших универсальных вычислительных машин.

S.202 snapshot dump
выборочный динамический дамп
Распечатка содержимого памяти (D.312 dump), которая показывает состояние программы в определенный момент ее выполнения. Она обычно используется во время тестирования или отладки программы и дает возможность определить, какая стадия процесса выполнения была достигнута и какие значения к этому моменту имели переменные программы, входящие в некоторое интересующее программиста подмножество.

S.203 SNOBOL
СНОБОЛ
Язык программирования, предназначенный главным образом, для обработки текстовых данных. Он включает в себя мощные операторы для сравнения фрагментов текста и поиска заданных цепочек символов. Существующей на сегодняшний день версией СНОБОЛ IV предусматривается такая возможность обработки других типов данных (помимо текстовых); фактически это универсальный язык со специальными средствами текстообработки.

S.204 soft copy
недокументальная копия
Форма кратковременного хранения выходных данных, такая как, например, текстовая или графическая информация на устройстве визуального отображения или выходное сообщение устройства речевого ответа.

S.205 soft error
кратковременная ошибка
Ошибка из-за случайных обстоятельств, сбой. См. E.112 error rate.

S.206 soft keyboard
программируемая клавиатура, функциональная клавиатура
Клавиатура, в которой функция или код, генерируемые каждой клавишей при ее нажатии, могут быть закреплены за этой клавишей или изменены программным путем. Часто терминалы, используемые для таких целей, как, например, сбор производственных данных или ввод информации о покупках, оснащаются клавиатурами, в которых ряд клавиш (обычно — с числами и не-

которыми необходимыми функциями) аппаратно реализуют генерацию кода, а остальные являются программируемыми клавишами. Назначение такой функциональной клавиши в одних случаях может оставаться постоянным, каким оно было установлено первоначально, а в других — изменяться в рамках одной транзакции.

S.207 soft-sectored disk
диск с программной разметкой
См. S.037 sector.

S.208 software
программное обеспечение; программные средства
Общий термин для обозначения «неосязаемых» в, отличие от физических, составных частей вычислительной системы. В большинстве случаев он относится к программам, выполняемым вычислительной системой, чтобы подчеркнуть их отличие от аппаратных средств той же системы; термин охватывает как программы в символической записи, так и исполняемые формы этих программ. Различают системное программное обеспечение (S.461 system software), которое является необходимым дополнением к техническим средствам, обеспечивающим общую эффективность вычислительной системы (и поэтому обычно поставляется самим производителем вычислительной системы), и прикладные программы (A.113 applications program), специфика которых определяется ролью вычислительной машины в данной организации.

S.209 software engineering
техника программного обеспечения; программотехника
Вся область деятельности по проектированию и разработке программного обеспечения (основанная в значительной мере на практическом опыте). Эта область охватывает анализ и формулирование требований (R.123 requirements analysis), разработку программной спецификации (P.283 program specification), разработку программ с использованием ряда общепризнанных подходов, таких как структурное программирование (S.360 structured programming), систематические методы тестирования (T.059 testing), доказательство правильности программы (P.259 program correctness proof), обеспечение качества программного обеспечения (S.215 software quality assu-

rance), управление проектированием, документирование, анализ качества работы и временны́х характеристик программ, а также разработку и использование средств поддержки проектирования программного обеспечения (S.210 software engineering environment). Техника программного обеспечения направлена, в общем, на решение практических задач разработки программных средств, включая решение проблем, возникающих в больших и сложных системах. Таким образом, при наличии определенной ориентации на формальные методы в случае необходимости используются и различные практические приемы. В целом же техника программного обеспечения охватывает все аспекты разработки и эксплуатационной поддержки надежных и эффективных программ во всех областях применения вычислительных машин.

S.210 software engineering environment
(programming support environment)
средства поддержки программных разработок
Вычислительная система, которая обеспечивает поддержку разработки, корректировки и расширения программных средств, а также управление этими видами деятельности и контроль за ними. Обычно система включает в себя центральную базу данных в набор инструментальных программ (S.218 software tools). Центральная база данных служит для хранения всей информации, имеющей отношение к какому-либо проекту, в течение всего срока действия этого проекта. Программные средства часто используются в различных видах деятельности по организации проектирования, т. е. при выполнении как некоторых технических, так и управленческих функций. Разные средства поддержки могут различаться по общей концепции используемых баз данных и по зоне действия обеспечиваемой набором программных средств. В частности, одни из них могут быть ориентированы (иногда даже жестко) на одну определенную методологию проектирования программного обеспечения, тогда как другие обеспечивают только самую общую поддержку и поэтому допускают применение множества методологий. Однако все виды средств поддержки охватывают полный жизненный цикл про-

граммного обеспечения (S.212 software life-cycle) (а не только стадию разработки программ) и часто обеспечивают возможность полного ведения проекта (а не только выполнения технических работ). Эти две особенности отличают средства поддержки программных разработок от простой системы разработки программ (P.264 program development system).

S.211 software house
программотехническая фирма
Компания, основная деятельность которой заключается в создании систем программного обеспечения или в оказании помощи в создании программных средств. Программотехнические фирмы часто предлагают целый набор услуг, включая предоставление персонала соответствующей квалификации для работы с группами клиентов, консультаций, а также проектирование и разработку всей системы.

S.212 software life-cycle
жизненный цикл программного обеспечения
Весь период времени существования системы программного обеспечения, начиная от выработки первоначальной концепции этой системы и кончая ее моральным устареванием. Термин чаще всего используется тогда, когда предполагается, что программы будут иметь достаточно большой срок действия, в отличие от экспериментального программирования, при котором программы обычно прогоняются несколько раз, а затем аннулируются. Жизненный цикл традиционно моделируется в виде некоторого числа последовательных фаз, таких: выработка требований к системе; разработка требований к программному обеспечению; общее проектирование; детальное проектирование; создание отдельных модулей; тестирование отдельных модулей системы; объединение модулей в систему; выпуск системы; эксплуатация и сопровождение системы *. Подобное разделение на фазы иногда способствует затушевыванию некоторых важных аспектов создания программного обеспечения; особенно это проявляется по отношению к такому необходимому процессу, как итеративная реализация различных фаз жизненного цикла с целью исправления ошибок, изменения решений, которые оказались неправильными, или учета изменений

в общих требованиях, предъявляемых к системе. Кроме того, имеет место некоторая путаница, когда этап эксплуатации и сопровождения системы считают «автономной» фазой жизненного цикла, тогда как на самом деле и в этот период может возникнуть необходимость повторения какого-либо одного или даже всех этапов разработки системы. Поэтому сейчас происходит постепенный переход к более сложным моделям жизненного цикла программного обеспечения. Это обеспечивает открытое признание итеративности процесса и часто приводит к толкованию фазы эксплуатации и сопровождения как просто итеративного этапа, который реализуется уже после передачи системы в эксплуатацию.

S.213 software package
= application package

S.214 software prototyping
создание опытного образца программного обеспечения
Разработка некоторого предварительного варианта системы программного обеспечения с целью исследования некоторых особенностей этой системы. Часто основной целью создания опытного образца является получение информации о работе системы от пользователей, для которых она предназначена; на основе этой информации могут быть изменены спецификации требований к системе, что способствует увеличению гарантий правильности работы окончательного варианта системы. Кроме этой цели (или вместо нее) создание опытного образца или макета может служить целям исследования проблемных задач или некоторых следствий, альтернативных решений, при-

---

* В отечественной литературе принято несколько иное (хотя и менее удачное) разграничение фаз жизненного цикла. Так, первая и вторая фазы обычно реализуются при разработке *технического задания*, третья — при разработке *технического проекта*, четвертая и пятая — на стадии разработки *рабочего проекта*, шестая и седьмая частично реализуются на стадии рабочего проектирования, а частично — на стадии *экспериментального внедрения*, восьмая называется *сдачей в промышленную эксплуатацию*, а девятая — *промышленной эксплуатацией системы*—*Прим. ред. пер.*

нятых при проектировании или реализации системы. Назначением опытного образца является обычно получение требуемой информации как можно быстрее и с минимальными издержками, поэтому чаще всего при его создании внимание сосредоточивается на некоторых сторонах создаваемой системы при полном игнорировании остальных сторон. Например, можно совершенно не обращать внимания на эффективность или рабочие характеристики системы и полностью отвлечься от некоторых функций системы в окончательном ее варианте. Что же касается исследуемых с помощью макетирования аспектов поведения системы, то тут созданный прототип системы должен быть совершенно реальным.

S.215 software quality assurance (SQA)
обеспечение качества программного обеспечения
Процесс подтверждения высокого качества системы программного обеспечения и связанной с ней документации с целью получения гарантии, что система во всех отношениях соответствует своему назначению. Хотя группа обеспечения качества может выполнять свою работу на всех стадиях разработки проекта, обычно обеспечением качества принято считать ту деятельность этой группы, которая осуществляется уже после окончания разработки, перед выпуском системы для широкого использования. Проверки, выполняемые группой обеспечения качества (которая должна быть независимой от группы разработчиков системы), по своему содержанию могут существенно различаться в разных организациях и зависят от назначения и области применения системы программного обеспечения. Однако обычно в них включаются проверка выполнения необходимых функций, контроль за соблюдением стандартов программирования (P.279 programming standards), проверка полноты программной документации и ее соответствия стандартам, анализ качества инструкций и руководств для пользователей по работе с системой. Группа приемки может также исследовать надежность системы программного обеспечения и выполнить необходимые проверки, чтобы убедиться, что система программного обеспечения и связанная с ней документация организованы наиболее

удобным для эксплуатации образом. Стандарты, касающиеся планирования работ по обеспечению качества программного обеспечения опубликованы Институтом инженеров по электротехнике и радиоэлектронике в США (IEEE) (стандарт 730-1981).

S.216 software reliability
надежность программного обеспечения
Характеристика способности системы программного обеспечения выполнять возложенные на нее функции при поступлении требований на их выполнение. Понятие надежности программного обеспечения существенно отличается от понятия доказательства правильности программы (см. P.259 program correctness proof). Правильность — это некоторое статическое свойство, которым в соответствии со спецификациями должна обладать программа, тогда как надежность относится к динамическим требованиям, предъявляемым к системе, и способности системы удовлетворять этим требованиям. Программа, являющаяся «правильной», может считаться ненадежной, если, например, спецификации, которым она удовлетворяет, не охватывают всех требований пользователей к этой программе. И, наоборот, программа, не являющаяся полностью правильной, может считаться надежной, если допущенные в ней ошибки незначительны, случаются редко, в некритические периоды времени, или же пользователь достаточно просто может их избежать.

S.217 software specification
технические условия на средства программного обеспечения
Точное описание действий, которые должна выполнять программная часть всей вычислительной системы. При разработке системы разработка системной спецификации (S.458 system specification) обычно следует за предварительным обследованием и эскизным проектированием. После этого можно определить все необходимые компоненты технических средств системы и разработать системную спецификацию на программную часть системы. Технические условия на средства программного обеспечения должны быть подробными, причем внимание должно быть сосредоточено на том, что программное обеспечение должно делать, а не на том, как оно должно это де-

лать. Традиционное использование естественного языка для такого описания постепенно вытесняется использованием более формальных способов записи спецификаций. См. также P.283 program specification; M.178 module specification.

S.218 software tools
инструментальные программные средства, программный инструментарий
Программы, которые используются в ходе разработки, корректировки или расширения других программ. Обычно набор таких программных средств обеспечивает удовлетворение только самых необходимых потребностей и в самом общем случае может состоять из текстового редактора (T.062 text editor), компилятора (C.205 compiler), динамического загрузчика (L.077 link loader) и каких-либо средств отладки (D.103 debug tool). Этот минимальный набор инструментальных средств предназначен для использования только на стадии программирования и обычно обеспечивается в рамках системы разработки программ (P.264 program development system). Сейчас уже общепризнано, что инструментальные программные средства могут оказать помощь во всех видах деятельности на всех стадиях жизненного цикла программного обеспечения (S.212 software life-cycle), включая управление разработкой и обеспечение качества. Такой универсальный инструментарий должен обеспечивать программную поддержку при выработке требований к системе, ее проектировании, проверке правильности, управлении конфигурацией и управлении разработкой проекта. Подобные средства часто являются частью интегрированных систем поддержки программных разработок (S.210 software engineering environment).

S.219 solid-font printer
печатающее устройство с монолитным шрифтом
Любой тип печатающего устройства ударного действия (I.042 impact printer), в котором каждый знак из набора полностью выгравирован или отлит на шрифтоносителе. Шрифтоноситель может быть одного из нескольких видов, в том числе отлитое печатающее колесо или шаровая головка со шрифтом на поверхности, ромашка с литерами на лепестках, металлическая лента с выгравированными на ней знаками, как в ленточном печатающем устройстве (B.020 band printer), или цепь из отдельных жетонов — звеньев со знаками, движущаяся по направляющим, как в гусеничном печатающем устройстве (T.125 train printer). Ср. M.078 matrix printer.

S.220 solid-state
твердотельный
В общем случае, образованный в объеме кристалла полупроводникового материала — обычно кремния или рассматриваемый в схеме, которая выполнена по такой технологии. В эту группу полупроводниковых приборов входят биполярные транзисторы (B.084 bipolar transistor) и полевые транзисторы (F.041 field-effect transistor).

S.221 solid-state memory
= semiconductor memory

S.222 solvable
разрешимый
Термин, применяемый по отношению к предикату (P.192 predicate) $P(x)$, заданному на множестве натуральных чисел, если его характеристическая функция (C.076 chapactersitic function) C_P является вычислимой (о вычислимости по Тьюрингу — см. T.192 Turing machine), причем:
$C_P(x) = 1$, если $P(x)$ выполняется;
$C_P(x) = 0$, если $P(x)$ не выполняется.
Разрешимый предикат можно определить и по-другому: как рекурсивный, как содержащий рекурсивно разрешимую задачу как рекурсивно разрешимый и как вычислимый. Если предикат $P(x)$ не является разрешимым, то говорят, что он *неразрешим*. См. также R.061 recursion; R.060 recyrsively enumerable set.

S.223 SOP expresion-sum of products expression
дизъюнктивная форма

S.224 sort generator
генератор программы сортировки
См. G.022 generator.

S.225 sorting
сортировка
Процесс переупорядочивания информации по возрастанию или убыванию значений ключей сортировки (S.226 sortkey). Сортировка может быть полезной в трех случаях: когда нужно выявить и сосчитать все одинаково

обозначаемые (идентифицируемые) элементы, при сравнении двух файлов и для облегчения поиска, например, в словаре (D.176 dictionary). При использовании метода *внутренней сортировки* информации сортируется непосредственно в быстродействующей памяти с произвольной выборкой; в методе *внешней сортировки* используется внешняя память. Существует множество разнообразных методов сортировки: см. B.150 bubble sort, B.152 bucket sort; C.147 coctail shaker sort; C.201 comparison counting sort; D.254 distribution counting sort; H.053 heapsort; Q.221 quicker-sort; S.341 straightinsertion sort; S.342 straight-ection sort; T.168 tree selectiselon sort.

S.226 sortkey
ключ сортировки

Информация, связанная с конкретной записью и подлежащая сравнению в процессе сортировки (S.225 sorting). Отсюда следует, что ключи сортировки должны быть сравнимыми, т. е. любые два ключа сортировки k_1 и k_2 должны удовлетворять одному из трех соотношений:

$$k_1 < k_2, \; k_1 = k_2 \text{ или } k_1 > k_2.$$

S.227 sort merge
сортировка слиянием

См. M.116 merge exchange sort.

S.228 course alphabet (source set)
алфавит исходной программы

См. C.149 code.

S.229 source code
исходный код; исходная программа, программа на входном языке

Форма программы на входе компилятора (C.205 compiler) или транслятора (T.148 translator), подлежащая преобразованию в эквивалентный объектный код.

S.230 source coding (comparison coding; source comparison coding)
кодирование источника; сжатое кодирование

Использование в рамках заданного алфавита кодов переменной длины (V.012 variable-length code) с целью уменьшения числа символов в сообщении до минимума, необходимого для представления всей информации сообщения или, по крайней мере, для обеспечения условий такого сокращения. При кодировании источника конкретный код (C.149 code) выбирается на основе характеристик источника сообщения (т. е. относительных вероятностей появления различных знаков алфавита в исходной программе), а не на основе характеристик канала, по которому, в конечном счете будет передаваться сообщение. Основная проблема сжатого кодирования заключается в представлении наиболее вероятных исходных символов сообщения кодами (C.155 codeword) наименьшей длины, а менее вероятных — кодами большей длины (если все кодовые слова меньшей длины уже исчерпаны) с тем, чтобы средневзвешенная по вероятности длина кода была минимальной в пределах, задаваемых неравенством Крафта (K.029 Kraft's inequality). Наиболее широко используемыми методами, обеспечивающими решение этой проблемы, являются *кодирование по Хафмену* и *кодирование по Шеннону—Фано;* первый метод более эффективен при заданном расширении (E.166 extension) источника, но второй проще в вычислительном отношении. Однако при использовании любого из этих методов для достижения предельного значения коэффициента сжатия в соответствии с теоремой о кодировании источника (S.231 source coding theorem), может потребоваться значительное расширение источника. См. также S.126 Shannon's model. Ср. C.066 channel coding.

S.231 source coding theorem
теорема о кодировании источника

В теории связи (C.193 communication theory): утверждение о том, что выходной поток информации из любого источника, имеющий энтропию (E.071 entropy) в H единиц на один символ, может быть закодирован с помощью алфавита из N символов таким образом, что символы потока из источника информации будут представлены кодовыми словами, средневзвешенная длина которых не меньше, чем

$$H / \log N$$

(где основание логарифма согласуется с единицами измерения энтропии). Кроме того, теорема утверждает, что к этому нижнему пределу можно подойти сколь угодно близко при работе с любым источником, для чего нужно выбрать соответствующий неравномерный код (V.012 variable-length code) и использовать достаточно длинное расширение (E.166 extension) источника (см. S.230 source coding). Теорема была впервые сформулирована и доказана Клодом Элвудом Шенноном в 1948 г.

S.232 source compression coding
= source coding

S.233 source compression factor
коэффициент сжатия в источнике сообщений
Отношение длин сообщения до и после его сжатого кодирования (S.230 source coding) (в общем случае такое кодирование выполняется для укорачивания сообщений). См. также S.231 source coding theorem.

S.234 source language
исходный язык; входной язык
Язык, на котором записывается входная программа для компилятора (C.205 compiler) или транслятора (T.148 translator).

S.235 source listing = source alphabet

S.236 source program
исходная программа; программа на входном языке
Исходная программа, написанная на языке высокого уровня и подаваемая на вход компилятора (C.205 compiler).

S.237 source set
= source alphabet

S.238 space complexity
пространственная сложность
См. C.217 complexity measure; P.156 polynomial space.

S.239 space-division switch
пространственный коммутатор
Любой механизм переключения, основанный на перекрестном выборочном соединении множества входных линий со множеством выходных линий. Пространственные коммутаторы могут быть реализованы либо на основе электромеханических устройств, либо на основе электронных устройств. До того как стала использоваться коммутация путем разделения времени, все телефонные и телеграфные коммутирующие устройства были реализованы на основе различных методов переключения путем разделения в пространстве, в частности, с использованием коммутатора Строджера (шагового искателя) и матричного коммутатора.

S.240 space domain
пространственная область сигнала
Термин, используемый для обозначения развертки амплитуды сигнала (S.150 signal) в пространстве (обычно в двумерном, как на плоском изображении), а не во времени. См. также T.089 time domain; P.108 picture processing; F.065 filtering.

S.241 space quantization (pixelization)
квантование пространства
См. Q.008 quantization. См. также P.108 picture processing; D.223 discrete and continuous systems.

S.242 spanning subgraph
остовный подграф
См. S.365 subgraph.

S.243 spanning tree
остовное дерево
Подграф (S.365 subgraph) связного графа (C.266 connected graph) G; этот подграф является деревом (T.163 tree) и содержит все вершины графа G. Остовное дерево минимальной стоимости — это взвешенное остовное дерево, образованное из взвешенного графа (W.014 weighted graph) таким образом, что сумма действительных чисел, присвоенных каждому ребру в графе в качестве его веса, не превышает соответствующей суммы для любого другого взвешенного остовного дерева.

S.244 sparse matrix
разреженная матрица
Матрица, обычно рассматриваемая при решении системы линейных алгебраических уравнений, записанной в виде $A x = b$, где матрица A имеет высокий порядок и большую долю нулевых элементов (больше, чем, скажем, 90%). Существуют специальные методы, в которых используется это свойство матриц и которые позволяют значительно сократить трудоемкость вычислений по сравнению с вычислениями для обычных полных матриц. Примерами могут служить различные варианты метода гауссовых исключений (см. L.050 linear algebraic equations), итерационные методы (I.208 iteration). Системы многих уравнений с разреженными матрицами могут возникать при численном решении обыкновенных дифференциальных уравнений (O.070 ordinary differential equation) и дифференциальных уравнений в частных производных (P.052 partial differential equation).

S.245 special character
специальный знак; специальный символ
См. C.082 character set

S.246 specification
спецификация; определение
См. M.178 module specification; P.283 program specification; S.217 software specification; S.458 system specification.

S.247 specification language
язык спецификаций
См. M.178 module specification.

S.248 spectral analysis
спектральный анализ
См. T.095 time series.

S.249 speech generation device
синтезатор речи
Устройство для формирования речевых сообщений по сигналам, поступающим из систем обработки данных или управления. Синтез сообщений производится путем «сборки» их из элементов набора основных звуков, которые либо могут иметь искусственное происхождение, либо представлять собой фрагменты естественной человеческой речи.

S.250 speech recognition
распознавание речи
Процесс идентификации устного входного сообщения с целью определения содержащихся в нем сведений. См. также V.058 voice input device.

S.251 speech understanding
понимание речи
Процесс применения методов распознавания речи (S.250 speech recognition) для выполнения некоторой задачи, связанной с использованием речевых сигналов. См. также V.058 voice input device.

S.252 speed of a computer
быстродействие вычислительной машины
Довольно нечетко определенный термин, который часто используется для обозначения относительной мощности средств обработки данных в конкретной вычислительной системе, поскольку мощность вычислительной системы в значительной степени определяется способностью центрального процессора быстро выполнять команды. Скорость самого центрального процессора зависит от большого числа факторов, таких как длина слова, система команд, технология изготовления компонентов процессора, время доступа к памяти. Вообще говоря, большие универсальные вычислительные машины работают намного быстрее и,

следовательно, оказываются намного мощнее малых ЭВМ, которые, в свою очередь, быстрее микропроцессоров.

S.253 speedup theorem
теорема ускорения
Теорема в теории сложности, которая, как и теорема о промежутке (G.006 gap theorem), может быть выражена в терминах абстрактных мер сложности (см. B.113 Blum's axioms). Однако она более понятна в формулировке с использованием мер времени: для данной тотальной (T.112 total function) рекурсивной функции (R.064 recursive function) $r(n)$ существует рекурсивный язык L, такой, что для любой машины Тьюринга M, распознающей L, скажем, в пределах времени $S(n)$, существует другая машина Тьюринга M', которая также распознает язык L, но в пределах времени $S'(n)$, удовлетворяющего соотношению

$$r(S'(n)) \leqslant S(n)$$

для всех значений n, кроме некоторого конечного числа этих значений. Таким образом, нельзя утверждать, что использование данного языка может обеспечить создание самой быстрой программы.

S.254 Sperry Univac
Фирма, являющаяся одним из главных производителей вычислительных машин в США. Она выпускает продукцию в диапазоне от малых вычислительных машин промышленного назначения до очень мощных систем для научных исследований и обработки данных. См. также U.024 Univac.

S.255 sphere-packing bound
= Hamming bound

S.256 spline
сплайн; сплайн-функция
В простейшей форме сплайн-функция (степени n) $s(x)$ — это кусочный полином на интервале $[x_1, x_N]$, $(n-1)$ раз непрерывно дифференцируемый, т. е.

$$s(x) \equiv \text{полином степени } n$$
$$x_i \leqslant x \leqslant x_{i+1},\ i = 1, 2, ..., N = 1.$$

Все эти полиноминальные «куски» аппроксимируются в точках (называемых *узлами*)

$$x_1 < x_2 < ... < x_n$$

во внутренней части диапазона, поэтому получающаяся в результате функция $s(x)$ является гладкой. Подобная идея построения функции может быть распространена и на функции нескольких переменных. Хорошим средством для аппроксимации данных со средней точностью является кубическая сплайн-функция. Сплайн-функции часто лежат в основе аппроксимаций, используемых в вариационных методах (V.018 variational method).

S.257 split
разбиение
Одно из основных действий над множеством S, на котором определено отношение порядка (T.114 total ordering) $\leqslant$; разбиение определяется в форме

$$split\ (a,\ S),$$

где a — член множества S, которое разбивается на два непересекающихся множества (D.233 disjoint) S_1 и S_2, причем все элементы из S_1 меньше или равны элементу a, а все элементы из S_2 больше или равны a. См. также O.045 operations on sets.

S.258 split screen
полиэкран
Экран устройства визуального отображения, на котором верхняя и нижняя зоны при обработке данных могут рассматриваться как отдельные экраны. Обычно экран разделяется на две части, не обязательно равные, однако в некоторых случаях может быть и большее число частей. Одна часть может быть использована для ввода данных с клавиатуры, а другая — для вывода команд и подсказок. Вводимые данные могут обрабатываться с использованием средств прокрутки (S.028 scroll) или стирания; другая часть экрана при этом не затрагивается. См. также W.030 window.

S.259 spoofing
обман
Намеренная попытка вынудить пользователя или ресурс системы выполнить неправильное действие. См. также T.076 threat.

S.260 spool
1. бобина 2. подкачивать данные
1. Катушка или каркас, на которые намотаны магнитная лента, перфолента или рулон бумаги для печати.
2. Пересылать данные, предназначенные для периферийного устройства (которым может быть и канал связи), в промежуточное запоминающее устройство, либо для выдачи их непосредственно на периферийное устройство в более удобное время, либо для объединения фрагментов данных, созданных по отдельности с целью одновременной их передачи на периферийное устройство. Таким образом, подкачка данных является методом управления работой периферийных устройств ввода и вывода в системе, работающей в мультипрограммном режиме (M.247 multiprogramming system). Для простоты рассмотрим передачу выходных данных. Обычно программа, в которой возникает необходимость вывода данных на построчно печатающее устройство, формирует запрос на это устройство, использует его для вывода своих результатов, а затем освобождает. При работе в режиме мультипрограммирования такой режим использования печатающего устройства является потенциальным источником задержек, поскольку скорость работы печатающего устройства, как правило, ниже скорости протекания процессов, управляющих режимом печати; следовательно, для нормальной работы в системе необходимо обеспечить такое количество печатающих устройств, которое приблизительно равнялось бы числу одновременно действующих в системе процессов. Для решения этой проблемы обычно используется подкачка данных. Выходные данные, предназначенные для пересылки на печатающее устройство, передаются во вспомогательную память. Процессу, в котором возникает необходимость использования печатающего устройства, будет отведена специальная зона во вспомогательной памяти для записи в нее результатов, предназначенных для вывода на печать; за этим рабочим процессом будет также закреплен обслуживающий процесс (S.110 server), который функционирует как виртуальное печатающее устройство и передает информацию, предназначенную печатающему устройству, в отведенную зону вспомогательной памяти. Когда в выполняемом вычислительном процессе заканчиваются данные для печати, он уведомляет прикрепленный к нему обслуживающий процесс, который прекращает дальнейшую запись информации во вспомогательную память. Впоследствии эта информация будет перекопирована из закрепленной за вычислительным процессом области вспомогатель-

ной памяти на печатающее устройство системной обслуживающей программой. Аналогичный порядок может быть установлен и для ввода информации в вычислительные процессы.

S.261 spread
разброс
См. М.090 measures of variation.

S.262 spreadsheet (spreadsheet program; spreadsheet calculator)
крупноформатная электронная таблица, программа обработки крупноформатных электронных динамических таблиц
Программа, обрабатывающая таблицы, состоящие из строк и граф, на пересечении которых располагаются клетки, и выводящая их на экран; в клетках содержится числовая информация и формулы, или текст. Каждой ячейке соответствует уникальный идентификатор строки и графы, но в различных программах клетки могут обозначаться по-разному (например, левая верхняя клетка может иметь обозначение А1, 1А или 1,1). Значение в числовой клетке таблицы может быть либо записано, либо рассчитано по ассоциируемой с этой клеткой формуле; в формуле могут присутствовать обращения к другим клеткам. Каждый раз при изменении значения в клетке таблицы в результате записи в нее нового значения с клавиатуры, пересчитываются также значения во всех тех клетках, в которых стоят величины, зависящие от данной клетки. Возможность запоминания текста в привязке к клеткам используется для присваивания заголовков графам, названий строкам и т. д. Крупноформатные электронные таблицы (КЭТ), в частности, весьма удобны для реализации на микроЭВМ, способных к быстрому и гибкому манипулированию изображениями на экране дисплея. Общей характеристикой всех КЭТ является то, что экран дисплея ЭВМ трактуется как окно (W.030 window), через которое можно рассматривать таблицу целиком или по частям; если число строк и граф в таблице превышает допустимое для вывода на экран, то таблицу можно перемещать относительно окна по вертикали и по горизонтали с тем, чтобы невидимые строки графы попадали в поле зрения. Для изменения какого-либо значения достаточно поместить кур-

сор в соответствующую клетку, выведенную на экран, и записать в нее с клавиатуры новое значение. Крупноформатные таблицы можно использовать, например, для хранения счетов и внесения в них поправок, для многовариантного прогнозирования результатов предполагаемых финансовых операций и многих других приложений, в которых необходимо использовать числовые таблицы со взаимозависимыми строками и столбцами. Программные средства КЭТ часто являются составной частью интегрированной учрежденческой системы (I.125 integrated office system).

S.263 spread-spectrum modulation
спектральная модуляция
См. М.174 modulation.

S.264 sprite
спрайт
Определяемая пользователем конфигурация элементов изображения (Р.118 pixel), которую можно с помощью команд, предусмотренных в программе, перемещать по экрану как единое целое.

S.265 SQA — software quality assurance
обеспечение качества программного обеспечения

S.266 SQL/DS
Сокр. structured query language/define symbol (язык структурированных запросов/маркировочный символ). Товарный знак пакета СУБД (D.010 database), предлагаемого фирмой IBM; одной из составных частей этого пакета является реляционная база данных (R.100 relational database). Эта система явилась непосредственным продуктом исследовательского проекта «Система R», выполненного в лаборатории (г. Сан-Жозе) фирмы IBM. Система R* — это версия системы R с распределенной базой данных (D.249 distributed database).

S.267 square matrix
квадратная матрица
Матрица, в которой число строк равно числу столбцов. Матрицу размером $n \times n$ иногда называют матрицей порядка n.

S.268 square ware
прямоугольный сигнал
Сигнал, состоящий из чередующихся двоичных единиц и нулей. На рисунке показан вид такого сигнала, выводи-

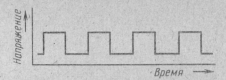

Напряжение / Время →

мого на осциллограф (O.083 oscillos-cope). Этот сигнал прямоугольной формы может рассматриваться как последовательность импульсов (P.326 pulse), в которой длительность проме-жутка между импульсами равна дли-тельности самого импульса. При ис-пользовании такого сигнала для обес-печения работы электронного пере-ключателя он обычно называется пере-ключающим сигналом (S.413 switching waveform).

S.269 SR flip-flop = RS flip-flop
*триггер с раздельными входами,
RS-триггер*
См. F.097 flip-flop.

S.270 SSI — small-scale integration
интеграция малого уровня
Интеграция, при которой, в общем случае, на одном кристалле содер-жится менее 100 транзисторов. См. I.122 integrated circuit.

S.271 stability
устойчивость; стабильность
Термин, применяемый в нескольких областях и имеющий множество (взаи-мосвязанных) значений. В численном анализе (N.095 numerical analysis) он используется применительно к иссле-дованию массива погрешностей воз-можных префиксных операций. Од-нако существуют две важные основ-ные конкретные области использо-вания термина. Для данной четко оп-ределенной численной процедуры весь-ма важно, чтобы ошибки округления не оказывали существенного влияния на точность результатов. Это свойство процедуры называется *численной устой-чивостью* и зависит от характеристик распространения ошибок (E.111 error propagation) в процедуре. Методы ди-скретизации (D.230 discretization) для решения интегральных и дифферен-циальных уравнений основаны на раз-биении области, в которой ищется решение. В этом случае устойчивость означает, что для принятого разбиения малые отклонения (возмущения) в дан-ных (начальных или граничных ус-ловиях) оказывают весьма ограничен-ное влияние на получаемое решение

(игнорируя ошибки округления). Су-ществование единой границы этого влияния при всех достаточно хоро-ших разбиениях является необходи-мым условием сходимости метода при уточнении разбиения.

S.272 stable sorting algorithm
алгоритм сортировки с сохранением
Алгоритм сортировки, при котором относительный порядок расположе-ния записей с одинаковыми значе-ниями ключей сортировки сохраняется.

S.273 stack
1. стек, магазин 2. стековый список
1. = pushdown stack = pushdown list = LIFO list. Линейный список (L.057 linear list), все записи в кото-ром выбираются, вставляются и уда-ляются с одного конца, называемого *вершиной* списка (стека). Это подразу-мевает обеспечение доступа к записям по принципу «последним вошел, пер-вым вышел» (LIFO): последний встав-ленный в список элемент первым уда-ляется из списка. Вставка и удаление элемента вершины стека называются, соответственно, операциями *проталки-вания* в стек и *выталкивания* из стека. Стеки нередко используются при про-ведении вычислений; в частности, они тесно связаны с рекурсивными вычис-лениями (R.061 recursion).
2. В более широком толковании: ли-нейный список (L.057 linear list), все записи которого выбираются, вставляются и удаляются с одного или с обоих концов. Это определение охватывает и стек, описанный выше. Если первым удаляется из списка элемент, введенный туда раньше всех других элементов (принцип «первым вошел, первым вышел», FIFO), то это *стек с проталкиванием снизу*, больше известен как список очеред-ности (Q.017 queue). Если вставки и удаления элементов можно делать на обоих концах списка, то это оче-редь с двумя концами, или двухсторон-няя очередь (D.158 deque). Стек мо-жет быть реализован аппаратными средствами в виде специализирован-ной безадресной памяти с механизмом управления, осуществляющим управ-ление работой в режимах вставки/ удаления. См. также S.278 stack pro-cessing.

S.274 stack algorithm
стековый алгоритм
В общем случае, любой алгоритм,

в котором используется стек (S.273 stack) и, в частности, алгоритм декодирования сверточного кода (C.312 convolutional code).

S.275 stack architecture
стековая архитектура
Архитектура, в которой предусматривается работа со стеками (S.278 stack processing).

S.276 stack frame
стековый активизирующий кадр
Зона стека, содержащая данные для конкретного программного блока в языках с блочной структурой (B.112 block-structured language). В таких языках память, требуемая под блок (процедуру) закрепляется за этим блоком при входе в него, и открепляется при выходе из этого блока. Поскольку блоки могут быть вложенными друг в друга, закрепление памяти за ними может осуществляться на основе принципа «последним вошел, первым вышел» в стеке (S.273 stack).

S.277 stack manipulation
= stack processing

S.278 stack processing = stack manipulation
стековая обработка
Использование стека (S.273 stack) с проталкиванием (почти всегда) вниз, реализованного аппаратными средствами, в качестве памяти для программ и данных. Стековая обработка позволяет использовать безадресные команды и делать программы более компактными. Стековые механизмы обеспечивают также один из способов сохранения адресов и ссылок при множестве прерываний; в этом случае стек используется как средство для образования «вложенных» прерываний таким образом, что прерывание с более низким приоритетом будет проталкиваться вниз в стек до тех пор, пока будут обрабатываться прерывания с более высоким приоритетом.

S.279 staging
перемещение блоков данных
Одна из форм подкачки данных (S.260 spool), связанная с использованием магнитной ленты. Содержимое магнитной ленты, которое должно обрабатываться в ходе вычислительного процесса, может переноситься блоками на магнитный диск. При такой форме подкачки данных время на перемотку ленты как бы исключается,

поскольку найти нужную часть «ленты» можно значительно быстрее, если эта часть целиком перенесена на диск.

S.280 staircase waveform
ступенчатый сигнал
Сигнал, величина которого обычно ограничивается некоторым максимальным и минимальным значением напряжения. В этих пределах напряжение сигнала может принимать только некоторые дискретные и постоянные значения в течение фиксированных периодов времени. Таким образом, сигнал состоит из некоторого числа небольших ступенчатых изменений уровня напряжения, откуда и происходит название «ступенчатый». Высота каждой ступеньки обычно делается постоянной, но может быть и переменной, так же как и период времени, в течение которого сигнал остается на постоянном уровне напряжения.

S.281 stand-alone
автономный
Термин, применяемый для обозначения вычислительной системы или подсистемы, которая способна работать, не будучи соединенной с какой-либо другой вычислительной системой или подсистемой.

S.282 standard
1. стандарт 2. стандартный
1. Общепринятое определение компоненты технических или программных средств, являющееся результатом международного, национального или отраслевого соглашения.
2. Определение, относящееся к изделию (обычно — это техническое средство), которое отвечает требованиям соответствующих стандартов.

S.283 standard deviation
стандартное отклонение, среднеквадратическое отклонение
См. M.090 measures of variation.

S.284 standard error
стандартная ошибка
См. M.090 measures of variation.

S.285 standard function
стандартная функция
Функция (F.160 function), реализованная как часть языка программирования, в частности, для вычисления стандартных математических функций (синуса, косинуса, экспоненты и т. д.). Данный термин иногда используется в более широком смысле, как сино-

ним библиотечной программы (см. P.266 program library).

S.286 standard interface
стандартный интерфейс
Средство сопряжения двух систем или частей системы (например, процессора и периферийных устройств), в котором все физические электрические и логические параметры отвечают предварительным соглашениям и широко используются в других устройствах. Интерфейс может быть стандартизован на уровне предприятия — изготовителя, отрасли промышленности или на международном уровне. Каналы ввода-вывода процессора могут считаться стандартными интерфейсами постольку, поскольку они являются общими для всех процессоров данного типа, или же являются общими для более чем одного типа периферийного устройства, однако этот стандарт может быть установлен в рамках фирмы — производителя. Некоторые интерфейсы фактически являются промышленными стандартами и могут быть использованы для соединения устройств, приобретенных у различных производителей. Примером интерфейса, стандартизованного на уровне производителя и совместимого со многими интерфейсами других производителей печатающих устройств, является параллельный интерфейс Centronics. Некоторые интерфейсы стандартизуются соглашениями между торговыми ассоциациями или международными комитетами. Например, интерфейс RS232C (R.193 RS232C interface) используется для соединения многих типов относительно медленных периферийных устройств с процессорами или модемами: спецификация этого интерфейса опубликована ассоциацией электронной техники министерства торговли США, но при этом полностью соответствует рекомендациям Международного консультативного комитета по телеграфии и телефонии в Зап. Европе (V.001 V.24).

S.287 standardization
стандартизация
1. Принятие международного, национального или отраслевого соглашения, касающегося спецификации или производства компонентов вычислительной системы (электрических, электронных и программных) либо ее оборудования в целом, или же процедур использования и тестирования аппаратных или программных средств.
2. Принятие организацией обязательств по использованию определенных стандартов при выполнении ряда требований во всех случаях, когда эти требования возникают. Обычно организация стандартизирует использование определенного компилятора для некоторого языка, некоторого определенного пакета прикладных программ или определенной СУБД.

S.288 standard product of sums
конъюнктивная нормальная форма, КНФ
Одна из двух канонических (т. е. стандартных или нормальных) форм представления булевой функции (B.120 Boolean function), весьма удобная при сравнении или упрощении функций. Данная форма содержит одну элементарную дизъюнктивную форму (S.292 standard sum term), или макстерм, для каждой «нулевой» (принимающей значение «ложь») строки в таблице истинности (T.188 truth table) для данного логического выражения. Эта форма может быть представлена как логическое произведение (операция И) группы дизъюнктивных форм (операция ИЛИ) булевых переменных, дополненных или недополненных. Можно также показать, что эта форма может быть получена в результате применения логической операции НЕ ИЛИ к группам идентичных переменных, соединенных также знаками логической операции НЕ ИЛИ.
Ср. S.291 standard sum of products.

S.289 standard product term (minterm)
элементарная конъюнктивная форма; минитерм
Логическое произведение (операция И) n булевых переменных, недополненных или дополненных, но не повторяющихся, в функции n переменных. В случае функции n переменных можно составить 2^n различных элементарных конъюнктивных форм. Дополнением любой элементарной конъюнктивной формы является элементарная дизъюнктивная форма (S.292 standard sum term) или макситерм.

S.290 standard subroutine
стандартная подпрограмма
Устаревшее название компоненты библиотеки программ (P.266 program library).

S.291 standard sum of products
дизъюнктивная нормальная форма, ДНФ

Одна из двух канонических (т. е. стандартных или нормальных) форм булевой функции (B.120 Boolean function) весьма удобная при сравнении или упрощении функций. Данная форма содержит одну элементарную конъюнктивную форму (S.289 standard product term), или минитерм, для каждой «единичной» (принимающей значение «истина») строки в таблице истинности (T.188 truth table) данного логического выражения. Эта форма может быть представлена как логическая сумма (операция ИЛИ) группы конъюнктивных форм (операция И) булевых переменных, дополненных или недополненных. Можно также показать, что эта форма может быть получена в результате применения логической операции НЕ И к группам идентичных переменных, соединенных также знаками логической операции НЕ И. Ср. S.288 standard product of sums.

S.292 standard sum term (maxterm)
элементарная дизъюнктивная форма; макситерм

Логическая сумма (операция ИЛИ) n булевых переменных, недополненных или дополненных, но не повторяющихся, в функции n переменных. В случае функции n переменных можно составить 2^n различных элементарных дизъюнктивных форм. Дополнением любой элементарной дизъюнктивной формы является элементарная конъюнктивная форма (S.289 standard product term).

S.293 STAR

Один из первых векторных (V.022 vector) процессоров, изготовленный фирмой CDC и являющийся уникальным в нескольких смыслах: во-первых, это одна из больших машин, созданных в CDC не Сеймором Греем (автором ее архитектуры был Джим Торнтон); во-вторых, этот процессор работал с очень длинными словами, которые могли обрабатываться параллельно; в-третьих, он был первой коммерческой машиной, которая была предназначена для очень быстрой обработки векторных данных.

S.294 star closure
итерация языка
См. K.021 Kleene star.

S.295 star-height
высота итерации языка

Максимальная глубина вложения итерации языка (K.021 Kleene star) в данном регулярном выражении (R.091 regular expression). Высота итерации регулярного языка (R.093 regular language) L — это наименьшая высота итерации языка любого регулярного выражения для L. Алгоритм определения высоты итерации регулярного языка неизвестен. Однако известно, что существуют регулярные языки с произвольной высотой итерации языка. При допущении операций дополнения и пересечения можно получить класс обобщенных регулярных выражений. Для этих выражений вопрос о существовании языков с высотой итерации языка, превышающей единицу, остается открытым.

S.296 star network
звездообразная сеть, звезда

Простая топология сети, в которой все звенья связаны непосредственно с единственной центральной станцией. Звездообразная сеть работает хорошо в тех случаях, когда поток информации идет от нескольких вторичных узлов, соединенных с одним первичным узлом, например, при соединении терминалов вычислительной машины с главной вычислительной машиной для работы в режиме разделения времени. Основными недостатками звездообразной сети являются следующие: а) неисправность центрального коммутатора выводит из строя всю сеть; б) неисправность в схемах обеспечивающих обмен между центральным коммутатором и терминалами, приводит к лишению пользователя связи (отсутствуют альтернативные пути передачи информации); в) в случае географически удаленных (рассредоточенных) узлов сети стоимость обеспечения непосредственной связи каждого пользователя с центральной системой может оказаться очень высокой; г) общая пропускная способность сети часто ограничивается быстродействием центрального коммутатора. Основным преимуществом звездообразной сети является то, что конструкция терминалов на концах сети может быть очень простой. См. также N.022 network architecture.

S.297 start symbol (sentence symbol)
начальный символ
См. G.044 grammar.

S.298 start time
= acceleration time

S.299 starvation
«зависание» процесса
1. Жаргонное выражение. Ситуация, возникающая в том случае, когда скорость выполнения процесса резко уменьшается из-за невозможности получения доступа к определенному ресурсу.
2. Ситуация, возникающая в сети Петри (P.096 Petri net), когда время между двумя последовательными переходами в одно и то же состояние может стать неопределенно большим.

S.300 state assignment
присваивание состояния
Присваивание комбинаций переменных состояния (S.306 state variable) устойчивым внутренним условиям — состояниям — в последовательностных схемах (S.092 sequential circuit) в ходе процесса их синтезирования (реализации).

S.301 state diagram
диаграмма состояний
Графическое отображение таблицы состояний (S.304 state table). См. также F.074 finite-state automaton.

S.320 statement
предложение; оператор
Блок, используемый при создании программ на языке высокого уровня: программа является последовательностью предложений. Предложение аналогично команде (I.108 instruction) машинного языка. См. также D.115 declaration.

S.303 statement label
метка оператора, операторная метка
См. L.001 label.

S.304 state table
таблица состояний
1. Таблица, описывающая поведение последовательностной схемы (S.092 sequential circuit) как функцию от некоторых стабильных внутренних условий — состояний — и входных переменных. Для каждой комбинации этих аргументов определяется очередное состояние схемы и все выходные переменные.
2. См. F074 finite-state automation.

S.305 state transition function (table, diagram)
функция (таблица, диаграмма) перехода состояний
См. F.074 finite-state automation.

S.306 state variable
переменная состояния; фазовая переменная
Двоичная (как правило) переменная, описывающая состояние каждого элемента в последовательностной схеме (S.092 sequential circuit).

S.307 static
статический
Неизменяющийся во времени или не имеющий возможности изменения во времени. Данное определение обычно относится к переменной, которая не может быть изменена в процессе работы системы; ей может быть присвоено новое значение только путем остановки и перезагрузки системы. В противоположность этому динамическое (D.321 dynamic) значение может быть изменено «на ходу».

S.308 static allocation
статическое распределение
Распределение, которое не может быть изменено в ходе выполнения процесса

S.309 static data structure
статическая структура данных
Структура данных, характеристики организации которой являются постоянными в течение всего времени ее жизненного цикла. Подобные структуры удобно поддерживаются с помощью языков высокого уровня; хорошо известным примером такой структуры служит массив. Основными свойствами статических структур являются: а) отсутствие необходимости хранения информации о структуре в явном виде в самих ее элементах — эта информация часто записывается в отдельном логическом или физическом заголовке; б) элементы закрепленной структуры физически связаны, храняться в одном сегменте памяти; в) вся описательная информация, кроме описания физического расположения закрепленной структуры; указывается путем определения структуры; г) в течение всего времени существования структуры связи между ее элементами не изменяются. Ослабление этих свойств приводит к возникновению понятия динамической структуры данных (D.323 dynamic data structure).

S.310 static dump
статический дамп

Дамп содержимого памяти (обычно — это рабочая область памяти процесса), сделанный в тот момент времени, когда процесс практически наверняка не активен, например, в конце очередного шага выполнения задания.

S.311 static RAM
статическое запоминающее устройство с произвольной выборкой; статическое ЗУПВ

См. R.011 RAM.

S.312 stationery
бумага для печатающих устройств

Бумага, используемая в печатающих устройствах ЭВМ (P.219 printer). Это один из типов информационных носителей (D.053 data medium), который существует в нескольких формах. *Ленточная бумага* — это непрерывная лента бумаги с поперечными просечками, разделяющими ее на одинаковые листы. Просечки дают возможность складывать бумажную ленту гармошкой и легко разрывать ее на более короткие ленты или на отдельные листы после выполнения распечатки. Бумага делается с краевой перфорацией; отверстия краевой перфорации делаются с интервалом в $1/2$ дюйма (≈ 13 мм) на расстоянии $1/4$ дюйма ($\approx 6,5$ мм) от обоих краев. Эта краевая перфорация используется для точного протягивания бумаги в печатающее устройство с помощью механизма протяжки (T.120 tractor) или механизма с зубчатыми колесиками. Ленточная бумага может быть шириной до 20 дюймов (508 мм) и иметь дополнительные поперечные или продольные просечки для разделения листов на более мелкие формы. *Рулонная бумага* — это бумага в форме рулона, используемая в тех случаях, когда распечатки (P.221 printout) не нужно никуда подшивать. Подача такой бумаги в печатающем устройстве обычно осуществляется фрикционным механизмом, однако в некоторых рулонах делается краевая перфорация для зацепления, как и в ленточной бумаге. В печатающих устройствах, где используется рулонная бумага, обычно имеется отрывное приспособление. Рулоны могут иметь, как правило, ширину 2—3 дюйма (50—76 мм), как в кассовых аппаратах (см. P.142 point of sales system), или 8—10 дюймов (20—25 мм),

как в других печатающих устройствах с рулонной бумагой. *Бумага в виде отдельных листов* — эта пачка листов одинакового размера, которые могут либо вставляться в печатающее устройство вручную, либо загружаться целой пачкой в специальное приспособление печатающего устройства — устройство подачи резаной бумаги — предназначенное для автоматической поочередной подачи листов. *Однослойная бумага* состоит только из одного бумажного слоя, проходящего через печатающее устройство. *Многослойная бумага* состоит из двух или нескольких слоев бумаги, соединенных таким образом, чтобы они могли вместе проходить через печатающее устройство, что дает возможность одновременного получения нескольких копий распечатки на печатающем устройстве ударного действия (I.042 impact printer). Для получения копий либо слои бумаги могут быть проложены копировальной бумагой, либо может быть использована *бескопирочная бумага*. Поверхность такой бумаги имеет специальное покрытие, которое при ударе выделяет в месте удара краску. Многослойная бумага может быть ленточной, рулонной или в виде отдельных листов. *Бумага для печати этикеток* состоит из соответствующей подложки в виде однослойной ленты, на которую прикрепляются самоклеющиеся ярлыки. Она используется, например, для печати адресов: напечатанные ярлыки с адресами затем отделяются от подложки и прикрепляются к конвертам. Бумага для печатающих устройств может изготовляться в виде разнообразных специальных форм, например, в виде *размеченной бумаги*, представляющей собой заказанные покупателем формы на конвертах, прикрепленные к подложке, которая, в свою очередь, может быть выполнена либо в виде отдельных листов, либо в виде бумажной ленты. Бумага может содержать заранее отпечатанную на ней информацию, соответствующую требованиям заказчика. Технические условия на бумагу для печатающих устройств состоят из двух основных частей. В первой устанавливаются характеристики ее способности выдерживать прикладываемые усилия в тех типах печатающих устройств, для которых она предназначена, и отражают ее эксплуатационные свойства; сюда относятся такие характеристики, как прочность, толщина, пористость, гладкость, плотность, состав материала. Во второй части отражаются требования, выдвигаемые дальнейшими манипуляциями с распечаткой. Эти требования устанавливают окончательный вид распечатки, включая размеры, предварительную разметку и все специальные условия. На бумагу для печатающих устройств имеются международные стандарты.

S.313 statistical analysis
статистический анализ
См. S.314 statistical methods.

S.314 statistical methods
статистические методы
Методы сбора, обобщения, анализа и интерпретирования изменяющихся числовых данных. Статистические методы являются противоположностью детерминистских методов (см. D.167 deterministic), которые применяются в тех случаях, когда наблюдения точно воспроизводимы или подразумевается, что они являются таковыми. Наряду с широким использованием статистических методов в социологии, экономике и сельскохозяйственной науке, они также играют важную роль в физике при изучении ошибок измерений, случайных явлений, таких как радиоактивность или погода, а также для получения приблизительных результатов в тех случаях, когда трудно применить детерминистские методы. *Сбор данных* охватывает стадии принятия решения о выборе объекта наблюдения для получения информации, относящейся к исследуемым вопросам, и осуществления самих наблюдений. При планировании выборки (S.104 sampling) определяется число наблюдений, достаточное для представления соответствующей генеральной совокупности. Эксперименты с получением переменных выходных данных должны проводиться согласно принципам теории планирования эксперимента (E.150 experimental design). Обобщение данных — это расчет соответствующих статистических значений (S.317 statistics, определение 2) и отображение этой информации в форме таблиц, графиков или схем. На этой стадии обработки данные могут быть представлены в виде, удобном для сравнения с другими выборками; это делается с помощью отношений, поправочных коэффициентов и т. д. В ходе *статистического анализа* наблюдаемые статистические данные сопоставляются с теоретическими моделями, такими как распределения вероятностей (P.232 probability distribution), или модели регрессионного анализа (R.089 regression analysis). Предварительно рассчитав параметры (P.037 parameter) предполагаемой модели и проверяя гипотезы об альтернативных моделях, можно оценить значение собранной информации и область, в которой эта информация может оказаться полезной в аналогичных ситуациях. Применение наиболее подходящей модели с использованием предварительно рассчитанных значений параметров — это уже область *статистического прогнозирования*. В последнее время были предложены менее формальные методы анализа и обобщения данных, включая так называемый разведочный анализ данных (E.152 exploratory data analysis).

S.315 statistical multiplexing
статистическое мультиплексирование
Метод временного мультиплексирования (T.087 time division multiplexing) некоторого числа подканалов в один широкополосный канал, при котором общая ширина полосы пропускания (B.023 bandwidth), требуемая под отдельные подканалы, превышает ширину полосы пропускания мультиплексного канала. Так как максимальная скорость передачи данных по каналу из-за прерываний передачи используется редко, этот метод может быть реализован с помощью разумного использования буферов. При такой системе полоса пропускания не закрепляется за каждым подканалом постоянно, а предоставляется под него только по требованию.

S.316 statistical prediction
статистическое прогнозирование
См. S.314 statistical methods.

S.317 statistics
1. статистика 2. статистические значения
1. Числовые данные, относящиеся к совокупностям отдельных людей, объектов или явлений. Этим термином также называют науку о сборе, обобщении и интерпретации таких данных.
2. Значения, рассчитанные на основе

данных с целью обобщения свойств выборки. Например, среднее значение выборки — это статистическое значение, являющееся характеристикой положения (M.089 measures of location), тогда как стандартное отклонение является показателем изменчивости (см. M.090 measures of variation).

S.318 status of a process
состояние процесса
См. P.243 process descriptor.

S.319 status register
регистр состояния
См. P.284 program status word.

S.320 status signal
сигнал состояния
Сигнал занятости (B.169 busy signal) или сигнал готовности (R.049 ready signal).

S.321 stepper motor
шаговый двигатель
См. A.037 actuator.

S.322 stepsize
размер шага
См. F.068 finite-difference method.

S.323 stepwise refinement
поэтапное усовершенствование; пошаговая детализация
Подход к разработке программного обеспечения, при котором первоначальное представление некоторой нужной программы, отличающееся высокой степенью обобщения, постепенно детализируется в виде последовательности промежуточных представлений; в конечном итоге получается некоторый окончательный вариант программы на каком-нибудь языке программирования. При первоначальном представлении используются понятия и обобщения, соответствующие затрагиваемой проблеме. Последующая разработка осуществляется в форме ряда коротких этапов. На каждом этапе уточняются некоторый аспект представления, полученного на предыдущем шаге; таким образом, мы получаем следующий вариант в последовательности представления. Обычно детализация на одном этапе затрагивает как уточнение структуры данных, так и уточнение выполняемых действий; степень этой детализации выбирается достаточно небольшой, чтобы гарантировать правильность получаемого результата. Усовершенствование продолжается до тех пор, пока не будет получено окончательное представление об

этой последовательности, полностью выраженное на выбранном языке программирования. Автором этого подхода обычно считают Н. Вирта, создателя языков Паскаль (P.058 Pascal) и Модула (M.169 Modula). Ср. S.360 structured programming.

S.324 stiff equation
жесткие уравнения
См. O.070 ordinary differential equations.

S.325 stochastic matrix
вероятностная матрица
Матрица, часто используемая, например, в имитационном моделировании, аналитическом моделировании и теории связи, в которой каждая строка отражает распределение вероятностей, т. е. значение каждого элемента строки находится в диапазоне от 0 до 1, а сумма всех элементом строки равна единице. *Двойная вероятностная матрица* — это стохастическая матрица, которая при транспонировании также дает стохастическую матрицу.

S.326 stochastic process
стохастический процесс; вероятностный процесс
Множество случайных переменных (R.021 random variable), значения которых изменяются во времени (или иногда в пространстве). Примерами стохастических процессов являются изменение численности народонаселения с учетом рождаемости и смертности, изменение длины очереди (см. Q.019 queuing theory) или же изменение уровня воды в резервуаре. *Стохастические модели* — это модели, в которых главную роль играют случайные изменения, что отличает их от детерминированных моделей. Стохастические процессы дают теоретическое объяснение для многих распределений вероятностей (P.232 probability distribution) и лежат в основе анализа временных рядов (T.095 time-series).

S.327 storage (memory, store)
запоминающее устройство; память; накопитель
Устройство или носитель, на котором можно сохранять данные для последующего их считывания. См. S.329 storage device.
См. также M.097 memory.

S.328 storage allocation
1. выделенная память 2. распределение памяти
1. Определенный объем памяти, закрепленный за процессом. 2. Действие, состоящее в распределении памяти по процессам., В системе мультипрограммирования необходимо управлять использованием памяти, чтобы застраховать процессы от взаимных помех из-за работы в одном и том же рабочем пространстве, за исключением случая, когда эти процессы являются взаимосвязанными и действительно используют общее рабочее пространство. Управление использованием памяти является одним из примеров функций системы управления ресурсами.

S.329 storage device
запоминающее устройство
Устройство, способное принимать данные и сохранять их для последующего считывания. Сюда входит широкий диапазон устройств с различными емкостями и скоростями работы. В полупроводниковых устройствах, используемых в качестве оперативной памяти (M.039 main memory) процессора, время считывания информации может составлять несколько наносекунд, однако стоимость запоминания каждого бита информации в этих устройствах значительно выше, чем в устройствах, используемых в качестве внешних запоминающих устройств (B.005 backing store), в которых время считывания данных может измеряться миллисекундами или даже несколькими секундами. См. также M.105 memory hierarchy; M.106 memory management.

S.330 storage element
запоминающий элемент; элемент запоминающего устройства
См. M.102 memory element.

S.331 storage hierarchy
иерархия запоминающих устройств
См. M.105 memory hierarchy.

S.332 storage matrix
1. запоминающая матрица 2. архив магнитных лент
См. A.181 automated tape library.

S.333 storage oscilloscope
запоминающий осциллограф
Прибор, используемый для измерения кратковременных неповторяющихся сигналов. Измерение выполняется путем фиксации сигнала по требованию и удерживания его изображения до тех пор, пока требование не будет отменено. Подобная фиксация может быть достигнута двумя способами. При первом осциллограф с цифровой памятью измеряет входящий сигнал, запоминает результаты этих измерений и выводит их; при втором способе осциллограф с запоминающим устройством имеет специальную запоминающую электронно-лучевую трубку (C.041 cathode-ray tube), которая сохраняет изображение сигнала путем отображения его в виде определенного заряда на электродах за экраном; затем этот заряд модулирует поток электронов, который дает изображение зафиксированного сигнала.

S.334 storage pool
динамически распределяемая память
Зоны памяти, не закрепленные за процессами. Они используются системой распределения памяти для удовлетворения запросов на временное предоставление памяти какому-либо процессу. После того, как процесс освободит эту память, она возвращается системе для последующего перераспределения.

S.335 strorage protection
защита памяти
Механизм, реализуемый как аппаратными, так и программными средствами и гарантирующий управляемый доступ различных процессов к памяти. Для запоминающих устройств, стоящих по быстродействию на верхних уровнях иерархии памяти (M.105 memory hierarchy), защита реализуется аппаратно, чтобы поддерживать высокое быстродействие; для более медленных запоминающих устройств защита может быть полностью реализована программно. Во всех случаях назначением защиты является гарантирование соответствия требуемого типа доступа процесса к памяти закрепленному за данным процессом. Например, в системе со страничной организацией памяти процессу может быть предоставлено право доступа к зоне памяти только для того чтобы выполнить программу на соответствующей странице. Попытки считывания информации с этой страницы или записи на нее будут запрещены с помощью механизма защиты (реализуемого аппаратно).

S.336 storage structure
структура представления в памяти, структура хранения
Отображение одного представления данных в другое. Например, дата может быть представлена в виде вектора из трех целых чисел (с шестью их перестановками для обеспечения шести различных способов считывания даты), или непосредственно в виде строки из нескольких знаков, или же, как это делается в последнее время в языках высокого уровня — в виде записи с тремя полями — день, месяц и год. Правильный выбор структуры хранения позволяет осуществить легкую и эффективную реализацию соответствующей структуры данных (D.072 data structure).

S.337 storage tube
запоминающая трубка
Вакуумная трубка, способная принимать и сохранять информацию. При необходимости данные можно стереть и ввести новые. Данные могут быть графическими и отображаться на лицевой стороне трубки, либо они могут считываться в виде электрического сигнала. См. также E.043 electrostatic storage device.

S.338 store
1. запоминающее устройство; память 2. запоминать; хранить
1. = storage = memory. Особенно часто термины используются как синонимы в Великобритании.
2. Вводить или сохранять информацию для последующего считывания.

S.339 store and forward
передача данных с промежуточным хранением
Метод передачи информации от узла к узлу сети связи, при котором информация задерживается в каждом очередном узле до тех пор, пока не будет представлено достаточно ресурсов (нужной полосы частот, буферных пулов и т. д.) для передачи ее по очередному звену маршрута, называемому *транзитным участком*. В сетях вычислительных машин передаваемой информацией могут служить сообщения (M.199 message) или пакеты (P.005 packet); они могут быть автономными по отношению к передаче данных с промежуточным хранением [при дейтаграммной связи (D.040 datagram)] либо могут зависеть от информации о состоянии передачи предшествующих сообщений или пакетов [алгоритма управления потоком сообщений (F.107 flow control), схемы маршрутизации (R.168 routing) и т. п.]. Экономической основой использования передачи данных с промежуточным хранением является обеспечение рационального соотношения между затратами на хранение и вычислительную обработку сообщений в узлах сети и стоимостью передачи данных между узлами. См. также S.408 switching; P.009 packet switching.

S 340 stored program
хранимая программа
Программа (P.256 program), запомненная в памяти (M.097 memory) вычислительной машины. Для последующего выполнения этой программы требуется блок управления (C.305 control unit), который считывает из памяти в соответствующие моменты времени команды и регулирует порядок их выполнения. Для хранения программы может использоваться либо та же память, что и для хранения данных, либо другая. Использование одной и той же оперативной памяти дает определенные выгоды, заключающиеся в том, что программу можно модифицировать, но еще большие преимущества достигаются при ограничении возможностей изменения программы, либо за счет использования постоянного запоминающего устройства, либо за счет ограничения доступа к той части памяти, где хранится программа. Концепция хранения программы и данных в одной и той же памяти является фундаментальной применительно к тому, что обычно называют фоннеймановской вычислительной машиной (V.064 von Neumann machine) или архитектурой фон Неймана. Несмотря на некоторые расхождения в вопросе о том, была ли концепция хранимой программы впервые выдвинута Дж. фон Нейманом, или же она была выдвинута Дж. В. Мочли и Дж. Преспером Эккертом, первая публикация была сделана фон Нейманом в 1945 г. в его предложениях по машине EDVAC (E.019E DVAC).

S.341 straight insertion sort—sifting technique; sinking technique
сортировка с простыми вставками (метод решета)
Алгоритм сортировки, в соответствии

с которым по очереди просматривается каждый ключ сортировки и соответствующая этому ключу запись помещается по порядку сортировки среди предыдущих просмотренных ключей сортировки.

S.342 straight selection sort
сортировка методом простого выбора
Алгоритм сортировки, основанный на последовательном поиске записи с наибольшим значением ключа сортировки и помещении ее в правильную позицию в файле, затем записи со следующим по величине максимальным значением ключа и т. д.

S.343 Strassen algorithm
алгоритм Страссена
Алгоритм перемножения больших чисел, разработанный В. Страссеном в 1968 г. В нем используются свойства преобразований Фурье (F.130 Fourier transforms). См. S.021 Schonhage — Strassen algorithm.

S.344 stream
1. поток 2. работать в инерционном режиме
1. Поток данных, характеризуемый относительно большой длительностью и постоянной скоростью. Если скорость потока известна до того момента, как он начинает передаваться, то под данный поток можно зарезервировать ресурсы связи. Например, можно транспортировать поток с использованием более дешевого синхронного временно́го мультиплексирования (T.087 time division multiplexing) (TDM), в то время как другие пересылки по тому же самому каналу выполняются более дорогим, асинхронным TDM. Это особенно важно в спутниковых системах передачи, когда разница в стоимости синхронной и асинхронной передачи весьма значительна. Это также важно в таких случаях, как пакетная передача речевых сигналов, когда требуется, чтобы изменения сетевой задержки (N.024 network delay) были небольшими.
2. См. S.346 streaming.

S.345 streamer
инерционная лентопротяжка; стример
Обиходное название инерционного лентопротяжного механизма.

S.346 streaming
инерционный (режим)
Режим работы лентопротяжного механизма, предложенный фирмой IBM в 1978 г., при котором длина куска магнитной ленты, проходящего мимо головки при остановке и перезапуске, превышает длину промежутка между блоками информации на ленте. Вследствие этого после остановки ленту необходимо перепозиционировать (т. е. вернуть назад), чтобы она заняла правильную позицию для следующего запуска. Альтернативой инерционного режима является стартстопный режим. Инерционный режим позволяет на лентопротяжных механизмах со средней величиной ускорения обрабатывать ленты на значительно более высокой скорости, чем это возможно в стартстопном режиме. Однако средняя скорость обработки данных увеличивается только в тех случаях, когда между остановками передаются значительные объемы данных (обычно от десятков до тысяч килобайт), что обусловлено достаточно большим временем повторного позиционирования (обычно 0,1—2 с). Наиболее распространенной областью применения данного режима является дублирование (B.008 backup) содержимого магнитных дисков. Инерционный режим также позволяет использовать очень короткие промежутки между блоками информации, что увеличивает объем данных, запоминаемых на ленте фиксированной длины; это, однако, несовместимо с действующими на сегодня стандартами на форматы лент.

S.347 streaming tape transport
инерционный лентопротяжный механизм; лентопротяжное устройство на бегущей магнитной ленте
Лентопротяжный механизм, который может работать в инерционном (S.346 streaming) режиме и автоматически повторять позиционирование ленты после ее остановки. Некоторые модификации таких механизмов могут также работать и в стартстопном режиме на более низких скоростях перематывания ленты (или с увеличенными промежутками между информационными блоками). В инерционных лентопротяжных устройствах используются более простые, а следовательно, и более дешевые и более надежные механизмы, чем те, что предназначены для

461

работы в стартстопном режиме с такими же скоростями движения ленты. В частности, эти механизмы обычно не имеют ведущей оси (C.016 capstan) и ленточных буферов (B.154 buffer) (с рычагом натяжения или вакуумной колонкой), используемых в обычных лентопротяжных устройствах; движение и натяжение ленты полностью регулируются катушками.

S.348 Stretch

Огромная вычислительная машина, одобренная правительством США и созданная в конце 60-х годов фирмой IBM под названием IBM 7030; в ней предполагалось достичь предельных возможностей технологии создания вычислительных машин (по-английски это выражается глаголом stretch, от которого и происходит название машины). Она была оснащена устройством конвейерной обработки команд и опережающей выборки адресов, работала с 64-разрядными словами и при необходимости обеспечивала выполнение арифметических операций с удвоенной точностью. Обеспечивалась адресация с точностью до бита при емкости памяти в 2 млн. слов. Она могла работать со словами переменной длины и, фактически, в ней были реализованы все возможности технических средств. Вычислительных машин модели 7030 было изготовлено ограниченное количество; они использовались в атомной энергетике и различных научно-исследовательских учреждениях.

S.349 stride
шаг по индексу
См. D.273 dope vector.

S.350 string
1. вектор-строка 2. строка, цепочка символов
1. Одномерный массив с переменными границами (F.094 flexible), т. е. символьный вектор переменной длины, минимальный размер которого равен единице, а максимальный размер, т. е. длина строки, может изменяться.
2. Любой одномерный массив знаков. В теории формальных языков символьная строка часто называется словом (W.036 word). См. также S.084 seqance.

S.351 string manipulation
работа со строковыми данными
Выполнение основных операций над строками, включая их создание, сцеп-

ление (C.246 concatenation), извлечение сегментов символьных строк (S.353 string segment), поиск символов в строке (S.352 string matching), сравнение строк, определение их длины, замена подстрок (S.380 substring) другими строками, запоминание строк и их ввод-вывод.

S.352 string matching
сопоставление строк
Поиск определенной подстроки в строке.

S.353 string segment
сегмент символьной строки
Подстрок (S.380 substring) символьной строки, которая обычно может заменяться только массивом такого же размера.

S.354 strongly connected
сильносвязанный
См. C.266 connected graph.

S.355 structural induction
структурная индукция
Принцип индукции (I.066 induction), определяемый следующим образом. Пусть S — множество, на котором определена операция (частичного порядка (P.055 partial ordering), не содержащее бесконечно убывающих последовательностей (где убывание определяется в соответствии с отношением частичного порядка). Если P — предикат (P.192 predicate) и если выполняются следующие два условия: а) пусть a — это наименьший элемент S, т. е. не существует такого x в S, что $x \langle a$, и в этом случае $P(a)$ истинно; б) для каждого элемента s из S справедливо, что если $P(x)$ истинно для каждого x в S, удовлетворяющего соотношению $x \langle s$, а отсюда следует, что $P(s)$ также истинно, тогда $P(s)$ истинно для всех s из S. Структурная индукция может быть использована при доказательстве свойств рекурсивных программ.

S.356 structure
структура
1. ~of a program. Структура программы. См. P.285 program structure.
2. См. D.072 data structure; C.303 control structure; S.336 storage structure.

S.357 structured analysis
структурный анализ
1. См. S.361 structure systems analysis.
2. См. S.001 SADT.

S.358 structured coding
структурное программирование
См. S.360 structured programming, определение 2.

S.359 structured English
структурированный английский язык
Форма представления логики процесса, аналогичная псевдоязыку (P.310 pseudolanguage), используемая в структурном системном анализе (S.361 structured systems analysis).

S.360 structured programming
структурное программирование
1. Метод разработки программ, предполагающий широкое использование абстрагирования (A.010 abstraction) с целью выделения составных частей проблемы и повышения уверенности в правильности конечной программы. Первым шагом при получении спецификации нужной программы является рассмотрение ее применительно к решению на некоторой «идеальной» вычислительной машине. Эта идеальная машина должна предусматривать как соответствующий набор структур данных (D.072 data structure), так и соответствующее множество операций над этими структурами. Необходимая программа определяется в виде программы для этой идеальной машины. С помощью этого метода исходная задача сокращается до задачи, реализуемой на указанной идеальной машине; эта последняя задача рассматривается таким же образом. Рассматривается вторая идеальная машина, которая является идеальной для реализации структур данных и операций первой машины, и программы создаются в расчете на реализацию их на второй машине. Этот процесс продолжается до тех пор, пока в конечном счете не будет достигнут уровень, на котором определенные структуры данных и операции будут удобно реализовываться непосредственно на выбранном языке программирования. Таким образом, окончательная программа основана на представлениях «по уровням абстрактных машин», где вычислительная машина верхнего уровня идеально приспособлена к конкретной прикладной задаче, а машина на нижнем уровне непосредственно выполняет команды на выбранном языке программирования. Однако процесс разработки программы не является просто процессом «разбивки на подпрограммы», поскольку на каждом уровне как структуры данных, так и операции, уточняются. Основным назначением общего метода структурного программирования, разработанного в наиболее значительной степени Э. Дейкстрой, является обеспечение доказательства правильности программы (P.259 program correctness proof). Предполагается, что на каждом уровне реализации машина должна быть достаточно хорошо приспособлена к решаемой на данный момент задаче, так что получаемые для этой машины программы просты и невелики по размерам. Отсюда следует, что на каждом уровне можно обеспечить возможность проведения строгого доказательства правильности программ.
2. = structured coding. Подход к программированию (C.156 coding), при котором для передачи управления в программе используются только три конструкции. Эти три конструкции допускают последовательную, условную и итеративную передачи управления. Безусловная «произвольная» передача управления [т. е. оператором GOTO (G.040 GOTO statement)] запрещается. Прямым результатом этого является то, что каждая сложная команда в программе имеет ровно одну точку входа и одну точку выхода, вследствие чего облегчается восприятие программы.

S.361 structured systems analysis
структурный системный анализ
Особая технология системного анализа, охватывающая все его этапы, начиная от первоначального представления проблемы и кончая ее спецификацией и построением верхнего уровня системы программного обеспечения. Данная технология включает четыре основных понятия: *схему информационных потоков, словарь данных, структурирование процедур хранения данных* и *представление логики обработки.* Схемы информационных потоков отображают различные элементы процесса обработки в системе, прохождение потоков данных между этими элементами и основные этапы хранения данных в системе. Элементы процесса обработки (обрабатывающие элементы) обычно описываются непро-

цедурными терминами, с использованием, как правило, естественного языка. Элемент, показанный на одной диаграмме, может быть раскрыт на другой диаграмме с большей степенью подробности. Словарь данных (D.032 data dictionary) используется для регистрации всех информационных объектов, присутствующих в системе; ограничений, накладываемых на информационные объекты, а также элементов процесса обработки, обеспечивающих доступ к этим объектам. В ходе декомпозиции уточняется как информация, относящаяся к этапам хранения данных, так и действия, производимые в рамках элементов процесса обработки. Методы структурирования процедур хранения информации основываются на использовании реляционной модели данных; она отражает способы доступа и организацию каждого хранилища данных. Алгоритмы, используемые в рамках обрабатывающих элементов, определяются формой представления логических операций обработки, обычно с помощью языков проектирования программ (P.263 program design language), таблиц решений (D.112 decision table) или «структурированного» естественного языка. Гейн и Сарсон, с одной стороны, и Де Марко, с другой стороны, независимо друг от друга разработали две аналогичные версии структурного системного анализа. Рассмотренная технология предназначена главным образом для использования при разработке традиционных систем обработки данных.

S.362 structured variable (record)
переменная типа «структура»
Переменная в языке программирования, которая является сложным информационным объектом, составленных из компонент, которые сами являются либо простыми элементами данных, либо структурированными объектами. Эти компоненты обозначаются именами (N.002 name).

S.363 stub
заглушка
1. Заменяющая компонента, которая временно используется в программе с тем, чтобы можно было продолжать ее разработку, т. е. компилирование или тестирование, до того времени, когда эта компонента будет сделана в надлежащем виде. Например, если нужно протестировать незаконченную программу, не дожидаясь окончания разработки конкретной процедуры, последняя может быть заменена заглушкой. В зависимости от обстоятельств заглушка может выдавать либо всегда один и тот же результат, либо значения из таблицы, либо приблизительный результат, либо какую-нибудь подсказку и т. д.
2. См. D.112 decision table.

S.364 Student's distribution
t-распределение; распределение Стьюдента
Очень важное распределение вероятностей (P.232 probability distribution), используемое вместо нормального распределения (N.070 normal distribution), когда стандартное отклонение рассчитывается на основе данных выборки. Распределение предложено В. С. Госсетом (его псевдоним «Стьюдент») в 1908 г.; из-за неопределенности в оценке стандартного отклонения (см. M.090 measures of variation) t-распределение дает более широкие доверительные интервалы (C.258 confidence interval). Значения вероятности зависят от целого числа f, называемого числом степеней свободы (D.134 degrees of freedom), которое связано с расчетом стандартного отклонения. Таблицы t-распределения можно всегда легко найти, однако алгоритмы для непосредственного расчета соответствующих ему вероятностей относительно медленны и громоздки. Наиболее общими областями применения являются: 1) проверка значимости различия между средними значениями (M.086 mean) двух выборок; 2) вычисление доверительных интервалов (C.258 confidence interval) для выборочных средних и других параметров выборки; 3) проверка отличия от нуля рассчитываемых параметров в регрессионном анализе (R.089 regression analysis) и в планировании эксперимента (E.150 experimental design).

S.365 subgraph
подграф
Часть графа (G.047 graph) G, полученная путем исключения из него части ребер или некоторых вершин вместе с инцидентными им ребрами. Формально подграф графа G с вершинами V и ребрами E определяется как граф G' с вершинами V' и ребрами E', в ко-

тором V' является подмножеством V, а E' является подмножеством E (ребра из E' соединяют вершины в V'). Если V' является собственным подмножеством (S.378 subset) V или E' является собственным подмножеством E, то G' является *собственным подграфом* G. Если подграф G' содержит все вершины G, то G' является *остовным подграфом* G. См. также S.243 spanning tree.

S.366 subgroup
подгруппа

Подмножество T группы (G.058 group) G, на котором определена бинарная операция $\circ$; T включает в себя единичную подгруппу группы G, называемую e, обратный элемент x^{-1} для каждого x из T, а также произведение $x \circ y$ любых x и y из T. Для любой группы G множество, состоящее только из e, является подгруппой; таковой является и сама группа G. Все остальные подгруппы являются *собственными подгруппами* группы G.

S.367 sublist
подсписок

См. L. 081 list.

S.368 submatrix of a given matrix A
подматрица данной матрицы A

Любая матрица, полученная из матрицы A путем удаления из нее одного либо нескольких столбцов или строк.

S.369 subnet — communication subnetwork
подсеть связи

S.370 sub-Nyquist sampling
подвыборка Найквиста

См. N.106 Nyquist's criterion.

S.371 subprogram = program unit
блок программы

В настоящее время этот термин используется редко.

S.372 subrecursive hierarchy
субрекурсивная иерархия

См. H.070 hierarchy of functions.

S.373 subroutine
подпрограмма

Часть программы, которая выполняется «вне очереди», т. е. управление передается подпрограмме, а по ее окончании возвращается на ту команду вызывающей программы, которая следует за оператором вызова (C.006 call). (Соответствующий код команды центрального процессора обычно обеспечивает выполнение команд перехода к подпрограмме и возврата, что облегчает выполнение вызова.) Использование подпрограмм позволяет экономить место, поскольку записывается подпрограмма в программе только раз, а вызываться может из нескольких различных мест программы. Использование подпрограмм также облегчает написание больших программ, поскольку из подпрограмм может быть образована библиотека для общего использования. [Аналогичное понятие есть и в языках высокого уровня, где оно известно как процедура (P.239 procedure)]. На ранних стадиях развития программирования то, что мы сейчас называем подпрограммой, было известно под названием *закрытая подпрограмма*. Это понятие использовалось как противоположность *открытой подпрограммы*; последняя представляла собой часть программы, несколько раз повторяющуюся в различных местах основной программы, которая при ассемблировании заменялась «в очереди» соответствующими машинными командами в каждом месте программы, где она встречалась. Открытая подпрограмма была всего лишь удобной формой сокращения записи для программиста; теперь это средство известно как макрокоманда (M.015 macro).

S.374 subschema
подсхема

См. D.031 data description language.

S.375 subscript
подстрочный индекс; нижний индекс; субиндекс

Средство организации обращения к конкретным элементам в упорядоченной совокупности элементов. Например, если через R обозначить такую совокупность имен, то i-е имя в этой совокупности может быть вызвано как R_i (т. е. R с подстрочным индексом i). Именно такая письменная форма отсылки к соответствующему элементу является основой происхождения данного термина; используется также форма записи, при которой субиндекс записывается на той же самой строке, обычно в круглых или квадратных скобках:

$$R (i) \text{ или } R [i].$$

См. также A.137 array.

S.376 subsemigroup
подполугруппа

Подмножество (S.378 subset) T полугруппы (S.073 semigroup) S', являющееся замкнутым (C.131 closed) по отношению к определенной на множестве S бинарной операции ∘. Пусть x — произвольный элемент S. Тогда множество, состоящее из

$$x, \; x \circ x, \; x \circ x \circ x, \; ...,$$

т. е. из всех степеней x является подполугруппой S.

S.377 subsequence
подпоследовательность

1. Функция (F.160 function), областью определения которой является подмножество множества целых положительных чисел и, следовательно, множество значений которой может быть записано в виде

$$s_{i1}, \; s_{i2}, \; ..., \; s_{im},$$

где $i1 < i2 < ... < im$.
2. Перечень множества значений подпоследовательности. Отсюда следует, что подпоследовательность строки $a_1 a_2 \ldots a_n$ — это любой список вида

$$a_{i1}, \; a_{i2}, \; ..., \; a_{im},$$

где $1 \leqslant i1 < i2 ... < im \leqslant n$.
См. также S.084 sequence.

S.378 subset of a set
подмножество множества

Множество T, все члены которого являются членами множества S; обычно записывается как

$$T \subseteq S.$$

Подмножество T является собственным подмножеством S в том случае, если в S есть элементы, не содержащиеся в T; это записывается как

$$T \subset S.$$

S.379 substitution
подстановка

Определенный вид отображения в формальных языках (F.117 formal language). Если Σ_1 и Σ_2 — это алфавиты и $s\,(a)$ — отображение символа a из Σ_1 в язык Σ_2, то функция s является подстановкой. В случае, когда каждое отображение $s\,(a)$ представляет собой одиночное слово, подстановка называется гомоморфизмом (H.086 homomorphism). Если никакое из отображений $s\,(a)$ не содержит пустых слов, то s является Λ-свободной. Функция s

может быть расширена с тем, чтобы отображать слова Σ_1 в языки Σ_2:

$$s\,(a_1 \ldots a_n) = s\,(a_1) \ldots s\,(a_n),$$

т. е. в конкатенацию (C.246 concatenation) языков $s\,(a_1)\ldots, \; s\,(a_n)$. Далее, s может быть расширено с тем, чтобы отображать языки Σ_1 в языки Σ_2:

$$s\,(L) = \{s\,(w) \mid w \in L\},$$

причем $s\,(L)$ называется образом подстановки L по функции s.

S.380 substring of a string of symbols
подстрока строки символов

Любая строка символов вида

$$a_i a_{i+1} \ldots a_j,$$

где $1 \leqslant i \leqslant j \leqslant n$. Пустой строкой (E.054 empty string) считается подстрока любой строки.

S.381 substring identifier
идентификатор подстроки

Пусть $\alpha = a_1 a_2 \ldots a_n$ обозначает строку в Σ (S.146 sigma language) и пусть $\# \in \Sigma$. Идентификатор подстроки для позиций i в $\alpha\#$ — это самая короткая подстрока из $\alpha\#$, начинающаяся в позиции i и однозначно идентифицирующая эту позицию i. Существование такой подстроки гарантируется, поскольку подстрока

$$a_i a_{i+1} \ldots a_n \#$$

всегда будет однозначно обозначать позицию i. См. также P.171 position tree.

S.382 subtractor
вычитающее устройство; вычитатель

Электронная логическая схема (L.116 logic circuit) для вычисления разности между двумя двоичными числами, уменьшаемым и числом, которое нужно вычесть, вычитаемым (см. таблицу). *Полный вычитатель* производит это вычисление, оперируя тремя входами: двоичным разрядом уменьшаемого, двоичным разрядом вычитаемого и двоичным разрядом заимствования из старшего разряда. На двух выходах он выдает разность и бит заимствования. Таким образом, полные вычитатели при формировании выходных сигналов позволяют учитывать заимствования из старших разрядов, произведенные на предшествующих шагах вычитания; их можно соединять в каскады с целью образования n-разрядных вычитателей. Операцию вычитания можно реализовать также с использованием *полусумматоров*, которые проще полных, поскольку имеют только два входа и порождают два выхода.

Таблица 8

Вычитание по модулю два

Уменьшаемое	0	0	1	1
Вычитаемое	0	1	0	0
Разность	0	1	1	0
Бит заимствования	0	1	0	0

Ни одно из этих устройств не нашло широкого распространения, поскольку вычитание по модулю два более удобно осуществлять с помощью двоичной арифметики в дополнительных кодах на основе использования двоичных сумматоров (A.048 adder).

S.383 subtree
поддерево
См. T.163 tree

S.384 successive over-relaxation
последовательные релаксации
См. I.209 iterative methods for linear systems.

S.385 succesor function
функция следования
1. Функция (F.160 function) *SUCC*, встречающаяся в языках программирования Ада и Паскаль, и генерирующая очередной элемент перечисляемого типа. Обычно

$SUCC$ (4) генерирует 5;
$SUCC$ («A») генерирует «B».

2. Функция (F.160 function)

$$S : N \to N,$$

для которой $S(a) = n + 1$.
где N — это множество целых неотрицательных чисел. Функция S играет важную роль в теории рекурсивных функций, особенно при определении примитивно рекурсивной функции (P.216 primitive recursive function).

S.386 suffix of a string α
суффикс строки α
Любая строка β при условии, что α является сцеплением (C.246 concatenation) γβ этой строки с некоторой строкой γ. Ср. P.198 prefix.

S.387 suffix notation
= reverse Polish notation

S.388 suite
комплект программ
Набор программ или программных модулей, которые в целом отвечают некоторым определенным общим требованиям, причем каждая программа или модуль отвечает некоторой части этих требований. Например, в одном комплекте программ могут содержаться: программа инициализации некоторой базы данных, программа, позволяющая осуществлять обычный доступ к этой базе данных, программа, выполняющая периодические крупные изменения (например, в конце каждого месяца) и программа, которая способна восстанавливать базу данных после сбоя.

S.389 sumcheck
контрольная сумма
См. C.094 checksum.

S.390 sum of products expression (SOP expression)
выражение в дизъюнктивной форме
Булева функция (B.120 Boolean function), выраженная в виде дизъюнкции конъюнктивных форм, т. е. как операция ИЛИ с операндами, представляющими собой дополненные или недополненные логические переменные, соединенные знаками И. Например,

$$f = (x \land y') \lor (x' \land z).$$

Данная функция может быть также выражена через операцию НЕ И, причем операндами в этом случае будут группы переменных, соединенных знаками операции НЕ И. См. также S.291 standard sum of products; P.632 product of sums expression.

S.391 sum term
дизъюнктивный член
Сумма булевых переменных (под знаком операции ИЛИ), дополненных или недополненных. См. также P.253 product of sums expression.

S.392 supercomputer
суперЭВМ, суперкомпьютер
Обычно этим термином обозначают вычислительную машину из класса очень мощных ЭВМ с производительностью свыше 10 мегафлопс (миллионов операций с плавающей запятой в секунду), и называемых поэтому

сверхбыстродействующими вычислителями. Двумя известными сериями коммерческих суперЭВМ являются Gray-1, создаваемая корпорацией Gray Research, и Cyber 205 фирмы CDC. Единственной суперЭВМ типа Illiac, ныне уже демонтированной, была вычислительная машина Illiac IV (I.036 Illiac IV).

S.393 superconducting memory
сверхпроводниковая память
ЗУ, выполненное на компонентах, функционирование которых основано на использовании явления сверхпроводимости. См. также J.014 Josephson (junction) technology.

S.394 superconducting technology
сверхпроводниковая технология
Техника изготовления логических схем с использования явления сверхпроводимости. См. также J.014 Josephson (junction) technology.

S.395 superconductivity
сверхпроводимость
Физическое явление, заключающееся в появлении у некоторых материалов (например, свинца) при очень низких температурах (~4 К) нулевого электрического сопротивления. В течение длительного времени это явление интересует специалистов по вычислительной технике, поскольку обеспечивает возможность получения больших вычислительных мощностей без выделения тепла или с малым тепловыделением.

S.396 supermini
супермини-ЭВМ, супермини-компьютер
Средних размеров вычислительная машина, предназначенная для работы в многопользовательском режиме; ее системные компоненты и архитектура развивалась в последние несколько лет по линии совершенствования мини-ЭВМ. Супермини-компьютеры могут обладать такой же или даже большей мощностью, чем небольшие универсальные вычислительные машины (M.038 mainframe), но имеют при этом другое происхождение.

S.397 super- Nyquist sampling
супервыборка Найквиста
См. N.106 Nyquist's criterion.

S.398 supervisor (monitor; executive)
супервизор; управляющая программа; диспетчер
Постоянно находящаяся в оперативной памяти часть большой операционной системы, непосредственно имеющая дело с физическими компонентами системы, в отличие от большинства процессов, управляющих виртуальными ресурсами. Различные части супервизора управляют различными физическими компонентами (см. K.005 Kernel memory; M.106 memory management, I.190 I/O supervisor). Термин используется также в качестве синонимического названия операционной системы в целом.

S.399 supervisor call (SVC)
вызов супервизора, обращение к супервизору
См. I.158 interrupt.

S.400 supervisor state (executive state)
супервизорный режим
См. E.139 execution states.

S.401 support programs
обслуживающие программы; вспомогательные программы
Программы, которые не заняты непосредственно в выполнении основной функции вычислительной системы, а лишь обеспечивают условия для работы системы. Типичным примером может служить программа, обеспечивает сохранение и классификацию содержимого системы файлов. См. также S.218 software tool.

S.402 supress
подавлять
Предотвращать вывод или восприятие определенных данных и сигналов. См. также Z.004 zero suppression.

S.403 surjection (onto function)
однозначное соответствие; отображение на ...; сюрьекция
Функция (F.160 funkction), область (R.022 range) определения и область значений которой совпадают. Если функция

$$f : X \to Y$$

является однозначным отображением, то для каждого y из области значений V существует x из X такой, что

$$y = f(x).$$

Функция, не являющаяся однозначным соответствием, иногда называется *отображением в ...*

S.404 suspended
приостановленный
См. P.253 process descriptor.

S.405 swapping
перекачка, свопинг
Метод управления использованием оперативной памяти на основе перезаписи информации из нее во вспомогательную память в те периоды, когда эта информация не используется, и «подкачки» информации обратно в основную память, когда в ней снова возникает необходимость. См. также P.017 paging; R.173 roll-in roll-out.

S.406 swipe reader
рычажный считыватель
Принятое в США название щелевого считывающего устройства См. C.022 card reader.

S.407 switch
1. переключатель; ключ; выключатель; коммутатор 2. переход по ключу 3. переключать (ся)
1. Электронное или электромеханическое устройство, которое используется для подключения или отключения электрических схем. Электронный ключ может представлять собой либо размыкаемую цепь, работа которой зависит от состояния приложенного сигнала «выбора». Такие ключи часто используются для обеспечения разделения электрических цепей с высоким и низким напряжениями или для обеспечения дистанционного управления электрическими установками. Данный термин имеет также глагольную форму и в этом случае за ним следует предлог.
2. Тип ветвления в программе с выбором одного из нескольких возможных адресов передачи управления. Конкретный адрес передачи управления определяется по значению некоторой переменной (ключа). Средства обеспечения такого перехода предусматриваются в большинстве высокоуровневых языков программирования: в Алголе-60 имеются ключевые переменные, в ФОРТРАНЕ есть вычисляемые операторы GOTO, а в ряде других языков, таких как Алгол-68, Паскаль, Ада, существуют операторы множественного условного перехода.
3. Подвергаться переключению или вызвать переключение (S.408 switching).

S.408 switching
коммутация
Любой из множества известных методов связи, который обеспечивает передачу информации из точки в точку между динамически меняющимися источниками и приемниками данных. См. также P.009 packet switching; M.119 message switching; C.115 circuit switching.

S.409 switching algebra
алгебра переключательных схем
Термин, который фактически является синонимом термина «булева алгебра» (B.118 Boolean algebra), когда речь идет об анализе и синтезе логических (L.116 logic circuit) или переключательных (S.410 switching circuit) схем.

S.410 switching circuit = logic circuit
переключательная схема
Устаревший синоним термина «логическая схема». До того, как стали использоваться дешевые электронные компоненты, логические схемы делались с использованием реле и других переключающих устройств. Функция И реализовывалась с помощью последовательного соединения двух переключателей, а в элементе ИЛИ использовалось параллельное соединение двух переключателей.

S.411 switching speed (toggling speed)
скорость переключения
Скорость, с которой данное электронное логическое устройство способно изменять логическое состояние своего выхода при изменениях на входе. Этот параметр определяется величиной задержки в устройстве, а задержка, в свою очередь, зависит от технологии изготовления устройства.

S.412 switching theory
теория переключательных схем
Теория и практические методы алгебры переключательных схем (S.409 switching algebra). Она включает в себя методы булевой алгебры (B.118 Boolean algebra), а также методы использования таблиц состояний (S.304 state table) или диаграмм состояний (S.301 state diagram), равно как и методы минимизации (M.151 minimization).

S.413 switching waveform
схема переключений
Диаграмма или представление сигнала, показывающие одно из двух возможных состояний, часто соответствующих логической 1 и логическому 0, и могущие

использоваться для осуществления перевода, действующего переключательного элемента в соответствующее состояние, например, «включено», или «открыто» и «закрыто».

S.414 Sylvester matrices
матрицы Сильвестра
См. H.003 Hadamard matrices.

S.415 symbolic addressing
символическая адресация
Схема адресации, посредством которой обращение к какому-либо адресу осуществляется через некоторый условный символ; этот символ (преимущественно) имеет некоторую связь со значением данных, предположительно располагающихся по этому адресу. Это оказывает определенную помощь программисту. В ходе работы компилятора или ассемблера символический адрес заменяется какой-нибудь формой вычисляемого адреса.

S.416 symbolic language
символический язык
Устаревший термин, замененный в настоящее время термином «язык высокого уровня» (H.072 high-level language).

S.417 symbolic logic
символическая логика
Представление формальной логики (F.119 formal logic) на основе формализованного языка. Две наиболее известные области символической логики — это пропозициональное исчисление (P.299 propositional calculus) и исчисление предикатов (P.193 predicate calculus).

S.418 symbol manipulation
символические операции
Манипулирование символами, а не числами, которое имеет место в символической математике, при подготовке текстов и при моделировании конечных автоматов. Для написания соответствующих программ символьной обработки можно использовать язык программирования СНОБОЛ (S.203 SNOBOL).

S.419 symbol table
таблица символов; таблица идентификаторов; таблица символических имен
Список идентификаторов (I.014 identifier) в исходной программе и их свойств, выдаваемый транслятором (T.148 translator). Перед тем, как транслятор начнет обрабатывать ка-

кую-либо исходную программу, в таблице символов содержится только список идентификаторов. Например, транслятор может связать значение числа π или значение наибольшего целого числа, которое можно держать в системе, с некоторыми конкретными именами. В процессе трансляции в таблицу по мере необходимости могут вставляться и убираться символические имена. Свойства записей, которые фиксируются в таблице символов, зависят как от языка программирования, так и от реализации транслятора.

S.420 symmetric difference
строгая дизъюнкция; исключающее ИЛИ
См. S.118 set difference.

S.421 symmetric function
симметрическая функция
Функция (F.160 function) $f(x_1, x_2, \ldots, x_n)$, значение которой не меняется при любой перестановке ее аргументов. Такие функции периодически возникают в теории переключательных схем (S.412 switching theory).

S.422 symmetric group
симметрическая группа
См. P.093 permutation group.

S.423 symmetric list
= doubly linked list.

S.424 symmetric matrix
симметрическая матрица
Квадратная матрица A, для любого элемента a_{ij} которой справедливо $a_{ij} = a_{ji}$. Такая матрица эквивалентна самой себе после транспонирования (T.157 transpose).

S.425 symmetric traversal (inorder traversal)
симметричный обход
Маршрут прохождения вершин в двоичном дереве, полученный с использованием следующего рекурсивного алгоритма: посещение симметричной вершины в левом поддереве от корня (если оно существует); посещение корня дерева; посещение симметричной вершины в правом поддереве от корня (если оно существует). Ср. P.179 postorder traversal; P.202 preorder traversal.

S.426 symmetric relation
симметричное отношение
Отношение (R.097 relation) R, определенное на множестве S и обладающее тем свойством, что в любом случае,

когда xRy,

выполняется yRx,

где *x* и *y* — произвольные элементы *S*. Симметричным, например, является отношение «равно», определенное на множестве целых чисел. См. также A.108 antisymmetric relation; A.155 asymmetric relation.

S.427 symmetry group
группа симметрии
Группа (G.058 group), состоящая из функций (F.160 function), каждая из которых преобразует жесткую плоскую фигуру в нее самое; бинарная операция (D.319 diadic operation над элементами такой группы является композицией (C.218 composition функций. Чем больше и сложнее группа симметрии, тем больше симметрия, связанная с лежащей в основе этой группы фигуры.

S.428 synchronization
синхронизация
Такая связь между процессами, при которой один процесс не может выполняться, начиная с определенного места, до тех пор, пока другой процесс не достигнет своей определенной точки. Примером могут служить процессы, один из которых записывает данные в буфер, а другой считывает их оттуда. Эти два процесса должны быть синхронизированы таким образом, чтобы считывающий процесс не делал попыток считывания до того момента, пока записывающий процесс не закончит запись данных в буфер. Синхронизацию можно обеспечить с помощью семафора (S.070 semaphore).

S.429 synchronizer
синхронизатор
Запоминающее устройство с широким диапазоном рабочих скоростей передачи, которое используется как промежуточная память при передаче данных между различными устройствами, не способными работать с одной и той же скоростью.

S.430 synchronous
синхронный
Вызывающий или требующий такую работу системы управления вычислительной машиной, при которой последовательно происходящие события должны начинаться в фиксированные моменты времени. Это влечет за собой необходимость предварительного определения длительности событий каждого класса или множества, но зато не требует подтверждения окончания

предыдущего события перед началом очередного. Ср. A.156 asynchronous.

S.431 synchronous circuit
синхронная схема
Электронная логическая схема, в которой логические операции выполняются под управлением внешних сигналов, и, следовательно, синхронно с генерируемыми вне схемы тактовыми сигналами.

S.432 synchronous counter
синхронный счетчик
Счетчик (C.326 counter), образуемый цепочкой взаимосвязанных триггеров (F.097 flip-flop), выходы которых меняют свое состояние в один и тот же момент времени, обычно при подаче на вход счетчика некоторого импульса. По скорости эти счетчики имеют преимущество перед асинхронными счетчиками со сквозным переносом (R.162 ripple counter); в которых выходной сигнал должен распространяться по цепочке триггеров после подачи импульса на счетный вход. См. также C.034 cascadable counter; S.136 shift counter.

S.433 synchronous TDM
синхронное временное мульти-плексирование
См. T.087 time division multiplexing.

S.434 syndrome
синдром
В теории кодирования — вектор (упорядоченное множество) символов, получающийся на промежуточной стадии работы алгоритма декодирования при использовании с исправлением ошибок (E.103 error-correcting code). Синдром не зависит от переданного ключевого слова, а зависит только от схемы расположения ошибок. На последующих стадиях работы алгоритма декодирования синдром используется для исправления ошибок в принятом сообщении. Конкретные особенности получения синдрома и его использования, а также реальность исправления всех ошибок, зависят от конкретного типа используемого кода с исправлением ошибок. При отсутствии ошибок синдром обычно представляет собой нулевое слово (Z.006 zero word).

S.435 syntactic errors
синтаксические ошибки
См. E.106 error diagnostics.

S.436 syntactic monoid of a formal language L *синтаксический моноид формального языка* L
Полугруппа (S.073 semigroup) минимальной машины (M.148 minimal machine) для языка L.

S.437 syntax
синтаксис
Правила, определяющие в случае языка программирования разрешенные последовательности языковых конструкций, а также последовательности расположения символов в программе. Синтаксические правила определяют только форму различных конструкций языка, но ничего не говорят об их смысловом содержании. См. также P.050 parsing.

S.438 syntax analysis
= parsing
S.439 syntax analyzer = parser
синтаксический анализатор; синтаксический блок транслятора
См. P.050 parsing.

S.440 syntax diagram
синтаксическая диаграмма; синтаксическое дерево
Представление синтаксических (S.437 syntax) правил языка программирования в виде диаграммы; эквивалент нормальной формы Бэкуса (B.115 (BNF), представленный в виде рисунка.

S.441 syntax-directed compiler
синтаксический компилятор
Компилятор, который работает точно по синтаксическим (S.437 syntax) правилам данного языка и поэтому в принципе способен делать компиляцию и с другого языка, если соответствующим образом заполнить таблицы синтаксического анализа. Практически же синтаксический анализ в работе компилятора — это меньше половины всей его работы; большая часть работы компилятора связана с семантикой (S.069 semantics), т. е. определением действий, которые необходимо выполнить после распознавания той или иной конструкции в программе.

S.442 syntax error
синтаксическая ошибка
Ошибка программирования, заключающаяся в нарушении грамматических правил языка. Синтаксические ошибки могут обнаруживаться компилятором в отличие от семантических ошибок (S.067 semantic error), которые трудно

472

выявить до прогона программы. См. также E.106 error diagnostics.

S.443 syntax tree
= parse tree

S.444 system
система
Любой объект, который одновременно рассматривается, во-первых, как единое целое, и, во-вторых, как нечто, состоящее из множества связанных составных частей. В вычислительной технике это слово используется весьма широко и имеет множество смысловых оттенков. Чаще всего, однако, оно используется применительно к набору технических средств и программ. «Системой» может называться и аппаратное обеспечение вычислительной машины; в этом контексте термин «система» может охватывать широкий диапазон компонентов вычислительных устройств, производимых различными фирмами - изготовителями; в каждом случае границы действия термина могут быть расширены, и он может подразумевать не только аппаратные средства, но и базовые программные средства, такие, как операционные системы и компиляторы. Системой может также считаться множество программ для конкретных прикладных задач (независимо от технических средств и базовых программных средств, используемых при прогоне этих программ); в этом случае значение термина может быть расширено таким образом, чтобы он охватывал еще и процедуры ведения документации и управления расчетами.

S.445 system accounting
системный учет
Фиксация использования системных ресурсов (R.134 resource). В системах, работающих в мультипрограммном режиме (M.247 multiprogramming system), распределение системных ресурсов между различными активными процессами осуществляется только самой системой. Для таких ресурсов, как процессор, которые полностью закрепляются за отдельным процессом в течение большого числа коротких интервалов времени, измерение потребляемых объемов ресурсов осуществляется путем регистрации фактического времени начала и окончания каждого интервала, на основе которых рассчитывается длительность

каждого интервала; суммирование всех этих длительностей в течение всего времени функционирования данного процесса дает соответствующее ему процессорное время. Для таких ресурсов, как память, когда за процессом закрепляется некоторое число единиц ресурса [в дальнейшем процесс возвращает их распределителю ресурсов (R.135 resource allocation)] обычной мерой расхода ресурса является суммарная длительность закрепления каждой единицы за данным процессом с учетом «арендной платы» за каждую единицу ресурса. Для ресурсов, не допускающих повторного использования, обычной практикой является расчет платы за использованный объем ресурса на основе стоимости единицы ресурса. В вычислительных центрах, финансовой основой существования которых является плата, взимаемая с клиентов в реальных деньгах, реализация системного учета представляет собой нетривиальную проблему, особенно когда приходится сталкиваться с принятием решений из-за плохой работы системы или задержек в обслуживании одних клиентов по вине других.

S.446 systematic code
систематический код
Блочный код (B.104 block code) с параметрами (n, k), в котором каждое слово кода может быть разделено на k информационных символов и $(n—k)$ проверочных символов. Информационные символы совпадают с информационными символами в исходном сообщении перед кодированием. Таким образом, процесс получения систематического кода заключается во вставке $(n — k)$ проверочных символов в информационные символы (т. е. в середину, начало или чаще всего конец). Позиции символов, используемые для вставки, должны быть одними и теми же для всех слоев кода. Каждый линейный код (L.045 linear codes) может быть преобразован в систематический.

S.447 system crash
аварийный отказ системы
См. C.337 crash.

S.448 system definition
системное описание
Документ (или набор документов), который дает наиболее полное и правильное описание какой-либо существующей или предполагаемой системы. Содержание документа с описанием системы может весьма существенно различаться для разных проектов или даже для одного и того же проекта на разных стадиях его жизненного цикла. Например, системное описание, составленное до начала разработки проекта, может содержать техническое задание (E.159 expression of requirements) на систему, текущий план разработки, расчет стоимости разработки и анализ экономической эффективности. В отличие от этого, после окончания разработки системы поставляемое вместе с ней системное описание должно содержать точную характеристику реального поведения внедренной системы.

S.449 system design
проектирование системы
Работы, проводимые с момента определения требований к системе до момента создания системы, удовлетворяющей этим требованиям. Иногда различают *проектирование верхнего уровня*, или *архитектурное проектирование*, которое затрагивает вопросы проектирования главных компонентов системы, их назначения и взаимосвязей, и *детальное (рабочее) проектирование*, в ходе которого проектируется внутренняя структура и механизм функционирования каждого компонента. Иногда термин «проектирование системы» используется только в смысле проектирования верхнего уровня.

S.450 system dictionary
системный словарь, словарь системы
См. D.032 data dictionary.

S.451 system generation
генерация системы
Компоновка средств операционной системы. Любая большая система почти всегда собирается из некоторого числа отдельных программных модулей, каждый из которых имеет дело с определенными аспектами функционирования системы или с определенными типами устройств. Если известно, что какая-то функциональная возможность системы или какое-то устройство не будут использоваться, можно исключить соответствующий модуль и так сгенерировать конкретный вариант системы, что она будет содержать только те модули, которые точно понадо-

бятся. Это и есть задачи генерации системы.

S.452 system hacker
системщик-виртуоз, системный хекер
См. H.001 hacker.

S.453 system high
наивысший уровень полномочий
Режим защиты данных (S.038 security), при котором все пользователи системы снабжаются допуском (S.042 security clearance), позволяющим получать доступ ко всей информации в системе, несмотря на то, что различные части базы данных могут иметь разные категории защиты (S.041 security classification). Выдаваемая при этом системой информация может не отмечаться соответствующим грифом; она может считаться относящейся к наивысшему уровню до тех пор, пока не будет вручную классифицирована заново.

S.454 system life cycle
жизненный цикл системы
Совокупность фаз развития системы, в которой используются средства вычислительной техники. Термин связывается в основном с информационными системами (I.082 information system) и стал широко употребляться в 70-е годы. Фазы жизненного цикла определяются множеством различных способов и с различной степенью подробности. В большинстве определений, однако, выделяются такие общие фазы, как концептуальное (эскизное) проектирование, техническое задание, технический проект, рабочий проект, программирование, тестирование, внедрение, эксплуатация и модификация. В некоторых случаях включаются дополнительные виды деятельности, такие как проектирование «ручных» процедур и обучение персонала. В большинстве своем определения жизненного цикла основываются на результатах анализа целей разработки систем и направлены на то, чтобы сделать эти цели в большей степени отвечающими традиционным методам планирования и организационного управления. В некоторых случаях на основе анализа жизненного цикла строятся тщательно продуманные системы планирования и управления, с детально проработанной документацией и четко определенными моментами принятия

организационно-управленческих решений.

S.455 system R, system R*
*система R, система R**
См. S.266 SQL/DS.

S.456 systems analysis
системный анализ
Анализ назначения системы, которую предполагается проектировать, и установление множества требований, которым она должна отвечать. Системный анализ, таким образом, является отправным пунктом проектирования системы (S.449 system design). Термин чаще всего используется применительно к программированию коммерческих систем, при котором участвующие в разработке программного обеспечения сотрудники делятся на системных аналитиков и программистов. Системные аналитики отвечают за точное установление множества требований, предъявляемых к системе (т. е. системный анализ), и создание проекта. Затем проект передается программистам, которые отвечают за правильное воплощение выработанных требований к системе.

S.457 system security
защита системы
Обеспечение надлежащих условий для управления доступом к системным ресурсам с учетом требований по защите данных и для контроля за доступом к тем частям системы, которые охвачены средствами защиты.

S.458 system specification
системная спецификация
Точное и подробное определение действий, которые должна выполнять система. Хорошая системная спецификация дает законченное описание того, что должна делать система, без каких-либо замечаний по поводу того, как она должна это делать. Таким образом, в рамках системной спецификации система трактуется как «черный ящик»; системная спецификация задает только поведение системы с точки зрения внешнего наблюдения, а не ее внутреннюю реализацию. Системная спецификация обычно создается после технического задания (E.159 expression of requirements) и затем используется как основа для проектирования системы (S.449 system design). По широте и степени точности описания системная спецификация отличается от технического задания; по-

следнее может охватывать вопросы, относящиеся как к проектируемой системе, так и к оборудованию, на котором она будет реализована, однако при этом могут никак не детализироваться многие важные аспекты функционирования. Обычно системная спецификация выполняется в свободной форме на естественном языке. Однако необходимость в более точном формировании требований и трудности, связанные с разрастанием объема документации, неизбежно ведут к разработке более формальных языков спецификаций.

S.459 systems programmer
системный программист
Человек, который специализируется по системному программированию (S.460 systems programming) и программному обеспечению (S.208 software) нижнего уровня, т. е. операционным системам (O.038 operating system), компиляторам (C.205 compiler), системам связи (C.192 communication system) и системам управления базами данных (D.016 database management system). Ср. A.114 applications programmer.

S.460 systems programming
системное программирование
Работа, выполняемая системными программистами, т. е. создание системного программного обеспечения. Граница между системным программированием и прикладным программированием зависит от обстоятельств. Например, с точки зрения программиста, который занимается ядром операционной системы, человек, создающий компилятор, является пользователем системы (т. е. прикладным программистом), хотя этот же человек будет, вероятно, рассматриваться как системный программист тем лицом, которое занимается написанием подпрограмм для отыскания минимума функции. Вместе с тем, человек, который будет использовать программу минимизации, может считать всех трех вышеупомянутых программистов системными программистами.

S.461 systems software
системное программное обеспечение
Все программные средства, необходимые для реализации системы, удовлетворяющей требованиям конечных пользователей.

S.462 systems theory
теория систем
Область науки, связанная с изучением систем (S.444 system) как таковых с целью выявления их общих характеристик или классификации. Специалисты по теории систем могут заниматься либо в основном разработкой самой теории (чаще всего называемой *общей теорией систем*), либо приложением положений этой теории к решению задач в различных конкретных дисциплинах или областях, если для этих задач неприменимы традиционные подходы, основанные на «информационных преобразованиях». Теория систем призвана заниматься изучением «организационной сложности». Сейчас предложено несколько принципов к классификации систем. Пожалуй, самый простой из них и самый полезный — это подход П. Чекланда, который предложил выделять четыре категории систем: естественные системы, искусственные физические системы, искусственные абстрактные системы и системы человеческой деятельности. Он также предложил четыре понятия, являющихся ключевыми для системного мышления: 1) понятие системы как единого целого, которое имеет свойства, присущие системе только как целостному объекту (эмерджентность); 2) принципы вхождения системы в большую аналогичную систему в качестве составной части и в то же время включения в себя меньших объектов (иерархия); 3) принцип рассмотрения объектов в системы в рамках процессов, которые поддерживают ее как целостную сущность и обеспечивают ее функционирование (управление); 4) тезис о том, что в любых других процессах, необходимых для функционирования системы, обязательно будут присутствовать такие процессы, в рамках которых информация будет передаваться от одной части системы к другой, причем лишь минимальная часть этого обмена будет обусловлена «управлением».

S.463 system tables
системные таблицы
Данные, которые в совокупности определяют состояние всех ресурсов и всех процессов в системе. Хотя такие данные могут быть представлены и в виде таблиц, при внутреннем представлении они более удобно записы-

ваются в форме связных списков, где в некоторых случаях имеются обратные указатели, связанные с «семафорными» переменными.

S.464 system testing
системные испытания
См. T.059 testing.

T

T.001 tab
1. *табулировать* 2. *знак табуляции; метка табуляции*
1. Задавать схему расположения данных при печати или выводе на устройстве отображения.
2. Управляющий знак, используемый при воспроизведении информации для регулирования движения печатающего механизма или механизма визуального отображения.

T.002 table
таблица
Совокупность записей (R.056 record). В каждой записи может содержаться информация, связанная с некоторым ключом, по которому отыскиваются нужные записи в таблице; или же записи могут быть упорядочены в виде массива (A.137 array) таким образом, что ключом для поиска записи является индекс соответствующего элемента. Применительно к промышленно поставляемым системам слово «таблица» часто используется как синоним терминов «матрица» или «массив».

T.003 table-driven algorithm
алгоритм табличного поиска
Алгоритм, реализующий процедуру поиска данных в таблице (T.004 table look-up).

T.004 table look-up (TLU)
табличный поиск
Быстрый метод преобразования одного множества значений данных в другое. Искомые данные хранятся в форме таблицы (T.002 table). При выполнении преобразования исходные данные используются либо для указания нужной таблицы, либо для поиска в этой таблице требуемых данных. Результатом табличного поиска является выдача нужной информации. См. также H.038 hashing.

T.005 tablet — data tablet
планшет

T.006 tag
1. *помечать* 2. *тег, признак, ярлык*
1. Отмечать различными способами каждый пройденный узел в структуре данных. Подобная техника пометок используется для предупреждения повторного прохождения узлов, например, в циклических списках.
2. Сокр. признаковое поле. Поле, которое используется для различения вариантов объектов одного и того же типа.

T.007 tagged architecture
теговая архитектура
Архитектура вычислительной машины, при которой за каждым словом закрепляются избыточные биты данных для обозначения типа данных (D.082 data type), или функции слова, или и того и другого одновременно. Теговая архитектура может представлять собой мощную форму защиты памяти (M.109 memory protection) и составляет основу некоторых засекреченных вычислительных систем с аппаратной защитой (H.034 hardware security).

T.008 tail of a list
хвост списка
1. Последний элемент списка (L.081 list).
2. Список, остающийся после удаления его головной части (H.048 head).

T.009 take-up reel
приемная бобина
См. M.030 magnetic tape.

T.010 tape
лента
Магнитная лента (M.030 magnetic tape) или перфолента (P.020 paper tape); в настоящее время обычно, если нет явного указания, под этим словом подразумевается магнитная лента.

T.011 tape-bounded Turing machine
ограниченная по памяти машина Тьюринга
См. M.249 multitape Turing machine.

T.012 tape cartridge
кассета
Краткое название кассеты с магнитной лентой (наиболее часто терин употребляется именно в таком контексте).

T.013 tape deck = tape transport
лентопротяжное устройство
См. M.030 magnetic tape.

T.014 tape drive = tape transport
лентопротяжное устройство
См. М.030 magnetic tape.

T.015 tape file
ленточный файл
Файл, записанный на магнитной ленте.

T.016 tape format
формат ленты
Формат записанной на магнитной ленте информации, позволяющий системе распознавать данные, управлять ими и проверять их. Форматы определяются на двух уровнях:
а. Формат, в котором информация передается из главной вычислительной системы в ЗУ на магнитных лентах (М.032 magnetic tape subsystem). Этот формат включает в себя данные, обычно обрамленные метками (L.001 label) и разделенные с помощью маркеров (Т.020 tape mark) или каких-то других дополнительных меток на части (обычно называемые файлами); отдельные части данных сами, в свою очередь, делятся на блоки (В.103 block), хотя это делается исключительно для удобства физической обработки и не имеет с точки зрения логической обработки и организации данных никакого значения.
б. Действительно реализованный на ленте подсистемой управления магнитными лентами формат, представляющий собой некоторую конфигурацию перемагничивающих сигналов. Для подсистемы магнитных лент «данные» — это вся информация, передаваемая в главную вычислительную систему или из нее (т. е. и логические данные, и метки). В большинстве подсистем управления магнитными лентами необходимо отличать информацию меток от основного потока данных. Пересылая данные блоками, ленточная подсистема добавляет к каждому блоку свою собственную информацию: часто это бывает некоторая преамбула, служащая для синхронизации, и заключительная часть, служащая аналогичным целям при считывании в обратном направлении, а также некоторые контрольные разряды, различные для разных стандартных форматов. Подсистема вводит между блоками межблочные промежутки (зоны без сигналов перемагничивания) и по указанию главной вычислительной машины записывает на ленту маркеры: во многих форматах перед первым информационным блоком на ленте помещается *идентификационный* пакет т. е. специальный набор сигналов, указывающий подсистеме, какой из нескольких возможных форматов будет использован; этот блок также помогает оптимизировать некоторые физические параметры лентопротяжного устройства. В процессе разработки ленточных подсистем было стандартизовано несколько различных форматов (термин «формат» здесь применен во втором его значении); сейчас они установлены для процедур обмена данными с использованием 9-дорожечных лент шириной 0,5 дюйма ($\approx$13 мм). Обычно находят применение три физических формата, определенных стандартами Международной организации по стандартизации (ИСО) и соответствующими стандартами ANSI и ECMA; без возвращения к нулю, фазово-кодированный и с записью группового кода. В формате *без возвращения к нулю* (NRZ) стандартизируемой формой является *маркер отсутствия возврата к нулю*, который обозначается соответствующей аббревиатурой NRZ 1, более широко известной как NRZI. Плотность записи (bpi) при таком формате — 800 бит на дюйм (25,4 мм), что позволяет при обычной длине блоков записывать на бобину ленты длиной 732 м примерно 20M байт информации. В формате предусмотрено соответствующее обнаружение ошибок, но возможности исправления ошибок не отработаны; этот формат, введенный в 50-х годах, сейчас выходит из употребления. *Фазово-кодированный (РЕ) формат*, введенный в 60-х годах. В настоящее время используется стандартная плотность записи 1600 бит на дюйм, что позволяет записывать на ленту длиной 732 м около 40 М байт информации. Средства обнаружения логических ошибок менее мощны, чем в формате NRZ, однако используются процедуры электрической проверки форм сигналов, так же как и в формате NRZ, и возможно исправление ошибок по ходу работы. Этот формат реализуется достаточно просто и широко используется (по данным 1985 г.) для организации обмена данными; в качестве дополнительного стандарта ANSI предложен вариант формата с плотностью записи 3200 бит на дюйм. *Формат с записью группового кода*

(*GCR*) принят в 70-х годах. Плотность записи, стандартизованная для 9-дорожечной ленты шириной 0,5 дюйма, составляет 6250 бит на дюйм: имеются в виду только биты логических данных, однако поскольку данные представляются подсистемой в избыточном коде, фактическая плотность записи на ленте выше этого значения. Формат позволяет записывать около 140М байт информации на ленту длиной 732 м, а избыточное кодирование позволяет осуществлять очень качественное обнаружение ошибок и исправление ошибок по ходу работы. Однако для избыточного кодирования требуются сложные технические средства. Кроме описанных форматов существуют еще стандартные форматы для ленты шириной в 0,25 дюйма ($\approx$6,4 мм) в кассетах, с более высокой стандартной плотностью по сравнению с описанными форматами, а также для ленты в магнитофонных кассетах (хотя запись на ленты в магнитофонных кассетах для персональных ЭВМ осуществляется в основном не по этому относительно старому стандарту). В процессе дальнейшего развития для всех типов лент будут, вероятно, определяться другие стандарты с более высокими плотностями записи.

T.017 tape header
заголовок ленты
Заголовок (H.051 header label), записанный в начале тома на магнитной ленте. См. также L.001 label.

T.018 tape label
метка ленты
См. L.001 label.

T.019 tape library
библиотека лент, магнитотека
1. Помещение, в котором хранятся бобины с магнитной лентой, когда они не используются для обработки, т. е. не установлены на лентопротяжное устройство. Каждая бобина обычно хранится в защитной коробке, которая снабжается этикеткой для визуального поиска в дополнение к метке (L.001 label), записанной на самой ленте.
2. Автоматизированная библиотека на лентах (A.181 automated tape library).

T.020 tape mark
маркер ленты.
Записанный на магнитной ленте сигнал, который не используется для представления данных, а служит для разделения отдельных порций данных — обычно отдельных файлов, откуда и произошел альтернативный термин — *метка файла*. Маркер ленты записывается под управлением главной вычислительной системы, однако форма маркера определяется самой ленточной подсистемой в соответствии со стандартами для используемого формата ленты (T.016 tape format). В большинстве форматов маркер ленты можно записывать отдельным блоком (B.103 block), однако в форматах, где подсистема вставляет при записи заголовки блоков, этот маркер обычно принимает форму некоторого указателя в одном из таких заголовков. Если при считывании ленты подсистема обнаруживает маркер ленты, она сообщает об этом главной вычислительной системе. В большинстве ленточных подсистем есть команда *перехода по маркеру ленты* (или *поиска маркера ленты*), которая вызывает перемотку ленты до очередного маркера без пересылки каких-либо данных в главную систему. Иногда в ленточной подсистеме имеется также команда *кратного перехода*, содержащая параметр *n*, которая вызывает перемотку ленты к *n*-му маркеру. Операции перехода по метке иногда выполняются на более высокой скорости перемотки, чем при считывании. В конце последнего файла на томе магнитной ленты удобно записывать два маркера ленты.

T.021 tape marker
метка на ленте, признак
См. B.126 BOT marker; E.083 EOT marker.

T.022 tape punch
ленточный перфоратор
См. P.021 paper tape I/O.

T.032 tape reader
устройство ввода с ленты
См. P.021 paper tape I/O.

T.024 tape transport (tape drive; (magnetic) tape unit; tape deck)
лентопротяжный механизм, ленто-протяжное устройство
Периферийное устройство, которое прокручивает магнитную ленту над головками считывания и записи. См. M.030 magnetic tape. См. также S.347 streaming tape transport; A.178 autoload; A.192 autothread.

T.025 tape unit = tape transport
лентопротяжное устройство
См. M.020 magnetic tape.

T.026 target alphabet
выходной алфавит
См. C.149 code.

T.027 target program = object program
объектная программа
Сейчас термин используется редко.
1. процесс, задача 2. задание; работа
Если каждое задание состоит только из одного процесса, то разница между обоими определениями не существенна. Одновременное выполнение некоторого числа задач называется многозадачной работой. См. также P.032 parallel processing.

T.029 tautology
тавтология
Логический закон, выраженный в форме высказывания, дающего тождественную истину; при любых значениях переменных в высказывании результатом его исчисления всегда будет истина. Примером, взятым из пропозиционального исчисления (P.199 propositional calculus) является следующая тавтология:

$$(P \lor Q)' = P' \land Q',$$

где $\lor$ и $\land$ обозначают логические операции ИЛИ и И, а P' — отрицание P. В таблице истинности (T.188 truth table) тавтологии в столбце окончательного результата содержатся только значения логической истины. Если в столбце окончательного результата содержатся только значения логической лжи, то такая таблица соответствует противоречию.

T.030 TCP — transmission control protocol
протокол управления передачей
Надежный связной протокол, используемый Исследовательским управлением министерства обороны США (DARPA) в исследованиях по объединению сетей (I.150 internetworking). В TCP применяется тройное квитирование установления связи (см. H.020 handshake) с использованием выведенного на основе тактовых импульсов последовательного номера сообщения для синхронизации соединяемых объектов и минимизации вероятности неправильного соединения вследствие за-

держки сообщений. В TCP используется позитивное подтверждение приема сообщений с повторной передачей (P.023 PAR), упорядочение байтов и управление потоками (F.107 flow control) по принципу «скользящего окна» для обеспечения дуплексной упорядоченной безошибочной надежной передачи данных по установленным соединениям. Соединения могут быть весьма плотными, т. е. без потерь входящих в них данных, с тройным квитированием передачи сообщений. См. также N.010 NCP.

T.031 t distribution
t-распределение
См. S.364 Student's t distribution.

T.032 TDM — time division multiplexing
временное мультиплексирование

T.033 TECO
Мощный, но трудный в использовании текстовый редактор (T.062 text editor), одно время предпочитавшийся системными программистами, которые работали на вычислительных машинах фирмы DEC.

T.034 teleconferencing
телеконференцсвязь
Основанная на использовании вычислительной техники система, позволяющая пользователям, несмотря на их взаимную удаленность в пространстве и во времени, участвовать в совместных мероприятиях, таких как организация и управление сложным проектом. Обычно пользователи обеспечиваются терминалами, подсоединенными к вычислительной машине, которые позволяют им связываться с другими членами группы, часто, хотя и не обязательно, одновременно. Для передачи информации между участниками совещания используются линии связи, предназначенные для передачи данных. Работа системы регулируется координатором, в функции которого входит организация работы участников совещания, обеспечение их присутствия на совещании и передача сообщаемой ими информации другим участникам совещания. В некоторых системах телеконференцсвязи участники совещания имеют возможность «видеть» друг друга, что обеспечивается подсоединенными к системам телевизионными камерами и мониторами, однако в других системах используются весьма простые терминалы,

и они могут обеспечивать связь только на уровне передачи набираемых слов. В системах могут быть обеспечены дополнительные возможности для организации голосования, причем результаты голосования записываются автоматически и отображаются. Система ведет журнал совещания, содержащий запись всех действий участников телеконференции; этот журнал может быть выведен на устройство отображения и использоваться для справок всеми участниками.

T.035 Telenet
Сеть пакетной коммутации общественного пользования (P.324 public packet network), принадлежащая корпорации General Telephone and Electronics (GTE) и эксплуатируемая с 1975 года. Этой сетью пользуются в США и некоторых других странах; она обеспечивает доступ к большому числу компьютерных служб. Сеть Telenet была разработана по технологии сети ARPANET (A.136 ARPANET) и развита на ее основе.

T.036 teletex
телетекс
Средство передачи текстовой информации со средней и высокой скоростью с использованием коммутируемых сетей передачи данных общественного пользования. Предполагается, что телетекс примерно в 90-е годы нынешнего столетия заменит телекс. Скорости передачи в телетексе могут изменяться от 2,4К бит/с [при использовании коммутации цепей (C.115 circuit switching)] до 48К бит/с [при использовании коммутации пакетов (P.009 packet switching)], а в телексе они достигают только 50 бит/с. Другим важным преимуществом телетекса является возможность использования более широкого набора знаков, чем в телексе, а также возможность формирования строк и параграфов, как в обычной корреспонденции. Предполагается, что в телетексе будет также предусмотрена возможность факсимильной передачи. Стандартами телетекса занимается Международный консультативный комитет по телеграфии и телефонии (C.046 CCITT).

T.037 teletext
телетекст; вещательная видеография
Система одноканальной широковещательной передачи информации, в основном в виде текстов, но с простейшими графическими возможностями, на базе использования резервных телевизионных каналов и адаптированных бытовых телевизионных приемников. По каналу телетекста в непрерывном цикле передается множество «страниц» информации (до 100); они передаются одновременно с обычным телевизионным сигналом и не оказывают никакого влияния на работу телевизора, если смотрится обычная передача. При включении с панели управления режима телетекста пользователь имеет возможность указать страницу с любым номером; при появлении этой страницы в очередном цикле передачи она запоминается в локальной памяти приемника и может в дальнейшем быть выведена в любой момент (до тех пор, пока пользователь либо не укажет номер другой страницы, либо не выйдет из режима телетекста). Службы телетекста имеются в таких странах, как Австралия, Франция (Didon, Antiope), ФРГ (Bildschirmzeitung) вперемежку с видеотекстом, Великобритания (Ceefax и Oracle) и США (Closed Captioning). См. V.042 videotex.

T.038 teletypewriter (typewriter terminal)
телетайпный терминал
Устройство, аналогичное обычному электрическому телетайпу, однако имеющее еще и сигнальный интерфейс, посредством которого оно может связываться с вычислительной машиной; получать сообщения для распечатки и отправлять сообщения, набранные на клавиатуре. С устройством часто сопрягаются или встраиваются в него перфоратор и считыватель перфоленты. Одно время телетайпы широко использовались в качестве терминалов (T.045 terminal) для ведения диалога с вычислительной машиной, но в дальнейшем были вытеснены устройствами визуального отображения (V.021 VDU).

T.039 Telidon
Канадская система видеотекса (V.042 videotex).

T.040 TELNET — teletype network
телетайпная сеть
Протокол, разработанный для сети ARPANET, который позволяет пользователю одной главной вычислительной машины связываться с ресурсами другой главной вычислительной ма-

шины, используемыми в режиме разделения времени. В качестве стандартного типа терминала в протоколе TELNET определяется *виртуальный терминал сети* (NVT), включая его набор символов (модифицированная форма кода ASCII) и стандартные управляющие последовательности сигналов для реализации функций типа «перейти к следующей строке». Определяются также стандартные управляющие последовательности сигналов для функций главной вычислительной машины типа «прерывать процесс». За выполнение соответствующих преобразований знаков из знакового набора NVT и управляющих функций в форму, используемую в данной локальной системе, отвечают программы, работающие «на концах линии связи», установленной по протоколу TELNET. Ряд параметров NVT можно изменить для согласования характеристик протокола и стандартного терминала; при этом связывающиеся между собой пользователи должны согласовать предполагаемые изменения до их введения. Название TELNET используется также для обозначения аналогичных протоколов в сетях, отличных от сети ARPANET.

T.041 template
шаблон
Описание структуры. Использование этого термина удобно для разграничения общего описания структуры информационного объекта и определения отдельных его реализаций. Шаблон дает возможность программисту создавать свои собственные типы данных.

T.042 ten's complement
точное дополнение до десяти
См. R.004 radix complement.

T.043 tension arm
демпфирующий рычаг; рычаг регулирования натяжения
См. B.154 buffet (определение 2).

T.044 tera-
тера-
Префикс, указывающий на коэффициент, равный миллиону в квадрате 10^{12}, или, в более широком смысле, на коэффициент 2^{40}, т. е. число 1 099 511 627 776. Обозначается символом T.

T.045 terminal
1. *терминал; оконечное устройство;* 2. *терминальный символ, терминал*
1. Устройство ввода-вывода данных, подсоединенное к управляющему процессору. Обычно устройство удалено от процессора и работает под его управлением. Существует множество типов терминалов. В роли терминала, с помощью которого пользователь может вводить запросы и команды или принимать команды, часто выступает устройство визуального отображения (V.021 VDU). Информация может быть текстовой или же в основном графической. Терминалы, предназначенные для конкретного оборудования и коммерческих целей, имеют общее название «прикладные терминалы» (A.115 application terminal). Если в терминале имеются встроенные возможности запоминания и обработки данных, то такой терминал классифицируется как интеллектуальный (I.135 intelligent terminal); терминалы без таких возможностей считаются неинтеллектуальными.
2. = terminal symbol. См. G.044 grammar.

T.046 terminal node
= leaf node

T.047 terminal symbol
терминальный символ
См. G.044 grammar

T.048 termination
окончание; завершение
Конец выполнения программы. Успешное завершение процесса обычно сопровождается соответствующим вызовом супервизора, адресованным операционной системе. См. также A.003 abnormal termination.

T.049 termination, proof of
доказательство конечности
См. P.259 program correctness proof.

T.050 terminator
признак конца, служебный терминатор
1. Символ, указывающий на конец предложения в языке программирования. Часто этим символом бывает точка с запятой.
2. = rogue value.

T.051 term language
= tree language

T.052 ternary logic
трёхзначная логика
См. M.235 multiple-valued logic

T.053 ternary selector gate (T-gate)
троичный вентиль, T-вентиль
Вентиль комбинационной логики (T.052 ternary logic), являющийся весьма важным блоком, используемым при синтезе троичных логических схем (см. M.235 multiple-valued logic). T-вентиль имеет четыре входа $\{a_0, a_1, a_2, s\}$ и один выход $\{t\}$; значения всех входов и выхода должны принадлежать множеству $\{0, 1, 2\}$. Функция T-вентиля задаётся выражением $t = a_s$. Таким образом, этот вентиль действует как троичный переключатель, выбирающий значения из множества $\{a_0, a_1, a_2\}$ на основе входного значения для s.

T.054 ternary threshold gate (S-gate)
троичный пороговый вентиль, S-вентиль
Вентиль комбинационной троичной логики (T.052 ternary logic), являющийся весьма важным блоком, используемым при синтезе троичных логических схем (см. M.235 multiple-valued logic). S-вентиль может иметь произвольное число входов $\{a_i\}$ и один выход $\{s\}$; значения всех входов и выхода должны принадлежать множеству $\{0, 1, 2\}$. Функция S-вентиля задаётся соотношением

$$\left.\begin{array}{l} s = 0 \\ s = 1 \\ s = 2 \end{array}\right\}, \text{ если } \sum_i (a_i - 1) \left\{\begin{array}{l} < 0 \\ = 0 \\ > 0 \end{array}\right.$$

Название S-вентиля происходит от французского слова *seuil*, что в переводе означает «порог». S-вентиль нельзя путать с троичным вентилем (T-вентилем). Более сложные варианты S-вентиля определяются различными способами. См. также T.081 threshold element.

T.055 test and set
проверить и установить
Одиночная неделимая команда, которая может проверять значение содержимого регистра и изменять его. Эта команда используется для реализации более мощных неделимых операций, таких как операции установки (L.102 lock) и снятия блокировок (U.030 unlock) или семафоров (S.070 semaphore) в тех случаях, когда есть

возможность прерывания процесса выполнения операции, и в тех местах программ, где в ходе обслуживания прерывания может быть перезапущен другой процесс.

T.056 test bed
испытательная модель; испытательный стенд
Любая система, основным назначением которой является обеспечение основы для тестирования других систем. Испытательные модели обычно делаются под определённый язык программирования и методы реализации, а часто и под определённые прикладные задачи. Обычно испытательная модель обеспечивает некоторые средства имитации окружающей среды испытываемой системы, формирования и представления тестовых данных и записи результатов испытаний.

T.057 test data
тестовые данные
См. T.059 testing.

T.058 test-data generator
генератор тестовых данных
Любые средства для автоматического или полуавтоматического формирования данных, используемых при тестировании (T.059 testing) некоторой системы. Обычно создаются как правильные с точки зрения испытываемой системы данные, так и неправильные данные, чтобы проверить реакцию системы и на достоверные, и на ошибочные входные данные. С помощью некоторых операторов можно эффективно создавать поток псевдослучайных данных, ориентируясь только на их форматы. В более совершенных генераторах могут делаться попытки формирования данных, наиболее полно охватывающих все тестируемые ситуации.

T.059 testing
тестирование; испытания; проверка
Любой вид деятельности, в рамках которой путём реального выполнения каких-либо задач проверяется соответствующая работа либо системы в целом, либо её составной части. Это осуществляется при выполнении одного или нескольких *тестовых прогонов*, при которых в систему подаются входные данные, называемые в этом случае *тестовыми данными*, а реакция системы фиксируется для последующего анализа. Тесты могут быть классифи-

цированы по условиям их проведения и назначению. *Тестирование модулей* (или *тестирование блоков*) выполняется с отдельными компонентами автономно. При объединении отдельных компонентов в подсистемы или системы проводится *комплексное тестирование темы* с целью проверки правильной совместной работы ее составных частей. При комплексном тестировании особое внимание обычно уделяется взаимодействию компонентов. В противоположность этому при *системном тестировании* вся система в целом обычно рассматривается как некоторый «черный ящик»; поведение этой системы исследуют, не вникая в подробности отдельных ее компонентов и взаимодействия между ними. Назначением приемочных испытаний является проверка пригодности системы для эксплуатации; такие испытания обычно проводятся под контролем поставщика системы.

T.060 test run
тестовый прогон; прогон теста
См. T.059 testing.

T.061 Texas Instruments
Компания в США, первоначально специализировавшаяся на поставке инструмента и других технических средств для нефтяной промышленности главным образом в хорошо освоенные районы. Эта фирма была одним из первых производителей полупроводников и стала одним из лидеров в области производства интегральных схем (включая микропроцессоры), калькуляторов и мини-ЭВМ. Она также производит несколько типов больших вычислительных машин. В настоящее время фирма занимается производством серии мини-ЭВМ.

T.062 text editor
текстовый редактор
Программа, используемая специально для ввода и изменения текстовых данных. Этими данными могут быть программа, написанная на языке высокого уровня, или какой-нибудь отчет, или же книга, написанная на обычном языке. Текстовые редакторы составляют неотъемлемую часть пользовательского интерфейса во всех диалоговых системах. Они могут быть *построчными* (в этом случае текст рассматривается как последовательность строк, разделенных маркерами конца строки), *символьными* (в этом случае текст

рассматривается как поток символов, в котором признаки конца строки или страницы рассматриваются тоже как символы) или *экранными*. В экранных редакторах экран дисплея образует как бы перемещаемое по тексту окно (W.030 window), в котором для выполнения вставки, стирания и других функций редактирования можно перемещать курсор и устанавливать его в нужные места текста. Текстовые редакторы и системы пословной обработки имеют много общих функций (см. W.038 word processing system).

T.063 text formatter
средства форматирования текстов
См. F.121 formatter.

T.064 text processing
= word processing

T.065 T flip-flop
T-триггер
Тактируемый триггер (F.097 flip-flop), выход которого «переключается», т. е. изменяет текущее состояние на логически дополняющее состояние, при каждом поступлении активного синхронизирующего сигнала (см. C.124 clock). Этот триггер работает как пересчетное устройство (C.326 counter) со схемой деления на два, поскольку в ответ на каждые два активных синхронизирующих сигнала генерирует одно изменение выходного сигнала. T-триггер может рассматриваться как устройство, эквивалентное JK-триггеру (J.004 JK flip-flop), на входах J и K которого удерживается логический уровень единицы.

T.066 T-gate
= ternary selector gate

T.067 theorem proving
доказательство теорем
Формальный метод проведения доказательства в символической логике (S.417 symbolic logic). Каждый шаг доказательства состоит в следующем: а) вводится некоторое допущение или аксиома; б) с помощью только ранее доказанных или принятых правил вывода доказывается утверждение, которое является естественным следствием предварительно установленных положений. Такие формальные доказательства часто длинны и утомительны. Для автоматизации процесса доказательства могут быть использованы

специальные сложные программы. См. также M.091 mechanical verifier.

T.068 theory of types
теория типов
См. H.070 hierarchy of functions.

T.069 thermal printer
термографическое печатающее устройство
Тип печатающего устройства, в котором изображение создается путем сконцентрированного в нужном месте нагревания бумаги, имеющей очень тонкое термочувствительное покрытие с двумя раздельными бесцветными компонентами. При нагревании цветоформирователь плавится и, смешиваясь с предварительно обесцвеченным красителем, образует видимое на бумаге пятнышко. Возможна печать различными цветами, однако чаще всего используется голубой и черный. Бумага, обеспечивающая печать голубого цвета, допускает печать с более высокими скоростями, однако полученное на ней изображение со временем бледнеет и непригодно для некоторых видов фотокопий. Бумага, дающая печать черного цвета, требует при печати более высоких температур и давления печатающей головки, что вызывает больший износ головки, однако бледнеет медленнее, а отпечатанные на ней документы служат дольше. Печатающие устройства подобного типа могут быть либо устройствами последовательной печати (S.106 serial printer), либо построчно печатающими устройствами (L.069 line printer). См. также T.070 thermal transfer printer.

T.070 thermal transfer printer
термографическое печатающее устройство с подачей красящего вещества
Печатающее устройство, в котором термопластичное красящее вещество подается на бумагу либо из питающего ролика, либо с тонкой подложки при сконцентрированном в нужном месте нагревании. Этот тип печатающего устройства, предложенный в 1982 г., работает очень тихо, обеспечивает четкую печать и конструктивно прост. Печатающая головка аналогична головке, применяемой в более раннем термографическом печатающем устройстве (T.069 thermal printer), в котором используется термочувствительная бумага, однако нагревающие элементы обычно меньшего размера, что

позволяет в данном типе устройства печатать знаки лучшей формы. Печатающие устройства подобного типа могут быть либо устройствами последовательной печати (S.106 serial printer), либо постранично-печатающими (P.015 page printer). Печатающая головка в устройствах последовательного действия имеет по высоте знака 12 нагревательных элементов. Скорость печати достигает 100 знаков в секунду (по данным 1985 г.). Постраничное печатающее устройство может иметь печатающую головку с 1024 элементами, расположенными по ширине 203 мм. Питающая пленка, имеющая точно такой же размер, как и печатаемая страница, располагается над бумагой; бумага с питающей пленкой движется под головкой печати. Для получения цветной печати можно использовать дополнительные питающие пленки с веществом различных цветов.

T.071 thin-film memory
память на тонких пленках
Запоминающее устройство, отдельные элементы которого изготавливаются путем напыления тонких пленок магнитного материала на стеклянную основу. Состояние каждого элемента может быть опрошено (считано) или изменено (записано) путем приложения магнитного поля постоянного тока параллельно поверхности устройства. С помощью подобной технологии за одну операцию можно изготовить запоминающее устройство большой емкости, содержащее несколько тысяч отдельных элементов.

T.072 third generation of computers
третье поколение вычислительных машин
Машины, создаваемые примерно после 1960 г. Поскольку процесс создания цифровых вычислительных машин в последние три десятилетия шел непрерывно (в нем участвовало множество людей из разных стран, имеющих дело с решением различных проблем), трудно и бесполезно пытаться установить, когда «поколение» начиналось и заканчивалось. Возможно, наиболее важным критерием различия вычислительных машин второго (S.035 second generation) и третьего поколений, связанным с их развитием, является критерий, основанный на понятии архитектуры (A.122 architecture) ЭВМ.

В общем возможности ЭВМ второго поколения ограничивались проведением на них работы группой инженеров, собирающихся для этого вместе. Достижения в электронике — развитие интегральных схем (I.122 integrated circuit) и тому подобное — обеспечили конструкторам ЭВМ возможность создания архитектуры, удовлетворяющей требованиям как решаемых на ЭВМ задач, так и работающих на ней программистов. С разработкой экспериментальных машин — Stretch (S.348 Stretch) фирмы IBM и Atlas (A.161 Atlas) Манчестерского университета — подобная концепция архитектуры вычислительных машин стала реальностью. Частью вычислительных машин в большей или меньшей степени стали следящие за всем операционные системы (O.038 operating system). Появились возможности мультипрограммирования (см. M.247 multiprogramming system); многие задачи управления памятью, устройствами ввода-вывода и другими ресурсами стала брать на себя операционная система или же непосредственно сама вычислительная машина.

T.073 thrashing

перегрузка памяти; «пробуксовка»
Ситуация, которая может возникнуть в системе со страничной организацией памяти (P.017 paging) или в системе с другой формой виртуальной памяти (V.048 virtual memory). Если скорость листания страниц в системе со страничной памятью становится высокой, что обычно бывает вызвано малым фактическим размером буферов для хранения страниц по сравнению с рабочим набором (W.045 working set) активных в данный момент процессов, то каждый процесс может оказаться в ситуации, когда при попытке обращения к какой-то странице этой страницы не будет в памяти. При поиске пространства под нужную страницу система, вероятно, может «откачать» во внешнюю память страницу, которая вскоре может понадобиться другому процессу. Вследствие возрастания скорости замещения страниц до очень большого уровня доля циклов центрального процессора, отводимых на управление листанием страниц, становится очень высокой, и процесс блокируется, поскольку переходит в состояние ожидания окончания пере-

сылки нужных страниц, и общая производительность системы резко падает. Одним из методов снижения «пробуксовки» является увеличение пропускной способности канала между основной памятью и внешним ЗУ, т. е. обеспечение производительности средств информационного обмена, достаточной для того, чтобы допустить перегрузку памяти, которая не вызовет слишком длительных ожиданий пересылки страниц. Более эффективным способом является уменьшение соотношения между общим размером рабочего набора и объемом памяти, отводимым для хранения задействованных страниц; это обеспечивает увеличение скорости ввода страниц в память либо за счет уменьшения размера рабочего набора, либо за счет увеличения емкости памяти системы.

T.074 threaded list

связный список, список со ссылками
Список, к которому добавлены дополнительные структуры связи, называемые *цепочками*; эти структуры обеспечивают особый порядок прохождения списка. Такой порядок прохождения позволяет при следовании по цепочкам в списке обходиться весьма ограниченным объемом памяти, например, в случае прохождения только со считыванием. При этом предполагается, что список и любой его подсписок не являются рекурсивными и, кроме того, подсписки не перекрываются.

T.075 threading

обработка сообщений
Техника программирования, используемая в генераторах программ, при которой «программа» состоит из последовательности точек входа в подпрограммы. Программа обработки сообщений интерпретируется путем выполнения безусловного перехода туда, куда указывает соответствующее слово программного кода; по окончании выполнения вызванной при этом подпрограммы осуществляется переход к подпрограмме, точка входа в которую указывается очередным кодовым словом. См. также S.179 single threading; M.251 multithreading.

T.076 threat

угроза
Любое действие, направленное на преодоление защиты (S.038 security) информации, хранимой в системе, за

счет: а) *отказа от средств обслуживания*, которые имеют своей целью предотвращение разрушения информации или же каким-либо другим способом запрещают обрабатывать информацию при несанкционированном доступе; б) *обманных* действий, которые приводят к запутыванию пользователя, давая ему неправильную информацию; в) *создания «утечки»*, при которой злоумышленник может только считывать информацию совсем незаметно для законных пользователей. Угрозы обычно возникают как следствие преднамеренной попытки нарушения защиты, однако могут быть и следствием случайностей, например, возникать при просмотре (B.146 browsing) файла или в ситуации аварийного отказа (C.337 crash). См. также V.068 vulnerability.

T.077 three-address instruction
трехадресная команда
См. I.111 instruction format. См также M.230 multiple-address machine.

T.078 three-dimensional array
трехмерный массив
= tristate output

T.080 three-way handshake
тройное квитирование
См. H.020 handshake.

T.081 threshold element (threshold gate)
пороговый элемент
Логический элемент (L.120 logic element), выходной сигнал которого зависит от результатов сравнения взвешенной суммы входных сигналов с некоторыми предварительно определенными или установленными значениями. Если эта сумма превышает пороговое значение, то на выходе формируется логическая 1, в противном случае — логический 0. Если число входов порогового элемента четно, веса для всех входов одинаковы и пороговое значение равно половине числа входов, то пороговый элемент ведет себя, как мажоритарный элемент (M.043 majority element). Система пороговых элементов описывается пороговой логикой или как пороговая логика. См. также T.054 ternary threshold gate.

T.082 throughput
пропускная способность; производительность
Показатель эффективности вычислительной системы, опирающейся на не-

которые характеристики скорости работы системы, такие как число выполняемых команд в минуту, число выполняемых заданий в день и т. д.

T.083 Thue-system
система Туэ
Полусистема Туэ (S.075 sémi-Thue system), в которой для каждого порождения $l \to r$ существует обратное порождение $r \to l$ (как в первом примере, описанном в статье S.075 semi-Thye system). Ясно, что $w \Rightarrow w'$ тогда и только тогда, когда $w' \Rightarrow w$.

T.084 tightly coupled
сильносвязанный
См. C.328 coupled.

T.085 time-bounded Turing machine
машина Тьюринга, ограниченная по времени
См. M.249 multitape Turing machine.

T.086 time complexity
временная сложность
См C.217 complexity measure; P.138 P-NP question.

T.087 time division multiplexing (TDM)
временнóе мультиплексирование; временнóе уплотнение
Метод разделения канала передачи между несколькими источниками посредством закрепления за каждым источником определенного временного окна. Используется как синхронное, так и асинхронное временнóе мультиплексирование. При *синхронном временнóм мультиплексировании* включение бита принадлежности в сообщение не требуется, поскольку в любой момент времени принимающее устройство «знает», какое из передающих устройств ведет передачу. Двумя основными методами идентификации передающего устройства при наступлении его временнóго окна являются опрос (P.148 polling) и синхронизация (C.127 clocking). При опросе центральное устройство опрашивает каждое передающее устройство при наступлении его временнóго окна. При синхронизации каждое передающее устройство должно генерировать синхронизирующий тактовый импульс и предварительно определенную последовательность сигналов, известную всем устройствам. При опросе и синхронизации не использованные устройством по причине отсутствия данных для пересылки временные окна пропадают. При использовании более тонких

методов устройства должны заранее резервировать временны́е окна на передачу или же могут использовать временны́е окна других устройств, если эти окна не были использованы в предыдущем цикле. При *асинхронном временном мультиплексировании* каждое устройство может пересылать данные по мере его готовности вне всякого предварительно установленного порядка. Вместе с данными идет информация, показывающая принадлежность сообщения тому или иному устройству-отправителю. Поскольку устройства могут пересылать данные в одно и то же время, возможны конфликтные ситуации, вследствие которых сообщения делаются нечитаемыми. Для распознавания ситуаций столкновения сообщений, требующих повторной их передачи, во многих сетях с асинхронным временным мультиплексированием используется протокол управления передачей данных CSMA/CD (C.354 CSMA/CD) (протокол многократного доступа к опознавательной метке передаваемого блока с обнаружением коллизий). Временное мультиплексирование используется при организации сетей передачи данных в полосе модулирующих частот (B.030 baseband networking) и может также использоваться в каналах сетей с широкополосной передачей (B.143 broadband networking). См. также M.239 multiplexing; F.146 frequency division multiplexing.

T.088 time division switch

временной коммутатор

Полностью электронная коммутирующая система, которая функционирует на основе принципов временно́го мультиплексирования (T.087 time division multiplexing). Квантованный входной сигнал от источника направляется в выходную магистраль путем закрепления группы блоков из входного потока данных за временным окном в высокоскоростном потоке данных с временным мультиплексированием. Временны́е коммутаторы часто используются также в спаренном режиме; временны́е окна входного канала с временным мультиплексированием в этом случае выборочно соединяются с временны́ми окнами выходного канала с временным мультиплексированием.

T.089 time domain

временно́й интервал; временна́я область

Термин, используемый тогда, когда речь идет об амплитуде сигнала (S.150 signal), изменяющейся во времени. См. также S.240 space domain.

T.090 time-of-day clock

часы истинного времени

Цифровое устройство, дающее информацию о времени дня. Оно обычно используется как средство диспетчерского контроля при сборе данных.

T.091 timeout

превышение лимита времени, таймаут

Ситуация, имеющая место в том случае, когда какой-то процесс ожидает либо наступления какого-нибудь внешнего события, либо окончания предварительно заданного интервала времени и период ожидания истекает раньше, чем это внешнее событие произойдет. Например, если процесс пересылает сообщение и не обнаруживает до конца предварительно установленного интервала времени никакого подтверждения приема, то он может предпринять соответствующие меры, такие как повторение передачи сообщения. В глагольной форме этот английский термин означает «превышать лимит времени».

T.092 time quantization (sampling)

квантование по времени

См. Q.008 quantization; D.233 discrete and continuous systems.

T.093 timer clock

датчик времени; таймер

Устройство отсчета времени, которое может по истечении установленного интервала формировать соответствующий сигнал тайм-аута (T.091 timeout). Такие устройства часто делаются программируемыми, т. е. в них закладывается возможность предварительной установки интервала времени, так что появляется возможность контролирования различных по длительности временных интервалов. Кроме того, в этих устройствах иногда предусматривается возможность или непрерывной генерации сигналов тайм-аута (каждый раз по истечении очередного временного интервала), или однократной выдачи такого сигнала.

T.094 time response of a linear channel
временная характеристика линейного канала
См. C.311 convolution.

T.095 time series
временной ряд
Совокупность наблюдений, выполненных в хронологическом порядке и обычно через равные промежутки времени; каждое наблюдение может быть некоторым образом связано с предыдущими. Задачи, связанные с обработкой временны́х рядов, возникают в экономике, народном хозяйстве, промышленности, метеорологии, демографии или в любой другой области, где регулярно производятся одни и те же измерения. *Анализ временны́х рядов* основан на моделях изменчивости результатов наблюдений во временны́х рядах; он выполняется путем определения трендов, цикличности и краткосрочных зависимостей, имея целью вскрытие закономерностей и причин изменений и улучшение качества прогнозов. *Авторегрессия* — это метод использования регрессионного анализа (R.089 regression analysis) для связывания результатов очередного наблюдения с результатами предыдущих наблюдений. В методах скользящей средней с помощью исследовательских наблюдений обнаруживаются лежащие в основе изменений тренды. Авторегрессия и скользящая средняя в совокупности используются в методах прогнозирования *ARMA* (или в *методах Бокса—Дженкинса*). Циклические влияния могут проявляться в определенные периоды (месяцы года или дни недели), причем конкретные данные по этим периодам могут иметь сезонный характер, что выявляется на основе длительных наблюдений. Циклические влияния с неизвестными периодами могут быть изучены с помощью *спектрального анализа*. Аналогичные методы можно использовать и для обработки данных, регулярно наблюдаемых в пространстве, а не во времени.

T.096 time sharing
разделение времени; режим разделения времени
Техника разделения времени работы вычислительной машины между несколькими заданиями, при которой подключение задания к выполнению и отключение его происходит так

488

быстро, что применительно к выполнению конкретного задания использование вычислительной машины выглядит монопольным. Впервые техника разделения времени была предложена Кристофером Стрейчем. См. также M.215 multiaccess system.

T.097 time slicing
квантование времени
Способ планирования процессов, при котором разрешается выполнять процесс в течение некоторого предварительно установленного интервала времени, называемого квантом (Q.011 quantum), после чего осуществляется повторное планирование. См. также S.017 sheduling algorithm.

T.098 timing diagram
временная диаграмма
Графическое описание работы последовательностной схемы (S.092 sequential circuit), в рамках которого состояния всех относящихся к схеме переменных (входных сигналов внутренней памяти и выходных сигналов) показываются как функции времени.

T.099 TIP — terminal interface processor
процессор сопряжения с терминалами
См. I.041 IMP.

T.100 tip node
= leaf node

T.101 T^2L
транзисторно-транзисторные логические схемы, ТТЛ-схемы
См. T.189 TTL.

T.102 TLU — table look-up
табличный поиск

T.103 TM — Turing machine
машина Тьюринга

T.104 toggling speed
= switching speed

T.105 token
1. лексема 2. маркер
1. Одна из смысловых единиц (имен, констант, зарезервированных слов и т. д.) во входном тексте для компилятора. Лексический анализатор (L.040 lexical analyzer) разделяет входной текст, представляемый в виде потока знаков, на группы лексем.
2. См. T.106 token ring.

T.106 token ring
эстафетная кольцевая сеть, сеть с передачей маркера
Кольцевая сеть (R.160 ring network),

в которой принцип передачи данных основан на том, что каждая станция (узел) кольца ожидает прибытия некоторой уникальной короткой последовательности битов — *маркера* — из смежного предыдущего узла; поступление маркера указывает на то, что можно передавать сообщение из данного узла дальше по ходу потока. Сеть построена таким образом, чтобы гарантировать наличие в некоторый произвольный момент времени не более одного маркера в кольце. При получении передающим узлом маркера он сначала пересылает свое сообщение следующему по ходу потока узлу, а затем сопровождает его маркером; после этого маркер проходит до следующего узла, а в нем снова перехватывается сообщением, ожидающим передачи.

T.107 top-down development
нисходящая разработка

Подход к разработке программы, при котором этот процесс осуществляется путем определения необходимых элементов программы в терминах элементов нижележащих уровней, начиная с описания требований к программе и кончая уровнем языка, на котором она будет реализована. На каждой стадии нисходящей разработки определяется каждый из компонентов, не определенных на предыдущей стадии. (Элемент нижележащего уровня находится ближе к тому уровню, на котором он может быть определен непосредственно на языке программы.) Эти базовые элементы будут, в свою очередь, определены на следующей стадии в терминах еще более конкретизированных элементов, и так далее до тех пор, пока на некоторой стадии элементы не будут определены непосредственно на языке реализации программы. На практике «чистую» нисходящую разработку осуществить невозможно; выбор более конкретизированных элементов на каждой стадии должен производиться на основе представления и понимания возможностей языка реализации; однако даже в этом случае на более поздней стадии часто обнаруживается, что некоторый выбор, сделанный ранее, был неадекватным, что приводит к необходимости итеративной разработки. Ср. B.127 bottom-up development.

T.108 top-down parsing
нисходящий синтаксический анализ

Стратегия синтаксического анализа (P.050 parsing) предложений в бесконтекстных грамматиках (C.280 context-free grammar), при которой делается попытка построить дерево синтаксического разбора (P.049 parse tree) сверху вниз. Этим термином обозначаются все методы, в рамках которых может использоваться, а может и не использоваться возврат. Начиная с дерева синтаксического разбора, содержащего только начальный символ грамматики (G.044 grammar), программа, осуществляющая нисходящий анализ, пытается охватить конечные узлы, помеченные нетерминальными символами, слева направо, используя продукции грамматики. При создании узлов, помеченных терминальными символами, они сравниваются с входной строкой. При несовпадении для внутренних узлов по определенной системе производится сравнение по альтернативным значениям до тех пор, пока либо не будет достигнуто полное соответствие входной строке, либо не будут исчерпаны все альтернативные значения. Программа, осуществляющая нисходящий синтаксический анализ без возврата, использует информацию из той части входной строки, которая еще не подвергалась сравнению, для того, чтобы раз и навсегда выбрать альтернативные значения. Наиболее мощной техникой такого типа является синтаксический LL-анализатор (L.090 LL parsing). Нисходящий синтаксический анализ часто реализуется в форме совокупности рекурсивных процедур, по одной процедуре на каждый нетерминальный символ грамматики; поэтому он называется синтаксическим разбором на основе рекурсивного спуска.

T.109 topology
1. топология 2. топология внутренних соединений

1. Наука о свойствах, присущих всем образам (гомоморфным образам) множеств (S.116 set), при определенных отображениях, которые могут быть описаны как деформации. Топологию иногда определяют как геометрию на листе резины; этот лист может принимать разные формы в результате его растягивания или в результате вытягивания с одного края. При искривле-

ниях такого рода топологические свойства. не меняются. Топологические свойства могут приписываться графам (G.047 graph), грамматикам (G.044 grammar) или даже самим программам (P.256 program).

2. = interconnection topology. См. N.022 networking architecture.

T.110 TOPS
Сокр. terminal operating system (терминальная операционная система).

1. Одна из систем мультипрограммирования для универсальных вычислительных машин DEC-10 и DEC-20, выпускаемых фирмой Digital Equipment Corporation.

2. Товарный знак.

T.111 total correctness, proof of
доказательство общей правильности
См. P.259 program correctness proof.

T.112 total function
тотальная функция
Функция (F.160 function)

$$f : S \to T,$$

значения которой определены для всех элементов x из множества S; таким образом, каждому x функция $f(x)$ ставит в соответствие некоторое значение из T. Ср. P.053 partial function.

T.113 totally ordered structure
= linear structure

T.114 total ordering
общий порядок; общее упорядочение
Частичный порядок (P.055 partial ordering), обладающий тем дополнительным свойством, что между любыми двумя элементами всегда существует отношение порядка. Обычное отношение порядка «меньше, чем», введенное на множестве целых чисел, является общим порядком. Отношение «является подмножеством», определенное на алгебре (A.074 algebra) множеств, не является общим порядком.

T.115 touh-sensitive device
сенсорное устройство
Устройство с гладкой прямоугольной поверхностью, которое при прикосновении к ней, скажем, пальцем пересылает в вычислительную машину координаты точки прикосновения. Зоной прикосновения может быть сам экран устройства визуального отображения; в этом случае он называется *сенсорным экраном*. Другим вариантом является объединение экрана с клавиатурой или отдельным блоком, ко-

торый можно установить на рабочем столе. В первом случае пользователь вычислительной машины может, например, делать выбор из некоторого числа возможностей, высвеченных на экране, простым прикосновением к тому месту, где отображена нужная позиция; в двух других случаях перемещение курсора по экрану может вызываться движением пальца по так называемой *сенсорной клавиатуре*. См. также L.047 light pen; M.200 mouse.

T.116 TP monitor — transaction processing monitor
монитор обработки транзакций
См. T.129 transaction processing.

T.117 trace program
программа трассировки
Программа, которая отслеживает процесс выполнения в некоторой системе программного обеспечения и дает информацию о динамическом поведении этой системы в виде трассы процесса, т. е. отчета о последовательности выполненных действий. Обычно в таких программах предлагаются несколько возможных способов осуществления трассировки. Например, могут быть предусмотрены возможности отслеживания всех команд подряд, только тех из них, которые реализуют передачу управления, или изменений значения определенной переменной.

T.118 track
1. дорожка; канал; тракт 2. дорожка перфорации
1. Часть магнитного носителя, к которой подводится головка считывания — записи. В магнитных дисках дорожки имеют форму концентрических окружностей. На используемых в настоящее время магнитных лентах, устанавливаемых в лентопротяжных устройствах, обычно создаются 9 дорожек, параллельных краям ленты. См. также O.051 optical disk.
2. Часть перфоленты, отводимая под пробивку отверстий. Стандартные перфоленты могут иметь 5, 6, 7 или 8 дорожек перфорации, параллельных краям ленты. Для специальных целей могут использоваться ленты с другим числом дорожек, как, например, ленты управления движением каретки печатающего устройства.

T.119 trackerball (track ball)
шаровой манипулятор
Устройство для генерирования сигналов, которые могут вызывать переме-

щение курсора или какого-либо другого символа по экрану устройства отображения. Его основным узлом является шарик, удерживаемый на опоре таким образом, что он может свободно вращаться в любом направлении, но остается при этом в гнезде вращения, так что наружу выступает менее половины его поверхности. При использовании шарового манипулятора оператор вращает шарик пальцами, а датчики на двух поддерживающих опорах генерируют последовательности импульсов, связанных с вращением шарика вокруг двух осей, находящихся под прямым углом друг к другу. Зависимость импульсов от угла поворота шарика не калибруется, и управление осуществляется самим оператором в ходе визуального наблюдения за перемещением на экране. Во второй половине 70-х годов подобные устройства стоили еще дорого и использовались только для таких целей, как управление воздушным транспортом; к середине 80-х годов они значительно упали в цене и стали широко использоваться в персональных компьютерах.

T.120 tractor
устройство протяжки
Устройство для продвижения непрерывной полосы бумаги для печатающих устройств (S.312 stationary) в печатающем устройстве и четкой фиксации межстраничных границ при продвижении. Техника, с помощью которой такое продвижение осуществляется, называется тянущей подачей. Обычно используется пара таких параллельно работающих устройств; их основные узлы — это легкая цепная или ременная петля и укрепленные на ней штырьки (называемые также штифтами или звездочками); эти штырьки входят в отверстия, отперфорированные вдоль обоих краев бумаги для печатающих устройств. Устройства протяжки обычно приводятся в действие сервоприводом постоянного тока или шаговым двигателем, управление которыми осуществляют электронные схемы печатающего устройства. В высокоскоростных устройствах печати могут использоваться две пары устройств протяжки — над и под печатаемой строкой, — однако в низкоскоростных устройствах присутствует обычно только одна пара, причем предполагается,

что обеспечить нужное натяжение бумаги можно за счет сцепления. В устройствах для печати документов блоки протяжки располагаются непосредственно под печатаемой строкой с тем, чтобы граница отрыва документа располагалась ближе к последней напечатанной строке.

T.121 trade secrets
производственный секрет; секрет фирмы
Неофициальная информация, переданная в конфиденциальной обстановке, позволяющая ее получателю обойти определенную стадию разработки, необходимую при обычном ее ходе. Таким образом, листинг с исходным текстом отлаженной программы, одного или нескольких алгоритмов, будучи переданным официально, может охраняться законом как производственный секрет, а получателю этой информации может быть запрещено использовать соответствующие алгоритмы в своих собственных программах. Как и в случае личной тайны (P.228 privacy) закон о производственных секретах не во всем четко определен. См. также C.316 copyright; P.068 patent.

T.122 traffic
трафик; рабочая нагрузка линии
Мера объемов данных или сообщений, проходящих между пунктами в сети связи.

T.123 traffic control
управление трафиком
Термин, используемый в некоторых случаях применительно к управлению вводом и выводом. Он охватывает как технические средства управления (каналы и прерывания), так и программные средства (распределение ресурсов и синхронизация процессов), необходимые для обеспечения правильного и упорядоченного перемещения данных в системе, работающей в мультипрограммном режиме.

T.124 trailer label
концевая метка
Сигнальная метка (S.082 sentinel), стоящая в конце массива данных с последовательной организацией, например, файла на магнитной ленте. В концевых метках обычно содержатся итоговые статистические данные по записанному потоку, например, общее число записей в файле.

T.125 trailer recorp
концевая запись

Запись, следующая за группой связанных записей и содержащая данные, относящиеся к этим записям. Например, концевая запись может располагаться в конце файла и включать в себя сумму значений полей, содержащих значения стоимости; это число может быть использовано как контрольная сумма, обеспечивающая защиту данных.

T.126 train printer
гусеничное печатающее устройство

Разновидность построчно печатающего устройства (L.069 line printer) ударного действия (I.042 impact printer), в котором литеры вытравлены или выгравированы на металлических пластинках, движущихся по направляющим. Такие устройства стали использоваться фирмой IBM в 1965 г. вместо цепных печатающих устройств (C.062 chain printer). На лицевой стороне пластинки гусеничного печатающего устройства обычно имеются три знака, а с обратной стороны она имеет зуб зацепления. Направляющее приспособление заставляет пластины двигаться по замкнутому контуру, одна часть которого параллельна печатаемой строке. Чтобы была возможность заполнять цепочку из пластинок (своего рода гусеницу) по всей ее длине, набор литер многократно повторяется. Использование гусеницы с металлическими пластинками позволяет обеспечить более точную печать и дает большую гибкость знакового набора. Часто используемые символы могут быть легко заменены, а специальные знаки могут быть заменены другими. Скорость печати достигает 3000 строк в минуту. Гусеничные печатающие устройства доминировали среди высокоскоростных печатающих устройств до 1982 г., когда экономически выгодными стали ленточные печатающие устройства (B.020 band printer), обеспечивающие более высокую производительность при меньшей стоимости, и печатающие устройства безударного типа, обладающие более высоким качеством печати и большей гибкостью в работе.

T.127 transaction
1. входное сообщение 2. групповая операция; транзакция

1. Одно входное сообщение, переда-

ваемое в систему (безотносительно того, передается ли оно целиком или собирается в ходе диалога). Входное сообщение отражает некоторое событие в «реальном мире».
2. Процесс изменения файла (F.045 file) или базы данных, вызванный передачей одного входного сообщения. В системах с мультидоступом транзакции, которые обрабатываются одновременно, могут привести к возникновению проблем в обеспечении целостности файла или базы данных (D.010 database).

T.128 transaction file (movement file)
файл транзакций; файл входных сообщений

Файл (D.036 data file), содержащий записи входных сообщений и сформированный до момента изменения эталонного файла (M.067 master file). Файлы входных сообщений используются только в системах пакетной обработки (B.038 batch processing). После реализации изменений файл входных сообщений может быть сохранен для последующего восстановления в случае необходимости эталонного файла (см. F.058 file recovery).

T.129 transaction processing
обработка транзакций

Метод организации системы обработки данных (D.062 data processing system), в которой транзакции выполняются от начала до конца. Управление транзакцией в такой системе осуществляется с помощью системы программного обеспечения, называемой монитором (TP-монитором). Ср. B.038 batch processing.

T.130 transborder dataflow
поток данных через границу государства

Наиболее сложный юридический аспект использования вычислительных машин в развитом обществе, который еще только начинает разрабатываться. Когда человек из Германии получает доступ к базе данных в Ирландии, соединяет полученную информацию с информацией из справочного руководства Швейцарии, запомненного в цифровом формате в ЭВМ на территории Франции, и посылает выходные данные в Австралию, Замбию и на о. Тайвань, где они записываются на диск без создания какой-либо читаемой копии, он создает при этом некий литературный труд, который выходит за рамки любых условий, устанавливаемых существующим авторским правом (C.315 copyright). Он может при этом нарушить законодательства ряда стран, касающиеся защиты данных (D.065 data protection legislation). По мере роста использования спутников и широкополосных каналов связи важность межгосударственных потоков данных в 80-е годы будет расти; следовательно, возникает необходимость в разработке новых международных соглашений.

T.131 transceiver — transmitter and receiver
приемопередатчик; приемопередающее устройство
Устройство, которое может как передавать, так и принимать сигналы, пересылаемые с помощью средств связи. Приемопередающими являются многие устройства связи, включая модемы (M.166 modem), кодеки (C.152 codec) и терминалы.

T.132 transducer
1. датчик 2. преобразователь
1. Любое устройство, которое преобразует энергию в форме звука, света, давления и т. д. в эквивалентный электрический сигнал, или наоборот. Например, фотоэлемент преобразует световое или ультрафиолетовое излучение в электрическую энергию, пьезоэлемент преобразует механическое усилие в электрическую энергию (и наоборот).
2. В теории формальных языков: любой автомат (A.189 automaton), порождающий некоторый выходной сигнал.

T.133 transfer instruction
= branch instruction

T.134 transfer rate
скорость передачи
См. D.078 data transfer rate.

T.135 transformation
преобразование
1. = function. Термин используется в таком смысле, в частности, в геометрии.
2. ~ of a program. Преобразование программы. См. P.287 program transformation.

T.136 transformation semantics
трансформационная семантика
См. P.287 program transformation.

T.137 transformation matrix
матрица преобразования
Числовая матрица размерности $m \times n$, используемая для отображения векторов с n компонентами на векторы с m компонентами.

T.138 transformation monoid
моноид преобразования
См. T.139 transformation semigroup.

T.139 transformation semigroup
полугруппа преобразования
Полугруппа (S.073 semigroup), состоящая из совокупности C преобразований множества (S.116 set) S в него само (см. F.160 function) и бинарной операции (D.139 dyadic operation) °, являющейся композицией (C.218 composition) функций; существенно, что множество C должно быть замкнуто (C.131 closed) по отношению к композиции, т. е. если c_1 и c_2 входят в C, то $c_1 \circ c_2$ также входит в C. Если в полугруппу преобразования включено тождественное преобразование (см. I.017 identity function), то получается *моноид преобразования*. Каждый моноид является изоморфным моноиду преобразования.

T.140 transform domain
область преобразования
См. F.065 filtering.

T.141 transient error of magnetic tape
сбой магнитной ленты
См. E.112 error rate.

T.142 transistor
транзистор
Полупроводниковый прибор, имеющий, в общем случае, три вывода, которые соединяются с электродами внутри устройства. Ток, протекающий между двумя из трех электродов, изменяется в соответствии с изменениями тока или напряжения, поданных на третий электрод. В зависимости от используемой конкретной схемы транзистор может усиливать или ток, или напряжение. Транзистор также может быть использован как переключатель, если изменять его ток с максимального значения на минимальное, и наоборот. Транзистор был изобретен в 1948 г. Шокли, Браттайном и Барденом из фирмы Bell Telephone Labs. По мере улучшения методов производства и качества транзисторов наблюдался огромный прогресс в технологии создания вычислительных машин. См. также B.084 bipolar transistor; F.041 field-effect transistor; M.193 MOSFET.

T.143 transistor-transistor logic
транзисторно-транзисторные логические схемы, ТТЛ-схемы
См. T.189 TTL.

T.144 transitive closure
транзитивное замыкание
~of a transitive binary relation R.
Транзитивное замыкание транзитивного (T.145 transitive relation) бинарного (B.069 binary relation) отношения R. Отношение R^*, определяемое следующим образом:

$$xR^*x$$

тогда и только тогда, когда существует последовательность

$$x = x_0, x_1, ..., x_n = y$$

такая, что $n > 0$ и

$$x_i R x_{i+1}, \ i = 0, 1, 2, ..., n - 1.$$

Из свойства транзитивности следует, что

$$\text{если } xRy, \text{ то } xR^*y$$

и что R является подмножеством R^*.
Рефлексивное замыкание аналогично транзитивному замыканию, но включает и возможность $n = 0$. Транзитивное и рефлексивное замыкания играют важную роль в методах синтаксического анализа и компилирования, а также в методах отыскания путей на графах.

T.145 transitive relation
транзитивное отношение
Отношение (R.097 relation) R, определенное на множестве S и обладающее тем свойством, что для всех x, y и z из S справедливо:

$$\text{если } xRy \text{ и } yRz,$$

$$\text{то } xRz.$$

Отношения «меньше, чем», определенное на множестве целых чисел, и «является подмножеством», определенное среди множеств, являются транзитивными.

T.146 translation (protocol translation)
преобразование протокола
См. I.150 internetworking.

T.147 translation table
таблица перевода
Информационная таблица, хранящаяся в процессоре или в периферийном устройстве, которая используется для преобразования закодированной информации в другую форму кода с со
494

хранением тех же значений. В вычислительной технике используется масса кодов, и иногда даже в одной системе их может использоваться сразу несколько. В устройствах вывода, таких как печатающие устройства, широко распространен код ASCII (A.142 ASCII), однако в процессоре при этом может использоваться код EBCDIC (E.003 EBCDIC). Таблица перевода используется для выполнения необходимых для такого случая преобразований.

T.148 translator
транслятор
Программа, которая преобразует программу, написанную на одном языке в программу, написанную на другом языке. Примером транслятора является компилятор (C.205 compiler): он берет программу, написанную на языке высокого уровня типа ФОРТРАНа или Алгола, и преобразует ее в программу на языке ассемблера или в машинный код.

T.149 translator writing system
система создания трансляторов
Набор программных средств (S.128 software tool), которые предназначены для создания новых языковых трансляторов. Примером одного такого средства является компилятор компиляторов (C.206 compiler-compiler).

T.150 transmissiion channel
канал передачи
См. C.064 channel.

T.151 transmission control unit
устройство управления передачей
См. C.189 communication processor.

T.152 transmission rate
скорость передачи
Скорость, с которой от устройства или через схему может передаваться информация. Единица измерения этой скорости обычно указывает количество информации, передаваемое за один цикл, например число знаков в секунду и бит в секунду. В схемах передачи данных иногда используется такая единица скорости передачи, как бод (см. B.039 baud).

T.153 Transpac
Сеть коммутации пакетов общественного пользования (P.324 public packet network) французской компании PTT. Она начала работать в 1978 г. после разработки макета сети RCP (R.034

RCP). Сеть Transpac поддерживает интерфейс модели X.25.

T.154 transparent
1. скрытый 2. прозрачный
1. Данный термин характеризует свойство или составную часть вычислительной системы, которые обеспечивают некоторые возможности без всяких ограничений или препятствий, связанных со способом реализации этих возможностей. Например, если вычислительная машина с 32-битовыми словами имеет 8-битовое АЛУ, но выполняет арифметические операции с 32-битовыми операндами, то разрядность АЛУ в этом контексте оказывается скрытой.
2. Прозрачным может быть канал, по которому сигнал или некоторая характеристика сигнала передаются без каких-либо ограничений или изменений. Следует иметь в виду, что в непрозрачных системах некоторые сигналы нельзя передавать как данные, поскольку сигналы зарезервированы для специальных целей. См. также D.081 data transparency.

T.155 transport
1. протяжка; механизм протяжки; 2. транспортировка
1. Механизм для протягивания информационного носителя в считывающем узле. Слово это чаще всего относится к лентопротяжному механизму (см. M.030 magnetic tape) или механизму подачи документов.
2. Услуга, предоставляемая сетью связи (локальной или глобальной), или операция транспортного уровня сетевого протокола.

T.156 transportable
переносимый; мобильный
См. P.165 portable.

T.157 transport layer of network protocol function
транспортный уровень сетевого протокола
См. S.120 seven-layer reference model.

T.158 transpose of a $m \times n$ matrix A
результат транспонирования матрицы A размером $m \times n$
Матрица размерности $n \times m$, обозначаемая символом A^T и получаемая при перемене местами столбцов и строк исходной матрицы. Таким образом, элемент с индексами i, j матрицы A^T равен элементу с индексами j, i матрицы A.

T.159 trap
системное прерывание; ловушка
Состояние системы, аналогичное вызываемому обычным сигналом прерывания (I.156 interrupt), но синхронное с работой системы. Системное прерывание может быть вызвано множеством причин. Примерами ситуаций его возникновения являются попытка выполнения неправильной команды или попытка получения доступа к ресурсам другого пользователя в системе, поддерживающей защиту при работе в режиме нескольких пользователей. Технические средства системы обнаруживают («ловят») попытку выполнения такой операции и передают управление другой части системы, обычно операционной системе; эта часть и принимает решения о действиях, которые следует предпринять.

T.160 trapezium method
метод трапеций
См. N.088 numerical integration.

T.161 trapezoidal rule
правило трапеций
См. O.070 ordinary differential equations.

T.162 traversal
обход; прохождение
Путь (P.069 path) в графе (G.047 graph), при следовании по которому каждая вершина графа посещается по крайней мере один раз. Обходы обычно рассматриваются в связи с некоторыми специальными видами графов, которые называются деревьями (T.163 tree). Примерами обходов являются следующие: обход в ширину (P.202 preorder traversal), обход в глубину вершин (P.179 postorder traversal) и симметричный обход (S.425 symmetric traversal; I.096 inorder traversal). При обходе деревьев синтаксического анализа арифметических выражений эти три вида обходов приводят, соответственно, к префиксной [польской (P.147 Polish notation)] записи, постфиксной [обратной польской (R.149 reverse Polish notation)] записи и инфиксной записи (I.072 infix notation).

T.163 tree
дерево; древовидная схема
1. Чаще всего этот термин используется как краткая форма термина

корневое дерево, т. е. конечное множество одного или нескольких узлов (N.037 node) таких, что, во-первых, среди них существует только один особый узел, называемый• *корнем*, и, во-вторых, остальные узлы делятся на $n \geqslant 0$ непересекающихся (D.233 disjoint) множеств $T_1, T_2, ..., T_n$, каждое из которых само является деревом. Множества $T_1, T_2, ..., T_n$ называются *поддеревьями* корня. Если порядок в этих поддеревьях существен, дерево называется *упорядоченным деревом*, в противном случае оно иногда называется *неупорядоченным деревом*. Дерево может быть представлено как граф (G.047 graph), в котором корневая вершина представлена вершиной, соединенной (направленными) дугами с вершинами, представляющими корни каждого из ее поддеревьев. Таким образом в терминах теории графов можно дать другое определение (*ориентированного*) дерева: дерево — это ориентированный ациклический (A.039 acyclic graph) граф такой, что, во-первых, существует единственная вершина, в которую не входит ни одна дуга (эта вершина называется корнем), во-вторых, в каждую из оставшихся вершин входит ровно одна дуга, и, в-третьих, существует единственный путь из корня в любую другую вершину. На рисунке показаны различ-

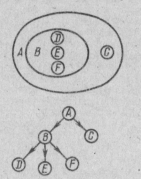

ные представления дерева: вверху — в виде диаграммы Венна; внизу — в виде ориентированного графа.
2. Любой связный (C.266 connected graph) ациклический граф.
3. Любая древовидная структура данных (в смысле определений 1 или 2). Например, корневое дерево может быть представлено как указатель представления корневой вершины. Пред-

ставление вершины должно содержать указатели на поддеревья этой вершины, так же как и на данные, связанные с самой этой вершиной. Поскольку число поддеревьев данной вершины может изменяться, на практике обычно используют представление в виде двоичного дерева (B.077 binary tree). Терминология, связанная с деревьями, взята либо из ботаники, как, например, термины лес (F.114 forest), концевой узел (L.020 leaf), корень, или из генеалогии, как, например, термины узел-предок (A.102 ancestor), узел-потомок (D.163 descendant), дочерний узел (C.096 child), узел-родитель (P.040 parent), узел-брат (S.143 sibling). См. также B.077 binary tree.

T.164 tree automaton
автомат над деревьями
Обобщение понятия конечного автомата (F.074 finite-state automaton) применительно к деревьям, отличным от цепочек (см. T.166 tree language). Существуют две версии такого автомата. Автомат *нисходящего типа* начинает работу с корня дерева; прочитав символ в вершине, он соответствующим образом изменяет состояние и разделяется на n автоматов для обработки n узлов-наследников по отдельности. Автомат *восходящего типа* начинает с нескольких отдельных самовозбуждений — по одному на каждую листовую вершину дерева. По завершении обработки всех поддеревьев конкретной вершины автоматы, которые обрабатывают эти поддеревья, заменяются одним автоматом данной вершины. Его состояние определяется символом в этой вершине и конечными состояниями автоматов-наследников. Полученный автомат сам теперь может использоваться при дальнейшем объединении поддеревьев более высоких вершин.

T.165 tree grammar
древовидная грамматика
Обобщение понятия грамматики (C.044 grammar) применительно к деревьям (в этом контексте часто называемым *термами*), отличным от цепочек (см. T.166 tree language). Соответствующим обобщением понятия регулярной грамматики (R.092 regular grammar) яв-

ляется *регулярная древовидная грамматика*. Продукции имеют вид

$$A \to t,$$

где *A* — нетерминальный символ; *t* — терм, например

$$S \to h\,(a,\ g\,(S),\ b)\ |\ c.$$

Такие продукции генерируют регулярный древовидный язык, показанный на рисунке. Обратите внимание, что

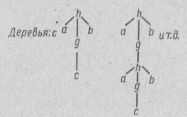

Деревья: c

Границы: c acb   aacbb и т.д.

границами этих деревьев являются строки, показанные на рисунке под каждым деревом. Множество строк является бесконтекстным (см. С.280 contextfree grammar) тогда и только тогда, когда оно является множеством границ деревьев в регулярном древовидном языке. Аналогично можно обобщить и понятие бесконтекстной грамматики (С.280 context-free grammar). На этот раз нетерминальные символы сами могут быть символами функций, имеющих произвольное число аргументов, например,

$$F\,(x_1,\ x_2) \to$$
$$f\,(x_2,\ F\,(x_1,\ g\,(x_2)))\ |\ h\ \times$$
$$\times\ (x_1,\ x_2,\ x_3).$$

Это значит, что, например, функция *F* (*a*, *b*) может быть переписана в виде

$$f\,(b,\ F\,(a,\ g\,(b))),$$

затем в форме

$$f\,(b,\ f\,(g\,(b),\ F\,(a,\ g\,(g\,(b)))))$$

и далее в виде

$$f\,(b,\ f\,(g\,(b),\ h\,(a,\ a,\ g\,(g\,(b))))).$$

T.166 tree language (term language)
древовидный язык
В теории формальных языков (F.118 formal language theory): обобщение понятия языка применительно к деревьям (в этом контексте часто называемым термами), отличным от цепочек. Алфавиты таких языков расши-

Деревья: a b

Термы: f(a,b) f(g(a),g(b)) g(f(a),g(g(b)))

рены с тем, чтобы каждый символ получил арность; арность каждого символа определяет число подтермов, или наследников, в дереве, которые имеет соответствующая этому символу вершина. Пусть, например, $\sum$ будет алфавитом {*f*, *g*, *a*, *b*}, в котором арности символов *f*, *g*, *a*, *b* равны соответственно 2, 1, 0, 0. Тогда $\sum$-*деревья* и эквивалентные их представления в виде $\sum$-*термов* (или *правильно сформулированных* средствами $\sum$-*выражений*) могут иметь вид, показанный на рисунке. $\sum$-языком теперь будет любое множество $\sum$-термов. См. также T.165 tree grammar; T.164 tree automaton.

T.167 tree search
поиск по дереву
Любой метод поиска фрагмента данных, структурированных как дерево. См. B.138 breadth-first search; D.157 depth-first search.

T.168 tree selection sort
древовидная сортировка
Более тонкая реализация сортировки методом простого выбора (S.342 straight selection sort), при которой информация, полученная на первом шаге, обычно сохраняется при нескольких последующих необходимых сравнениях. Она была предложена в 1956 г. Е. X. Френдом и усовершенствована К. Е. Айверсоном в 1962 г. См. также H.053 heapsort.

T.169 tree walking
проход по дереву
Обход (T.161 traversal) вершин дерева.

T.170 trial function
пробная функция
См. F.069 finite-element method.

T.171 triangular matrix
треугольная матрица
Квадратная матрица, в которой каждый элемент, лежащий по какую-либо одну сторону от главной диагонали, равен нулю. Таким образом, для

нижне-треугольной матрицы L справедливо

$$l_{ij} = 0, \text{ если } i < j,$$

а для *верхне-треугольной матрицы* U справедливо

$$u_{ij} = 0, \text{ если } i > j.$$

Если, кроме того,

$$l_{ii} = 0 \text{ или } u_{ii} = 0,$$

то говорят, что L (или U) является (соответственно) *строго нижней* (или *строго верхней*) *треугольной матрицей*. Обратная матрица для нижней (или верхней) треугольной матрицы, если она существует, рассчитывается легко и сама является нижней (или верхней) треугольной матрицей.

T.172 triangular waveform
сигнал треугольной формы
Периодически повторяющийся сигнал с положительными и отрицательными пиковыми значениями, при которых смена направления изменения сигнала происходит в равноотстоящих точках временной оси. Между этими точками сигнал попеременно линейно нарастает или убывает. Скорости нарастания и убывания определяют скорость повторения, или частоту, сигнала, и в общем случае устанавливаются равными. Ср. S.010 sawtooth waveform.

T.173 tridiagonal matrix
тридиагональная матрица
Прямоугольная матрица A, в которой

$$a_{ij} = 0, \text{ если } |i - j| > 1.$$

T.174 trie search
трай-поиск
Алгоритм поиска данных, запомненных в виде трай-структуры (название произошло от английских слов information retrieval — «информационный поиск»). Трай — это, по-существу, n-арное дерево с вершинами, заменяющими n-компонентные векторы, компоненты которых соответствуют цифрам или символам.

T.175 trigger
запускать, отпирать
Инициализировать работу электрической схемы или устройства. Так, сигнал, поданный на счетный вход схемы, может порождать синхронный с ним выходной сигнал этой схемы.

498

T.176 trim of an array
вырезка массива
Массив, получаемый из данного массива при ограничении значений подстрочных индексов его элементов некоторым диапазоном. Например, вырезкой вектора

$$v = (v_1, v_2, \ldots, v_{10}),$$

полученной путем ограничения значений индекса i таким образом, что $3 \leqslant i \leqslant 7$, является вектор

$$(v_3, v_4, v_5, v_6, v_7).$$

См. также S.194 slice.

T.177 triple precision
утроенная точность, тройная точность
Использование для представления числа втрое большего, чем обычно, числа битов. Требуется редко. См. D.281 double precision.

T.178 tri-state output
выход с тремя состояниями
Электронный выходной каскад, образуемой логическим вентилем (обычно это инвертор или буфер), который может находиться в трех логических состояниях (L.130 logic state), называемых логической 1, логическим 0 и неактивным состоянием (состояние высокого импеданса или разомкнутое). Наличие неактивного состояния позволяет комбинировать выходы устройства с аналогичными выходами шинной структуры таким образом, что в любой момент времени активным на шине оказывается только одно устройство.

T.179 trivial graph
тривиальный граф
Граф (G.047 graph), содержащий только одну вершину.

T.180 Trojan horse
троянский конь
Любая функциональная возможность в программе, специально встроенная для того, чтобы обойти системный контроль секретности. Эта возможность может быть самоликвидируемой, что делает невозможным ее обнаружение, или же может постоянно реализовываться, но существовать скрытно.

T.181 trouble shooting
диагностический поиск
Процесс решения конкретной проблемы, связанной с разработкой проекта или системы. Этот вид деятель-

ности является скорее исключением, чем нормальной частью планируемого жизненного цикла проекта или системы.

Т.182 true complement
= radix complement

Т.183 truncation
усечение; отбрасывание
См. R.182 roundoff error.

Т.184 truncation error
= discretization error

Т.185 trunk
= bus
Термин используется в США.

Т.186 trunk circuit
магистраль
Соединительный канал между коммутирующей машиной, находящейся в каком-то пункте сети, и коммутирующей машиной соседнего узла.

Т.187 trusted
надежный
Имеющий, предполагающий или демонстрирующий такие параметры надежности, которые подтверждаются документально (S.040 security certification). Таким образом, основой надежности вычислительной машины является аттестованная операционная система.

Т.188 truth table
таблица истинности
1. Табличное представление комбинационной схемы (C.174 combinational circuit) [такой как схема И (A.103 AND gate), схема ИЛИ (O.072 OR gate), схема И НЕ (N.003 NAND gate)], где перечислены все возможные состояния входных переменных вместе с соответствующими состояниями выходных переменных, причем по всему перечню возможных состояний.
2. Табличное представление логической операции (L.126 logic operation) [такой как И (A.104 AND operation), ИЛИ (O.073 OR operation), И НЕ (N.004 NAND operation)], в которой перечислены все возможные сочетания значений истинности операндов вместе со значением истинности результата операции для каждого из этих сочетаний.

Т.189 TTL — transistor-transistor logic
транзисторно-транзисторные логические схемы (ТТЛ)
Широко используемое семейство логических схем, изготавливаемых в виде

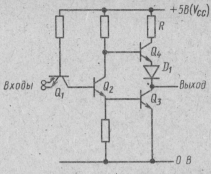

интегральных схем, основными переключающими компонентами которых являются биполярные транзисторы (B.084 bipolar transistor). Кроме стандартной формы, эти схемы можно изготавливать еще и в модификациях, обеспечивающих малое потребление мощности и высокую скорость переключения (см. S.022 Schottky TTL). На рисунке показана эквивалентная схема И НЕ (N.003 NAND gate) с двумя входами на транзисторно-транзисторной логике. В основной схеме использован многоэмиттерный биполярный транзистор Q_1, легко изготавливаемый в виде интегральной схемы. Каждый переход база—эмиттер транзистора Q_1 успешно работает как диод (D.024 diode), аналогично входному каскаду на диодно-транзисторной логике (см. D.304 DTL). Таким образом, если на всех входах действует высокий уровень напряжения (логическая 1), все входные «диоды» заперты; напряжение коллектора в транзисторе Q_1 поднимается до значения V_{cc}, включая Q_2 (который действует как расщепитель фазы). При уменьшении напряжения коллектора в транзисторе Q_2 напряжение эмиттера этого транзистора растет, включая Q_3 и выключая Q_4. Таким образом, выходной сигнал падает до логического 0, т. е. до нулевого уровня. Если один из входов Q_1 возвращается в состояние логического 0, т. е. нулевого напряжения, то Q_1 резко включается, выключая Q_2, напряжение коллектора которого поднимается; посредством этого включается Q_4. Ток на базу Q_3 через Q_2 не подается, и поэтому Q_3 выключается. Напряжение на выходе, таким образом, увеличивается до +5 В, т. е. до значения логической 1. Диод D_1 включается в схему для установки соответствующих условий запирания Q_4, D_1, Q_4 и R действуют как усилитель мощности; его часто называют каскадным выходом. В силу низкой стоимости, высокой скорости и отработанности технология транзисторно-транзисторной логики' наиболее широко используется в устройствах с малым и средним уровнями интеграции.

T.190 T-type flip-flop
T-триггер
См. T.065 T flip-flop.

T.191 Turing computable
вычислимый по Тьюрингу
См. T.192 Turing machine

T.192 Turing machine
машина Тьюринга
Гипотетическая вычислительная машина, использовавшаяся в качестве математической абстракции Аланом Тьюрингом с целью уточнения эффективной процедуры (алгоритма) вычислений. Существует множество эквивалентных способов решения этой проблемы; первый из них был предложен самим Тьюрингом и опубликован в 1936 г. Машина Тьюринга — это автомат (A.189 automaton), который обрабатывает (пропуская в обоих направлениях) потенциально бесконечную ленту, разделенную на участки, или ячейки, и считываемую по одной ячейке за раз. Символы, записываемые на ленту, извлекаются из конечного алфавита:

$$s_0, ..., s_p.$$

Предполагается, что блок управления, или блок обработки, машины может иметь конечное число различных внутренних состояний:

$$q_0, ..., q_m.$$

Предполагается также, что «программа» для данной машины составляется из конечного множества команд, являющихся наборами из пяти символов вида

$$q_i s_i s_h X q_j,$$

где X — это R, L или N. Первый символ указывает, что машина находится в состоянии q_i, второй указывает, что головка считывания воспринимает с ленты символ s_j. В этом состоянии машина заменяет s_j на s_h, передвигает головку считывания вправо, если $X = R$, или влево, если

500

$X = L$, или же оставляет ее на месте, если $X = N$. Завершает машина обработку этой последовательности символов переходом в состояние q_j.
Функция

$$f : N^k \to N,$$

где $N = \{0, 1, 2, ...\}$

$$N^k = N \times N \times N \times ... \times N, k \text{ раз},$$

является *вычислимой по Тьюрингу*, если для каждого x их N^k справедливо утверждение, что при помещении некоторого представления x из N^k на ленту (в предположении начального состояния q_0) машина останавливается в случае считывания с ленты представления функции $f(x)$. См. также E.023 effective computability. При изучении моделей вычислений обычно проводят различие между детерминистскими и недетерминистскими алгоритмами. В детерминированной машине Тьюринга общий ход вычислений полностью определяется машиной Тьюринга (программой), начальным символом и начальными вводами с ленты; в недетерминированной машине Тьюринга на каждой стадии вычислений существуют альтернативы. Она может работать в одном из нескольких основных режимов. Класс задач, решаемых на детерминированных машинах Тьюринга за полиномиальное время (P.157 polinomial time) — это класс P; класс задач, решаемых на недетерминированных машинах Тьюринга за полиномиальное время — это класс NP. См. также P.138 P = NP question.

T.193 turnaround document
сквозной документ
См. D.264 document processing.

T.194 turnaround time (turnround time)
время оборота, полное время
1. Время от момента выдачи задания на какое-либо средство вычислений до момента получения результата.
2. В системах передачи данных: время, необходимое для изменения направления передачи в канале.

T.195 turnkey operation
сдача «под ключ»
Доставка и установка всей вычислительной системы вместе с прикладными программами, таким образом,

что они оказываются готовыми к использованию.

T.196 turtle graphic
черепашья графика
Метод перевода информации из вычислительной машины в изображения или шаблоны. Первоначально в качестве чертежного устройства использовался простой перьевой графопостроитель, называемый *черепашкой*. Он представлял собой каретку с мотором, несущую на себе одно или несколько перьев и соединенную гибким кабелем с устройством управления и источником питания. Колесиками, на которых передвигалась каретка, можно было весьма точно управлять таким образом, чтобы перемещать черепашку в любом направлении по полу или другой гладкой поверхности, покрытой бумагой или аналогичным материалом; перья могли подниматься и опускаться при подаче управляющих сигналов. Такая работа черепашки может имитироваться графикой устройства отображения малой вычислительной машины: *экранная черепашка* обычно имеет форму треугольной стрелки, которая при передвижении ее по экрану может оставлять или не оставлять за собой линию. См. L.133 LOGO.

T.197 two-address instruction
двухадресная команда
См. I.111 instruction format. См. также M.230 multiple-address machine.

T.198 two dimensional array
= matrix
См. A.137 array.

T.199 two-dimensional memory
= linearly addressed memory

T.200 two-level grammars (VW-grammars, van Wijngaarden grammars)
двухуровневые грамматики
Обобщение понятия бесконтекстных грамматик (C.280 context-free grammar), которое позволяет определить контекстно-зависимые свойства языка. Двухуровневые грамматики были разработаны А. ван Вайнгаарденом и использованы при формальном определении языка Алгол-68. Продукции в двухуровневой грамматике делятся на две части: продукции первой части называются *гиперправилами* и действуют как шаблоны для бесконтекстных продукций; продукций второй части называются *метапродукциями*.

Метапродукции являются бесконтекстными продукциями и определяют нетерминальные символы, используемые в гиперправилах. Мощность двухуровневых грамматик объясняется тем, что гиперправила могут служить шаблонами для бесконечного множества продукций, именно таким способом они используются для определения контекстно-зависимых свойств языка.

T.201 two-level memory
двухуровневая память; двухуровневое запоминающее устройство
Система памяти с двумя запоминающими устройствами различной емкости и разного быстродействия. См. M.224 multilevel memory; M.105 memory hierarchy.

T.202 two-norm (Euclidean norm)
норма по скалярному квадрату; евклидова норма
См. A.118 approximation theory.

T.203 two-plus-one address
(2 + 1)-адресный
См. I.111 instruction format.

T.204 two's complement
точное двоичное дополнение
См. R.004 ragix complement.

T.205 two-way linked list
= double linked list

T.206 two-way merge
двойное слияние
Алгоритм слияния двух упорядоченных файлов в один сортировочный файл. Этот алгоритм может рассматриваться как обобщение алгоритма сортировки методом вставок; предложен Джоном фон Нейманом в 1945 г.

T.207 Tymnet
Американская общественная сеть связи с коммутацией пакетов, которая развилась на основе внутренней терминальной сети фирмы Tymshare Inc.; сеть использовалась общественной службой разделения времени этой компании. Коммутаторы сети соединены линиями передачи сигналов в диапазоне звуковых частот. Для каждого вызова в момент его инициализации центральный супервизор создает виртуальное соединение (V.046 virtual connection). Для каждого виртуального соединения управление потоками осуществляется по принципу «звено за звеном». Проходящие между узлами сети сообщения содержат данные по нескольким разным вызовам (общее число вызовов может дости-

гать 20); данные упаковываются в блоки размером в 66 байтов. В каждом узле сети данные перепаковываются в новые блоки для следующей передачи.

T.208 type of data object
тип информационного объекта

Определение структуры объекта, разрешенных его значений и операций, которые можно над ним выполнять. Например, если объект логического типа, то по структуре он, видимо, очень простой и может принимать только логические значения «истина» (TRUE) и «ложь» (FALSE), а разрешенными для него операциями могут быть только логические операции типа И (AND) и ИЛИ (OR). Типы могут быть весьма сложными и определяться через более простые типы. Например, в языках Ада, Паскаль и Модула программист может определять очень сложные типы. Понятие типов не ограничивается только типами переменных. В некоторых языках рассматриваются типы процедур; там разрешается использовать и конструкции более сложных типов, такие как массивы процедур.

T.209 type 0 (1, 2, 3) language (or grammar)
язык (или грамматика) типа 0 (1, 2, 3)

См. C.105 Chomsky hierarchy.

T.210 type-insensitive code
программа, инвариантная к типу уравнения

Программа численного решения обыкновенных дифференциальных уравнений (O.070 ordinary differential equations), которая должна успешно решать задачу независимо от того, является ли эта система уравнений жесткой или нежесткой. Желаемая цель обычно достигается путем автоматического переключения программы на использование разных классов методов.

T.211 typewriter terminal
= teletypewriter

U

U.001 UART — universal asynchronous receiver/transmitter
универсальный асинхронный приемопередатчик

Логическая схема, обычно интеграль-

502

ная, преобразующая асинхронный последовательный поток данных в побайтовую параллельную форму, и наоборот. Обычно такое устройство используется при сопряжениях линий передачи данных и периферийных устройств.

U.002 UCSD Pascal

Версия языка Паскаль (P.058 Pascal), разработанная в Калифорнийском университете, г. Сан-Диего, и предлагаемая сейчас (по данным 1985 г. — *прим. пер.*) компанией Softech Inc. Паскаль версии UCSD разрабатывался как мобильная система, пригодная для использования на множестве микроЭВМ благодаря компилированию программ в *p*-код (P.076 p-code), являющийся интерпретируемым кодом для гипотетической машины; этот код может быть реализован на многих системах, для которых составляется исходная программа. Аналогичная техника применима и к другим языкам в программных средствах *p*-системы. В язык Паскаль версии UCSD введено несколько расширений по сравнению с обычной версией Паскаля, особенно в части обработки строк и независимой компиляции (см. I.139 interface); из-за этого данная версия несовместима со стандартами международной организации по стандартизации (ИСО) для языка Паскаль.

U.003 UI — user interface
интерфейс пользователя, пользовательский интерфейс

U.004 ULA — uncommitted logic array
несвязная логическая матрица

U.005 unary operation defined on a set S (monadic operation)
унарная операция, определенная на множестве S

Функция (F.160 function), отображающая область определения в само множество S. Тождественное преобразование (I.017 identity function) является унарной операцией. Другими примерами унарных операций могут служить операции отрицания (N.012 negation) в арифметике или в логике, операция взятия дополнений (C.207 complement) в теории множеств или булевой алгебре (B.118 Boolean algebra). Часто, хотя и не всегда, унарные операции обозначаются специальными значками, например, A или A'. Если множество S конечно, то для определения операции можно использовать таблицу истинности.

U.006 unbundling
развязывание цен
Разделение цен на программное обеспечение и технические средства при продаже вычислительных систем. Исторически сложилось так, что когда программное обеспечение было минимальным и стоимость его составляла небольшую часть от общей стоимости системы, оно включалось в систему без дополнительной цены. Развязывание цен явилось естественным результатом того, что технические средства стали менее дорогими, в то время как на программное обеспечение приходится большая часть стоимости системы.

U.007 uncertainty
неопределенность
См Е.071 entropy.

U.008 uncommitted logic array (ULA)
несвязная логическая матрица
Тип программируемой логической матрицы. См. Р.122 PLA.

U.009 unconditional branch instruction
команда безусловного перехода
Команда перехода (В.136 branch instruction), которая вызывает продолжение вычисления программы с некоторого нового адреса; содержимым счетчика команд (Р.260 program counter) при этом становится адрес команды.

U.010 undecidable
неразрешимый
См. S.222 solvable.

U.011 undefined
неопределенная (функция)
См. Р.053 partial function.

U.012 underflow
исчезновение значащих разрядов; потеря значимости
Ситуация, возникающая в том случае, когда результат арифметической или какой-либо другой операции получается меньше нижней границы диапазона чисел, представляемых в данной вычислительной машине.

U.013 undetected error of magnetic tape
необнаруженная ошибка на магнитной ленте
См. Е.112 error rate.

U.014 undirected graph
неориентированный граф
См. G.047 graph.

U.015 Unibus
1. Шинная структура (В.164 bus) мини-ЭВМ, предложенная фирмой DEC и используемая в машинах серии PDP 11 этой фирмы. Это структура с одной шиной, которая имеет 56 двунаправленных линий и является общей для периферийных устройств, памяти и процессора. Максимальная скорость передачи равна одному 16-битовому слову за каждые 750 нс. Все пересылки инициируются ведущим устройством и подтверждаются принимающим или запоминающим устройством. Выбор устройств на роль ведущих является динамической процедурой, поэтому в ответ на запрос периферийного устройства процессор может передать ему управление шиной.
2. Товарный знак.

U.016 unilaterally connected graph
односвязный граф
См. R.035 reachability.

U.017 union
объединение
1. ~of two sets. Общая часть двух множеств (S.116 set). Множество, получающееся в результате комбинирования элементов двух множеств, скажем S и T, и обычно обозначаемое как

$$S \cup T,$$

где $\cup$ рассматривается как операция (О.039 operation) над множествами, а именно: операция объединения, являющаяся коммутативной (S.196 commutative operation) и ассоциативной (А.153 associative operation). В символических обозначениях операция определяется как

$$S \cup T = \{x \mid x \in S \text{ или } x \in T\}.$$

Объединение S и пустого множества (Е.053 empty set) равно S. См. также S.117 set algebra.
2. ~of two graphs, G_1 and G_2. Объединение двух графов (G.047 graph) G_1 и G_2. Граф, который включает в себя все вершины и ребра графов G_1 и G_2, т. е. содержит в себе объединение двух множеств вершин этих графов и двух множеств их ребер в качестве своих множеств, соответственно, вершин и ребер.

U.018 unipolar signal
однополярный сигнал
Сигнал, элементы которого находятся

в промежутке от нулевого до некоторого произвольного положительного напряжения или, что встречается реже, от нулевого до некоторого отрицательного напряжения. Однополярные сигналы используются в системах передачи данных. Ср. B.083 bipolar signal.

U.019 uniquely decodable (uniquely decipherable)
однозначно декодируемый
Термин, применяемый обычно по отношению к кодам переменной длины (V.012 variable-length code): однозначная декодируемость гарантирует, что закодированные слова в полученном сигнале могут быть однозначно восприняты, так что процесс декодирования будет в точности противоположным процессу кодирования.

U.020 unitary semiring
унитарное полукольцо
См. S.073 semiring.

U.021 unit matrix
= identity matrix

U.022 unit-record device
устройства ведения единичных записей
См. R.056 record.

U.023 unit testing (module testing)
модульное тестирование
См. T.059 testing.

U.024 Univac
Общее название семейства вычислительных машин, выпускаемых фирмой Sperry Univac (S.254 Sperry Univac), США. [Слово Univac является акронимом от английских слов universal automatic computer (универсальная автоматическая вычислительная машина)]. Первая машина этого семейства UNIVAC I была изготовлена корпорацией Eckert-Mauchly, образованной в 1947 г. Эта корпорация влилась в фирму Remington-Rand, которая впоследствии стала фирмой Sperry Univac. UNIVAC I была второй серийно выпускаемой вычислительной машиной (вскоре после машины Mark I фирмы Ferranti) и начиная с 1951 г. до середины 50-х годов была одной из лучших ЭВМ.

U.025 universal flip-flop
универсальный триггер
См. F.097 flip-flop.

U.026 universal quantifier
квантор всеобщности
См. Q.007 quantifier.

U.027 universal set
универсальное множество
Множество (S.116 set), которое в конкретной ситуации включает в себя все другие рассматриваемые в этой ситуации множества. С помощью универсального множества можно дать более конструктивные и доходчивые определения таким понятиям, как дополнение (C.207 complement) и принадлежность (M.096 member): говоря о том, принадлежит или не принадлежит некоторый элемент x множеству S, где S — некоторое множество, мы предполагаем, что x является членом некоторого универсального множества.

U.028 universal Turing machine
универсальная машина Тьюринга
Машина Тьюринга (T.192 Turing machine) M, которая для двух чисел n и m на входе (первое из них является подходящей кодовой группой машины Тьюринга K) выдает результат применения K для m. Следовательно, универсальная машина действует как супервизор для класса машин Тьюринга.

U.029 UNIX
1. Операционная система, предложенная фирмой Bell Laboratories в 1971 г. для мини-ЭВМ PDP 11 фирмы DEC. Целью создания системы UNIX было обеспечение на простом однородном вычислительном оборудовании, на котором работает относительно небольшое число пользователей, значительной степени объединения в рамках того, что может быть получено на одной системе. Система UNIX оказалась исключительно популярной и фактически во многих отношениях стала стандартом для 16-разрядных мини-ЭВМ. Имеются также версии операционной системы UNIX для больших вычислительных машин и для микропроцессорных систем, рассчитанных на одного пользователя.

U.030 unlock (unlock primitive)
2. Товарный знак.
снятие блокировки
Скрытая операция, посредством которой процесс указывает, что он закончил использование какого-то конкретного ресурса. См. также L.102 lock; S.070 semaphore.

U.031 unordered tree
неупорядоченное дерево
См. T.163 tree.

U.032 unpack
распаковывать
Преобразовывать информацию из упакованного формата в форму, при которой можно получить непосредственный доступ к отдельным элементам данных. См. P.002 pack.

U.033 unsolvable
неразрешимый; нерешаемый
См. S.222 solvable.

U.034 UPC — Universal Product Code
универсальный код товара
См. B.025 bar code.

U.035 updating
корректировка; обновление
См. F.062 function.

U.036 upline
к верхнему уровню
Направление в иерархической сети от удаленного узла к центральному или управляющему узлу. Этот английский термин может использоваться и как глагол: направлять к верхнему уровню или загружать на верхний уровень, т. е. пересылать программы или данные от удаленного узла к более близкому к центру или управляющему узлу. Загрузка на верхний уровень может быть использована для запоминания программ или данных, которые были созданы в удаленном узле сети, но не могут храниться там постоянно. Загрузка на верхний уровень может также использоваться для передачи данных, собранных в удаленном узле сети, в более близкий к центру узел для дальнейшей обработки. Ср. D.284 downline.

U.037 up operation
= V operation
См. S.070 semaphore.

U.038 upper bound
верхняя граница
~of a set S on which the partial ordering < is defined. Верхняя граница множества S, на котором определен частичный порядок (P.055 partial ordering) отношением <. Элемент u, обладающий тем свойством, что для всех x из S справедливо $s < u$. Элемент u является также *точной верхней границей*, если для любой другой границы v справедливо условие $u < v$. Поскольку результаты вычислений, производимых с числами, зависят от усечения бесконечных арифметических дробей до некоторой конечной длины,

вычисление точных верхних границ вещественных чисел, являющихся действительным верхним пределом числа, может быть выполнено только с машинным допуском, который обычно определяется как машинная точность: наименьшее положительное число *eps* такое, что

$$1{,}0 + eps > 1{,}0.$$

См. также A.137 array; L.144 lower bound.

U.039 uptime
период работоспособности
Время или процент времени, в течение которого вычислительная система действительно работает нормально.

U.040 upward compatibility
совместимость снизу вверх
См. C.203 compatibility.

U.041 user area
область пользователя; зона пользователя
Часть оперативной памяти вычислительной машины, которую можно использовать для хранения программ пользователя. Значительная часть оперативной памяти может быть отведена под операционную систему и требуемые ей средства, например, буферы.

U.042 user-friendly
ориентированный на пользователя, дружественный
Термин, характеризующий интерактивные системы (I.136 interactive) с их техническими и программными средствами, ориентированные на обеспечение максимального удобства решения задач пользователем за счет организации постоянного двустороннего взаимодействия. Такая дружественность системы по отношению к пользователю достигается следующими способами: а) обеспечением выдачи по запросу списка разрешенных команд; б) использованием программ, управляемых в режиме меню (M.113 menu-driven routine); в) трассированием и диагностикой ошибок, допущенных пользователем; г) возможностью ввода команд с использованием как прописных, так и строчных букв. В качестве примера, иллюстрирующего способ (в), рассмотрим выполнение на микроЭВМ программы на языке Бейсик (B.035 Basic), когда обнаруживается строка, не поддающаяся интерпретации. В этой ситуации процессор, вероятно, прекратит выполнение программы и пере-

даст управление пользователю. Затем он может выдать код, соответствующий данной ошибке, чтобы пользователь мог найти ее в своем руководстве. В более дружественных системах может сообщаться еще и характер ошибки, например, SYNTAX ERROR (СИНТАКСИЧЕСКАЯ ОШИБКА). Кроме того, система может также указать место в программе, где были нарушены .синтаксические правила, и перейти в режим исправления ошибок. По мере того как вычислительные машины и терминалы становятся доступными все большему числу людей, совершенно не знакомых с вычислительной техникой, становится все более важным условие, чтобы для начала практического использования системы требовались только самые простые взаимодействия. Принцип дружественности к пользователю получает все более широкое распространение и в других областях, например, применительно к различным типам человеко-машинного интерфейса, каталогам и учебным пособиям.

U.043 user interface (UI)
интерфейс пользователя, пользовательский интерфейс
Средства связи между пользователем-человеком· и вычислительной системой, обеспечивающие, в частности, использование устройств ввода-вывода и относящихся· к ним программных средств. Примерами являются использование манипулятора типа «мышь» (M.200 mouse) в машинной графике с побитовым отображением (B.092 bit-mapped) и использование режима организации окон (W.030 window).

U.044 user state
режим пользователя, пользовательский режим
См. E.139 execution states.

U.045 utility programs
обслуживающие программы, сервисные программы
Совокупность программ, составляющих часть любой вычислительной системы и обеспечивающих множество общих функций, включающих копирование и стирание файлов, подготовку текстов и организацию перекрестных ссылок в программах.

U.046 uvwxy lemma
= pumping lemma
Термин используется применительно к бесконтекстным языкам.

506

V

V.001 V.24
интерфейс V.24
Стандартный электрический интерфейс, определенный Международным консультативным комитетом по телеграфии и телефонии для сопряжения терминального оборудования (D.302 DTE) с модемом (M.166 modem). Наряду со стандартами по информационным и синхронизирующим, этот интерфейс включает в себя определение управляющих сигналов. По-существу, это эквивалент стандартного интерфейса RS232C (R.193 RS232C interface), разработанного ассоциацией EIA в США.

V.002 V.35
протокол V.35
Стандартный электрический интерфейс, определенный Международным консультативным комитетом по телеграфии и· телефонии для сопряжения терминального оборудования (D.302 DTE) с линейным устройством. Интерфейс специально предназначен для поддержания высокоскоростной цифровой передачи со скоростями до 64К бит/с; он включает управляющие сигналы и синхронизирующие сигналы, а также сигналы данных.

V.003 vacuum column
вакуумный карман; вакуумная колонка
См. B.154 buffer (определение 2).

V.004 valida ion
подтверждение правильности
См. V.030 verification and validation

V.005 validity check
контроль правильности; проверка достоверности
Любая проверка соответствия некоторого объекта установленным ограничениям. Например, если какое-то значение элемента данных вводится программой, то в этой программе обычно осуществляется проверка его достоверности, чтобы гарантировать соответствие введенного значения заданному диапазону.

V.006 value-added network (VAN)
сеть с дополнительными услугами
Сеть передачи данных, в которой предоставляются дополнительные услуги, помимо простой доставки информации. Например, в системе электронной почты (E.038 electronic· mail service),

транспортировка данных между вычислительными системами, действительно реализующими пересылку корреспонденции, является необходимой процедурой работы сети передачи данных, но для абонентов электронной почты она не считается основной услугой.

V.007 VAN
= value-added network

V.008 V and V — verification and validation
верификация и подтверждение правильности, аттестация

V.009 van Wijngarden grammar
= two-level grammar

V.010 VAR — value added reseller
Агентство по комплектации и перепродаже
Организация, комплектующая стандартные процессоры, периферийные устройства и программное обеспечение в виде систем, которые, по предположению, удовлетворяют требованиям рынка.

V.011 variable
переменная
1. Цепочка символов, используемая для обозначения некоторой хранимой величины, которая может быть изменена во время выполнения программы. Таким образом, информационный объект называют переменной, если в программе производится считывание его значения либо воспринятое значение меняется при последующих считываниях или может быть модифицировано самой программой. Переменная может быть по отношению к программе либо внутренней, если она держится в памяти, либо внешней, если для считывания ее значения в программе должна быть выполнена операция ввода. См. также N.002 name.
2. См. P.037 parameter.

V.012 variable-length code
код переменной длины
Код (C.149 code), в котором фиксированное число символов исходного сообщения кодируется в переменное число выходных символов. Это переменное число [длина кода (C.153 code length)] может устанавливаться в зависимости от некоторых свойств кодируемых символов, чаще всего — от относительной частоты их появления в сообщениях. Если код переменной длины должен расшифровываться немедленно [т. е. быть префиксным кодом (P.199 prefix code)], он должен удовлетворять неравенству Крафта (K.029 Kraft's inequality). Ср. F.085 fixed-length code. См. также S.231 source coding theorem.

V.013 variable-length vector
вектор переменной длины
Вектор (V.022 vector), т. е. одномерный массив, который обычно имеет фиксированную нижнюю границу, однако верхняя его граница может при этом изменяться согласно значениям, присвоенным этому массиву. См. также S.350 string.

V.014 variable word length computer
вычислительная машина с переменной длиной слова
ЭВМ с не заданной жестко длиной слова (F.089 fixed word length computer); она работает с информационными словами разной длины; это может касаться также и длины команд. Длина информационного слова может регулироваться с точностью до символа (C.073 character) или байта (B.170 byte), так что вычислительная машина оперирует цепочками символов или байтов. В этих случаях она называется, соответственно, *машиной с символьной* или *с байтовой организацией*. Использование вычислительных машин с переменной длиной слова особенно важно там, где сами обрабатываемые данные имеют переменную длину (например, в случае символьных строк знаков), а также в тех случаях, когда естественная длина информационных слов не укладывается в границы машинного слова (имеются в виду границы, устанавливаемые аппаратной частью машины).

V.015 variance
дисперсия; изменчивость
См. M.090 measures of variation.

V.016 variant field
поле признака
Необязательная часть записи (R.056 record).

V.017 variation
вариация; варьирование
См. M.090 measures of variation.

V.018. variational method
вариационный метод
Метод решения определенных классов обыкновенных дифференциальных уравнений (O.070 ordinary differential equations) или дифференциаль-

ных уравнений в частных производных (P.052 partial differential equations), в котором используется вариационный принцип, т. е. решение дифференциального уравнения сводится к решению задачи минимизации некоторого интеграла. Уравнение решается путем выполнения приблизительной минимизации. Естественным образом с вариационными принципами приходится сталкиваться во многих областях физики и техники. В качестве примера можно рассмотреть уравнение

$$y'' + q(x) y = f(x), \quad 0 \leqslant x \leqslant 1;$$
$$y(0) = y(1) = 0,$$

решение которого является также решением задачи:

$$\text{минимизировать} \int\limits_{\substack{v \in V}}^{\,} \int\limits_{0}^{1} \{v'(x)^2 -$$
$$- q(x) v(x)^2 - 2f(x) v(x)\}\, dx.$$

Здесь V — это класс достаточно гладких функций, таких, которые равны нулю в точках $x = 0$ и $x = 1$. Отыскание приближенного минимума может выполняться путем минимизации в подпространстве функций

$$\sum\limits_{j=1}^{n} c_j \varphi_j(x).$$

Если пробные функции $\varphi_j(x)$ являются сплайн-функциями (S.256 spline), то получающийся в результате метод является примером метода конечных элементов (F.069 finite-element method).

V.019 VAX
См. D.104 DEC.

V.020 VAX/VMS
1. Операционная система, предложенная фирмой DEC в качестве стандартной для семейства процессоров VAX этой фирмы. Для каждого пользователя технических средств VAX эта система создает виртуальную машину (V.047 virtual machine).
2. Товарный знак.

V.021 VDU — visual display unit
устройство визуального отображения
Устройство вывода, на котором можно временно отображать информацию; в сочетании со встроенной или отдельной клавиатурой это устройство может образовывать терминал (T.045 terminal). Выводимая информация может быть как буквенно-цифровой, так и графической; информацию можно стирать или изменять под управлением процессора, который может быть либо удаленным процессором, либо частью устройства. В буквенно-цифровом режиме устройство чаще всего выводит 24 строки по 80 знаков. В графическом режиме разрешающая способность обычно соответствует 640×240 элементам изображения (P.118 pixel), хотя возможно и намного большее разрешение. Устройство отображения обычно выполняется на основе электронно-лучевой трубки (C.041 cathode-ray tube), однако используется и другая техника (см. D.246 display). В большинстве случаев изображение формируется с помощью растра горизонтальных строк, аналогично телевизионному изображению, но в дисплеях, которые могут использоваться одним оператором в течение длительного времени, качество и устойчивость изображения должны быть значительно выше, чем в обычных телевизорах. В большинстве устройств визуального отображения имеется возможность выбора различных атрибутов изображения, которые можно использовать для выделения или разделения элементов информации, например: а) мерцание или вспыхивание, при котором элементы информации высвечиваются с промежутками с такой частотой, что их можно легко воспринимать; б) яркое свечение, при котором знаки в устойчивом изображении высвечиваются с различной яркостью; в) негативное видеоизображение, при котором знак выводится с противоположной контрастностью по сравнению с окружающей его информацией; при отображении яркими знаками на кажущемся черным экране знаки негативного видеоизображения выглядят как черные знаки на ярком размером в один знак прямоугольнике; г) подчеркивание, при котором знак подчеркивается линией, обычно имеющей такую же яркость, как и сам знак, или мерцающей; д) цвет — цветом элемента и его фона можно управлять отдельно.

V.022 vector
вектор
Одномерный массив (A.137 array). Векторы широко используются в вы-

числительной технике, поскольку память по-существу представляет собой вектор слов. Способ записи векторов определяется языком программирования. В математике (и в настоящем словаре) для обозначения вектора в целом принято использовать полужирный строчный курсив, например v, а для обозначения элемента вектора — обычный строчный курсив с подстрочным индексом, например v_i. Вектор может также использоваться для записи части матрицы (М.074 matrix); в этом случае необходимо различать вектор-строку и вектор-столбец.

V.023 vectored interrupts
векторные прерывания

Эффективный метод прерывания, реализуемый аппаратно при работе с множеством разнотипных устройств, каждое из которых способно формировать сигналы прерывания, причем для каждого типа устройства требуется своя уникальная программа обработки прерываний. Вектор прерываний — это массив адресов таких программ. При успешном выполнении прерывания процессора устройство сообщает процессору адрес точки входа в вектор прерываний. Процессор использует этот адрес для передачи управления соответствующей программе обработки прерывания.

V.024 vector-mode graphic display (vector graphics)
векторное графическое отображение, векторная графика

Метод представления графической информации или изображений, при котором перо графопостроителя или световое пятно движется по экрану вдоль рисуемой линии. Ср. R.027 rastermode graphic display.

V.025 vector norm
норма вектора

См. А.118 approximation theory.

V.026 vector processing
векторная обработка

Единообразная обработка последовательностей данных, чаще всего встречающаяся при манипулировании матрицами (элементами которых являются векторы) или другими информационными массивами. В случае таких упорядоченных последовательностей данных существенный выигрыш может дать использование конвейерной обработки (Р.114 pipeline processing). См. также А. 138 array processor.

V.027 Veitch diagram
= Karnaugh map

V.028 Venn diagram
диаграмма Венна

Схематическое представление множества (S.116 set), впервые использованное Джоном Венном в 19 в. Универсальное множество U обычно представляется прямоугольником, а подмножество S этого множества U — внутренней частью окружности (или какой-либо другой простой замкнутой кривой), полностью лежащей внутри этого прямоугольника. На рисунке

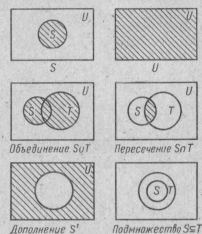

Объединение S∪T   *Пересечение S∩T*

Дополнение S'   *Подмножество S⊆T*

показаны некоторые примеры диаграмм Венна. Под каждой диаграммой, где это необходимо, указано название заштрихованных областей.

V.029 verification
верификация

Процесс проверки точности перезаписи информации. Термин обычно применяется по отношению к данным, закодированным оператором с помощью устройства подготовки данных при чтении исходного документа. Те же документы читаются далее другим оператором и вводятся им в машину, где результаты второго ввода сравниваются со входными данными, подготовленными первым оператором. При этом выдаются сообщения обо всех расхождениях, и второй оператор выполняет все действия, связанные с корректировкой или подтверждением правильности. Процесс верификации может быть выполнен на специальной машине, называемой верификатором, или же на машине, которую можно переключать из режима подготовки данных в режим верификации и обратно. При использовании таких носителей, как перфолента или перфокарты, на которых закодированные данные не могут быть изменены, обычно применяются отдельные машины-верификаторы. При записи данных на магнитных носителях для обоих процессов может быть использовано одно и то же устройство, которым могут быть клавиатура с дисплеем, соединенная с системой.

V.030 verification and validation (V & V)
верификация и подтверждение правильности, аттестация

Общий термин для обозначения полного набора проверок, которым подвергается система для получения гарантий ее соответствия своему назначению. В число таких проверок могут входить жесткий набор функциональных тестов, контроль пропускной способности, проверка надежности и т. д. Хотя разница между верификацией и подтверждением правильности не всегда точно определена, обычно считается, что верификация означает полную объективную проверку соответствия некоторой точно определенной спецификации, тогда как подтверждение правильности относится к некоторой субъективной оценке вероятного соответствия назначению в предполагаемых условиях функционирования.

V.031 verification condition
условие верификации
См. P.259 program correctness proof.

V.032 verifier
верификатор; контрольник
См. V.029 verification.

V.033 version control
управление версиями

Управление созданием и использованием различных вариантов какого-либо объекта. Для распознаваемого объекта, например, программного изделия, могут быть разработаны несколько различных версий, появление которых вызвано различными причинами. Более поздняя версия может представлять собой усовершенствование более ранней, в которой устранены ошибки или добавлены новые функциональные возможности, но может стать

и результатом альтернативного подхода к обеспечению соответствия тем же самым техническим требованиям. Управление версиями способствует правильному их использованию, причем это может делаться как путем ограничения доступа к уже существующим версиям, так и путем создания новых версий. Например, «текущая версия» некоторого программного изделия может быть защищена от модификации или стирания, в то время как доступ к разрабатываемой его версии (или даже получения сведений о ней) может ограничиваться только группой разработчиков.

V.034 vertex
вершина
Элемент множества точек, образующих граф (G.047 graph). При соединении пары вершин получается ребро.

V.035 vertical check
поперечный контроль
См. C.371 cyclic redundancy check.

V.036 vertical format unit (VFU)
блок форматирования по вертикали

Часть электронного блока управления печатающим устройством, которая управляет вертикальным форматированием печатаемого документа. Информация о нужном формате может быть закодирована на петле из перфоленты, иногда называемой *лентой управления кареткой*, либо может поступать через интерфейс от основной системы, к которой печатающее устройство присоединено. Петля может быть изготовлена из стандартной дюймовой перфоленты или же из специальной 12-дорожечной перфоленты. Число знаковых позиций на ленточной петле делается равным числу строк обрабатываемой формы, а для коротких форм — кратным числу строк. Перфолента может продвигаться синхронно с печатаемым документом. Каждая дорожка перфоленты представляет собой разметку для остановки печатающего устройства в нужном месте, и печатающее устройство может быть настроено на непрерывное продвижение бумаги до того момента, пока на указанной дорожке не будет обнаружена пробивка. В более современных печатающих устройствах проблемы надежности, связанные с повторяющимся вращением ленточной петли, решены с помощью *электронного блока форматирования по вертикали* (EVFU). Информация о формате здесь тоже может кодироваться на перфоленте, однако перед началом печати печатающее устройство лишь дважды «прокручивает» ленту; во время первого прогона информация считывается в память, а при втором прогоне проверяется. Запомненная информация во время печати сканируется синхронно с продвижением бумаги. Для этого типа блока форматирования возможна непосредственная передача данных о формате печати из базисной системы через интерфейс в память печатающего устройства. Во многих современных печатающих устройствах предусматривается только такая загрузка информации о формате из центрального узла (D.285 downloading) и никакая другая.

V.037 vertical microinstruction
вертикальная микрокоманда
См. M.138 microprogramming.

V.038 vertical recording
перпендикулярная запись, вертикальная запись
См. M.025 magnetic encoding.

V.039 very large-scale integration
сверхбольшая интегральная схема (СБИС)
См. V.053 VLST; I.122 integrated circuit.

V.040 VFU — vertical format unit
блок форматирования по вертикали

V.041 video terminal
видеотерминал
Устройство визуального отображения (V.021 VDU), в котором информация отображается на экране электроннолучевой трубки, соединенной, как правило, с клавиатурой. Обычно изображение формируется с помощью растра горизонтальных строк, аналогично телевизионному изображению.

V.042 videotex
видеотекс
Система, которая дает возможность использовать клавиатуру в сочетании с обычным телевизором · и телефоном; в совокупности эти устройства образуют терминал, который обеспечивает диалоговый доступ по телефонному каналу к одной или нескольким удаленным службам информации. Возможности предоставления информации службой видеотекса ограничиваются: а) объемом файла с непосредственным доступом, который оператор службы

может передать в течение разумного времени ответа; б) эффективностью работы средств индексирования, обеспечивающих пользователям возможность поиска нужной им информации. Задуманная вначале как внутригосударственная служба, видеотекс был ориентирован главным образом на деловые операции; в некоторых случаях компании используют его как простое средство, обеспечивающее создание сети передачи данных, которая связывает территориально рассредоточенные пункты. К числу стран, в которых используются службы видеотекса общественного пользования, относятся Австралия, Канада (Telidom, Vista), Франция (Tictac, Titan), ФРГ (Bildschirmtext), Япония (Captain), Великобритания (Prestel) и США (Qube). Сначала видеотекс называли *интерактивной видеографией;* именно так называлась вначале служба Prestel в Великобритании, а иногда это название встречается еще и сейчас. Ср. T.037 teletext.

V.043 viewdata
видеоданные
См. V.042 videotex.

V.044 virgin medium
чистый носитель
Носитель информации типа магнитной ленты, диска или перфоленты, который пригоден для записи на него данных, но еще не использовался с этой целью или не было предварительно отформатирован. Ср. E.052 empty medium.

V.045 virtual call service
служба виртуальных вызовов
В сети с коммутацией пакетов (P.009 packet switching): техника образования виртуального соединения (V.046 virtual connection) между терминалами, предшествующего передаче пользовательских данных.

V.046 virtual connection
виртуальное соединение
Логическое соединение между двумя конечными точками линии передачи в сети, которое для оконечного оборудования выглядит как физическое соединение (обычно с некоторой транспортной задержкой). Использование виртуальных соединений нашло применение как в телефонии, так и в сетях передачи данных; такой принцип соединения стал средством увеличения степени использования каналов

связи за счет разделения их физических возможностей между множеством терминальных устройств.

V.047 virtual machine
виртуальная машина

Совокупность ресурсов, которые эмулируют поведение реальной машины. Концепция виртуальной машины появилась в Кембридже, шт. Массачусетс, в конце 60-х годов как расширение концепции виртуальной памяти (V.048 virtual memory) манчестерской вычислительной машины Atlas. В целом вычислительный процесс определяется в рамках этой концепции содержимым того рабочего пространства памяти, к которому он имеет доступ. При условии, что конкретная ситуация в этом рабочем пространстве соответствует ожидаемой, процесс не имеет никаких средств для определения того, является ли представленный ему ресурс действительно физическим ресурсом этого типа, или же он реализован в результате совместных действий других ресурсов, которые в совокупности приводят к аналогичным изменениям содержимого рабочего пространства процесса. Например, процесс не может определить, передается ли выходная информация непосредственно на печатающее устройство, или же она проходит через некоторую систему подкачки данных (S.260 spool). Аналогично, он не может определить, монопольно ли он использует процессор или же в режиме мультипрограммирования (см. M.247 multiprogramming system) вместе с другими процессами. В виртуальной машине ни один процесс не может монопольно использовать никакой ресурс, и все системные ресурсы считаются ресурсами потенциально совместного использования. Кроме того, использование виртуальных машин обеспечивает развязку (I.203 isolation) между несколькими пользователями, работающими в одной вычислительной системе, обеспечивая определенный уровень защиты данных. Идея виртуальной машины лежит в основе целого ряда коммерческих операционных систем, в частности VM/CMS фирмы IBM и VAX/VM фирмы DEC.

V.048 virtual memory
виртуальная память

Система, при которой рабочее пространство процесса частично располагается в быстродействующей памяти и частично в некотором более медленном и более дешевом внешнем запоминающем устройстве. При обращении пользователя к какой-нибудь области памяти система аппаратными средствами определяет, присутствует или нет физически нужная область в памяти, и, если она отсутствует, генерирует прерывание; это позволяет супервизору системы передать необходимый фрагмент данных из резервной памяти в быструю память. С этой целью все адресное пространство делится на страницы (P.013 page), обычно содержащие по 4К байт данных. Адреса внутри страниц определяются 12 младшими двоичными разрядами адреса. Старшие двоичные разряды могут предназначаться для указания номера страницы; они используются для осуществления поиска в ассоциативной памяти (A.152 associative memory), которая либо показывает физическое расположение нулевого слова страницы, либо указывает, что данная страница отсутствует в памяти; в этот момент генерируется прерывание. Далее супервизор системы отыскивает страницу во внешней памяти и передает ее в оперативную память, изменяя после этого содержание ассоциативной памяти.

V.049 virtual terminal
виртуальный терминал

Гипотетический терминал, который характеризуется всеми теми же параметрами, что и некоторый класс физических терминалов. Концепция виртуального терминала аналогична определению искусственного языка, на который и с которого можно переводить некоторый набор естественных языков. В целом ряде сетей с коммутацией пакетов (P.009 packet switching) сделаны попытки использовать концепцию виртуального терминала как средство преобразования протоколов между разнородными терминалами. В узле, передающем сообщение, оно переводится в формат виртуального терминала, а в выходном узле снова переводится на язык протокола приемного терминала. Обобщение этого понятия имеет довольно ограниченный характер, поскольку у некоторых типов терминалов есть непереводимые по отношению к другим терминалам характеристики.

V.050 VisiCalc
1. Новая программа обработки крупноформатных электронных таблиц (S.262 spreadsheet), разработанная фирмой Visi Corp для микрокомпьютерной системы Apple (A.110 Apple).
2. Товарный знак.

V.051 visual display unit
устройство визуального отображения
См. V.021 VDU.

V.052 Viterbi decoding
декодирование по Витерби
Декодирование сверточного кода (C.312 convolutional code) с помощью алгоритма Витерби.

V.053 VLSI — very large-scale integration
сверхвысокий уровень интеграции
Технология изготовления интегральных схем, позволяющая объединять в одном кристалле более 100 тыс. транзисторов. См. I.122 integrated circuit.

V.054 VM/CMS
Сокр. virtual machine, conversational monitor system (виртуальная машина/диалоговая мониторная система).
1. Операционная система, первоначально созданная в г. Кембридже, шт. Массачусетс. Первоначальный вариант системы эксплуатировался на специальной модифицированной вычислительной машине IBM 360/44; в нем впервые было официально использовано понятие виртуальной машины (V.047 virtual machine) в отличие от понятия виртуальной памяти (V.048 virtual memory). Основой системы является уровень супервизора, который создает некоторое число виртуальных машин (VM); на каждой из них пользователь может прогонять свою собственную программу, используя для управления машиной свой терминал, через который также передается входная информация в машину и на которой принимается выходная информация из нее. Большинство пользователей работает с копией CMS — мониторной системой, — которая, в свою очередь, действительно управляет прогоном заданий.
2. Товарный знак.

V.055 VME 29
1. Сокр. virtual machine environment for series 2900 (среда виртуальной машины для серии 2900). Одна из операционных систем, предложенная фирмой ICL) для использования в вычислительных системах серии 2900 этой фирмы.
2. Товарный знак.

V.056 voiceband
диапазон звуковых частот
См. B.023 bandwidth.

V.057 voice coil
звуковая катушка
См. A.037 actuator.

V.058 voice input device
устройство речевого ввода
Устройство для ввода данных или команд голосом непосредственно в систему. Такие устройства имеют в своем составе средства распознавания речевых сигналов (S.250 speech recognition) и могут заменять или дополнять другие устройства ввода. Некоторые из них способны распознавать и произносить слова из предварительно определенного словаря, другие настраиваются на определенного диктора. При произнесении оператором какого-либо словарного слова соответствующее ему символьное отображение выводится на экран и может быть проконтролировано. Процесс распознавания речи основывается на сопоставлении речевого фрагмента со словами их хранимой словарной таблицы. Таблица формируется и модифицируется с использованием средств визуального отображения, снабженных клавиатурой. Для этого элемент данных или системная команда записывается в память и соответствующее слово произносится несколько раз. Произнесенное слово затем анализируется и преобразуется в определенную двоичную комбинацию, которая запоминается в словарной таблице.

V.059 void set
= empty set

V.060 volatile memory
энергозависимое запоминающее устройство
Тип ЗУ, содержимое которого теряется при выключении питающего напряжения. В критических ситуациях энергозависимые запоминающие устройства могут поддерживаться резервными батарейными источниками питания.

V.061 Volterra integral equation
интегральное уравнение Вольтерры
См. I.121 integral equation.

V.062 volume
том

Съемный блок какого-либо носителя данных, например, бобина, кассета магнитной ленты или съемный пакет дисков.

V.063 volume label
метка тома

См. L.001 label

V.064 von Neumann machine
фон-неймановская (вычислительная) машина

Любая вычислительная машина, построенная на следующих принципах а) основными блоками ее являются блок управления (C.305 control unit), арифметико-логическое устройство (A.126 arithmetic and logic unit), ЗУ (M.097 memory) и устройства ввода-вывода; б) программы и данные хранятся в одной и той же памяти, и, таким образом, концепция хранимой программы (S.340 stored program) является основной; в) устройство управления и арифметическое устройство, обычно объединенные в центральный процессор (C.055 central processor) (который может содержать внутреннюю память в виде накопителей и разнообразных регистров), определяют действия, подлежащие выполнению, путем считывания команд из оперативной памяти. Отсюда следует, что программа для фон-неймановской вычислительной машины состоит из набора команд, которые проверяются одна за другой; адрес очередной ячейки памяти, из которой следует брать команду, указывается «счетчиком команд» в устройстве управления. Отсюда также следует, что данные, с которыми работает программа, могут включать в себя переменные: области памяти могут быть поименованы, так что к запомненным в них значениям можно впоследствии обращаться или менять их во время выполнения программ с использованием присвоенных имен. Подавляющее большинство вычислительных машин на сегодняшний день — это фон-неймановские машины. Свое название они получили в честь американского ученого Джона фон Неймана. Ср. N.066 non von Neumann architecture.

V.065 V operation
операция открытия (освобождения) семафора

См. S.070 semaphore.

V.066 VSAM — virtual storage access method
виртуальный метод доступа

Метод доступа (A.019 access method) к файлам данных (D.036 data file), обеспечивающий и последовательный (S.090 sequential access), и индексный доступ (см. I.060 indexed file) и основанный на первичных индексах, которые структурированы как (B+)-деревья (см. B.148 B-tree). Этот метод характерен для вычислительных машин и операционных систем фирмы IBM, использующих технику виртуальной памяти (V.048 virtual memory), и задумывался как усовершенствование индексно-последовательного метода доступа (I.199 ISAM).

V.067 V-series
интерфейсы серии V

Интерфейсы, определенные Международным консультативным комитетом по телеграфии и телефонии (C.046 CCITT). В общем, с буквы V обычно начинаются спецификации Международного консультативного комитета по телеграфии и телефонии, относящиеся, главным образом, к передаче аналоговых данных или же к самым нижним (физическим) уровням передачи цифровых данных. Примерами интерфейсов этой серии являются V.24 и V.35 Ср. X.006 X-series.

V.068 vulnerability
уязвимость системы

Свойство системы, которое может привести к нарушению ее защиты при наличии угрозы (T.076 threat). Уязвимость может возникать случайно из-за неадекватного проектирования или неполной отладки или может быть результатом злого умысла, например, при наличии «троянского коня» (T.180 Trojan horse).

V.609 VW-grammar — Wijngaarden grammar
= two-level grammar

W

W.001 wait list
список очередности

Список процессов, которые ждут окончания некоторой операции, предшествующей возобновлению их выполнения в процессоре. Обычно эта операция бывает связана со вводом и выводом данных, но теоретически может представлять собой любое действие, которое вызывает отсрочку процесса до освобождения семафора (S.070 semaphore) или аналогичного ему механизма синхронизации процессов.

W.002 wait operation
операция ожидания
См. S.070 semaphore.

W.003 walk through
сквозной контроль
Проверка изделия, выполняемая на основе изучения его группой специалистов. На протяжении всего времени существования системы программного обеспечения может быть осуществлено несколько подобных проверок, охватывающих, например, стадии выработки требований к системе, определения требований к программам, проектирования и реализации. Сквозной контроль проводится официально; обязанности каждого члена группы, проводящей проверку, четко оговариваются, так же как и вся процедура поэтапного анализа. Руководитель разработки контролируемого изделия дает проверяющим его «общую характеристику» на языке, понятном всем специалистам, а затем это изделие открыто обсуждается с целью выявления недостатков или целесообразных направлений усовершенствования.

W.004 Walsh analysis
анализ Уолша; разложение по функциям Уолша
Одна из нескольких форм ортонормального анализа [особенно сигналов (S.150 signal)]; в качестве ортонормального базиса здесь используются функции Уолша (W.005 Walsh functions). Анализ Уолша особенно удобен при цифровой обработке сигналов (D.191 digital signal processing), поскольку как сами функции Уолша, так и основанные на них операции легко представляются и быстро выполняются простыми цифровыми системами. Анализ сигнала через функции Уолша называется преобразованием Уолша для этого сигнала. См. также D.223 discrete and continuous systems; F.065 filtering; S.089 sequency; B.023 bandwidth.

W.005 Walsh functions
функции Уолша
Полный набор функций, которые составляют ортонормальный базис (O.080 orthonormal basis) для анализа Уолша (W.034 Walsh analysis): в них используются только значения $+1$ и -1, а определены они на множеств в 2^n точек при некотором числе n. Для интерпретации в вычислительной машине, а также для использования этих функций при кодировании, величина «$+1$» обычно представляется как «0», а «-1», — как «1». Например, 8-точечные функции Уолша имеют следующие значения:

$$wal (8,0) = 00000000$$
$$wal (8,1) = 11110000$$
$$wal (8,2) = 00111100$$
$$wal (8,3) = 11001100$$
$$wal (8,4) = 10011001$$
$$wal (8,5) = 01101001$$
$$wal (8,6) = 01011010$$
$$wal (8,7) = 10101010$$

Обратите внимание, что функции Уолша (обычно обозначаемые как wal) поочередно являются то четными, то нечетными функциями (и обычно обозначаются как cal и sal, по аналогии с функциями cos и sin). Кроме того, во множестве из 2^n функций существует только одна функция с нулевой секвентой (S.089 sequency), одна функция с секвентой (нормализованной) 2^{n-1} и одна пара функций (четная и нечетная функции) для каждого значения (нормализованной) секвенты от 1 до $2^{n-1} - 1$. При некоторой перестановке позиций множество функций Уолша соответствует коду Рида — Мюллера (R.074 Reed-Muller codes), а при удалении позиций — симплексному коду (S.169 symplex code). См. также H.003 Hadamard matrices.

W.006 Walsh transform
преобразование Уолша
См. W.004 Walsh analysis.

W.007 WAN — wide area network
глобальная сеть

W.008 wand
цифровой вонд
Портативный прибор, который можно использовать для считывания нанесенных штриховых кодов (B.025 bar code) или символов. Прибор может иметь форму авторучки, но большего чем обычно, диаметра, или же может быть сконструирован в форме, удоб-

ной для захвата рукой. При пользовании этим устройством поверхность, на которой нанесен штриховой код, «прочерчивается» прибором с постоянной скоростью; при этом звуковой или визуальный сигнал указывает, что считывание данных прошло нормально. Обычно цифровой зонд содержит только датчики считывания и в минимальной степени оснащен электроникой; с помощью гибкого кабеля он соединяется с управляющим электронным устройством. В некоторых устройствах зонд представляет собой простой пластмассовый корпус, снабженный ручкой управления пучком оптических волокон.

W.009 WATFIV
Усовершенствованная версия компилятора WATFOR (W.010 WATFOR).

W.010 WATFOR
Быстрый компилятор с немедленным исполнением программы для языка Фортран (F.125 FORTRAN), разработанный в университете Ватерлоо в Канаде (отсюда название WATerloo FORtran) и широко использовавшийся для обучения программированию в период популярности Фортрана.

W.011 weakest precondition
слабейшее предусловие; слабейшее входное условие
Для некоторого оператора S данной программы и некоторого постусловия R существует множество (возможно, пустое) состояний программы, таких, что если выполнение S начинается с одного из этих состояний, то гарантируется, что S заканчивается при таком состоянии, когда R истинно. Слабейшее предусловие S по отношению к R, обычно записываемое как wp (S, R), — это предикат, который характеризует данное множество состояний. Использование прилагательного «слабейшее» ясно указывает, что предикат должен характеризовать все состояния, которые гарантируют окончание S в состоянии, когда R истинно. Термин был предложен Дейкстрой в 1975 г. в связи с введением исчисления правил порождения программ, в рамках которого разработка всякой программы сопровождается одновременной разработкой способа доказательства ее правильности. См. P.259 program correctness proof; P.194 predicate transformer.

516

W.012 weakly connected graph
слабосвязный граф
См. C.266 connected graph.

W.013 weighted code
взвешенный код
Блочный код (B.104 block code), в котором каждой позиции символа в закодированном слове присваивается определенный вес. См. также C.150 8421 code; E.128 excess-3 code.

W.014 weighted graph
взвешенный граф
Граф (G.047 graph), в котором с каждым ребром связан некоторый вес. Этот вес может считаться функцией (F.160 function), отображающей множество ребер в некоторую соответствующую ему область значений. Такая функция иногда называется функцией стоимости. Например, в графах, порожденных географическими условиями задачи, вес может представлять расстояние или стоимость переезда между пунктами, соответствующими вершинам.

W.015 weighted least squares
метод взвешенных наименьших квадратов
См. L.025 least squares, method of.

W.016 weighted mean
средневзвешенное значение
См. M.089 measures of location.

W.017 well-formed formula (wff)
правильно построенная формула
См. P.229 propositional calculus; P.193 predicate calculus.

W.018 well-ordered set
строго упорядоченное множество; множество с отношением строгого порядка
Множество S, на котором определено отношение <, удовлетворяющее следующим условиям: а) для данных x, y, z из S справедливо, если $x <$ $< y$ и $y < z$, то $x < z$; б) для данных x, y из S справедливо только одно из следующих трех утверждений: $x <$ $< y$, $x = y$ или $y < x$; в) если T — некоторое непустое подмножество S, то существует элемент x из T такой, что $x = y$ или $x < y$, т. е. $x \leq y$ для всех y из T. Говорят, что отношение < является строгим упорядочением множества S.

W.019 wff — well-formed formula
правильно построенная формула
См. P.299 propositional calculus.

W.020 W grammar
= two-level grammar

W.021 while loop
цикл с условием продолжения
См. D.283 do-while loop.

W.022 Whirlwind
Первая вычислительная машина для обработки данных в реальном масштабе времени, созданная в Массачусетском технологическом институте и способная выполнять расчеты с высокой скоростью. Машину начали проектировать в военное время; официально она была выпущена в декабре 1944 г. В первом варианте машины, который был введен в эксплуатацию в 1950 г., использовались электростатические запоминающие трубки, а память на ферритовых сердечниках стала использоваться (впервые) с 1953 г.

W.023 white noise
белый шум
Шум в канале связи, непрерывный во времени и по амплитуде, с однородным энергетическим спектром для равных интервалов частоты (F.143 frequency) (Обратите внимание, что, в противоположность этому, белый свет энергетически однороден по равным интервалам длины волны). Ср. 1.047 impulse noise.

W.024 Whitney read/write head
универсальная головка Уитни
См. R.047 read/write head.

W.025 wide area network (WAN)
глобальная сеть
Сеть связи, отличающаяся от локальной сети (L.095 local area network) более протяженными коммуникациями, которые могут обеспечиваться с помощью телекоммуникационных компаний (C.185 common carrier) или Почтовой телеграфной и телекоммуникационной администрацией (P.321 PTT). Глобальная сеть может включать в себя одну или несколько локальных. Термин иногда используется как синоним сети пакетной коммутации общественного пользования (P.324 public packet network) определенной страны или региона.

W.026 wideband (broadband)
полоса частот
См. B.023 bandwidth.

W.027 width of a bus
разрядность шины
Число сигнальных линий в шине (B.164 bus).

W.028 Williams-tube store
память на трубках Вильямса
См. E.043 electrostatic storage device

W.029 Winchester technology
винчестерская технология
Название, данное способу конструирования дисководов, который использовался при создании вычислительных машин IBM 3340 и был впервые применен в 1973 г. Изобретение этого способа ознаменовало собой значительный успех в технике, который позволил увеличить плотность записи до 300 дорожек на дюйм ($\approx$118 дорожек на 1 см) и 5600 бит на дюйм ($\approx$2204 бит на 1 см). Технология была принята многими фирмами — изготовителями вычислительной техники. Головки считывания-записи вместе с их несущей конструкцией и дисками заключены в герметически закрытый корпус, называемый *модулем данных*. При установке модуля данных на дисковод, он автоматически соединяется с системой, подающей очищенный охлажденный воздух. В винчестерской технологии применена совершенно новая конструкция головки, имеющей трехпластинчатую структуру, в которой два наружных держателя удерживают более узкий «корпус»; в этом «корпусе» и находится головка считывания/записи. Поверхность диска имеет оксидное покрытие толщиной всего лишь в 44 микродюйма ($\approx$1,12 мкм) (в предшествующих конструкциях эта толщина составляла 185 микродюймов), а также слой смазки для предохранения головки от повреждения при опускании и подъеме на ходу. При вращении диска над ним образуется тонкий воздушный слой, который обеспечивает воздушную подушку для зависания головки на высоте всего лишь 19 микродюймов ($\approx$0,5 мкм) над поверхностью диска. В ранее сконструированных устройствах высота зависания головки над дисковой поверхностью составляла 120 микродюймов, как, например, в вычислительной машине IBM 2311. Головка, используемая при винчестерской технологии, обладает весьма малой массой и прижимается к поверхности диска (не касаясь ее) с усилием всего лишь в 0,1 Н против

3,50 Н в более ранних конструкциях. Для предотвращения повреждения данных при повторяющихся подъемах и опусканиях головки эти операции обычно выполняются в специальной зоне диска. Масса головки и прижимающее усилие настолько малы, что даже если при случайных сбоях (или в процессе нормальной работы устройства) головки опускаются на зону данных, вероятность повреждения данных весьма низка. В самых последних конструкциях, созданных на основе винчестерской технологии, пакет дисков постоянно крепится на дисководе. Емкость таких дисков колеблется от нескольких мегабайт в случае микрокомпьютерных систем до сотен мегабайт.

W.030 window
окно

1. Средство фрагментации сообщений и блоков данных передающим устройством, определяемое протоколом передачи данных. Окно регулирует количество данных, которое источник данных может передать до получения квитанции (A.029 acknowledgement) от принимающего устройства. Используется для управления потоком (F.107 flow control) обмена со стороны приемника и предотвращения передачи данных источником со скоростью, превышающей возможности приемника. Окно служит также для защиты от ошибок (E.102 error control) путем выявления фрагментов данных, которые не были квитированы, и потому должны передаваться повторно. Правильный выбор размера окна зависит от свойства канала связи: наиболее важными факторами являются ширина полосы частот, задержка и степень загрузки сети.

2. Прямоугольный участок экрана дисплея, в котором помещается фрагмент изображения или файла. Окно может иметь произвольный размер, вплоть до полного размера экрана; одновременно могут создаваться несколько окон. Процесс получения фрагмента изображения или файла в окне называется кадрированием (W.031 windowing).

W.031 windowing
кадрирование

Обработка запомненных данных о крупноформатном изображении таким образом, что оно может просматрива-

ться по частям. Видимое окно (W.030 window), образованное при такой обработке, можно перемещать по изображению. В некоторых графических терминалах реализовано аппаратное кадрирование, однако эффективно оно только в том случае, когда в отображаемом файле можно полностью запомнить все изображение.

W.032 wired logic
«монтажная» логика

Вид цифровых логических схем, в которых некоторые логические функции реализованы путем непосредственного соединения вместе выходов одного или нескольких логических вентилей. Эффективность подобной техники зависит от электронных характеристик используемых вентилей. Техника «монтажной» логики обычно используется в системах коммуникационных шин, содержащих выходы с тремя состояниями (T.177 tri-state output) или элементы с открытым коллектором (O.033 open-collector device).

W.033 wired-program computer
вычислительная машина с «защитой» программой

Цифровая вычислительная машина (обычно специального назначения), в которой последовательность операций зафиксирована и не может быть изменена самой машиной. В зависимости от входных данных могут выполняться различные ветви этой последовательности. За счет уменьшения гибкости операций возрастает скорость их выполнения.

W.034 wire printer
печатающее устройство с проволочной матрицей

См. D.275 dot matrix printer.

W.035 wire wrapping
монтаж накруткой

Метод соединения компонентов на плате (C.113 circuit board) путем плотного обматывания проводов вокруг специальных клемм вместо припаивания.

W.036 word
слово

1. = machine word = computer word. Вектор битов, рассматриваемый аппаратной частью вычислительной машины как единое целое. Число битов в слове, называемое *длиной слова* или *размером слова*, сейчас обычно равно 16 или 32. Память вычислитель-

ной машины обычно разделяется на слова [и, возможно, подразделяется еще на байты (B.170 byte)]. Слово обычно имеет длину, достаточную для помещения в нем команды. (I.108 instruction) или целого числа.

2. = string. В теории формальных языков (F.118 formal language theory) конечная последовательность символов, взятых из некоторого множества *символов* Σ. Можно говорить *о слове в рамках алфавита* Σ, или о Σ-*слове*. Элементы Σ называются также *буквами*. Общепринятыми обозначениями являются следующие: $|w|$ — длина слова w; w_1 — i-й символ слова w; Λ — *пустое слово* — единственное слово длины 0; Σ^* — множество всех Σ-слов. Множество Σ^* является бесконечным, если Σ не является пустым; в последнем случае

$$\Sigma^* = \{\Lambda\}.$$

См также С.246 concatenation.

W.037 word length (word size)
длина слова; размер слова
См. W.036 word.

W.038 word processing (text processing)
обработка текстов, текстообработка
Одно из средств автоматизации учрежденческой деятельности, которое позволяет пользователям с максимальными удобствами составлять документы с помощью вычислительной машины, оснащенной средствами редактирования, форматирования, запоминания и распечатки документов. Обычно система текстообработки состоит из видеотерминала, возможно, специально сконструированного или модифицированного для этих целей, и некоторого внешнего ЗУ для формирования файла документов типа накопителя на гибких дисках, соединенного с видеотерминалом печатающего устройства, которое обеспечивает высококачественную печать, сравнимую с современными электрическими пишущими машинками. Имеющиеся сегодня системы делятся на три основные категории: автономные системы для одного оператора; групповые системы, позволяющие нескольким операторам совместно использовать печатающие устройства и файлы; смешанные системы, подключенные к центральной универсальной вычислительной машине или мини-ЭВМ и способные

выполнять дополнительные функции. Обычно обеспечиваются следующие возможности этих систем: 1) создание и редактирование документации, включая: а) вставка, стирание, копирование и перемещение текста в документе; б) добавление текстовой и графической информации из других файлов; в) поиск и замена строк в документе; 2) форматирование и распечатка документов с выбором размеров бумаги и форматов, с нужным количеством копий; 3) выравнивание текста по указанным границам с автоматической отработкой переносов; 4) возможность создания документа по стандартному шаблону, например, на бланке с фирменным знаком в заголовке; 5) использование разных шрифтов (жирного, курсива), букв с подчеркиванием и т. п.; 6) размещение таблиц, рисунков и т. д.; 7) впечатывание переменной части информации при подготовке однотипных документов для облегчения процесса составления форматных писем и т. п.

W.039 word processor
текстовый процессор
Система, специально предназначенная для обработки текстов.

W.040 word size (word length)
размер слова; длина слова
См. W.036 word.

W.041 Wordstar
1. Популярная программа текстообработки (W.038 word processing) для микроЭВМ с операционной системой CP/M (C.232 CP/M). Она является одной из программ семейства совместимых программных изделий международной корпорации MicroPro.

W.042 work area
= workspace

W.043 work file
рабочий файл
См. F.045 file

W.044 work function
рабочая функция
Характеристика вычислительной сложности (C.214 complexity) алгоритма.

W.045 working set
рабочий набор
Набор страниц, используемых процессом в данное время. Можно считать, что процесс, идущий в среде виртуальной памяти (V.048 virtual memory), реально имеет возможность исполь-

зования в течение некоторого произвольного короткого отрезка времени только определенной подобласти всего своего адресного пространства. Назначение системы управления памятью (M.106 memory management) состоит в том, чтобы оставлять в ней для каждого процесса те и только те страницы, которые фактически используются; благодаря этому максимизируется процент удачных обращений (H.080 hit rate) для этих страниц.

W.046 workspace
= work area
рабочая область
Блок ячеек оперативной памяти, которые используются для временного хранения данных в течение обработки.

W.047 workstation
автоматизированное рабочее место (АРМ); рабочая станция
Место оператора, которое оборудовано всеми средствами, необходимыми для выполнения определенных функций. В системах обработки данных и учрежденческих системах основным таким электронным средством обычно является видеодисплей с клавиатурой; однако может использоваться и вспомогательное электронное оборудование, такое как устройства хранения информации на магнитных носителях, печатающее устройство, оптические читающие устройства или считыватель штрихового кода.

W.048 worst-case analysis
анализ наихудшего случая
См. A.082 algorithm.

W.049 wp = WP
Сокр. word processing (обработка текстов) или word processor (текстовый процессор).

W.050 wrap around
заворачивание строк
Функция устройства визуального отображения, позволяющая выводить строки текста, которые при другом способе вывода слишком длинны для представления их полностью; в данном случае длинная строка выводится на экран в виде нескольких последовательных строк. Такое деление строки на более короткие, соответствующие размеру экрана, выполняется электронной частью устройства визуального отображения и не требует включения в поток данных форматирующих символов.

W.051 write (to)
записывать
Осуществлять принудительную запись данных в ЗУ. Термин write часто используется в значении существительного, как, например, в сочетании write head (головка записи).

W.052 writeable control store (WCS)
переписываемое управляющее ЗУ

W.053 write error
ошибка записи,
См. E.112 error rate. См. также E.109 error management.

W.054 write head
головка записи
См. H.048 head; M.030 magnetic tape

W.055 write instruct on
команда записи
Команда в программе, которая вызывает запись элемента данных в память какого-либо вида.

W.056 write-once media (WORM)
информационный носитель с однократной записью
См. O.054 optical storage.

W.057 write ring (write-permit ring)
кольцо разрешения записи
Кольцо, которое крепится к втулке бобины с магнитной лентой для разрешения перезаписи или стирания ее содержимого. При установке бобины на лентопротяжное устройство это кольцо отжимает переключатель, что дает возможность выполнять процесс записи. Если же делается попытка записи без кольца разрешения записи, то в систему обычно посылается сигнал прерывания.

W.058 write time
время записи
Время от момента начала до момента окончания записи определенного количества данных в какое-либо запоминающее устройство. Сюда не включаются никакие задержки или операции контрольного считывания.

X

X.001 X.25
Стандартный протокол интерфейса Международного консультативного комитета по телеграфии и телефонии для сетей с коммутацией пакетов (P.009 packet switching). Протокол

определяет структуру сообщения, поступающего с терминального оборудования (D.302 DTE). Такую структуру сообщение должно иметь для сопряжения оборудования с сетью (P.009 packet switching), соответствующей стандартам Международного консультативного комитета по телеграфии и телефонии. Стандарт X.25 реализует три уровня протокола: физический, канальный и сетевой (или пакетный). Эти три уровня соответствуют трем нижним уровням семиуровневой эталонной модели (S.120 sevenlayer reference model) взаимодействия открытых систем, предложенной Международной организацией по стандартизации.

X.002 X.75
Стандартный протокол интерфейса Международного консультативного комитета по телеграфии и телефонии для сетей с коммутацией пакетов (P.009 packet switching). Определяет структуру сообщений в потоке обмена между шлюзами (G.009 gateway) сети пакетной коммутации общественного пользования (P.324 public packet network).

X.003 X.121
Международный стандарт для вычислительных сетей и станций, которые соединяются между собой на основе использования протокола X.25 и связанных с ним протоколов.

X.004 X-ON/X-OFF
Метод управления потоками (F.107 flow-control), основанный на обмене определенными управляющими символами по дуплексному (D.315 duplex) каналу. При этом в источнике предполагается, что приемник способен воспринимать передаваемые символы в любой момент времени и сам ведет передачу на основе аналогичного предположения. Если приемник утрачивает такую способность, то он передает источнику сигнал «X-OFF», который приводит к прекращению передачи до того момента, когда от приемника поступает сигнал «X-ON».

X.005 X S3 code — excess-3 code
код с избытком три

X.006 X-series
интерфейс серии X
Интерфейсы и протоколы, определенные Международным консультативным комитетом по телеграфии и теле-

фонии. Вообще говоря, все спецификации, касающиеся цифровой передачи данных, снабжаются префиксом «X». Во многих случаях серией X в действительности определяются стеки протоколов (P.304 protocol stack), т. е. как протоколы, так и интерфейсы. Примерами могут служить протоколы X.25, X.121 и X.400. Ср. V.067 V-series.

Y

Y.001 YACC
Сокр. yet another compiler-compiler (уже другой компилятор компиляторов). Широко используемый компилятор компиляторов (C.206 compiler-compiler), являющийся частью среды операционной системы UNIX (U.029 UNIX).

Z

Z.001 Z3
Электромеханический программируемый калькулятор, созданный в Берлине Конрадом Цузе и полностью доведенный до рабочего состояния в 1941 г. Как и более ранние (непрограммируемые) калькуляторы Z1 (механический) и Z2 (электромеханический), созданные Цузе, этот калькулятор просуществовал до конца войны. В 1945 г. была закончена усовершенствованная машина этого типа модели Z4.

Z.002 zero function
нулевая функция
Функция (F.160 function), значение которой равно нулю для каждого элемента области определения. Более специфический случай использования этого термина — определение с его помощью функции

$$Z : N \to N,$$

в которой $Z(n) = 0$ для всех n из N (множества неотрицательных целых чисел). Эта функция является основной в теории рекурсивных (R.064 recursive function) и примитивных рекурсивных функций (P.216 primitive recursive function).

Z.003 zero matrix
= null matrix

Z.004 zero suppression
подавление незначащих нулей
Исключение незначащих разрядов. При обработке числовых данных их разрядность может увеличиваться всегда до одинакового числа цифр путем добавления незначащих нулей слева от цифры самого старшего разряда. При печати или отображении эти незначащие нули подавляются.

Z.005 zero-trip loop
фиктивный цикл
См. D.283 do-while loop.

Z.006 zero word
нулевое слово
В теории кодирования: слово, полностью состоящее из нулей. Оно лежит в начале координат пространства Хемминга (H.016 Hamming space). См. также H.018 Hamming weight.

Z.007 ZIF socket — zero insertion force socket
гнездо с захватными контактами
Панелька для микросхемы (C.102 chip socket), в которую последняя вставляется без нажима. Электрический контакт достигается за счет передвижения маленького рычажка, что обеспечивает плотный схват каждого вывода микросхемы. Гнездо с захватными контактами используется там, где микросхемы периодически вставляются и вынимаются из панелек, например, в программаторах ППЗУ (P.229 PROM).

Z.008 Zilog
Фирма — изготовитель интегральных схем в США, основанная Федерико Фэггином. Фирма известна своими микропроцессорами (M.137 microprocessor) Z80, широко используемыми в 8-разрядных микроЭВМ.

СПИСОК ПРИНЯТЫХ СОКРАЩЕНИЙ

- АЛУ — арифметико-логическое устройство
- АНИС — Американский национальный институт стандартов
- БИС — большая интегральная схема
- ЗУ — запоминающее устройство
- ЗУПВ — запоминающее устройство с произвольной выборкой
- ИС — интегральная схема
- КМОП — комплементарная МОП-структура
- МККТТ — Международный консультативный комитет по телеграфии и телефонии
- МОП — структура металл—окисел—полупроводник
- МОС — Международная организация по стандартизации (ISO)
- ОЗУ — оперативное запоминающее устройство
- ПЗУ — постоянное запоминающее устройство
- ППЗУ — программируемое ПЗУ
- ПЭВМ — персональная ЭВМ
- СБИС — сверхбольшая ИС
- СУБД — система управления базой данных
- ТТЛ — транзисторно-транзисторная логика
- ЭВМ — электронная вычислительная машина
- ЭЛТ — электронно-лучевая трубка
- ЭСЛ — эмиттерно-связанная логика
- iff — если и только если

УКАЗАТЕЛЬ РУССКИХ ТЕРМИНОВ

А

Абелева группа А.001
абляционная запись А.002
абсолютный код А.006
абстрагирование А.010
абстрактная машина А.011
абстрактная процедура Р.237
абстрактное представление данных D.007
абстрактное семейство языков А.009, А.070
абстрактный тип данных А.008
аварийная распечатка D.312
аварийное окончание А.003
аварийный Р.178
аварийный отказ С.338, S.447
авария головки Н.049
автобод А.175
автокод А.176
автоколебательная схема А.154
автомат А.189
автомат Мили М.085
автомат Мура М.191
автомат над деревьями Т.164
автомат с линейно ограниченной памятью L.014, L.052
автомат с магазинной памятью Р.077, Р.345
автоматизация учрежденческой деятельности О.014
автоматизированная библиотека на лентах А.160, А.181, А.188
автоматизированная система электронных платежей Е.026, Е.037
автоматизированное обучение С.004, С.227, С.231, С.232, С.238
автоматизированное проектирование С.003, С.226
автоматизированное производство С.009, С.228
автоматизированное рабочее место (АРМ) W.047
автоматизированный контроль С.037, С.229
автоматическая вычислительная машина А.025
автоматическая загрузка А.177, А.178
автоматическая заправка А.192
автоматическая обработка данных А.066, А.186
автоматическая проверка А.183
автоматический режим Н.022
автоматическое вызывное устройство А.038, А.182
автоматическое вычислительное устройство с программным управлением А.141
автоматическое кодирование А.184
автоматическое преобразование А.185
автоматическое программирование А.187
автоматический верификатор М.091
автоморфизм А.190
автономный О.015, S.281
автоподача страниц С.362
авторегрессионное скользящее среднее А.134
авторегрессия А.191
авторское право С.316
Агентство по комплектации и перепродаже V.010
Ада А.040
адаптер связи с периферийными устройствами Р.088, Р.105
адаптивная квадратура А.044
адаптивное распределение каналов А.041
адаптивный процесс А.043
администратор базы данных D.011, D.088
администратор вычислительной системы С.239
администратор вычислительных услуг С.243
адрес А.049
адрес ячейки памяти L.100
адресация А.054
адресная метка А.057
адресная шина А.051
адресное пространство А.060
адресный, (2 + 1)- Т.203
адресный регистр А.058
адресуемая ячейка А.050
аккумулятор А.024
акселератор арифметических операций с плавающей точкой F.099, F.132
аксиоматическая семантика А.198

аксиомы Блума B.114
активизатор E.069
активная звезда A.035
активный A.034, R.199
актиграмма A.033
акустическая линия задержки A.032
акустический соединитель A.031
акустическое ответное устройство A.169
алгебра A.074
алгебра множеств S.117
алгебра переключательных схем S.409
алгебраическая семантика A.076
алгебраическая система A.080
алгебраическая спецификация A.077
алгебраическая структура A.78
алгебраическое интерполирование P.153
алгебраическое число P.155
Алгол A.081
алгоритм A.082
алгоритм двоичного поиска B.058, B.070, B.086, L.105
алгоритм декодирования Фано F.012
алгоритм Евклида K.120
алгоритмический язык A.083
алгоритм кодирования Фано F.011
алгоритм кодирования Шеннона—Фано F.011
алгоритм планирования S.017
алгоритм поиска и вставки S.031
алгоритм поиска кратчайшего маршрута S.142
алгоритм последовательного поиска S.096
алгоритм случайного поиска R.017
алгоритм сортировки с сохранением S.272
алгоритм Страссена S.343
алгоритм с экспоненциальной сигнализирующей E.154
алгоритм табличного поиска T.003
алгоритм удаления скрытых линий H.063
алгоритм хэширования H.039
алгоритм Шонгейджа S.020
алгоритм Шонгейджа—Страссена S.021
алгоритмический язык A.083
алеф-нуль A.073
алфавит A.085
алфавит исходной программы S.228, S.235, S.237
алфавитно-цифровой код A.088
Американская общественная сеть связи T.207
Американская федерация обществ по обработке информации A.069
Американский национальный институт стандартов A.106

Американский стандартный код для обмена информацией A.142
амплитуда A.093
амплитудная модуляция A.094
амплитудное квантование A.095
анализ в среднем A.196
анализ главных компонент P.217
анализ и оценка производительности P.085
анализ наихудшего случая W.048
анализ осуществимости F.025
анализ ошибок E.099
анализ предшествований P.189
анализ средств и результатов M.088
анализ требований R.123
анализ Уолша W.004
анализ чувствительности S.079
анализатор A.101
аналитическая машина A.100
аналоговая ЭВМ A.096
аналоговый сигнал A.097
аналого-цифровой преобразователь A.045, A.047, A.098
аннотация A.105
антирефлексивное отношение I.197
антисимметричное отношение A.108
аппаратная защита H.034
аппаратное формирование знаков H.030
аппаратные средства H.029
аппаратура передачи данных D.025, D.092
аппликативные языки A.116, F.161
аппроксимация по методу наименьших квадратов L.024
аргумент A.125
арифметика в статочных классах M.171, R.130
арифметика конечной точности F.071, F.084
арифметико-логическое устройство A.089, A.126, A.131, A.168
арифметическая команда A.127
арифметическая операция A.128
арифметические операции со словами удвоенной длины D.279
арифметический оператор A.129
арифметический сдвиг A.130
арность A.132
арсенид-галлиевые приборы G.002
архив магнитных лент S.332
архивный файл A.123
архитектура A.122
архитектура сети N.022
архитектура с мандатной адресацией C.013
архитектура ЭВМ C.230
архитектурное проектирование A.121
асимметричное отношение A.155
асинхронная схема A.157

асинхронное временное уплотнение A.158
асинхронный A.156
ассемблер A.143
ассоциативная адресация A.149
ассоциативная операция A.153
ассоциативная память A.152, C.280
ассоциативная ЭВМ A.150
ассоциативный закон A.151
Ассоциация по вычислительной технике A.030
Ассоциация электронной промышленности E.027
атом A.162
Атомарная формула A.163
атомарность A.164
атрибутивная грамматика A.167
аттестация V.008, V.030
аттестация секретности S.040
ациклический граф A.039

Б

База данных D.010
база знаний K.027
базисный тип данных P.213
базисный элемент P.212
базовая адресация B.029
базовая сеть B.002
базовое вычислительное устройство M.038
базовое поле K.006
базовый регистр B.034
базовый язык H.094
байт B.170
баланс B.014
банк данных D.009
барабан D.296
барабанное печатающее устройство B.027, D.298
барабанный графопостроитель D.297
барабан со страничной организацией P.018
безадресная команда N.036
без возвращения к нулю N.061, N.080
безвыводной кристалл L.019
безопасность S.002
безударное печатающее устройство N.053
БЕЙСИК B.035
белый шум W.023
бесконтекстная грамматика C.281
бесконтекстный язык C.282, A.075
бесскобочная запись P.041
бета-редукция B.050
библиотека L.043
библиотека лент T.019
библиотека программ P.266
библиотечные программы L.043
биекция B.056
бинарная D.318
бинарная операция B.068, D.319

бинарное отношение B.069
биноминальное распределение B.080
биполярная интегральная схема B.082
биполярный сигнал B.083
биполярный транзистор B.084
БИС L.007
бистабильный мультивибратор B.087
бит B.089
битовая матрица B.093
битовая строка B.097
бифуркация B.055
блок B.103, B.151, C.138
блок идентификации I.015
блокирование B.103
блокированный процесс B.107
блокировать D.219
блокировка L.102, L.103
блок контроля утверждений A.146
блок магнитной ленты M.033, M.213
блок обработки прерываний I.029
блок предварительного просмотра L.139
блок программы P.288, S.371
блок-схема B.106, F.106
блок управления форматом по вертикали E.126
блок форматирования по вертикали V.036, V.040
блочная сортировка B.152
блочный код B.104, N.034
бобина R.076, S.260
бобина с лентой F.059
бригада главного программиста C.095
Британское общество по вычислительной технике B.044
буквенно-цифровой знак A.087
буквенный код A.086
булева алгебра B.118
булева матрица B.121
булева функция B.120
булево выражение B.119
булево значение B.123
булев оператор B.122
бумага для печатающих устройств S.312
бумага для печатающих устройств, разделенная на листы M.229
бумажная лента P.020
буфер B.154
буферизация B.155
буферизация ввода-вывода I.176
буферный процессор F.150
буферный регистр B.156
быстрая сортировка O.022
быстродействие S.252
быстрое преобразование Фурье F.015, F.035
быстрый компилятор с немедленным исполнением программы W.010
Бэббидж B.001

Г

Галп G.066
гамильтонов цикл H.010
гарантия O.005, S.039
гармонический анализ F.128
гауссов шум G.013
гауссово исключение G.012
гауссово распределение G.011
геделевская нумерация формальной системы G.033
генератор G.022
генератор грамматического разбора P.048
генератор импульсов P.328
генератор отчетов R.122
генератор последовательностей S.086
генератор программы печати результатов анализа данных R.190
генератор программы сортировки S.224
генератор тестовых данных T.058
генерация системы S.451
геодезическая G.024
гибкий диск F.096, F.103
гибкий микродиск M.135
гибкий минидиск M.147
гибридная интегральная схема H.103
гибридная ЭВМ H.102
гистограмма F.144, H.078
главная вычислительная машина H.093
главный планировщик H.073
главный файл M.067
глобальная оптимизация C.032
глобальная сеть W.007, W.025
глобальный G.030
глубина D.155
гнездо с захватными контактами Z.007
голова H.048
головка H.048
головка записи W.054
головка стирания E.095
головка считывания R.041
головка чтения-записи R.047
головной узел H.050
голографическое запоминающее устройство H.084
гомоморфизм H.086
гомоморфный образ формального языка H.085
горизонтальная запись H.091
горизонтальная микрокоманда H.090
горизонтальный контроль H.089
грамматика G.044
грамматика, увеличивающая длину L.033
граничная проверка M.056
граница I.139
граница Варшамова—Гильберта C.027
граница ошибки E.100
граница сферической упаковки H.011, S.255

граница Хемминга H.011, S.255
границы кодирования C.157
граф G.047
граф без сочленений B.054
граф группы G.061
граф Гуда — де Брюйна G.037
график функции G.049
графика G.048
графические знаки G.049
графический планшет D.076
графическое изображение с растровой разверткой R.027
графопостроитель G.050, P.131
гриф секретности S.041
группа C.138, G.058, P.093
группа симметрии S.427
групповая операция T.127
групповая широковещательная передача M.218
групповой код G.059
гусеничное печатающее устройство T.126

Д

Дамп изменений C.063
дамп контрольной точки R.126
дамп памяти M.101
данные D.006
датчик T.132
датчик времени T.093
датчик временных интервалов I.164
датчик отсутствия бумаги F.123
датчик позиции вращения R.181
двоичная логика B.065
двоичная последовательность B.072
двоичная синхронная передача данных B.075
двоичная система B.076
двоичная цифра B.063
двоично-восьмеричное число B.061
двоично-десятичное число B.040, B.060, N.009
двоично-десятичный сумматор B.041
двоичное дерево B.077
двоичное кодирование B.064
двоичное представление B.066
двоичное число B.067
двоично-пятеричный код B.085, Q.020
двоичный код B.059
двоичный поиск D.175
двоичный сигнал B.073
двоичный симметрический канал B.074, B.147
двоичный сумматор B.057
двоичный счетчик B.062
двойная буферизация D.276
двойная модифицированная частотная модуляция M.126
двойная точность D.281
двойное дополнение D.277
двойное отрицание D.280

законодательство о защите данных D.065
закон о защите данных 1984 года D.064
закон Шеннона—Хартли S.124
законы де Моргана D.147
законы поглощения A.007
закрепленный D.127
замкнутая подпрограмма C.135
замкнутое C.131
замкнутое полукольцо C.133
замкнутый цикл C.132
замок L.102
«замораживать» O.023
замыкание C.136
замыкание Клини K.021, K.019
занятие цикла памяти C.368
запас помехоустойчивости N.041
записывать W.051
записывать информацию по машинному адресу P.145
запись R.056
запись меток без возвращения к нулю N.081
запись с использованием группового кодирования G.015, G.060
запись со слиянием G.010
запись с удвоенной плотностью D.278
запись числа в позиционной системе счисления R.007
заплата P.065
заполнение памяти M.103
запоминать S.338
запоминающая матрица S.232
запоминающая трубка S.337
запоминающее устройство S.327, S.329, S.338
запоминающее устройство на магнитных сердечниках C.318
запоминающее устройство магазинного типа N.020
запоминающее устройство с немедленной выборкой I.039
запоминающее устройство с произвольной выборкой R.015
запоминающее устройство с прямым доступом D.207
запоминающий осциллограф S.333
запоминающий элемент S.330
заправочный конец ленты L.018
запрет I.088
запрещенная команда I.035
запрещенный знак I.034
запрос I.155
запросный терминал I.103
запускать T.175
зарезервированное слово R.127
захват L.103
«зашитый» H.035
защелка L.010
защита S.038

защита границ B.129
защита от несанкционированной выборки F.034
защита от ошибок E.102
защита памяти M.104, M.109, S.335
защита системы S.457
защита файлов F.057
защитная полоса G.065
защитная разгрузка памяти R.126
защитный дамп R.126
защищенная область P.301
защищенная ячейка P.300
звезда S.296
звезда Клини K.019, K.021
звездообразная сеть S.296
«звон» R.159
звуковая катушка V.057
злоумышленное использование вычислительной машины C.234
знак C.073, S.149
знак-заполнитель F.063, I.028, P.012
знак младшего разряда L.023
знаковый бит S.156
знаковый двоичный разряд S.156
знаковый разряд S.157, S.158
знак перехода E.115
знак пробела B.100
знак смены регистра S.135
знак табуляции T.001
значение хэш-функции H.044
зона B.016
зона пользователя U.041
ЗУПВ R.015

И

Идентификатор I.014
идентификатор подстроки S.381
идентификация I.013
иерархическая адресация H.064
иерархическая система связи H.066
иерархическая структура памяти H.068
иерархическая СУБД H.067
иерархический кластерный анализ H.065
иерархия H.069
иерархия Гржегорчика G.063
иерархия данных D.041
иерархия запоминающих устройств S.331
иерархия памяти M.105
иерархия протоколов P.303
иерархия функций H.070
иерархия Хомского C.105
избыточное представление E.130
избыточность R.072
избыточный множитель E.129
изготовитель оборудования O.013
изменение фазы P.098
изменчивость V.015
изображение I.037, P.107
изоморфизм I.204

из центра D.284
имитатор S.174
импликанта I.045
импликация C.254
импульс P.326
импульсный шум I.047
импульс разрешения E.058
имя N.002
имя данных D.056
инвариант I.166, L.142
инвариант модуля M.177
инверсия C.310
инвертированный файл I.171
инвертирующий элемент N.015
инвертор I.172, N.015, N.077
инволютивная операция I.174
индекс I.058
индексация I.062
индексированный файл I.060
индексная адресация I.059
индексно-последовательный метод доступа I.199
индексно-последовательный файл I.061
индексный регистр I.063
индикатор I.064, D.246
индукция I.066
инерционная лентопротяжка S.345, S.347
инерционный S.346
инженерия знаний K.028
инициализация I.090
инкрементный графопостроитель I.055
инкрементный компилятор I.054
Институт инженеров по электротехнике и радиоэлектронике I.021
инструментальные программные средства S.218
интегральная инжекционная логика I.124
интегральная МОП-схема M.194
интегральная схема C.099, I.009, I.122
интегральная функция распределения C.356
интегральное уравнение I.121
интегральное уравнение Вольтерры V.061
интегральное уравнение Фредгольма F.138
интегральные инжекционные логические схемы I.032
интеграция малого уровня S.270
интеграция среднего уровня M.207
интегрирование в квадратурах N.099
интегрированная обработка данных I.020, I.123
интегрированная система проектирования I.126, I.194
интегрированная учрежденческая система I.125

интегро-дифференциальное уравнение I.130
интеллектуальная карточка S.198
интеллектуальная программа сопряжения I.133
интеллектуальная связная ЭВМ I.024
интеллектуальная система, основанная на использовании знаний I.030, I.134
интеллектуальное копировальное устройство I.132
интеллектуальный терминал I.135
интенсивность воздействия на файл F.047
интерпретативный язык I.153
интерактивная видеографическая система США Q.014
интерактивные графические средства I.137
интерактивный I.136
интервал между блоками I.138
интервал Найквиста N.103
интервальный таймер I.164
интерквартильная широта I.154
интерполирование многочленами P.153
интерполяция I.151
интерпретатор I.152
интерфейс RS 232C R.193
интерфейс V.24 V.001
интерфейсная шина фирмы Hewlett Packard, H.097
интерфейсный адаптер асинхронной передачи данных A.026
интерфейс пользователя U.003, U.043
интерфейс серии X X.006
интерфейсы серии V V.067
инфиксная запись I.072
инфиксная нотация I.072
информационная кассета D.020
информационная система I.082
информационная технология I.083, I.207
информационно-управляющая система (ИУС) I.076
информационный носитель с однократной записью W.056
информационный объект I.081
информационный регистр памяти M.100
информация I.073
инъекция I.092
ионографическое печатающее устройство I.185
искатель S.054
искатель строки L.068
исключительная ситуация E.127
искусственный интеллект A.072, A.140, M.008
исполнительная система R.201
исполнительная фаза E.138
исполнительный адрес E.021
исправимая ошибка на магнитной ленте

R.057
исправление ошибок E.113
исправление ошибок переспросом B.011
испытания T.059
испытательная модель T.056
испытательный стенд T.056
исследование операций O.041, O.046
источник информации I.079
источник помех N.043
исходная программа S.229, S.236
исходный код S.229
исходный язык S.234
исчезновение значащих разрядов U.012
исчисление вероятностей P.231
исчисление высказываний P.299
исчисление предикатов P.193
итерационные методы решения систем линейных уравнений I.209
итерация I.208
итерация языка K.021, S.294

К

Кадр F.136
кадрирование W.031
калькулятор C.005
КАМАК C.010
канадская система видеотекса T.039
канал C.112, T.118
канал ввода-вывода C.064, I.178
канал передачи C.064, T.150
канал передачи данных D.022, D.044
канал связи C.064, C.187
канал с ограничением по мощности P.184
канал со стиранием E.097
канальная ошибка C.069
канальное кодирование C.066, L.075
канальный уровень сетевого протокола L.076
канальный (n-) МОП-прибор N.035
канальный (p-) МОП-прибор P.135
канонический вид N.071
кардинальное число C.020
каркас для плат C.019
карта M.052
карта Карно K.003, V.027
карта распределения памяти M.107
карточный перфоратор C.021
«карусель» R.183
карусельный метод R.183
каскадный код F.002
каскадный счетчик C.034
кассета C.031, T.012
кассета автоматической загрузки A.179
кассета данных D.020
кассета дискового накопителя D.237
кассета для цифровой записи D.181
кассета накопителя на гибких дисках F.095
кассета с магнитной лентой M.031
кассетная лента C.033

кассетное ПЗУ P.176
кассетный лентопротяжный механизм C.032, C.036
катастрофическое распространение ошибок C.039
катастрофический код C.038
категория C.040
категория допуска S.042
категория защиты S.041
качество печати P.222
квадратная матрица S.267
квадратура Q.004
квази Q.012
квант Q.011
квантизатор Q.010
квантование Q.008
квантование времени T.097
квантование по времени T.092
квантование пространства S.241
квантователь Q.010, D.196
квантор Q.007
квантор всеобщности U.026
квантор существования E.145
к верхнему уровню U.036
квитанция A.029, A.027
квитирование H.021
кембриджское кольцо C.011
кибернетика C.364
кило K.001, K.017
китайская теорема об остатках C.098
клавиатура K.008
клавиша K.007
клавишный перфоратор K.011
класс C.121
класс (P-) формальных языков, P.001
классификация Флинна F.109
класс полиномиально-пространствен-ных задач P.316
класс PSPACE сложных задач P.316
класс смежности C.323
класс эквивалентности E.089
классы сложности C.215
кластер C.138
кластерный анализ C.139
ключ K.007,, S.407
ключевое слово K.015
ключевой параметр K.016
ключ сортировки S.226
книга B.117
книга шифров C.151
Кобол C.146
ковариация C.330
код C.149
код Грея C.051
код команды O.043, O.063
код операции O.032, O.043
код переменной длины V.012
код постоянной длины F.085
код Рида—Мюллера R.167
код Рида—Соломона R.194

533

код с избытком три E.128, X.005
код с исправлением ошибок E.103, N.034
код с контролем по четности P.046
код с обнаружением ошибок E.104
код Холлерита H.083
код 8421 C.150
код ISO—7 I.202
код (p-) P.076
КОДАСИЛ C.148
кодер-декодер C.152, C.154, E.060
кодер клавиатуры K.009
кодирование C.156, E.061
кодирование без возвращения к нулю с инверсией N.081
кодирование для сжатия C.020
кодирование источника S.230, S.232
кодирование по алгоритму Хаффмена H.100
кодирование по Шеннону—Фано S.123
кодирование путем модуляции M.214
кодирование символов C.074
кодовое слово C.155
кодово-импульсная модуляция P.075, P.327
кодово-импульсная модуляция с предсказанием P.195
коды Адамара H.002
коды Боуза—Чоудхури—Хокенгема B.042, B.125
коды Голея G.035
коды Гоппы G.039
коды Рида—Мюллера R.074
коды Рида—Соломона R.075
коды с повторением R.121
коды Файра F.076
коды Хемминга H.012
количество строк в минуту L.148
коллектор C.164
колода D.114
кольцевая сеть R.160
кольцевой список C.116
кольцевой счетчик P.158
кольцо L.141, P.157
кольцо разрешения записи W.057
команда C.179, I.108, I.117, O.062
команда безусловного перехода U.009
команда ветвления B.136, J.019, T.133
команда возврата R.144
команда вызова C.008
команда записи W.055
команда, не требующая обращения к памяти N.057
команда обращения к памяти M.110
команда передачи управления B.136, T.133
команда перехода B.136, J.019, T.133
команда сдвига S.137
команда считывания R.042
команда типа «память-память» M.111

команда условного ветвления C.255
команда условной передачи управления C.256
команда чтения R.042
командная программа C.181
командное слово I.117
командный цикл F.033, I.110
командный язык C.182
командный язык управления C.180
комбинаторика C.177
комбинаторная логика C.178
комбинационная логика C.175
комбинационная схема C.174, C.176
комбинация C.173
комбинированный язык программирования C.332
Комитет по системному планированию и выработке требований АНИС A.107
комментарий C.183
коммуникационная подсеть C.191
коммуникационный узел обслуживания C.190
коммутативная группа C.194
коммутативная операция C.196
коммутативное кольцо C.197
коммутативное полукольцо C.198
коммутативный закон C.195
коммутатор M.237, S.407
коммутационная панель P.066, P.132
коммутационный шнур P.067
коммутация B.024, S.408
коммутация каналов B.070, C.115, L.071
коммутация пакетов P.009
коммутация сообщений M.119
компакт-кассета C.035
компактный интерактивный стандартный Кобол C.119
компаратор C.200
компилятор C.205
компилятор компиляторов C.206
комплект ИС C.101
комплект программ S.388
комплементарная логика C.208
комплементарные МОП ИС C.142
композиционная таблица C.219
композиция C.218, R.107
компьютер C.225
конвейерная обработка P.114
конвейерный режим P.115
конденсация C.253
конец блока E.077
конец данных E.078
конец задания E.080
конец записи E.081
конец ленты E.082
конец передачи E.082
конец сеанса L.136
конец файла E.079
конечная последовательность F.072

конечное множество F.073
конечное поле F.070
конечный автомат F.067, F.074, F.151
конкатенация C.247
константа C.275
конструктивная функция C.277
контекстная грамматика C.283
контекстно-зависимая грамматика C.283
контекстно-зависимый язык C.284
контекстно-свободная грамматика C.281
контекстно-свободный язык A.075, C.282
контекстный язык C.284
контрапозиция импликации C.291
контроллер C.299
контроллер ввода-вывода I.179
контроллер канала C.068
контроль C.088
контроль за доступом A.018
контроль за функционированием P.086
контроль качества Q.006
контрольная запись C.302, J.016
контрольная распечатка D.313
контрольная сумма C.305, H.043, S.389
контрольная точка B.139, C.093
контрольник V.032
контрольное число P.043
контрольный двоичный разряд P.044
контрольный журнал A.170
контрольный знак C.089, C.090
контроль пакетов B.036
контроль по избыточности R.073
контроль по модулю nM.180
контроль по словам H.089
контроль по четности O.011, P.045
контроль правильности V.005
контроль с использованием избыточного кода C.372
контроль с использованием циклического избыточного кода C.340
контроль считывания при записи R.046
конференц-связь C.258
конфетти C.056
конфигурация C.260, P.070
конфиденциальность P.228
конфлюентный C.263
концевая вершина E.171
концевая запись T.125
концевая метка T.124
концевой узел L.020, T.100, T.051, L.021
концентратор C.249
концентратор данных D.029
концептуальная схема C.250
конъюнкция C.265
конъюнктивная нормальная форма C.144, C.266, S.288

копировать C.315
корень R.179
корпус с двухрядным расположением выводов D.206
корпус типа DIP D.206
корректировка U.035
корректировка файла F.062
корректирующее обслуживание C.320
корректность C.273
корреляция C.322
кортеж из n элементов N.083
косвенная адресация D.130, I.065
кососимметрическая матрица S.192
коэффициент блокирования B.109
коэффициент грубых ошибок для магнитной ленты E.112, R.032
коэффициент заполнения D.316, M.063
коэффициент объединения по входу F.010
коэффициент ошибок E.112
коэффициент простоя D.287
коэффициент разветвления по выходу F.013
коэффициент ранговой корреляции R.025
коэффициент сжатия в источнике сообщений S.233
коэффициент эффективности H.080
краевая задача B.130
красящая лента R.152
кратковременная ошибка S.205
кратная цель M.232
кремниевая схема на сапфировой подложке S.164
кремниевый кристалл S.163
кремний-сапфировая схема S.164
криогенная память C.350
криптографический анализ C.351
криптография C.352
криптология C.353
кристалл C.099
критерий Манна—Уитни M.049
критерий Найквиста N.019
критерий сложности C.217
критерий согласия G.038
критическая область C.342
критическая секция C.344
критический ресурс C.343
кросс-ассемблер C.345
кросс-компилятор C.346
круговой опрос абонентов R.172
крупность G.046
крупноформатная электронная таблица S.262
ку(q)-значный Q.001, Q.024
ку(q)-ичная логика Q.002
ку(q)-ичный Q.001
курсор C.360
кэш C.002

Л

Лазерное печатающее устройство L.008
левое поддерево L.030
леволинейная грамматика L.028
леворекурсивный синтаксический анализ L.090
левостороннее предшествование L.031
лексема T.105
лексикографическая сортировка L.042
лексикографический порядок L.041
лексический анализатор L.040, S.013
леммы накачки P.336, U.046
«ленивое» вычисление L.013
лента B.016, T.010
лента со смещением отверстий синхродорожки A.067
лента управления кареткой C.024
лентопротяжное устройство T.013, T.014, T.024, T.025
лентопротяжное устройство на бегущей магнитной ленте S.347
лентопротяжный механизм D.114, T.024
ленточная матрица B.018
ленточное печатающее устройство B.020, B.047
ленточный перфоратор T.022
ленточный файл T.015
лепестковое печатающее устройство D.004
лес F.114
линейная грамматика L.055
линейная логическая схема L.058
линейная независимость L.056
линейная программа I.094
линейная регрессионная модель L.064
линейная структура L.065, T.113
линейное программирование L.062
линейное рекуррентное соотношение L.063
линейно зависимый L.060
линейные алгебраические уравнения L.050
линейные коды L.054
линейные многошаговые методы L.061
линейный канал L.053
линейный массив I.051
линейный список L.057
линия задержки D.136
линия связи L.072, R.078
ЛИСП L.080
лист L.020, L.021, T.051
листинг L.083
листинг программы P.267
литерал L.088
литеральная константа L.088
личная тайна P.228
ловушка T.159
логика L.106
логика вычислительной машины C.236

логика на совмещенных транзисторах M.115
логическая блок-схема L.119
логическая команда I.124
логическая матрица, программируемая в процессе эксплуатации F.133
логическая операция L.126
логическая связка L.108
логическая схема L.116, L.118
логическая функция L.122
логические символы L.131
логические схемы L.106
логические схемы с совмещенными транзисторами M.210
логические языки программирования L.129
логический L.107
логический анализатор L.114
логический вентиль L.123
логический оператор L.127
логический пробник L.128
логический сдвиг L.112
логический тип данных L.109
логический уровень L.125
логический элемент L.120
логическое значение L.113
логическое кодирование L.110
логическое проектирование D.185
логическое сложение D.234
логическое состояние L.130
логическое устройство K.118
ЛОГО L.133
логон L.135
локальная оптимизация L.099, P.082
локальная ошибка L.098
локальная ошибка дискретизации L.096
локальная ошибка усечения L.096
локальная сеть L.003, L.095
локальный L.094
лямбда-исчисление L.002

М

Магазин C.053, Q.017, S.273
магазинный автомат P.077, P.345
магазинный список P.346, Q.017
магистраль T.186
магистраль данных D.059
магнитная головка M.026
магнитная карта M.021
магнитная лента M.030, M.036
магнитная полоска M.029
магнитная среда M.028
магнитная ячейка M.022
магнитное кодирование M.025
магнитный барабан M.024
магнитный диск M.023
магнитографическое печатающее устройство M.034
магнитотека T.019
мажоритарный элемент M.043

макет B.137, P.306
макетная плата B.137
Макинтош M.013
МАКЛисп M.014
макроассемблер M.016
макрогенератор M.017
макрокоманда M.015
макропроцессор M.017, M.019
макситерм M.083, S.292
малая клавиатура K.010
маморитарный элемент M.043
мандатный список C.014
мантисса F.134, M.050
Манчестерская вычислительная машина «Марк I» M.047
манчестерский код M.046
маркер M.057, M.058, T.105
маркер ленты T.020
маркер начала ленты B.126
маркерный импульс M.057
марковская цепь M.059
марковский источник M.060
маршрут P.069, R.184
маршрутизация R.186
маска прерываний I.159
маскирование M.064, M.065
массив A.137
массив со строками неравной длины R.010
массив с переменными границами F.094
массовое запоминающее устройство M.066
масштабирование S.012
математическая логика M.072
математическое ожидание E.149
математическое программирование M.073
матрица M.074, T.198
матрица данных D.052
матрица инциденций I.050
матрица перестановок P.094
матрица преобразования T.137
матрица связности C.271
матрица смежности A.064, R.036
матрица яркости G.052
матрицы Адамара H.003
матрицы Сильвестра S.414
матричное печатающее устройство D.275, M.078
матричный процессор A.138, I.036
машина M.003
машина логического вывода I.070
машина с байтовой организацией B.171
машина с символьной организацией C.078
машина Тьюринга T.103, T.192
машина Тьюринга, ограниченная во времени T.085
машина, управляемая потоком данных D.038

машинная графика C.235, S.189
машинная программа M.005
машинное моделирование M.011
машинное обучение C.141
машинное слово C.244, M.012
машинно-ориентированный язык M.010, M.182
машинный адрес A.005, M.004
машинный код M.005
машинный микрофильм C.109
машинный язык M.009
машинонезависимый M.007
МДКН/ОС C.355
МДКН с обнаружением столкновений C.027
мега M.001, M.095
медиана M.092
межблочный промежуток I.005
Международная организация по стандартизации I.201
Международная федерация по обработке информации I.026
международный алгоритмический язык I.002
международный алфавит номер 5 I.001
Международный консультативный комитет по телеграфии и телефонии C.046
Международный стандарт для вычислительных сетей и станций X.003
межквартильный размах I.154
межсетевой интерфейс G.009
межсетевой протокол I.149, I.192
меню M.112
метаассемблер M.120
метакомпилятор M.121
металлический диск M.123
метаязык M.122
метка L.001, M.057
метка грифа S.045
метка группы G.062
метка данных D.051
метка ленты T.018
метка на ленте T.021
метка оператора S.303
метка табуляции T.001
метка тома V.063
метка файла F.055
метод близнецов B.153
метод взвешенных наименьших квадратов W.015
метод Галеркина G.001
метод Джексона J.001
метод доступа A.019
метод карт M.053
метод конечных разностей F.068
метод конечных элементов F.069
метод контрольной суммы C.094, R.130
метод критического пути C.341
метод максимального правдоподобия M.082

метод Монте-Карло M.190
метод наилучшей подгонки B.049
метод наименьших квадратов L.025
метод Ньютона N.030
методология M.124
метод параллельной стрельбы P.035
метод первого подходящего F.078
метод пристрелки S.141
метод Рэлея—Ритца R.033
метод скользящего среднего M.202
метод трапеций T.160
метод управления потоками X.004
метод Шелла S.132
метод Эйлера E.122
методы матричных преобразований M.079
методы предсказаний и поправок P.196
методы прогнозирования Бокса — Дженкинса B.132
методы Рунге—Кутта R.198
методы с предиктором и корректором P.196
метрика Хемминга H.014
механизм протяжки T.155
мигание B.102
микро M.128
«Микродейта» M.133
микрокоманда M.136
микроконтроллер M.132
микропоследовательность M.141
микропрограмма M.130
микропрограммирование M.138
микропрограммный задатчик последовательности M.139
микропроцессор M.137
микропроцессорный блок M.203
микросхема M.129
микросхемная панелька C.102
микрофильм M.134
микрофиша F.039, M.134
микроЭВМ M.131
милли-M.143
миллион команд в секунду M.156
минимакс M.149
минимаксная процедура M.150
«минимальная машина» M.148
минимальная программная поддержка для реализации языка Ада M.055
минимашина M.146
минимизация M.151
минимум M.145
минитерм M.155, S.289
мини-ЭВМ M.146
Мичиганская терминальная система M.211
мнемокод M.163
многоабонентская линия M.221
многоадресная вычислительная машина M.230

многоадресный M.261
многозначная логика M.235, M.254, N.046, Q.002
многократная точность M.233, M244
многократно используемый ресурс R.145
многомерный анализ M.255
многомерный массив M.220
многопользовательская система M.253
многорежимный счетчик M.228
многосвязный M.226, M.241
многосеточные методы M.222
многослойный полупроводниковый прибор M.223
многостанционный доступ с контролем несущей C.027
многоточечная линия M.243
многоточечное соединение M.242
многоуровневая защита M.225
многоуровневая память M.224
многоформатная электронная почта M.227
многочлен P.150
множественное присваивание M.231
множество S.116
множество с отношением строгого порядка W.018
мобильный P.165, T.156
мода M.165
моделирование S.172
моделирующее устройство S.174
модель M.166, S.174
модель данных D.054
модель механизма защиты S.046
модель множественной регрессии M.234
модель Шеннона S.126
модем D.069
модифицированная частотная модуляция D.278, M.125
модифицирующие разряды M.167
Модула M.169
Модула-2 M.170
модуль M.176, P.003
модуль данных D.055
модульное программирование M.173
модульное тестирование V.023
модульный счетчик M.172
модулятор M.175
модулятор-демодулятор M.166
модуляция M.174
монитор M.186
монитор обработки транзакций T.116
моноид M.187
моноид преобразования T.138
моноканал M.243
мономорфизм M.188
монопольный режим B.163
моностабильный M.189, O.022
монтаж накруткой W.035
монтажная логика W.032

МОП-транзистор М.193, М.195
морфизм М.192
мост В.140
Моторола М.199
мощность С.020
МУЛЬТИБАС М.217
мультивибратор М.256
«МУЛЬТИКС» М.219
мультимножество В.013
мультиплексирование М.239
мультиплексная шина М.236
мультиплексный канал М.238
мультиплексор М.237, М.260
мультипрограммная система М.247
мультипроцессор М.215
мультипроцессорная вычислительная система М.252
мультипроцессорная система М.245, М.246
«мусор» G.007
«мусор на входе — мусор на выходе» G.026
мышь М.200

Н

Набор R.120
набор команд I.113, I.115
нагрузочный регистр Р.325
надежность R.111
надежность аппаратуры Н.033
надежность программного обеспечения S.216
надежный Т.187
назначать приоритеты Р.224
наибольший общий делитель G.014, G.054
наивысший уровень полномочий S.453
наименование N.002
наименьшая значащая цифра L.150
наименьшее общее кратное L.016, L.022
наименьший значащий бит L.150
найти F.066
накапливающий сумматор А.024
накопитель S.327
накопитель на гибких дисках F.104
накопитель на дисках D.238, D.243
накопитель на дискетах F.104
накопитель на магнитно-оптических дисках М.035
накопительный блок Р.158
накопитель на фиксированном диске F.082
нано N.005
направленное множество D.213
насыщение транзистора S.009
начальная алгебра I.089
начальная загрузка В.124
начальная загрузка программы I.192
начальное утверждение I.099
начальный символ S.080, S.297

неавтономный О.027
не выровненная по столбцам С.169
невыровненный массив R.010
не выровненный по строкам R.188
невырожденная матрица N.062
негативное видеоизображение R.150
негэнтропия N.016
недвоичная логика N.046
недетерминизм N.048
недетерминированная система I.057
недетерминированный N.079
недетерминированный во времени N.082
недетерминированный в пространстве N.082
недокументальная копия S.204
независимость данных D.042
независимость от данных D.081
независимый от сети протокол передачи файлов N.032
незашифрованный текст Р.123
неиерархический кластерный анализ N.052
неизменяемый цикл L.142
неисправимая ошибка L.195
неисправность F.018
нейтрализация неисправности F.009
нейтральный элемент I.016
нелинейная регрессионная модель N.055
нелокализованный объект N.056
немедленно декодируемый I.106
ненужная информация G.007
необнаруженная ошибка U.013
необработанные данные R.031
необратимое кодирование I.198
неоднозначная грамматика А.091
неопределенная функция U.011
неопределенность U.007
неориентированный граф U.014
неперезаписываемый компактный звукодиск С.050
непересекающиеся D.233
неподвижная головка F.083
непозиционный код Р.170
непосредственная адресация I.040
непосредственный ввод данных D.210
непрерывная функция С.287
непрерывный сигнал С.288
неприводимый многочлен I.196
непроцедурный язык N.060
неравенство I.068
неравенство Крафта К.029
неразрешимый U.010, U.033
нерегулярная логика R.018
нерешаемый U.033
несбалансированное дерево S.191
несвязная логическая матрица U.008
несвязный граф D.222
несимметричная система М.070
нестираемое программируемое устрой-

ство N.051
несущая С.026
нестандартное значение R.170
нетерминальный символ N.063
нетерминальный узел древовидной схемы N.064
неупорядоченное дерево U.031
не-фон-неймановская архитектура N.066
нечеткая логика F.168
нечетность О.012
неявная адресация I.046, I.086
нижний индекс S.375
нижняя граница L.144
нисходящая разработка Т.107
нисходящий синтаксический анализ Т.108
н-, к-код N.034
НОМАД N.045
норма С.087, N.069
норма вектора V.025
нормализация N.072
нормальная подгруппа N.073
нормальная форма N.071
нормальная форма Бэкуса—Наура В.115
нормальная форма Грейбаха G.056
нормальная форма Хомского С.106
нормальное распределение G.011, N.070
норма матрицы М.077
норма по скалярному квадрату Т.202
нормированный многочлен М.185
носитель М.093
носитель данных D.053
нотация (О-) О.028
НП-полный N.079
НП-трудный N.079
нулевая матрица N.090, Z.003
нулевая связь N.088
нулевая функция Z.002
нулевое слово Z.006

О

Обеспечение безопасности S.038
обеспечение качества программного обеспечения S.215, S.265
обеспечивать сопряжение I.139
область D.270, R.022
область ввода I.098
область вывода О.088
область действия S.024
область значений С.161
область пользователя U.041
область преобразования Т.140
область целостности I.120
обман S.259
обмен Е.131
обмен данными D.026
обменная сортировка слиянием М.116
обнаружение и исправление ошибок Е.105

обнаружение неисправностей F.019
обновление U.035
обновление файла F.062
обновлять R.082, R.083
обобщенная последовательностная машина G.016
обработка битов В.091
обработка данных D.062, D.288
обработка документов D.264
обработка запросов Q.016
обработка изображений Р.108
обработка информации I.077
обработка ошибок Е.108, Е.109
обработка сигналов S.153
обработка сообщений Т.075
обработка списков L.085
обработка текстов Т.064, W.038, W.049
обработка транзакций Т.129
обработчик прерываний I.157, I.029, I.157
образ I.037, Р.070
обратимая матрица I.173
обратная I.168
обратная импликация С.310
обратная матрица I.170
обратная польская запись R.149, R.191, S.387
обратное смещение R.148
обратный I.168
обратный анализ ошибок В.010
обратный ассемблер D.221
обратный гомоморфный образ I.169
обратный канал R.143
обратный магазинный список Р.347
обращение к супервизору S.399
обращение матриц М.075
обслуживающее устройство S.110
обслуживающие программы S.401, U.045
обучение с использованием ЭВМ С.004, С.044, С.227, С.231, С.232, С.238
обход Т.162
обход в глубину Р.179
обход в ширину Р.202
общая область С.184
общая рекурсивность G.019
общее название семейства вычислительных машин U.024
общее упорядочение Т.114
общий порядок Т.114
обыкновенные дифференциальные уравнения О.070
объединение U.017
объединение сетей I.150, N.026
объединенная почтовая, телеграфная и телекоммуникационная администрация Р.321
объединительная плата В.006, М.198

ориентированное дерево D.214
ориентированный граф D.198, D.212
ориентированный на пользователя U.042
ортогональная память O.078
ортогональные функции O.076
ортогональный анализ O.074
ортогональный базис O.075
ортонормированные функции O.081
ортонормированный анализ O.079
ортонормированный базис O.080
освобождение семафора U.037, V.065
ослабление A.166
основа H.019
основание B.028
основание системы счисления R.003
основная запись M.068
основная лента M.071
основная память M.039, M.041, P.210
основная программа M.040
основное поле B.032
основной индекс P.209
особенная матрица S.181
остовное дерево S.243
остовное дерево минимальной стоимости M.153
остовный подграф S.242
осуществлять доступ A.016
осциллограф O.083
отбрасывание T.183
отказ F.007
отказ в обслуживании D.150
отказобезопасный F.005
отказоустойчивая система F.021
откачка из оперативной памяти R.178
открытая подпрограмма O.035
отладка D.102
относительная адресация R.103
относительная частота R.105
отношение R.097
отношение длительности разноименных импульсов M.063
отношение конгруэнтности C.264
отношение порядка O.066
отношение сигнал/шум S.154
отношение смежности C.324
отношение эквивалентности E.091
отображать M.052
отображение D.246, M.054
отображение адреса A.056
отображение на ...O.030, S.403
отпирать T.175
отражение E.005
отрицание N.012
отрицательная логика N.014
отрицательное квитирование N.001, N.013
отсечение S.023
оценка защиты S.043

оценка ошибки E.107
оценка риска R.165
оцифровка D.195
очередь Q.017, P.347
очередь по приоритету P.227
очередь с двусторонним доступом D.158
очередь с обратной связью F.027
очистка S.005
очистка данных D.023
ошибка B.157
ошибка декодирования D.120
ошибка дискретизации D.231, T.184
ошибка записи W.053
ошибка округления R.182
ошибка считывания R.040
ошибка усечения D.231, G.031, T.184

П

Пакет P.003, P.005
пакет дисков D.242, P.002
пакетная обработка B.038
пакетная радиосвязь P.007
пакет ошибок B.162, E.101
пакет прикладных программ A.112, S.213
пакет программ машинной графики G.028
пакет протоколов P.304
пакетирование E.059
память M.097, S.327
память микропрограмм M.140
память нанопрограмм N.006
память на тонких пленках T.071
память на трубках Вильямса W.028
память на цилиндрических магнитных доменах M.020
память на ЦМД B.149, M.020
память с двумерной организацией L.059, T.199
память с оперативной записью/считыванием R.048
память с прямой адресацией I.033
парадокс Рассела R.202
параллелизм C.251
параллельная арифметика P.027
параллельная машина P.028
параллельная обработка P.032
параллельная передача P.036
параллельное программирование C.252
параллельный алгоритм P.026
параллельный ввод-вывод P.030, P.113
параллельный ввод—последовательный вывод P.117
параллельный доступ P.024
параллельный метод Батчера B.037
параллельный прогон P.034
параллельный сумматор P.025
параметр P.037
параметрические методы P.039

пароль P.064
Паскаль P.058
Паскаль-Плюс P.059
пассивная звезда P.063
пассивный I.049
патент P.068
первичная память P.210
первое поколение ЭВМ F.079
первоочередное выполнение задач с наивысшим приоритетом H.096
первым пришел — первым обслужен F.080
первым пришел — последним обслужен F.043
перевести в дежурный режим D.220
перевод строки L.067
перегрузка памяти T.073
передача данных D.026, D.080
передача данных с промежуточным хранением S.339
передача параметра P.038
передача файла F.061
пережигать B.101, B.113, B.159
перезапись O.095
перезаписываемое управляющее ЗУ W.052
перезаписывающая система R.151
перекачка S.405
переключатель S.054, S.407
переключатель DIL-типа D.200
переключательная схема S.410
переключатель с двухрядным расположением выводов D.200
переключать S.407
переключение каналов C.070
переключение каналов ввода-вывода I.191
перекрестная помеха C.348
перекрестное соединение C.347
перекрытие O.093
переменная R.021, S.362, V.011
переменная состояния S.306
переместить S.028
перемещаемая программа R.112
перемещаемый фрагмент объекта M.164
перемещение блоков данных S.279
перемножение матриц M.076
перемычка P.065
переносимый T.156
переносить P.164
переполнение O 092
пересечение I.162
перестановка P.092
перестраивать R.066
переход J.020
переход Джозефсона J.014
переход по ключу S.407
переход p-n P.137
перечень E.076, I.167

период дискретизации E.085
период работоспособности U.039
периферийное устройство P.087
периферийный интерфейсный адаптер P.088, P.105
периферийный процессор P.089
перпендикулярная запись V.038
персональная ЭВМ P.073, P.095
персональный компьютер P.095
перспективная процедура управления передачей данных A.046
перфокарта P.337, P.338
перфолента P.342
перфолента с синхронизацией по центру C.045
перфоленточный ввод-вывод P.021
перфорированная лента P.341
перфорированная этикетка P.340
петля L.141
печатающее устройство P.219
печатающее устройство с монолитным шрифтом S.219
печатающее устройство со сферической головкой G.036
печатающее устройство с проволочной матрицей W.034
печатная копия H.025
печатная плата P.074
печатная схема P.218, P.073
ПЗС C.045
пик P.106
пиксел P.118
пиктограмма I.011, I.031
пилообразный сигнал S.010
плавная перемычка F.167
плазменное табло P.125
плазменный индикатор P.125
планарный граф P.124
планирование заданий J.010
планирование эксперимента E.150
планировщик S.016
планировщик нижнего уровня D.244, L.146
плановое обслуживание S.015
план факторного эксперимента F.004
планшет T.005
планшетный графопостроитель F.092
планшетный цифратор B.094
плата B.116, C.113, C.114
плата с логическими схемами L.115
плата с печатным соединителем E.011, E.012
плоский экран F.093
плотность в битах B.090
плотность вероятности F.147
плотность записи D.152
плотность компонентов P.010
плотность размещения P.010
плотность упаковки D.152
плохо обусловленный I.033

полуслово H.007
полустепень захода I.056
полустепень исхода O.085
полусумматор H.004
пользовательский интерфейс H.046, H.098, H.101, U.003, U.043
пользовательский режим U.044
польская запись P.147
помехи N.038
помехоустойчивое кодирование N.040
помехоустойчивость N.039
помечать T.006
помещать D.154
помещать в стек P.344
понижение порядка D.132
понижение речи S.251
поперечный контроль V.035
поразрядная сортировка P.140, R.009
поразрядное дополнение D.202, R.006
подразрядное дополнение до девяти N.033
поразрядный обмен R.005
пороговый элемент T.081
порождаемость по Посту P.181
порождающая матрица G.023
порождающий многочлен G.020
порт P.164
порт ввода-вывода I.188
порча данных D.030
порядок E.153, O.062
порядок предшествования O.067
порядок следования команд I.114
посимвольное печатающее устройство C.079
посимвольно эквивалентные языки L.037
последним пришел — первым обслужен L.009, L.045
последняя версия файла F.017
последовательная арифметика S.100
последовательная выборка S.098
последовательная обработка вызовов S.179
последовательная передача S.109
последовательное печатающее устройство S.106
последовательное программирование S.108
последовательное прохождение S.088
последовательно-параллельный S.105
последовательности Фибоначчи F.038
последовательностная машина S.092, S.095
последовательностная схема S.092
последовательностная функция S.094
последовательностное устройство S.095
последовательностный преобразователь S.097
последовательность S.084
последовательность (m-) M.206

последовательность (PN-) P.139
последовательность Баркера B.026
последовательность вывода D.159
последовательность импульсов P.333
последовательность максимальной длины M.080
последовательность релаксации S.384
последовательный алгоритм S.091
последовательный ввод-вывод S.102, S.183
последовательный ввод и параллельный вывод S.101, S.184
последовательный ввод и последовательный вывод S.103, S.186
последовательный доступ S.090, S.098
последовательный интерфейс S.104
последовательный процесс S.107
последовательный сумматор S.099
последовательный файл S.093
«посмертный» P.178
постановка задачи P.233
постепенное сокращение возможностей G.043
постепенный переход к пределу D.131
постоянная линейная скорость C.140
постоянная ошибка H.027
постоянная угловая скорость C.042
постоянное запоминающее устройство (ПЗУ) R.043, R.175
постоянно замонтированный H.035
постпроцессор B.003, P.180
постранично печатающее устройство P.015
постредактирование P.176
построчно печатающее устройство L.069
построчный порядок R.187
постусловие P.175
постфиксная нотация P.177
посылка M.057
потенцирование E.157
потеря значимости U.012
потеря точности C.012
поток S.344
поток данных D.071
поток данных через границу государства T.130
поток заданий J.012
поток команд I.116
почтовая телеграфная и телефонная администрация P.174
почтовые средства с многообразными носителями информации M.227
почтовый ящик M.037
пошаговая детализация S.323
пошаговая работа S.178
поэтапное усовершенствование S.323
появление ложного сигнала D.294
правила вывода I.071
правило Ардена A.124

правило трапеций Т.161
правило ELSE Е.045
правильно построенная формула W.017, W.019
правое дерево R.156
праволинейная грамматика Р.154
превышение лимита времени Т.091
предварительно запоминать Р.206
предварительный просмотр L.138
предварительный просмотр по схеме ускоренного переноса С.028
предикат Р.192
предложение S.302
предок А.102
предоставление ресурса R.135
предпоследняя версия главного файла G.045
представительный уровень Р.204
представление в виде величины со знаком S.159
представление в виде двоичного дерева В.078
представление с избытком n Е.130
представление символов С.081
представление с плавающей точкой F.100
представление с фиксированной точкой F.086
предусловие Р.191
предшествование Р.188
предъявление полномочий А.173
преждевременное прекращение А.004
преобразование С.311, Т.135
преобразование в цифровую форму D.195
преобразование данных D.079
преобразование программ Р.287
преобразование протокола Т.146
преобразование сигнала S.151
преобразование Уолша W.006
преобразование Фурье F.130
преобразователь Т.132
преобразователь предикатов Р.194
преодоление защиты Р.083
препроцессор Р.203, F.150
прерывание I.156
прерывание для обмена данными D.017
прерывание по вводу-выводу I.158
префикс Р.198
префиксная запись Р.200
префиксная нотация Р.200
префиксное свойство Р.201
префиксные коды Р.199
приближение Чебышева С.087
прибор с зарядовой связью С.084
приборы, программируемые в процессе эксплуатации F.042
приведение к диагональной форме D.172
привилегированные команды Р.229

привод А.037
приводимый полином R.070
приглашение Р.294
приемная бобина Т.009
приемник информации I.074
приемопередатчик Т.131
приемопередающий терминал S.076
приемопередающее устройство Т.131
приемосдаточные испытания А.014
признак F.090, Т.006, Т.021
признак конца Р.170, Т.050
признак конца ленты Е.083
прикладная робототехника А.117
прикладная программа А.113
прикладной программист А.114
прикладной уровень А.111
прикладной терминал А.115
примесный полупроводник Е.177
примитив Р.212
примитивно рекурсивная функция Р.216
примитивный многочлен Р.215
примитивный элемент Р.214
принимать А.013
приостановленный S.404
приоритет Р.188, Р.225
приоритетное распределение Р.197
приоритетный шифратор Р.226
приоритет прерывания I.160
присваивание состояния S.300
присоединять А.165
проблема выполнимости S.008
проблема остановки Е.075, Н.009
проблема счета С.328
проблема разрешимости D.109
проблемная среда Р.236, Р.307
проблемно-ориентированный язык Р.146, Р.235
пробная функция Т.170
пробный прогон D.299
«пробуксовка» Т.073
проверить и установить Т.055
проверка С.088, Т.059
проверка данных D.083
проверка по критерию значимости S.160
прогон бумаги Р.019, Р.022
прогон текста Т.060
программа С.149, М.113, Р.256, R.185
программа Alvey А.090
программа загрузки L.093
программа, инвариантная к типу уравнения Т.210
программа контроля С.091
программа на входном языке S.229, S.236
программа обработки крупноформатных таблиц S.262
программа-планировщик S.016
программа проверки правильности ис-

546

процедурные языки I.043, P.238
процесс P.241, T.028
процесс, ограниченный по входу L.101
процессор P.244
процессор ввода-вывода I.186
процессор, работающий с множеством потоков команд и множеством потоков данных M.144
процессор с одним потоком данных и множеством потоков команд M.158
процессор с одним потоком команд и множеством потоков данных S.165
процессор с одним потоком команд и одним потоком данных S.185
процессор сопряжения с терминалами T.099
процессор (MISD-) M.158
процессорное время P.247
«прочесть информацию по машинному адресу» P.081
прямая адресация D.208
прямая защита от ошибок F.127
прямая передача данных B.030
прямое исправление ошибок F.127
прямое произведение D.218, P.248
прямое совмещение F.126
прямое цифровое управление D.094, D.211
прямой ввод данных D.096
прямой доступ к памяти D.216, D.260
прямой порядок P.297
прямоугольная таблица O.077
прямоугольный сигнал S.268
псевдокод P.308
псевдокоманда P.309
псевдослучайные числа P.313
псевдослучайный P.312
псевдошумовая последовательность P.311
псевдоязык P.308, P.310
пузырьковая сортировка B.150, E.133
пуассоновское распределение P.144
пул P.158
пульт оператора C.274
пустая строка E.054, N.092
пустое множество E.053, N.091, V.059
пустой B.099
пустой носитель E.052
пустой список E 051, N.089
путь данных D.059
пятое поколение ЭВМ F.044

Р

Работа T.028
работа со строковыми данными S.351
работать в инерционном режиме S.344
рабочая нагрузка линии T.122
рабочая область W.042, W.046
рабочая поверхность S.114
рабочая станция W.047
рабочая функция W.044

рабочие режимы E.139
рабочий комплект W.045
рабочий прогон P.251
рабочий файл W.043
равнозначность B.053
равномощность E.087
радиус Хемминга H.015
разбиение S.257, P.057
разбиение на пикселы P.119
разброс S.261
разведочный анализ данных E.152
развертывание по столбцам C.168
разводка питания P.185
разводка питающих цепей P.185
развязка I.203
развязывание цен U.006
разгрузка D.312
разделение времени T.096
разделитель D.140, S.083
разделитель-сортировщик B.161
разложение Холецкого C.104
разложение (LDU-) L.017
размах R.022
размерность D.201, L.032
размер слова W.040
размер шага S.322
разностные уравнения D.177
разность множеств S.118, R.104
разреженная матрица S.244
разрешать E.057
разрешающая процедура D.110
разрешающая способность R.133
разрешение R.133
разрешимый D.107, S.222
разрядно-модульная B.096
разрядность C.015
разрядность шины W.027
разумный терминал S.199
ранг R.023
ранговая корреляция R.024
рандомизация H.038
раскладочное устройство D.122
распаковывать U.032
распечатка L.083, P.221
распечатка памяти M.101
распечатка программы P.262
распознавание знаков C.080
распознавание магнитных знаков M.027, M.127
распознавание метки M.062
распознавание образов P.072
распознавание речи S.250
распознавать R.053
распределение D.253
распределение вероятностей P.232
распределение памяти M.108, S.328
распределение процессорных ресурсов P.245
распределение Пуассона P.144
распределение ресурсов R.135

распределение ресурсов без прерывания обслуживания N.059
распределение символов L.036
распределение устройств ввода-вывода I.184
распределение хи-квадрат C.103
распределенная база данных D.249
распределенная обработка D.251
распределенная система D.252
распределенная файловая система D.250
распределенный матричный процессор D.248
распределительные законы D.256
распространение ошибки E.111
расстояние Ли L.027
расстояние Хемминга H.013
растровая графика R.027
растровое сканирование R.028
расфазировка S.190
расфазировка тактовых сигналов C.130
расходуемый ресурс C.278
расширение E.166
расширение поля E.167
расширенная адресация A.171, E.160, E.164
расширенная версия языка Алгол для задач проектирования A.068
расширенная нормальная форма Бэкуса E.004, E.161
расширенная сеть переходов A.172
расширенный двоично-десятичный код для обмена информацией E.003
расширитель импульсов P.332
расширяемость E.163
расширяемый язык E.165
реализация I.044, I.107
ребро E.010
регенеративная память R.084
регенеративное считывание R.038, R.085
регенерировать R.082, R.083
регистр R.086, S.134
регистр адреса I.109
регистр ввода-вывода I.189
регистр данных запоминающего устройства M.084
регистр защиты памяти B.031, B.033, D.087
регистр команд I.112, O.068
регистр операции O.044
регистр последовательного управления S.085
регистр с обратной связью F.028
регистр состояния S.319
регистр с прямой связью F.029
регистр текущего адреса C.357
регистр текущей команды C.111, C.358
регистрация L.132, S.165

регистрация данных D.047
регрессионный анализ R.089
регулярная грамматика R.092
регулярное выражение R.091
регулярное множество R.096
регулярное представление R.095
регулярные операции R.094
регулярный язык R.030, R.090, R.093
редактирование файла F.050
редактор E.015
редактор связей L.073
редукционная машина R.071
режекторный фильтр B.021, B.022, N.075
режим M.165
режим исполнения E.143
режим локального отображения L.097
режим определения секретности S.048
режим пользователя U.044
режим разделения времени T.096
режим супервизора E.143
резерв B.008
резидентный R.129
резисторно-транзисторные логические схемы R.132, R.196
резолюция R.133
результат транспонирования T.158
реконструировать R.055
реконфигурация R.054
рекуррентное соотношение R.060
рекурсивная подпрограмма R.069
рекурсивная функция R.064
рекурсивное множество R.068
рекурсивное отношение R.067
рекурсивно перечислимое множество R.066
рекурсивный список R.065, S.065
рекурсия R.061
реляционная алгебра R.098
реляционная модель R.101
реляционная СУБД R.100
реляционное исчисление R.099
ремонт R.113
ремонтное обслуживание R.113
рестарт R.139
ресурс R.134
ретранслятор R.109
ретрансляционный узел R.109
рефлексивное замыкание R.080
рефлексивное отношение R.081
решетка L.012
решетка с дополнениями C.209
риск H.045
робастность R.169
робототехника R.168
родительский M.197
родительский узел P.040
РТЛ схемы R.132, R.196
руководитель отдела обработки данных

сеть передачи данных с коммутацией пакетов Р.317
сеть Петри Р.096
сеть связи С.188
сеть с дополнительными услугами V.006, V.007
сеть с пакетной коммутацией С.365
сеть с передачей маркера Т.106
сеть Управления перспективных исследований А.136
сеть ЭВМ С.240
сеть Эзернет Е.117
сеть DX-2 D.317
сжатие данных D.028, D.066
сжимающее кодирование С.220
Си С.001
сигма-дерево S.147
сигма-слово S.148
сигма-терм S.147
сигма-язык S.146
сигнал S.150
сигнал готовности R.049
сигнал занятости В.169
сигнал разъединения Н.024
сигнал состояния S.319, S.320
сигнал треугольной формы Т.172
сигнализация посылками постоянного тока D.093
сигнальная метка S.082
сигнальная операция S.152
сигнатурный анализ S.155
сильносвязанный Т.084, S.354
символ С.073, L.035
символ «возврат каретки» С.025
символ пробела N.086
символическая адресация S.415
символическая логика S.417
символический язык S.416
символьная строка С.083
символьные операции S.418
симметрическая группа S.422
симметрическая матрица S.424
симметрическая функция S.421
симметричное отношение S.426
симметричный обход I.096, S.425
симплекс S.168
симплекс-метод S.170
симплексное соединение S.168
симплексные коды S.169
СИМУЛА S.171
синдром S.434
синтаксис S.437
синтаксическая диаграмма S.440
синтаксическая ошибка S.442
синтаксический анализ Р.050, S.438
синтаксический анализ LР-типа L.149
синтаксический анализ рекурсивной конструкции R.063
синтаксический анализатор Р.047, S.439

синтаксический блок транслятора S.439
синтаксический компилятор S.441
синтаксический моноид S.436
синтезатор речи S.249
синхронизатор S.429
синхронизация С.127, S.428
синхронная схема S.431
синхронное временное мультиплексирование S.433
синхронное управление передачей данных S.029
синхронный S.430
синхронный счетчик S.432
система С.288, S.444
система адаптивного управления А.042
система анализа баз данных D.174
система базы данных D.016
система «ведущий-ведомый» М.070
система дискретных данных S.003
система дополнений С.210
система замков и ключей L.104
система каскадного кодирования С.246
система кассовых терминалов Р.142
система команд I.113, I.115
система Линденмайера L.049, L.152
система линейных алгебраических уравнений L.050
система МАК М.002
система нелинейных уравнений N.054
система параллельной перезаписи Р.033
система поддержки принятия решений D.111
система поддержки программных разработок Р.264
система продукций Поста Р.181
система продукционных правил Р.250
система, работающая в многопрограммном режиме М.247
система реального времени R.052
система связи С.192
система с коллективным доступом М.215
система со встроенной ЭВМ Е.048
система создания трансляторов Т.149
система с открытым ключом Р.323
система с совместно используемой логикой S.129
система счисления N.094
система счисления со смещенным основанием М.159, М.161
система счисления с постоянным основанием F.081, F.088
систематическая ошибка Р.091
систематический код S.446
систематический язык программирования В.043
система торговых автоматов Р.142
система Туэ Т.083
система управления базой данных

тезис Черча C.108
текстовый процессор W.039, W.049
текстовый редактор T.062
текстообработка T.064, W.038
текст Шеннона S.128
телекоммуникационная компания C.185
телеконференцсвязь T.034
телетайпная сеть T.040
телетайпный терминал T.038, T.211
телетекс T.036
телетекст T.037
теорема Клини K.022
теорема Клини о регулярных выражениях K.023
теорема о канальном кодировании C.067
теорема о кодировании источника S.231
теорема о неподвижной точке F.087
теорема о промежутке G.006
теорема о рекурсии R.062
теорема Парика P.042
теорема ускорения S.253
теорема Черча—Россера C.107
теоремы Геделя о неполноте G.034
теоремы кодирования C.160
теоремы о неполноте I.053
теоремы Шеннона S.127
теория игр G.004
теория информации I.084
теория массового обслуживания Q.019
теория переключательных схем S.412
теория приближения A.118
теория программирования P.281
теория связи C.193
теория систем S.462
теория типов T.068
теория формальных языков F.118
тара T.044
терм (Σ-) S.147
терминал T.045
терминальная операционная система T.110
терминальное оборудование D.302
терминальный символ T.045, T.047
термографическое печатающее устройство T.069
термографическое печатающее устройство с подачей красящего вещества T.070
тестер E.144
тестирование T.059
тестирование модулей M.179
тестирование программы P.286
тестирование связей L.078
тестирование системы в целом I.128
тестовые данные T.057
тестовый прогон T.060
техника программного обеспечения S.209
техника структурного анализа и про-

ектирования S.001
техническое задание E.159, R.124
техническое обслуживание M.042, S.112
техническое описание D.070
технология быстродействующих МОП-приборов H.081
технология обработки информации I.083
тип данных D.082
тип информационного объекта T.208
тогда и только тогда I.025
том V.062
топология T.109
топология внутренних соединений T.109
топология сети N.028
топология шины B.168
торговая марка операционной системы M.261
торговый автомат P.166
торцевой соединитель E.013
тотальная функция T.112
точка в позиционной системе счисления P.008
точка входа E.072, E.074
точка выхода E.146
точка контрольной разгрузки D.314
точка сочленения A.139, C.363
точное двоичное дополнение T.204
точное дополнение R.004, T.182
точное дополнение до десяти T.042
точность представления P.190
трай-поиск T.174
тракт T.118
транзакция T.127
транзистор T.142
транзисторно-транзисторные логические схемы T.101, T.143, T.189
транзитивное замыкание T.144
транзитивное отношение T.145
транзитный участок H.088
транзисторно-транзисторные логические схемы с диодами Шоттки S.022
транслятор T.148
транспортировка T.155
транспортный уровень сетевого протокола T.157
трансформационная семантика T.136
трассировка R.186
трафик T.122
третье поколение вычислительных машин T.072
треугольная матрица T.171
трехадресная команда T.077
трехзначная логика T.052
трехмерный массив T.078
тривиальный граф T.179
триггер F.097
триггер с импульсным запуском P.334

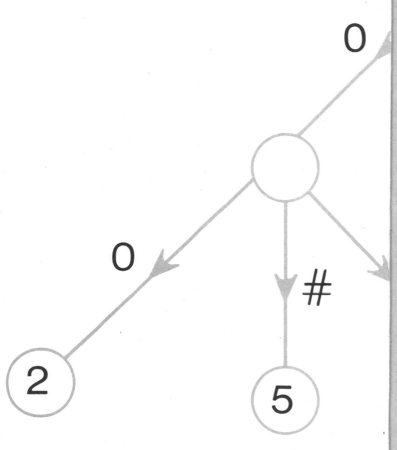

СПРАВОЧНОЕ ИЗДАНИЕ

ТОЛКОВЫЙ СЛОВАРЬ ПО ВЫЧИСЛИТЕЛЬНЫМ СИСТЕМАМ

Редактор Д. П. Бут
Переплет художника С. Н. Голубева
Художественный редактор С. Н. Голубев
Технический редактор И. В. Малыгина
Корректоры И. М. Борейша, Н. Г. Богомолова

ИБ № 5827

Сдано в набор 27.06.90. Подписано в печать 24.10.91. Формат 60×90¹/₁₆. Бумага офсетная № 2. Гарнитура литературная. Печать офсетная. Усл. печ. л. 35,0. Усл. кр.-отт. 35,0. Уч.-изд. л. 57,03. Доп. тираж 70 000 экз. Заказ 388. Цена договорная.

Ордена Трудового Красного Знамени издательство «Машиностроение», 107076, Москва, Стромынский пер., 4

Типография № 6 ордена Трудового Красного Знамени издательства «Машиностроение» при Государственном комитете СССР по печати. 193144, Ленинград, ул. Моисеенко, 10.

шаговый двигатель S.321
шаровой манипулятор T.119
шасси C.085
шестнадцатеричная запись H.061
шестнадцатеричная клавиатура H.062
шестнадцатеричный H.060
шина B.164, B.165, H.076, I.022, T.185
шина ввода-вывода I.177
шина данных D.018
шина S-100 S.011
ширина ленты B.023
ширина полосы B.023
широковещательная передача B.144
широкополосные коаксиальные системы B.142
шифр C.110, C.374
шифратор E.060
шифрование E.063, R.192
шифртекст C.110
шкала яркости C.053
шлюз G.009
шрифт для оптического распознавания O.052
штифтовая головка P.112
штриховой код B.025
штрих Шеффера S.131
шум N.038
шум квантования Q.009
шумовая последовательность N.042
шумовой метод N.044

Щ

Щелевое считывающее устройство S.196

Э

ЭВМ C.225
ЭВМ с непосредственной связью D.209
ЭВМ с сокращенным набором команд R.163
ЭВМ с фиксированной длиной слова F.089
ЭВМ EDVAC E.019
ЭВМ EDSAC E.018
ЭВМ ENIAC E.070
ЭВМ IBM 360 I.007
ЭВМ IBM 370 I.008
эвристический H.058
Эдинбургская система коллективного пользования E.047
Эдисон E.014
эйлеров маршрут E.121
эквивалентность E.088
эквивалентность машин M.006
эквивалентность по Майхиллу M.262
эквивалентность по Нероуду N.017
эквивалентные двоичные знаки E.092
эквивалентные деревья E.093
экран S.026
экранный редактор S.027
экспертные системы E.151
экспоненциальное время C.217, E.155
экспоненциальное пространство C.217, E.155
экспоненциальный сигнал E.156
экстраполяция E.176
экстраполяция Ричардсона R.153
электрически перепрограммируемое постоянное запоминающее устройство (ЭППЗУ) E.001
электрографическое печатающее устройство E.033, E.040
электролюминесцентный индикатор E.034
электромеханический программируемый калькулятор Z.001
электронная картотека E.036
электронная обработка данных E.016, E.035
электронная почта C.237, E.038
электронное учреждение E.039
электронно-стираемое постоянное запоминающее устройство (ЭСПЗУ) E.020
электронно-лучевая трубка C.041, C.349
электронный кассовый аппарат P.166
электростатическое запоминающее устройство E.043
электростатическое печатающее устройство E.042
электрочувствительное печатающее устройство E.041
элементарная дизъюнктивная форма M.083, S.292
элементарная конъюнктивная форма S.289
элемент E.044, E.072
элемент алфавита L.035
элемент данных D.086
элемент запоминающего устройства M.102, S.330
элемент ИА.103
элемент изображения P.118
элемент ИЛИ O.072
элемент памяти M.102
элемент с открытым коллектором O.033
эмиттерно-связанная логика E.008, E.050
эмулятор E.056
эмуляция E.055
эндоморфизм E.066
энергозависимое запоминающее устройство N.065, V.060
энтропия E.071
эпиморфизм E.084
эргодический источник E.098
эрмитова интерполяция H.056
эстафетная кольцевая сеть T.106
эталонная лента M.071
эталонная модель ВОС I.205
эталонная модель взаимодействия открытых систем I.205

СПРАВОЧНОЕ ИЗДАНИЕ

ТОЛКОВЫЙ СЛОВАРЬ ПО ВЫЧИСЛИТЕЛЬНЫМ СИСТЕМАМ

Редактор Д. П. Бут
Переплет художника С. Н. Голубева
Художественный редактор С. Н. Голубев
Технический редактор И. В. Малыгина
Корректоры И. М. Борейша, Н. Г. Богомолова

ИБ № 5827

Сдано в набор 27.06.90. Подписано в печать 24.10.91. Формат 60×90¹/₁₆. Бумага офсетная № 2. Гарнитура литературная. Печать офсетная. Усл. печ. л. 35,0. Усл. кр.-отт. 35,0. Уч.-изд. л. 57,03. Доп. тираж 70 000 экз. Заказ 388. Цена договорная

Ордена Трудового Красного Знамени издательство «Машиностроение», 107076, Москва, Стромынский пер., 4

Типография № 6 ордена Трудового Красного Знамени издательства «Машиностроение» при Государственном комитете СССР по печати. 193144, Ленинград, ул. Моисеенко, 10.